Джон Голсуорси
1867 — 1933

ЗАРУБЕЖНАЯ КЛАССИКА

Джон

ГОЛСУОРСИ

Сага о Форсайтах

Том 2

СОВРЕМЕННАЯ КОМЕДИЯ

Белая обезьяна

Идиллия

Серебряная ложка

Встречи

Лебединая песня

Москва
« ЭКСМО-ПРЕСС »
2000

УДК 820
ББК 84(4Вл)
Г 60

Разработка оформления *А. Яковлева*

Голсуорси Д.

Г 60 Сага о Форсайтах: Т.2. /Пер. с англ. — М.: Изд-во ЭКСМО-Пресс, Изд-во ЭКСМО-МАРКЕТ, 2000. — 800 с. (Серия «Зарубежная классика»).

ISBN 5-04-004405-4 (Т.2)
ISBN 5-04-003951-4

«Сага о Форсайтах» — это сама жизнь, во всей своей трагичности, в радостях и потерях, жизнь не очень-то счастливая, но свершившаяся и неповторимая.

Второй том «Саги о Форсайтах», названный автором «Современная комедия», включает в себя романы «Белая обезьяна», «Серебряная ложка» и «Лебединая песня».

УДК 820
ББК 84(4Вл)

ISBN 5-04-004405-4 (Т.2)
ISBN 5-04-003951-4

БЕЛАЯ ОБЕЗЬЯНА

Все вперед, все вперед,
Отступления нет,
Победа иль смерть.

Гей

ЧАСТЬ ПЕРВАЯ

I. ПРОГУЛКА

В этот памятный день середины октября 1922 года сэр Лоренс Монт, девятый баронет, вышел из «Клуба шутников», как прозвал его Джордж Форсайт в конце восьмидесятых годов, спустился по ступеням, стертым ногами приверженцев существующего порядка вещей, повел своим острым носом по ветру и быстро засеменил тонкими ногами. Занимаясь политикой скорей по долгу высокого рождения, чем по призванию, он смотрел на переворот, вернувший к власти его партию, с беспристрастностью, не лишенной юмора. Проходя мимо клуба «Смена», он подумал: «Да, им теперь придется попотеть! Пусть посидят без сладкого для разнообразия!»

Командоры и короли удалились из «Клуба шутников» еще до вступления туда сэра Лоренса; он-то не принадлежит к этим крохоборам, которым теперь дали отставку, нет, сэр! Он не из тех людей, что отмахнулись от земельной проблемы, как только кончилась война, — брр! Однако целый час он слушал отклики на последние события, и его живой и гибкий ум, насквозь пропитанный культурой прошлого и полный скептицизма по отношению к настоящему и ко всем политическим платформам и декларациям, с насмешкой отмечал путаницу патриотических мотивов и забот о личной выгоде, которая осталась после этого знаменательного собрания. Как большинство землевладельцев, он не доверял никаким доктринам. Его единственным политическим убеждением был налог на пшеницу, и, насколько он мог судить, единомышленников у него не осталось; впрочем, он и не думал выставлять свою кандидатуру на выборах, — другими словами, на его принцип не могли покуситься избиратели, которым приходилось платить за хлеб. «Принципы! — думал он. — Ведь au fond[1] — это карман!» И, черт побери, когда же люди перестанут притворяться, что это не так! Карман, разумеется, в широком смысле слова, — так сказать, эгоистические интересы каждого как члена определенного общества. А как, черт возьми, это определенное общество — английская нация сможет существовать, если все его поля останутся необработанными, а вражеские аэропланы будут грозить разрушением английским кораблям и докам? В клубе он весь этот час ждал, чтобы хоть раз упомянули о земле. И никто — ни слова! Это, видите ли, не политика! Вот проклятье! Им бы только протирать брюки, чтобы удержаться на своем месте или добиться нового. Какая связь между их брюками и заботой о будущем страны? Никакой, ей-богу! При мысли о будущем страны ему неожиданно пришло в голову, что жена его сына до сих пор, по-видимому, никак этим будущим не озабочена. Два года! Пора им подумать о детях. Опасная привычка — не заводить детей, когда от этого зависят и титул и поместье. Улыбка тронула его губы и лохматые брови, похожие на путаные черные закорючки. Очень мила, удивительно привлекательна! И знает это сама! С кем только она не встречается! Львы и тигры, обезьяны и кошки — ее дом стал просто зверинцем для всяких больших и маленьких знаменитостей. Есть в этом что-то неестественное. И, глядя на одного из бронзовых британских львов на Трафальгар-сквер, сэр Лоренс подумал: «Скоро она и этого затащит к себе в дом! У нее страсть к коллекционированию. Майклу надо быть начеку — в доме коллекционеров всегда есть чулан для старого хлама, и мужьям легко попасть туда. Да, кстати: я обещал ей китайского посланника. Придется ей, пожалуй, подождать до окончания выборов».

В конце Уайтхолла, под сереющим на востоке небом, на миг появились башни Вестминстера. «Что-то нереальное даже в них, — подумал он. — А Майкл со своими причудами! Впрочем, это модно — социалистические убеждения и богатая жена. Самопожертвование и безопасность! Мир и процветание. Шарлатанское снадобье от всех болезней — десять пилюль на пенни!»

Миновав газетную сутолоку Черинг-Кросса, обезумевшего от политического кризиса, сэр Лоренс повернул налево, к издательству Дэнби и Уинтера, где его сын состоял младшим компа-

---

[1] В конце концов (*фр.*).

ньоном. Новая тема для книги только что зародилась в мозгу, уже подарившем миру «Жизнь Монтроза», «Далекий Китай» — книгу о путешествиях на Восток, и фантастический диалог между тенями Гладстона и Дизраэли, озаглавленный «Дуэт». С каждым шагом, уводившим сэра Лоренса от «Шутников» на восток, его прямая тонкая фигура в пальто с каракулевым воротником и худое лицо с седыми усами и черепаховым моноклем под темной подвижной бровью казались все более редким явлением. Но он стал почти феноменом в этом унылом переулке, где тележки застревали, словно зимние мухи, и люди проходили с книгами под мышкой, будто шли учиться.

Он почти дошел до дверей издательства, когда навстречу ему показались двое молодых людей. Один из них, конечно, его сын; он после женитьбы стал одеваться много лучше и, слава богу, курит сигару вместо этих вечных папиросок. А вот другой — ах да, поэт, любимец Майкла, был у него шафером — идет, закинув голову, велюровая шляпа, и лицо какое тонкое!

— А, Майкл!

— Хэлло, Барт. Ты знаком с моим родителем, Уилфрид? Это — Уилфрид Дезерт, автор «Медяков». Настоящий поэт, Барт, верно говорю! Непременно прочтите! Мы идем домой. Пойдемте с нами.

Сэр Лоренс повернул.

— Что нового у «Шутников»?

— «Le roi est mort!»[1]. Лейбористы уже могут начинать свое вранье, Майкл, — выборы назначены на следующий месяц.

— Барт вырос в те дни, Уилфрид, когда люди еще не имели понятия о Демосе.

— Скажите, мистер Дезерт, а вы-то находите что-нибудь реальное в нынешней политике?

— А разве для нас на свете есть что-нибудь реальное, сэр?

— Да, подоходный налог.

Майкл засмеялся.

— Кроме дворянского звания, нет ничего лучше простодушной веры.

— Предположим, твои друзья придут к власти, Майкл; отчасти это неплохо, они бы выросли немного, а? Но что они смог-

---

[1] «Король умер!» (*фр.*) — формула, принятая для объявления о смерти французских королей и о воцарении наследника: «Король умер, да здравствует король!»

ли бы сделать? Могут ли они воспитать вкус народа? Уничтожить кино? Научить англичан хорошо готовить? Предотвратить угрозу войны со стороны других стран? Заставить нас самих растить свой хлеб? Остановить рост городов? Разве они перевешают изобретателей ядовитых газов? Разве они могут запретить самолетам летать во время войны? Разве они могут ослабить собственнические инстинкты где бы то ни было? Разве они вообще могут что-нибудь сделать, кроме как переменить немного распределение собственности? Политика всякой партии — это только глазурь на торте. Нами управляют изобретатели и человеческая природа; и мы сейчас в тупике, мистер Дезерт.

— Вполне согласен, сэр.

Майкл пыхнул сигарой.

— Оба вы — старые ворчуны!

И, сняв шляпы, они прошли мимо Гробницы[1].

— Удивительно симптоматично — эта вот вещь, — заметил сэр Лоренс, — памятник страху... страху перед всем показным. А боязнь показного...

— Говорите, Барт, говорите, — сказал Майкл.

— Все прекрасное, все великое, все пышное — все исчезло! Ни широкого кругозора, ни великих планов, ни больших убеждений, ни большой религии, ни большого искусства — эстетство в кружках и закоулках, мелкие людишки, мелкие мыслишки.

— А сердце жаждет Байронов, Уилберфорсов, памятника Нельсону. Бедный мой старый Барт! Что ты скажешь, Уилфрид?

— Да, мистер Дезерт, что скажете?

Хмурое лицо Дезерта дрогнуло.

— Наш век — век парадоксов, — проговорил он. — Мы все рвемся на свободу, а единственные крепнущие силы — это социализм и римско-католическая церковь. Мы воображаем, что невероятно многого достигли в искусстве, а единственное достижение в искусстве — это кино. Мы помешаны на мире и ради этого только и делаем, что совершенствуем ядовитые газы.

Сэр Лоренс поглядел сбоку на молодого человека, говорившего с такой горечью.

— А как дела в издательстве, Майкл?

— Что ж, «Медяки» раскупаются, как горячие пирожки, и ваш «Дуэт» тоже пошел. Как вы находите такой новый текст для

[1] Памятник жертвам войны 1914 — 1918 гг.

рекламы: «Дуэт», сочинение сэра Лоренса Монта, баронета. Изысканнейшая беседа двух покойников». Должно подействовать на психологию читателя! Уилфрид предлагал: «Старик и Диззи — по радио из ада». Что вам больше нравится?

Но тут они оказались рядом с полисменом, поднявшим руку перед мордой ломовой лошади, так что ее движение разом остановилось. Моторы автомобилей жужжали впустую, взгляды шоферов вперились в запретное для них пространство, девушка на велосипеде рассеянно оглядывалась, держась за край фургона, на котором боком сидел юноша, свесив ноги в ее сторону. Сэр Лоренс снова поглядел на Дезерта. Тонкое, бледное и смуглое красивое лицо, но какая-то в нем судорожность, как будто нарушен внутренний ритм; в одежде, в манерах — никакой утрировки, но все же чувствуется некоторая вольность; в нем меньше живости, чем в этом веселом повесе, собственном сыне сэра Лоренса, но такая же неустойчивость и, пожалуй, больше скептицизма — впрочем, он, наверно, способен на глубокие переживания! Полисмен опустил руку.

— Вы были на войне, мистер Дезерт?

— О да!

— В авиации?

— И в пехоте — всего понемногу.

— Трудновато для поэта!

— О нет! Поэзией только и можно заниматься, когда тебя в любую минуту может разорвать в клочки или если живешь в Путни[1].

Бровь сэра Лоренса приподнялась.

— Разве?

— Теннисон, Браунинг, Вордсворт, Суинберн — вот кому было раздолье писать: ils vivaient, mais si peu[2].

— А разве нет третьего благоприятного условия?

— Какого же, сэр?

— Как бы это выразиться... ну, известное умственное возбуждение, связанное с женщиной?

Лицо Дезерта передернулось и словно потемнело.

Майкл открыл французским ключом парадную дверь своего дома.

---

[1] Правобережный, глухой район Лондона.

[2] Они жили, но как мало они участвовали в жизни (*фр.*).

II. ДОМА

Дом на Саут-сквер, в Вестминстере, где поселились молодые Монты два года назад, после медового месяца, проведенного в Испании, можно было назвать «эмансипированным». Его строил архитектор, который мечтал создать новый дом — абсолютно старинный, и старый дом — абсолютно современный. Поэтому дом не был выдержан в определенном стиле, не отвечал традициям и был свободен от архитектурных предрассудков. Но он с такой необычайной быстротой впитывал копоть столицы, что его стены уже приобрели почтенное сходство со старинными особняками, построенными еще Рэном. Окна и двери были сверху слегка закруглены. Острая крыша мягкого пепельно-розового цвета была почти что датской, и два «премиленьких окошечка» глядели сверху, создавая впечатление, будто там, наверху, живут очень рослые слуги. Комнаты были расположены по обе стороны парадной двери — широкой, обрамленной лавровыми деревьями в черных с золотом кадках. Дом был очень глубок, и лестница, широкая и целомудренно-простая, начиналась в дальнем конце холла, в котором было достаточно места для целой массы шляп, пальто и визитных карточек. В доме было четыре ванных — и никакого подвального помещения, даже погреба. Приобретению этого дома помогло форсайтское чутье на недвижимое имущество. Сомс нашел его для дочери в тот психологический момент, когда пузырь инфляции был проколот и воздух выходил из воздушного шара мировой торговли. Однако Флер немедленно вошла в контакт с архитектором — сам Сомс так и не примирился с этой категорией людей — и решила, что в доме будут только три стиля: китайский, испанский и ее собственный. Комната налево от парадной двери, проходившая во всю глубину дома, была китайской: панели слоновой кости, медный пол, центральное отопление и хрустальные люстры. На стенах висели четыре картины, все китайские — единственная школа, которой еще не занимался ее отец. Широкий открытый камин украшали китайские собаки на китайских изразцах. Шелка были преимущественно изумрудно-зеленые. Два чудесных черных старинных шкафа были куплены Сомсом у Джобсона, и не дешево. Рояля не было, отчасти потому, что рояль — вещь неоспоримо западная, отчасти потому, что он занял бы слишком много места. Флер нужен был простор — ведь она коллекционировала скорее людей, чем мебель и безделушки. Свет, падавший через окна с двух противоположных сторон, не был, к сожалению, китайским. Флер часто стояла посреди комнаты, обдумывая, как «подобрать» гостей, как сделать эту комнату еще более китайской, не жертвуя уютом; как казаться знатоком литературы и политики, как принимать подарки отца, не давая ему почувствовать, что его вкусы устарели; как удержать Сибли Суона, новую литературную звезду, и заполучить Гэрдона Минхо — старую знаменитость. Она думала о том, что Уилфрид Дезерт слишком серьезно увлекся ею; о том, в каком стиле ей, собственно, надо одеваться, о том, почему у Майкла такие смешные уши; а иногда она стояла, просто ни о чем не думая, а так, чуть-чуть тоскуя.

Когда трое мужчин вошли, она сидела у красного лакированного чайного стола, допивая чай со всякими вкусными вещами. Она обычно просила подавать себе чай пораньше, чтобы можно было как следует «угоститься» на свободе: ведь ей еще не было двадцати одного года, и в этот час она вспоминала о своей молодости. Рядом с ней, на задних лапах, стоял Тинг-а-Линг, поставив рыжие передние лапки на китайскую скамеечку и подняв курносую черно-рыжую мордочку к объектам своего философического созерцания.

— Хватит, Тинг-а-Линг! Довольно, душенька! *Довольно!*

Выражение мордочки Тинг-а-Линга говорило: «Ну, тогда и сама не ешь! Не мучай меня!»

Ему был год и три месяца, и купил его Майкл с витрины магазина на Бонд-стрит к двадцатому дню рождения Флер, одиннадцать месяцев тому назад.

Два года замужества не сделали ее короткие каштановые волосы длиннее, но придали немного больше решимости ее подвижным губам, больше обаяния ее карим глазам под белыми веками с темными ресницами, больше уверенности и грации походке; несколько увеличился объем груди и бедер; талия и щиколотки стали тоньше, чуть побледнел румянец на щеках, слегка утерявших округлость, да в голосе, ставшем чуть вкрадчивее, исчезла былая мягкость.

Она встала из-за стола и молча протянула белую круглую руку. Она избегала излишних приветствий и прощаний. Ей так часто пришлось бы повторять одинаковые слова — лучше было обойтись взглядом, пожатием руки, легким наклоном головы.

Пожав протянутые руки, она проговорила:

— Садитесь. Вам сливок, сэр? С сахаром, Уилфрид? Тинг и так объелся, не кормите его. Майкл, угощай! Я уже слышала о собрании у «Шутников». Ведь ты не собираешься агитировать за лейбористов, Майкл? Агитация — такая глупость! Если бы меня кто-нибудь вздумал агитировать, я бы сразу стала голосовать наоборот.

— Конечно, дорогая; но ведь ты не рядовой избиратель.

Флер взглянула на него. Очень мило сказано! Видя, что Уилфрид кусает губы, что сэр Лоренс это замечает, не забывая, что ее обтянутая шелком нога всем видна, что на столе — черные с желтым чайные чашки, она сразу сумела все наладить. Взмах темных ресниц — и Дезерт перестал кусать губы; движение шелковой ноги — и сэр Лоренс перестал смотреть на него. И, передавая чашки, Флер сказала:

— Что же, я недостаточно современна?

Не поднимая глаз и мешая блестящей ложечкой в крохотной чашке, Дезерт проговорил:

— Вы настолько же современнее всех современных людей, насколько вы древнее их.

— Упаси нас, боже, от поэзии! — сказал Майкл.

Но когда он увел отца посмотреть новые карикатуры Обри Грина, она сказала:

— Будьте добры объяснить мне, что вы хотели этим сказать, Уилфрид?

Голос Дезерта потерял всякую сдержанность:

— Не все ли равно? Мне не хочется терять времени на разъяснения.

— Но я хочу знать. Это звучало насмешкой.

— Насмешка? С моей стороны? Флер!

— Тогда объясните.

— Я хотел сказать, что вам присуща вся неугомонность, вся практическая хватка современников, но в вас есть то, чего лишены они, Флер, — вы обладаете силой сводить людей с ума. И я схожу с ума. Вы знаете это.

— Как бы отнесся к этому Майкл? Вы его друг!

Дезерт быстро отошел к окну.

Флер взяла Тинг-а-Линга на колени. Ей и раньше говорили такие вещи, но со стороны Уилфрида это было серьезно. Приятно, конечно, сознавать, что она владеет его сердцем. Только куда же ей спрятать это сердце, чтобы никто его не видел? Нельзя предугадать, что сделает Дезерт, он способен на странные поступки. Она побаивалась — не его, нет, а этой его черты. Он вернулся к камину и сказал:

— Некрасиво, не правда ли? Да спустите вы эту проклятую собачонку, Флер, я не вижу вашего лица. Если бы вы по-настоящему любили Майкла, клянусь, я бы молчал; но вы знаете, что это не так.

Флер холодно ответила:

— Вы очень мало знаете. Я в самом деле люблю Майкла.

Дезерт отрывисто засмеялся.

— Да, конечно; такая любовь не идет в счет.

Флер поглядела на него.

— Нет, идет: с ней я в безопасности.

— Цветок, который мне не сорвать?

Флер кивнула головой.

— Наверное, Флер? Совсем, совсем наверное?

Флер пристально глядела перед собой; ее взгляд слегка смягчился, ее веки, такой восковой белизны, опустились; она кивнула.

Дезерт медленно произнес:

— Как только я этому поверю, я немедленно уеду на Восток.

— На Восток?

— Не так избито, как «уехать на Запад»?[1] Но в общем одно и то же: возврата нет.

Флер подумала: «На Восток? Как бы мне хотелось увидеть Восток! Жаль, что этого нельзя устроить, очень жаль!»

— Меня не удержать в вашем зверинце, дорогая, я не стану попрошайничать и питаться крохами. Вы знаете, что я испытываю, — настоящее потрясение.

— Но ведь это не моя вина, не так ли?

— Нет, ваша: вы меня включили в свою коллекцию, как включаете всякого, кто приближается к вам!

— Не понимаю, что вы хотите сказать!

Дезерт наклонился и поднес ее руку к губам.

— Не будьте злюкой, я слишком несчастлив.

Флер не отнимала руки от его горячих губ.

— Мне очень жаль, Уилфрид.

— Ничего, дорогая. Я пойду.

— Но вы ведь придете завтра к обеду?

Дезерт обозлился.

— Завтра? О боги — конечно, нет! Из чего я, по-вашему, сделан?

Он отшвырнул ее руку.

---

[1] «Уехать на Запад» — погибнуть (*военный сленг*).

— Я не люблю грубости, Уилфрид.

— Ну, прощайте! Мне лучше уйти!

На ее губах трепетали слова: «И лучше больше не приходить», но она промолчала. Расстаться с Уилфридом? Жизнь утратит частицу тепла. Она махнула рукой. Он ушел. Слышно было, как закрылась дверь. Бедный Уилфрид! Приятно думать об огне, у которого можно согреть руки. Приятно — и немного жутко. И вдруг, спустив Тинг-а-Линга на пол, она встала и зашагала по комнате. Завтра! Вторая годовщина ее свадьбы! Все еще больно ей думать о том, чем могла бы стать эта свадьба. Но думать было некогда — и она не останавливалась на этой мысли. К чему думать? Живешь только раз, вокруг — люди, масса дел, многого нужно добиться, взять от жизни. Не хватает, правда, одного — ну, да впрочем, если у людей это есть, так тоже ненадолго! Слезы, набежавшие на ее ресницы, высохли, не скатившись. Сентиментальность! Нет! Самое тяжелое в мире — нестерпимая обида! А кого с кем посадить завтра? Кого бы позвать вместо Уилфрида, если Уилфрид не придет — вот глупый мальчик! Один день, один вечер — не все ли равно? Кто будет сидеть справа от нее, а кто слева? Кто изысканнее: Обри Грин или Сибли Суон? Может быть, они оба не так изысканны, как Уолтер Нэйзинг или Чарлз Эпшир? Обед на двенадцать человек — все из литературно-художественного мира, кроме Майкла и Элисон Черрел. Ах, не может ли Элисон привести к ней Гэрдона Минхо — пусть будет один из старых писателей, как один стакан старого вина, чтобы смягчить шипучий напиток. Он не печатался у Дэнби и Уинтера, но Элисон вполне его приручила. Флер быстро подошла к одному из старинных шкафчиков и открыла его. Внутри был телефон.

— Можно попросить леди Элисон?.. Миссис Майкл Монт... да, да. Это вы, Элисон? Говорит Флер. На завтрашний вечер Уилфрид отпадает... Скажите, не сможете ли вы привести мистера Гэрдона Минхо?.. Я с ним, конечно, не знакома, но, может быть, ему будет интересно... Попробуете? Ну, это будет просто восхитительно!.. Вы не находите, что собрание в «Клубе шутников» было страшно интересное?.. Барт говорит, что теперь, после раскола, они все там перегрызутся... Да, как же быть с мистером Минхо? Не можете ли вы дать мне ответ сегодня вечером? Спасибо, большое спасибо... До свидания!

А если Минхо не придет — кого тогда? Она задумалась над своей записной книжкой. В последнюю минуту удобно пригласить только человека без светских предрассудков; кроме Элисон, никто из родных Майкла не избежал бы едких насмешек Несты Горз или Сибли Суона. О Форсайтах и речи быть не может. Правда, они обладают своим особым кисло-сладким юмором (по крайней мере некоторые из них), но они несовременны, не вполне современны. Кроме того, она старалась встречаться с ними как можно реже. Они устарели, были слишком связаны с грустными воспоминаниями, они не умели воспринимать жизнь без начала и конца. Нет, если Гэрдон Минхо пролетит, придется пригласить какого-нибудь композитора, только чтобы его произведения были сплошной загадкой и напоминали хирургическую операцию; или еще лучше, пожалуй, позвать психоаналитика. Флер перелистала всю книжку, пока не дошла до этих двух профессий. Гуго Солстис? Пожалуй; но вдруг он захочет сыграть что-нибудь из своих последних вещей? В доме было только старое пианино Майкла, значит, пришлось бы перейти в его кабинет. Лучше Джералд Хэнкс: они с Нестой Горз погрузятся в толкование снов, но от этого общее оживление не пострадает. Значит, если не Гэрдон Минхо — пригласить Джералда Хэнкса, он, наверное, свободен, и посадить его между Элисон и Нестой. Она закрыла книжку и, вернувшись на свой ярко-зеленый диван, стала разглядывать Тинг-а-Линга. Выпуклые круглые глаза уставились на нее. Черные, блестящие, очень старые глаза. Флер подумала: «Я не хочу, чтобы Уилфрид ушел». Из всей толпы людей, снующих вокруг нее, ей никто не был нужен. Конечно, надо быть со всеми в прекрасных отношениях, надо быть в прекрасных отношениях с жизнью вообще. Все это ужасно занятно, ужасно необходимо! Только, только... что?

Голоса! Майкл и Барт идут сюда. Барт приметил насчет Уилфрида. Ужасно наблюдательный «Старый Барт». Ей всегда бывало не по себе в его обществе — он такой живой, непоседливый, но что-то в нем есть установившееся, старинное, что-то общее с Тинг-а-Лингом, что-то поучительное, вечно напоминающее ей о том, что она сама слишком суетна, слишком современна. Он как на привязи: может двигаться только на длину этой старомодной своей цепи; но он невероятно умеет подмечать все. Однако она чувствует, что он восхищается ею, — да, да!

Ну, как ему понравились карикатуры? Стоит ли Майклу их печатать и давать ли подписи или не надо? Не правда ли, этот кубистический набросок «Натюрморт» — карикатура на правительство — немыслимо смешной? Особенно старикан, изображающий премьер-министра! В ответ затрещала быстрая, скачущая речь: сэр Лоренс рассказывал ей о коллекции предвыборных плакатов, собранной его отцом. Лучше бы Барт перестал ей рассказывать о своем отце: он был до того знатный и, наверно, ужасно скучный — в особенности когда отдавал визиты верхом, в брюках со штрипками! Он, и лорд Чарлз Кэрибу, и маркиз Форфар были последними «визитерами» в таком духе. Если бы не это, их забыли бы совершенно. Ей надо еще примерить новое платье и сделать двадцать дел, а в восемь пятнадцать начинается концерт Гуго. Почему это у людей прошлого поколения всегда столько свободного времени? Она нечаянно посмотрела вниз. Тинг-а-Линг лизал медный пол. Она подняла его: «Нельзя, миленький, фу, гадость!» Ну вот, чары нарушены. Барт уходит, все еще полный воспоминаний. Она подождала внизу у лестницы, пока Майкл закрыл за Бартом дверь, и полетела наверх. В своей комнате она зажгла все лампы. Тут царил ее собственный стиль — кровать, непохожая на кровать, и всюду зеркала. Ложе Тинг-а-Линга помещалось в углу, откуда он мог видеть целых три своих отражения. Она посадила его, сказав: «Ну, теперь сиди тихо!» Он давно уже относился ко всем остальным собакам в комнате совершенно равнодушно; хотя они были одной с ним породы и в точности той же масти, но у них не было запаха, их языки не умели лизать — нечего было делать с ними — поддельные существа, совершенно бесчувственные.

Сняв платье, Флер прикинула новое, придерживая его подбородком.

— Можно тебя поцеловать? — послышался голос, и двойник Майкла вырос за ее собственным изображением в зеркале.

— Некогда, милый мой мальчик! Помоги мне лучше. — Она натянула платье через голову. — Застегни три верхних крючка. Тебе нравится? Ах да, Майкл! Может быть, завтра к обеду придет Гэрдон Минхо — Уилфрид занят. Ты его читал? Садись, расскажи мне о его вещах. Романы, правда? Какого рода?

— Ну, ему всегда есть что сказать. Хорошо описывает кошек. Конечно, он немного романтик.

— О-о! Неужели я промахнулась?

— Ничуть. Наоборот, очень удачно. Беда нашей публики в том, что говорят они очень неплохо, но сказать им нечего. Они не останутся в литературе.

— А по-моему, они именно потому и останутся. Они не устареют.

— Не устареют? Как бы не так!

— Уилфрид останется...

— Уилфрид? О, у него есть чувства, ненависть, жалость, желания, во всяком случае, иногда появляются; а когда это бывает, он пишет прекрасно. Но обычно он просто пишет ни о чем — как и все остальные.

Флер поправила платье у выреза.

— Но, Майкл, если это так, то у себя мы... я встречаюсь совсем не с теми людьми, с которыми стоит.

Майкл широко улыбнулся.

— Милое мое дитя! С теми, кто в моде, всегда стоит встречаться, только надо хорошенько следить и менять их побыстрее.

— Но, Майкл, ведь ты не считаешь, что Сибли не переживет себя?

— Сиб? Конечно, нет.

— Но он так уверен, что все остальные уже отжили свой век или отживают. Ведь у него настоящий критический талант.

— Если бы я понимал в искусстве не больше Сибли, я бы завтра же ушел из издательства.

— Ты понимаешь больше, чем Сибли Суон?

— Ну конечно, я больше понимаю. Вся критика Сиба сводится к высокому мнению о Сибе — и самой обыкновенной нетерпимости ко всем остальным. Он их даже не читает. Прочтет одну книгу каждого автора и говорит: «Ах, этот? Он скучноват», или «он — моралист», или «он сентиментален», «устарел», «плетет чушь», — я сто раз это слышал. Конечно, так он говорит только о живых. С мертвыми авторами он обходится иначе. Он вечно выкапывает и канонизирует какого-нибудь покойника — этим он и прославился. В литературе всегда были такие Сибы. Он яркий пример того, как человек может внушить о себе какое угодно мнение. Но, конечно, в литературе он не останется: он никогда ничего не создал своего — даже по ошибке.

Флер упустила нить разговора. Да, платье ей очень к лицу — прелестная линия. Можно снять — надо еще написать три письма, прежде чем одеваться.

Майкл снова заговорил:

— Ты послушай меня, Флер. Истинно великие люди не болтают и не толкаются в толпе — они плывут одни в своих лодочках по тихим протокам. Но из протоков выходят потоки! Ого, как я сказал! Прямо — mot! Или не совсем mot?

— Майкл, ты на моем месте сказал бы Фредерику Уилмеру,

что он встретит Губерта Марсленда у меня за завтраком на будущей неделе? Будет это для него приманкой или отпугнет его?

— Марсленд — милая старая утка, а Уилмер — противный старый гусь; право, не знаю!

— Ну, будь же серьезен, Майкл, — никогда ты мне не поможешь ничего устроить. Не щекочи мне, пожалуйста, плечи!

— Дорогая, ей-богу, не знаю. У меня нет, как у тебя, таланта на такие дела. Марсленд рисует ветряные мельницы, скалы и всякие штуки — я сомневаюсь, слышал ли он что-нибудь об искусстве будущего. Он просто уникум в смысле умения держаться далеко от современности. Если ты думаешь, что ему будет приятно встретиться с вертижинистом...[1]

— Я не спрашиваю тебя, захочется ли ему встретиться с Уилмером; я спросила тебя, захочет ли Уилмер встретиться с ним.

— Ну, Уилмер только скажет: «Люблю маленькую миссис Монт, уж очень здорово она кормит», и ты действительно хорошо кормишь, детка. А вертижинисту нужно хорошо питаться, иначе у него голова не закружится.

Перо Флер снова быстро забегало по бумаге — строчки стали чуть неразборчивее. Она пробормотала:

— По-моему, Уилфрид выручит — ведь тебя не будет. Один, два, три. Каких женщин звать?

— Для художников? Хорошеньких и толстеньких; ума не требуется.

Флер рассердилась:

— Где же мне взять толстых? Их теперь и не бывает. — Ее перо бегло застрочило:

«Милый Уилфрид, в пятницу завтрак: Уилмер, Губерт Марсленд и две женщины. Выручайте!

Всегда Ваша *Флер*».

— Майкл, у тебя подбородок — как сапожная щетка!

— Прости, маленькая; у тебя слишком нежные плечи. Барт сегодня дал Уилфриду замечательный совет, когда мы шли сюда.

Флер перестала писать.

— Да?

— Напомнил ему, что состояние влюбленности здорово вдохновляет поэтов...

---

[1] Название декадентского течения в искусстве (от французского слова «vertige» — головокружение).

— По какому же это поводу?

— Уилфрид жаловался, что у него стихи что-то не выходят.

— Какая чепуха! Его последние вещи лучше всего.

— Да, я тоже так считаю. А может быть, он уже предвосхитил совет? Ты не знаешь, а?

Флер взглянула через плечо ему в лицо. Нет, такое же, как всегда, открытое, добродушное, слегка похожее на лицо фавна: чуть торчащие уши, подвижные губы и ноздри.

Она медленно проговорила:

— Если ты ничего не знаешь, то никто не знает.

Какое-то сопенье помешало Майклу ответить. Тинг-а-Линг, длинный, низенький, немного приподнятый с обоих концов, стоял между ними, задрав свою черную мордочку. «Родословная у меня длинная, — казалось, говорил он, — да вот ноги короткие; как же быть?»

III. МУЗЫКА

Следуя великому руководящему правилу, Флер и Майкл пошли на концерт Гуго Солстиса не для того, чтобы испытать удовольствие, а потому, что были знакомы с композитором. Кроме того, они чувствовали, что Солстис, англичанин русско-голландского происхождения, — один из тех, кто возрождает английскую музыку, великодушно освобождая ее от мелодии и ритма и щедро наделяя литературными и математическими достоинствами. Побывав на концерте музыкантов этой школы, невозможно было не сказать, уходя: «Очень занятно!» И спать под такую обновленную английскую музыку было тоже невозможно. Флер, любившая поспать, даже и не пыталась. Майкл попробовал и потом жаловался, что это все равно, что спать на Льежском вокзале. В этот вечер они занимали у прохода в первом ряду амфитеатра те места, на которые у Флер была своего рода естественная монополия. Видя ее здесь, Гуго и прочие могли убедиться, что и она принимает участие в английском возрождении. И отсюда легко было ускользнуть в фойе и обменяться словом «занятно!» с какими-нибудь знатоками, украшенными бачками; или, вытянув папироску из маленького золотого портсигара — свадебный подарок кузины Имоджин Кардиган, — отдохнуть за двумя-тремя затяжками. Говоря совершенно честно, Флер обладала врожденным чувством ритма, и ей было очень не по себе во время этих бесконечных «занятных» пассажей, явно изобличавших все перипетии тернистого пути композитора. Она втайне любила мелодию, и невозможность сознаться в этом, не выпустив из рук Солстиса, Баффа, Бэрдигэла, Маклыоиса, Клорейна и других обновителей английской музыки, иногда требовала предельного напряжения всех спартанских сторон ее натуры. Даже Майклу она не решалась «исповедаться», и ей становилось труднее, когда он, с присущим ему непочтением к авторитету, еще усилившимся от жизни в окопах и работы в издательстве, бормотал вполголоса: «Боже, ну и заверчено!» или: «Эк его разбирает!» А ведь она знала, что Майкл гораздо лучше ее переносит эту музыку, потому что у него больше склонности к литературе и меньше танцевального зуда в пальцах ног.

Первая тема нового произведения Солстиса «Пьемонтская фантасмагория» — ради него они, собственно, и пришли — началась рядом тягучих аккордов.

— Вот это да! — прошептал Майкл ей на ухо. — Мебель двигают, штуки три разом, по паркетному полу!

Невольная улыбка Флер выдала тайну, почему брак не стал для нее невыносимым. В конце концов Майкл все-таки прелесть! Обожание и живость, остроумие и преданность — такое сочетание трогало и задевало даже сердце, которое принадлежало другому, прежде чем было отдано ему. «Трогательность» без «задевания» была бы скучной; «задевание» без «трогательности» раздражало бы. В эту минуту он был особенно привлекателен. Положив руки на колени, с остекленелыми от сочувствия к Гуго глазами, навострив уши и втайне подсмеиваясь, он слушал вступление с таким видом, что Флер просто восхищалась им. Музыка, очевидно, будет «занятной», и Флер погрузилась в состояние поверхностной наблюдательности и внутренней сосредоточенности, ставшее столь обычным для нее в последнее время. Вон сидит Л. С. Д. — знаменитый драматург; она с ним незнакома — пока еще. Вид у него довольно страшный, уж очень торчат кверху волосы. Флер представила себе, как он стоит на медном полу перед одной из ее китайских картин. А вот — да, конечно! Гэрдон Минхо! Только подумать, что он пришел слушать эту новую музыку! Профиль у него совершенно римский — аврелианского периода! Она оторвалась от созерцания этой древности с приятным чувством, что завтра он, быть может, попадет в ее коллекцию, и стала рассматривать по очереди всех присутствующих — ей не хотелось пропустить кого-нибудь нужного.

«Мебель» внезапно остановилась.

— Занятно! — произнес голос у плеча Флер.

Обри Грин! Весь нереальный, словно пронизанный лунным светом, — шелковистые светлые волосы, гладко зачесанные назад, и зеленоватые глаза; когда он улыбался, ей всегда казалось, что он ее «разыгрывает». Но ведь он в конце концов карикатурист!

— Да, занятно!

Он ускользнул. Мог бы остаться еще минутку — все равно никто не успеет подойти до исполнения песен Бэрдигэла. Вот уже выходит певец — Чарлз Паулз. Какой он толстый и решительный и как тащит маленького Бэрдигэла к роялю!

Прелестный аккомпанемент — журчащий, мелодичный!

Толстый решительный мужчина запел. Как не похоже на аккомпанемент! Мелодия, казалось, состояла из одних фальшивых нот и с математической точностью отнимала у Флер всякую возможность испытывать удовольствие.

Бэрдигэл, очевидно, писал, больше всего на свете боясь, что его вещь кто-нибудь назовет «певучей». Певучей! Флер понимала, насколько это слово заразительно. Оно обойдет всех, как корь, и Бэрдигэл будет изничтожен. Бедный Бэрдигэл! Конечно, песни вышли занятные. Только, как говорит Майкл: «Господи, что же это?»

Три песни! Паулз изумителен — честно работает. Ни единой ноты не взял так, чтобы было похоже на музыку! Мысли Флер вернулись к Уилфриду. Только за ним, из всех молодых поэтов, признавалось право о чем-то говорить всерьез. Это создавало ему особое положение — он как бы исходил от жизни, а не от литературы. Кроме того, он выдвинулся на войне, был сыном лорда Мэллиона, вероятно, получит Мерсеровскую премию за «Медяки». Если Уилфрид бросит ее, то упадет звезда с сияющего над ее медным полом неба. Он не имеет права так уходить от нее. Он должен научиться сдерживаться — не думать так физиологически. Нет! Нельзя упускать Уилфрида; но и нельзя опять вводить в свою жизнь слезы, душераздирающие страсти, безвыходное положение, раскаяние. Она уже раз испытала все это: заглушенная тоска до сих пор служила предостережением.

Бэрдигэл раскланивался. Майкл сказал: «Выйдем покурить. Дальше — скучища!» А, Бетховен! Бедный старик Бетховен! Так устарел — даже приятно его послушать!

В коридорах и буфете только и было разговоров, что о возрождении. Юноши и молодые дамы с живыми лицами и растрепанными волосами обменивались словом «занятно!». Более солидные мужчины, похожие на отставных матадоров, загораживали все проходы. Флер и Майкл прошли подальше и, став у стены, закурили. Флер очень осторожно курила свою крохотную папироску в малюсеньком янтарном мундштуке. Она как будто больше любовалась синеватым дымком, чем действительно курила; приходилось считаться не только с этой толпой: никогда не знаешь, с кем встретишься! Например, круг, где вращалась Элисон Черрел, — политико-литературный, все люди с широкими взглядами, но, как всегда говорит Майкл, «уверенные, что они единственные люди в мире; посмотри только, как они пишут мемуары друг о друге». Флер чувствовала, что этим людям может не понравиться, если женщины курят в общественных местах. Осторожно присоединяясь к иконоборцам, Флер никогда не забывала, что принадлежит по крайней мере двум мирам. Наблюдая все, что происходило вокруг нее, она вдруг заметила у стены человека, спрятавшего лицо за программой. «Уилфрид, — подумала она, — и притворяется, что не видит меня!» Обиженная, как ребенок, у которого отняли игрушку, она сказала:

— Вон Уилфрид, приведи его сюда, Майкл!

Майкл подошел и коснулся рукава своего друга. Показалось нахмуренное лицо Дезерта. Флер видела, как он пожал плечами, повернулся и смешался с толпой. Майкл вернулся к ней.

— Уилфрид здорово не в духе, говорит, что сегодня не годен для человеческого общества. Чудак!

До чего мужчины тупы! Оттого, что Уилфрид — его приятель, Майкл ничего не замечает; и счастье, что это так. Значит, Уилфрид действительно решил ее избегать. Ладно, посмотрим! И она сказала:

— Я устала, Майкл, поедем домой.

Он взял ее под руку.

— Бедняжка моя! Ну, пошли!

На минуту они задержались у двери, которую забыли закрыть, и смотрели, как Вуман, дирижер, изогнулся перед оркестром.

— Посмотри на него — настоящее чучело, вывешенное из окна: руки и ноги болтаются, точно набиты опилками. А погляди на Фрапку с ее роялем — мрачный союз!

Послышался странный звук.

— Ей-богу, мелодия! — сказал Майкл.

Капельдинер прошептал ему на ухо: «Позвольте, сэр, я закрываю двери». Флер мельком заметила знаменитого драматурга

Л. С. Д., сидевшего с закрытыми глазами, так же прямо, как торчали его волосы. Дверь закрылась, они остались в фойе.

— Подожди здесь, дорогая, я раздобуду рикшу.

Флер спрятала подбородок в мех. С востока дул холодный ветер.

За спиной раздался голос:

— Ну, Флер, ехать мне на Восток?

Уилфрид! Воротник поднят до ушей, папироска во рту, руки в карманах, пожирает ее глазами.

— Вы глупый мальчик, Уилфрид!

— Думайте, что хотите. Ехать мне на Восток?

— Нет. В воскресенье утром — в одиннадцать часов, в галерее Тэйт. Мы поговорим.

— Convenu![1]

И ушел.

Оставшись внезапно одна, Флер вдруг словно впервые посмотрела в лицо действительности. Неужели ей не справиться с Уилфридом? Подъехал автомобиль. Майкл кивнул ей. Флер села в машину.

Проезжая мимо заманчиво освещенного оазиса, где молодые дамы демонстрировали любопытным лондонцам последнее слово парижских дезабилье, Флер почувствовала, что Майкл наклонился к ней. Если она намерена сохранить Уилфрида, надо быть поласковей с Майклом. Но только:

— Не надо целовать меня посреди Пикадилли, Майкл.

— Прости, маленькая. Конечно, это преждевременно: я собирался тебя поцеловать только у Партенеума!

Флер вспомнила, как он спал на диване в испанской гостинице в первые две недели их медового месяца; как он всегда настаивал, чтобы она не тратила на него ни пенни, а сам дарил ей все, что хотел, хотя у нее было три тысячи годового дохода, а у него только тысяча двести фунтов; как он беспокоился, когда у нее бывал насморк, и как он всегда приходил вовремя к чаю. Да, Майкл — прелесть. Но разобьется ли ее сердце, если он завтра уедет на Восток или на Запад?

Прижимаясь к нему, она сама удивлялась своему цинизму.

В передней она нашла телефонограмму: «Пожалуйста, передайте миссис Монт, что я заполучила мистера Гэрдина Миннер. *Леди Элисон*».

---

[1] Решено (*фр.*).

Как приятно! Подлинная древность! Флер зажгла свет и на минуту остановилась, любуясь своей комнатой. Действительно мило! Негромкое сопенье послышалось из угла. Тинг-а-Линг, рыжий на черной подушке, лежал, словно китайский лев в миниатюре, чистый, далекий от всего, только что вернувшийся с вечерней прогулки вдоль ограды сквера.

— Я тебя вижу, — сказала Флер.

Тинг-а-Линг не пошевельнулся. Его круглые черные глаза следили, как раздевалась хозяйка. Когда она вернулась из ванной, он лежал, свернувшись клубком. «Странно! — подумала Флер, — откуда он знает, что Майкл не придет?» И, скользнув в теплую постель, она тоже свернулась клубком и заснула.

Но среди ночи она почему-то проснулась. Зов — долгий, странный, протяжный — откуда-то с реки, из трущоб позади сквера, — и воспоминание острое, болезненное — медовый месяц, Гренада — крыши внизу, — чернь, слоновая кость, золото, — оклик сторожа под окном, — строки в письме Джона:

Голос, в ночи звенящий, в сонном и старом испанском
Городе, потемневшем в свете бледнеющих звезд.
Что говорит голос — долгий, звонко-тоскливый?
Просто ли сторож кличет, верный покой суля?
Просто ли путника песня к лунным лучам летит?
Нет! Влюбленное сердце плачет, лишенное счастья,
Просто зовет: «Когда?»

Голос — а может быть, ей приснилось? Джон, Уилфрид, Майкл! Стоит ли иметь сердце!

IV. ОБЕД

Леди Элисон Черрел, урожденная Хитфилд, дочь первого графа Кемдена и жена королевского адвоката Лайонела Черрела, еще не старого человека, приходившегося Майклу дядей, была очаровательной женщиной, воспитанной в той среде, которую принято считать центром общества. Это была группа людей неглупых, энергичных, с большим вкусом и большими деньгами. «Голубая кровь» их предков определяла их политические связи, но они держались в стороне от «Шутников» и прочих скучных мест, посещаемых представителями привилегированной касты. Эти люди — веселые, обаятельные, непринужденные — были, по мнению Майкла, «снобы, дружочек, и в эстетическом и в умственном отношении, только они никогда этого не замечают. Они считают себя гвоздем мироздания, всегда оживленны, здоровы, современны, хорошо воспитаны, умны. Они просто не могут вообразить равных себе. Но, понимаешь, воображение у них не такое уж богатое. Вся их творческая энергия уместится в пинтовой кружке. Взять хотя бы их книги — всегда они пишут о *чем-то*: о философии, спиритизме, поэзии, рыбной ловле, о себе самих; даже писать сонеты они перестают еще в юности, до двадцати пяти лет. Они знают все — кроме людей, не принадлежащих к их кругу. Да, они, конечно, работают, они хозяева, и как же иначе: ведь таких умных, таких энергичных и культурных людей нигде не найти. Но эта работа сводится к топтанию на одном месте в своем несчастном замкнутом кругу. Для них он — весь мир; могло быть и хуже! Они создали свой собственный золотой век, только война его малость подпортила».

Элисон Черрел, всецело связанная с этим миром, таким остроумно-задушевным, веселым, непринужденным и уютным, жила в двух шагах от Флер, в особняке, который был по архитектуре приятнее многих лондонских особняков. В сорок лет, имея троих детей, она сохранила свою незаурядную красоту, слегка поблекшую от усиленной умственной и физической деятельности. Как человек увлекающийся, она любила Майкла, несмотря на его чудаческие выпады, так что его матримониальная авантюра сразу заинтересовала ее. Флер была изящна, обладала живым природным умом — новой племянницей бсзусловно стоило заняться. Но несмотря на то, что Флер была податлива и умела приспособляться к людям, она мало поддалась обработке; она продолжала задевать любопытство леди Элисон, которая привыкла к тесному кружку избранных и испытывала какое-то острое чувство, сталкиваясь с новым поколением на медном полу в гостиной Флер. Там она встречала полную непочтительность ко всему на свете, которая, если не принимать ее всерьез, очень будоражила ее мысли. В этой гостиной она чувствовала себя почти что отсталой. Это было даже пикантно.

Приняв от Флер по телефону заказ на Гэрдона Минхо, леди Элисон сразу позвонила писателю. Она была с ним знакома — правда, не очень близко. Никто не был с ним близко знаком. Он был всегда любезен, вежлив, молчалив, немного скучноват и серьезен. Но он обладал обезоруживающей улыбкой — иногда иронической, иногда дружелюбной. Его книги были то едкими, то сентиментальными. Считалось хорошим тоном бранить его и за то и за другое — и все-таки он продолжал существовать.

Леди Элисон позвонила ему: не придет ли он завтра на обед к ее племяннику, Майклу Монту, познакомиться с молодым поколением?

В его ответе прозвучал неожиданный энтузиазм:

— С удовольствием! Фрак или смокинг?

— Как мило с вашей стороны! Вам будут страшно рады. Я думаю, лучше во фраке, — завтра вторая годовщина их свадьбы. — Она повесила трубку, подумав: «Должно быть, он пишет о них книгу».

Сознание ответственности заставило ее приехать рано.

Она приехала с таким чувством, что ее ждут занятные приключения: в кругах ее мужа решались большие дела, и ей было приятно переменить обстановку после целого дня суеты по поводу событий в «Клубе шутников». Ее принял один Тинг-а-Линг, сидевший спиной к камину, и удостоил ее только взглядом. Усевшись на изумрудно-зеленый диван, она сказала:

— Ну ты, смешной зверек, неужели не узнаешь меня после такого долгого знакомства?

Блестящие черные глаза Тинга словно говорили: «Знаю, что вы тут часто бываете; все на свете повторяется. И будущее не сулит ничего нового».

Леди Элисон задумалась. Новое поколение! Хочется ли ей, чтобы ее дочери принадлежали к нему? Ей было бы интересно поговорить об этом с мистером Минхо — перед войной они так чудесно беседовали с ним в Бичгрове. Девять лет назад! Сибил было шесть лет, Джоун — всего четыре года! Время идет, все меняется. Новое поколение! А в чем разница? «У нас было больше традиций», — тихо проговорила она.

Легкий шум заставил ее поднять глаза, устремленные на носок туфли. Тинг-а-Линг хлопал хвостом по ковру, словно аплодируя. Голос Флер раздался у нее за спиной:

— Дорогая, я страшно опоздала. До чего мило с вашей стороны, что вы раздобыли мне мистера Минхо! Надеюсь, наши будут хорошо себя вести. Во всяком случае, сидеть он будет между вами и мной. Я его посажу у верхнего конца стола, а Майкла — напротив, между Полиной Эпшир и Эмебел Нэйзинг. Слева от вас — Сибли, справа от меня — Обри, потом Неста Горз и Уолтер Нэйзинг, а напротив них Линда Фру и Чарлз Эпшир. Всего двенадцать человек. Вы со всеми знакомы. Да, не обращайте внимания, если Нэйзинги и Неста будут курить в антрактах между блюдами. Эмебел обязательно будет курить. Она из Виргинии — и у нее это реакция. Надеюсь, на ней будет хоть что-нибудь надето. Майкл, впрочем, уверяет, что это ошибка, когда она слишком одета. Но когда ждешь мистера Минхо, как-то нервничаешь. Вы читали последнюю пародию Несты в «Букете»? Ужасно смешно! Совершенно ясный намек на Л. С. Д.! Тинг, мой милый Тинг, ты хочешь остаться и посмотреть гостей? Ну, тогда забирайся повыше, не то тебе отдавят лапки. Не правда ли, он совсем китайчонок! Он придает такую законченность комнате.

Тинг-а-Линг положил нос на лапы, улегшись на изумрудную подушку.

— Мистер Гэрдин Миннер!

Вошел знаменитый романист, бледный и сдержанный. Пожав обе протянутые руки, он взглянул на Тинг-а-Линга.

— Какой милый! — проговорил он. — Как же ты поживаешь, дружок?

Тинг-а-Линг даже не пошевелился.

«Вы, кажется, принимаете меня за обыкновенную английскую собаку, сэр?» — как будто говорило его молчание.

— Мистер и миссис Уолтер Незон, мисс Линда Фру.

Эмебел Нэйзинг вошла первая. На шесть дюймов выше талии до светлых волос — чистый алебастр ослепительной спины, на четыре дюйма ниже колен до ослепительных туфелек — чуть прикрытый алебастр ног; знаменитый романист машинально прервал беседу с Тинг-а-Лингом.

Уолтер Нэйзинг, следовавший за женой, был намного выше ее ростом и весь в черном, выступала только узенькая белая полоска воротничка; его лицо, словно выточенное сто лет назад, слегка напоминало лицо Шелли. И литературные его произведения иногда походили на стихи этого поэта, а иногда — на прозу Марселя Пруста. «Здорово заверчено!» — как говорил Майкл.

Линда Фру, которую Флер сразу познакомила с Гэрдоном Минхо, принадлежала к числу тех, о чьем творчестве никогда нельзя было услышать двух одинаковых суждений. Ее книги «Пустяки» и «Неистовый дон» вызвали полный раскол во мнениях. Гениальные, по мнению одних, бездарные, по мнению других, эти книги всегда вызывали интересный спор о том, поднимает ли легкий налет безумия ценность искусства или снижает? Сама писательница мало обращала внимания на критику — она творила.

— Тот самый мистер Минхо! Как интересно! Я не читала ни одного вашего романа.

Флер ахнула.

— Как, ты не знаешь кошек мистера Минхо? Но ведь они изумительны. Мистер Минхо, я очень хочу познакомить вас с женой Уолтера Нэйзинга. Эмебел, это — мистер Гэрдон Минхо.

— О! Мистер Минхо! Как замечательно! Я чуть ли не с колыбели мечтаю с вами познакомиться.

Флер услышала спокойный ответ писателя: «Ну, это еще не такой долгий срок», и пошла навстречу Несте Горз и Сибли Суону, которые явились вдвоем, как будто жили вместе, ссорясь из-за Л. С. Д. Неста оправдывала его «задиристый» тон, Сибли уверял, что остроумие умерло вместе с эпохой Реставрации; этот человек был верен себе!

Вошел Майкл с Эпширами и Обри Грином, которых он встретил в холле. Все были в сборе.

Флер обожала безукоризненность во всем, а этот вечер был похож на бред. Удачен ли он? Минхо явно был наименее блестящим собеседником; даже Элисон говорила лучше. А все-таки у него великолепная голова. Флер втайне надеялась, что он не уйдет слишком рано, а то кто-нибудь обязательно скажет: «Вот ископаемое!» или «Толст и лыс!» — прежде чем за гостем закроется дверь. Он трогательно мил, старается понравиться или, во всяком случае, не вызвать слишком сильного презрения. И, конечно, в нем есть что-то большее, чем можно услышать в разговоре. После суфле из крабов он как будто увлекся беседой с Элисон, и все насчет молодежи. Флер слушала краем уха:

— Молодежь чувствует... великий поток жизни... не дает им того, что им нужно... Прошлое и будущее окружены ореолом... О да! Современная жизнь обесценена сейчас... Нет... Единственное утешение для нас — мы станем когда-нибудь такой же стариной, как Конгрив, Стерн, Дефо... и снова будем иметь успех... Почему? Что отвлекает их от общего хода жизни? Просто пресыщение... газеты... фотографии. Жизни они не видят — только читают о ней... Одни репродукции: все кажется поддельным, унылым, продажным... и молодежь говорит: «Долой эту жизнь! Дайте нам прошлое или будущее!»

Он взял несколько соленых миндалинок, и Флер увидела, что его глаза остановились на плечах Эмебел Нэйзинг. В том конце стола разговор был похож на игру в футбол — никто не держал мяч дольше, чем на один удар. Он перелетал от одного к другому. И после ряда удачных пассировок кто-нибудь протягивал руку за папироской и пускал голубое облако дыма над не покрытым скатертью обеденным столом. Флер наслаждалась великолепием своей испанской столовой — мозаичным полом, яркими фруктами из фарфора, тисненой кожей, медной отделкой и Сомсовым Гойей над мавританским диваном. Она быстро принимала мяч, когда он к ней залетал, но не брала на себя инициативы. Ее талант заключался в умении замечать все сразу. «Миссис Майкл Монт подавала» — блестящие нелепости Линды Фру, задор и поддразниванье Несты Горз, туманные намеки Обри Грина, размашистые удары Сибли Суона, маленькие хладнокровные американские вольности Эмебел Нэйзинг, забавные выражения Чарлза Эпшира, рискованные парадоксы Уолтера Нэйзинга, критические замечания Полины Эпшир, легкомысленные шутки и шпильки Майкла, даже искреннюю оживленность Элисон и молчание Гэрдона Минхо — все это она подавала, выставляла напоказ, все время настороженно следя, чтобы мяч разговора не коснулся земли и не замер. Да, блестящий вечер, но — успех ли это?

Когда простились последние гости и Майкл пошел провожать Элисон домой, Флер села на зеленый диван и стала думать о словах Минхо: «Молодежь не получает того, что ей нужно». Нет! Что-то не ладится. — Не ладится, правда, Тинг? — Но Тинг-а-Линг устал, и только кончик одного уха дрогнул. Флер откинулась на спинку дивана и вздохнула. Тинг-а-Линг выпрямился и, положив передние лапы к ней на колени, посмотрел ей в лицо. «Смотри на меня, — как будто говорил он. — У меня все благополучно. Я получаю то, чего хочу, и хочу того, что получаю. Сейчас я хочу спать».

— А я — нет, — сказала Флер, не двигаясь.

«Возьми меня на руки», — попросил Тинг-а-Линг.

— Да, — сказала Флер, — мне кажется... Он милый человек, но это не тот человек, Тинг.

Тинг-а-Линг устроился поудобнее на ее обнаженных руках.

«Все в порядке, — как будто говорил он, — тут у вас слишком много всяких чувств и тому подобное — в Китае их нет. Идем!»

V. ЕВА

Квартира Уилфрида Дезерта была как раз напротив картинной галереи на Корк-стрит. Являясь единственным представителем мужской половины аристократии, пишущим достойные печати стихи, он выбрал эту квартиру не за удобство, а за уединенность. Однако его «берлога» была обставлена со вкусом, с изысканностью, которая свойственна аристократическим английским семействам. Два грузовика со «всяким хламом» из Хэмширского имения старого лорда Мэлliона прибыли сюда, когда Уилфрид устраивался. Впрочем, его редко можно было застать в его гнезде, да и вообще его считали редкой птицей, и он занимал совершенно обособленное положение среди молодых литераторов, отчасти благодаря своей репутации постоянного бродяги. Он сам едва ли знал, где проводит время, где работает, — у него было что-то вроде умственной клаустрофобии, страх быть стиснутым людьми. Когда началась война, он только что окончил Итон; когда война кончилась, ему было двадцать три года — и не было на свете молодого поэта старее, чем он. Его дружба с Майклом, начавшись в госпитале, совсем было замерла и внезапно возобновилась, когда Майкл в 1920 году вступил в издательство Дэнби и Уинтера, на Блэйк-стрит, Ковент-Гарден. Стихи Уилфрида вызвали в новоиспеченном издателе буйный восторг. После задушевных бесед над стихами поэта, ищущего литературного пристанища, была одержана победа над издательством, уступившим настояниям Майкла. Общая радость от первой книги, написанной Уилфридом и ставшей первым изданием Майкла, увенчалась свадьбой Майкла. Лучший друг и шафер! С тех пор Дезерт, насколько умел, привязался к этой паре; и надо отдать ему справедливость — только месяц назад ему стало ясно, что притягивает его Флер, а не Майкл. Дезерт никогда не говорил о войне, и от него нельзя было услышать о том впечатлении, которое сложилось у него и которое он мог бы выразить так: «Я столько времени жил среди ужасов и смертей, я видел людей в таком неприкрашенном виде, я так нещадно изгонял из своих мыслей всякую надежду, что у меня теперь никогда не может быть ни малейшего уважения к теориям, обещаниям, условностям, морали и принципам. Я слишком возненавидел людей, которые копались во всех этих умствованиях, пока я копался в грязи и крови. Иллюзии кончились. Никакая религия, никакая философия меня не удовлетворяют — слова, и только слова. Я все еще сохранил здравый ум — и не особенно этому рад. Я все еще, оказывается, способен испытывать страсть; еще могу скрипеть зубами, могу улыбаться. Во мне еще сильна какая-то окопная честность, но искренна ли она или это только привычный след былого — не знаю. Я опасен, но не так опасен, как те, кто торгует словами, принципами, теориями, всякими фанатическими бреднями за счет крови и пота других людей. Война сделала для меня только одно — научила смотреть на жизнь как на комедию. Смеяться над ней — только это и остается!»

Уйдя с концерта в пятницу вечером, он прямо прошел к себе домой. И, вытянувшись во весь рост на монашеском ложе пятнадцатого века, скрашенном мягкими подушками и шелками двадцатого, он закинул руки за голову и погрузился в размышления: «Так дальше жить я не хочу. Она меня околдовала. Для нее это — пустое. Но для меня это — ад. В воскресенье покончу со всем. Персия — хорошее место. Аравия — хорошее место, много крови и песка! Флер не способна просто отказаться от чего-нибудь. Но как она запутала меня! Обаянием глаз, волос, походки, звуками голоса — обаянием теплоты, аромата, блеска. Перейти границы — нет, это не для нее. А если так — что же тогда? Неужели я буду пресмыкаться перед ее китайским камином и китайской собачонкой и томиться такой тоской, такой лихорадочной жаждой из-за того, что я не могу целовать ее? Нет, лучше снова летать над немецкими батареями. В воскресенье! До чего женщины любят затягивать агонию. И ведь повторится то же самое, что было сегодня днем. «Как нехорошо с вашей стороны уходить теперь, когда ваша дружба мне так нужна! Оставайтесь, будьте моим ручным котенком, Уилфрид!» Нет, дорогая, раз навсегда надо покончить с этим. И я покончу — клянусь богом!..»

Когда в этой галерее, где дан приют всему британскому искусству, так случайно, в воскресное утро, встретились двое перед Евой, вдыхающей аромат райских цветов, там, кроме них обоих, было еще шестеро подвыпивших юнцов, забредших сюда явно по ошибке, служитель музея и парочка из провинции; все они, по-видимому, были лишены способности замечать что бы то ни было. Кстати, встреча эта действительно казалась совершенно невыразительной. Просто двое молодых людей из разочарованного круга общества обмениваются уничтожающими замечаниями по адресу прошлого. Дезерт своим уверенным тоном, улыбкой, светской непринужденностью никак не выдавал сердечной боли. Флер была бледнее его и интереснее. Дезерт твердил про себя: «Никакой мелодрамы — только не это!» А Флер думала: «Если я смогу заставить его всегда быть вот таким обыкновенным, я его не потеряю, потому что он не уйдет без настоящей вспышки».

Только когда они во второй раз оказались перед Евой, Уилфрид проговорил:

— Не знаю, зачем вы просили меня прийти, Флер. Я делаю глупость, что даю себя на растерзание. Я вполне понимаю ваши чувства. Я для вас вроде экземпляра эпохи Мин, с которым вам жалко расстаться. Но я вряд ли гожусь для этого; вот и все, что остается сказать.

— Какие ужасные вещи вы говорите, Уилфрид!

— Ну вот! Итак, мы расстаемся. Дайте лапку!

Его глаза — красивые, потемневшие глаза — трагически противоречили улыбающимся губам, и Флер, запинаясь, сказала:

— Уилфрид... я... я не знаю. Дайте мне подумать. Мне слишком тяжело, когда вы несчастны. Не уезжайте. Может быть, я... я тоже буду несчастна. Я... я сама не знаю.

Горькая мысль мелькнула у Дезерта: «Она не может меня отпустить — не умеет». Но он проговорил очень мягко:

— Не грустите, дитя мое. Вы забудете все это через две недели. Я вам что-нибудь пришлю в утешение. Почему бы мне не выбрать Китай — не все ли равно, куда ехать? Я вам пришлю настоящий экземпляр для китайской коллекции — более ценный, чем вот этот.

— Вы меня оскорбляете! Не надо! — страстно сказала Флер.

— Простите. Я не хочу сердить вас на прощание.

— Чего же вы от меня хотите?

— Ну — послушайте! Зачем повторять все сначала! А кроме того, я все время с пятницы думаю об этом. Мне ничего не надо, Флер, — только благословите меня и дайте мне руку. Ну?

Флер спрятала руку за спину. Это слишком оскорбительно! Он принимает ее за хладнокровную кокетку, за жадную кошку — терзает, играя, мышей, которых и не собирается есть!

— Вы думаете, я сделана изо льда? — спросила она и прикусила верхнюю губу. — Так нет же!

Дезерт посмотрел на нее: его глаза стали совсем несчастными.

— Я не хотел задеть ваше самолюбие, — сказал он. — Оставим это, Флер. Не стоит.

Флер отвернулась и устремила взгляд на Еву — такая здоровая женщина, беззаботная, жадно вдыхающая полной грудью аромат цветов! Почему бы не быть такой вот беззаботной, не срывать все по пути? Не так уж много в мире любви, чтобы проходить мимо, не сорвав, не вдохнув ее. Убежать! Уехать с ним на Восток! Нет, конечно, она не способна на такую безумную выходку. Но, может быть... не все ли равно? — тот ли, другой ли, если ни одного из них не любишь по-настоящему!

Из-под опущенных белых век, сквозь темные ресницы Флер видела выражение его лица, видела, что он стоит неподвижнее статуи. И вдруг она сказала:

— Вы сделаете глупость, если уедете! Подождите! — И, не прибавив ни слова, не взглянув, она быстро ушла, а Дезерт стоял, как оглушенный, перед Евой, жадно рвущей цветы.

VI. СТАРЫЙ ФОРСАЙТ И СТАРЫЙ МОНТ

Флер была в таком смятении, что второпях чуть не наступила на ногу одному весьма знакомому человеку, стоявшему перед картиной Альма-Тадемы в какой-то унылой тревоге, как будто задумавшись над изменчивостью рыночных цен.

— Папа! Ты разве в городе? Пойдем к нам завтракать, я страшно спешу домой.

Взяв его под руку и стараясь загородить от него Еву, она увела его, думая: «Видел он нас? Мог он нас заметить?»

— Ты тепло одета? — пробурчал Сомс.

— Очень!

— Верь вам, женщинам! Ветер с востока — а ты посмотри на свою шею! Право, не понимаю.

— Зато я понимаю, милый.

Серые глаза Сомса одобрительно осмотрели ее с ног до головы.

— Что ты здесь делала? — спросил он.

И Флер подумала: «Слава богу, не видел! Иначе он ни за что бы не спросил». И она ответила:

— Я просто интересуюсь искусством, так же, как и ты, милый.

— А я остановился у твоей тетки на Грин-стрит. Этот восточный ветер отражается на моей печени. А как твой... как Майкл?

— О, прекрасно — изредка хандрит. У нас вчера был званый обед.

Годовщина свадьбы! Реализм Форсайтов заставил его пристально заглянуть в глаза Флер.

Опуская руку в карман пальто, он сказал:

— Я нес тебе подарок.

Флер увидела что-то плоское, завернутое в розовую папиросную бумагу.

— Дорогой мой, а что это?

Сомс снова спрятал пакетик в карман.

— После посмотрим. Кто-нибудь у тебя завтракает?

— Только Барт.

— Старый Монт? О господи!

— Разве тебе не нравится Барт, милый?

— Нравится? У меня с ним нет ничего общего.

— Я думала, что вы как будто сходитесь в политических вопросах.

— Он реакционер, — сказал Сомс.

— А ты кто, дорогой?

— Я? А зачем мне быть кем-нибудь? — И в этих словах сказалась вся его политическая программа — не вмешиваться ни во что; чем старше он становился, тем больше считал, что это единственно правильная позиция каждого здравомыслящего человека.

— А как мама?

— Прекрасно выглядит. Я ее совершенно не вижу — у нее гостит ее мамаша, она целыми днями в бегах.

Сомс никогда не называл мадам Ламот бабушкой Флер — чем меньше его дочь будет иметь дела со своей французской родней, тем лучше.

— Ах! — воскликнула Флер. — Вот Тинг и кошка!

Тинг-а-Линг, вышедший на прогулку, рвался на поводке из рук горничной и отчаянно фыркал, пытаясь влезть на решетку, где сидела черная кошка, вся ощерившись, сверкая глазами.

— Дайте мне его, Элен. Иди к маме, милый.

И Тинг-а-Линг пошел: вырваться все равно было нельзя; но он все время оборачивался, фыркая и скаля зубы.

— Люблю, когда он такой естественный, — сказала Флер.

— Выброшенные деньги — такая собака, — заметил Сомс. — Тебе надо было купить бульдога — пусть бы спал в холле. Нет конца грабежам. У тети украли дверной молоток.

— Я бы не рассталась с Тингом и за сто молотков.

— В один прекрасный день у тебя и его украдут — эта порода в моде!

Флер открыла дверь.

— Ой, — сказала она, — Барт уже пришел!

Блестящий цилиндр красовался на мраморном ларе, подаренном Сомсом и предназначенном для хранения верхнего платья, на страх моли.

Поставив свой цилиндр рядом с тем, Сомс поглядел на них. Они были до смешного одинаковые — высокие, блестящие, с той же маркой внутри. Сомс опять стал носить цилиндр после провала всеобщей стачки и забастовки горняков 1921 года, инстинктивно почувствовав, что революция на довольно значительное время отсрочена.

— Так вот, — сказал он, вынимая розовый пакетик из кармана, — не знаю, понравится ли тебе, посмотри!

Это был причудливо выточенный, причудливо переливающийся кусочек опала в оправе из крохотных бриллиантов.

— О, какая прелесть! — обрадовалась Флер.

— Венера, выходящая из морской пены, или что-то в этом духе, — проворчал Сомс. — Редкость. Нужно ее смотреть при сильном освещении.

— Но она очаровательна. Я сейчас же ее надену.

Венера! Если бы папа только знал! Она обвила его шею руками, чтобы скрыть смущение. Сомс с обычной сдержанностью позволил ей потереться щекой о его гладко выбритое лицо. Зачем излишние проявления любви, когда они оба и так знают, что его чувство вдвое сильнее чувства Флер?

— Ну, надень, — сказал он, — посмотрим.

Флер приколола опал у ворота, глядя на себя в старинное, в лакированной раме, зеркало.

— Изумительно! Спасибо тебе, дорогой. Да, твой галстук в порядке. Мне нравятся эти белые полосочки. Ты всегда носи его к черному. Ну, пойдем! — И она потянула его за собой в китайскую комнату. Там никого не было.

— Барт, наверно, наверху у Майкла — обсуждает свою новую книгу.

— В его годы — писать! — сказал Сомс.

— Миленький, да он на год моложе тебя!

— Но я-то не пишу. Не так глуп. Ну, а у тебя завелись еще какие-нибудь эдакие новомодные знакомые?

— Только один. Гэрдон Минхо, писатель.

— Тоже из новых?

— Что ты, милый! Неужели ты не слышал о Гэрдоне Минхо? Он стар как мир.

— Все они для меня одинаковы, — проворчал Сомс. — Он на хорошем счету?

— Да, я думаю, что его годовой доход побольше твоего. Он почти классик — ему для этого остается только умереть.

— Надо будет достать какую-нибудь из его книг и почитать. Как ты его назвала?

— Ты достанешь «Рыбы и рыбки» Гэрдона Минхо. Запомнишь, правда? А-а, вот и они! Майкл, посмотри, что папа мне подарил.

Взяв его руку, она приложила ее к опалу на своей шее. «Пусть они оба видят, в каких мы хороших отношениях», — подумала она. Хотя отец и не видел ее с Уилфридом в галерее, но совесть ей подсказывала: «Укрепляй свою репутацию — неизвестно, какая поддержка понадобится тебе в будущем».

Украдкой она наблюдала за стариками. Встречи Старого Монта со Старым Форсайтом, как называл ее отца Барт, говоря о нем с Майклом, вызывали у нее желание смеяться — совершенно неизвестно почему. Барт знал все — но все его знания были словно прекрасно переплетенные и аккуратно изданные в духе восемнадцатого века томики. Ее отец знал только то, что ему было выгодно знать, но его знания не были систематизированы и не входили ни в какие рамки. Если он и принадлежал к концу викторианской эпохи, то все же умел, когда было нужно, пользоваться достижениями позднейших периодов. Старый Монт верил в традиции, Старый Форсайт — ничуть. Зоркая Флер давно подметила разницу в пользу своего отца. Однако разговоры Старого Монта были много современнее, живее, поверхностнее, язвительнее, менее связаны с точной информацией, а речь Сомса всегда была сжата, деловита. Просто невозможно сказать, который из них — лучший музейный экспонат. И оба так хорошо сохранились!

Они, собственно, даже не поздоровались, только Сомс пробурчал что-то о погоде. И почти сразу все принялись за воскресный завтрак — Флер, после длительных стараний, удалось совершенно лишить его обычного британского характера. И действительно, им был подан салат из омаров, ризотто из цыплячьих печенок, омлет с ромом и десерт настолько испанского вида, как только было возможно.

— Я сегодня была у Тэйта, — проговорила Флер. — Право, по-моему, это трогательное зрелище.

— Трогательное? — фыркнул Сомс.

— Флер хочет сказать, сэр, что видеть сразу так много старых английских картин — это все равно, что смотреть на выставку младенцев.

— Не понимаю, — сухо возразил Сомс. — Там есть прекрасные работы.

— Но не «взрослые»!

— А вы, молодежь, принимаете всякое сумасшедшее умничанье за зрелость.

— Нет, папа, Майкл не то хочет сказать. Ведь, правда, у английской живописи еще не прорезались зубы мудрости. Сразу видишь разницу между английской и любой континентальной живописью.

— И благодарение богу за это! — перебил сэр Лоренс. — Искусство нашей страны прекрасно своей невинностью. Мы самая старая страна в политическом отношении и самая юная — в эстетическом. Что вы скажете на это, Форсайт?

— Тернер для меня достаточно стар и умен, — коротко бросил Сомс. — Вы придете на заседание правления ОГС во вторник?

— Во вторник? Как будто мы собирались поохотиться, Майкл?

Сомс проворчал:

— Придется с этим подождать. Мы утверждаем отчет.

Благодаря влиянию Старого Монта Сомс попал в правление одного из богатейших страховых предприятий — Общества Гарантийного Страхования и, по правде говоря, чувствовал себя там не совсем уверенно. Несмотря на то что закон о страховании был одним из надежнейших в мире, появились обстоятельства, которые причиняли ему беспокойство. Сомс покосился через стол. Весьма легковесен этот узколобый, мохнатобровый баронетишка — вроде своего сына! И Сомс внезапно добавил:

— Я не вполне спокоен. Если бы я знал раньше, как этот Элдерсон ведет дела, — сомневаюсь, что я вошел бы в правление.

Лицо Старого Монта расплылось так, что, казалось, обе половинки разойдутся.

— Элдерсон! Его дед был у моего деда агентом по выборам во время билля о парламентской реформе; он провел его через самые коррумпированные выборы, какие когда-либо имели место, купил все голоса, перецеловал всех фермерских жен. Великие времена, Форсайт, великие времена!

— И они прошли, — сказал Сомс. — Вообще я считаю, что нельзя так доверять одному человеку, как мы доверяем Элдерсону. Не нравятся мне эти иностранные страховки.

— Что вы, дорогой мой Форсайт! Этот Элдерсон — первоклассный ум. Я знаю его с детства, мы вместе учились в Уинчестере.

Сомс глухо заворчал. В этом ответе Старого Монта крылась главная причина его беспокойства. Члены правления все словно учились вместе в Уинчестере. Тут-то и зарыта собака! Они все до того почтенны, что не решаются взять под сомнение не только друг друга, но даже свои собственные коллективные действия. Пуще ошибок, пуще обмана они боятся выказать недоверие друг к другу. И это естественно: недоверие друг к другу есть зло непосредственное. А, как известно, непосредственных неприятностей и стараются избегать. И в самом деле, только привычка, унаследованная Сомсом от своего отца Джемса, — привычка лежать без сна между двумя и четырьмя часами ночи, когда из кокона смутного опасения так легко вылетает бабочка страха, — заставляла его беспокоиться. Конечно, ОГС было столь внушительным предприятием и сам Сомс был так недавно с ним связан, что явно преждевременно было чуять недоброе, — тем более что ему пришлось бы уйти из правления и потерять тысячу в год, которую он получал там, если бы он поднял тревогу без всякой причины. А что, если причина все же есть? Вот в чем беда! А тут еще этот Старый Монт сидит и болтает об охоте и своем дедушке. Слишком узкий лоб у этого человека! И невесело подумав: «Никто из всех них, даже моя родная дочь, не способны ничего принимать всерьез», — он окончательно замолк. Возня у его локтя заставила его очнуться — это собачонка вскочила на стул между ним и Флер! Кажется, ждет, чтоб он дал ей что-нибудь? У нее скоро глаза выскочат. И Сомс сказал:

— Ну, а тебе что нужно? — Как это животное смотрит на него своими пуговицами для башмаков! — На, — сказал он, протягивая собаке соленую миндалину, — не ешь их, верно?

Но Тинг-а-Линг съел.

— Он просто обожает миндаль, папочка. Правда, мой миленький?

Тинг-а-Линг поднял глаза на Сомса, и у того появилось странное ощущение. «По-моему, этот звереныш меня любит, — подумал он, — всегда на меня смотрит». Он дотронулся до носа Тинга концом пальца. Тинг-а-Линг слегка лизнул палец своим загнутым черноватым язычком.

— Бедняга! — непроизвольно сорвалось у Сомса, и он обернулся к Старому Монту. — Забудьте, что я говорил.

— Дорогой мой Форсайт, а что, собственно, вы сказали?

Господи помилуй! И он сидит в правлении рядом с таким человеком! Что заставило его принять этот пост — один бог знает, — ни деньги, ни лишние заботы ему не были нужны. Как только он стал одним из директоров, вся его родня — Уинифрид и другие — стала покупать акции, чтобы заработать на подоходный налог: семь процентов с привилегированных акций, девять процентов с обычных вместо тех верных пяти процентов, которыми им следовало бы довольствоваться. Вот так всегда: он не может сделать ни шагу, чтобы за ним не увязались люди. Ведь он был всегда таким верным, таким прекрасным советником в путаных денежных делах. И теперь, в его годы, такое беспокойство! В поисках утешения его глаза остановились на опале у шеи Флер — красивая вещь, красивая шея! Да! У нее совсем счастливый вид — забыла свое несчастное увлечение, — как-никак, два года прошло. За одно это стоит благодарить судьбу. Теперь ей нужен ребенок, чтобы сделать ее устойчивее во всей этой модной суете среди грошовых писак, художников и музыкантов. Распущенная публика. Впрочем, у Флер умная головка. Если у нее будет ребенок, надо будет положить на ее имя еще двадцать тысяч. У ее матери одно достоинство: в денежных делах очень аккуратна — хорошая французская черта. И Флер, насколько ему известно, тоже знает цену деньгам. Что такое? До его слуха долетело слово «Гойя». Выходит новая его биография? Гм... Это подтвердило медленно крепнущее в нем убеждение, что Гойя снова на вершине славы.

— Пожалуй, расстанусь с этой вещью, — сказал он, указывая на картину. — Тут сейчас есть один аргентинец.

— Продать вашего Гойю, сэр? — удивился Майкл. — Вы только подумайте, как все сейчас завидуют вам.

— За всем не угнаться, — сказал Сомс.

— Репродукция, которую мы сделали для новой биографии, вышла изумительно. «Собственность Сомса Форсайта, эсквайра». Дайте нам сначала хоть выпустить книгу, сэр.

— Тень или сущность, а? Форсайт?

Узколобый баронетишка — насмехается он, что ли?

— У *меня* нет родового поместья, — сказал он.

— Зато у нас есть, сэр, — ввернул Майкл. — Вы могли бы завещать картину Флер.

— Посмотрим, заслужит ли она, — сказал Сомс. И посмотрел на дочь.

Флер редко краснела: она просто взяла Тинг-а-Линга на руки и встала из-за испанского стола. Майкл пошел за ней.

— Кофе в комнате рядом, — сказал он.

Старый Форсайт и Старый Монт встали, вытирая усы.

VII. СТАРЫЙ МОНТ И СТАРЫЙ ФОРСАЙТ

Контора ОГС находилась недалеко от Геральдического управления. Сомс, знавший, что «три червленые пряжки на черном поле вправо» и «натурального цвета фазан» за немалую мзду были получены его дядей Суизином в шестидесятых годах прошлого века, всегда презрительно отзывался об этом учреждении, пока примерно с год назад его не поразила фамилия Голдинг, попавшаяся ему в книге, которую он рассеянно просматривал в «Клубе знатоков». Автор пытался доказать, что Шекспир в действительности был Эдуард де Вир, граф Оксфорд. Мать графа была урожденная Голдинг, и мать Сомса — тоже! Совпадение поразило его; и он стал читать дальше. Он отложил книгу, не уверенный в правильности ее основных выводов, но у него определенно зародилось любопытство: не приходится ли он родственником Шекспиру? Даже если считать, что граф не был поэтом, все же Сомс чувствовал, что такое родство только почетно, хотя, насколько ему удалось выяснить, граф Оксфорд был темной личностью. Когда Сомс попал в правление ОГС и раз в две недели, по вторникам, стал проходить мимо этого учреждения, он думал: «Денег я на это тратить не стану, но как-нибудь загляну сюда». А когда заглянул, сам удивился, насколько это его захватило. Проследить родословную матери оказалось чем-то вроде уголовного расследования: почти так же запутано и совершенно так же дорого. С форсайтским упорством он не мог уже остановиться в своих поисках матери Шекспира де Вир, даже если бы она оказалась только дальней родней. К несчастью, он никак не мог проникнуть дальше некоего Уильяма Гоулдинга, времен Оливера Кромвеля, по роду занятий «ингерера». Сомс даже боялся разузнать, какая это, в сущности, была профессия. Надо было раскопать еще четыре поколения — и он тратил все больше денег и все больше терял надежду что-нибудь получить за них. Вот почему во вторник, после завтрака у Флер, он по дороге в правление так косо смотрел на старое здание. Еще две бессонные ночи до того взвинтили его, что он решил больше не скрывать своих подозрений и выяснить, как обстоят дела в ОГС. И неожиданное напоминание о том, что он тратит деньги как попало, когда в будущем, пусть отдаленном, придется, чего доброго, выполнять финансовые обязательства, совершенно натянуло его и без того напряженные нервы. Отказавшись от лифта и медленно подымаясь на второй этаж, он снова перебирал всех членов правления. Старого лорда Фонтенон держали там, конечно, только ради имени; он редко посещал заседания и был, как теперь говорили... мм-м... «пустым местом». Председатель сэр Льюк Шерман, казалось, всегда старался только о том, чтобы его не приняли за еврея. Нос у него был прямой, но веки внушали подозрение. Его фамилия была безукоризненна, зато имя — сомнительно; голосу он придавал нарочитую грубоватость, зато его платье имело подозрительную склонность к блеску. А в общем, это был человек, о котором, как чувствовал Сомс, нельзя было сказать, несмотря на весь его ум, что он относится к делу вполне серьезно. Что касается Старого Монта — ну, какая польза правлению от девятого баронета? Хью Мэйрик, королевский адвокат — последний из троицы, которая «вместе училась», — был, безусловно, на месте в суде, но заниматься делами не имел ни времени, ни склонности. Оставался этот обращенный квакер, старый Кэтберт Мозергилл, чья фамилия в течение прошлого столетия стала нарицательной для обозначения честности и успеха в делах, так что до сих пор Мозергиллов выбирали почти автоматически во все правления. Это был глуховатый, приятный, чистенький старичок, необычайно кроткий — и ничего больше. Абсолютно честная публика, несомненно, но совершенно поверхностная. Никто из них по-настоящему не интересуется делом. И все они в руках у Элдерсона; кроме Шермана, пожалуй, да и тот ненадежен! А сам Элдерсон — умница, артист в своем роде; с самого начала был директором-распорядителем и знает дело до мельчайших подробностей. Да! В этом все горе! Он завоевал себе престиж своими знаниями, годами успеха; все заискивают перед ним — и неудивительно! Плохо то, что такой человек никогда не признается в своей ошибке, потому что это разрушило бы представление о его непогрешимости. Сомс считал себя достаточно непогрешимым, чтобы знать, как неприятно в чем бы то ни было признаваться. Десять месяцев назад, когда он вступал в правление, все, казалось, шло полным ходом: на бирже падение цен достигло предела — по крайней мере все так считали — и поэтому гарантийное страхование заграничных контрактов, предложенное Элдерсоном с год назад, представлялось всем, при некотором подъеме на бирже, самой блестящей из всех возможностей. И теперь, через год, Сомс смутно подозревал, что никто не знает в точности, как обстоят дела, — а до общего собрания осталось только шесть недель! Пожалуй, даже Элдерсон ничего не знает, а если и знает, то упорно держит про себя те сведения, которые по праву принадлежат всему директорату.

Сомс вошел в кабинет правления без улыбки. Все налицо, даже лорд Фонтенон и Старый Монт, — ага, отказался от своей охоты! Сомс сел поодаль, в кресло у камина. Глядя на Элдерсона, он внезапно совершенно отчетливо понял всю прочность положения Элдерсона и всю непрочность ОГС. При неустойчивости валюты они никак не могут точно установить своих обязательств — они просто играют вслепую. Слушая протокол предыдущего заседания и очередные дела, подперев подбородок рукой, Сомс переводил глаза с одного на другого — старый Мозергилл, Элдерсон, Монт напротив, Шерман на месте председателя, Фонтеной, спиной к нему Мэйрик — решающее заседание правления в этом году. Он не может, не должен ставить себя в ложное положение. Он не имеет права впервые встретиться с держателями акций, не запасшись точными сведениями о положении дел. Он снова взглянул на Элдерсона — приторная физиономия, лысая голова, как у Юлия Цезаря; ничего такого, что внушало бы излишний оптимизм или излишнее недоверие, — пожалуй, даже слегка похож на старого дядю Николаса Форсайта, чьи дела всегда служили примером позапрошлому поколению. Когда директор-распорядитель окончил свой доклад, Сомс уставился на розовое лицо сонного старого Мозергилла и сказал:

— Я считаю, что этот отчет неточно освещает наше положение. Я считаю нужным собрать правление через неделю, господин председатель, и в течение этой недели каждого члена правления необходимо снабдить точными сведениями об иностранных контрактах, которые не истекают в текущем финансовом году. Я заметил, что все они попали под общую рубрику обязательств. Меня это не удовлетворяет. Они должны быть выделены совершенно особо. — И, переведя взгляд мимо Элдерсона прямо на лицо Старого Монта, он продолжал: — Если в будущем году положение на континенте не изменится к лучшему — в чем я сильно сомневаюсь, — я вполне готов ожидать, что эти сделки приведут нас в тупик.

Шарканье подошв, движение ног, откашливание, какими обычно выражается смутное чувство обиды, встретили слова «в тупик», и Сомс почувствовал что-то вроде удовлетворения. Он встряхнул их сонное благодушие, заставил их испытать те опасения, от которых сам так страдал в последнее время.

— Мы всегда все наши обязательства рассматриваем под общей рубрикой, мистер Форсайт.

Какой наивный тип!

— И, по-моему, напрасно. Страхование иностранных контрактов — дело новое. И если я верно понимаю вас, то нам, вместо того чтобы выплачивать дивиденды, надо отложить прибыли этого года на случай убытков в будущем году.

Снова движение и шарканье.

— Дорогой сэр, это абсурдно!

Бульдог, сидевший в Сомсе, зарычал.

— Вы так думаете! — сказал он. — Получу я эти сведения или нет?

— Разумеется, правление может получить все сведения, какие пожелает. Но разрешите мне заметить по общему вопросу, что тут может идти речь только об оценке обязательств. А мы всегда были весьма осторожны в наших оценках.

— Тут возможны разные мнения, — сказал Сомс, — и мне кажется, важнее всего узнать мнение директоров, послс того как они тщательно обсудят цифровые данные.

Заговорил Старый Монт:

— Дорогой мой Форсайт, подробный разбор каждого контракта отнял бы у нас целую неделю и ничего бы не дал; мы можем только обсудить итоги.

— Из этих отчетов, — сказал Сомс, — нам не видно соотношение — в какой именно степени мы рискуем при страховании заграничных и отечественных контрактов; а при нынешнем положении вещей это очень важно.

Заговорил председатель:

— Вероятно, это не встретит препятствий, Элдерсон! Но во всяком случае, мистер Форсайт, нельзя же в этом году лишать людей дивидендов в предвидении неудач, которых, как мы надеемся, не будет.

— Не знаю, — сказал Сомс. — Мы собрались здесь, чтобы выработать план действий согласно здравому смыслу, и мы должны иметь полнейшую возможность это сделать. Это мой главный довод. Мы недостаточно информированы.

«Наивный тип» заговорил снова:

— Мистер Форсайт как будто высказывает недостаток доверия по отношению к руководству?

Ага, как будто берет быка за рога!

— Получу я эти сведения?

Голос старенького Мозергилла уютно заворковал в тишине:

— Заседание, конечно, можно бы отложить, господин председатель. Я сам мог бы приехать в крайнем случае. Может быть, мы все могли бы присутствовать. Конечно, времена нынче очень необычные — мы не должны рисковать без особой необходимости. Практика иностранных контрактов — вещь для нас, без сомнения, несколько новая. Пока что у нас нет оснований жаловаться на результаты. И право же, мы все с величайшим доверием относимся к нашему директору-распорядителю. И все-таки, раз мистер Форсайт требует этой информации, надо бы нам, по моему мнению, получить ее. Как вы полагаете, милорд?

— Я не могу прийти на следующей неделе. Согласен с председателем, что совершенно излишне отказываться от дивидендов в этом году. Зачем подымать тревогу, пока нет оснований? Когда будет опубликован отчет, Элдерсон?

— Если все пойдет нормально, то в конце недели.

— Сейчас не нормальное время, — сказал Сомс. — Короче говоря, если я не получу точной информации, я буду вынужден подать в отставку.

Он прекрасно видел, что они думают: «Новичок — и подымает такой шум!» Они охотно приняли бы его отставку — хотя это было бы не совсем удобно перед общим собранием, если только они не смогут сослаться на «болезнь его жены» или на другую уважительную причину; а уж он постарается не дать им такой возможности!

Председатель холодно сказал:

— Хорошо, отложим заседание правления до следующего вторника; вы сможете представить нам эти данные, Элдерсон?

— Конечно!

В голове у Сомса мелькнуло: «Надо бы потребовать ревизии». Но он поглядел кругом. Пожалуй, не стоит заходить слишком далеко, раз он собирается остаться в правлении; а желания уйти у него нет — в конце концов это прекрасное место — и тысяча в год! Да. Не надо перегибать палку!

Уходя, Сомс чувствовал, что его триумф сомнителен; он был даже не совсем уверен, принес ли он какую-нибудь пользу. Его выступление только сплотило всех, кто «вместе учился», вокруг Элдерсона. Шаткость его позиции заключалась в том, что ему не на что было сослаться, кроме какого-то внутреннего беспокойства, которое при ближайшем рассмотрении просто оказывалось желанием активнее участвовать в деле, а между тем двух директоров-распорядителей быть не может — и своему директору надо верить.

Голос за его спиной застрекотал:

— Ну, Форсайт, вы нас прямо поразили вашим ультиматумом. Первый раз на моей памяти в правлении случается такая вещь.

— Сонное царство, — сказал Сомс.

— Да, я там обычно дремлю. Там всегда к концу такая духота. Лучше бы я поехал на охоту. Даже в такое время года это приятное занятие.

Неисправимо легкомыслен этот болтун баронет!

— Кстати, Форсайт, я давно хотел вам сказать. Это современное нежелание иметь детей и всякие эти штуки начинают внушать беспокойство. Мы не королевская фамилия, но не согласны ли вы, что пора позаботиться о наследнике?

Сомс был согласен, но не желал говорить на такую щекотливую тему в связи со своей дочерью.

— Времени еще много, — пробормотал он.

— Не нравится мне эта собачка, Форсайт.

Сомс удивленно посмотрел на него.

— Собака? — сказал он. — А какое она имеет отношение?

— Я считаю, что сначала нужен ребенок, а потом уже собака. Собаки и поэты отвлекают внимание молодых женщин. У моей бабушки к двадцати семи годам было пятеро детей. Она была урожденная Монтжой. Удивительно плодовитая семья! Вы их помните? Семь сестер Монтжой, все красавицы. У старика Монтжоя было сорок семь внуков. Теперь этого не бывает, Форсайт!

— Страна и так перенаселена, — угрюмо сказал Сомс.

— Не той породой, какой нужно. Надо бы их поменьше, а наших — побольше. Это стоило бы ввести законодательным путем.

— Поговорите с вашим сыном!

— О, да ведь они, знаете ли, считают нас ископаемыми. Если бы мы могли хоть указать им смысл жизни. Но это трудно, Форсайт, очень трудно!

— У них есть все, что им нужно, — сказал Сомс.

— Недостаточно, дорогой мой Форсайт, недостаточно. Мировая конъюнктура действует на нервы молодежи. Англии — крышка, говорят они, и Европе — крышка. Раю тоже крышка, и аду — тоже. Нет будущего ни в чем. Нет воздуха. А размножаться в воздухе нельзя... во всякой случае, я сомневаюсь в этом — трудности возникают немалые!

Сомс фыркнул.

— Если бы только журналистам заткнуть глотки, — сказал он. В последнее время, когда в газетах перестали писать каждый день про всякие страхи, Сомс снова испытывал здоровое форсайтское чувство безопасности. — Надо нам только держаться подальше от Европы, — добавил он.

— Держаться подальше и не дать вышибить себя с ринга! Форсайт, мне кажется, вы нашли правильный путь! Быть в хороших отношениях со Скандинавией, Голландией, Испанией, Италией, Турцией — со всеми окраинными странами, куда мы можем пройти морем. А остальные пускай несут свой жребий. Это мысль!..

Как этот человек трещит!

— Я не политик, — сказал Сомс.

— Держаться на ринге! Новая формула! Мы к этому бессознательно и шли. А что касается торговли — говорю, что мы не можем жить, не торгуя с той или другой страной, — это чепуха, дорогой мой Форсайт. Мир велик — отлично можем!

— Ничего в этом не понимаю, — сказал Сомс — Я только знаю, что нам надо прекратить страхование этих иностранных контрактов.

— А почему не ограничить его странами, которые тоже борются на ринге? Вместо «равновесия сил» — «держать на ринге»! Право же, это гениальная мысль!

Сомс, обвиненный в гениальности, поспешно перебил:

— Я вас тут покину — я иду к дочери!

— А-а! Я иду к сыну. Посмотрите на этих несчастных!

По набережной у Блэкфрайерского моста уныло плелась группа безработных с кружками для пожертвований.

— Революция в зачатке! Вот о чем, к сожалению, всегда забывают, Форсайт!

— О чем именно? — мрачно спросил Сомс.

Неужели этот тип будет трещать всю дорогу до дома Флер?

— Вымойте рабочий класс, оденьте его в чистое, красивое платье, научите их говорить, как мы с вами, — и классовое сознание у них исчезнет. Все дело в ощущениях. Разве вы не предпочли бы жить в одной комнате с чистым, аккуратно одетым слесарем, чем с разбогатевшим выскочкой, который говорит с вульгарным акцентом и распространяет аромат опопанакса? Конечно, предпочли бы!

— Не пробовал, не знаю, — сказал Сомс.

— Вы прагматик! Но поверьте мне, Форсайт, если бы рабочий класс больше думал о мытье и хорошем английском выговоре вместо всякой там политической и экономической ерунды, равенство установилось бы в два счета!

— Мне не нужно равенство, — сказал Сомс, беря билет до Вестминстера.

«Трескотня» преследовала его, даже когда он спускался к поезду подземки.

— Эстетическое равенство, Форсайт, если бы оно у нас было, устранило бы потребность во всяком другом равенстве. Вы видели когда-нибудь нуждающегося профессора, который хотел бы стать королем?

— Нет, — сказал Сомс, разворачивая газету.

VIII. БИКЕТ

Веселая беззаботность Майкла Монта, словно блестящая полировка, скрывала, насколько углубился его характер за два года оседлости и постоянства. Ему приходилось думать о других. И его время было занято. Зная с самого начала, что Флер только снизошла к нему, целиком принимая полуправильную поговорку «Jl y a toujours un qui baise, et l'autre qui tend la joue»[1], он проявил необычайные качества в налаживании семейных отношений. Однако в своей общественной и издательской работе он никак не мог установить равновесия. Человеческие отношения он всегда считал выше денежных. Все же у Дэнби и Уинтера с ним вполне ладили, и фирма даже не проявляла признаков банкротства, которое ей предсказал Сомс, когда услышал от зятя, по какому принципу тот собирается вести дело. Но и в издательском деле, как и на всех прочих жизненных путях, Майкл не находил возможным строго следовать определенным принципам. Слишком много факторов попадало в поле его деятельности — факторов из мира людей, растений, минералов.

В тот самый вторник, днем, после долгой возни с ценностями растительного мира — с расценками бумаги и полотна, —

[1] Всегда один целует, а другой подставляет щеку (*фр.*).

Майкл, насторожив свои заостренные уши, слушал жалобы упаковщика, пойманного с пятью экземплярами «Медяков» в кармане пальто, положенных им туда с явным намерением реализовать их в свою пользу.

Мистер Дэнби велел ему «выкатываться». Он и не отрицает, что собирался продать книги, — а что бы сделал мистер Монт на его месте? За квартиру он задолжал, а жена нуждается в питании после воспаления легких, очень нуждается!

«Ах, черт! — подумал Майкл. — Да я бы стащил целый тираж, если б Флер нужно было питаться после воспаления легких!»

— Не могу же я прожить на одно жалованье при теперешних ценах, не могу, мистер Монт, честное слово.

Майкл повернулся к нему:

— Но послушайте, Бикет, если мы вам позволим таскать книжки, все упаковщики начнут таскать. А что тогда станется с Дэнби и Уинтером? Вылетят в трубу. А если они вылетят в трубу, куда вы все вылетите? На улицу. Так лучше пусть один из вас вылетит на улицу, чем все, не так ли?

— Да, сэр, я понимаю вас, все это — истинная правда. Но правдой не проживешь, всякая мелочь выбьет из колеи, когда сидишь без хлеба. Попросите мистера Дэнби еще раз испытать меня.

— Мистер Дэнби всегда говорит, что работа упаковщика требует особого доверия, потому что почти невозможно за вами углядеть.

— Да, сэр, уж я это запомню на будущее; но при нынешней безработице, да еще без рекомендаций, мне нипочем не найти другого места. А что будет с моей женой?

Для Майкла это прозвучало, как будто его спросили: «А что будет с Флер?» Он зашагал по комнате; а Бикет, еще совсем молодой парень, смотрел на него большими тоскливыми глазами. Вдруг Майкл остановился, засунув руки в карманы и приподняв плечи.

— Я его попрошу, — сказал он, — но вряд ли он согласится; скажет, что это нечестно по отношению к другим. Вы взяли пять экземпляров, это уж чересчур, знаете ли! Верно, вы и раньше брали, правда, а?

— Эх, мистер Монт, признаюсь по совести, если это поможет: я раньше тоже стащил несколько штук, только этим и спас жену от смерти. Вы не представляете, что значит для бедного человека воспаление легких.

Майкл взъерошил волосы.

— Сколько лет вашей жене?

— Совсем еще девочка — двадцать лет.

Только двадцать — одних лет с Флер!

— Я вам скажу, что я сделаю, Бикет: я объясню все дело мистеру Дезерту; если он заступится за вас, может, на мистера Дэнби это подействует.

— Спасибо вам, мистер Монт, — вы настоящий джентльмен, мы все это говорим.

— А, ерунда! Но вот что, Бикет, — вы ведь рассчитывали на эти пять книжек. Вот возьмите, купите жене, что нужно. Только, бога ради, не говорите мистеру Дэнби.

— Мистер Монт, да я вас ни за что на свете не выдам — ни слова не пророню, сэр. А моя жена... да она...

Всхлип, шарканье — и Майкл, оставшись один, еще глубже засунул руки в карманы, еще выше поднял плечи. И вдруг он рассмеялся. Жалость! Жалость — чушь! Все вышло адски глупо! Он только что заплатил Бикету за кражу «Медяков». Ему вдруг захотелось пойти за маленьким упаковщиком, посмотреть, что он сделает с этими двумя фунтами, — посмотреть, правда ли «воспаление легких» существует, или этот бедняк с тоскливыми глазами все выдумал? Невозможно проверить, увы! Вместо этого надо позвонить Уилфриду и попросить замолвить слово перед старым Дэнби. Его собственное слово уже потеряло всякий вес. Слишком часто он заступался. Бикет! Ничего ни о ком не знаешь! Темная штука жизнь, все перевернуто. Что такое честность? Жизнь нажимает — человек сопротивляется, и если побеждает сопротивление, это и зовется честностью. А к чему сопротивляться? Люби ближнего, как самого себя, — но не больше! И разве не во сто раз труднее Бикету при двух фунтах в неделю любить его, чем ему, при двадцати четырех фунтах в неделю, любить Бикета?

— Хэлло... Ты, Уилфрид?.. Говорит Майкл... Слушай, один из наших упаковщиков таскал «Медяки». Его выставили, беднягу. Я и подумал — не заступишься ли ты за него, — старый Дэн меня и слушать не станет... да, у него жена ровесница Флер... говорит — воспаление легких. Больше таскать не станет — твои-то наверняка! Страховка благодарностью — а?.. Спасибо, старина, очень тебе благодарен. Так ты заглянешь сейчас? Домой можем пойти вместе... Ага! Ну ладно, во всяком случае, ты сейчас заглянешь! Пока!

Хороший малый этот Уилфрид! Действительно, чудесный малый, несмотря на... несмотря на что?

Майкл положил трубку, и вдруг ему вспомнились облака дыма, и газы, и грохот — все то, о чем его издательство принципиально отказывалось что-либо печатать, так что он привык немедленно отклонять всякую рукопись на эту тему. Война, может быть, и кончилась, но в нем и в Уилфриде она все еще жила.

Он взял трубку.

— Мистер Дэнби у себя? Ладно! При первой попытке к бегству дайте мне знать...

Между Майклом и его старшим компаньоном лежала пропасть не менее глубокая, чем между двумя поколениями, хотя отчасти ее заполнял мистер Уинтер — добродушный и покладистый человек средних лет.

Майкл, собственно, ничего не имел против мистера Дэнби — разве только то, что он был всегда прав, этот Филипп Норман Дэнби, из Скай-Хауза, на Кемден-Хилл. Это был человек лет шестидесяти, отец семейства, высоколобый, с грузным туловищем на коротких ногах, с выражением лица и непоколебимым и задумчивым. Его глаза были, пожалуй, слишком близко поставлены, нос — слишком тонок, но все же в своем большом кабинете он выглядел весьма внушительно. Дэнби отвел глаза от пробного оттиска объявлений, когда вошел Уилфрид Дезерт.

— А, мистер Дезерт! Чем могу служить? Садитесь!

Дезерт не сел, посмотрел на рисунки, на свои пальцы, на мистера Дэнби и проговорил:

— Дело в том, что я прошу вас простить этого упаковщика, мистер Дэнби.

— Упаковщика? Ах да! Бикета! Это вам, наверно, сказал Монт?

— Да. У него молоденькая жена больна воспалением легких.

— Все они приходят к нашему милому Монту со всякими россказнями, мистер Дезерт, — он очень мягкосердечен. Но, к сожалению, я не могу держать этого упаковщика. Это совершенно безобразная история. Мы давно стараемся выследить причину наших пропаж.

Дезерт прислонился к камину и уставился на огонь.

— Вот, мистер Дэнби, — сказал он, — ваше поколение любит мягкость в литературе, но в жизни вы очень жестоки. Наше — не выносит никакого сентиментальничанья, но мы во сто раз менее жестоки в жизни.

— Я не считаю это жестокостью, — ответил мистер Дэнби, — это просто справедливость.

— А вы знаете, что значит справедливость?

— Надеюсь, да.

— Попробуйте четыре года посидеть в аду — тогда и говорите!

— Я, право, не вижу никакой связи. То, что вы испытали, мистер Дезерт, конечно, очень тяжело.

Уилфрид повернулся и посмотрел на него в упор.

— Простите, что я так говорю, но сидеть тут и проявлять справедливость — еще тяжелее. Жизнь — настоящее чистилище для всех, кроме тридцати процентов взрослых людей.

Мистер Дэнби улыбнулся.

— Мы просто не могли бы вести наше дело, мой юный друг, если бы перестали от каждого требовать исключительной честности. Не делать разницы между честностью и нечестностью было бы весьма несправедливо. Вы это прекрасно знаете.

— Ничего я «прекрасно» не знаю, мистер Дэнби, и не верю тем, кто говорит, что все знает прекрасно.

— Ну, давайте скажем, что есть просто правила, которых нужно придерживаться, чтобы общество могло каким-то образом существовать.

Дезерт тоже улыбнулся.

— А, к черту правила! Сделайте это как личное одолжение мне. Ведь эту проклятую книгу написал я!

Никаких признаков борьбы на лице мистера Дэнби не отразилось, но его глубоко посаженные, близко поставленные глаза слегка заблестели.

— Я был бы очень рад, но тут дело... гм-м... ну, совести, если хотите. Я не преследую этого человека. Я только его увольняю, вот и все.

Дезерт пожал плечами.

— Что ж, прощайте! — и вышел.

У дверей Майкл изнывал от неизвестности.

— Ну, как?

— Ничего не вышло. Старый хрыч чересчур справедлив.

Майкл взъерошил волосы.

— Подожди в моей комнате пять минут, пока я скажу этому бедняге, а потом я пойду с тобой.

— Нет, — сказал Дезерт, — мне в другую сторону.

Не то что Дезерт «шел в другую сторону» — это часто с ним бывало, нет, что-то в звуке его голоса, выражении его лица не давало Майклу покоя, пока он спускался вниз, к Бикету. Уилфрид был страшный чудак — вдруг совершенно неожиданно замыкался в себе.

Спустившись в «преисподнюю», Майкл спросил:

— Бикет ушел?

— Нет, сэр, вот он.

Действительно, вот он — его потертое пальто, бледное, изможденное лицо с несоразмерно большими глазами, узкие плечи.

— Очень жаль, Бикет, мистер Дезерт был там, но ничего не вышло.

— Не вышло, сэр?

— Держитесь молодцом, где-нибудь устроитесь.

— Боюсь, что нет, сэр. Ну, спасибо вам большое, и мистера Дезерта поблагодарите. Спокойной ночи, сэр, счастливо оставаться!

Майкл посмотрел ему вслед — он прошел по коридору и исчез в уличной мгле.

— Весело! — сказал Майкл и рассмеялся...

Естественные подозрения Майкла и его старшего компаньона, что Бикет сочиняет, были неосновательны: и про жену, и про воспаление легких он сказал правду. И, шагая по направлению к Блэкфрайерскому мосту, он думал не о своей подлости и не о справедливости мистера Дэнби, а о том, что же он скажет жене. Конечно, он ей не признается, что его уличили в краже; придется сказать, что его выгнали за то, что он «нагрубил заведующему»; но что она теперь о нем подумает, когда все зависит именно от того, чтобы не грубить заведующему? Странная вещь — его чувство к ней: изо дня в день он приходил на работу в таком состоянии, словно «половина его нутра» оставалась в комнате, где лежала жена, а когда, наконец, доктор сказал ему: «Теперь она поправится, но она сильно истощена, надо ее подкормить», страх за нее привел его к твердому решению. В следующие три недели он «спер» восемнадцать экземпляров «Медяков», включая и те пять, которые нашли в его кармане. Он таскал книгу мистера Дезерта только потому, что она «здорово шла», и теперь он жалел, что не схватил еще чью-нибудь книжку. Мистер Дезерт оказался очень порядочным человеком. Бикет остановился на углу Стрэнда и пересчитал деньги. Вместе с двумя фунтами, полученными от Майкла, и жалованьем у него было всего-навсего семьдесят пять шиллингов. Зайдя в магазин, он купил мясной студень и банку сгущенного супа, который можно было развести кипятком. С набитыми карманами он сел в автобус и сошел на углу маленькой улички на южном берегу Темзы. Он с женой занимал две комнатки в нижнем этаже за восемь шиллингов в неделю и задолжал за три недели. «Лучше уплатить, — подумал он, — хоть крыша над головой будет, пока жена не поправится». Ему легче будет сообщить ей о потере работы, показав квитанцию и вкусную еду. Какое счастье, что они поостереглись заводить ребенка! Он спустился в подвал. Хозяйка стирала белье. Она остановилась в искреннем изумлении перед такой полной и добровольной расплатой и справилась о здоровье жены.

— Поправляется, спасибо.

— Ну, я рада за вас! Наверно, у вас на душе полегчало.

— Ну еще бы! — сказал Бикет.

Хозяйка подумала: «Худ, как щепка, похож на невареную креветку, а глазищи-то какие!»

— Вот квитанция, очень вам благодарна. Простите, что я вас беспокоила, но времена нынче тяжелые.

— Это верно, — сказал Бикет, — всего хорошего!

Держа квитанцию и студень в левой руке, он открыл свою дверь.

Его жена сидела перед чуть тлеющим огнем. Подстриженные черные волосы, вьющиеся на концах, отросли за время болезни; она встряхнула головой, обернувшись к нему, и улыбнулась. Бикету — и не впервые — эта улыбка показалась странной, «ужасно трогательной», загадочной — словно жена его понимает то, чего ему не понять. Звали ее Викториной, и Бикет сказал:

— Ну, Вик, студень я принес знаменитый и за квартиру заплатил.

Он сел на валик кресла, и она положила пальцы ему на колено — тонкая, синевато-бледная ручка выглядывала из рукава темного халатика.

— Ну как, Тони?

Лицо, худое, бледное, с огромными темными глазами и красивым изгибом бровей, казалось, глядит на тебя словно издалека, а как взглянет — так и защемит сердце. Вот и теперь у него «защемило сердце», и он сказал:

— А как ты себя чувствуешь сегодня?

— Хорошо, много легче. Теперь я скоро выйду.

Бикет наклонился и припал к ее губам. Поцелуй длился долго — все чувства, которые он не умел выразить в течение последних трех недель, вылились в этом поцелуе. Он снова выпрямился, «словно оглушенный», уставился на огонь и сказал:

— Новости невеселые, я остался без места, Вик.

— О Тони! Почему же?

Бикет глотнул воздуху.

— Да, видишь, дела идут неважно, и штаты сокращаются.

Он совершенно определенно решил, что лучше подставит голову под газ, чем расскажет ей правду.

— О господи! Что же мы будем делать?

Голос Бикета стал тверже:

— Ты не тревожься — я уж устроюсь! — И он даже засвистал.

— Но ведь тебе так нравилась эта работа!

— Разве? Просто мне нравился кое-кто из ребят, но сама работа — что же в ней хорошего? Целый день без конца заворачивать книжки в подвале. Ну, давай поедим и пораньше ляжем спать, — мне кажется, что теперь, на свободе, я мог бы проспать целую неделю подряд.

Готовя с ее помощью ужин, он старался не глядеть ей в глаза — из страха, что у него опять «защемит сердце». Они были женаты всего год, познакомились в трамвае, и Бикет часто удивлялся, что привязало ее к нему, — он был на восемь лет старше, в армию не взят по состоянию здоровья. И все-таки она, наверно, любит его — иначе она не стала бы смотреть на него такими глазами.

— Сядь и попробуй студня.

Сам он ел хлеб с маргарином и пил какао на воде — у него вообще был неважный аппетит.

— Сказать тебе, чего бы мне хотелось? — проговорил он. — Мне бы хотелось уехать в Центральную Австралию! Там у нас была про это книжка. Говорят, туда большая тяга. Хорошо бы на солнышко! Я уверен, что, попади мы на солнышко, мы с тобой стали бы вдвое толще, чем сейчас. Хотелось бы увидеть румянец на твоих щечках, Вик!

— А сколько стоит туда проехать?

— Много больше, чем мы с тобой можем достать, в том-то и беда. Но я все думаю. С Англией пора покончить. Тут слишком много таких, как я.

— Нет, — сказала Викторина, — таких, как ты, мало!

Бикет взглянул на нее и быстро опустил глаза в тарелку.

— За что ты полюбила меня?

— За то, что ты не думаешь в первую очередь о себе, вот за что.

— Думал сперва, пока с тобой не познакомился, но для тебя, Вик, я на все пойду!

— Ну, тогда съешь кусочек студня, он страшно вкусный.

Бикет покачал головой.

— Если б можно было проснуться в Центральной Австралии, — сказал он. — Но верно одно — мы проснемся опять в этой паршивой комнатенке. Ну, не беда, достану работу и заработаю!

— А мы не могли бы выиграть на скачках?

— Да ведь у меня ровным счетом сорок семь шиллингов, и если мы их проиграем, что с тобой будет? А тебе надо хорошо питаться, сама знаешь. Нет, я должен найти работу.

— Наверно, тебе дадут хорошую рекомендацию, правда?

Бикет встал и отодвинул тарелку и чашку.

— Они бы дали, но такой работы не найти — всюду переполнено.

Сказать ей правду? Ни за что на свете!

В кровати, слишком широкой для одного и слишком узкой для двоих, он лежал с нею рядом, так что ее волосы почти касались его губ, и думал, что сказать в союзе и как получить работу. И мысленно, пока тянулись часы, он сжигал свои корабли. Чтобы получить пособие по безработице, ему придется рассказать в своем профсоюзе, что случилось. К черту союз! Не станет он перед ними отчитываться! Он-то знает, почему он стащил эти книги, но никому больше дела нет, никто не поймет его переживаний, когда он видел, как она лежала обессиленная, бледная, исхудавшая. Надо самому пробиваться! А ведь безработных полтора миллиона! Ладно, у него хватит денег на две недели, а там что-нибудь подвернется — может, он рискнет монеткой-другой — и выиграет, почем знать! Вик зашевелилась во сне. «Да, — подумал он, — я бы опять это сделал...»

На следующий день, пробегав много часов, он стоял под серым облачным небом, на серой улице, перед зеркальной витриной, за которой лежала груда фруктов, снопы колосьев, самородки золота и сверкающие синие бабочки под искусственным золотым солнцем австралийской рекламы. Бикету, никогда не выезжавшему из Англии и даже редко из Лондона, казалось, что он стоит в преддверии рая. В конторе атмосфера была не такая уж лучезарная, и деньги на проезд требовались значительные, но рай стал ближе, когда ему дали проспекты, которые почти что жгли ему руки — до того они казались горячими.

Усевшись в одно кресло — иногда лучше быть худым! — они вместе просматривали эти заколдованные страницы и впивали их жар.

— По-твоему, это все правда, Тони?

— Если тут хоть на тридцать процентов правды — с меня хватит. Нам непременно надо туда попасть, во что бы то ни стало! Поцелуй меня!

И под уличный грохот трамваев и фургонов, под дребезжание оконной рамы на сухом, пронизывающем восточном ветру они укрылись в свой спасительный, освещенный газом рай.

IX. СМЯТЕНИЕ

Часа через два после ухода Бикета Майкл медленно шел домой. Старик Дэнби прав, как всегда: если нельзя доверять упаковщикам — лучше закрыть лавочку. Не видя страдальческих глаз Бикета, Майкл сомневался. А может быть, у этого парня никакой жены и нет? Затем поведение Уилфрида вытеснило мысль о правдивости Бикета. Уилфрид так отрывисто, так странно говорил с ним последние три раза. Быть может, он поглощен стихами?

Майкл застал Тинг-а-Линга в холле у лестницы, где он упрямо ждал, не двигаясь. «Не пойду сам, — как будто говорил он, — пока кто-нибудь меня не отнесет. Пора бы, уже поздно!»

— А где твоя хозяйка, геральдическое существо?

Тинг-а-Линг фыркнул. «Я бы, пожалуй, согласился, — намекнул он, — чтобы вы понесли меня, — эти ступеньки очень утомительны!»

Майкл взял его на руки.

— Пойдем, поищем ее.

Прижатый твердой рукой, не похожей на ручку его хозяйки, Тинг смотрел на него черными стекляшками-глазами, и султан его пушистого хвоста колыхался.

В спальне Майкл так рассеянно бросил его на пол, что он отошел, повесив хвост, и возмущенно улегся в своем углу.

Скоро пора обедать, а Флер нет дома. Майкл стал бегло перебирать в уме все ее планы. Сегодня у нее завтракали Губерт Марслэнд и этот вертижинист — как его там? После них, конечно, надо проветриться: от вертижинистов в легких безусловно образуется углекислота. И все-таки! Половина восьмого! Что им надо было делать сегодня? Идти на премьеру Л. С. Д.? Нет, это завтра. Или на сегодня ничего не было? Тогда, конечно, она постаралась сократить свое пребывание дома. Он смиренно подумал об этом. Майкл не обольщался — он знал, что ничем не выделяется, разве только своей веселостью и, конечно, своей любовью к ней. Он даже признавал, что его чувство — слабость, что оно толкает его на докучливую заботливость, которую он сознательно сдерживал. Например, спросить у Кокера или Филпс — лакея или горничной, — когда Флер вышла, в корне противоречило бы его принципу. В мире делалось такое, что Майкл всегда думал — стоит ли обращать внимание на свои личные дела; а с другой стороны, в мире такое делалось, что казалось, будто единственное, на что стоит обращать внимание, это свои личные дела. А его личные дела, в сущности, были — Флер; и он боялся, что, если станет слишком обращать на них внимание, это ее будет раздражать.

Он прошел к себе и стал расстегивать жилет.

«Впрочем, нет, — подумал он. — Если она застанет меня уже одетым к обеду, это будет слишком подчеркнуто». И он снова застегнул жилет и сошел вниз. В холле стоял Кокер.

— Мистер Форсайт и сэр Лоренс заходили часов в шесть, сэр. Миссис Монт не было дома. Когда прикажете подать обед?

— Ну, около четверти девятого. Мы как будто никуда не идем.

Он вошел в гостиную и, пройдясь по ее китайской пустоте, раздвинул гардины. Площадь казалась холодной и темной на сквозном ветру; и он подумал: «Бикет — воспаление легких — надеюсь, она надела меховое пальто». Он вынул папироску и снова отложил ее. Если она увидит его у окна, она подумает, что он волнуется; и он снова пошел наверх — посмотреть, надела ли она шубку!

Тинг-а-Линг, все еще лежавший в своем углу, приветствовал его веселым вилянием хвоста и сразу разочарованно остановился. Майкл открыл шкаф. Надела! Прекрасно! Он посмотрел на ее вещи и вдруг услышал, как Тинг-а-Линг протрусил мимо него и ее голос проговорил: «Здравствуй, мой миленький!» Майклу захотелось, чтобы это относилось к нему, — и он выглянул из-за гардероба.

Бог мой! До чего она была прелестна, разрумяненная ветром! Он печально стоял и молчал.

— Здравствуй, Майкл! Я очень опоздала? Была в клубе, шла домой пешком.

У Майкла явилось безотчетное чувство, что в этих словах есть какая-то недоговоренность. Он тоже умолчал о своем и сказал:

— Я как раз смотрел, надела ли ты шубку, зверски холодно. Твой отец и Барт заходили и ушли голодные.

Флер сбросила шубку и опустилась в кресло.

— Устала! У тебя так мило торчат сегодня уши, Майкл.

Майкл опустился на колени и обвил руками ее талию. Она посмотрела на него каким-то странным, пытливым взглядом; он даже почувствовал себя неловко и смущенно.

— Если бы ты схватила воспаление легких, — сказал он, — я бы, наверно, рехнулся.

— Да с чего же мне болеть!

— Ты не понимаешь связи — в общем, все равно, тебе будет неинтересно. Мы ведь никуда не идем, правда?

— Нет, конечно, идем. У Элисон — приемный день.

— О боже! Если ты устала, можно отставить.

— Что ты, милый! Никак! У нее будет масса народу.

Подавив непочтительное замечание, он вздохнул:

— Ну ладно. Полный парад?

— Да, белый жилет. Очень люблю, когда ты в белом жилете.

Вот хитрое существо! Он сжал ее талию и встал. Флер легонько погладила его руку, и он ушел одеваться успокоенный...

Но Флер еще минут пять сидела неподвижно — не то чтобы «во власти противоречивых чувств», но все же порядком растерянная. Двое за последний час вели себя одинаково, становились на колени и обвивали руками ее талию. Несомненно, опрометчиво было идти к Уилфриду на квартиру. Как только она туда вошла, она поняла, насколько абсолютно не подготовлена к тому, чтобы физически подчиниться. Правда, он позволил себе не больше, чем Майкл сейчас. Но, боже мой! Она увидела, с каким огнем играет, поняла, какую пытку переживает он. Она строго запретила ему говорить хоть одно слово Майклу, но чувствовала, что на него нельзя положиться — настолько он метался между своим отношением к ней и к Майклу. Смущенная, испуганная, растроганная, она все-таки не могла не ощущать приятной теплоты от того, что ее так сильно любят сразу двое, не могла не испытывать любопытства: чем же это кончится? И она вздохнула. Еще одно переживание прибавилось к ее коллекции, но как увеличивать эту коллекцию, не загубив и ее, и, может быть, самое владелицу, она не знала.

После слов, сказанных ею Уилфриду перед Евой: «Вы сделаете глупость, если уедете, — подождите!» — она знала, что он будет ждать чего-нибудь в ближайшее время. Часто он просил ее прийти и посмотреть его «хлам». Еще месяц, даже неделю тому назад она пошла бы, не колеблясь ни минутки, и потом обсуждала бы этот «хлам» с Майклом. Но сейчас она долго обдумывала — пойти ли ей? И если бы не возбуждение после завтрака в обществе вертижиниста, Эмебел Нэйзинг и Линды Фру и не разговоры о том, что всякие угрызения совести — просто «старомодные» чувства, а всякие переживания — «самое интересное в жизни», она, наверно, и посейчас бы колебалась и обдумывала. Когда все ушли, она глубоко вздохнула и вынула из китайского шкафчика телефонную трубку.

Если Уилфрид в половине шестого будет дома, она зайдет посмотреть его «хлам». Его ответ «Правда? Бог мой, неужели?» чуть не остановил ее. Но, отбросив сомнения, с мыслью: «Я буду парижанкой — как у Пруста!» она пошла в свой клуб. Проведя там три четверти часа без всякого развлечения, кроме трех чашек чаю, трех старых номеров «Зеркала мод» и созерцания трех членов клуба, крепко уснувших в креслах, она сумела опоздать на добрую четверть часа.

Уилфрид стоял на верхней площадке, в открытой двери, бледный, как грешник в чистилище. Он нежно взял ее за руку и повел в комнату.

Флер с легким трепетом подумала: «Так вот как это бывает? «Du coté de chez Swann»[1]. Высвободив руку, она тут же стала разглядывать «хлам», порхая от вещи к вещи.

Старинные английские вещи, очень барские; две-три восточные редкости или образчики раннего ампира, собранные кем-нибудь из прежних Дезертов, любивших бродяжить или связанных с французским двором. Она боялась сесть из страха, что он начнет вести себя, как в книгах; еще меньше она хотела возобновлять напряженный разговор, как в галерее Тэйта. Разглядывать «хлам» — безопасное занятие, и она смотрела на Уилфрида только в те короткие промежутки, когда он не глядел на нее. Она знала, что ведет себя не так, как «La garconne»[2] или Эмебел

---

[1] «По направлению к Свану», роман Марселя Пруста.

[2] «Холостячка», роман В. Маргерита.

Нэйзинг; что ей даже угрожает опасность уйти, ничего не прибавив к своим «переживаниям». И она не могла удержаться от жалости к Уилфриду: его глаза тосковали по ней, на его губы больно было смотреть. Когда, совершенно устав от осмотра «хлама», она села, он бросился к ее ногам. Полузагипнотизированная, касаясь коленями его груди, ощущая себя в относительной безопасности, она по-настоящему поняла весь трагизм положения — его ужас перед самим собою, его страсть к ней. Это была мучительная, глубокая страсть; она не соответствовала ее ожиданиям, она была несовременна! И как, как же ей уйти, не причинив больше боли ни ему, ни себе? Когда она наконец ушла, не ответив на его единственный поцелуй, она поняла, что прожила четверть часа настоящей жизнью, но не была вполне уверена, понравилось ли ей это... А теперь, в безопасности своей спальни, переодеваясь к вечеру у Элисон, она испытала любопытство при мысли о том, что бы она чувствовала, если бы события зашли так далеко, как это полагалось, по утверждению авторитетов. Конечно, она не испытала и десятой доли тех ощущений или мыслей, какие ей приписали бы в любом новом романе. Это было разочарование — или она для этого не годилась, — а Флер терпеть не могла чувствовать себя несовершенной. И, слегка пудря плечи, она стала думать о вечере у Элисон.

Хотя леди Элисон и любила встречаться с молодым поколением, но люди типа Обри Грина или Линды Фру редко бывали на ее вечерах. Правда, Неста Горз раз попала к Элисон, но один юрист и два литератора-политика, которые с ней там познакомились, впоследствии на нее жаловались. Выяснилось, что она исколола мелкими злыми дырочками одежды их самоуважения. Сибли Суон был бы желанным гостем благодаря своей дружбе с прошлым, но пока он только задирал нос и смотрел на все свысока. Когда Флер и Майкл вошли, все были уже в сборе — не то что интеллигенция, а просто интеллектуальное общество, чьи беседы обладали всем блеском и всем «savoir faire»[1], с каким обычно говорят о литературе и искусстве, — те, которым, как говорил Майкл, «к счастью, нечего faire».

— И все-таки эти типы создают известность художникам и

[1] Умение; буквально «умение делать» (*фр.*).

писателям. Какой сегодня гвоздь вечера? — спросил он на ухо у Флер.

Гвоздем, как оказалось, было первое выступление в Лондоне певицы, исполнявшей балканские народные песни. Но в сторонке справа стояли четыре карточных столика для бриджа. За ними уже составились партии. Среди тех, кто еще слушал пение, были и Гэрдон Минхо, и светский художник с женой, и скульптор, ищущий заказов. Флер, затертая между леди Фэйн — женой художника, и самим Гэрдоном Минхо, изыскивала способ удрать. Там... да, там стоял мистер Челфонт! В гостях у леди Элисон Флер, прекрасно разбиравшаяся в людях, никогда не тратила времени на художников и писателей: их она могла встретить где угодно. Здесь же она интуитивно выбирала самого большого политико-литературного «жука» и ждала случая наколоть его на булавку. И, поглощенная мыслью, как поймать Челфонта, она не заметила происходившей на лестнице драматической сцены.

Майкл остался на площадке лестницы — он был не в настроении болтать и острить, и, прислонившись к балюстраде, тонкий, как оса, в своем длинном белом жилете, глубоко засунув руки в карманы, он следил за изгибами и поворотами белой шеи Флер и слушал балканские песни с полнейшим безразличием. Оклик «Монт!» заставил его встрепенуться. Внизу стоял Уилфрид. Монт? Два года Уилфрид не называл его Монтом!

— Сойди сюда!

На средней площадке стоял бюст Лайонела Черрела — королевского адвоката, работы Бориса Струмоловского, в том жанре, который цинически избрал художник с тех пор, как Джун Форсайт отказалась поддерживать его самобытный, но непризнанный талант. Бюст был почти неотличим от любого бюста на академической выставке этого года, и юные Черрелы любили пририсовывать ему углем усы.

За этим бюстом стоял Дезерт, прислонившись к стене, закрыв глаза. Его лицо поразило Майкла.

— Что случилось, Уилфрид?!

Дезерт не шевелился.

— Ты должен знать — я люблю Флер!

— Что?

— Я не желаю быть предателем. Ты — мой соперник. Жаль, но это так. Можешь меня изругать...

Его лицо было мертвенно бледно, и мускулы подрагивали. У Майкла дрогнуло сердце. Какая дикая, какая странная, нелепая история! Его лучший друг, его шафер! Машинально он полез за портсигаром, машинально протянул его Дезерту. Машинально оба взяли папиросы и дали друг другу закурить. Потом Майкл спросил:

— Флер знает?

Дезерт кивнул.

— Она не знает, что я тебе сказал, она бы мне не позволила. Тебе ее не в чем упрекнуть... пока. — И, все еще не открывая глаз, он добавил: — Я ничего не мог поделать.

Та же мысль подсознательно мелькнула у Майкла. Естественно! Вполне естественно! Глупо не понимать, насколько это естественно! И вдруг как будто что-то в нем оборвалось, и он сказал:

— Очень честно с твоей стороны предупредить меня, но не собираешься ли ты удалиться?

Плечи Дезерта крепче прижались к стене.

— Я сам так думал сначала, но, кажется, не уйду.

— Кажется? Я не понимаю.

— Если бы я наверно знал, что мне не на что надеяться... но я не уверен. — И внезапно он взглянул на Майкла: — Слушай, нечего притворяться. Я пойду на все, и я отниму ее у тебя, если смогу!

— Господи боже! — сказал Майкл. — Дальше уж ехать некуда!

— Да! Можешь попрекать меня! Но вот что я тебе скажу: как я подумаю, что ты идешь с ней домой, а я... — Он рассмеялся отрывистым, неприятным смехом. — Нет, знаешь, лучше ты меня не трогай.

— Что ж, — сказал Майкл, — раз мы не в романе Достоевского, то, я полагаю, больше говорить не о чем!

Дезерт отошел от стены и положил руку на бюст Лайонела Черрела.

— Ты пойми хотя бы, что я себе напортил — может, угробил себя тем, что сказал тебе. Я не начал бомбардировки без объявления войны.

— Нет, — глухо отозвался Майкл.

— Можешь мои книжки сбыть другому издательству.

Майкл пожал плечами.

— Ну, спокойной ночи, — сказал Дезерт. — И прости за примитивность.

Майкл прямо посмотрел в лицо своему другу. Нет, это не

ошибка: горькое отчаяние было в этих глазах. Майкл протянул было руку, нерешительно позвал: «Уилфрид!» — но тот уже сходил вниз, и Майкл поднялся наверх.

Вернувшись на свое место у балюстрады, он попытался уверить себя, что жизнь — смешная штука, и не мог. В его положении нужна была хитрость змеи, отвага льва, кротость голубя; он не ощущал в себе этих стандартных добродетелей. Если бы Флер любила его так, как он любит ее, он по-настоящему пожалел бы Уилфрида. Ведь так естественно полюбить Флер! Но она не любит его так — о нет! У Майкла было одно достоинство, если считать это достоинством: он не переоценивал себя и всегда высоко ценил своих друзей. Он высоко ценил Дезерта и, как это ни странно, даже сейчас не думал о нем плохо. Вот его друг собирается нанести ему смертельную обиду, отнять у него любовь, нет, честнее сказать — просто привязанность его жены, и все же Майкл не считает его негодяем. Такая терпимость — он это знал — безнадежная штука; но понятия о свободе воли, о свободном выборе для него были не только литературными понятиями — нет, они были заложены в его характере. Применить насилие, как бы желательно это ни казалось, значило бы идти против самого себя. И что-то похожее на отчаяние проникло в его сердце, когда он смотрел на нехитрые заигрывания Флер с великим Джералдом Челфонтом. Что, если она бросит его ради Уилфрида? Нет, конечно, нет! Ее отец, ее дом, ее собака, ее друзья, ее... ее «коллекция» всяких... — нет, ведь она не откажется, не сможет расстаться со всем этим. Но что, если она захочет сохранить все, включая и Уилфрида? Нет, нет! Никогда! Только на секунду такое подозрение осквернило прирожденную честность Майкла.

Но что же делать? Сказать ей? Выяснить все? Или ждать и наблюдать? Зачем? Ведь это значило бы шпионить, а не наблюдать. Ведь Дезерт больше к ним в дом не придет. Нет! Или полная откровенность — или полное невмешательство. Но это значит — жить под дамокловым мечом. Нет! Полная откровенность! И не ставить никаких ловушек. Он провел рукой по мокрому лбу. Если бы только они были дома, подальше от этого визга, от этих лощеных кривляк. Как бы вытащить Флер? Без предлога — невозможно! А единственный предлог — что у него голова идет кругом. Нет, надо сдержаться! Пение кончилось. Флер оглянулась. Сейчас подзовет его! Нет, она сама шла к нему. Майкл не мог удержаться от иронической мысли: «Подцепила старого Челфонта!» Он любил ее, но знал ее маленькие слабости. Она подошла и взяла его под руку.

— Мне надоело, Майкл, давай удерем, хорошо?

— Живо! Пока нас не поймали!

На холодном ветру он подумал: «Сейчас — или у нее в комнате?»

— По-моему, — проговорила Флер, — мистера Челфонта переоценивают — он просто какой-то сплошной зевок. На той неделе он у нас завтракает.

Нет, не сейчас, у нее в комнате!

— Как ты думаешь, кого бы пригласить для него, кроме Элисон?

— Не надо никого чересчур крикливого.

— Конечно, нет, но надо кого-нибудь позанятнее. Ах, Майкл, знаешь, иногда мне кажется, что не стоит и стараться.

У Майкла замерло сердце. Не было ли это зловещим признаком — признаком того, что «примитивное» начинает расти в ней, всегда так увлеченной светской жизнью?

Час тому назад он бы сказал: «Ты права, дорогая; вот уж действительно не стоит». Но сейчас каждый признак перемены казался зловещим! Он взял Флер под руку.

— Не беспокойся, уж мы как-нибудь изловим самых подходящих птиц.

— Пригласить бы китайского посланника — вот было бы превосходно! — проговорила Флер задумчиво. — Минхо, Барт — четверо мужчин, две дамы — уютно! Я поговорю с Бартом!

Майкл уже открыл входную дверь. Он пропустил Флер и остановился поглядеть на звезды, на платаны, на неподвижную мужскую фигуру — воротник поднят до самых глаз, и шляпа нахлобучена до бровей. «Уилфрид, — подумал он. — Испания! Почему Испания? И все несчастные, все отчаявшиеся... чье сердце... Эх! К черту сердце!» — И он захлопнул дверь.

Но вскоре ему пришлось открыть другую дверь — и никогда он ее не открывал с меньшим энтузиазмом! Флер сидела на ручке кресла в светло-лиловой пижаме, которую она надевала иногда, чтобы не отставать от моды, и глядела в огонь. Майкл остановился, смотря на нее и на свое собственное отражение в одном из пяти зеркал, — белое с черным, как костюм Пьеро, пижама, которую она ему купила. «Марионетки в пьесе, — подумал он. — Марионетки в пьесе! Разве это настоящее?» Он подошел и сел на другую ручку кресла.

— О черт! — пробормотал он. — Хотел бы я быть Антиноем! — И он соскользнул с ручки кресла на сиденье, чтобы она смогла, если захочет, спрятать от него лицо.

— Уилфрид все мне рассказал, — спокойно произнес он.

Сказано! Что дальше? Он увидел, как кровь заливает ее шею и щеку.

— О-о! Чего ради... что значит: «рассказал»?

— Рассказал, что влюблен в тебя, больше ничего — ведь больше и нечего рассказывать, правда? — И, подтянув ноги в кресло, он плотно обхватил колени обеими руками.

Один вопрос уже вырвался! Держись! Держись! И он закрыл глаза.

— Конечно, — очень медленно проговорила Флер. — Ничего больше и нет. Если Уилфриду угодно быть таким глупым...

«Если угодно!» Какими несправедливыми показались эти слова Майклу: ведь его собственная «глупость» была такой продолжительной, такой прочной! И — странно! — его сердце даже не дрогнуло! А ведь он должен был обрадоваться ее словам!

— Значит, с Уилфридом — покончено?

— Покончено? Не знаю.

Да и что можно знать, когда речь идет о страсти?

— Так, — сказал он, делая над собой усилие, — ты только не забывай, что я люблю тебя ужасно!

Он видел, как задрожали ее ресницы, как она пожала плечами.

— А разве я забываю?

Горечь, ласка, простая дружба — как понять?

Вдруг она потянулась к нему и схватила его за уши.

Крепко держа его голову, она посмотрела на него и засмеялась. И все-таки его сердце не дрогнуло. Если только она не водит его за нос... Но он притянул ее к себе в кресло. Лиловое, черное и белое смешалось — она ответила на его поцелуй. Но от всего ли сердца? Кто мог знать? Только не Майкл!

X. КОНЕЦ СПОРТСМЕНА

Не застав дочери дома, Сомс сказал: «Я подожду», — и уселся на зеленый диван, не замечая Тинг-а-Линга, отсыпавшегося перед камином от проявлений внимания со стороны Эмебел Нэйзинг, — она нашла, что он «чудо до чего забавный!». Седой и степенный, Сомс сидел, с глубокой складкой на лбу, положив ногу на ногу, и думал об Элдерсоне и о том, куда идет мир и как вечно что-нибудь случается. И чем больше он думал, тем меньше понимал, как угораздило его войти в правление общества, которое имело дело с иностранными контрактами. Вся старинная мудрость, укрепившая в девятнадцатом веке богатство Англии, вся форсайтская философия, утверждавшая, что не надо вмешиваться в чужие дела и рисковать, весь закоренелый национальный индивидуализм, который не мог позволить стране гоняться то за одной синей птицей, то за другой, — все это подымало молчаливый протест в его душе. Англия идет по неверному политическому пути, пытаясь оказать влияние на континентальную политику, и ОГС идет по неверному финансовому пути, беря на себя страховку иностранных контрактов. Особый родовой инстинкт тянул Сомса назад, на его собственную, прямую дорогу. Никогда не впутываться в дела, которые не можешь проверить! Старый Монт говорил: «держаться на ринге». Ничего подобного! Не вмешивайся не в свое дело — вот правильная «формула». Он почувствовал что-то около ноги: Тинг-а-Линг обнюхивал его брюки.

— А, — сказал Сомс, — это ты!

Поставив передние лапы на диван, Тинг-а-Линг облизнулся.

— Подсадить тебя? — сказал Сомс. — Уж очень ты длинный! — И снова он почувствовал какую-то еле уловимую теплоту от сознания, что собака его любит.

«Что-то во мне есть, что ему нравится», — подумал он и, взяв Тинг-а-Линга за ошейник, втащил его на подушку. «Ты и я — нас двое таких», — как будто говорила собачонка пристальным своим взглядом. Китайская штучка! Китайцы знают, чего им надо; они уже пять тысяч лет как не вмешиваются в чужие дела!

«Подам в отставку», — подумал Сомс. Но как быть с Уинифрид, с Имоджин, с сыновьями Роджера и Николаса, которые вложили деньги в это дело, потому что он был там директором? И что они ходят за ним, как стадо баранов! Он встал. Не стоит ждать — лучше пойти на Грин-стрит и теперь же поговорить с Уинифрид. Ей придется опять продавать акции, хотя они слегка упали. И, не прощаясь с Тинг-а-Лингом, он ушел.

Весь этот год жизнь почти доставляла ему удовольствие. То, что он мог хоть раз в неделю куда-то прийти, посидеть, встретить какую-то симпатию, как в прежние годы в доме Тимоти, — все это удивительно подымало его настроение. Уйдя из дому, Флер унесла с собой его сердце; но Сомс, пожалуй, предпочитал навещать свое сердце раз в неделю, чем носить его всегда с собой. И еще по другим причинам жизнь стала легче. Этот мефистофельского вида иностранец Проспер Профон давно уехал неизвестно куда, и с тех пор жена стала гораздо спокойнее и ее сарказм значительно слабее. Она занималась какой-то штукой, которая называлась «система Куэ»[1], и пополнела. Она постоянно пользовалась автомобилем. Вообще привыкла к дому, поутихла. Кроме того, Сомс примирился с Гогеном — некоторое понижение спроса на этого художника убедило его в том, что Гоген стоил внимания, и он купил еще три картины. Гоген снова пойдет в гору. Сомс даже немного жалел об этом, потому что он успел полюбить этого художника. Если привыкнуть к его краскам — они начинают даже нравиться. Одна картина — в сущности, без всякого содержания — как-то особенно привлекала глаз. Сомсу становилось даже неприятно, когда он думал, что с картиной придется расстаться, если цена очень поднимется. Но и помимо всего этого, Сомс чувствовал себя вполне хорошо; он переживал рецидив молодости по отношению к Аннет, получал больше удовольствия от еды и совершенно спокойно думал о денежных делах. Фунт подымался в цене; рабочие успокоились; и теперь, когда страна избавилась от этого фигляра, можно было надеяться на несколько лет прочного правления консерваторов. И только подумать, размышлял он, проходя через Сент-Джемс-парк по направлению к Грин-стрит, — только подумать, что он сам взял и влез в общество, которое он не мог контролировать! Право, он чувствовал себя так, как будто сам черт его попутал!

На Пикадилли он медленно пошел по стороне, примыкавшей к парку, привычно поглядывая на окна «Айсиум-Клуба». Гардины были спущены, и длинные полосы света пробивались мягко и приветливо. И ему вспомнилось, что кто-то говорил, будто Джордж Форсайт болен. Действительно, Сомс уже много месяцев не видел его в фонаре окна. Н-да, Джордж всегда слишком много ел и пил. Сомс перешел улицу и прошел мимо клуба; какое-то внезапное чувство, — он сам не знал какое — тоска по своему прошлому, словно тоска по родине, — заставило его повернуть и подняться в подъезд.

— Мистер Джордж Форсайт в клубе?

Швейцар уставился на него. Этого длиннолицего седого человека Сомс знал еще с восьмидесятых годов.

---

[1] Эмиль Куэ (1857 — 1926) — француз, проповедовал самовнушение как лекарство от всех болезней.

— Мистер Форсайт, сэр, — сказал он, — опасно болен. Говорят, не поправится, сэр.

— Что? — спросил Сомс. — Никто мне не говорил.

— Он очень плох, совсем плох. Что-то с сердцем.

— С сердцем? А где он?

— У себя на квартире, сэр, тут за углом. Говорят, доктора считают, что он безнадежен. А жаль его, сэр! Сорок лет я его помню. Старого закала человек и замечательно знал толк в винах и лошадях. Никто из нас, как говорится, не вечен, но никогда я не думал, что придется его провожать. Он малость полнокровен, сэр, вот в чем дело.

Сомс с несколько неприятным чувством обнаружил, что никогда не знал, где живет Джордж, так прочно он казался связанным с фонарем клубного окна.

— Скажите мне его адрес, — проговорил он.

— Бельвиль-роу, номер одиннадцать, сэр. Надеюсь, вы его найдете в лучшем состоянии. Мне будет очень не хватать его шуток, право!

Повернув за угол, на Бельвиль-роу, Сомс сделал быстрый подсчет. Джорджу шестьдесят шесть лет — только на год моложе его самого! Если Джордж действительно «при последнем издыхании», это странно! «Все оттого, что вел неправильный образ жизни, — подумал Сомс. — Сплошное легкомыслие — этот Джордж! Когда это я составлял его завещание?» Насколько он помнил, Джордж завещал свое состояние братьям и сестрам. Больше у него никого не было. Какое-то родственное чувство зашевелилось в Сомсе — инстинкт сохранения семейного благополучия. Они с Джорджем никогда не ладили — полные противоположности по темпераменту; и все же его надо будет хоронить, — а кому заботиться об этом, как не Сомсу, схоронившему уже многих Форсайтов. Он вспомнил, как Джордж когда-то прозвал его «гробовщиком». Гм! Вот оно — возмездие! Бельвиль-роу. Ага, номер одиннадцать. Настоящее жилище холостяка. И, собираясь позвонить, Сомс подумал: «Женщины! Какую роль играли в жизни Джорджа женщины?»

На его звонок вышел человек в черном костюме, молчаливый и сдержанный.

— Здесь живет мой кузен, Джордж Форсайт? Как его здоровье?

Слуга сжал губы.

— Вряд ли переживет эту ночь, сэр.

Сомс почувствовал, как под его шерстяной фуфайкой что-то дрогнуло.

— В сознании?

— Да, сэр.

— Можете отнести ему мою карточку? Вероятно, он захочет меня повидать.

— Будьте добры подождать здесь, сэр.

Сомс прошел в низкую комнату с деревянной панелью почти в рост человека, над которой висели картины. Джордж — коллекционер! Сомс никогда этого за ним не знал. На стенах, куда ни взгляни, висели картины — старые и новые, изображавшие скачки и бокс. Красных обоев почти не было видно. И только Сомс приготовился рассмотреть картины с точки зрения их стоимости, как заметил, что он не один. Женщина — возраст не определишь в сумерках — сидела у камина в кресле с очень высокой спинкой, облокотившись на ручку кресла и приложив к лицу платок. Сомс посмотрел на нее и украдкой понюхал воздух. «Не нашего круга, — решил он, — держу десять против одного, что выйдут осложнения». Приглушенный голос лакея сказал:

— Вас просят зайти, сэр!

Сомс провел рукой по лицу и последовал за ним.

Спальня, куда он вошел, была странно не похожа на первую комнату. Одна стена была сплошь занята огромным шкафом с массой ящиков и полочек. И больше в комнате ничего не было, кроме туалетного стола с серебряным прибором, электрического радиатора, горевшего в камине, и кровати напротив. Над камином висела одна-единственная картина. Сомс машинально взглянул на нее. Как! Китайская картина! Большая белая обезьяна, повернувшись боком, держала в протянутой лапе кожуру выжатого апельсина. С ее мохнатой мордочки на Сомса смотрели карие, почти человеческие глаза. Какая фантазия заставила чуждого искусству Джорджа купить такую вещь, да еще повесить ее против своей кровати? Сомс обернулся и поглядел на кровать. Там лежал «единственный приличный человек в этой семейке», как называл его когда-то Монтегью Дарти; его отечное тело вырисовывалось под тонким стеганым одеялом. Сомса даже передернуло, когда он увидел это знакомое багрово-румяное лицо бледным и одутловатым, как луна, с темными морщинистыми кругами под глазами, еще сохранившими свое насмешливое выражение. Голос хриплый, сдавленный, но звучащий еще по-старому, по-форсайтски, произнес:

— Здорово, Сомс! Пришел снять с меня мерку для гроба?

Сомс движением руки отклонил это предположение; ему странно было видеть такую пародию на Джорджа. Они никогда не ладили, но все-таки...

Сдержанным, спокойным голосом он сказал:

— Ну, Джордж, ты еще поправишься. Ты еще не в таком возрасте. Могу ли я быть тебе чем-нибудь полезен?

Усмешка тронула бескровные губы Джорджа.

— Составь мне дополнение к завещанию. Бумага — в ящике туалетного стола.

Сомс вынул листок со штампом «Айсиум-Клуба». Стоя у стола, он написал своим вечным пером вводную фразу и выжидательно взглянул на Джорджа. Голос продиктовал хрипло и медленно:

— Моих трех кляч — молодому Вэлу Дарти, потому что он единственный Форсайт, который умеет отличить лошадь от осла. — Сдавленный смешок жутко отозвался в ушах Сомса. — Ну, как ты написал?

Сомс прочел:

— «Завещаю трех моих скаковых лошадей родственнику моему Валериусу Дарти из Уонсдона, Сассекс, ибо он обладает специальным знанием лошадей».

Снова этот хриплый смешок:

— Ты, Сомс, сухой педант. Продолжай: Милли Мойл — Клермонт-гроув, дом двенадцать, — завещаю двенадцать тысяч фунтов, свободных от налогов на наследство.

Сомс чуть не свистнул.

Женщина в соседней комнате!

Насмешливые глаза Джорджа стали грустными и задумчивыми.

— Это огромные деньги, — не удержался Сомс.

Джордж хрипло и раздраженно проворчал:

— Пиши, не то откажу ей все состояние!

Сомс написал.

— Это все?

— Да. Прочти!

Сомс прочел. Снова он услышал сдавленный смех.

— Недурная пилюля! Этого вы в газетах не напечатаете. Позови лакея, ты и он можете засвидетельствовать.

Но Сомс еще не успел дойти до двери, как она открылась, и лакей вошел сам.

— Тут... м-м... зашел священник, сэр, — сказал он виновато голосом. — Он спрашивает, не угодно ли вам принять его?

Джордж повернулся к нему; его заплывшие серые глаза сердито расширились.

— Передайте ему привет, — сказал он, — и скажите, что мы увидимся на моих похоронах.

Лакей поклонился и вышел; наступило молчание.

— Теперь, — сказал Джордж, — зови его опять. Я не знаю, когда флаг будет спущен.

Сомс позвал лакея. Когда завещание было подписано и лакей ушел, Джордж заговорил:

— Возьми его и последи, чтобы она свое получила. Тебе можно доверять — это твое основное достоинство, Сомс.

Сомс с каким-то странным чувством положил завещание в карман.

— Может быть, хочешь ее повидать? — сказал он.

Джордж посмотрел на него долгим, пристальным взглядом.

— Нет. Какой смысл? Дай мне сигару из того ящика.

Сомс открыл ящик.

— А можно тебе? — спросил он.

Джордж усмехнулся:

— Никогда в жизни не делал того, что можно, и теперь не собираюсь. Обрежь мне сигару.

Сомс остриг кончик сигары. «Спичек я ему не дам, — подумал он, — не могу взять на себя ответственность». Но Джордж и не просил спичек. Он лежал совершенно спокойно с незажженной сигарой в бледных губах, опустив распухшие веки.

— Прощай, — сказал он, — я вздремну.

— Прощай, — сказал Сомс. — Я надеюсь, что ты... ты скоро...

Джордж снова открыл глаза — их пристальный, грустный, насмешливый взгляд как будто уничтожал притворные надежды и утешения. Сомс быстро повернулся и вышел. Он чувствовал себя скверно и почти бессознательно опять зашел в гостиную. Женщина сидела в той же позе; тот же назойливый аромат стоял в воздухе. Сомс взял зонтик, забытый там, и вышел.

— Вот мой номер телефона, — сказал он слуге, ожидавшему в коридоре. — Дайте мне знать.

Тот поклонился.

Сомс свернул с Бельвиль-роу. Всегда, расставаясь с Джорджем, он чувствовал, что над ним смеются. Не посмеялись ли над ним и в этот раз? Не было ли завещание Джорджа его последней шуткой? Может быть, если бы Сомс не зашел к нему, Джордж никогда бы не сделал этой приписки, не обошел бы семью, оставив треть своего состояния надушенной женщине в кресле? Сомса смущала эта загадка. Но как можно шутить у порога смерти? В этом было своего рода геройство. Где его надо хоронить?.. Кто-нибудь, наверно, знает — Фрэнси или Юстас. Но что они скажут, когда узнают об этой женщине в кресле? Ведь двенадцать тысяч фунтов! «Если смогу получить эту белую обезьяну, обязательно возьму ее, — подумал он внезапно, — хорошая вещь!» Глаза обезьяны, выжатый апельсин... не была ли сама жизнь горькой шуткой, не понимал ли Джордж все глубже его самого? Сомс позвонил у дверей дома на Грин-стрит.

Миссис Дарти просила извинить ее, но миссис Кардиган пригласила ее обедать и составить партию в карты.

Сомс пошел в столовую один. У полированного стола, под который в былые времена иногда соскальзывал, а то и замертво сваливался Монтегью Дарти, Сомс обедал, глубоко задумавшись. «Тебе можно доверять — это твое основное достоинство, Сомс!» Эти слова были ему и лестны и обидны. Какая глубоко ироническая шутка! Так оскорбить семью — и доверить Сомсу осуществить это оскорбительное дело! Не мог же Джордж из привязанности отдать двенадцать тысяч женщине, надушенной пачули. Нет! Это была последняя издевка над семьей, над всеми Форсайтами, над ним — Сомсом! Что же! Все те, кто издевался над ним, получили по заслугам — Ирэн, Босини, старый и молодой Джолионы, а теперь вот — Джордж. Кто умер, кто умирает, кто — в Британской Колумбии! Он снова видел перед собой глаза своего кузена над незакуренной сигарой — пристальные, грустные, насмешливые. Бедняга! Сомс встал из-за стола и рывком раздвинул портьеры. Ночь стояла ясная, холодная. Что становится с человеком после? Джордж любил говорить, что в прошлом своем существовании он был поваром у Карла Второго. Но перевоплощение — чепуха, идиотская теория! И все же хотелось бы как-то существовать после смерти. Существовать и быть возле Флер! Что это за шум? Граммофон завели на кухне. Когда кошки дома нет, мыши пляшут! Люди все одинаковы — берут, что могут, а дают как можно меньше. Что ж, закурить папиросу? Закурив от свечи — Уинифрид обедала при свечах, они снова вошли в моду, — Сомс подумал: «Интересно, держит он еще сигару в зубах?» Чудак этот Джордж! Всю жизнь был чудаком! Он следил за кольцом дыма, которое случайно выпустил, — очень синее кольцо;

он никогда не затягивался. Да! Джордж жил слишком легкомысленно, иначе он не умер бы на двадцать лет раньше срока — слишком легкомысленно! Да, вот какие дела! И некому слова сказать — ни одной собаки нет.

Сомс снял с камина какого-то уродца, которого разыскал где-то на восточном базаре племянник Бенедикт года два спустя после войны. У него были зеленые глаза. «Нет, не изумруды, — подумал Сомс, — какие-то дешевые камни».

— Вас к телефону, сэр.

Сомс вышел в холл и взял трубку.

— Да?

— Мистер Форсайт скончался, сэр, доктор сказал — во сне.

— О! — произнес Сомс... — А была у него сига..? Ну, благодарю! — Он повесил трубку.

Скончался! И нервным движением Сомс нащупал завещание во внутреннем кармане.

XI. РИСКОВАННОЕ ПРЕДПРИЯТИЕ

Целую неделю Бикет гонялся за работой, ускользавшей, как угорь, мелькавшей, как ласточка, совершенно неуловимой. Фунт отдал за квартиру, три шиллинга поставил на лошадь — и остался с двадцатью четырьмя шиллингами. Погода потеплела — ветер с юго-запада, — и Викторина первый раз вышла. От этого стало немного легче, но судорожный страх перед безработицей, отчаянная погоня за средствами к существованию, щемящая, напряженная тоска глубоко вгрызались в его душу. Если через неделю-другую он не получит работы, им останется только работный дом или — газ! «Лучше газ, — думал Бикет. — Если только она согласится, то и я готов. Осточертело мне все. И в конце концов, что тут такого? Обнять ее — и ничего не страшно!» Но инстинкт подсказывал, что не так-то легко подставить голову под газ, и в понедельник вечером его вдруг осенила мысль: воздушные шары! Как у того вот парня, на Оксфорд-стрит. А почему бы и нет? У него еще хватило бы денег для начала, а никакого разрешения не надо. Его мысли, словно белка в колесе, вертелись в бессонные часы вокруг того огромного неоспоримого преимущества, какое имеют воздушные шары перед всеми прочими предметами торговли. Такого продавца не пропустишь — стоит, и каждый его замечает, все видят яркие шарики, летающие над ним! Правда, насколько он разузнал, прибыль невелика — всего пенни с большого шестипенсового шара и пенни с трех маленьких двухпенсовых шариков. И все-таки живет же тот продавец! Может, он просто прибеднялся перед ним, из страха, что его профессия покажется слишком заманчивой? Стало быть, за мостом; как раз там, где такое движение. Нет, лучше у собора Св. Павла! Он приметил там проход, где можно стоять шагах в трех от тротуара — как тот парень на Оксфорд-стрит. Он ничего не скажет малютке, что спит рядом с ним, ни слова, пока не сделает эту ставку. Правда, это значит — рисковать последним шиллингом. Ведь только на прожитие ему надо продать... Ну да, три дюжины больших и четыре дюжины маленьких шаров в день дадут прибыли всего-навсего двадцать шесть шиллингов в неделю, если только тот продавец не наврал ему. Не очень-то поедешь на это в Австралию! И разве это настоящее дело? Викторина здорово огорчится, но тут уж нечего рассуждать! Надо попробовать, а в свободные часы поискать работы.

И на следующий день в два часа наш тощий капиталист, с четырьмя дюжинами больших и семью дюжинами маленьких шаров, свернутых на лотке, с двумя шиллингами в кармане и пустым желудком, стал у собора Св. Павла. Он медленно надул и перевязал два больших и три маленьких шарика — розовый, зеленый и голубой, и они заколыхались над ним. Ощущая запах резины в носу, выпучив от напряжения глаза, он стал на углу, пропуская поток прохожих. Он радовался, что почти все оборачивались и глядели на него. Но первый, кто с ним заговорил, был полисмен.

— Тут стоять не полагается, — сказал он.

Бикет не отвечал, у него пересохло в горле. Он знал, что значит полиция. Может, он не так взялся за дело? Вдруг он всхлипнул и сказал:

— Дайте попытать счастья, констебль, — дошел до крайности! Если я мешаю, я стану, куда прикажете. Дело для меня новое, а у меня только и есть на свете, что два шиллинга да еще жена.

Констебль, здоровый дядя, оглядел его с ног до головы.

— Ну, ладно, посмотрим! Я вас не трону, если никто не станет возражать.

Во взгляде Бикета была глубокая благодарность.

— Премного вам обязан, — проговорил он. — Возьмите шарик для дочки, доставьте мне удовольствие.

— Один я куплю, сделаю вам почин, — сказал полисмен. —

Через час я сменяюсь с дежурства, вы приготовьте мне большой, розовый.

И он отошел. Бикет видел, как он следил за ним. Отодвинувшись к самому краю тротуара, он стоял совершенно неподвижно; его большие глаза заглядывали в лицо каждому прохожему; худые пальцы то и дело перебирали товар. Если бы Викторина его видела! Все в нем взбунтовалось: ей-богу, он вырвется из этой канители, вырвется на солнце, к лучшей жизни, которую стоит назвать жизнью.

Он уже стоял почти два часа, с непривычки переступая с ноги на ногу, и продал два больших и пять маленьких шаров — шесть пенсов прибыли! — когда Сомс, изменивший дорогу назло этим людям, которые не могли проникнуть дальше Уильяма Гоулдинга, ингерера, прошел мимо него, направляясь на заседание в ОГС. Услышав робкое бормотанье: «Шарики, сэр, высший сорт!» — он обернулся, прервав созерцание собора (многолетняя привычка!), и остановился в совершенном недоумении.

— Шары? — сказал он. — А на что мне шары?

Бикет улыбнулся. Между этими зелеными, голубыми и оранжевыми шарами и серой сдержанностью Сомса было такое несоответствие, что даже он его почувствовал.

— Детишки любят их — никакого весу, сэр, карманный пакетик.

— Допускаю, — сказал Сомс, — но у меня нет детей.

— Внуки, сэр!

— И внуков нет.

— Простите, сэр.

Сомс окинул его тем быстрым взглядом, каким обычно определял социальное положение людей. «Жалкая безобидная крыса», — подумал он.

— Ну-ка, дайте мне две штуки. Сколько с меня?

— Шиллинг, сэр, и очень вам благодарен.

— Сдачи не надо, — торопливо бросил Сомс и пошел дальше, сам себе удивляясь. Зачем он купил эти штуки, да еще переплатил вдвое, он и сам не понимал. Он не помнил, чтоб раньше с ним случались такие вещи. Удивительно странно! И вдруг он понял, в чем дело. Этот малый такой смиренный, кроткий, такого надо поддержать в наши дни, когда так вызывающе ведут себя коммунисты. И ведь в конце концов этот бедняга тоже стоит... ну, на стороне капитала, тоже вложил сбережения в эти шарики! Торговля! И, снова устремив глаза на собор, Сомс сунул в карман пальто противный на ощупь пакетик. Наверно, кто-нибудь их вынет и будет удивляться — что это на него нашло! Впрочем, у него есть другие заботы!..

А Бикет смотрел ему вслед в восхищении. Двести пятьдесят процентов прибыли на двух шарах — это дело! Сожаление, что мимо проходит мало женщин, значительно ослабело — в конце концов женщины знают цену деньгам, из них лишнего шиллинга не вытянешь! Вот если бы еще прошел такой вот старый миллионер в блестящем цилиндре!

В шесть часов, заработав три шиллинга восемь пенсов, из которых ровно половину дал Сомс, Бикет стал присоединять к собственным своим вздохам еще вздохи шаров, из которых он выпускал воздух; развязывая их с трогательной заботой, он смотрел, как его радужные надежды сморщиваются одна за другой, и убирал их в ящичек лотка. Взяв лоток под мышку, он устало поплелся к Блэкфрайерскому мосту. За целый день он может заработать четыре-пять шиллингов. Что же, это как раз не даст им умереть с голоду, а тут, глядишь, что-нибудь и подвернется! Во всяком случае, он сам себе хозяин — ни перед нанимателем, ни перед союзом отчитываться не надо. От этого сознания и оттого, что он с утра ничего не ел, он ощущал какую-то странную легкость внутри.

«Может, это был какой-нибудь олдермен[1], — подумал он, — говорят, эти олдермены чуть ли не каждый день едят черепаховый суп».

Около дома он забеспокоился: что ему делать с лотком? Как скрыть от Викторины, что он вступил в ряды «капиталистов» и провел весь день на улице? Вот не повезло: стоит у окна! Придется сделать веселое лицо. И он вошел посвистывая.

— Что это, Тони? — Она сразу увидела лоток.

— Ага! Это? О, это замечательная штука! Ты только погляди!

И, вынув оболочку шара из ящичка, он стал его надувать. Он дул с такой отчаянной силой, с какой никогда еще не дул. Говорят, что эту «штуковину» можно раздуть до пяти футов в обхвате. Ему почему-то казалось, что, если он сумеет это сделать, все уладится. От его усилий шар раздулся так, что заслонил Викторину, заполнил всю комнатку — огромный цветной пузырь. Зажав отверстие двумя пальцами, он поднял его.

---

[1] Член городского управления.

— Гляди, как здорово! Неплохая вещь, и всего шесть пенсов, моя старушка! — И он выглянул из-за шара.

Господи, да она плачет! Он выпустил из рук проклятую «штуковину»; шар поплыл вниз и стал медленно выпускать воздух, пока маленькой сморщенной тряпочкой не лег на потертый ковер. Бикет обхватил вздрагивающие плечи Викторины, заговорил с отчаянием:

— Ну, перестань, моя хорошая, ведь это же как-никак наш хлеб. Я найду работу — нам бы пока перебиться. Я для тебя и не на такое готов. Ну, успокойся, дай мне лучше чаю — я до того проголодался, пока надувал эти штуки...

Она перестала плакать и молча смотрела на него — загадочные огромные глаза! О чем-то, видно, думает. Но о чем именно — Бикет не знал. Он ожил от чая и даже стал хвастать своей новой профессией. Теперь он сам себе хозяин! Выходи, когда хочешь, возвращайся, когда хочешь, а то полеживай на кровати рядом с Вик, если неохота вставать. Разве это плохо? И Бикет ощутил в себе что-то настоящее, чисто английское, — почуял ту любовь к свободе, беспечность, неприязнь к регулярной работе, ту склонность к неожиданным приливам энергии и к сонной лени и жажду независимости — словом, то, в чем коренится жизнь всей нации, что породило маленькие лавчонки, мелкую буржуазию, поденных рабочих, бродяг, которые сами себе владыки, сами распределяют свое время и плюют на последствия; что-то, что коренилось в стране, в народе, когда еще не пришли саксы и не принесли свою добросовестность и свое трудолюбие; что-то такое, от чего рождалась вера в разноцветные пузыри, что требовало острых приправ и пряностей, без основного питания. Да, все эти чувства росли в Бикете, пока он уничтожал копченую рыбу, запивая ее крепким горячим чаем. Конечно, он лучше будет продавать шары, чем упаковывать книги, — пусть Вик так и запомнит! А когда она сможет взять работу, они совсем замечательно заживут и, наверно, скоро смогут накопить денег и уехать туда, где водятся синие бабочки. И он рассказал ей о Сомсе. Еще несколько таких бездетных олдерменов — ну, скажем, хоть два в день, — вот тебе и пятнадцать монет в неделю, кроме законной прибыли. Да ведь тогда они через год скопят всю сумму! А стоит им уехать отсюда, и Вик станет круглеть, как этот шар; наверно, станет вдвое толще, а щеки у нее будут такие розовые, такие яркие — куда там этим красным и оранжевым шарам! Бикет вдохновлялся все больше и больше. А маленькая его жена смотрела на него своими огромными глазами и молчала. Но плакать она перестала: ни слезами, ни упреками она не стала охлаждать пыл бедного продавца воздушных шаров.

XII. ЦИФРЫ И ФАКТЫ

Кроме старого лорда Фонтеноя, блиставшего своим отсутствием, как блистал, бывало, своим присутствием, правление собралось в полном составе. Заметив, что «этот тип», Элдерсон, как-то особенно лебезит, Сомс приготовился к неприятностям. Цифры лежали перед ним — довольно бесцветные данные о состоянии дел, которые были бы приемлемы только в том случае, если бы в ближайшие полгода положение с валютой не изменилось. Отношение иностранных контрактов к отечественным определялось как 2:7. Германия, контракты которой составляли главную массу иностранных дел, попала, как заметил Сомс, в категорию лишь наполовину разоренных стран. Итоги были выведены достаточно осторожно.

Пока члены правления в полном молчании переваривали цифры, Сомс яснее, чем когда-либо, видел, в какой он попал переплет. Конечно, эти цифры вряд ли могут оправдать задержку дивидендов, полученных от операций прошлого года. Но предположим, что на континенте опять произойдет катастрофа и им придется отвечать по всем их иностранным контрактам? Ведь это поглотит все прибыли дел отечественных, а может, и больше. И потом еще эта неприязнь по отношению к самому Элдерсону — неизвестно, на чем она основана: то ли интуиция, то ли просто блажь.

— Ну, вот и цифры, мистер Форсайт, — заговорил председатель. — Вы удовлетворены?

Сомс взглянул на него; он принял твердое решение.

— Я соглашусь на выплату дивидендов этого года с условием, что мы на будущее время решительно и категорически откажемся от этих иностранных дел.

Взгляд директора-распорядителя, пронзительный и холодный, остановился на нем и потом обратился на председателя.

— Это пахнет паникой, — проговорил он, — иностранные дела дали нам добрую треть доходов этого года.

Прежде чем ответить, председатель посмотрел на выражение лица каждого из членов правления.

— В настоящий момент положение за границей не дает никаких оснований бить тревогу, мистер Форсайт. Я согласен, что нам надо внимательно следить за ним...

— Вы не имеете возможности это делать, — прервал Сомс. — Прошло четыре года со дня заключения мира, и мы знаем не больше, чем тогда. Если бы я знал, что Общество имеет отношение к этим делам, я никогда не вошел бы в правление. Надо это прекратить.

— Довольно резкое мнение. И, пожалуй, трудно будет сейчас что-нибудь решить.

Ропот одобрения, чуть ироническая улыбка на губах «этого типа» еще больше укрепили упорство Сомса.

— Отлично! Если вы не согласны объявить пайщикам, что мы прекращаем всякие дела с заграницей, я выхожу из правления. Я должен иметь полную возможность поднять этот вопрос на общем собрании.

Он заметил беспокойный косой взгляд директора-распорядителя. Ага, попал не в бровь, а в глаз!

Председатель заговорил:

— Вы приставили нам револьвер к виску.

— Я отвечаю перед пайщиками, — ответил Сомс, — и я выполню свой долг по отношению к ним.

— Мы все ответственны, мистер Форсайт, и я надеюсь, что все мы исполним свой долг.

— Отчего бы не ограничить иностранные контракты малыми странами? Их валюта достаточно устойчива.

Старый Монт со своим драгоценным «рингом»!

— Нет, — отрезал Сомс, — надо вернуться к надежным делам.

— Гордое одиночество, Форсайт, а?

— Вмешиваться можно было во время войны, а в мирное время, будь то в политике или в делах, это полувмешательство ни к чему не ведет. Мы не можем контролировать положение дел за границей.

Он посмотрел на окружающих и сразу увидел, что этими словами он задел какую-то струну. «Кажется, пройдет!» — подумал он.

— Я буду очень рад, господин председатель, — заговорил директор-распорядитель, — если вы мне разрешите сказать несколько слов. Дело было начато по моей инициативе, и я могу утверждать, как я полагаю, что до сих пор оно принесло Обществу значительную выгоду. Но если один из членов правления столь резко возражает против этих дел, я, разумеется, не буду настаивать, чтобы правление продолжало вести их. Время сейчас действительно ненадежное, и, конечно, мы несколько рискуем, даже при столь осторожных оценках, как у нас.

«Что такое? — подумал Сомс. — Куда он гнет?»

— Это очень благородно с вашей стороны, Элдерсон. Господин председатель, я полагаю, что мы можем отметить, как это благородно со стороны нашего директора-распорядителя.

Ага, эта старая мямля! «Благородно»! Старая баба!

Резкий голос председателя нарушил молчание:

— Речь идет об очень серьезном вопросе, о всей нашей политике. Я считал бы необходимым присутствие лорда Фонтеноя.

— Если вы хотите, чтобы я подписал отчет, — резко сказал Сомс, — то решение надо принять сегодня. Я остаюсь при своем убеждении. А вы поступайте, как вам будет угодно.

Он бросил последнюю фразу из сочувствия к остальным — все-таки неприятно, когда вас к чему-то принуждают! Наступило минутное молчание, и тотчас все стали обсуждать вопрос с тем намеренным многословием, которым пытаются смягчить уже навязанное решение.

Прошло четверть часа, прежде чем председатель объявил:

— Итак, мы постановили, господа, объявить в отчете, что ввиду неустойчивого положения на континенте мы пока прекращаем страхование иностранных контрактов.

Сомс победил. Он вышел из зала успокоенный, но растерянный.

Да, он выдержал характер; их уважение к нему явно возросло; их приязнь — если она вообще существовала — явно уменьшилась. Но почему Элдерсон так изворачивался? Сомс вспомнил беспокойный косой взгляд стальных глаз директора при намеке на то, что вопрос будет поднят на общем собрании.

Это его задело! Но почему? Неужели он подделал цифры? Не может быть! Слишком трудно было бы обмануть бухгалтеров. Если Сомс кому-нибудь верил, так это бухгалтерам. Сэндис и Дживон — неподкупные люди. Нет, не то! Он поднял глаза. Купол Св. Павла уже призрачно затуманился на вечереющем небе — и ничего ему не посоветовал. Сомсу мучительно хотелось с кем-нибудь поговорить, но никого не было; и он пошел быстрее среди торопливой толпы. Засунув руку глубоко в карман, он вдруг нащупал что-то постороннее, липкое. «Боже! — подумал он, — эта ерунда! Бросить их в водосток? Вот будь у них ребенок, было бы кому отнести шары. Надо заставить Аннет поговорить с

Флер». Он знал по собственному давнишнему опыту, к чему приводят скверные привычки. А почему бы ему самому не поговорить с ней? Сегодня он там ночует. Но тут его охватило какое-то беспомощное сознание своего неведения — эта нынешняя молодежь! О чем они, в сущности, думают, что чувствуют? Неужели Старый Монт прав? Неужели они не интересуются ничем, кроме настоящего момента, неужели они не верят в прогресс, в продолжение рода? Правда, Европа в тупике. Но разве не то же было после наполеоновских войн? Он не мог помнить своего деда, «Гордого Доссета»: старик умер за пять лет до его рождения. Но он отлично помнил, как тетя Энн, родившаяся в 1799 году, часто рассказывала об «этом ужасном Бонапарте — мы звали его Бонапартишкой, мой милый», о том, как ее отец получал от восьми до десяти процентов дохода; и какое впечатление «эти чартисты» произвели на теток Джулию и Эстер, — а ведь это было много позднее. И все же, несмотря на это, вспомните эпоху Виктории! Золотой век, когда стоило собирать вещи, заводить детей. А почему бы не начать снова? Консоли поднимаются непрестанно с тех пор, как умер Тимоти. Даже если и рай и ад отменены, нет оснований не жить, как прежде. Ведь ни один из его дядей не верил ни в рай, ни в ад — однако они разбогатели, все имели семьи, кроме Тимоти и Суизина. Нет! Рай и ад ни при чем! В чем же тогда перемена, если только она действительно существует? И вдруг Сомсу стало ясно, в чем дело. Эти, нынешние, все слишком много говорят; слишком много и слишком быстро! У них от этого скоро пропадет интерес ко всему на свете. Они высасывают жизнь и бросают кожуру, и... кстати, надо непременно купить эту картину Джорджа!.. Неужели молодежь умнее его поколения? А если так, то чем это объяснить? Может быть, их питанием? Этот салат из омаров, которым Флер накормила его в воскресенье! Он съел его — ужасная гадость! Но от этого не стал разговорчивее. Нет! Наверное, дело не в питании. И потом вообще — ум! Да где же теперь такие умы, которые могут сравниться с викторианцами — с Дарвином, Гексли, Диккенсом, Дизраэли, даже со стариком Гладстоном? Да он сам еще помнил судей и адвокатов, которые казались гигантами по сравнению с нынешними; так же как он помнил, что его отцу Джемсу судьи, которых он знал в молодости, казались гигантами по сравнению с современниками Сомса. Если судить по этому, ум постепенно вырождается. Нет, здесь что-то другое. Сейчас в моде такая штука, называемая психоанализом, по которой выходит, что поступки людей зависят не от того, что они ели за завтраком или с какой ноги встали с постели, как считалось в доброе старое время, а от какого-то потрясения, испытанного в далеком прошлом и абсолютно забытого. Подсознание? Выдумки! Выдумки — и микробы! Просто у этого поколения пищеварение скверное. Его отец и его дядя вечно жаловались на печень, но никогда с ними ничего не случалось и никогда им не были нужны все эти витамины, искусственные зубы, психотерапия, газеты, психоанализ, спиритизм, ограничение рождаемости, остеопатия, радиовещание и прочее. «Машины! — подумал Сомс. — Вот в чем, вероятно, дело!» Как можно во что-нибудь верить, когда все так вертится? Да тут и цыплят не пересчитать — так они бегут! Но у Флер умная головка! «Да, — подумал он, — и французские зубы — все может разгрызть. Два года! Надо поговорить с ней, пока эта привычка не укоренилась. Ее мать так не медлила!» И, увидев перед собой подъезд «Клуба знатоков», он вошел.

Швейцар вышел ему навстречу. Какой-то джентльмен ждет Сомса.

— Какой джентльмен? — покосился Сомс.

— Кажется, ваш племянник, сэр, мистер Вэл Дарти.

— Вэл Дарти? Гм! Где он?

— В маленькой гостиной, сэр.

Маленькая гостиная — единственная комната клуба, в которую допускались те, кто не состоял в нем членом, — была расположена в конце коридора и обставлена довольно убого, как будто клуб говорил: «Видите, что значит не принадлежать к числу моих членов». Сомс зашел туда. Вэл Дарти курил папиросу и, видимо, был поглощен созерцанием единственного интересного предмета в комнате — своего собственного отражения в зеркале над камином.

Сомс всегда встречал племянника, ожидая, что тот скажет: «Знаете, дядя Сомс, я разорен в пух и прах». Разводит скаковых лошадей! Это к добру не приведет!

— Ну, как поживаешь? — сказал Сомс.

Лицо в зеркале повернулось — и там отразился рыжеватый стриженый затылок.

— Ничего, живем, спасибо! А вы отлично выглядите, дядя Сомс. Я пришел спросить: неужели мне надо принять этих кляч старого Джорджа Форсайта? Они ни к черту не годятся.

— Дареному коню в зубы смотреть? — сказал Сомс.

— Конечно, — проговорил Вэл, — но они до того плохи!

Пока я заплачу налог, пошлю их на продажу и продам, они не будут стоить и шести пенсов. Одна из них падает, только поглядишь на нее. А две другие — с запалом. Несчастный старикан держал их просто потому, что никак не мог с ними развязаться. Им по пятьсот лет.

— А я думал, ты любишь лошадей, — сказал Сомс. — Разве ты не можешь их пустить на выпас?

— Н-да, — сухо сказал Вэл, — но мне ведь надо зарабатывать себе на жизнь. Я даже жене ничего не сказал — побоялся, что она посоветует принять. Я боюсь, что если я их продам, они мне будут сниться. Они годятся только на живодерню. Нельзя ли мне написать душеприказчикам и сказать, что я не настолько богат, чтобы взять их?

— Можно, — сказал Сомс, и слова: «Как поживает твоя жена?» — так и не сошли с его губ. Она была дочерью его врага, молодого Джолиона. Этот человек умер, но факт оставался фактом.

— Ладно, так и сделаю, — сказал Вэл. — Как прошли похороны?

— Очень просто — я и не вмешивался.

Дни парадных похорон прошли. Ни цветов, ни лошадей, ни султанов из перьев — моторный катафалк, несколько автомобилей — вот и весь почет, какой ныне оказывают покойникам. Тоже знамение времени!

— Я сегодня ночую на Грин-стрит, — сказал Вэл. — Кажется, вы не там остановились, правда?

— Нет, — сказал Сомс и не мог не заметить, как на лице племянника отразилось облегчение.

— Да, кстати, дядя Сомс, вы мне советуете купить акции ОГС?

— Наоборот. Я собираюсь посоветовать твоей матери продать их. Скажи ей, что я завтра зайду.

— Почему? А я думал...

— Есть причины, — отрезал Сомс.

— Ну ладно, пока!

Сомс холодно пожал племяннику руку, посмотрел ему вслед. «Пока!» — выражение, укоренившееся после бурской войны; Сомс никак не мог к нему привыкнуть, совершенно бессмысленное слово! Он пошел в читальню. «Знатоки» стояли и сидели за столами, но Сомс — самый необщительный человек на свете — предпочел одиночество в глубокой нише окна. Он сидел там, потирая ноготь указательного пальца другим пальцем, и разжевывал смысл жизни. В конце концов, в чем же ее сущность? Вот был Джордж. Ему легко жилось — он никогда не работал! А вот он сам работает всю жизнь. И все равно рано или поздно его похоронят, да еще, чего доброго, на моторном катафалке. Взять его зятя — молодого Монта: вечно болтает бог знает о чем; и взять этого тощего парня, который продал ему шары нынче днем. И старый Фонтеной, и лакей, вон там у стола, все — и работающие и безработные, члены парламента и священники на кафедрах — к чему все это? В Мейплдерхеме был старый садовник, который изо дня в день подстригал лужайки; если бы он бросил работать — во что превратились бы лужайки? Так и жизнь — садовник, подравнивающий лужайки. Другая жизнь — нет, он в нее не верил, но если даже принять эту возможность — наверно, там то же самое. Стричь лужайки, чтобы все шло гладко! А какой смысл? И, поймав себя на таких пессимистических мыслях, он встал. Лучше пойти к Флер — там ведь надо переодеваться к обеду. Он признавал, что в переодевании к обеду есть какой-то смысл, но в общем — это все вроде стрижки лужаек; снова зарастет, снова надо переодеваться. И так без конца! Вечно делать одно и то же, чтобы держаться на каком-то уровне. А к чему?

Подходя к Саут-сквер, он налетел на какого-то молодого человека: повернув голову, тот как будто смотрел кому-то вслед. Сомс остановился, не зная, извиниться ли ему или ждать извинений.

Молодой человек отрывисто бросил: «Виноват, сэр», — и прошел дальше — смуглый, стройный человек; и какой голодный взгляд — только, видно, голод не тот, что связан с желудком. Буркнув: «Ничего», — Сомс тоже прошел дальше и позвонил у двери дочери. Она сама ему открыла. На ней были шапочка и меховая шубка: значит, она только что пришла. Сомс вспомнил молодого человека. Может быть, он провожал Флер? Какое у нее прелестное лицо! Обязательно надо с ней поговорить. Если только она начнет бегать...

Однако он отложил разговор до вечера, когда собирался уже проститься с ней на ночь. Майкл ушел на собрание, где выступал кандидат лейбористской партии, — как будто не мог придумать ничего лучшего!

— Ты уже два года замужем, дитя мое, и, я полагаю, тебе пора подумать о будущем. О детях говорят много всякой ерунды. Дело обстоит гораздо проще. Надеюсь, ты понимаешь это?

Флер сидела, откинувшись на диванные подушки, покачивая

ногой. Ее глаза стали чуть беспокойнее, но щеки даже не порозовели.

— Конечно, — проговорила она, — но зачем спешить, папа?

— Ну, не знаю, — проворчал Сомс. — У французов и у нашей королевской фамилии есть хорошее обыкновение — отделываться от этого пораньше. Мало ли что может случиться — лучше обезопасить себя. Ты очень привлекательна, дитя мое, и мне бы не хотелось, чтобы ты так разбрасывалась. У тебя столько всяких друзей!

— Да, — сказала Флер.

— Ведь ты ладишь с Майклом, правда?

— О, конечно!

— Ну так чего же ждать? Помни, что твой сын будет этим, как его там...

В этих словах, несомненно, была уступка: он инстинктивно не любил всякие титулы и звания.

— А может быть, будет не сын? — сказала Флер.

— В твои годы это легко поправимо.

— Ну, папа, я совсем не хочу много детей. Одного, может быть — двух.

— Да, — сказал Сомс, — но я-то, пожалуй, предпочел бы дочку вроде... ну, вроде тебя, например.

Ее глаза смягчились, она перевела взгляд с его лица на кончик своей ноги, на собаку, обвела глазами комнату.

— Не знаю... страшно связывает... как будто сама себе роешь могилу.

— Ну, я бы не сказал, что это так страшно, — попытался возразить Сомс.

— И ни один мужчина не скажет, папочка.

— Твоя мать без тебя не могла бы жить, — сказал он, но тут же вспомнил, как ее мать чуть не погибла из-за нее и как все могло бы сорваться, если бы не он; и Сомс молча погрузился в созерцание беспокойной туфли Флер.

— Что же, — сказал он наконец, — я считал, что нужно поговорить об этом. Я... я хочу, чтобы ты была совершенно счастлива.

Флер встала и поцеловала его в лоб.

— Я знаю, папочка, — сказала она. — Я эгоистка и свинья. Я подумаю об этом. Я... я даже уже думала, по правде сказать.

— Вот это правильно, — сказал Сомс. — Это правильно! У тебя светлая головка — для меня это большое утешение. Спокойной ночи, милая.

И он пошел спать. Если и был в чем-нибудь смысл, то только в продолжении своего рода, хотя и это стояло под вопросом. «Не знаю, — подумал он, — может быть, стоило ее спросить, не был ли этот молодой человек... но лучше молодежь оставить в покое!» По правде говоря, он их не понимал. Его глаза остановились на бумажном пакетике с этими... этими штуками, которые он купил. Он вынул их из кармана пальто, чтоб от них отвязаться, — но как? В огонь — нельзя, будет скверно пахнуть. Он остановился у туалетного столика, взял одну из пленок и посмотрел на нее. Господи помилуй! И вдруг, вытерев мундштучок носовым платком, стал надувать шар. Он дул, пока не устали щеки, и потом, зажав отверстие, взял кусочек нитки и завязал шар. Поддал его рукой, тот полетел — красный, нелепый — и сел на его постель. Гм! Он взял второй шар и тоже надул. Красный и зеленый! Фу ты! Если кто-нибудь войдет и увидит! Он открыл окно, выгнал оба шара в ночную темень и захлопнул окно. Пусть летают там, в темноте! Нервная усмешка искривила его губы. Утром люди их увидят. Ну что ж! Куда же еще девать такие штуки?

XIII. ПЛЕН

Майкл пошел на собрание лейбористской партии отчасти потому, что ему так хотелось, отчасти из сочувствия к Старому Форсайту: ему всегда казалось, что он ограбил Сомса. Старик так замечательно относился к Флер, и Майкл оставлял их вдвоем, когда только, мог.

Поскольку избиратели по большей части неорганизованные рабочие, а не члены союза, это, вероятно, будет одно из тех собраний, которые лейбористская интеллигенция проводит, лишь бы «отвязаться». Всяческие чувства — «ерунда», руководство людьми превращено просто в снисхождение к ним, значит, можно ожидать, что будут говорить на чисто деловые, экономические темы, не касаясь таких презренных факторов, как живой человек. Майкл привык слышать, как позорят людей, если они не одобряют перемен, ссылаясь на то, что человек по своей природе постоянен; он привык, что людей презирают за выражение сочувствия; он знал, что надо исходить исключительно из экономики. Да и, кроме того, эти выступления были много приятнее крикливых речей в северном районе или в Гайд-парке, которые невольно вызывали в нем самом противное, подсознательное классовое чувство.

Когда Майкл приехал, митинг был в полном разгаре и кандидат лейбористской партии безжалостно изобличал все язвы капитализма, который, по его мнению, привел к войне. И для того, чтобы снова не началась война, говорил оратор, надо установить такой строй, при котором народы всех стран не испытывали бы слишком больших лишений. Личность, по словам оратора, стоит выше нации, часть которой она составляет; и перед партией стоит задача: создать такие экономические условия, в которых личность могла бы свободно совершенствовать свои природные данные. Только таким путем, говорил он, прекратятся эти массовые движения и волнения, которые угрожают спокойствию всего мира. Говорил он хорошо. Майкл слушал и одобрительно хмыкал почти вслух и вдруг поймал себя на том, что думает о себе, о Уилфриде и Флер. Сможет ли он когда-нибудь «свободно усовершенствовать свои природные данные» настолько, чтобы так не тянуться к Флер? Стремился ли он к этому? Нет, конечно. И в слова оратора он вложил какие-то человеческие чувства. Не слишком ли сильно все чего-нибудь хотят? И разве это не естественно? А если так, то разве не будут всегда накапливаться у целой массы людей какие-то стремления — целые разливы примитивных желаний вроде желания удержаться над водой, когда тонешь? Ему вдруг показалось, что в своих доводах кандидат забывает об элементарных законах трения и теплоты, что это сухие разглагольствования кабинетного человека после скудного завтрака. Майкл внимательно посмотрел на сухое, умное, скептическое лицо оратора. «Нет настоящей закваски!» — подумал он. И когда тот сел, он встал и вышел.

История с Уилфридом расстроила его невероятно. Как он ни старался забыть об этом, как ни пытался иронией уничтожить сомнение, оно продолжало разъедать его спокойную и счастливую уверенность. Жена — и лучший друг! Сто раз на дню он уверял себя, что верит Флер. Но Уилфрид настолько привлекательнее его самого, а Флер достойна лучшего из лучших. Кроме того, Уилфрид мучается — тоже не очень приятно думать об этом. Как покончить с этой историей, как вернуть спокойствие себе, ему, ей? Флер ничего ему не говорит, а спрашивать просто невозможно. Даже нельзя показать, как ему тяжело! Да, темная история; и, насколько он понимает, исхода нет. Ничего не остается, как крепче замкнуться в себе, быть с Флер как можно ласковее и стараться не чувствовать горечи по отношению к Уилфриду. Какой ад!

Он пошел по набережной Челси. В небе, широком и темном, переливались звезды. На реке, темной и широкой, лежали маслянистые полосы от уличных фонарей. Простор неба и реки успокоил Майкла. К черту меланхолию! Какая путаная, странная, милая, подчас горькая штука — жизнь! И всегда увлекательная игра на счастье — как бы ни легли карты сейчас! В окопах он думал: «Только бы выбраться отсюда, и я никогда в жизни не буду ни на что жаловаться». Как редко он вспоминал сейчас об этом! Говорят, человеческое тело обновляется каждые семь лет. Через три года его тело уже не будет таким, как в окопах, — оно станет телом «мирного времени» с угашенными воспоминаниями. Если бы только Флер откровенно сказала ему, что она чувствует по отношению к Уилфриду, как она решила поступить — ведь она, наверно, что-то решила. А стихи Уилфрида? Может быть, его проклятая страсть претворится в стихи, как говорил Барт? Но кто же тогда станет их печатать? Сквернейшая история! Впрочем, ночь прекрасна, и самое главное — не быть скотиной. Красота — и сознание, что ты не скотина! Вот и все, да еще, пожалуй, смех — комическая сторона событий! Надо сохранить чувство юмора во что бы то ни стало! И Майкл, замедлив шаги под полуосыпавшимися ветвями платанов, похожими в темноте на перья, пытался найти комическую сторону своего положения. Но ничего не выходило. Очевидно, в любви абсолютно ничего смешного нет. Может быть, он научится не любить ее? Но нет, она держит его в плену. Может быть, она это делает нарочно? Никогда! Флер просто не способна делать то, что делают другие женщины, держать мужей впроголодь и кормить их, когда им бывают нужны платья, меха, драгоценности! Гнусно!

Он подошел к Вестминстеру. Только половина одиннадцатого! Не поехать ли сейчас к Уилфриду и выяснить отношения? Это все равно, что пытаться заставить стрелки часов идти в обратную сторону. Что пользы говорить: «Ты любишь Флер, не надо ее любить». Что пользы, если Уилфрид скажет ему то же самое? «Ведь в конце концов я был первым у Флер», — подумал он. Чистая случайность, но факт! Может, в этом и кроется опасность? Он для нее уже потерял новизну, ничего неожиданного она в нем не находит. А ведь сколько раз они оба соглашались, что в новизне — вся соль жизни, весь интерес, вся действенность. И новизна теперь в Уилфриде. Да, да! Очевидно, не все сказано тем, что «юридически и фактически» Флер принадлежит ему. Он повернул с набережной домой — чудесная часть Лондона, чудесная площадь; все чудесно, кроме вот этого проклятого осложнения. Что-то мягкое, словно большой лист, дважды коснулось его уха. Он удивленно обернулся: кругом пусто, ни одного дерева. Что-то летает в темноте, что-то круглое; он протянул руку — оно отскочило. Что это? Детский шарик? Он схватил его обеими руками и поднес к фонарю: как будто зеленый. Странно! Он посмотрел наверх. Два окна освещены — одно из них в комнате Флер. Неужели это его собственное счастье воздушным шаром вылетело из дому? Болезненная игра воображения! Вот осел! Просто порыв ветра — детская игрушка отвязалась и улетела! Он осторожно нес шарик. Надо показать Флер. Он открыл дверь. В холле темно — она наверху. Он поднялся, раскачивая шарик на пальце. Флер стояла перед зеркалом.

— Это еще что у тебя? — удивилась она.

Кровь снова прилила к сердцу Майкла. Смешно, до чего он боялся, что шар имеет какое-нибудь отношение к ней.

— Не знаю, детка; упал мне на шляпу — наверно, свалился с неба. — И он подбросил шарик. Тот взлетел, упал, подпрыгнул два раза, закружился и затих.

— Какой ты ребенок, Майкл! Я уверена, что ты купил его.

Майкл подошел ближе и остановился.

— Честное слово! Что за несчастье быть влюбленным!

— Ты так думаешь?

— Всегда один целует, а другой не подставляет щеку.

— Но я-то ведь подставляю.

— Флер!

Она улыбнулась.

— Ну, целуй же!

Обнимая ее, Майкл подумал: «Она держит меня, делает со мной все, что хочет, и я ничего не знаю о ней».

А в углу послышалась тихая возня — это Тинг-а-Линг обнюхивал шарик.

ЧАСТЬ ВТОРАЯ

I. МАРКА ПАДАЕТ

Положение дел все более и более раздражало Сомса, особенно после общего собрания пайщиков ОГС. Оно прошло по тому же старому образцу, как проходят все такие собрания: пустая и гладкая — не придерешься! — речь председателя, подмасленная двумя надежными пайщиками и подкисленная выступлением двух менее надежных пайщиков, и, наконец, обычная болтовня по поводу дивидендов. Он пошел на собрание мрачный, вернулся еще мрачнее. Если Сомс что-нибудь себе вбивал в голову, то ему труднее было отделаться от этого, чем сыру отделаться от своего запаха. Почти треть контрактов иностранные, и притом почти все — германские! А марка падает! Марка стала падать с той минуты, как он согласился на выплату дивидендов. А почему? Откуда подул ветер? Против обыкновения Сомс стал вчитываться в политический отдел своей газеты. Эти французы — он никогда им не доверял, особенно со времени своей второй женитьбы, — эти французы, как видно, собираются валять дурака! Он заметил, что их газеты никогда не упустят случая поддеть политику Англии; кажется, они думают, что Англия будет плясать под их дудку! А марка и франк и всякая прочая валюта продолжает падать! И хотя Сомсу и свойственно было радоваться, что на бумажки его страны можно накупить большое количество бумажек других стран, он понимал, что все это глупо и нереально и что ОГС в будущем году дивидендов не выплатит. ОГС — солидное предприятие; невыплата дивидендов будет явным признаком плохого руководства. Страхование — одно из тех немногих дел на нашей земле, которые можно и нужно вести без всякого риска. Если бы не это, он никогда не вошел бы в правление. И вдруг обнаружить, что страхование велось не так и что он тоже в этом виноват! Как бы то ни было, он заставил Уинифрид продать акции, хотя они уже слегка упали.

— Я думала, что это такая верная вещь, Сомс, — жаловалась она, — ведь так неприятно терять на акциях!

Он отрезал беспощадно:

— Если не продашь, потеряешь больше.

И она послушалась. Если семьи Роджера и Николаса, которые по его совету тоже накупили акций, не продали их — пусть пеняют на себя! Он просил Уинифрид предупредить их. У него самого были только его вступительные акции, и потеря была бы незначительна, так как его директорский оклад вполне компенсировал ее. Личная заинтересованность роли не играла — его просто мучило сознание, что тут замешаны иностранцы и что его непогрешимость поставлена под вопрос.

Рождество он провел спокойно в Мейплдерхеме. Он ненавидел Рождество и праздновал его только потому, что жена его была француженка и ее национальным праздником был Новый год. Нечего потакать всяким иностранным обычаям. Но праздновать Рождество без детей! Ему вспомнились зеленая хвоя и хлопушки в доме на Парк-лейн, его детство, семейные вечера.

Как он злился, когда получал что-нибудь символическое — кольцо или наперсток — вместо шиллинга! Санта-Клауса на Парк-лейн не признавали отчасти потому, что дети давно «раскусили» старика, отчасти потому, что это было слишком несовременно. Эмили, его мать, не допустила бы этого. Да, кстати: этот Уильям Гоулдинг, *ингерер*, до того запутал этих людей в Геральдическом управлении, что Сомс прекратил дальнейшие исследования, нечего давать им тратить его деньги на сентиментальную прихоть, которая никаких материальных выгод не сулит. Этот узколобый Старый Монт хвастает своими предками — тем больше имеется оснований не заводить себе предков, чтоб нечем было хвастать. И Форсайты и Гоулдинги — хорошие коренные английские семьи, а больше ничего не требуется. А если во Флер и в ее ребенке, если только у нее будет ребенок, есть примесь французской крови — что ж, теперь делу не поможешь.

В отношении внука Сомс был осведомлен не больше, чем в октябре. Флер провела Рождество у Монтов, но обещала скоро приехать к нему. Надо будет заставить мать расспросить ее.

Погода стояла удивительно мягкая. Сомс даже выехал как-то на лодке поудить рыбу. В теплом пальто он стоял с удочкой, ожидая окуней или плотвы покрупнее, но выудил только пескаря — никому не нужен, даже прислуга их нынче не ест. Его серые глаза задумчиво смотрели на серую воду под серым небом, и он мысленно следил за падением марки. Она упала катастрофически одиннадцатого января, когда французы заняли Рур. За завтраком он сказал Аннет:

— Что выделывают твои соотечественники! Посмотри, как упала марка!

— Какое мне дело до марки? — возразила она, наливая себе кофе. — Мне нужно, чтобы они не смели больше нападать на мою родину. Я надеюсь, что они испытают хоть часть тех страданий, которые испытали мы.

— Ты, — сказал Сомс, — ты-то никаких страданий не испытала.

Аннет поднесла руку к тому месту, где должно было находиться ее сердце, в чем Сомс иногда сомневался.

— Я испытывала страдания тут, — проговорила она.

— Что-то не замечал. Никогда ты не сидела без масла. Что же, по-твоему, будет с Европой в ближайшие тридцать лет? Что будет с британской торговлей?

— Мы, французы, смотрим дальше своего носа, — горячо возразила Аннет. — Мы знаем, что побежденных нужно действительно подчинить себе, иначе они начнут мстить. Вы, англичане, такие тряпки!

— Тряпки? — повторил Сомс. — Говоришь, как ребенок. Разве мы могли бы занять такое положение в мире, если бы были тряпками?

— Это — от вашего себялюбия. Вы холодны и себялюбивы.

— Холодны, себялюбивы — и тряпки! Нет, это не подходит. Поищи другое определение.

— Ваша тряпичность — в вашем образе мыслей, в ваших разговорах; но ваш инстинкт обеспечивает вам успех, а вы, англичане, инстинктивно холодны и эгоистичны, Сомс. Вы все — помесь лицемерия, глупости и эгоизма.

Сомс взял немного варенья.

— Так, — сказал он, — ну, а французы? Циничны, скупы, мстительны. А немцы сентиментальны, упрямы и грубы. Обругать другого всякий может. Лучше держаться друг от друга подальше. А вы, французы, никогда этого не делаете.

Статная фигура Аннет надменно выпрямилась.

— Когда связан с человеком так, как я связана с тобой, Сомс, или как мы, французы, связаны с немцами, надо быть или хозяином, или подчиненным.

Сомс перестал мазать хлеб.

— А ты себя считаешь хозяином в этом доме?

— Да, Сомс.

— Ах так! Можешь завтра же уезжать во Францию.

Брови Аннет иронически поднялись.

— Нет, друг мой, я, пожалуй, подожду, ты все еще слишком молод.

Но Сомс уже пожалел о своем замечании — в свои годы он совсем не хотел таких передряг — и сказал более спокойно:

— Компромисс — это сущность всяких разумных отношений и между отдельными людьми, и между странами. Нельзя чуть ли не каждый год заново портить себе жизнь.

— Это так по-английски! — пробормотала Аннет. — Мы ведь никогда не знаем, что вы, англичане, будете делать. Вы всегда ждете, откуда подует ветер.

Сомс, как ни глубоко он сочувствовал такой характеристике, во всякое другое время обязательно стал бы возражать — неудобно признаться в собственном непостоянстве. Но марка падала, как кирпичи с воза, и он был раздражен до последнего предела.

— А почему бы нам и не выжидать? Зачем бросаться в авантюры, из которых потом не выберешься? Я не желаю спорить. Французы и англичане никогда не ладили между собой и никогда не поладят.

Аннет встала.

— Ты прав, мой друг. Entente, mais pas cordiale[1]. Что ты сегодня делаешь?

— Еду в город, — хмуро ответил Сомс. — Ваше драгоценное правительство напортило во всех делах так, что дальше идти некуда.

— Ты будешь там ночевать?

— Не знаю.

— Ну прощай! Всего доброго! — И она вышла из-за стола.

Сомс угрюмо задумался над хлебом с вареньем — падение марки не шло у него из ума — и был рад, когда изящная фигура Аннет скрылась с глаз: сейчас ему было не до французских фокусов. Ему страшно хотелось сказать кому-нибудь: «Я же вам говорил!» Но надо подождать, пока найдется, кому сказать.

Прекрасный день, совсем теплый. И, захватив зонтик, чтобы предотвратить дождь, Сомс отправился на станцию.

В вагоне все говорили о Руре. Сомс терпеть не мог разговаривать с незнакомыми и слушал, прикрывшись газетой. Настроение в публике было до странности похоже на его собственное. Поскольку события причиняли неприятности «гуннам» — их одобряли; поскольку они причиняли неприятности английской торговле — их осуждали; а так как в данный момент любовь к английской торговле была сильнее ненависти к гуннам, события получили совсем отрицательную оценку. Замечание какого-то франкофила насчет того, что французы правы, ограждая себя любой ценой, было принято весьма холодно. В Мейденхеде в вагон вошел новый пассажир, и Сомс сразу понял, что сейчас начнется беспокойство. У пассажира были седые волосы, румяное лицо, живые глаза и подвижные брови, и через пять минут он уже спрашивал всех бодрым голосом, слышали ли они о Лиге Наций. Первое впечатление Сомса подтвердилось; он выглянул из-за газеты. Ну ясно, сейчас этот тип оседлает своего конька! Вот, пошел! Суть не в том, объявил новый пассажир, получит ли Германия тумака, Англия — монету, а французы — утешение, а в

---

[1] Согласие, но не сердечное (*фр.*). «Сердечное согласие» — союз Англии и Франции, заключенный в 1904 году.

том, получит ли весь мир спокойную и мирную жизнь. Сомс опустил газету. Если действительно хочешь мира, продолжал пассажир, надо забыть свои личные интересы и думать об интересах всего людского коллектива. Благо всех есть благо каждого. Сомс сразу почуял ошибку. Может быть, и так, но благо одного не всегда будет благом для всех. Он почувствовал, что если не сдержится, он возразит этому человеку. Человек этот — чужой, из споров вообще ничего хорошего не выходит. Но, к несчастью, его молчание среди общих споров о том, что от Лиги Наций «толку не дождешься», показалось оратору сочувственным, и этот тип непрестанно подмигивал ему. Спрятаться за газетой было бы слишком подчеркнуто, и положение Сомса становилось все более ложным, пока поезд не остановился у Пэддингтонского вокзала. Он поспешил к такси. Голос за его спиной проговорил:

— Безнадежная публика, сэр, правда? Рад, что хоть вы со мной согласились.

— Конечно, — буркнул Сомс. — Такси!

— Если только Лига Наций не будет функционировать, мы все провалимся в преисподнюю.

Сомс повернул ручку дверцы.

— Конечно, — повторил он. — Полтри! — бросил он шоферу, садясь. Его не поймаешь — этот человек определенно смутьян.

В такси он понял, насколько он расстроен. Он сказал шоферу: «Полтри!» — адрес, который контора «Форсайт, Бастард и Форсайт» переменила двадцать два года назад, когда, слившись с конторой «Кэткот, Холидей и Кингсон», стала называться «Кэткот, Кингсон и Форсайт». Исправив ошибку, он опустил голову в мрачном раздумье. Падение марки! Теперь все понимают, в чем дело, но если ОГС перестанет выплачивать дивиденды — можно ли тогда надеяться, что пайщики будут считать виновниками французов, а не директоров? Сомнительно! Директора должны были все предвидеть. Впрочем, в этом можно обвинять всех директоров, кроме него: он лично никогда бы не взялся за иностранные дела. Если бы он только мог с кем-нибудь поговорить обо всем! Но старый Грэдмен не поймет его соображений. И, приехав в контору, он с некоторым раздражением посмотрел на старика, неизменно сидящего на своем стуле-вертушке.

— А, мистер Сомс, я ждал вас сегодня все утро. Тут вас спрашивал какой-то молодой человек из ОГС. Не хотел сказать, в чем дело, говорит, что хочет видеть вас лично. Он оставил свой номер телефона.

— О! — сказал Сомс.

— Совсем юнец, из канцелярии.

— Как он выглядит?

— Очень аккуратный, приятный молодой человек. Произвел на меня вполне хорошее впечатление. Фамилия его Баттерфилд.

— Ну, позвоните ему, скажите, что я здесь. — И, подойдя к окну, Сомс уставился на совершенно пустую стену напротив.

Так как он не принимал активного участия в делах конторы, кабинет его был расположен далеко, чтоб никто не мешал. Молодой человек! Странное посещение! И он бросил через плечо:

— Не уходите, когда он явится, Грэдмен, я о нем ничего не знаю.

Мир меняется, люди умирают, марка падает, но Грэдмен всегда тут — седой, верный; воплощенная преданность и надежная опора, настоящий якорь.

Послышался скрипучий, вкрадчивый голос Грэдмена:

— Эти французские дела — нехорошо, сэр. Горячая публика. Я помню, как ваш батюшка, мистер Джемс, пришел в тот день, как была объявлена франко-прусская война, — он совсем еще был молодым, лет шестьдесят, не больше. Я точно помню его слова. «Ну вот, — сказал он, — я так и знал». И до сей поры ничего не изменилось. Ведь немцы и французы — что собака с кошкой.

Сомс, который повернулся было к Грэдмену, снова уставился в пустую стену. Бедный старик Грэдмен совсем устарел! Что бы он сказал, если бы узнал, что Сомс принимает участие в страховании иностранных контрактов?

Оттого что перед ним сидел старый, верный Грэдмен, ему как-то легче стало думать о будущем. Сам он, возможно, проживет еще лет двадцать. Что он увидит за это время? Какой станет старая Англия к концу этого срока? «Что бы ни говорили газеты, мы не так глупы, как кажется, — подумал он. — Только бы нам суметь удержаться от всякой наносной чуши и идти своим путем».

— Мистер Баттерфилд, сэр!

Гм! Юноша, видно, поторопился. Под прикрытием добродушно-вкрадчивых приветствий Грэдмена Сомс «произвел разведку», как выражался его дядя Роджер. Аккуратно одет, отложной воротничок, шляпу держит в руке — совсем обыкновенный, скромный малый. Сомс слегка кивнул ему.

— Вы хотели меня видеть?

— Наедине, сэр, если разрешите.

— Мистер Грэдмен — моя правая рука.

Голос Грэдмена ласково заскрипел:

— Можете излагать ваше дело. За эти стены ничего не выносится, молодой человек.

— Я служу в конторе ОГС, сэр. Дело в том, что я случайно получил некоторые сведения, и теперь у меня неспокойно на душе. Зная, что вы адвокат, сэр, я предпочел обратиться к вам, а не к председателю. Скажите мне как юрист: должен ли я, как служащий Общества, всегда в первую очередь считаться с его интересами?

— Разумеется, — сказал Сомс.

— Мне неприятно это дело, сэр, и вы, надеюсь, поверите, что я пришел не по личным причинам, а просто из чувства долга.

Сомс пристально посмотрел на него. Большие влажные глаза юноши казались ему похожими на глаза преданной собаки.

— А в чем дело? — спросил он.

Баттерфилд облизнул сухие губы.

— Дело в страховании наших германских контрактов, сэр.

Сомс насторожил уши, и без того слегка торчащие кверху.

— Дело очень серьезное, — продолжал молодой человек, — и я не знаю, как это отразится на мне, но должен сказать, что я сегодня утром подслушал частный разговор.

— О-о, — протянул Сомс.

— Да, сэр. Вполне понимаю вас, но после первых же слов я должен был слушать. Я просто не мог выдать себя после того, как услышал их. Я думаю, что вы согласитесь, сэр.

— А кто говорил?

— Наш директор-распорядитель и некий Смит — судя по акценту, его фамилия, наверно, звучит несколько иначе. Он один из главных агентов по нашим германским делам.

— Что же они говорили? — спросил Сомс.

— Видите ли, сэр, директор что-то говорил, а потом этот Смит сказал: «Все это так, мистер Элдерсон, но мы не зря платили вам комиссионные; если марка окончательно лопнет, вам уж придется постараться, чтобы ваше Общество нас выручило».

Сомсом овладело острое желание свистнуть, но его остановило лицо Грэдмена: у старика отвалилась нижняя челюсть, заросшая короткой седой бородой, и он растерянно протянул:

— О-о!

— Да, — сказал молодой человек, — это был номер!

— Где вы были? — резко спросил Сомс.

— В коридоре, между кабинетом директора и конторой. Я только что разобрал бумаги в конторе и шел с ними, а дверь кабинета была приоткрыта пальца на два. Конечно, я сразу узнал голоса.

— Дальше?

— Я услышал, как мистер Элдерсон сказал: «Тс-с, не говорите об этом», — и я поскорей юркнул обратно в контору. С меня было достаточно, уверяю вас, сэр!

Подозрение и догадки совершенно сбили Сомса с толку. Правду ли говорил этот юнец? Такой человек, как Элдерсон... чудовищный риск! А если это правда — в какой мере ответственны директора? Но доказательства, доказательства?! Он посмотрел на клерка: тот был бледен и расстроен, но стойко выдержал его взгляд. Встряхнуть бы его хорошенько! И он строго сказал:

— Вы понимаете, что говорите? Дело в высшей степени серьезное!

— Я знаю, сэр. Если бы я думал о себе, я бы ни за что к вам не пришел. Я не доносчик.

Как будто говорит правду! Но осторожность не покидала Сомса.

— У вас были когда-нибудь неприятности по службе?

— Никогда, сэр, можете справиться. Я ничего не имею против мистера Элдерсона, и он ничего не имеет против меня.

Сомс внезапно подумал: «О черт, теперь он все это свалил на меня! Да еще при свидетеле! И я сам оставил этого свидетеля!»

— Имеете ли вы основания предполагать, что они заметили ваше присутствие? — спросил он.

— Не думаю, сэр, они не могли заметить.

Запутанность положения с каждой секундой росла, как будто рок, с которым Сомс умело фехтовал всю свою жизнь, внезапно нанес ему удар исподтишка. Однако нечего терять голову, надо все спокойно обдумать.

— Вы готовы, если нужно, повторить это перед правлением?

Молодой человек стиснул руки.

— Право, сэр, лучше бы я молчал, но раз вы считаете, что надо, что ж делать — придется. А может, лучше, если вы решите оставить это дело в покое; может быть, все это вообще неправда... Но тогда почему мистер Элдерсон не сказал ему: «Это наглая ложь!»

Вот именно! Почему он смолчал? Сомс недовольно проворчал что-то невнятное.

— Что еще скажете? — спросил он.

— Ничего, сэр.

— Отлично. Кому-нибудь говорили об этом?

— Никому, сэр.

— И не надо, предоставьте это мне.

— Очень охотно, сэр, конечно. Всего хорошего!

— Всего хорошего!

Нет, хорошего мало! И ни малейшего удовлетворения от того, что его пророчество относительно Элдерсона сбылось. Ни малейшего!

— Что скажете об этом юнце, Грэдмен? Лжет он или нет?

Грэдмен, выведенный этими словами из оцепенения, задумчиво потер свой толстый лоснящийся нос.

— Как сказать, мистер Сомс, надо бы получить больше доказательств. Но я не знаю, какой смысл этому человеку лгать?

— И я не знаю. Впрочем, все возможно. Самое трудное — достать еще доказательства. Разве можно действовать без доказательств?

— Да, дело щекотливое, — сказал Грэдмен. И Сомс понял, что он предоставлен самому себе. Когда Грэдмен говорил, что «дело щекотливое», — это значило обычно, что он просто будет ждать распоряжений и считает даже вне своей компетенции иметь какое-либо мнение. Да и есть ли у него свое мнение? Ведь из него ничего не вытянуть. Будет тут сидеть и тереть нос до второго пришествия.

— Я торопиться не стану, — сердито проговорил Сомс. — Мало ли что еще может случиться!

Его слова подтверждались с каждым часом. За завтраком, в своем клубе в Сити, он узнал, что марка упала. Неслыханно упала! Как это люди еще могут болтать о гольфе, когда он поглощен таким делом, — просто трудно себе представить!

«Надо поговорить с этим типом, — подумал он. — Я буду настороже, может быть, он прольет свет на эту историю». Он подождал до трех часов и отправился в ОГС.

Приехав в контору, он сразу прошел в кабинет правления. Председатель беседовал с директором-распорядителем. Сомс тихо сел и стал слушать и, слушая, разглядывал лицо Элдерсона.

Оно ничего ему не говорило. Какую чепуху болтают — будто можно по лицу определить характер человека! Только лицо совершенного дурака — открытая книга. А здесь был человек опытный, культурный, знавший каждую пружинку деловой жизни и светских отношений. Его лицо, бритое и сухое, выражало огорчение, обиду, но не больше, чем лицо любого человека, чья политика потерпела бы такой крах. Падение марки погубило всякую надежду на дивиденды в течение ближайшего полугодия. Если только эта несчастная марка не поднимется — германские страховки будут лежать на Обществе мертвым грузом. Право же, настоящим преступлением было не ограничить ответственность. Каким образом, черт возьми, мог он упустить это, когда вступил в правление? Правда, узнал он обо всем этом много позже. Да и кто мог предвидеть такую сумасшедшую историю, как события в Руре, кто мог думать, что его коллеги по правлению так доверятся этому проклятому Элдерсону? Слова «преступная халатность» появились перед глазами Сомса крупным планом. Что, если против правления будет возбуждено дело? Преступная халатность! В его годы, с его репутацией! Ясно как день: за то, что этот тип не ограничил ответственности, он получил комиссию. Наверно, процентов десять на круг; должно быть, заработал не одну тысячу! Право, человек должен дойти до крайности, чтобы рискнуть на такое дело. Но, видя, что фантазия у него начала разыгрываться, Сомс встал и повернул к двери. Надо было еще что-то сделать — симулировать гнев, сбить самообладание с этого человека. Он резко обернулся и раздраженно проговорил:

— О чем же вы, собственно говоря, думали, господин директор-распорядитель, когда заключали страховки без ограничения ответственности? И такой опытный человек, как вы! Какие у вас на это были мотивы?

И Сомс подчеркнул это слово, пристально глядя на Элдерсона, поджав губы и сузив глаза. Но тот пропустил намек.

— При тех высоких процентах, какие мы получали, мистер Форсайт, не могло быть и речи об ограничении ответственности. Правда, положение дел сейчас весьма тяжелое, но что же делать — не повезло!

— К сожалению, при правильно поставленной страховой работе не может быть и речи о «везенье» или «невезенье», и, если я не ошибаюсь, нам скоро это докажут. Я не удивлюсь, если нам будет брошено обвинение в преступной халатности.

Ага, задело! И председатель ежится! Впрочем, Сомсу показалось, что Элдерсон только притворяется слегка огорченным. Бесполезно даже пробовать чего-нибудь добиться от такого типа. Если вся эта история — правда, то Элдерсон, вероятно, просто в безвыходном положении и готов на все. Но так как все, что могло привести человека в отчаяние, — все по-настоящему безвыходные положения, все немыслимые ситуации, требующие риска, — Сомс всегда тщательно устранял из своей жизни, он не мог даже представить себе душевное состояние Элдерсона, не мог представить себе его линию поведения, если он был действительно виновен. Этот тип, по мнению Сомса, был способен на все: у него и яд может быть припасен, и револьвер в кармане, как у героя экрана. Но все это до того неприятно, до того беспокойно — просто слов нет! И Сомс молча вышел, только и узнав, что теперь, когда марка обесценена, их дефицит по этим германским контрактам составляет свыше двухсот тысяч фунтов. Он мысленно перебирал состояния своих содиректоров. Старый Фонтеной всегда в стесненных обстоятельствах; председатель — «темная лошадка»; состояние Монта — в земле, а земля сейчас не в цене, к тому же его имение заложено. У этой старой мямли Мозергилла ничего, кроме имени и директорского жалованья, нет. У Мэйрика, верно, большие доходы, но при больших доходах и расходы большие, как у всех этих крупных адвокатов, которые служат и нашим и вашим и уверены, что их ждет должность судьи. Ни одного по-настоящему солидного человека, кроме него самого! Сомс медленно шел, тяжело шагая, опустив голову.

Акционерные общества! Нелепая система! Приходится кому-то доверять все дела — и вот вам! Ужасно!

— Шарики, сэр, разноцветные шарики, пять футов в окружности. Возьмите шарик, джентльмен!

— О боги! — сказал Сомс. Как будто ему мало было лопнувших, как пузырь, германских дел!

II. ВИКТОРИНА

Весь декабрь воздушные шары шли плохо, даже перед Рождеством, и Центральная Австралия была так же далека от Бикетов, как и раньше. Викторина почти поправилась, но уже не могла вернуться на работу в мастерскую «Бонн Блэйдс и К°». Ей давали на дом сдельную работу, но не часто, и она все пыталась найти что-нибудь более прочное. Как всегда, ей страшно мешала ее внешность. Людям трудно было придумать что-нибудь для этой маленькой женщины с таким необычным лицом. Как принять на службу человека, который, как они знали, не обладает ни образованием, ни богатством, ни знатностью, ни особыми способностями и все же дает вам почувствовать, что он выше вас? Интерес к необычному, дававший таким, как Майкл и Флер, много острых ощущений, не играл никакой роли, когда речь шла о шитье блузок, примерке обуви, надписывании конвертов, плетении надгробных вещей, — словом, о тех занятиях, о которых мечтала Викторина. Что скрывали эти большие темные глаза, эти молчаливые губы? «Бони Блэйдс и К°» и всякие другие почтенные коммерческие предприятия были даже обеспокоены этим. А соблазнительные профессии — статистки в кино, манекенщицы — не приходили в голову скромному существу, рожденному в Путни.

И каждое утро, когда Бикет уходил, взяв лоток со сложенными оболочками шаров, она стояла, грызя палец, мучительно придумывая, как бы прогрызть выход из этого полуголодного существования, от которого ее муж стал худ, как спичка, измучен, как собака, и общипан, как бесхвостый воробей. Его унизительное ремесло едва давало им кров и пищу. Они давно поняли, что никакого будущего торговля шарами не сулит: только бы выклянчить на сегодняшний обед. И в тихонькой, покорной Викторине накипала горячая обида. Во что бы то ни стало она хотела изменить жизнь к лучшему и для себя и для Тони — особенно для Тони.

В то утро, когда так упала марка, она надела свой бархатный жакетик и шапочку — лучшее, что осталось в ее скудном гардеробе. Она решилась. Бикет никогда не вспоминал о своем прежнем месте, и она смутно догадывалась, что дело с его увольнением обстоит совсем не так просто. Почему бы не попытаться опять его устроить? Он часто говорил ей: «Вот мистер Монт — настоящий джентльмен! Он что-то вроде социалиста, и на войне побывал, и вообще совсем не задается!» Вот если бы попасть к этому чудаку! И ее худенькое личико зарумянилось решимостью и надеждой, когда, проходя по Стрэнду, она взглянула на себя в зеркало витрины. Цвет ее зеленого бархатного жакетика всегда нравился тем, кто знал толк в оттенках, но зато черная юбка... ну, да может быть, никто не заметит, насколько юбка потерта, если не выходить из-за перегородки в конторе. Хватит ли у нее смелости сказать, что она пришла по поводу рукописи? И она мысленно прорепетировала, тщательно выговаривая слова: «Будьте любезны попросить мистера Монта принять меня, мне надо поговорить насчет рукописи». Да! А вдруг спросят: «Как передать?» Сказать — миссис Бикет? Ни за что! Мисс Викторина Коллинз? У всех писательниц девичьи фамилии. Но Коллинз! Не звучит никак! И кому какое дело до ее девичьей фамилии? А почему бы не выдумать? Писатели всегда придумывают себе фамилии. И Викторина стала подбирать имя. Что-нибудь итальянское вроде, вроде... Ведь хозяйка так и спросила, когда они въезжали: «А ваша жена — итальянка, мистер Бикет?» Ага! Мануэлли! Настоящее итальянское имя, как у мороженщика на Дич-стрит. По дороге она повторяла заранее придуманные слова. Только бы ей попасть к этому мистеру Монту!

Она вошла дрожа. Все шло, как она предполагала, вплоть до тщательно выговоренной фразы. Она ждала, пока о ней докладывали по внутреннему телефону, и прятала руки в ветхих перчатках. Назначили ли мисс Мануэлли прийти? Такой рукописи еще не было.

— Нет, — сказала Викторина, — я ее еще не посылала. Я хотела сначала повидать мистера Монта.

Молодой человек у конторки пристально посмотрел на нее, снова подошел к телефону и потом сказал:

— Попрошу минутку подождать: сейчас к вам выйдет секретарша мистера Монта.

Викторина наклонила голову; ее сердце сжалось. Секретарша! Ну, теперь ей к нему ни за что не попасть. И вдруг она испугалась своей выдумки. Но мысль о Тони, там, на углу, в облаке разноцветных шаров — она не раз подсматривала за ним — поддержала ее отчаянную решимость.

Женский голос:

— Мисс Мануэлли? Я секретарь мистера Монта. Может быть, вы сообщите, по какому делу он вам нужен?

Свеженькая молодая женщина смерила Викторину внимательным взглядом.

— Нет, боюсь, что мне придется лично его побеспокоить.

Внимательный взгляд остановился на ее лице.

— Пожалуйста, пройдите со мной, может быть, он вас примет.

Викторина, не шелохнувшись, сидела в маленькой приемной. Вдруг она увидела в дверях лицо какого-то молодого человека и услышала:

— Войдите, пожалуйста.

Она судорожно глотнула воздух и вошла. В кабинете Майкла

она взглянула на него, на его секретаршу и снова на него, бессознательно взывая к его благородству, его молодости, его честности, — неужели он откажется переговорить с ней наедине? У Майкла сразу мелькнула мысль: «Деньги, наверно. Но какое интересное лицо!» Секретарша опустила уголки губ и вышла из комнаты.

— Ну, что скажете, мисс... э-э... Мануэлли?

— Простите, не Мануэлли. Я миссис Бикет. Мой муж тут служил.

Как, жена того парня, что таскал «Медяки»? Гм! Бикет, помнится, что-то плел — жена, воспаление легких. Да, похоже, что она болела.

— Он часто говорил о вас, сэр. И он теперь совсем без работы. Может, у вас бы нашлось для него место, сэр?

Майкл молчал. Знает ли эта маленькая женщина с таким необычайно интересным лицом о воровстве?

— Он сейчас продает шары на улице. Я не могу видеть этого! Стоит у святого Павла и почти ничего не зарабатывает. А мы так хотим уехать в Австралию. Я знаю — он очень нервный и часто спорит с людьми. Но если бы только вы могли его принять...

Нет. Она ничего не знает!

— Очень сожалею, миссис Бикет. Я хорошо помню вашего мужа, но у нас нет для него места. А вы совсем поправились?

— О да! Только я тоже никак не могу найти работу!

Какое лицо для обложек! Прямо Мона Лиза! Ага! Роман Сторберта!

— Ладно, я поговорю с вашим мужем. Скажите, вы бы не согласились позировать художнику для обложки? При желании могли бы и дальше работать по этой части. Вы как раз подходящая модель для моего друга. Вы знаете работы Обри Грина?

— Нет, сэр.

— Очень неплохо — даже совсем хорошо, хоть и в декадентском духе. Так вы согласились бы позировать?

— Я согласна на всякую работу, лишь бы добыть денег. Но лучше не говорите мужу, что я была у вас. Он может рассердиться.

— Хорошо! Я с ним встречусь как будто случайно. Вы говорите, он стоит у святого Павла? Только здесь, к сожалению, работы нет, миссис Бикет. Да кроме того, он едва сводил концы с концами на наше жалованье.

— Когда я болела, сэр.

— Да, конечно, это сыграло роль.

— Конечно, сэр.

— Ладно, давайте я напишу вам записку к мистеру Грину. Присядьте.

Он писал, украдкой поглядывая на нее. Это худенькое большеглазое лицо, эти иссиня-черные вьющиеся волосы — необычайно интересно! Пожалуй, чересчур утонченно и бледно для вкусов широкой публики. Но, черт возьми! Нельзя же из-за публики вечно рисовать стандартные синие глаза, золотистые локоны и красные, как мак, щеки! «Она не совсем в обычном вкусе, — писал он, — но так хороша в своем роде, что может стать художественным типом, как типы Бердслея и Дана».

Когда Викторина ушла с запиской, Майкл позвонил секретарше.

— Нет, мисс Перрен, она ничего у меня не выпрашивала. Но какое лицо, правда?

— Я тоже решила, что вам надо поглядеть на нее. Но ведь она не писательница?

— О нет!

— Ну, надеюсь, она добилась того, что ей нужно.

Майкл усмехнулся.

— Отчасти, мисс Перрен, отчасти! Вы меня считаете ужасным дураком, а?

— Ничуть, что вы! Но, по-моему, вы слишком мягкосердечны.

Майкл взъерошил волосы.

— А вы бы удивились, если бы я сказал, что сделал важное дело?

— Пожалуй, мистер Монт.

— Ну, тогда я вам не скажу ничего. Когда вы перестанете дуться, можно продолжать письмо к моему отцу насчет «Дуэта». Очень, мол, сожалеем, что при нынешнем положении дел мы лишены возможности переиздать разговор этих старых хрычей; мы на этом и так потеряли уйму денег. Конечно, вам придется это перевести. А потом надо написать старику что-нибудь ободряющее. Ну, например: «Когда французы образумятся и птички запоют, — словом, к весне мы надеемся еще раз пересмотреть этот вопрос в свете...» м-м-м... чего, мисс Перрен?

— В свете накопленного нами опыта. Насчет французов и птичек можно пропустить?

— Чудесно! «Преданные вам Дэнби и Уинтер». Вы не считаете, что появление этой книги в нашем издательстве — возмутительный пример непотизма?

— А что такое непотизм?

— Злоупотребление сыновней преданностью. Он никогда ни гроша не заработал своими книгами.

— Он очень изысканный писатель, мистер Монт.

— А мы за эту изысканность расплачиваемся. И все-таки он славный «Старый Барт»! Ну, вот пока и все. Идите завтракать, мисс Перрен, да как следует позавтракайте! У этой девушки и фигура необычайная, правда? Она очень тоненькая, но держится совсем прямо. Да, я все хотел вас спросить, мисс Перрен... Почему современные девицы всегда ходят как-то изогнувшись и вытянув шею вперед? Ведь не может быть, что они все так сложены?

Щеки секретарши зарделись.

— Конечно, причина есть, мистер Монт.

— А! Какая?

Щеки секретарши зарделись еще ярче.

— Я... я как-то не решаюсь...

— О, простите! Я спрошу жену. Только она-то держится очень прямо!

— Видите ли, в чем дело, мистер Монт: сейчас модно, чтобы... ну, сзади... ничего не было, а ведь это... и м... не так — вот они и стараются добиться такого вида, втягивая грудь и вытягивая шею. На модных картинках так рисуют, и манекенщицы всегда так ходят.

— Понятно, — сказал Майкл. — Спасибо, мисс Перрен! Очень мило, что вы объяснили. Дальше идти некуда, верно?

— Да, я сама совершенно не придерживаюсь этой моды.

— Нет, ничуть!

Секретарша опустила глаза и удалилась. Майкл сел к столу и стал рисовать на промокашке женский профиль. Но это была не Викторина...

Викторина, позавтракав, как всегда, чашкою кофе с булкой, поехала подземкой в Челси с письмом Майкла к Обри Грину. Правда, ее поход не увенчался успехом, но мистер Монт был очень добр, и Викторина повеселела.

У студии стоял, отпирая дверь, молодой человек — очень элегантный, в светло-сером спортивном костюме, весь какой-то скользящий, без шляпы, со светлыми, красиво зачесанными назад волосами и мягким голосом.

— Натурщица? — спросил он.

— Да, сэр. Вот, пожалуйста, у меня к вам записка от мистера Монта.

— От Майкла? Войдите.

Викторина прошла за ним. Комната почти вся светло-зеленая — высокая комната с верхним светом и стропилами; стены сплошь увешаны рисунками и картинами, а часть картин как будто соскользнула на пол. На мольберте стояло изображение двух дам, с которых почти совсем соскользнули платья, — и Викторина смутилась. Она заметила, что глаза художника, светло-зеленые, как стены комнаты, скользят по ней внимательным взглядом.

— Вы будете позировать как угодно?

— Да, сэр, — машинально ответила Викторина.

— Снимите, пожалуйста, шляпу.

Викторина сняла шапочку и встряхнула волосами.

— О-о! — протянул художник. — Интересно!

Викторина не поняла, что ему интересно.

— Будьте добры, взойдите на помост!

Викторина нерешительно оглянулась. Улыбка словно скользнула по всему лицу художника, по лбу, по блестящим светлым волосам.

— Видно, это ваш первый опыт?

— Да, сэр.

— Тем лучше. — И он указал на маленькое возвышение.

Викторина села в черное дубовое кресло.

— Вам как будто холодно?

— Да, сэр.

Он подошел к шкафу и вернулся с двумя рюмками чего-то коричневого.

— Выпейте «Grand Marnier».

Она увидела, как он залпом проглотил ликер, и последовала его примеру. Ликер был сладкий, очень вкусный, у нее сразу перехватило дыхание.

— Возьмите папироску.

Викторина взяла папироску из его портсигара и сжала ее губами. Он дал ей прикурить. И снова улыбка скользнула по его лицу и спряталась в блестящих волосах.

— В себя тяните, — сказал он. — Где вы родились?

— В Путни, сэр.

— Это занятно! Вы только посидите минуточку спокойно.

Это не так страшно, как рвать зуб, только дольше. Главное — старайтесь не заснуть.

— Хорошо, сэр.

Он взял большой лист бумаги и кусок чего-то черного и начал рисовать.

— Скажите, пожалуйста, мисс...

— Коллинз, сэр, Викторина Коллинз.

Она инстинктивно назвала свою девичью фамилию — ей это казалось более профессиональным.

— Вы сейчас без работы? — Он остановился, и снова улыбка скользнула по его лицу. — Или у вас еще есть какое-нибудь занятие?

— Сейчас нет, сэр. Я замужем, и больше ничего.

Некоторое время художник молчал. Было занятно следить, как он смотрит — и делает штрих. Сто взглядов — сто штрихов. Наконец он сказал:

— Чудесно! Теперь отдохнем. Само небо послало вас сюда, мисс Коллинз. Идите погрейтесь.

Викторина подошла к камину.

— Вы что-нибудь слышали об экспрессионизме?

— Нет, сэр.

— Понимаете, это значит обращать внимание на внешность, только поскольку она выражает внутреннее состояние. Вам это что-нибудь объясняет?

— Нет, сэр.

— Так. Кажется, вы сказали, что согласны, позировать... м-м... совсем?

Викторина смотрела на веселого, скользящего джентльмена.

Она не понимала, что он хочет сказать, но чувствовала что-то не совсем обычное.

— Как это «совсем», сэр?

— Совсем нагой.

— О-о! — Она опустила глаза, потом посмотрела на соскользнувшие платья тех двух женщин. — Вот так?

— Нет, вас я не стану изображать в кубистическом духе.

На впалых щеках Викторины загорелся слабый румянец. Она медленно проговорила:

— А за это больше платят?

— Да, почти вдвое — а то и больше. Но я вас не уговариваю, если не хотите. Вы можете подумать и сказать мне в следующий раз.

Она снова подняла глаза и сказала:

— Благодарю вас, сэр.

— Не стоит! Только, пожалуйста, не величайте меня «сэром».

Викторина улыбнулась. В первый раз художник увидел это функциональное явление на лице Викторины, и оно произвело на него неожиданное впечатление.

— Ей-богу, — сказал он торопливо, — когда вы улыбаетесь, мисс Коллинз, я вижу вас импрессионистически. Если вы отдохнули, сядьте снова в кресло.

Викторина пошла на место.

Художник достал чистый лист бумаги.

— Вы можете думать о чем-нибудь таком, чтобы улыбаться?

Викторина отрицательно покачала головой. И это была правда.

— Ни о чем смешном не можете думать? Например, вы любите своего мужа?

— О да!

— Ну, попробуйте думать о нем.

Викторина попробовала, но могла себе представить только Тони, продающего шары.

— Нет, нет, так не годится, — сказал художник. — Не думайте о нем. Вы видели картину «Отдых фавна»?

— Нет, сэр.

— А вот у меня появилась мысль: «Отдых дриады». А насчет позирования вам, право, нечего смущаться. Это ведь совершенно безлично. Думайте об искусстве и пятнадцати шиллингах в день. Клянусь Нижинским! Я уже вижу всю картину.

Он говорил, и его глаза скользили по ней взад и вперед, а карандаш скользил по бумаге. Какое-то брожение поднялось в душе Викторины. Пятнадцать шиллингов в день! Синие бабочки!

В комнате стояла глубокая тишина. Взгляд и рука художника скользили без остановки. Слабая улыбка осветила лицо Викторины: она подсчитывала, сколько можно заработать.

Наконец его взгляд перестал скользить, и он не отрывал глаз от бумаги.

— На сегодня все, мисс Коллинз. Мне надо еще кое-что обдумать. Дайте мне ваш адрес.

Викторина быстро соображала.

— Пожалуйста, сэр, пишите мне до востребования. Я не хотела бы, чтобы муж узнал, что я... я...

— Причастны к искусству? Ну, ладно, какое почтовое отделение?

Викторина назвала отделение и надела шляпу.

— Полтора часа — пять шиллингов, спасибо. И завтра, в половине третьего, мисс Коллинз, — без «сэра», пожалуйста!

— Хорошо, с... спасибо!

Викторина ждала автобуса на холодном январском ветру, и ей казалось, что позировать нагой — немыслимо. Сидеть перед чужим господином без всего! Если бы Тони знал! Снова румянец медленно залил ее впалые щеки. Она вошла в автобус. Но ведь пятнадцать шиллингов! Шесть раз в неделю — да это выходит четыре фунта десять шиллингов! За четыре месяца она может заработать на проезд *туда*. Если судить по картинам в студии, масса женщин это делают. Тони ничего не должен знать — даже того, что она позирует для лица. Он такой нервный и так ее любит! Он выдумает бог знает чего; она помнит, как он говорил, что все эти художники настоящие скоты. Но этот джентльмен был очень мил, хоть и казалось, точно он над всем смеется. Она пожалела, что не взглянула на рисунок. Может быть, она увидит себя на выставке. Но без всего — ой! И вдруг ей пришло в голову: «Если бы мне побольше есть, я в таком виде хорошо бы выглядела». И чтобы уйти от соблазна этой мысли, она уставилась на лицо пассажира, сидевшего напротив. Лицо было спокойное, гладкое, розовое, с двумя подбородками, со светлыми глазами, пристально глядевшими на нее. Никогда не угадать, о чем люди думают. И улыбка, которой так добивался Обри Грин, озарила лицо его натурщицы.

III. МАЙКЛ ГУЛЯЕТ И РАЗГОВАРИВАЕТ

Лицо, которое Майкл начал рисовать на промокашке, сначала походило на Викторину, но скоро превратилось в лицо Флер. Да, Флер держится очень прямо, но остается ли она и внутренне такой же прямой? За эти сомнения он всегда называл себя подлецом. Он не видел нового в ее поведении и честно старался не проникать в то, что было скрыто. Но от его настороженного внимания не мог ускользнуть какой-то скептицизм, появившийся в ней, — как будто она всегда хотела подчеркнуть, что всему на свете одна цена и, в сущности, ничто в жизни не ценно.

Уилфрид был в Лондоне, но нигде не показывался, и о нем не вспоминали. Казалось бы: с глаз долой — из сердца вон! Но у Майкла вопреки пословице Уилфрид не выходил из головы. Если Уилфрид не встречается с Флер, как он может оставаться в

Лондоне, так соблазнительно близко от нее? Если Флер не хочет видеть его, отчего она его не услала? Все труднее становилось скрывать от всех, что он больше не дружит с Дезертом. Он часто испытывал желание пойти к Уилфриду, поговорить с ним откровенно и всегда отгонял эту мысль. Либо ничего, кроме того, что ему известно, нет, либо что-то есть, и Уилфрид будет это отрицать. Майкл думал об этом без злобы — нельзя же выдавать женщину! Но не хотелось слышать ложь от боевого товарища. Ни слова не было сказано между ним и Флер; он чувствовал, что не узнает ничего нового и разговор только угрожает и без того неустойчивому равновесию. Рождество они провели в родовом имении Монтов и много охотились. Флер ездила с ним на охоту на второй день и стояла рядом с ним, на его месте, держа Тинг-а-Линга на сворке. Китайский пес был необычайно возбужден, прыгал в воздух каждый раз, как падала птица, и совершенно не боялся выстрелов. Майкл, ожидая своей очереди промахнуться — он был плохой стрелок, — следил за возбужденным лицом Флер, опушенным серым мехом, за ее фигуркой, напряженной от усилий сдержать Тинг-а-Линга. Для нее охота была новым переживанием, а новизна шла ей больше всего на свете. Майкл радовался, даже когда она ахала: «О, Майкл!» — при каждом его промахе. Она пользовалась необычайным успехом у гостей, а это значило, что он ее почти не видел, — разве совсем сонной поздно вечером. Но там, в деревне, он по крайней мере не страдал от мучительного чувства неизвестности.

Дорисовав стриженую головку на промокашке, он встал. Около св. Павла — кажется, так говорила эта маленькая женщина. Пройтись взглянуть на Бикета. Может быть, для него можно будет что-нибудь придумать. И, потуже затянув пояс своего синего пальто, Майкл вышел — тонкий, быстрым легким шагом, — только сердце у него чуть ныло.

Шагая на восток в этот ясный веселый день, он вдруг ощутил как чудо, что он жив, здоров и работает. Столько людей умерло, столько больных, безработных! Он вошел в Ковент-Гарден. Удивительное место! Людской породе, которая десятками лет могла выдерживать Ковент-Гарден, вряд ли грозит опасность вымереть от всяких напастей. Успокоительное место! Пройдешься по нему — и перестаешь слишком всерьез относиться к жизни. Овощи и фрукты со всего света были собраны на этом квадратном островке, а с востока его замыкало здание оперы, с запада — здания издательств, с севера и юга — потоки людных улиц.

Майкл шел среди разгружающихся тележек, бумаги, соломы и людей без дела и втягивал запахи Ковент-Гардена. Пахнет как-то по-своему — землей и чуть-чуть прелью. Он никогда, даже во время войны, не видел места, где бы царила такая полная непринужденность. Удивительно характерно для англичан! По этим людям никак нельзя сказать, что они хоть чем-нибудь связаны с деревней. Все они: возчики, зеваки, разносчики, и укладчики, и продавцы в крытых палатках — точно совершенно незнакомы с солнцем, с ветром, водой, воздухом, — типичные горожане! И какие у них лица — опухшие, унылые, искаженные, кривые; уродство в самых разнообразных видах. Где настоящий английский тип среди этих бесконечных вариантов безобразия? Его просто не существует. Майкл проходил мимо фруктов. Яркие груды, неподвижные, сверкающие, — чужестранцы из солнечных краев, одноцветные, одинаковые шары! У Майкла потекли слюнки. «Солнце все-таки замечательная штука!» — подумал он. Взять Италию, арабов, Австралию — ведь многие австралийцы родом из Англии, а посмотрите, какой тип выработался. И все же нет людей симпатичнее жителей Лондона. Чем правильнее черты лица у человека, тем он эгоистичнее. У этих грейпфрутов удивительно самодовольный вид по сравнению с картофелем!

Он выбрался на улицу, все еще думая об англичанах. Да, сейчас они стали одной из самых некрасивых, самых изуродованных наций на свете; зато может ли хоть один народ сравниться с ними хорошим характером и крепким «нутром»? А как им нужны эти черты — в дымных городах, при таком климате; удивительный пример приспособления к окружающей среде этот современный английский тип. «Я мог бы узнать англичанина где угодно, — подумал Майкл, — а общих физических признаков нет». Удивительный народ! Ведь в массе он очень некрасив — и все-таки создает такие перлы красоты, такие чудесные экземпляры, как эта маленькая миссис Бикет. А потом, насколько они лишены воображения в массе — и при этом какое потрясающее количество поэтов! Кстати, что скажет старый Дэнби, когда Уилфрид отдаст свою книгу другому издателю, или, вернее, что скажет он, лучший друг Уилфрида, старику Дэнби? Ага! Вот что надо сказать: «Да, сэр, лучше бы вы простили того беднягу, который стащил «Медяки». Дезерт не забыл вашего отказа». Так и надо старому Дэнби за его вечную уверенность в своей правоте. «Медяки» имели необычайный успех. Следующая книга, вероятно, будет значительно лучше. Ведь эта книга была определенным доказательством того, что всегда утверждал Майкл: проходят времена «чириканья», людям снова нужна жизнь. Сибли, Уолтер Нэйзинг, Линда — все те, кому нечего сказать, разве что твердить, что они, мол, выше тех, кому есть о чем говорить, — все эти люди доживают последние дни. И ведь когда им придет конец, они, черт возьми, этого и не почувствуют! Они будут все так же задирать нос и смотреть на всех сверху вниз!

«Мне-то они давно осточертели! — подумал Майкл. — Если бы только Флер поняла, что смотреть сверху вниз — явный признак того, что ты ниже других». И вдруг он сообразил, что Флер, очевидно, это понимает. Ведь ни с кем из этой компании она так не дружила, как с Уилфридом. Все остальные существуют подле нее просто потому, что она — Флер, и ее всегда окружают самые последние новинки. А когда они перестанут быть самыми последними новинками, она их бросит. Но Уилфрида она не бросит. Нет, Майкл был уверен, что она не бросила и не бросит Уилфрида.

Он оглянулся. Лэдгейт-Хилл. «Продает шары около св. Павла». Ага! Вот он стоит, бедняга!

Бикет складывал шарики, собираясь пойти выпить чашку какао. Помня, что он должен встретить Бикета случайно, Майкл остановился, репетируя удивленный тон. Жаль, что бедняга не может сам превратиться в такой цветной шар и поплыть над св. Павлом прямо в рай к святому Петру! Он выглядел таким жалким, таким унылым: стоит и выпускает воздух из этих несчастных шаров. Вдруг воспоминание резко вспыхнуло в его мозгу. Цветной шар — там, в сквере, первого ноября... и потом — чудесная ночь! Незабываемая! Флер! Может быть, шарики приносят счастье? Он подошел и с напускным изумлением сказал:

— Вы, Бикет? Вот вы теперь чем занимаетесь?

Большие глаза Бикета выглянули из-за шестипенсового розового шара.

— Мистер Монт! А я частенько думал, что хорошо бы вас повидать, сэр!

— И я тоже, Бикет. Если вам нечего делать, пойдемте со мной завтракать.

Бикет уже сложил последний шар и закрывал лоток.

— Нет, вы серьезно, сэр?

— Конечно! Я как раз собирался зайти в рыбную.

Бикет снял лоток.

— Я только оставлю его у сторожа, сэр. — И, отнеся лоток, он пошел рядом с Майклом.

— Что-нибудь зарабатываете этим?

— Только на жизнь, сэр.

— Зайдем сюда. Будем есть устрицы.

Кончиком бледного языка Бикет облизнул уголок губ.

Майкл сел за столик, покрытый белой клеенкой и украшенный судком с приправами.

— Две дюжины устриц и все, что полагается. Потом две порции камбалы и бутылку шабли. И поскорее, пожалуйста!

Когда человек в белом переднике отошел, Бикет только и мог проговорить:

— Господи, господи!

— Да, странная жизнь, Бикет!

— И вправду странная! Вы на этот завтрак потратите фунт, не меньше. А я если за неделю заработаю двадцать пять шиллингов — так и то хорошо.

— Попал в больное место, Бикет! Я каждый день ем свою собственную совесть!

Бикет покачал головой.

— Нет, сэр, если у вас есть деньги, тратьте их. Я бы тоже так делал. И будьте счастливы, если можете, не всем это дано.

Человек в белом переднике начал священнодействовать с устрицами — он приносил их по три штуки, только что открытыми.

Майкл обрезал устрицы, Бикет глотал их целиком. Вдруг, над двенадцатью пустыми раковинами, он проговорил:

— Вот в чем социалисты ошибаются, сэр. Меня только и поддерживает, когда я вижу, что другие тратят деньги. Все мы можем к этому прийти, ежели повезет. А они говорят — все уравнять так, чтобы по фунту на день, а может, и фунта не достанется. Нет, сэр, этого мало. Я бы лучше хотел иметь поменьше, да надеяться на большее. Вычеркните из жизни игру — останется одна тоска! За ваше здоровье!

— Соблазняешь одного из малых сих стать капиталистом, Бикет, а?

Большеглазое худое лицо Бикета порозовело над стаканом зеленоватого шабли.

— Господи, жаль, что моей жены здесь нет, сэр! Я тогда рассказывал вам о ней и о воспалении легких. Сейчас она поправилась, только страшно исхудала. Вот она — мой выигрыш в жизни! А мне не нужна жизнь, где ничего нельзя выиграть. Если бы все было по заслугам да по праву — никогда бы мне ее не получить. Понимаете?

«И мне тоже», — подумал Майкл, вспоминая лицо на промокашке.

— Все мы любим помечтать; я мечтаю о синих бабочках — о Центральной Австралии. Социалисты мне не помогут туда попасть. У них мечты о рае кончаются Европой.

— Ну их! — сказал Майкл. — Возьмите масла, Бикет.

— Спасибо, сэр.

Наступило молчание. Рыба исчезала с тарелок.

— Почему вам пришло в голову продавать именно шары, Бикет?

— Не надо рекламы, они сами за себя говорят.

— Надоела реклама, когда работали у нас, а?

— Да, сэр, я всегда читал обложки. Прямо удивительно, скажу по правде, — до чего много великих произведений!

Майкл взъерошил волосы.

— Обложки! Вечно та же девушка, которую целует вечно тот же юноша с тем же решительным подбородком. Но что поделаешь, Бикет! Публике это нравится. Я как раз сегодня утром попробовал кое-что изменить — вот увижу, что из этого выйдет. — «И надеюсь, что ты не увидишь! — добавил он мысленно. — Только представить себе, что я увидел бы Флер на обложке романа!»

— Я в последнее время, когда служил, заметил, что стали рисовать не то скалы, не то виды и что-то вроде двух кукол на песке или на траве сидят, будто не знают, что им делать друг с другом.

— Да, — пробормотал Майкл, — мы и это пробовали. Считалось, что это не так вульгарно. Но скоро мы исчерпали терпение публики. Ну, чего бы вы съели еще? Хотите сыру?

— Спасибо, сэр, я и так слишком много съел, но не откажусь.

— Два стилтона, — заказал Майкл.

— А как поживает мистер Дезерт, сэр?

Майкл покраснел.

— О, спасибо, ничего!

Бикет тоже покраснел.

— Я прошу вас — прошу как-нибудь ему сказать, что я совершенно случайно напал именно на его книжку. Я всегда жалел об этом.

— По-моему, всегда выходит случайно, — медленно проговорил Майкл, — когда мы берем чью-нибудь собственность. Мы никогда не делаем этого намеренно.

Бикет взглянул на него.

— Нет, сэр, я не согласен. Половина всех людей — воры. Только я не из таких.

Голос совести пытался шепнуть Майклу: «И Уилфрид тоже». Он протянул Бикету портсигар.

— Спасибо, сэр, большое спасибо.

Глаза Бикета стали совсем влажными, и Майкл подумал: «Ах, черт! Вот сентиментальности! Надо прощаться и бежать!»

Он подозвал лакея.

— Дайте ваш адресок, Бикет. Если вам нужно что-нибудь из обмундирования, я смогу прислать кое-какие вещи.

Бикет написал адрес на обороте счета и нерешительно проговорил:

— Не найдется ли у миссис Монт чего-нибудь из платья, ненужного? Моя жена примерно с меня ростом.

— Наверно, найдется. Мы вам все пришлем. — Он увидел, как губы маленького человечка задрожали, и стал надевать пальто. — Если что-нибудь подвернется, я вас не забуду. Прощайте, Бикет, всего хорошего.

Повернув на восток — потому что Бикет шел на запад, — Майкл твердил свое всегдашнее: «Жалость — чушь, жалость — чушь!» Он сел в автобус и снова проехал мимо св. Павла. Осторожно поглядев в окно, он увидел, как Бикет надувает шар. Розовый круг почти целиком скрывал его лицо и фигуру. Около Блэйк-стрит Майкл вдруг почувствовал непреодолимое отвращение к работе и поехал до Трафальгар-сквер. Бикет его взволновал. Нет, жизнь иногда просто невероятно забавная штука! Бикет, Уилфрид — и Рур! «Чувства — ерунда, жалость — чушь!» Он сошел с автобуса и прошел мимо памятника Нельсону к Пэл-Мэл. Зайти к «Шутникам», спросить Барта? Нет, не стоит — ведь там он все равно не увидит Флер. Вот чего ему по-настоящему хотелось — повидать Флер, сейчас, днем. Но где? Она могла быть где угодно — значит, нигде ее не найти.

Да, беспокойный она человек. Может быть, он сам в этом виноват? Будь на его месте Уилфрид, разве она была бы такой беспокойной? «Да, — упрямо подумал он, — была бы: Уилфрид сам такой». Все они беспокойные люди, все, кого он знал. Во всяком случае, вся молодежь — и в жизни и в книгах. Взять их романы. Есть ли хоть в одной книге из двадцати то спокойствие, то настроение, которое заставляет уходить в книгу, как в отдых? Слова летят, мелькают, торопятся, гонят, как мотоциклетки, — страшно резкие и умные. Как он устал от ума! Иногда он давал читать рукопись Флер, чтобы узнать ее мнение. Помнится, она однажды сказала: «Совсем как в жизни, Майкл: летит мимо, не останавливаясь, ничему и нигде не придавая значения. Конечно, автор не собирался писать сатиру, но если вы его будете печатать, советую на обложке написать: «Ужасная сатира на современную жизнь». Так они и сделали, — во всяком случае, написали: «Изумительная сатира на современную жизнь». Вот какая Флер! Видит всю эту гонку, только не понимает, как и автор изумительной сатиры, что она сама летит и мчится без цели... А может быть, понимает? Сознает ли она, что только касается жизни, как язычок пламени касается воздуха?

Он дошел до Пикадилли и внезапно вспомнил, что целую вечность не был у тетки Флер. Может быть, она там? Он свернул на Грин-стрит.

— Миссис Дарти принимает?

— Да, сэр.

Майкл потянул носом. У Флер духи... нет, никакого запаха, кроме запаха курений. Уинифрид жгла китайские палочки, когда вспоминала, какую изысканность придает их аромат.

— Как доложить?

— Мистер Монт. Моей жены здесь нет?

— Нет, сэр. Здесь только миссис Вэл Дарти.

Миссис Вэл Дарти! Да, вспомнил — очень милая женщина, но не заменит Флер! Впрочем, отступать было поздно, он пошел следом за горничной.

В гостиной Майкл увидел двух дам и своего тестя, который, насупившись, мрачно сидел в старинном кресле стиля ампир, уставившись на синие крылья австралийских бабочек, лежавших под стеклом на круглом красном столике. Уинифрид оживила старинную обстановку своей гостиной всякими «надстройками» в современном духе. Она встретила Майкла изысканно-сердечно. Как мило, что он пришел теперь, когда он так занят всякими молодыми поэтами!

— По-моему, «Медяки» — кстати, какое прелестное название! — очень увлекательная книжка. Правда, мистер Дезерт такая умница! Что он теперь пишет?

Майкл сказал: «Не знаю», — и присел на диван рядом с миссис Вэл.

Не зная о ссоре в семье Форсайтов, он не мог оценить, какое облегчение внес своим приходом. Сомс что-то проговорил насчет французов, встал и отошел к окну; Уинифрид последовала за ним; они заговорили, понизив голос.

— Как поживает Флер? — спросила соседка Майкла.

— Спасибо, отлично.

— Вы любите свой дом?

— О, страшно! Отчего вы не заглянете к нам?

— Не знаю, как Флер...

— А почему?

— Ну-у... так.

— Она ужасно любит гостей!

Миссис Вэл посмотрела на него с большим любопытством, чем он, казалось бы, заслуживал, как будто пытаясь что-то прочесть на его лице.

И он добавил:

— Ведь вы, кажется, в двойном родстве — и по крови и по браку, — не так ли?

— Да.

— Так в чем же дело?

— О, ничего! Я обязательно приду. Только... ведь у нее так много друзей!

«Она мне нравится», — подумал Майкл.

— Собственно говоря, — сказал он, — я зашел сюда, думая, что увижу Флер. Я бы хотел, чтобы она видалась с вами. В этой свистопляске ей, наверно, приятно будет встретить такого спокойного человека.

— Спасибо.

— Вы никогда не жили в Лондоне?

— Нет, с тех пор как мне исполнилось шесть лет.

— Я хотел бы, чтобы Флер отдохнула. Жаль, что ей некуда дезерт... дезертировать. — Он слегка запнулся на этом слове: случайное совпадение звуков — и все же!.. Чуть смутившись, он посмотрел на бабочек под стеклом. — Я только что говорил с маленьким разносчиком, чье SOS[1] Центральная Австралия. А как по-вашему, есть у нас души, которые надо спасать?

— Когда-то я так думала, но теперь я в этом не уверена... Меня недавно поразила одна вещь.

— А что именно?

---

[1] SOS — Спасите наши души!

— Видите ли, я заметила, что только очень непропорционально сложенный человек — или такой, у которого нос свернут набок, или глаза слишком вылезают на лоб, или даже слишком блестят, — только такие люди всегда верят в существование души; а кто вполне пропорционален и не обладает какими-нибудь физическими особенностями, совершенно не интересуется этим вопросом.

Уши Майкла зашевелились.

— Замечательно! — сказал он. — Это мысль! Флер изумительно пропорциональна и ничуть не интересуется вопросами души, а я — нет и вечно интересуюсь. Наверно, у людей в Ковент-Гардене масса души. Так, по-вашему, «душа» — это результат каких-то неполадок в организме вроде какого-то особого ощущения, что не все в порядке?

— Да, вроде этого; во всяком случае, то, что называется «психической силой», по-моему, происходит отсюда.

— Скажите, а вам спокойно живется? По вашей теории, мы сейчас живем в ужасно «душевное» время. Надо бы мне проверить ее на моей семье. А ваша семья как?

— Форсайты? О, они все слишком уравновешенные.

— Пожалуй, у них как будто нет никаких физических недостатков. Французы тоже удивительно складный народ. Да, это мысль; но, конечно, большинство людей объяснит это по-другому. Скажут, что душа нарушает пропорцию — заставляет глаза чересчур блестеть или нос чересчур торчать. А там, где душа мелка, она и не пытается повлиять на тело. Я об этом подумаю. Спасибо за идею. Ну, до свидания, приходите к нам, непременно! Я, пожалуй, не стану беспокоить тех, у окна. Не откажите передать им, что я смылся. — И, пожав тоненькую руку в перчатке, ответив улыбкой на улыбку, Майкл выскользнул из комнаты, думая: «Черт с ней, с душой, — но где же ее тело?»

IV. ТЕЛО ФЛЕР

А тело Флер в этот момент действительно было в довольно затруднительном положении, угрожавшем нарушить тот компромисс, на который она шла: оно находилось почти в объятиях Уилфрида. Во всяком случае, он был так близко, что ей пришлось сказать:

— Нет, нет, Уилфрид, вы обещали хорошо себя вести.

Умение Флер скользить по тончайшему льду, очевидно,

было настолько велико, что слова «хорошо себя вести» все еще что-то значили. Одиннадцать недель Уилфрид не мог добиться своего, и даже сейчас, после двухнедельной разлуки, руки Флер настойчиво упирались ему в грудь и слова «вы обещали» удерживали его. Он резко отпустил ее и сел поодаль. Он не сказал: «Так дальше продолжаться не может», — потому что слишком уж нелепо было повторять эти слова. Она и сама знала, что дальше так не может идти. И все-таки все шло по-прежнему. Вот в чем был весь ужас! Ведь он, как жалкий дурак, изо дня в день говорил ей и себе: «Сейчас — или никогда», а выходило ни то, ни другое. Его удерживала только подсознательная мысль, что, пока не случится то, чего он добивается, Флер сама не будет знать, чего ей надо. Его собственное чувство было так сильно, что он почти ненавидел ее за нерешительность. И он был не прав. Дело было совсем не в этом. То богатство ощущений, та напряженность, какую чувство Уилфрида вносило в жизнь Флер, были нужны ей, но она боялась опасностей и не хотела ничего терять. Это так просто. Его дикая страсть пугала ее. Ведь не по ее желанию, не по ее вине родилась эта страсть. И все же так приятно и так естественно, когда тебя любят. И, кроме того, у нее было смутное чувство, что «несовременно» отказываться от любви, особенно если жизнь отняла одну любовь.

Высвободившись из объятий Уилфрида, она привела себя в порядок и сказала:

— Поговорим о чем-нибудь серьезном: что вы писали за последнее время?

— Вот это.

Флер прочла, покраснела и закусила губу.

— Как горько это звучит!

— И какая это правда. Скажите, он вас когда-нибудь спрашивает, видаетесь ли вы со мной?

— Никогда.

— Почему?

— Не знаю.

— А что бы вы ответили, если бы он спросил?

Флер пожала плечами.

Дезерт проговорил очень спокойно:

— Да, вот вы всегда так. Так дальше невозможно, Флер.

Он стоял у окна. Она положила листки на стол и направилась к нему. Бедный Уилфрид! Теперь, когда он притих, ей стало жаль его.

Он внезапно обернулся.

— Стойте! Не подходите! Он стоит внизу, на улице.

Флер ахнула и отступила.

— Майкл? Но как... как он мог узнать?

Уилфрид зло на нее посмотрел.

— Неужели вы так мало его знаете? Неужели вы думаете, что он мог бы прийти сюда, если б знал, что вы здесь?

Флер съежилась.

— Так зачем же он здесь?

— Наверно, хочет повидаться со мной. У него очень нерешительный вид. Да вы не пугайтесь, его не впустят.

Флер села. Она чувствовала, что у нее подкашиваются ноги. Лед, по которому она скользила, показался ей до жути тонким, вода под ним — до жути холодной.

— Он вас заметил? — спросила она.

— Нет.

У него мелькнула мысль: «Будь я негодяем, я мог бы добиться от нее чего угодно — стоило бы мне сделать шаг и протянуть руку. Жаль, что я не негодяй, во всяком случае, не настолько. Жизнь была бы много проще».

— Где он сейчас? — спросила Флер.

— Уходит.

Она облегченно вздохнула.

— Как все это странно, Уилфрид, правда?

— Уж не думаете ли вы, что у него спокойно на душе?

Флер закусила губу. Он издевается над ней — только потому, что она не любит, не может любить никого из них. Как несправедливо! Ведь она может любить по-настоящему, она любила раньше. А Уилфрид и Майкл — да пусть они оба убираются к черту!

— Лучше бы я никогда сюда не приходила, — сказала она внезапно, — и больше я никогда не приду!

Он подошел к двери и распахнул ее.

— Вы правы!

Флер остановилась в дверях — неподвижно, спрятав подбородок в мех воротника. Ее ясный взгляд был устремлен прямо в лицо Уилфриду, губы упрямо сжаты.

— Вы думаете, что я бессердечное животное, — медленно проговорила она. — Вы правы, я такая — по крайней мере сейчас. Прощайте.

Он не взял ее руки, не сказал ни слова, только низко поклонился. Его глаза стали совсем трагическими. Дрожа от обиды, Флер вышла. Спускаясь, она услышала, как хлопнула дверь. Внизу она остановилась в нерешительности: а вдруг Майкл вернулся? Почти напротив была галерея, где она впервые встретила Майкла — и Джона! Забежать бы туда! Если Майкл все еще бродит где-нибудь по переулку, она с чистой совестью сможет ему сказать, что была в галерее. Она выглянула. Никого! Быстро она проскользнула в дверь напротив. Сейчас закроют — через минуту, ровно в четыре часа. Она заплатила шиллинг и вошла. Надо взглянуть на всякий случай. Она окинула взглядом выставку: один художник — Клод Брэйнэ. Она заплатила еще шиллинг и на ходу прочла: «№ 7. Женщина испугалась». Все сразу стало понятно, и, облегченно вздохнув, она пробежала по комнатам, вышла и взяла такси. «Попасть бы домой раньше Майкла!» Она чувствовала какое-то облегчение, почти радость. Хватит скользить по тонкому льду. Пусть Уилфрид уезжает. Бедный Уилфрид! Да, но зачем он над ней издевался? Что он знает о ней? Никто не понимает ее по-настоящему. Она одна на свете. Она открыла дверь своим ключом. Майкла нет. В гостиной, сев у камина, она открыла последний роман Уолтера Нэйзинга. Она перечла страницу три раза. И с каждым разом смысл не становился яснее — наоборот: Нэйзинг был из тех писателей, которых надо читать залпом, чтобы первое впечатление вихря не сменилось впечатлением пустословия. Но между ней и строками книги были глаза Уилфрида. Жалость! Вот ее никто не жалеет — чего же ей всех жалеть? А кроме того, жалость — «размазня», как выражалась Эмебел. Тут нужны стальные нервы. Но глаза Уилфрида! Что ж, больше она их не увидит. Чудесные глаза! Особенно когда они улыбались или — так часто! — смотрели на нее с тоской, как вот сейчас, с этой фразы из книги: «Настойчиво, с восхитительным эгоизмом он напряженно, страстно желал ее близости, а она, такая розовая и уютная, в алой раковине своей сложной и капризной жизненной установки...» Бедный Уилфрид! Жалость, конечно, «размазня», но ведь есть еще гордость. Хочется ли ей, чтобы он уехал с мыслью, что она просто «поиграла с ним» из тщеславия, как делают американки в романах Уолтера Нэйзинга? Так ли это? Разве не более современно, не более драматично было бы хоть раз действительно «дойти до конца»? Ведь тогда им обоим было бы о чем вспомнить — ему там, на Востоке, о котором он вечно твердит, а ей — здесь, на Западе. На миг эта мысль как будто нашла отклик в теле Флер, которое, по мнению Майкла, было слишком пропорционально, чтобы иметь душу. Но, как всякое минутное наваждение, этот отклик сразу исчез. Прежде всего — было бы это ей приятно? Вряд ли, подумала она. Хватит одного мужчины без любви. Кроме того, угрожала опасность подчиниться власти Уилфрида. Он джентльмен, но он слишком захвачен страстью: отведав напитка, разве он согласится отставить чашу? Но главное — в последнее время появились некоторые сомнения физического порядка, нуждавшиеся в проверке и заставлявшие ее относиться к себе как-то серьезнее. Она встала и провела руками по всему телу с отчетливо неприятным ощущением от мысли, что то же могли бы сделать руки Уилфрида. Нет! Сохранить его дружбу, его обожание — но только не этой ценой. Вдруг он представился ей бомбой, брошенной на ее медный пол, и она мысленно схватила его и вышвырнула в окно, на площадь. Бедный Уилфрид! Нет, жалость — «размазня». Но ведь и себя было жалко за то, что теряла его и теряла возможность стать идеалом современной женщины, о котором как-то вечером ей говорила Марджори Феррар, «гордость гедонистов», чьи золотисто-рыжие волосы вызывали столько восхищения. «А я, моя дорогая, стремлюсь к тому, чтобы стать безупречной женой одного мужчины, безупречной любовницей другого и безупречной матерью третьего — одновременно. Это вполне возможно — во Франции так бывает».

Но разве это действительно возможно, даже если всякая жалость — чепуха? Как быть безупречной по отношению к Майклу, когда малейшая оплошность может выдать ее безупречное отношение к Уилфриду; как быть безупречной с Уилфридом, если ее отношение к Майклу всегда будет для того ножом в сердце? И если... если ее сомнения станут реальностью, как быть безупречной матерью этой реальности, если она будет мучить двоих или лгать им, как последняя... «Нет, все это совсем не так просто, — подумала Флер. — Вот если бы я была совсем француженкой...»

Дверь отворилась — она даже вздрогнула. В комнату вошел тот, благодаря которому она была «не совсем» француженкой. У него был очень хмурый вид — как будто он слишком много думал последнее время. Он поцеловал ее и угрюмо сел к камину.

— Ты останешься ночевать, папа?

— Если можно, — проворчал Сомс, — у меня дела.

— Неприятности, милый?

Сомс резко обернулся к ней:

— Неприятности? Почему ты решила, что у меня неприятности?

— Просто показалось, что у тебя вид такой.

Сомс буркнул:

— Этот Рур! Я тебе принес картину. Китайская!

— Неужели! Как чудесно!

— Ничего чудесного. Просто обезьяна ест апельсин.

— Но это замечательно! Где она? В холле?

Сомс кивнул.

Развернув картину, Флер внесла ее в комнату и, прислонив к зеленому дивану, отошла и стала рассматривать. Она сразу оценила большую белую обезьяну с беспокойными карими глазами, как будто внезапно потерявшую всякий интерес к апельсину, который она сжимала лапой, серый фон, разбросанную кругом кожуру — яркие пятна среди мрачных тонов.

— Но, папа, ведь это просто шедевр. Я уверена, что это какая-то очень знаменитая школа.

— Не знаю, — сказал Сомс. — Надо будет просмотреть китайцев.

— Но зачем ты мне ее даришь? Она, наверно, стоит уйму денег. Тебе бы нужно взять ее в свою коллекцию.

— Они даже цены ей не знали, — сказал Сомс, и слабая улыбка осветила его лицо, — я за нее заплатил три сотни. Тут она будет в большей сохранности.

— Конечно, она будет тут в сохранности. Только почему — в большей?

Сомс обернулся к картине.

— Не знаю, может случиться всякое из-за всего этого.

— Из-за чего, милый?

— Старый Монт сегодня не придет?

— Нет, он еще в Липпинг-Холле.

— А впрочем, и не стоит — он не поможет.

Флер сжала его руку.

— Расскажи, в чем дело?

У Сомса даже дрогнуло сердце. Только подумать — ей интересно, что его беспокоит! Но чувство приличия и нежелание выдать свое беспокойство удержали его от ответа.

— Ты все равно не поймешь, — сказал он. — Где ты ее повесишь?

— Вероятно, вон там. Но надо подождать Майкла.

— Я только что видел его у твоей тетки, — проворчал Сомс. — Это он так ходит на службу?

«Может быть, он просто возвращался в издательство, — подумала Флер. — Ведь Корк-стрит более или менее по пути. Может быть, он проходил мимо, вспомнил об Уилфриде, захотел его повидать насчет книг».

— Ах, вот и Тинг. Здравствуй, малыш!

Китайский песик появился, словно подосланный судьбой, и, увидев Сомса, вдруг сел против него, подняв нос и блестя глазами. «Выражение вашего лица мне нравится, — как будто говорил он, — мы принадлежим к прошлому и могли бы петь вместе гимны, старина!»

— Смешное существо, — сказал Сомс, — он всегда узнает меня!

Флер подняла собаку.

— Посмотри новую обезьянку, дружок.

— Только не давай ему лизать ее!

Флер крепко держала Тинг-а-Линга за зеленый ошейник, а он перед необъяснимым куском шелка, пахнущим прошлым, подымал голову все выше и выше, как будто помогая ноздрям, и его маленький язычок высунулся, словно пробуя запах родины.

— Хорошая обезьянка, правда, дружочек?

«Нет, — совершенно явственно проворчал Тинг-а- Линг. — Пустите меня на пол».

На полу он отыскал местечко, где между двумя коврами виднелась полоска меди, и тихонько стал ее лизать.

— Мистер Обри Грин, мэм!

— Гм! — сказал Сомс.

Художник вошел, скользя и сияя. Его блестящие волосы словно струились, его зеленые глаза ускользали куда-то.

— Ага, — сказал он, показывая на пол, — вот за кем я пришел!

Флер удивленно следила за его рукой.

— Тинг! — прикрикнула она строго. — Не смей! Вечно он лижет пол, Обри!

— Но до чего он настоящий китайский! Китайцы умеют делать все, чего не умеем мы!

— Папа, это Обри Грин. Отец только что принес мне эту картину, Обри. Чудо — не правда ли?

Художник молча остановился перед картиной. Его глаза перестали скользить, волосы перестали струиться.

— Фью! — протянул он.

Сомс встал. Он ожидал насмешки, но в тоне художника он уловил почтительную нотку, почти изумление.

— Боже! Ну и глаза! — сказал Обри Грин. — Где вы ее отыскали, сэр?

— Она принадлежала моему двоюродному брату, любителю скачек. Это его единственная картина.

— Делает ему честь. У него был неплохой вкус.

Сомс удивился: мысль, что у Джорджа был вкус, показалась ему невероятной.

— Нет, — сказал он внезапно, — ему просто нравилось, что от этих глаз человеку становится не по себе.

— Это одно и то же. Я никогда не видел более потрясающей сатиры на человеческую жизнь.

— Не понимаю, — сухо сказал Сомс.

— Да ведь это превосходная аллегория, сэр. Съедать плоды жизни, разбрасывать кожуру и попасться на этом. В этих глазах воплощенная трагедия человеческой души. Вы только посмотрите на них! Ей кажется, что в этом апельсине что-то скрыто, и она тоскует и сердится, потому что не может ничего найти. Ведь эту картину следовало бы повесить в Британском музее и назвать «Цивилизация, как она есть».

— Нет, — сказала Флер, — ее повесят здесь и назовут «Белая обезьяна».

— Это то же самое.

— Цинизм ни к чему не приводит, — отрывисто сказал Сомс. — Вот если бы вы сказали: «Наш век, как он есть».

— Согласен, сэр; но почему такая узость? Ведь не думаете же вы всерьез, что наш век хуже всякого другого?

— Не думаю? — переспросил Сомс. — Я считаю, что мир достиг высшей точки в восьмидесятых годах и больше никогда ее не достигнет.

Художник задумался.

— Это страшно интересно. Меня не было на свете, а вы, сэр, были примерно в моем возрасте. Вы тогда верили в бога и ездили в дилижансах.

Дилижансы! Это слово напомнило Сомсу один эпизод, который показался ему очень подходящим к случаю.

— Да, — сказал он, — и я могу привести вам пример, какого вам в ваше время не найти. Когда я совсем молодым человеком был в Швейцарии с родными, мои две сестры купили вишен. Когда они съели штук шесть, то вдруг увидели, что в каждой вишне сидит маленький червячок. Там был один англичанин-альпинист. Он увидел, как они были расстроены, и съел все остальные вишни — с косточками, с червями, целиком, — просто чтобы успокоить их. Вот какие в те времена были люди!

— Ой, папа!

— Ого! Наверно, он был в них влюблен.

— Нет, — сказал Сомс, — не особенно. Его фамилия была Паули, и он носил бакенбарды.

— Кстати, о боге и дилижансах: я вчера видел экипаж, — вспомнил Обри Грин.

«Было бы более кстати, если бы вы видели бога», — подумал Сомс, но не сказал ничего вслух и даже удивился этой мысли — он-то сам никогда не видел таких вещей.

— Может быть, вам неизвестно, сэр, что сейчас гораздо больше верующих, чем до войны. Люди открыли, что у них есть не только тело.

— Ах, Обри, вспомнила! — вдруг сказала Флер. — Не знаете ли вы каких-нибудь медиумов? Нельзя ли мне заполучить кого-нибудь из них к себе? На таком полу, как у нас, да еще если Майкла выставить за дверь, можно наверняка сказать, что никакого обмана не будет. Бывают ли эти чернокнижники в свете? Говорят, что они необычайно увлекательны.

— Спиритизм! — буркнул Сомс. — Угу-мм! — Он не мог бы выразить свою мысль яснее, говори он хоть полчаса!

Глаза Обри Грина скользнули по Тинг-а-Лингу.

— Попробую вам это устроить, если вы мне дадите вашего китайчонка на часок завтра днем. Я приведу его назад на цепочке и накормлю самыми вкусными вещами.

— А зачем он вам?

— Майкл прислал мне сегодня замечательную маленькую натурщицу, но, понимаете, она не умеет улыбаться!

— Майкл?

— Да. Совершенно новый тип, и я кое-что задумал. Когда она улыбается, будто луч солнца скользит по итальянской долине; но когда ее просишь улыбнуться, она не может. Я и подумал — не рассмешит ли ее ваш китайчонок?

— А мне можно прийти взглянуть? — спросила Флер.

— Да, приведите его завтра сами; но если я ее смогу уговорить, она будет позировать для нагой натуры.

— О-о! А вы мне устроите спиритический сеанс, если я вам одолжу Тинга?

— Устрою.

— Угм-мм, — снова проворчал Сомс.

Сеансы, итальянское солнце, нагая натура! Нет, пора ему снова заняться Элдерсоном, посмотреть, чем можно помочь, а эти пусть играют на скрипке, пока Рим горит!

— До свидания, мистер Грин, мне некогда, — сказал он вслух.

— Чувствую, сэр, — сказал Обри Грин.

«Чувствую!» — мысленно передразнил его Сомс, уходя.

Обри Грин тоже ушел через несколько минут, встретив в холле какую-то даму, просившую доложить о себе.

А Флер, оставшись наедине со своим телом, снова провела по нему руками сверху вниз. «Нагая натура» напомнила ей об опасности слишком драматических переживаний.

V. ДУША ФЛЕР

— Миссис Вэл Дарти, мэм.

Имя, которое даже Кокер не смог исказить, подействовало на Флер так, словно чей-то палец внезапно притронулся к обнаженному нерву. Холли! Флер не видела ее с того дня, как вышла замуж не за Джона. Холли! Целый поток воспоминаний — Уонсдон, холмы, меловая яма, яблони, река, роща, Робин-Хилл! Нет! Не слишком приятно видеть Холли; и Флер сказала:

— Как мило, что вы зашли.

— Я сегодня встретилась с вашим мужем на Грин-стрит, и он пригласил меня. Какая чудесная комната!

— Тинг! Пойди сюда, я тебя должна представить. Это — Тинг-а-Линг, правда — совершенство? Он немного расстроен из-за новой обезьянки. А как Вэл, как милый Уонсдон? Там было так изумительно спокойно.

— Да, славный, тихий уголок. Мне никогда не надоедает тишина.

— А как... как Джон? — спросила Флер с легким сухим смешком.

— Разводит персики в Северной Каролине. Британская Колумбия не подошла.

— Вот как! Он женат?

— Нет.

— Он, верно, женится на американке.

— Ведь ему еще нет двадцати двух лет.

— Господи! — сказала Флер. — Неужели мне только двадцать один год! Мне кажется, будто мне сорок восемь.

— Это оттого, что вы живете в гуще всех событий и встречаете такую массу людей.

— И, в сущности, никого не знаю.

— Разве?

— Конечно, нет. Правда, мы все зовем друг друга по именам, но, в общем...

— Мне очень нравится ваш муж.

— О, Майкл — прелесть! А как живет Джун?

— Я ее вчера видела — у нее, конечно, опять новый художник, Клод Брэйнз. Он, кажется, так называемый вертижинист.

Флер закусила губу.

— Да, их теперь много. Но, вероятно, Джун считает его единственным.

— Да, она считает его гением.

— Удивительный она человек.

— Да, — сказала Холли. — Преданнейшее существо в мире, пока увлечена чем-нибудь. Возится, как наседка с только что вылупившимися цыплятами. Вы никогда не видели Бориса Струмоловского?

— Нет.

— И не смотрите.

— Я видела его скульптуру — он лепил одного из дядей Майкла. Вполне нормальная вещь.

— Да. Джун решила, что он сделал эту вещь только ради денег, а он ей этого не мог простить. Она, конечно, была права. Но как только ее питомец начинает зарабатывать, она ищет другого. Она — прелесть!

— Да, — сказала Флер, — мне она очень нравилась.

И еще поток воспоминаний: и кондитерская, и река, и маленькая столовая в квартирке Джун, и комната на Грин-стрит, где она под пристальным взглядом синих глаз Джун переодевалась после венчания.

Флер схватила «Обезьяну» и подняла ее повыше.

— Ну разве это не сама жизнь? — проговорила она. Пришла бы ей такая мысль в голову, если бы не Обри Грин? Но в этот момент его слова казались удивительно правильными.

— Бедная обезьянка, — вздохнула Холли. — Мне всегда так их жаль! Но картина, по-моему, чудесная.

— Да, я ее повешу вот тут. Достать еще одну картину — и

комната была бы закончена. Но все так дорожат своими китайскими вещами. Эту я получила случайно — умер один человек, Джордж Форсайт, — знаете, тот, что играл на скачках.

— О-о! — тихо протянула Холли. Она вдруг вспомнила насмешливые глаза этого старого родственника в церкви, когда венчали Флер, услышала его глухой шепот: «Выдержит ли она дистанцию?» А правда, выдерживает ли она дистанцию, эта хорошенькая лошадка? «Хотел бы, чтобы она отдохнула. Жаль, что ей некуда дезертировать!» Но нельзя задавать такие интимные вопросы, и Холли ограничилась общим замечанием:

— Как вы воспринимаете жизнь, Флер? Вы, современная золотая молодежь? Когда оторвешься от всего и проживешь двадцать лет в Южной Африке, чувствуешь себя как-то вне жизни.

— Жизнь! О, мы, конечно, знаем, что жизнь считается загадкой, но мы и не пытаемся ее разгадывать. Мы просто хотим пользоваться минутой, потому что не верим, что что-нибудь долговечно. Но мне кажется, мы не вполне умеем пользоваться ею. Мы просто летим вперед и надеемся на что-то. Конечно, существует искусство, но не все мы — художники; а кроме того, экспрессионизм... вот Майкл, например, говорит, что в нем нет никакого содержания. Мы с ним носимся, — но Майкл, верно, прав. Я встречаюсь с невероятным количеством писателей и художников — считается, что они очень занятные люди.

Холли слушала с совершенном удивлении. Кто бы подумал, что эта девочка так все понимает? Может быть, ее наблюдения и неправильны, но все же она что-то и как-то понимает!

— Но ведь вам все-таки весело?

— Конечно, я люблю хорошие вещи, люблю занятных людей. Я люблю видеть все новое, все стоящее — или по крайней мере то, что кажется в данную минуту стоящим. Но дело в том, что все в конце концов теряет новизну. Видите ли, я ведь не принадлежу ни к «гедонистам», ни к «новым верующим».

— К новым верующим?

— Как, вы не знаете? Это что-то вроде лечения верой; не старое «бог есть добро, а добро есть бог», а скорее смесь силы воли, психоанализа и веры в то, что все будет в порядке завтра утром, если только скажешь, что все в порядке. Наверно, вам они попадались. Они страшно серьезно относятся к делу.

— Знаю, — сказала Холли, — у них блестят глаза.

— Вероятно. Я в них не верю — я ни в кого не верю, да и ни во что, собственно. Разве можно верить?

— Ну, а простой народ? А тяжелый труд?

Флер вздохнула.

— Да, вероятно. Вот Майкл, я прямо скажу, человек неиспорченный. Давайте пить чай. Чаю, Тинг? — И, включив свет, она позвонила.

Когда нежданная гостья ушла, Флер осталась неподвижно сидеть у огня. Сегодня, когда она была на грани близости с Уилфридом!.. Значит, Джон не женат! Конечно, ничего от этого не изменится. Жизнь никогда не складывается, как в книжках. И вообще все эти сантименты — ерунда! Хватит! Флер откинула прядь волос со лба и, достав гвоздь и молоток, стала вешать белую обезьяну. Между двумя чайными шкафчиками с цветной перламутровой инкрустацией картина будет выглядеть замечательно. Раз Джон не для нее, то не все ли равно — Уилфрид или Майкл, оба или никого. Высосать апельсин, пока он у тебя в руках, и бросить кожуру. И вдруг она увидела, что Майкл здесь, в комнате. Он вошел очень тихо и стал у камина, за ее спиной. Она быстро оглянулась и сказала:

— Ко мне заходил Обри Грин насчет натурщицы, которую ты ему послал. И Холли — миссис Вэл Дарти, она сказала, что встретила тебя. Да, смотри, что нам принес папа. Правда, чудо?

Майкл молчал.

— Что-нибудь случилось, Майкл?

— Нет, ничего. — Он подошел к «Обезьяне».

Флер сбоку пристально разглядывала его лицо. Инстинктивно она чувствовала какую-то перемену. Неужели он знает, что она была у Уилфрида? Видел, как она оттуда вышла?

— Ну и обезьяна! — сказал он. — Да, кстати, нет ли у тебя какого-нибудь лишнего платья для жены одного бедного малого, что-нибудь попроще?

Она машинально ответила:

— Да, конечно, — а мозг ее напряженно работал.

— Тогда ты, может быть, отложишь? Я сам собираюсь послать ему кое-что — отправили бы все вместе.

Да. Он совсем не похож на себя, словно какая-то пружинка в нем сдала. Ей стало не по себе: Майкл — и невесел! Как будто в холодный день потух камин. И, может быть, впервые она почувствовала, какое значение имеет для нее его веселость. Она видела, как он взял Тинг-а-Линга на руки и сел. Тогда она подошла к нему сзади и наклонилась к нему так, что ее волосы коснулись его щеки. Вместо того чтобы потереться щекой о ее щеку, он сидел неподвижно, и сердце у нее упало.

— Что с тобой? — спросила она, ласкаясь.

— Ничего.

Она взяла его за уши.

— Нет, что-то есть. Ты, верно, как-нибудь узнал, что я заходила к Уилфриду.

Он ответил ледяным тоном:

— А почему бы и нет?

Флер выпустила его голову и выпрямилась.

— Я заходила только сказать ему, что больше не могу с ним встречаться.

Эта полуправда ей самой показалась полной правдой.

Он вдруг поднял на нее глаза, его лицо передернулось, и он взял ее руку.

— Вот что, Флер. Ты должна поступать так, как тебе хочется, — ты это знаешь. Иначе было бы несправедливо. Я просто съел лишнее за завтраком.

Флер отошла на середину комнаты.

— Ты — милый, — сказала она тихо и вышла.

У себя наверху она принялась разбирать платья, а на душе у нее было смятение.

VI. МАЙКЛУ ДОСТАЕТСЯ

После посещения Грин-стрит Майкл побрел обратно по Пикадилли и, повинуясь тому непреодолимому желанию, которое тянет людей к месту какой-нибудь катастрофы, свернул на Корк-стрит. С минуту он постоял перед входом в Уилфридову «берлогу».

«Нет, — решил он, — десять шансов против одного, что его нет дома, а если он дома, то двадцать шансов против одного, что если я и добьюсь от него чего-нибудь, то только неприятностей».

Он медленно шел в направлении Бонд-стрит, когда легкая женская фигурка, вынырнув из переулка, где живет Уилфрид, и читая на ходу, налетела на него сзади.

— Что же вы не смотрите, куда идете? Ах, это вы! Ведь вы тот молодой человек, который женился на Флер Форсайт? Я ее кузина, Джун. Кажется, я ее только что видела. — Она помахала каталогом, как птица крылом. — Вот там, против моей галереи. Она зашла в какой-то дом, а то я бы с ней заговорила, мне бы хотелось ее повидать.

«В дом»! Майкл стал искать портсигар... Крепко сжав его в руке, он поднял голову. Ясные синие глаза маленькой леди пытливо скользнули по его лицу.

— Вы счастливы с ней? — спросила она.

Холодный пот проступил у него на лбу. Ему казалось, что все с ума сошли — и он и она.

— Как вы сказали? — пробормотал он.

— Надеюсь, вы счастливы? Она должна была выйти замуж за моего маленького братца. Но, надеюсь, вы счастливы. Она — прелестное существо.

Сквозь тупую боль оглушающих ударов его поразило, что она, по-видимому, наносит их бессознательно. Он почувствовал, как скрипнули его зубы, и тупо спросил:

— Ваш маленький братец? А кто же он?

— Как? Джон! Вы не знали Джона? Он, конечно, был слишком молод, да и она тоже. Но влюблены они были по уши; и все расстроилось из-за семейной распри. Ну, все это в прошлом. Я была на вашей свадьбе. Надеюсь, вы счастливы. Вы видели выставку Клода Брэйнза в моей галерее? Он — гений! Я хочу зайти вот сюда съесть пирожок. Не зайдете ли со мной? Вам надо познакомиться с работами Брэйнза.

Она остановилась у дверей кондитерской. Майкл прижал руку к сердцу.

— Спасибо, — сказал он, — я только что съел пирожок, нет, даже целых два. Извините меня!

Маленькая леди поймала его за руку.

— Ну, до свидания, молодой человек! Рада была вас видеть. Вы не красавец, но ваше лицо мне нравится. Кланяйтесь от меня вашей малютке. Вы непременно должны пойти посмотреть Брэйнза, он настоящий гений.

Окаменев у двери, Майкл смотрел, как Джун повернулась, как она вошла, порывисто двигаясь, словно взлетая, мешая сидевшим за столиками кондитерской. Наконец он двинулся с места и пошел с незакуренной папиросой во рту, ошеломленный, как боксер, которого первый удар чуть не сбил с ног, а второй заставил выпрямиться.

Флер у Уилфрида — там, в его комнате; быть может, в его объятиях! Он застонал. Упитанный молодой человек в новой шляпе отшатнулся от него. Нет, нет! Этого ему никогда не вынести! Придется убираться. Он так верил в честность Флер! Двойная жизнь! Вчера ночью она улыбалась ему. О боже! Он пролетел через улицу в Грин-парк. Почему он не стал посреди мостовой — пусть бы его переехали. Какой-то «братец» этой сумасшедшей — Джон — семейная распря? Значит, за него она вышла с горя — без любви — вместо другого? Он вспомнил теперь, как она ему сказала однажды вечером в Мейплдерхеме: «Приходите, когда я буду знать, что мое желание неисполнимо». Так вот что было ее неисполнимым желанием! Заместитель! «Весело, — подумал он, — страшно весело!» Тогда неудивительно — не все ли ей равно: тот ли, другой ли? Бедная девочка! Она ни слова ему не сказала, ни разу не обмолвилась. Что это — благородство или предательство? «Нет, — подумал он, — если бы она даже и рассказала, ничего бы не изменилось — я все равно женился бы на ней». Нет, с ее стороны благородно было промолчать. Но как это никто ему ничего не сказал? Семейная распря? Эти Форсайты! Кроме Старого Форсайта, он ни с кем из них не встречался, а тот всегда был нем как рыба. Что ж! Теперь он все узнал. И опять он застонал в пустынных сумерках парка. Показался Букингемский дворец — неосвещенный, громадный, унылый. Вспомнив наконец о своей папиросе, Майкл зажег спичку и глубоко затянулся, впервые почувствовав даже что-то вроде смутного облегчения.

— Не можете ли одолжить нам папиросу, мистер?

Смутная фигура с приятным грустным лицом стояла в тени статуи Австралии; эмблемы изобилия, окружавшие статую, показались даже противными.

— Ну конечно, — сказал Майкл. — Берите все! — Он высыпал папиросы в руку просящего. — И портсигар берите — «память о Вестминстере», вам за него дадут тридцать монет. Счастливо!

И он понесся дальше. Смутный возглас: «Послушайте, мистер!» — раздался ему вслед. Жалость — чушь. Чувства — ерунда! Что же ему — идти домой и ждать, пока Флер... освободится и тоже придет домой? Ну нет! Он повернул к Челси и крупными размашистыми шагами пошел дальше. Освещенные магазины, мрачный, огромный Итон-сквер, Честер-сквер, Слоун-сквер, Кингс-роуд — дальше, дальше! Нет, хуже, чем окопы, — хуже всего эта жалящая, как скорпион, разбуженная ревность. Да, и он чувствовал бы ее еще сильнее, если бы не второй удар. Не так больно, когда знаешь, что Флер была влюблена в своего кузена, и

Уилфрид тоже, быть может, для нее ничто. Бедная девчурка! «Ну, а как же теперь?» — подумал он. Как себя вести в черные дни, в горькие минуты? Что делать? А что делал человек на войне? Внушал себе, что не он — центр всего, развивал в себе какое-то состояние покорности, фатализма. «Пусть я умру, но Англия жива» — и прочие душещипательные лозунги. А теперь, в жизни? Разве это не то же самое? «Погибает, но не сдается» — может быть, это и чушь, но все-таки вставай, когда тебя свалили. Мир огромен, человек — ничто. Неужели страсть, ревность могут вывести человека из равновесия, как об этом говорят Нэйзинг, Сибли, Линда Фру? Неужели слово «джентльмен» пустой звук? Неужели? Сдержаться, владеть собой — или опуститься до визга и мордобоя?

«Не знаю, — подумал он, — просто не знаю, что я сделаю, когда увижу ее». Стальная синева надвигающегося вечера, голые платаны, широкая река, морозный воздух! Майкл повернул домой. Дрожа, он открыл наружную дверь, дрожа вошел в гостиную...

Когда Флер ушла к себе, оставив его с Тинг-а-Лингом, он не знал — верит он ей или нет. Если она так долго могла скрывать от него то, другое, значит, она могла скрыть все что угодно! Поняла ли она его слова: «Ты должна поступать так, как тебе хочется, — иначе было бы несправедливо»? Он сказал эту фразу почти машинально, но это правда. Если она никогда не любила его хоть немного, он не имеет никакого права на что-нибудь надеяться. Он все время был на положении нищего, которому она подавала милостыню. Ничто не может заставить человека подавать милостыню, если он не хочет. И ничто не может заставить человека продолжать брать милостыню — ничто, кроме страстной тоски по ней, тоски, тоски!

— Ты, маленький джинн, ты, счастливый лягушонок! Одолжи мне свое спокойствие, ты, китайская молекула!

Тинг-а-Линг посмотрел на него пуговками глаз. «Когда ваша цивилизация догонит мою, — как будто говорил он, — а пока почешите мне грудку».

И, почесывая желтую шерсть, Майкл думал: «Возьми себя в руки! Люди на Южном полюсе при первой метели не ноют: «Хочу домой! Хочу домой!» — а держатся изо всех сил. Ну, нечего киснуть!» Он спустил Тинга на пол и прошел к себе в кабинет. У него лежали рукописи, о которых рецензенты от Дэнби и Уинтера уже дали отзыв: «Печатать невыгодно, но вещь настоящая, заслуживает внимания». Дело Майкла заключалось в том, чтобы проявить внимание, дело Дэнби — отставить рукопись со словами: «Напишите ему (или ей) вежливое письмо, что мы, мол, очень заинтересованы; сожалеем, что не можем издать. Надеемся иметь возможность познакомиться со следующей работой автора и так далее. Вот и все».

Майкл зажег настольную лампу и вынул рукопись, которую уже начал читать.

> Все вперед, все вперед, отступления нет, победа иль смерть.
> Все вперед, все вперед, отступления нет, победа иль смерть.

Припев черных слуг из «Полли»[1] неотступно вертелся у него в голове. А, черт! Надо кончать работу. Майкл умудрился кое-как дочитать главу. Он вспомнил содержание рукописи. Там говорилось о человеке, который, будучи мальчиком, увидел, как в доме напротив горничная переодевалась в своей комнате, и это произвело на него столь сильное впечатление, что, будучи женатым, он вечно боролся с собой, чтобы не изменять жене с горничными. Его комплекс был раскрыт и должен был быть выявлен. Очевидно, вся остальная часть рукописи описывала, как этот комплекс выявлялся. Автор подробно и добросовестно излагал все те физические переживания, пропускать которые считалось отсталостью и «викторианством». Огромная работа — а времени на просмотр тратить не стоило! Старому Дэнби до смерти надоел Фрейд, и на этот раз правота старого Дэнби не раздражала Майкла. Он положил рукопись на стол. Семь часов! Рассказать Флер все, что он узнал о ее кузене? Зачем? Этого все равно не поправить! Если только она говорит правду об Уилфриде! Он подошел к окну — звезды вверху, полосы внизу — полосы дворов и садов.

> Все вперед, все вперед, отступления нет, победа иль смерть.

— Когда приедет ваш отец? — послышался голос.

Старый Форсайт! О боги!

— Кажется, завтра, сэр. Заходите. Вы как будто первый раз в моей конуре?

— Да, — сказал Сомс. — Славно. Карикатуры. Вы их собираете — пустое дело!

— Но ведь это не нынешнее — это воскрешенное искусство, сэр.

---

[1] «Полли» — продолжение комической оперы «Опера нищих» Д. Гея (1685—1732).

— Издеваться над ближним — это не по мне. Они только тогда и процветают, когда кругом творится чепуха и люди перестают прямо смотреть на вещи.

— Хорошо сказано, клянусь! — заметил Майкл. — Не присядете ли, сэр?

Сомс сел, привычно положив ногу на ногу. Тонкий, седой, сдержанный — закрытая книга в аккуратном переплете. Интересно, какой у него комплекс? Впрочем, какой бы он ни был, Сомс его, наверно, не станет выявлять. Даже трудно себе представить такую операцию.

— Я не увезу своего Гойю, — сказал он неожиданно, — считайте, что он принадлежит Флер. Вообще, если бы я видел, что вы оба больше думаете о будущем, я бы сделал еще кое-какие распоряжения. По-моему, через несколько лет налог на наследство так повысят, что впору будет ничего не завещать.

Майкл нахмурился.

— Я бы хотел, сэр, чтобы вы всегда помнили: то, что вы делаете для Флер, вы делаете для Флер. Я всегда смогу жить, как Эпикур; у меня хватит на хлеб, а по праздникам — на кусочек сыра.

Сомс пристально посмотрел на него.

— Знаю, — проговорил он, — я всегда это знал.

Майкл поклонился.

— Вероятно, вашего отца сильно затронуло падение цен на землю?

— Да, он говорит, что надо взяться за торговлю мылом или автомобилями, но я не удивлюсь, если он снова все перезаложит и будет тянуть дальше.

— Титул без поместья — неестественная вещь, — заметил Сомс. — Лучше ему подождать, пока я умру, — конечно, если я что-нибудь оставлю после себя. Но вот что я хотел вам сказать: разве вы с Флер не дружно живете, что у вас нет детей?

Майкл ответил не сразу.

— Не могу сказать, — медленно проговорил он, — чтобы мы когда-нибудь ссорились или вообще... я всегда страшно любил ее и люблю. Но ведь вы-то знаете, что я только подобрал обломки.

— Кто вам сказал?

— Я узнал это сегодня — от мисс Джун Форсайт.

— Эта женщина! — сказал Сомс. — Не может не вмешиваться в чужие дела. То было детское увлечение, окончилось за много месяцев до вашей свадьбы.

— Но глубокое увлечение, сэр, — мягко сказал Майкл.

— Глубокое! В таком возрасте — как можно знать? Глубокое! — Сомс помолчал. — Вы хороший человек, я всегда это признавал. Будьте терпеливы и смотрите в будущее.

— Да, сэр, — Майкл совсем ушел в свое кресло, — да, если смогу.

— Для меня она — все, — отрывисто буркнул Сомс.

— И для меня тоже, но от этого не легче.

Складка меж бровей Сомса углубилась.

— Может, и не легче. Но держите ее! Насколько хотите мягко, осторожно — только держите. Она молода, она мечется, но все это пустяки.

«Знает ли он и о том, другом?» — подумал Майкл.

— У меня есть свои неприятности, — продолжал Сомс, — но они ничто по сравнению с тем, что я буду чувствовать, если с ней что-нибудь случится.

Майкл почувствовал проблеск симпатии к этому замкнутому седому человеку.

— Я сделаю все, что смогу, — сказал он тихо, — но, конечно, я не царь Соломон.

— Я не совсем спокоен, — сказал Сомс, — не совсем спокоен. Во всяком случае, ребенок был бы своего рода страхов... — Он запнулся, слово не совсем подходило!

Майкл словно застыл.

— Тут уж я ничего не могу сказать.

Сомс встал.

— Так, — произнес он задумчиво, — конечно, нет. Пора одеваться.

«Одеться на обед, обедать, после — спать. Спать — видеть сны! Какие сны придут?»

По дороге в свою комнату Майкл встретил Кокера. Вид у него был совсем унылый.

— В чем дело, Кокер?

— Собачку стошнило в гостиной, сэр.

— Черт возьми, неужели!

— Да, сэр. Очевидно, кто-то бросил ее там одну. Она очень обиделась, сэр. Я всегда говорил: это не простая собачка...

За обедом, как будто устыдившись того, что осчастливил их и советами, и двумя картинами, стоившими несколько тысяч, Сомс говорил, как говаривал Джемс в дни своего расцвета. Он говорил о французах, о падении марки, о повышении «консолей», об упрямстве Думетриуса, не желавшего уступить Сомсу этюд Констэбля, совершенно ему ненужный и нужный Сомсу, который все-таки не хотел платить за него цену, назначенную Думетриусом из чистого упрямства. Он говорил о неприятностях, которые наживут себе Соединенные Штаты из-за своего «сухого закона». Вот упрямый народ! Ухватятся за что-нибудь, и хоть разбей голову об стенку. Сам он почти не пил, но приятно чувствовать, что можно выпить. Американцам, очевидно, приятно чувствовать, что нельзя выпить, но это ведь тирания! Они просто зазнались. Он не удивится, если узнает, что все там запили. Что касается Лиги Наций — сегодня утром какой-то человек превозносил ее до небес. Но этот номер не пройдет: тратить деньги и улаживать дела, которые и сами уладятся, — это Лига умеет, а вот делать что-нибудь серьезное, например уничтожить большевизм или ядовитые газы, — это им не под силу; а ведь делают вид, что они — все на свете. Для обычно молчаливого человека это был рекорд разговорчивости, что пришлось весьма на руку молодой чете: им только и хотелось, чтобы он говорил и дал им возможность думать о своем. Единственной темой общего разговора было поведение Тинг-а-Линга. Флер считала, что во всем виноват медный пол. Сомс утверждал, что он съел что-то на улице, — собаки вечно все хватают Майкл предположил, что это просто черта его китайского характера: протест против того, что никто не оценил, насколько он полон собственного достоинства. В Китае четыреста миллионов людей, там есть кому оценить, если человек полон собственного достоинства. А что бы сделал китаец, если бы вдруг оказался в пустыне Гоби? Наверно, его бы тоже стошнило.

Все вперед, все вперед, отступления нет, победа иль смерть.

Когда Флер вышла, мужчины почувствовали, что еще раз остаться вдвоем — невыносимо, и Сомс сказал:

— Мне надо сделать кое-какие подсчеты, я пройду к себе.

Майкл встал.

— Может быть, расположитесь в моем углу, сэр?

— Нет, — сказал Сомс, — мне надо сосредоточиться. Пожелайте за меня Флер спокойной ночи.

Майкл остался один. Он курил и смотрел на фарфоровые испанские фрукты. Белой обезьяне не съесть их, не выбросить кожуру. Не станут ли теперь плоды его жизни фарфоровыми? Жить в одном доме с Флер в отчуждении? Жить с Флер, как сейчас, чувствуя себя посторонним, ненужным? Или уехать, поступить в авиацию или в Общество спасения детей? Какое из трех решений наименее жалкое и глупое? Пепел сигары рос, упал и снова вырос. Фарфоровые фрукты дразнили его своим блеском и теплыми красками. Кокер заглянул и снова ушел. (Хозяин не в духе — славный малый этот хозяин!) Что-то должно решиться, где-то и когда-то, но решать будет не он, а Флер. Он слишком несчастен и растерян — где ему знать, чего он хочет! Но Флер знает. Она знает все, от чего может зависеть ее решение, — все об Уилфриде, об этом кузене, о своих собственных чувствах и поступках. Да, какое-то решение придет, но что это в конце концов значит в мире, где жалость — чушь и философия может пригодиться только китайская?

Но нельзя, чтоб тебя тошнило в гостиной, надо держаться — даже когда никто не видит, как ты стараешься держаться!..

Он уже засыпал, и в его комнате было почти темно. Что-то белое очутилось у его кровати. Смутная душистая теплота коснулась его; голос чуть слышно прошептал: «Это я. Пусти меня к себе, Майкл». Словно ребенок! Майкл протянул руки. Белое и теплое прильнуло к нему. Завитки волос щекотали ему губы, голос шепнул на ухо: «Разве я пришла бы, если бы... если бы что-нибудь было?»

Сердце Майкла, смятенное и обезумевшее, забилось у ее груди.

VII. НАГАЯ НАТУРА

В этот день после сытного завтрака Тони Бикету повезло. Он живо распродал шары и отправился домой, чувствуя себя победителем.

У Викторины на щеках тоже играл румянец. На его рассказ об удачном дне она ответила таким же рассказом. Правда, рассказ был выдуман — ни слова о Дэнби и Уинтере, о господине со скользящей улыбкой, о ликере, о «нагой натуре». Она не испытывала угрызений совести. То была ее тайна, ее сюрприз; если дело с «нагой натурой» выгорит (она еще не совсем решилась) и даст ей возможность заработать деньги на дорогу — что ж, она скажет мужу, что выиграла на скачках. В тот вечер она несколько раз спрашивала: «Разве я такая уж худая, Тони? Ах, как мне хочется пополнеть!»

Бикет, все еще огорченный тем, что она не разделила с ним завтрака, нежно погладил ее и сказал, что скоро она у него станет жирной, как масло, — не объясняя, каким образом.

Им обоим снились синие бабочки, а утро встретило их тусклым светом газа и скудным завтраком из какао и хлеба с маргарином. Стоял туман. Он проглотил Бикета в десяти шагах от дверей. С досадой на душе Викторина вернулась в спальню. Ну кто станет покупать шары в такой туман? Лучше взяться за что угодно, только бы не давать Тони дрогнуть целыми днями. Раздевшись, она тщательно вымылась, на всякий случай! Она только что кончила одеваться, когда квартирная хозяйка известила ее о приходе посыльного. Он принес огромный пакет с надписью: «Мистеру Бикету».

Внутри оказалась записка:

«Дорогой Бикет, вот обещанная одежка. Надеюсь, пригодится.

Майкл Монт».

Дрожащим голосом она сказала посыльному:

— Спасибо, все в порядке. Вот вам два пенса.

Когда громкий свист посыльного растаял в тумане, она в восторге набросилась на пакет. Предметы мужского обихода были отделены от дамских папиросной бумагой. Синий костюм, велюровая шляпа, коричневые штиблеты, три пары носков с двумя маленькими дырочками, четыре рубашки, только слегка потертые на обшлагах, два полосатых галстука, шесть воротничков, не совсем новых, несколько носовых платков, две замечательно плотные фуфайки, две пары кальсон и коричневое пальто с поясом, и всего с двумя-тремя симпатичными пятнышками. Она прикинула синий костюм на себя, рукава и брюки придется только укоротить пальца на два. Она сложила вещи стопкой и благоговейно взялась за то, что лежало под папиросной бумагой. Коричневое вязаное платье с маленькими прозрачными желтыми пуговками — совершенно чистое, даже не смятое. Как можно отдавать такие вещи? Коричневая бархатная шапочка с пучком золотистых перьев. Викторина тут же надела ее. Розовый пояс, только чуть-чуть полинявший на косточках, чуть повыше и пониже талии, с розовыми шелковыми лентами и подвязками — прямо мечта! Она не могла удержаться, надела и пояс. Две пары коричневых чулок, коричневые туфли, две комбинации и вязаная кофточка. Белый шелковый джемпер с дырочками на одном рукаве, юбка сиреневого полотна, немного полинявшая; пара бледно-розовых шелковых панталон; и под всем этим темно-коричневое, длинное пальто, теплое и уютное, с большими агатовыми пуговицами, а в кармане — шесть маленьких носовых платков. Она глубоко вдохнула сладкий запах — герань!

Ее охватил целый вихрь мыслей. Одеты, обуты с ног до головы — синие бабочки — солнце! Не хватает только денег на проезд. И вдруг она увидела себя совсем раздетой, перед джентльменом со скользящими глазами. Ну и что же! Зато деньги!

Весь остаток утра она лихорадочно работала, укорачивая костюм Тони, штопая его носки, загибая потертые обшлага. Она съела бисквит, выпила еще чашку какао — от него полнеют — и взялась за дырочку в белом шелковом джемпере. Пробило час. Страшно волнуясь, она опять разделась, надела новую комбинацию, чулки, розовый пояс — и вдруг остановилась. Нет! Платье и шляпу она наденет свои собственные, как вчера. Остальное надо приберечь пока... пока... Она побежала к автобусу: ее бросало то в жар, то в холод. Может быть, ей дадут еще стаканчик этого замечательного питья. Хорошо, если бы у нее закружилась голова и все бы стало безразлично!

Она добралась до студии, когда пробило два часа, и постучала. Там было уютно и тепло, много теплее, чем вчера, и она внезапно поняла — зачем. У камина стояла дама с маленькой собачкой.

— Мисс Коллинз — миссис Майкл Монт; она привела нам своего китайчонка, мисс Коллинз.

Дама — одних лет с Викториной и прелесть какая хорошенькая — протянула ей руку. Герань! Так, значит, это она прислала...

Викторина приняла протянутую руку, но не могла сказать ни слова. Если дама останется, то... то это будет просто немыслимо — перед ней, такой красивой, такой одетой — о нет, нет!

— Ну, Тинг, будь умницей и веди себя как можно забавней. До свидания, Обри, желаю удачи! До свидания, мисс Коллинз! Наверно, выйдет чудесно!

Ушла! Запах герани рассеялся. Собачка обнюхивала дверь. Скользящий джентльмен держал в руках две рюмки.

«Ага!» — подумала Викторина и выпила свою порцию залпом.

— Ну, мисс Коллинз, не надо стесняться, право! Там все для вас готово. Ничего нет страшного, уверяю вас. Мне нужно, чтобы вы легли вот тут ничком, опираясь на локти, — вы чуть подымете голову и повернетесь сюда. Волосы распушите как можно больше и смотрите вот на эту косточку. Вообразите, что перед вами какой-нибудь фавн или еще какая-нибудь занятная штука. И собачка вам поможет, когда примется грызть кость. Вы знаете, что за штука — фавн?

— Да, — чуть слышно сказала Викторина.

— Хотите еще глоточек?

— О да!

Он принес рюмку.

— Я вполне понимаю вас, но знаете — ей-богу, это нелепо. Ведь не станете вы стесняться доктора? Ну, ладно. Смотрите, я поставлю вот сюда на пол колокольчик. Когда вы приготовитесь, позвоните, и я войду. Так вам будет легче.

— Большое спасибо, — прошептала Викторина.

— Не стоит, это вполне естественно. Ну что ж, начнем. Надо пользоваться, пока светло. Пятнадцать шиллингов в день, как условились.

Викторина посмотрела ему вслед — он проскользнул за ширму, — потом взглянула на колокольчик. Пятнадцать монет! И еще пятнадцать монет. И много, много раз по пятнадцати монет, прежде чем... Но не больше, чем должен выстаивать Тони, переминаясь с ноги на ногу, предлагая шарики. И как будто эта мысль пустила в ход какую-то пружинку — Викторина, словно заводная кукла, спустилась с подмостков в комнату для натурщиц. И здесь уютно и очень тепло. Зеленый шелковый халат брошен на стул. Она сняла платье. Красота розовых подвязок снова приятно поразила ее. А может быть, джентльмен захотел бы... нет, это еще хуже. Она услышала какие-то звуки. Тинг-а-Линг жаловался на одиночество. Если она станет медлить — у нее никогда не хватит смелости. Быстро раздевшись, она стала перед зеркалом. Если бы это тоненькое, белое, как слоновая кость, отражение могло пройти туда, на подмостки, а ей бы остаться тут. Нет, это ужасно, ужасно! Она не может, никак не может... Она опять потянулась к платью. Пятнадцать монет! Ведь пятнадцать монет! Перед ее тоскливо расширенными глазами встало видение: огромное здание и крохотный Тони с малюсенькими шариками в протянутой руке. Что-то холодное, стальное легло ей на сердце, как ложится ледяная кора на окно. Если это все, что люди могли для него сделать, она сделает больше! Она бросила рубашку и, смущенная, онемелая, взошла на подмостки —

«нагая натура». Тинг-а-Линг заворчал над своей косточкой. Она потянулась за колокольчиком и легла ничком, как ей велели. Скрестив ноги, подперев подбородок одной рукой, она тронула колокольчик. Раздался звук, какого она еще никогда не слышала, и собачонка залаяла — пресмешная собачонка!

— Превосходно, мисс Коллинз! Так и оставайтесь!

Пятнадцать монет! И еще пятнадцать!

— Только еще чуть-чуть вытяните левую ногу. Прекрасно! Тон кожи изумительный! Ах, бог мой, почему это надо плестись шагом, пока не разгонишься. Рисовать — скучная вещь, мисс Коллинз. Писать стоит только кистью. Рисует же скульптор резцом, особенно если он Микеланджело. Сколько вам лет?

— Двадцать один, — произнесли губы, которые самой Викторине показались чужими и далекими.

— А мне тридцать два. Говорят, что наше поколение родилось таким старым, что дальше ему стареть некуда. У нас нет иллюзий. Да я сам, насколько помню, никогда ни во что не верил. А вы?

Викторина утратила всякую способность что-либо соображать, но это было неважно, так как художник болтал без умолку:

— Мы даже не верим в наших предков. И все-таки мы начинаем им подражать. Вы не знаете такую книгу — «Рыдающая черепаха», которая наделала столько шуму? Настоящий Стерн, очень хорошо сделано, но все-таки чистейший Стерн, и автор здорово издевается и иронизирует. В этом вся суть, мисс Коллинз, мы над всем издеваемся — а то плохо! Ну, ничего! Этой картиной я переплюну Пьеро Козимо. Голову чуть повыше и, пожалуйста, примите прядь волос с глаза. Спасибо! Вот теперь отлично! Кстати, нет ли в вас итальянской крови? Как, например, была фамилия вашей матери?

— Браун.

— Ага! Никогда не знаешь наверно, откуда эти Брауны. Возможно, что они были Бруни или Бруно — во всяком случае, очень возможно, что она была из Иберии. Наверно, всех жителей Британии, оставленных в живых англосаксами, звали Браун. Но, в сущности, все это чепуха. Если вернуться к Эдуарду Исповеднику, мисс Коллинз, всего на каких-нибудь тридцать поколений назад, у каждого из нас окажется тысяча семьдесят четыре миллиона пятьсот семьдесят три тысячи девятьсот восемьдесят четыре предка, а население всего острова было меньше миллиона. Мы все породисты, как скаковые лошади, только не так красивы, правда? Уверяю вас, мисс Коллинз, за таких, как вы, надо быть благодарным судьбе. И за таких, как миссис Монт, — тоже. Правда, она хороша? Посмотрите-ка на собачку.

Тинг-а-Линг, вытянув передние лапки и сморщив нос, принюхивался и присматривался к Викторине, точно она была второй лакомой косточкой.

— Он смешной! — сказала она, и снова собственный голос показался ей чужим.

Согласилась бы миссис Монт лежать здесь, если б он ее попросил? Она-то выглядела бы чудесно! Но ведь ей не нужны пятнадцать шиллингов!

— Вам так удобно?

Викторина встрепенулась.

— О да, спасибо!

— Не холодно?

— Нет, нет, спасибо!

— Чудесно! Чуть повыше голову!

Понемногу острое чувство необычности исчезло. Тони никогда не узнает. А раз он не узнает — значит, ему все равно. Она может лежать так целыми днями — пятнадцать монет, да еще пятнадцать монет! Ничуть не трудно. Она следила за движениями проворных, гибких пальцев, за синим дымком папиросы. Следила за собачонкой.

— Хотите отдохнуть? Вы оставили там свой халат, сейчас я его принесу.

Завернувшись в зеленый шелковый халат — теплый стеганый! — она села на край подмостков, спустив ноги на пол.

— Хотите папироску? Я сейчас приготовлю кофе по-турецки. Вы лучше походите, разомнитесь.

Викторина послушно встала.

— Вы словно из волшебной сказки, мисс Коллинз. Придется сделать с вас этюд в этом халате в стиле Маттейса Мариса.

Кофе, какого она никогда не пробовала, наполнило ее чувством блаженства.

— Даже не похоже на кофе, — сказала она.

Обри Грин развел руками.

— О, как вы правы! Англичане — великий народ, их ничем не проймешь. А ведь если бы они были подвержены разрушению, они бы давно погибли от своего кофе. Хотите еще?

— Пожалуйста! — сказала Викторина. Чашечка была такая крохотная.

— Ну как, отдохнули?

Викторина снова улеглась и сбросила халат.

— Отлично. Оставим его здесь — вы лежите в высокой траве, — зеленое мне поможет. Как жаль, что сейчас зима: я бы снял садик с лужайкой.

Лежать в траве — и, наверно, цветы кругом. Она так любила цветы. Девочкой она часто лежала в траве и плела венки из ромашек там, в поле за бабушкиной сторожкой, в Норбитоне. Бабушка была сторожихой. Каждый год на две недели Викторина ездила к ней — как она любила деревню! Только на ней всегда было что-нибудь надето. А так, без всего, было бы еще приятнее. Есть ли цветы в Центральной Австралии? Наверно, есть, раз там есть бабочки! Лежать на солнце — вдвоем с Тони, — как в раю!..

— Ну, спасибо, на сегодня хватит. Полдня десять шиллингов. Завтра утром в одиннадцать. Вы первоклассная натурщица, мисс Коллинз!

Викторина надевала розовые подвязки, и в душе у нее все пело! Сделано! Тони ничего не надо знать. Мысль о том, что он ничего и не узнает, доставляла ей удовольствие. И, сняв с себя костюм «нагой натуры», она вышла в студию.

Обри Грин заслонил свое произведение:

— Нет, пока нельзя, мисс Коллинз. Я не хочу вас разочаровывать. Бедро слишком высоко. Завтра исправим. Простите, руки грязные. До свидания! Значит, завтра в одиннадцать. И этот малыш нам не понадобится. Ну, ну, не смей! — прикрикнул он.

Ибо Тинг-а-Линг выказывал явное желание сопровождать большую «косточку». Викторина вышла улыбаясь.

VIII. СОМС БЕРЕТСЯ ЗА ДЕЛО

Сомс размышлял, сидя у огня в своей комнате, пока Большой Бен не пробил двенадцать. В конце концов он пришел к решению переговорить со Старым Монтом. Несмотря на легкомыслие, старик все же настоящий джентльмен, а вопрос — деликатный. Сомс лег спать, но в половине третьего проснулся. Какая досада! «Не буду думать об этом», — решил он и тут же начал «об этом» думать. Всю жизнь он имел дело с денежными вопросами и никогда не испытывал таких затруднений. Точно и неизменно придерживаться буквы закона, который сам далеко не всегда точен и неизменен, было непременным условием его карьеры. Говорят, что честность — лучшая политика. Но, может быть, это и не так? Абсолютно честный человек и недели не мог бы прожить, не попав в работный дом. Конечно, работный дом — это не тюрьма и не суд. А честность, по ходячим понятиям, на то и существует, чтобы удержать человека за пределами этих учреждений. До сих пор у Сомса затруднений не бывало. В чем, кроме распивания чая и получения жалованья, в сущности, состоят обязанности директора? Вот что интересно. И в какой мере он ответственен в случае невыполнения этих обязанностей? Директор обязан быть совершенно честным. Но если так, он не может оставаться директором. Это ясно. Ведь первым делом ему придется заявить своим акционерам, что он совершенно не заслуживает своего жалованья. Что он делал на заседаниях правления? Да просто сидел, расписывался, немного говорил и голосовал за то, что по ходу дела должно было быть принято. Проявлял ли он когда-нибудь инициативу? Может быть, один-единственный раз. Вел ли он расчеты? Нет, он их только прочитывал. Рассматривал ли он сметы? Нет, за него это делали служащие. Конечно, есть еще политика Общества. Успокоительные слова, но — если говорить откровенно — все дело директора и заключается в том, чтобы не мешать существующей политике. Взять, например, его самого. Если бы он выполнял свой долг, он через месяц по вступлении в правление должен был бы приостановить страхование иностранных контрактов, которым он с самого начала инстинктивно не доверял, или в случае неудачи должен был отказаться от своего места. А он этого не сделал. Казалось, что все наладится, что момент неподходящий и так далее. Если бы он хотел выполнять свой долг, как абсолютно честный директор, он вообще не должен был бы стать директором ОГС, потому что, прежде чем занять место в правлении, нужно было разобраться в делах Общества гораздо основательнее, чем он это сделал. Но все эти имена, престиж, и — «дареному коню в зубы не смотрят» — вот и вышло! Если бы он теперь захотел быть абсолютно честным, он должен был бы объявить акционерам: «Мое попустительство обошлось вам в двести с чем-то тысяч фунтов. Я отдаю эту сумму в руки доверенных лиц на покрытие ваших убытков и постараюсь выжать из остальных директоров их долю». Но он не собирался так поступить, потому что... ну, просто потому, что это не принято, и другим директорам это вряд ли понравится. Вывод один: ждать, пока акционеры сами не раскроют эту историю, но надеяться, что они ее не раскроют. Словом, совершенно как правительство, путать карты и стараться выйти сухим из воды. Не без некоторого удовольствия Сомс подумал об Ирландии: предыдущее правительство сначала вовлекло страну в эту историю с Ирландией, а потом делало вид, что исправило то, чего и не должно было быть. А мир, а воздушный флот, а земельная политика, а Египет — во всех этих пяти важнейших вопросах правительство каждый раз подливало масла в огонь. Но признавалось ли оно в этом? Нет, в таких случаях не признаются; в таких случаях принято говорить: «В данный момент это вызвано политической необходимостью». А еще лучше — ничего не говорить и просто положиться на британский характер. Высвободив подбородок из-под одеяла, Сомс вдруг почувствовал какое-то облегчение. Нет, последнее правительство, наверно, не тряслось под одеялом от страха. Устремив глаза на потухающие угли в камине, Сомс размышлял о неравенстве и о несправедливости судьбы. Взять всех этих политиков и дельцов, которые всю жизнь ходят по тонкому льду и за это получают титулы. Они и в ус не дуют. И взять его самого — он впервые очутился на тонком льду и страдает от этого невероятно. В сущности, установился целый культ обманывания публики, целый культ того, как избежать последствий неразумного ведения дел. И он, человек деловой, человек закона, не знает этого культа — и рад этому. Из врожденной осторожности, из чувства гордости, в которой был даже какой-то оттенок высокомерия, Сомс всегда чурался той примитивной, стандартной «честности», которой руководствовалась в своих делах британская публика. Во всем, что касалось денег, он был непоколебим, тверд, несгибаем. Деньги есть деньги, фунт есть фунт, и нельзя притворяться, что это не так, и все-таки сохранить чувство собственного достоинства.

Сомс встал, выпил воды, сделал несколько глубоких вдохов и поразмял ноги. Кто это ему вчера говорил, что нет такой вещи, из-за которой он лишился бы сна хоть на пять минут? Наверно, этот человек здоров как бык или врет, как барон Мюнхгаузен. Он взял книгу, но мысли все время вертелись вокруг того, что он мог бы реализовать из своего состояния. Не считая картин, решил он, его состояние, наверно, не меньше двухсот пятидесяти тысяч фунтов; и, кроме Флер, у него никого нет, а она уже обеспечена. Для жены он тоже выделил средства — она превосходно может на них жить во Франции. Что же касается его самого — не все ли ему равно? Комната в клубе, поближе к Флер — ему будет так же хорошо, как и сейчас, может быть, даже лучше! И вдруг он увидел, что нашел выход из всех своих неприятностей и страхов.

Представив себе худшее, что его ждало впереди, — потерю состояния, — он изгнал демона. Книга «Рыдающая черепаха», из которой он не прочел ни слова, выпала у него из рук; он уснул...

Встреча со Старым Монтом состоялась в «Клубе шутников» сейчас же после завтрака. Телеграфная лента в холле, на которую он взглянул мимоходом, отмечала дальнейшее падение марки. Так он и думал: она совершенно обесценивается.

Прихлебывающий кофе баронет показался Сомсу прямо-таки оскорбительно веселым. «Держу пари, что он ничего не подозревает. Хорошо, — подумал Сомс, — сейчас я, как говаривал старый дядя Джолион, преподнесу ему сюрприз!»

И без предисловий он начал:

— Добрый день, Монт. Марка обесценена, вы понимаете, что ОГС потерпело около четверти миллиона убытка на этих злополучных иностранных контрактах Элдерсона. Я не уверен, что на нас не ляжет обвинение за такой ничем не оправданный риск. Но поговорить с вами я хотел, собственно, вот о чем. — Он подробно изложил свой разговор с клерком Баттерфилдом, наблюдая за бровями собеседника, и закончил словами: — Что вы на это скажете?

Сэр Лоренс, качая ногой так, что все его тело тряслось, вскинул монокль:

— Галлюцинации, мой дорогой Форсайт. Я знаком с Элдерсоном всю жизнь. Мы вместе учились в Уинчестере.

Опять, опять! О боже!

— Это еще ничего не значит, — медленно проговорил Сомс, — один человек, с которым я учился в Молборо, сбежал с кассой офицерского собрания и с женой полковника и нажил состояние в Чили на помидорных консервах. Суть вот в чем: если рассказ этого человека — правда, то мы в руках злостного афериста. Это не годится, Монт. Хотите позондировать его и посмотреть, что он скажет? Ведь вам было бы не особенно приятно, если бы про вас говорили такие вещи? Хотите, пойдем вместе?

— Да, — вдруг согласился сэр Лоренс. — Вы правы. Пойдем вместе. Это неприятно, но пойдем вместе. Надо ему все сказать.

— Сейчас?

— Сейчас.

Они торжественно взяли цилиндры и вышли.

— Мы, я полагаю, возьмем такси, Форсайт?

— Да, — сказал Сомс.

Машина медленно объехала львов на Трафальгар-сквер, потом быстро покатила по набережной. Старики сидели рядом, неотступно глядя вперед.

— Мы ездили с ним охотиться месяц тому назад, — сказал сэр Лоренс. — Вы знаете гимн «Господь — наш щит в веках минувших»? Очень хороший гимн, Форсайт.

Сомс не отвечал. Ну, теперь пошел трещать!

— У нас пели его в то воскресенье, — продолжал сэр Лоренс. — У Элдерсона был когда-то приятный голос, он пел даже соло. Теперь-то у него настоящий козлетон, но исполнение неплохое. — Он засмеялся своим пискливым смешком.

«Интересно, бывает этот человек когда-нибудь серьезным?» — подумал Сомс и проговорил вслух:

— Если мы узнаем, что история с Элдерсоном — правда, и скроем ее, нас всех, чего доброго, посадят на скамью подсудимых.

Сэр Лоренс поправил монокль.

— Черт возьми, — сказал он.

— Вы сами с ним поговорите, — продолжал Сомс, — или предоставите мне?

— По-моему, лучше вам, Форсайт; не вызвать ли нам и этого молодого человека?

— Подождем, посмотрим, — сказал Сомс.

Они поднялись в контору ОГС и вошли в кабинет правления. В комнате было холодно, стол ничем не был покрыт; старый конторщик ползал, словно муха по стеклу, наполняя чернильницы из бутыли.

— Спросите директора-распорядителя, не будет ли он любезен принять сэра Лоренса Монта и мистера Форсайта? — обратился к нему Сомс.

Старый клерк заморгал, поставил бутыль и вышел.

— Теперь нам надо быть начеку, — тихо проговорил Сомс, — он, разумеется, будет все отрицать.

— Надеюсь, Форсайт, надеюсь. Элдерсон — джентльмен.

— Никто так не лжет, как джентльмены, — вполголоса проворчал Сомс.

Они молча стояли у пустого камина, пристально рассматривая свои цилиндры, стоявшие рядом на столе.

— Одну минуту! — внезапно сказал Сомс и, пройдя через всю комнату, открыл противоположную дверь. Там, как и говорил молодой клерк, было что-то вроде коридорчика между кабинетом правления и кабинетом директора, с дверью, выходившей в главный коридор. Сомс вернулся, закрыл дверь и, подойдя к сэру Лоренсу, снова погрузился в созерцание цилиндров.

— География правильна, — сказал он хмуро.

Появление директора-распорядителя было отмечено стуком монокля сэра Лоренса, звякнувшего о пуговицу. Весь вид Элдерсона — черная визитка, чисто выбритое лицо и серые, довольно сильно опухшие глаза, розовые щеки и аккуратно разложенные на лысом яйцевидном черепе волоски, и губы, которые то вытягивались вперед, то стягивались в ниточку, то расходились в улыбке, — все это до смешного напоминало Сомсу старого дядю Николаса в среднем возрасте. Дядя Ник был умный малый — «самый умный человек в Лондоне», как кто-то назвал его, — но никто не сомневался в его честности. Сомнение, неприязнь всколыхнули Сомса. Казалось чудовищным предъявлять такое обвинение человеку одного с тобой возраста, одного воспитания. Но глаза молодого Баттерфилда, глядевшие так честно, с такой собачьей преданностью! Выдумать такую штуку — да разве это мыслимо?

— Дверь закрыта? — отрывисто бросил Сомс.

— Да. Вам, может быть, дует? Хотите, я велю затопить?

— Нет, благодарю, — сказал Сомс. — Дело в том, мистер Элдерсон, что вчера один из молодых служащих этой конторы пришел ко мне с очень странным рассказом. Мы с Монтом решили, что вам нужно его передать.

Сомсу, привыкшему наблюдать за глазами людей, показалось, что на глаза директора набежала какая-то пленка, как бывает у попугаев. Но она сразу исчезла — а может быть, ему только показалось.

— Ну, разумеется, — сказал Элдерсон.

Твердо, с тем самообладанием, какое было ему свойственно в решительные минуты, Сомс повторил рассказ, который он выучил наизусть в часы ночной бессонницы.

— Вы, несомненно, захотите его вызвать сюда, — заключил он. — Его зовут Баттерфилд.

В продолжение всей речи сэр Лоренс не вмешивался и пристально разглядывал свои ногти. Затем он сказал:

— Нельзя было не сказать вам, Элдерсон.

— Конечно.

Директор подошел к звонку. Румянец на его щеках выступил гуще, зубы обнажились и как будто стали острее.

— Попросите сюда мистера Баттерфилда.

Последовала минута деланного невнимания друг к другу. Затем вошел молодой клерк, аккуратный, очень заурядный, глядевший, как подобает, в глаза начальству. На миг Сомса кольнула совесть. Клерк держал в руках всю свою жизнь — он был одним из великой армии тех, кто живет своей честностью и подавлением своего «я», а сотни других готовы занять его место, если он хоть раз оступится. Сомсу вспомнилась напыщенная декламация из репертуара провинциального актера, над которой так любил подшучивать старый дядя Джолион: «Как бедный мученик в пылающей одежде...»

— Итак, мистер Баттерфилд, вы соблаговолили изощрять вашу фантазию на мой счет?

— Нет, сэр.

— Вы настаиваете на вашей фантастической истории с подслушиванием?

— Да, сэр.

— В таком случае мы больше не нуждаемся в ваших услугах. Вы свободны.

Молодой человек поднял на Сомса голодные, собачьи глаза, он глотнул воздух, его губы беззвучно шевельнулись. Он молча повернулся и вышел.

— С этим покончено, — послышался голос директора, — теперь он ни за что не получит другого места.

Злоба, с которой директор произнес эти слова, подействовала на Сомса, как запах ворвани. Одновременно у него явилась мысль: это следует хорошенько обдумать. Такой резкий тон мог быть у Элдерсона, только если он ни в чем не виноват или же если виноват и решился на все. Что же правильно?

Директор продолжал:

— Благодарю вас, господа, что вы обратили мое внимание на это дело. Я и сам с некоторого времени следил за этим молодчиком. Он большой мошенник.

Сомс сказал угрюмо:

— Что же, по-вашему, он надеялся выиграть?

— Предвидел расчет и хотел заранее наделать неприятностей.

— Понимаю, — сказал Сомс. Но в памяти его встала контора, где сидел старый Грэдмен, потирая нос и качая седой головой, и слова Баттерфилда: «Нет, сэр, я ничего не имею против мистера Элдерсона, и он ничего не имеет против меня».

«Надо будет разузнать побольше об этом молодом человеке», — подумал он.

Голос директора снова прорезал молчание:

— Я думал над вашими вчерашними словами, мистер Форсайт, относительно того, что правление могут обвинить в небрежном ведении дел. Это совершенно неосновательно: наша политика была полностью изложена на двух общих собраниях и не вызвала никаких возражений. Пайщики столь же ответственны, как и правление.

— Гм! — промычал Сомс и взял свой цилиндр. — Вы идете, Монт?

Сэр Лоренс нервно вскинул монокль, словно его окликнули издалека.

— Вышло ужасно неприятно, — сказал он. — Вы должны извинить нас, Элдерсон. Нельзя было не уведомить вас. Мне кажется, что у этого молодого человека не все дома: у него удивительно странный вид. Но, конечно, мы не можем терпеть подобных историй. Прощайте, Элдерсон.

Одновременно надев цилиндры, оба вышли. Некоторое время они шли молча. Затем сэр Лоренс заговорил:

— Баттерфилд? У моего зятя работает старшим садовником некий Баттерфилд — вполне порядочный малый. Не следует ли нам приглядеться к этому молодому человеку, Форсайт?

— Да, — сказал Сомс, — предоставьте это мне.

— С удовольствием. Как-никак, если учился с человеком в одной школе, то невольно... вы понимаете...

Сомс внезапно вспылил:

— В наше время, по-моему, никому нельзя доверять. Происходит это оттого... впрочем, право, не знаю отчего. Но я с этим делом еще не покончил.

IX. СЛЕЖКА

Клуб «Всякая всячина» начал свое существование в шестидесятых годах прошлого столетия. Он был основан группой блестящей молодежи, политической и светской, и в нем они готовились к приему в более почтенные, старые клубы — «Шутников», «Путников», «Смена», «Бэртон», «Страусовые перья» и другие. Но благодаря изумительному повару клуб с самых первых дней своего существования укрепился и сам стал изысканным клубом. Впрочем, он все еще до некоторой степени оправдывал свое название, объединяя самых разнородных людей, — и в этом была его привлекательность для Майкла. От Уолтера Нэйзинга и других полуписателей и покровителей сцены, которые ездили в Венецию и рассуждали о любви в гондолах и о том, как надо ухаживать за такой-то дамой, от таких людей до свирепых усачей — отставных генералов, заседавших когда-то в полевых судах и походя расстреливавших людей за минутные слабости человеческой природы, — от Уилфрида Дезерта (который перестал теперь туда ходить) до Мориса Элдерсона, игравшего там в карты, Майкл мог встретить всех и следить по ним за температурой современности. Через два дня после той ночи, как Флер пришла к нему в спальню, он сидел в курительной комнате и предавался своим наблюдениям, когда ему доложили:

— Вас желает видеть какой-то мистер Форсайт, сэр. Не тот, что состоял у нас членом до самой своей смерти, а, кажется, его двоюродный брат.

Зная, что его друзья вряд ли сейчас придутся по душе Сомсу (как и он им!), Майкл вышел и застал Сомса на автоматических весах.

— Никакой перемены, — сказал тот. — Как Флер?

— Отлично, благодарю вас, сэр.

— Я остановился на Грин-стрит. Задержался из-за одного молодого человека. Нет ли у вас в конторе свободного места для клерка — хорошего счетовода. Мне надо устроить его на работу.

— Зайдемте, сэр, — пригласил Майкл, открывая дверь в небольшую гостиную.

Сомс прошел за ним и оглядел комнату.

— Как называется эта комната? — спросил он.

— Да мы ее называем «могила» — тут так славно и спокойно. Не хотите ли стакан хереса?

— Хереса! — повторил Сомс. — Вы, молодежь, кажется, воображаете, что изобрели херес? Когда я был мальчиком, никому не приходило в голову сесть обедать без стакана сухого хереса к супу и хорошего старого хереса к сладкому. Херес!

— Охотно верю вам, сэр. Вообще на свете нет ничего нового. Венеция, например, и раньше, вероятно, была в моде. И вязанье, и писательские гонорары. Все идет циклами. Вашему юноше дали по шапке?

Сомс поглядел на него:

— Именно. Его фамилия Баттерфилд, ему нужна работа.

— Это страшно трудно — нас ежедневно засыпают предложениями. Не хочу хвастать, но у нас совершенно особая работа. Приходится иметь дело с книгами.

— Он производит впечатление способного, аккуратного и вежливого человека; не знаю, чего вам еще нужно от клерка. У него хороший почерк, и, насколько мне известно, он умеет говорить правду.

— Это, конечно, существенно, — заметил Майкл. — Но умеет ли он также лгать? Я хочу сказать, что ему, может быть, удастся найти работу по распространению книг. Продавать нумерованные издания и так далее. Не можете ли вы мне еще что-нибудь рассказать о нем? Может быть, он сделал что-нибудь хорошее — конечно, старый Дэнби этого не оценит, но ему можно и не говорить.

— М-м-гм. Видите ли, он... он исполнил свой долг вопреки своим интересам, и действительно для него это — разорение. Кажется, он женат и имеет двоих детей.

— Ого! Весело, нечего сказать! А если я ему достану место, он по-прежнему будет исполнять свой долг?

— Я не шучу, — сказал Сомс, — этот молодой человек меня заботит.

— Да, — задумчиво проговорил Майкл, — в таких случаях надо первым делом переложить заботу с себя на другого. Могу я с ним повидаться?

— Я сказал ему, чтобы он зашел к вам сегодня после обеда. Я считал, что вы захотите повидать его частным образом и решить, годится ли он для вашего дела.

— Совершенно правильно, сэр. Но только вот что: не думаете ли вы, что мне следует знать, как именно он выполнил свой долг, — это, разумеется, останется между нами. Иначе я могу попасть впросак, не так ли?

Сомс посмотрел зятю в лицо. В энный раз он почувствовал к нему симпатию и доверие: такой честный взгляд был у Майкла.

— Видите ли, — сказал он, подходя к двери и убедившись в ее непроницаемости, — здесь могут усмотреть клевету, так что не только ради меня, но и ради себя самого вы должны соблюдать абсолютную тайну. — И он вполголоса изложил суть дела.

— Как я и ожидал, — заключил он, — этот молодой человек пришел ко мне опять сегодня утром. Он, разумеется, совершенно подавлен. Я хочу, чтобы он был у меня под рукой. Не располагая дальнейшими сведениями, я не могу решиться — продолжать ли это дело или бросить. К тому же... — Сомс колебался: проявлять добрые побуждения ему претило. — Я... это было жестоко по отношению к нему. Он зарабатывал триста пятьдесят фунтов в год.

— Да, скверно ему, — сказал Майкл. — А знаете, ведь Элдерсон — член этого клуба.

Сомс снова покосился на дверь; она по-прежнему выглядела непроницаемой. И он сказал:

— Еще недоставало! Вы с ним знакомы?

— Я играл с ним в бридж — он здорово меня обчистил; замечательно ловкий игрок.

— Так, — сказал Сомс (сам он никогда не играл в карты). — Я по вполне понятным причинам не могу взять этого юношу к себе в контору. Но вам я доверяю.

Майкл потянул себя за волосы.

— Чрезвычайно тронут, сэр. Покровительство бедным — и при этом незаметная слежка. Ладно, повидаюсь с ним сегодня вечером и дам вам знать, можно ли будет что-нибудь выковырнуть для него.

Сомс ответил кивком. «Но что за жаргон, о боже правый!» — подумал он.

Этот разговор сослужил Майклу хорошую службу: он отвлек его мысли от личных переживаний. В душе он уже сочувствовал молодому Баттерфилду и, закурив сигару, ушел в комнату для карточной игры. Он сел на решетку камина. Эта комната всегда ему импонировала. Совершенно квадратная, и в ней три квадратных ломберных столика, под углом к стенам, с тремя треугольниками игроков.

«Если бы только четвертый игрок сидел под столом, — подумал Майкл, — кубистический узор был бы вполне закончен. То, что выходящий сидит тут же, портит все». И вдруг с каким-то странным чувством он заметил, что Элдерсон — выходящий. Весь какой-то острый, невозмутимый, он внимательно срезал ножичком кончик сигары. Черт! До чего непонятная книга — человеческое лицо! Целые страницы заполнены какими-то личными мыслями, интересами, планами, фантазиями, страстями, надеждами и страхами. И вдруг бац! Налетает смерть и смахивает человека, как муху со стены, и никто не узнает, как работал этот маленький скрытый механизм, для чего он был создан, чему служил. Никто не скажет, хорош или плох был этот механизм. И трудно сказать. Всякие люди бывают. Вот, например, Элдерсон: что он такое — отъявленный жулик или невинный барашек в скрытом виде? «Почему-то мне кажется, что он бабник, — подумал Майкл, — а почему, собственно?» Он протянул руки назад, к огню, потирая их, как муха трет лапки, когда вылезет из патоки. Если человек не знает толком, что происходит в душе его собственной жены в его собственном доме, как он может прочесть что-нибудь по лицу чужого человека, да еще такого сложного типа — английского дельца? Если бы только жизнь была похожа на «Идиота» или «Братьев Карамазовых» и все бы во весь голос кричали о своем сокровенном «я»! Если бы в клубных карточных комнатах был хоть намек на эпилепсию! Нет — ничего. Ничего. Мир полон необычайных тайн, каждый хранит их про себя — и нет у них ни субтитров, ни крупных планов.

Вошел лакей, посмотрел на огонь, постоял минуту, невыразительный, как аист, ожидая, не прорвется ли сквозь гул голосов какой-нибудь отрывистый приказ, повернулся и вышел. Механизм! Всюду механизмы! Приспособления, чтобы уйти от жизни, — и такие совершенные, что даже не остается, от чего уходить.

«Все равно как если б человек сам себе послал заказное письмо, — подумал Майкл. — А может быть, так и надо. Хорошая ли вещь — жизнь? Хочу ли я снова видеть «жизнь» в ее неприкрашенном виде?»

Теперь Элдерсон сидел за столиком, и Майкл отлично видел его затылок, но это ему ничего не говорило.

«Нет, я плохой сыщик, — подумал он, — а ведь, наверно, что-то кроется в том, почему он не делает сзади пробора». И, соскочив с каминной решетки, он пошел домой.

Но за обедом он поймал себя на том, как он смотрит на Флер, — совсем не так, как считает нужным. Слежка! Но как же отказаться от попытки узнать истинные мысли и чувства человека, который знает твое сердце, словно клавиатуру, и заставляет его стонать и звенеть, как ему заблагорассудится!

— Я видела натурщицу, которую ты послал Обри, — сказала Флер, — она ничего не сказала про платья, но я сразу поняла. Какое лицо, Майкл! Где ты ее откопал?

У Майкла мелькнула мысль: «Не заставить ли ее ревновать?» Но он сразу устыдился — низменная мысль, пошлая и мелочная!

— Сама явилась ко мне, — сказал он. — Она — жена нашего бывшего упаковщика, того, который стащил... м-м- м... несколько книг. Сейчас он продает воздушные шары; они страшно нуждаются.

— Понимаю. А ты знаешь, что Обри хочет писать ее обнаженной?

— Фью-ю! Нет, не знал. Я думал, что она — прекрасная модель для обложки. Слушай-ка, не приостановить ли мне все это?

Флер улыбнулась.

— Так дороже платят, и это — ее дело. Ведь тебя это не затрагивает, правда?

Снова эта мысль, снова он ее отогнал.

— Да, но только ее муж самый скромный и жалкий человечек на свете, хоть и воришка, и мне не хотелось бы, чтоб пришлось жалеть его еще больше.

— Но ведь она ему не скажет.

Флер сказала это так естественно, так просто, что в этих словах сразу раскрылся весь ее образ мыслей. Не надо рассказывать своему мужу то, что может расстроить беднягу. По трепету ее восковых век он увидел, что и она поняла, насколько она себя выдала. Поймать ли ее на слове, сказать все, что он узнал от Джун Форсайт, — выяснить все, все до конца? Но зачем, ради чего? Внесет ли это какую-либо перемену? Заставит ли ее полюбить его? Или это только больше ее взвинтит, а у него будет такое чувство, что он сдал последнюю позицию, стараясь сделать невозможное. Нет! Лучше принять принцип утаивания, который она невольно признала и утвердила, и, стиснув зубы, улыбаться. Он пробормотал:

— Пожалуй, она покажется ему слишком худой.

Глаза Флер смотрели прямо и ясно, и опять та же низменная мысль смутила его: «Не заставить ли ее...»

— Я видел ее только раз, — добавил он, — тогда она была одета.

— Я не ревную, Майкл.

«Нет, — подумал он, — если б только ты могла меня ревновать!»

Слова: «Вас спрашивает молодой человек по фамилии Баттерфилд, сэр» — показались ему поворотом ключа в тюремной камере.

В холле молодой человек «по фамилии Баттерфилд» был поглощен созерцанием Тинг-а-Линга.

«Судя по его глазам, — подумал Майкл, — в нем больше собачьего, чем в этом китайском бесенке».

— Пройдемте ко мне в кабинет, — пригласил он, — здесь холодно. Мой тесть говорил, что вы ищете работу.

— Да, сэр, — сказал молодой человек, подымаясь вслед за ним по лестнице.

— Присаживайтесь, — сказал Майкл, — берите папироску. Ну, вот. Я знаю всю вашу историю. Судя по вашим усикам, вы были на войне, как и я. Признайтесь же мне, как товарищу по несчастью: это все — правда?

— Святая правда, сэр. Хотел бы я, чтобы это было не так. Выиграть я тут ничего не могу, а теряю все. Лучше бы мне было придержать язык. Его слова больше значат, чем мои, вот я и очутился на улице. Это было мое первое место после войны — так что теперь рекомендаций мне не добыть.

— Кажется, у вас жена и двое детей?

— Да, и я ради своей совести пожертвовал ими. В последний раз я так поступаю, уверяю вас. Какое мне было дело до того, что Общество обманывают? Моя жена совершенно права — я свалял дурака, сэр.

— Возможно, — сказал Майкл. — Вы что-нибудь смыслите в книгах?

— Да, сэр. Я умею вести конторские книги.

— Ах ты боже мой! Да у нас надо не вести книги, а избавляться от них, и как можно скорее. Ведь у нас издательство. Мы хотели взять еще одного агента. Вы умеете убеждать?

Молодой человек слабо улыбнулся.

— Не знаю, сэр.

— Ладно, я вам объясню, как это делается, — сказал Майкл, совершенно обезоруженный его взглядом. — Все дело в навыке. Но, конечно, этому надо выучиться. Вы, вероятно, не очень-то много читаете?

— Да, сэр, не слишком много.

— Ну, может, это к лучшему. Вам придется внушать этим несчастным книготорговцам, что каждая книга в вашем списке — а их будет, скажем, штук тридцать пять — необходима в его магазине в большом количестве экземпляров. Очень хорошо, что вы только что разделались с вашей совестью, так как, откровенно говоря, большинство книг им не нужно. Боюсь, что вам негде поучиться убеждать людей, но можете все это проделать мысленно, а если вы сумеете прийти сюда на часок-другой, я вас натаскаю по нашим авторам и подготовлю вас к встрече с апостолом Петром.

— С апостолом Петром, сэр?

— Да, с тем, который с ключами. К счастью, это мистер Уинтер, а не мистер Дэнби; думаю, что смогу уговорить его принять вас на месяц, на пробу.

— Сэр, я сделаю все, что в моих силах. Моя жена понимает толк в книгах, она мне поможет. Я не могу выразить, как я вам благодарен за вашу доброту. Ведь, потеряв работу, я остался, по правде сказать, совсем на мели. Я не мог ничего отложить, с двумя-то детьми. Прямо хоть в петлю полезай.

— Ну, ладно. Значит, приходите завтра вечером, я вас начиню. Лицо у вас подходящее для такой работы — только бы разговаривать научиться. Ведь всего одна книга из двадцати действительно нужна, остальные — роскошь. А ваша задача — убедить их, что девятнадцать необходимы, а двадцатая — роскошь, без которой нельзя обойтись. Тут дело обстоит, как с одеждой, как с пищей и всем прочим в нашем цивилизованном обществе.

— Да, сэр, я понимаю.

— Отлично. Ну, спокойной ночи и всего хорошего!

Майкл встал и протянул руку. Молодой человек пожал ее с почтительным полупоклоном. Через минуту он уже был на улице, а Майкл, стоя в холле, думал:

«Жалость — чушь! Я чуть было совсем не забыл, что я — сыщик!»

X. ЛИЦО

Когда Майкл вышел из-за стола, Флер тоже встала. Прошло больше двух дней с тех пор, как она рассталась с Уилфридом, а она еще не пришла в себя. Открывать устрицу-жизнь, собирать редчайшие цветы Лондона — все, что так ее развлекало, — теперь казалось скучным и бессмысленным. Те три часа, когда непосредственно за потрясением, испытанным ею на Корк-стрит, она испытала другое потрясение в своей собственной гостиной, так выбили ее из колеи, что она ни за что не могла приняться. Рана, которую разбередила встреча с Холли, почти затянулась. Мертвый лев рядом с живым ослом — довольно незначительное явление. Но она никак не могла вновь обрести... что? В том-то и дело: Флер целых два дня старалась понять, чего ей не хватает. Майкл по-прежнему был как чужой, Уилфрид — потерян, Джон — заживо похоронен, и ничто под луной не ново. Единственное, что утешало ее в эти дни тоскливого разочарования, была белая обезьяна. Чем больше Флер смотрела на нее, тем более китайской она казалась. Обезьяна с какой-то иронией подчеркивала то, что, быть может, подсознательно чувствовала Флер: все ее метания, беспокойство, погоня за будущим только доказывают ее неверие ни во что, кроме прошлого. Современность изжила себя и должна обратиться к прошлому за верой. Как золотая рыбка, которую вынули из теплого залива и пустили в холодную, незнакомую реку, Флер испытывала смутную тоску по родине.

Оставшись в испанской столовой наедине со своими переживаниями, она, не мигая, смотрела на фарфоровые фрукты. Как они блестели, такие холодные, несъедобные! Она взяла в руки апельсин. Сделан «совсем как живой» — бедная жизнь! Она положила его обратно — фарфор глухо звякнул, и Флер чуть вздрогнула. Обманула ли она Майкла своими поцелуями? Обманула — в чем же? В том, что она не способна на страсть?

«Но это неправда, — подумала она, — неправда. Когда-нибудь я покажу ему, на что я способна, — всем им покажу». Она посмотрела на висевшего напротив Гойю. Какая захватывающая уверенность в рисунке, какая напряженная жизнь в черных глазах этой нарумяненной красавицы. Вот эта знала бы, что ей нужно, и, наверно, добилась бы своего. Никаких компромиссов, никакой неуверенности — не бродить по жизни, раздумывая, в чем ее смысл и стоит ли вообще существовать, — нет, просто жить ради того, чтобы жить!

Флер положила руку на шею, туда, где кончалось теплое тело и начиналось платье. Разве она не такая же теплая и упругая — нет, даже в тысячу раз лучше этой утонченной, злой испанской красавицы в изумительных кружевах? И, отвернувшись от картины, Флер вышла в холл. Голос Майкла и еще чей-то, чужой. Идут вниз! Она проскользнула в гостиную и взяла рукопись — стихи, о которых она обещала сказать Майклу свое мнение. Она сидела, не читая, и ждала — войдет он или нет. Она услышала, как закрылась входная дверь. Нет! Он вышел. Какое-то облегчение — и все-таки неприятно. Майкл, холодный и невеселый дома, — если так будет продолжаться, то это совсем тоска! Флер свернулась на диване и попыталась читать. Скучные стихи — вольный размер, без рифм, самосозерцательные, все насчет внутренних переживаний автора. Ни подъема, ни мелодии. Скука! Словно уже читала их десятки раз. Она совсем затихла и лежала, прислушиваясь к треску и шуршанию горящих поленьев. Если будет темно, может быть, ей удастся уснуть. Флер потушила свет и вернулась к дивану. Она как будто сама себя видела у камина; видела, какая она одинокая, какая трогательная и хорошенькая, — как будто все, чего она желала, у нее есть, и вместе с тем ничего! Ее губы дрогнули. Она как будто даже видела со стороны капризное, детское выражение своего лица. И хуже всего, что она сама видела, как она все это видит, — какое-то тройное существо, словно запрятанное в жизненепроницаемую камеру, так что жизнь не могла ее захлестнуть. Если бы вдруг влетел какой-нибудь вихрь из нежилого холода, из пустыни Лондона, чьи цветы она срывала! Отблески камина, мягкие и трепетные, выхватывали из мрака то тот, то другой уголок китайской гостиной, как в театре во время тех таинственных, увлекательных сцен, когда под звуки тамбуринов ждешь развязки. Она протянула руку за папиросой. Снова она будто со стороны увидела, как она зажигает ее, выпускает дым, увидела свои согнутые пальцы, полураскрытые губы, круглые белые руки. Да, она очень декоративна! А в сущности, не в этом ли все дело? Быть декоративной и окружать себя декорациями, быть красивой в некрасивой жизни! В «Медяках» было стихотворение о комнате, озаренной бликами огня, о капризной Коломбине у камина, об Арлекине, томящемся за окном, «словно тень розы». И внезапно, безотчетно сердце Флер сжалось. Сердце сжалось тоской, болью — страшной болью, и, соскользнув на пол у камина, она прижалась лицом к Тинг-а-Лингу. Китайский песик поднял голову, его черные глаза заблестели в отблеске огня.

Он лизнул ее в щеку и отвернулся. Фу, пудра! Но Флер лежала, как мертвая. Она видела себя, вот так, на ковре — изгиб бедра, каштановые блики на коротких кудрях; она слышала биение своего сердца. Встать, выйти, взяться за что-нибудь! Но за что — за что стоило взяться? В чем была хоть капля смысла? Она представила себе, как она делает что-то — всякие невероятные вещи: ухаживает за больными женщинами, нянчит хилых ребят, говорит речи в парламенте, берет препятствия на скачках, полет турнепс в коротких шароварах — очень декоративно! И она лежала совершенно неподвижно, опутанная сетью собственного воображения: пока она видит себя вот так со стороны, она не возьмется ни за что — в этом она была уверена, — потому что ни за что не стоило браться. Она лежала совсем неподвижно, и ей казалось, что не видеть себя со стороны — хуже всего на свете, но что, признавая это, она навеки сковывает и связывает себя.

Тинг-а-Линг заворчал, повернув нос к окну, как бы говоря: «Мы дома, у нас уютно, мы думаем о прошлом. Нам не нужно ничего чужого. Будьте добры удалиться, кто бы вы ни были». И снова он заворчал — тихим, протяжным ворчаньем.

— В чем дело, Тинг?

Тинг привстал, вытянув морду к окну.

— Ты хочешь погулять?

«Нет», — проворчал он.

Флер взяла его на руки.

— Что ты, глупенький? — и подошла к окну.

Занавески были плотно задернуты. Пышные, китайские, подбитые шелком, они не впускали ночь. Флер одной рукой сделала маленькую щелочку и отшатнулась. За окном было лицо: лоб прижат к стеклу, глаза закрыты — как будто оно уже давно было там. В темноте оно казалось лишенным черт, смутно-бледным. Флер почувствовала, как напряглось тельце Тинг-а-Линга под ее рукой, почувствовала его молчание. Сердце ее колотилось — было жутко: лицо без тела.

Внезапно лоб отодвинулся, глаза открылись, она увидела лицо Уилфрида. Видел ли он ее — видел ли, что она стоит у окна, выглядывая из темной комнаты? Дрожа всем телом, она опустила занавес. Кивнуть? Впустить его? Выйти к нему? Махнуть ему, чтоб он ушел? Сердце ее дико билось. Сколько времени стоит он так под окном, словно призрак? Тинг-а-Линг шлепнулся на пол, она сжала руками лоб, пытаясь собраться с мыслями. И вдруг она шагнула к окну и распахнула занавеси. Никого! Лицо исчезло! Ушел! Темная площадь на сквозном ветру — и ни души! Был ли он здесь или ей померещилось? Но Тинг-а-Линг! Собакам не мерещатся призраки. Тинг вернулся к камину и опять прикорнул там.

«Я не виновата, — в страстном отчаянии думала Флер, — я не виновата! Я не хотела, чтобы он полюбил меня, я только хотела, чтобы он... он...!» И она бессильно опустилась на пол перед камином. «О Тинг! Пожалей меня!» Но китайский пес, обиженный ее небрежностью, не отзывался...

XI. ШАПКА НАБЕКРЕНЬ

Не слишком удачно разыграв роль сыщика по отношению к молодому Баттерфилду, Майкл постоял в раздумье в холле. В конце концов он не вернулся к себе наверх, а тихо вышел на улицу. Он прошел мимо парламента на Уайтхолл. На Трафальгар-сквер он вспомнил, что у него есть отец. Барт мог быть и у

«Шутников», и в «Кофейне», и в «Аэроплане». «Вот с кем можно отдохнуть», — подумал Майкл и пошел в самый модный из этих трех клубов.

— Да, сэр Лоренс Монт в читальне, сэр.

Старик сидел, скрестив ноги, держа сигару кончиками пальцев, в ожидании случайного собеседника.

— А, Майкл. Как по-твоему, зачем я сюда хожу?

— Ждать конца света, сэр.

Сэр Лоренс хихикнул.

— Это мысль, — сказал он. — Когда небеса обрушатся на цивилизацию, здесь, наверно, будет самое лучшее место для наблюдений. Любопытство — вероятно, одна из сильнейших человеческих страстей, Майкл. Мне очень не хотелось бы взлететь на воздух, особенно после обеда, но еще меньше мне хотелось бы пропустить хорошее зрелище. Воздушные налеты все-таки были очень занятны, правда?

Майкл вздохнул.

— Да, — сказал он. — Война приучила нас думать о вечности; а потом война кончилась, а вечность осталась висеть над нами. Теперь мы не успокоимся, пока не достигнем ее. Можно мне взять у вас сигару, сэр?

— Ну конечно. Я опять перечитывал Фрезера. Удивительно, как далеки от нас всякие суеверия теперь, когда мы поняли высшую истину: цивилизация не завоюет мира.

Майкл перестал раскуривать сигару.

— Вы действительно так думаете, сэр?

— А как же еще думать? Кто может сомневаться в том, что сейчас, при таком развитии техники, настойчивость человечества приведет его к самоуничтожению? Это неизбежный вывод из всех последних событий. «Per ardua ad astra»[1] — «Под градом ударов увидим звезды».

— Но ведь так всегда было, сэр, и все же мы живем.

— Да, говорят — живем, но я в этом сомневаюсь. Я считаю, что мы живем только прошлым. Я не думаю, нет, не думаю, что о нас можно сказать, будто мы надеемся на будущее. Мы говорим о лучшем будущем, но, по-моему, мы едва ли надеемся на него. Как будто можно возражать против такого положения, но подсознательно мы делаем этот вывод. По той путанице, что мы натворили в течение последних десяти лет, мы ясно чувствуем, на-

---

[1] Через тяжкие труды — к звездам (*лат.*).

сколько бо́льшую путаницу мы можем натворить в течение ближайших тридцати лет. Человек может спорить о том, есть ли у осла четвертая нога, но после этого спора осел все-таки будет стоять на четырех ногах.

Майкл вдруг выпрямился и сказал:

— Вы просто беспощадный и злой старый Барт!

Сэр Лоренс улыбнулся.

— Я бы рад признать, что люди действительно верят в человечество и всякую такую штуку, но ты сам знаешь, что это не так, — люди верят только в новизну и в то, чего им хочется добиться. За редкими исключениями все человечество — еще обезьяны, особенно ученая его часть. А если ты дашь в лапы обезьянам порох и горящую спичку, они сами себя взорвут, чтобы посмотреть, что из этого выйдет. Обезьяны в безопасности, только когда они лишены всякой возможности подвергать себя опасности.

— Весело, нечего сказать, — проговорил Майкл.

— Не веселее, чем все остальное, мой милый. Я вот думал недавно: у нас здесь есть один член клуба, он изобрел такую штуку, перед которой все, что было во время войны, — пустяки; необычайно ценный человек. Правительство к нему присматривается. Он поможет другим таким же ценным людям — во Франции, Германии, Америке и России — делать историю. Они все вместе сделают нечто такое, перед чем все, что было до сих пор, побледнеет. Да, ты знаешь, новый лозунг homo sapiens — «Шапка набекрень».

— Так, — сказал Майкл, — ну, а что же вы собираетесь предпринять по этому поводу?

Брови сэра Лоренса поднялись чуть ли не до самых волос.

— Предпринять, мой милый? А что же мне предпринимать? Разве я могу пойти и взять за шиворот этого человека и все наше правительство, да и всех других столь же ценных изобретателей вместе с их правительствами? Нет, конечно. Все, что я могу делать, — это курить сигару и говорить: «Бог с вами, милые друзья, и мир вам и покой»[1]. Так или иначе, они своего добьются, Майкл. Но, по естественному ходу событий, я до этого не доживу.

— А я доживу, — сказал Майкл.

— Да, мой милый, но ты только подумай, какие будут взрывы, какое зрелище, какие запахи! Ей-богу, тебе еще есть ради

---

[1] Рождественская песенка.

чего жить. Иногда мне жаль, что я не твой ровесник. А иногда, — сэр Лоренс вновь раскурил сигару, — не жаль. Иногда мне кажется, что хватит с меня всяких этих штук и что ничего не остается, как только умереть джентльменом.

— Это уже что-то вроде нытья, папа!

— Ну что ж, — сказал сэр Лоренс, покручивая короткий седой ус, — будем надеяться, что я не прав. Но мы идем к тому, что, нажав две-три кнопки, можно будет уничтожить миллионы людей. А какие у нас есть основания думать, будто мы станем такими хорошими, что вовремя откажемся применять эти потрясающие новые игрушки, несущие смерть и разрушение?

— «Когда мало знаешь, воображай всякие ужасы».

— Очень мило сказано. Откуда это?

— Из биографии Христофора Колумба.

— А, старый К.! Иногда я ловлю себя на мысли, что было бы лучше, если бы он не был так чертовски пытлив. В средние века жилось уютней. Еще вопрос, стоило ли открывать этих янки.

— Ладно, — сказал Майкл, — как-нибудь выберемся. Кстати, насчет этой элдерсоновской истории; я только что видел этого клерка: по-моему, у него не такой вид, чтобы он мог все это выдумать.

— Ах, ты об этом! Но, знаешь, если уж Элдерсон мог проделать такую штуку, тогда все на свете возможно. Это совершенная дикость. Он прекрасно играл в крикет, всегда вел мяч лучше всех. Мы с ним набили пятьдесят четыре очка итонцам. Тебе, наверно, рассказал Старый Форсайт?

— Да, он хотел, чтобы я дал работу этому клерку.

— Баттерфилд! Ты узнай, не родня ли он старому садовнику Баттерфилду? Это внесло бы некоторую ясность. Не находишь ли ты, что Старый Форсайт несколько утомителен?

Майкл из лояльности по отношению к Флер скрыл свои чувства.

— Нет, мы с ним отлично ладим.

— Он очень прямой человек, это верно.

— Да, — сказал Майкл, — исключительно прямой.

— Но все-таки скрытный.

— Да, — сказал Майкл.

И оба замолчали, как будто за этим выводом крылись «всякие ужасы».

Скоро Майкл встал.

— Уже одиннадцатый час, пора мне идти домой.

Возвращаясь той же дорогой, он мог думать только об Уилфриде. Чего бы он не дал, чтобы услышать от него: «Ладно, старина, все прошло; я все переборол» — и крепко пожать его руку. Почему вдруг человек заболевает страшной болезнью, называемой любовью? Почему она сводит человека с ума? Говорят, что любовь и есть защита против ужасов Барта, против «чрезвычайно ценных» изобретателей. Непреодолимый импульс — чтобы не дать человечеству вымереть! Какая проза, если это так. Ему, в сущности, все равно — будут у Флер дети или нет. Странно, как природа маскирует свои планы — хитрая бестия! Пожалуй, она все же перестаралась. Если Барт прав, дети могут вообще выйти из моды. Еще немного — и так оно и будет: кто захочет иметь детей только для того, чтобы иметь удовольствие видеть их взорванными, отравленными или умирающими с голоду? Несколько фанатиков будут продолжать свой род, но остальные люди откажутся от потомства. Шапка набекрень! Инстинктивно Майкл поправил шляпу, проходя мимо Большого Бена. Он дошел до площади парламента, как вдруг человек, шедший ему навстречу, круто повернул налево и быстро пошел к Виктория-стрит. Высокая фигура, упругий шаг — Уилфрид! Майкл остановился. Уилфрид идет от Саут-сквер! И вдруг Майкл пустился вдогонку. Он не бежал, но шел как только мог быстро. Кровь стучала в висках, он испытывал почти невыносимое напряжение, смятение. Уилфрид, наверно, его видел — иначе он не свернул бы так поспешно, не летел бы сейчас, как черт. Ужас, ужас! Он не мог его догнать — Уилфрид шел быстрее, — надо было просто пуститься за ним бегом. Какое-то исступление охватило Майкла. Его лучший друг — его жена! Нет, хватит! Гордость должна удержать от такой борьбы. Пусть делает, что хочет. Майкл остановился, следя за быстро удаляющейся фигурой, и медленно, опустив голову в сползшей набекрень шляпе, повернул домой. Он шел совершенно спокойно, с ощущением, что все кончено. Нечего из-за этого подымать историю. Не надо скандала, но отступления нет. Пока он дошел до своей площади, он главным образом сравнивал высоту домов с ничтожными размерами людей. Такие букашки — и создали такие громады, залили их светом так, что они сверкают огромной сияющей грудой и не разобрать даже, какого цвета небо. Какую невероятную работу проделывают эти букашки! Смешно думать, что его любовь к другой букашке что-нибудь значит! Он повернул ключ в замке, снял свою нахлобученную шляпу и вошел в гостиную. Темно — никого? Нет. Флер и Тинг-а-Линг лежат на полу у камина. Майкл сел на диван и вдруг заметил, что весь дрожит и так вспотел, будто выкурил слишком крепкую сигару. Флер села, скрестив ноги по-турецки, и неподвижно глядела на него. Он ждал, пока справится с дрожью. Почему она молчит? Почему она сидит тут в темноте? «Она знает, — подумал он, — мы оба знаем, что это конец. Господи, только бы побольше выдержки!» Он взял подушку, засунул ее за спину и откинулся на спинку дивана, положив ногу на ногу. Он сам удивился неожиданному звуку своего голоса:

— Можно мне спросить тебя о чем-то, Флер? И пожалуйста, отвечай мне совершенно искренно — хорошо?

— Да.

— Так вот. Я знаю, что ты меня не любила, когда выходила за меня замуж. Думаю, что и теперь ты не любишь меня. Хочешь, чтобы я ушел?

Казалось, что прошло много, много времени.

— Нет.

— Ты говоришь правду?

— Да.

— Почему?

— Потому что я не хочу.

Майкл встал.

— Ты ответишь еще на один вопрос?

— Да.

— Был здесь Уилфрид сегодня вечером?

— Да... нет. То есть...

Майкл стиснул руки; он увидел, что ее глаза прикованы к этим стиснутым рукам, и застыл.

— Флер, не надо!

— Нет. Он подошел к окну — вон там. Я видела его лицо, вот и все. Его лицо... О Майкл, не сердись на меня сегодня!

«Не сердись!» Сердце Майкла задрожало при этих непривычных словах.

— Да нет же, — пробормотал он. — Ты только скажи мне, чего ты хочешь?

Флер ответила, не шевелясь:

— Хочу, чтобы ты меня утешил.

О, как она знает, что надо сказать и как сказать! И, опустившись на колени, он стал утешать ее.

XII. НА ВОСТОК

Он не простоял на коленях и нескольких минут, как оба они почувствовали реакцию. Он старался успокоить Флер, а в нем самом нарастало беспокойство. Ей он верил, верил в этот вечер так, как не верил много месяцев. Но что делает Уилфрид? Где он бродит? Лицо в окне — без голоса, без попытки приблизиться к ней! У Майкла ныло сердце — сердце, существования которого он не признавал. Выпустив ее из объятий, он встал.

— Хочешь, я зайду к нему? Если все кончено, то он, может быть... может быть, я...

Флер тоже встала. Сейчас она была совсем спокойна.

— Да, я пойду спать.

С Тинг-а-Лингом на руках она подошла к двери; ее лицо между каштановой шерстью собаки и ее каштановыми волосами было очень бледно, очень неподвижно.

— Кстати, — сказала она, — у меня второй месяц не все в порядке, Майкл. Я думаю, что это, вероятно...

Майкл обомлел. Волнение нахлынуло, захлестнуло, закружило, отняло дар речи.

— С той ночи, как ты принес воздушный шар, — сказала она. — Ты ничего не имеешь против?

— Против? Господи! Против!

— Значит, все в порядке. Я тоже ничего не имею против. Спокойной ночи.

Она ушла. Майкл без всякой связи вдруг вспомнил: «В начале было Слово, и Слово было у Бога, и Слово было Бог». Так он стоял, оцепенев, охваченный огромным чувством какой-то определенности. Будет ребенок! Словно корабль его жизни, гонимый волнами, вдруг пришел в гавань и стал на якорь. Он подошел к окну и отдернул занавесь. Звездная ночь! Дивный мир! Чудесно, чудесно! Но — Уилфрид? Майкл прижался лицом к стеклу. Так прижималось к стеклу лицо Уилфрида. Если закрыть глаза, можно ясно увидеть это. Так нельзя! Человек не собака. Человек за бортом! SOS. Он прошел в холл и вытащил из мраморного ларя свое самое теплое пальто. Он остановил первое встречное такси.

— Корк-стрит. Скорее!

Искать иголку в стоге сена! На Большом Бене — четверть двенадцатого. Великое облегчение, которое Майкл ощущал, сидя в этом тряском автомобиле, казалось ему самому жестоким. Спасение! Да, это спасение; у него появилась какая-то странная уверенность, словно он увидел Флер внезапно «крупным планом» в резком свете, настоящую, под сетью грациозных уловок. Семья! Продолжение рода! Он не мог ее привязать, потому что он не был частью ее. Но ребенок, ее ребенок, сможет. А быть может, и он тоже с рождением ребенка станет ей ближе. Почему он так любит ее — ведь так нельзя! Они с Уилфридом ослы — это так несовременно, так нелепо!

— Приехали, сэр, какой номер?

— Отлично. Отдохните-ка, подождите меня! Вот вам папироска.

И с папироской в пересохших губах Майкл пошел к подъезду.

В квартире Уилфрида светло! Он позвонил. Дверь открылась, выглянул слуга.

— Что угодно, сэр?

— Мистер Дезерт дома?

— Нет, сэр. Мистер Дезерт только что уехал на Восток. Его пароход отходит завтра утром.

— Откуда? — упавшим голосом спросил Майкл.

— Из Плимута, сэр. Поезд отходит с Пэддингтонского вокзала ровно в полночь. Вы еще, может, успеете его захватить.

— Как это внезапно, — сказал Майкл, — он даже не...

— Нет, сэр. Мистер Дезерт внезапный джентльмен.

— Ну, спасибо. Попробую поймать его.

Бросив шоферу: «Пэддингтон — гоните вовсю!» — он подумал: «Внезапный джентльмен!» Замечательно сказано! Он вспомнил совершенно внезапный разговор у бюста Лайонела Черрела. Внезапной была их дружба, внезапным конец, внезапность была даже в стихах Уилфрида — плодах внезапных переживаний! Глядя то в одно, то в другое окно дребезжащего, подпрыгивающего такси, Майкл ощущал что-то вроде пляски святого Витта. Не дурак ли он? Не бросить ли все это? Жалость — чушь! И все-таки! С Уилфридом отрывался кусок его сердца, и, несмотря ни на что, Майкл хотел, чтоб его друг это знал. Брук-стрит, Парк-лейн! Пустеющие улицы, холодная ночь, голые платаны, врезанные светом фонарей в темную синеву. И Майкл подумал: «Блуждаем! А где конец, в чем цель? Делать то, что тебе предназначено, — и не думать! Но что мне предназначено? А Уилфриду? Что с ним будет теперь?»

Машина пролетела спуск к вокзалу и остановилась под навесом. Без десяти двенадцать, и длинный тяжелый поезд на первой платформе.

«Что делать? — подумал Майкл. — До чего это трудно. Неужели надо его искать по всем вагонам? Я не мог не прийти, старина, — фу, какой бред!»

Матросы! Пьяные или подвыпившие. Еще восемь минут! Майкл медленно пошел вдоль поезда. Не прошел он и четырех окон, как увидел того, кого искал. Дезерт сидел спиной к паровозу в ближнем углу пустого купе первого класса. Незажженная папироса во рту, меховой воротник поднят по самые брови, и пристальный взгляд устремлен на неразвернутую газету на коленях. Он сидел неподвижно. Майкл стоял, глядя на него. Сердце у него дико билось. Он зажег спичку, шагнул вперед и сказал:

— Прикуришь, старина?

Дезерт поднял на него глаза.

— Спасибо, — проговорил он и взял спичку. При вспышке его лицо показалось темным, худым, осунувшимся; глаза — темными, глубокими, усталыми. Майкл прислонился к окну. Оба молчали.

— Если едете, сэр, занимайте место.

— Я не еду, — сказал Майкл. Внутри у него все переворачивалось. — Куда ты едешь? — спросил он вдруг.

— К черту на кулички.

— Господи, Уилфрид, до чего мне жаль!

Дезерт улыбнулся.

— Ну, брось!

— Да, я понимаю! Дай руку!

Уилфрид протянул руку.

Майкл крепко ее пожал.

Прозвучал свисток.

Дезерт вдруг поднялся и повернулся к верхней сетке. Он достал сверток из чемодана.

— Вот, — сказал он, — возьми эту несчастную рукопись. Если хочешь — можешь издать.

Что-то сжало горло Майклу.

— Спасибо, старина. Это замечательно с твоей стороны! Прощай!

Лицо Дезерта осветилось странной красотой.

— Ну, пока! — сказал он.

Поезд тронулся. Майкл отошел от окна; он стоял не шевелясь, провожая взглядом неподвижную фигуру, медленно отодвигающуюся от него все дальше, дальше. Вагон за вагоном проходил мимо, полный матросов, — они высовывались из окон, шумели, пели, махали платками и бутылками. Вот и служебный вагон, задний фонарь — все смешалось, — багровый отблеск — туда, на Восток, — уходит — уходит — ушел!

И это все, да? Он сунул рукопись в карман пальто. Теперь домой, к Флер. Так уж устроен мир: что одному — жизнь, то другому — смерть. Майкл провел рукой по глазам. Вот проклятые, полны слез... фу, бред!

ЧАСТЬ ТРЕТЬЯ

I. ПРАЗДНИК

Троицын день вызвал очередное нашествие на Хэмстед-Хис; и в толпе гуляющих была пара, которая собиралась утром заработать деньги, а после обеда истратить их.

Тони Бикет, с шарами и женой, спозаранку погрузился в вагон хэмстедской подземки.

— Вот увидишь, — сказал он, — я к двенадцати распродам всю эту чертову музыку, и мы с тобой покутим.

Прижимаясь к нему, Викторина через платье коснулась рукой небольшой опухоли над своим правым коленом. «Опухоль» была вызвана пятьюдесятью четырьмя фунтами, зашитыми в край чулка. Теперь шары уже не огорчали ее. Они давали временное пропитание, пока она не заработает те несколько фунтов, которых не хватало им на билеты. Тони все еще верил в спасительную силу своих драгоценных шаров: уж он такой, этот Тони, хотя, в сущности, его заработки еле-еле их содержат. И Вик улыбнулась. У нее была своя тайна — и теперь она могла безразлично относиться к его позорному торчанию на тротуаре. Она уже подготовила свой рассказ. Из вечерних газет, из разговоров в автобусах с людьми, увлеченными любимым национальным времяпрепровождением, она узнала все, что нужно, о скачках. Она даже говорила о них с Тони, который знал о них все, как и всякий уличный торговец. Она уже подготовила целый рассказ о двух воображаемых выигрышах: соверен, полученный за шитье воображаемых блузок, был поставлен на победителя, взявшего приз в две тысячи гиней, а выигрыш — на победителя в юбилейных скачках, с неплохой выдачей. Вместе с третьим призовиком, которого еще предстояло выбрать, эти выигрыши должны были составить сумму в шестьдесят фунтов, которую она скоро накопит позированием. Все это она выложит Тони и наизусть отбарабанит рассказ о том, как ей необычайно повезло и как она все скрывала от него, пока не скопила всю сумму. Она прижмется лбом к его глазам, если он станет слишком пристально смотреть на нее, и зацелует его так, что у него голова закружится. А наутро они встанут и купят билеты на пароход. Вот какой план был у Викторины, а пять десятифунтовых и четыре фунтовых бумажки были уже зашиты в чулок, пристегнутый розовой шелковой подвязкой.

«Отдых дриады» был давно закончен и выставлен в галерее Думетриуса вместе с другими произведениями Обри Грина. Викторина заплатила шиллинг, чтобы посмотреть картину, и несколько минут простояла, украдкой поглядывая на белое тело, сверкающее среди травы и пестрых цветов, и на лицо, которое как будто говорило: «Я знаю тайну».

«Просто гений этот Обри Грин. Лицо совершенно изумительно!» Испугавшись, пряча лицо, Викторина убежала.

С того дня, как она стояла, дрожа, у дверей студии Обри Грина, она все время работала. Он рисовал ее три раза — всегда приветливый, всегда вежливый — настоящий джентльмен! И он рекомендовал ее своим друзьям. Одни рисовали ее в платье, другие — полуодетой, третьи — «нагой натурой», что больше уже не смущало ее, — а Тони ни о чем не подозревал, и край чулка набухал от денег. Не все были с ней «вежливы»; некоторые делали попытки поухаживать, но она пресекала их в корне. Конечно, деньги можно было бы заработать быстрее, но — Тони! Зато через две недели она сможет все-все бросить! И часто по дороге домой она останавливалась у зеркальной витрины, где были фрукты, и колосья, и синие бабочки...

В переполненном вагоне они сидели рядом, и Бикет, держа лоток на коленях, обсуждал, где ему лучше стать.

— Я облюбую местечко поближе к пруду, — говорил он. — Там у публики будет больше денег, пока не потратятся на карусели да орехи; а ты можешь посидеть на скамье у пруда, как на пляже, — нам лучше быть врозь, пока я не распродам все.

Викторина сжала его локоть.

На валу и дальше по лугу со всех сторон плыла веселая праздничная толпа с бумажными кульками. У пруда дети с тонкими, серовато-белыми слабыми ножками плескались и верещали, слишком довольные, чтобы улыбаться. Пожилые пары медленно проползали, выпятив животы, с изменившимися от напряжения лицами, устав от непривычного подъема. Молодежь уже разбежалась в поисках более головокружительных развлечений. На скамьях, на стульях из зеленой парусины или крашеного дерева сотни людей сидели, глядя себе под ноги, как будто воображая морские волны. Три осла, подгоняемые сзади, трусили рысцой вдоль берега пруда, катая желающих. Разносчики выкрикивали товары. Толстые смуглые женщины предсказывали судьбу. Полисмены откровенно следили за ними. Какой-то человек говорил не останавливаясь, обходя всех со шляпой.

Тони Бикет снял с плеча лоток. Его ласковый хрипловатый голос с неправильным выговором без передышки предлагал цветные воздушные шары. Торговля шла бойко, шары так и расхватывали! Он то и дело поглядывал на берег пруда, где в парусиновом кресле сидела Викторина, не похожая ни на кого, — он был в этом уверен!

— Вот шарики, шарики, замечательные шарики! Шесть штук на шиллинг! Вам большой, сударыня? Всего шесть пенсов! Размер-то какой! Купите, купите! Возьмите шарик для мальчугана.

Тут хотя «олдерменов» и не было, но множество людей охотно платили за яркий, веселый шарик.

Без пяти двенадцать он сложил лоток — ни единого шара не осталось! Будь на неделе шесть праздничных гуляний — он нажил бы капитал! С лотком под мышкой он пошел вокруг пруда. Ребятишки славные, но — господи ты боже мой — до чего худы и бледны! Если у них с Вик будет малыш... нет, невозможно, — по крайней мере пока они не уедут туда. Толстый загорелый малыш гоняется за синими бабочками, и от него так и пышет солнцем! Завернув у конца пруда, он медленно пошел вдоль кресел. Вот она сидит, откинувшись в кресле, скрестив ноги в коричневых чулках и коричневых туфлях с язычками, — до чего хороша! В каком-то своем, особом мире. Что-то сжало горло Бикету. Господи! Как ему хотелось все для нее сделать!

— Ну, Вик, о чем думаешь?

— Я думала об Австралии.

— А-а! Ну, этого еще бог весть как долго ждать! Но это пустяки — видишь, я продал все дочиста! Что мы будем делать — походим под деревьями или сразу пойдем на карусель?

— На карусель! — ответила она.

«Долина здоровья» была заполнена восторженной толпой. Толпа плыла непрерывным, медленным и молчаливым потоком под крики владельцев палаток и каруселей и продавцов кокосовых орехов.

— Бей, кати, поддавай! А ну, кто попробует?.. Пенни удар... Кому на карусель?.. Мороженое, мороженое!.. Бананы, замечательные бананы!

Тридцать подвесных кресел гигантской карусели под огромным зонтиком были заняты девушками и молодыми людьми. Под музыку — кругом — быстрее, быстрее, пока не натянется цепь; откинуться назад — ноги вытянуть; смех и разговоры смолкли, напряженные, чуть растерянные лица, руки, крепко впившиеся в поручни. Быстрее, быстрее — потом медленнее, пока не остановишься и не замолчит музыка.

— Вот чудно! — прошептала Викторина. — Пойдем, Тони.

Они вошли в загородку, уселись в кресла. Викторина инстинктивно крепче скрестила ноги и, ухватившись за цепь, наклонилась в сторону движения. Она приоткрыла губы.

— Тони, милый!..

Быстрее, быстрее — каждый нерв, каждый мускул отдать движению. О-о-о! Что за чувство — лететь так, над всем светом. Быстрее, быстрее! Медленнее, медленнее, и — спуск на землю.

— Тони, это просто рай!

— Чудно как-то внутри, когда тебя так заносит!

— Я бы хотела взлететь под самую крышу. Давай еще раз.

— Ладно!

Прокатились еще два раза — половина выручки с шаров! А, не все ли равно? Тони нравилось смотреть на ее лицо. После этого — шесть ударов по шару, и ни разу не попали, и по порции мороженого на брата! Потом под руку пошли разыскивать местечко, где бы позавтракать. Эти минуты отдыха, после имбирного пива и бутербродов, были самыми блаженными минутами для Бикета; покуривая дешевый табак и положив голову на колени жене, он глядел в синее небо — долго-долго. Викторина встрепенулась первая.

— Пойдем посмотрим на танцы.

На зеленой лужайке, окаймленной песчаной дорожкой, десятка два пар танцевали под оркестр.

Викторина потянула мужа за рукав.

— Мне так хочется пройтись разок, Тони!

— Ну что ж, идет! — согласился Бикет. — Вон тот одноногий подержит мой лоток.

Они вошли в круг.

— Обними меня покрепче, Тони!

Бикет послушался — на это он всегда был готов. Медленно задвигались ноги — в одну сторону, потом в другую. Почти не сходя с места, они делали повороты в такт музыке, забыв обо всем на свете.

— Ты славно танцуешь, Тони!

— А ты-то! Просто чудо! — шепнул Бикет.

В перерывах, отдышавшись, они подходили проверить — тут ли одноногий с лотком; потом снова шли в круг, пока оркестр не кончил играть.

— Честное слово, — сказала Викторина, — ведь на пароходе тоже бывают танцы. Тони!

Тони крепче сжал ее талию.

— Я добьюсь этого, хоть бы мне пришлось ограбить банк. Я пойду для тебя на все, Вик.

Викторина только улыбалась: она-то уже добилась своего!

Толпа, разгоряченная, усталая, веселая, двигалась по полю битвы, усеянному бумажными кульками, банановой кожурой и обрывками газет.

— Давай выпьем чаю и еще разок прокатимся на карусели, — сказал Бикет, — потом перейдем на ту сторону, в рощу.

На той стороне, в роще, гуляли пары. Солнце медленно заходило. Тони и Вик сидели под деревом и смотрели на закат. Легкий ветер шуршал в листве берез. Смолкли голоса людей. Как будто все пришли сюда искать тишины, ждать темноты и уединения. Изредка бесшумно шмыгал какой-нибудь шпион, разглядывая пары.

— Вот лисицы! — сказал Бикет. — Ух, с каким удовольствием я бы им расквасил носы!

Викторина вздохнула, крепче прижимаясь к нему. Кто-то заиграл на гитаре; зазвучал голос. Смеркалось, где-то всходила луна, и маленькие тени крались по земле.

Они говорили шепотом. Казалось, нельзя повышать голос, казалось — они в заколдованной роще. Они и говорили-то мало. Роса покрыла траву, но они ее не замечали. Рука с рукой, щека к щеке, они сидели совершенно тихо. Бикет думал: вот это настоящая поэзия, самая настоящая. Темнота, бледные серебристые отблески, звуки пьяной песни, гул запоздалых машин, возвращающихся с севера, и вдруг — уханье совы.

— Ой, сова! — Викторина вздрогнула. — Только подумай! Я когда-то слышала сову в Норбитоне. Ведь это не плохая примета, нет?

Бикет встал, потягиваясь.

— Пойдем, — сказал он, — вот это был день! Смотри только не простудись!

Под руку они медленно вышли из темноты березовой рощи, радуясь фонарям, уличному шуму и людному вокзалу, словно пресытясь уединением.

Забравшись в угол вагона подземки, Бикет лениво просматривал брошенную кем-то газету. А Викторина думала о такой массе вещей, что ей казалось, будто она ни о чем не думает. Карусель, темная роща, деньги в чулке. Странно, что Тони не замечает, как они шуршат, — а держать их больше негде. Что это он так пристально рассматривает? Она заглянула через его плечо и прочла: «Отдых дриады» — поразительная картина Обри Грина на выставке в галерее Думетриуса».

У Викторины замерло сердце.

— Вот так штука! — сказал Бикет. — Смотри, правда, похоже на тебя?

— На меня? Нет!

Бикет всмотрелся в газету.

— Нет, похоже. Совсем ты, как вылитая! Я вырежу ее. Вот бы посмотреть эту картину!

Кровь хлынула к щекам Викторины — так быстро заколотилось сердце!

— Это неприлично, — проговорила она.

— Не знаю — прилично или нет, только ужас до чего похоже на тебя. Даже улыбка — и то твоя.

Сложив газету, он стал отрывать лист с картиной. Мизинец Викторины прижался к пачке бумажек в чулке.

— Странно, — сказала она, — подумать только, что люди могут быть так похожи друг на друга.

— Никогда не думал, что кто-нибудь может быть похож на тебя. Черинг-Кросс — нам пересадка.

В сутолоке крысиных ходов подземки она тихонько сунула руку в его карман, и вскоре обрывки разорванной бумаги упали на землю за Викториной, пробиравшейся в толкотне вслед за мужем. Лишь бы он не вспомнил, где выставлена эта картина.

Ночью она не спала и думала:

«Все равно! Я все-таки достану остальные деньги — вот и все!»

Но сердце ее странно екнуло — как будто она вдруг ступила на край зыбкой трясины.

II. СЛУЖЕБНЫЕ ДЕЛА

Майкл сидел и правил гранки книги «Подделки», которую оставил ему Уилфрид.

— Можете принять Баттерфилда, сэр?

— Могу.

Имя Баттерфилда вызвало в Майкле чувство неловкой гордости. Молодой человек с неизменно возрастающим успехом выполнял должность, на которую был взят на пробу четыре месяца назад. Главный агент даже назвал его «находкой». После издания «Медяков» он был вторым достижением Майкла. Книготорговцы покупали плохо, но Баттерфилд распродавал книги — так по крайней мере Майклу говорили; у него был особый дар внушать доверие там, где оно не могло оправдаться. Дэнби и Уинтер даже поручили ему распространить частным образом роскошное нумерованное издание «Дуэта», которым они хотели покрыть убытки от простого издания этой книги. Сейчас Баттерфилд распространял книгу по списку: туда входили люди, которые как будто должны были поддержать автора этого небольшого шедевра. Такой личный подход к покупателю предложил сам Баттерфилд.

— Видите ли, сэр, — сказал он Майклу, — я немного знаком с системой Куэ. Конечно, на торговцах ее не попробуешь — они ни во что не верят. Да и чего от них ждать? Каждый день они покупают всякие книги, руководствуясь только тем, что у них обычно идет в продажу. Вряд ли вы найдете одного из двадцати, который поддержал бы новое начинание. Но некоторым джентльменам и особенно некоторым леди можно внушить мысль, как делает Куэ, — внушать им ежедневно всеми способами, что данный автор становится все более и более знаменитым, — и десять против одного, что в следующий раз, когда вы к ним зайдете, эта мысль засядет у них в подсознании, особенно если вам удастся застать их после обеда или завтрака, когда они чуточку осовели. Дайте срок, сэр, и я это издание для вас продам.

— Ну, знаете, — ответил Майкл, — если вы сможете внушить людям, что мой родитель имеет будущее, то вы заслуживаете больше, чем причитающиеся вам десять процентов.

— Я могу это сделать, сэр. Тут вся суть только в вере.

— Но сами-то вы неверующий?

— Нет, что касается автора, то не совсем. Но я верю, что я могу их заставить поверить, вот в чем суть.

— Понимаю, фокус с тремя картами: внушите людям, даже если сами не верите, что карта тут, и они возьмут ее. Ну а разочарование наступает не сразу. Вы успеете закрыть за собой дверь. Что же, валяйте!

Баттерфилд только улыбнулся...

Неловкость примешивалась к гордости Майкла потому, что Старый Форсайт без конца повторял ему, что ничего не знает — не может сказать, верно ли то, что Баттерфилд рассказал об Элдерсоне, — и дальше ни с места...

— С добрым утром, сэр. Можете уделить мне пять минут?

— Входите, Баттерфилд. Засыпались с «Дуэтом»?

— Нет, сэр. Я уже продал сорок экземпляров. Тут другое дело. — И, бросив взгляд на закрытую дверь, он подошел ближе. — Я иду по списку в алфавитном порядке. Вчера я дошел до «Э», — он понизил голос: — мистер Элдерсон.

— Фью! — сказал Майкл. — Его-то вы можете пропустить.

— В том-то и дело, сэр, что я его не пропустил.

— Как? Пошли в атаку?

— Да, сэр. Вчера вечером.

— Молодец, Баттерфилд! Ну и что же?

— Я не назвал своей фамилии — просто просил передать ему карточку фирмы.

Майкл заметил, что в голосе Баттерфилда зазвучало очень понятное злорадство.

— Ну?

— Мистер Элдерсон, сэр, кончал обедать. Я заранее подготовился и сделал вид, что я его никогда раньше не встречал. И поразило меня то, что он принял это как должное!

— Не выкинул вас за дверь?

— Наоборот, сэр. Он сразу сказал: «Запишите за мной два экземпляра».

Майкл рассмеялся.

— Ну и нахалы же вы оба.

— Нет, сэр, в том-то и дело. Мистер Элдерсон был очень недоволен. Ему это было неприятно.

— Не понимаю, — сказал Майкл.

— Неприятно, что я служу у вас, сэр. Ведь он знает, что вы здесь компаньон и что мистер Форсайт — ваш тесть, не правда ли?

— Знает, конечно.

— Вот видите, сэр, и выходит, что два директора поверили мне, а не ему. Вот почему я его и не пропустил. Я решил, что это его немного встряхнет. Я случайно увидел его лицо в зеркале, когда уходил. Он, по-моему, здорово струсил.

Майкл грыз указательный палец, испытывая что-то вроде сочувствия к Элдерсону, как к мухе, на которую паук накинул свою первую петлю.

— Спасибо, Баттерфилд.

Когда тот ушел, он сел, царапая перочинным ножом промокашку на столе. Что это, своеобразное «классовое» чувство? А может быть, просто сочувствие к преследуемому, нервная дрожь при мысли, что человеку некуда скрыться? Ибо тут, безусловно, были явные улики, и ему придется сообщить об этом отцу и Старому Форсайту. Очевидно, храбрость покинула Элдерсона, иначе он бы сказал: «Наглый негодяй! Сейчас же убирайтесь вон!» Ясно, что это было бы единственно правильное поведение не повинного ни в чем человека и единственно разумное поведение человека виновного. Что ж! Нервы иногда сдают — даже самые крепкие. Взять хотя бы корректуру, которую он только что закончил:

ПОЛЕВОЙ СУД

Я человек — не лучше вас, не хуже:
Кровь, нервы, мускулы, костяк.
Легко ль мне было драться в дождь и в стужу?
Попробовали б сами так!
Когда бы вы умели — не блистать
Мундиром, выправкою бравой.
А вместе с нами мерзнуть, голодать,
Тогда б сказать имели право:
«Его из всех, кто был тогда в бою,
За трусость расстреляйте первым!
Кто служит родине и королю,
Не знает, что такое нервы!»[1]

Эх, Уилфрид, Уилфрид!

— В чем дело, мисс Перрен?

— Письмо к сэру Джемсу Фоггарту, мистер Монт; вы просили вам напомнить. И потом — вы можете принять мисс Мануэлли?

— Мисс Ман... О-о, да, конечно!

Маленькая жена Бикета, чье лицо использовано для обложки

[1] Перевод И.Романовича.

сторбертовского романа, натурщица для картины Обри Грина! Майкл встал: она уже была в комнате.

«Ага, помню это платье, — подумал он. — Флер никогда его не любила».

— Чем могу быть полезен, миссис Бикет? А как поживает Бикет, кстати?

— Ничего, сэр, спасибо.

— Все еще торгует шарами?

— Да.

— Ну, все мы связаны с воздушными шарами.

— Как вы сказали?

— Висим в воздухе — не так ли? Но ведь вы не об этом хотели со мной поговорить?

— Нет, сэр.

Легкий румянец на впалых щеках, пальцы теребят поношенные перчатки, губы неуверенно полуоткрыты; но глаза смотрят прямо — удивительное существо, честное слово!

— Помните, сэр, вы дали мне записку к мистеру Грину?

— Да, и я видел, что из этого вышло, — картина замечательная, миссис Бикет.

— Да, но она попала в газеты; мой муж вчера увидел ее — а он ведь ничего не знает.

Фью! Ну и подвел он эту девочку!

— Я заработала на этом много денег, сэр, почти хватит на билеты в Австралию. Но теперь я боюсь. Он говорит: «Смотри, как похоже на тебя». Я разорвала газету, но что, если он запомнил название галереи и пойдет посмотреть картину? Там я еще больше похожа на себя. Он может дойти до мистера Грина. Так вот, не поговорите ли вы с мистером Грином, сэр, и не попросите ли его сказать, что это — совсем не я, в случае если Тони пойдет к нему?

— Конечно, скажу, — сказал Майкл. — Но почему вы боитесь, что Бикет рассердится, раз это вас так выручило? Ведь профессию натурщицы можно считать вполне приличным ремеслом.

Викторина прижала руки к груди.

— Да, — сказала она просто. — Я вела себя совершенно прилично. И я взялась за это только потому, что нам так хочется уехать, и я не могу выносить, не могу видеть, как он стоит на тротуаре и продает эти шары в сырости и в тумане. Но сейчас, сэр, я так боюсь.

Майкл посмотрел на нее.

— Да, — сказал он, — скверная штука — деньги.

Викторина слабо улыбнулась:

— Хуже, когда их нет, сэр.

— Сколько вам еще не хватает?

— Еще только около десяти фунтов, сэр.

— Это я могу вам одолжить.

— О, спасибо! Но не в этом дело — я легко могу их заработать, я уже привыкла; еще несколько дней не играют роли.

— А как же вы объясните, откуда вы достали деньги?

— Скажу, что выиграла на скачках.

— Слабо, — сказал Майкл. — Слушайте, скажите, что вы пришли ко мне и я вам дал их в долг. Если Бикет захочет мне их прислать из Австралии, я могу снова переслать их туда на ваше имя. Я вас очень подвел, и я хотел бы вас выручить.

— О нет, сэр! Вы мне оказали большую услугу. Я не хочу, чтобы вы лгали из-за меня.

— Это меня ничуть не смущает, миссис Бикет. Я могу врать без запинки, если это безвредная ложь. Самое главное — это поскорее вам уехать. Много есть еще картин, писанных с вас?

— Да, уйма, — только там меня не узнать — они такие странные, как будто из кубиков.

— Обри-то нарисовал вас как живую.

— Да, Тони сказал, что это вылитая я.

— Вот именно. Ладно, я поговорю с Обри, я его увижу за завтраком. Вот вам десять фунтов. Значит — решено. Вы сегодня были у меня — понятно? Скажите, что вас просто осенило. Я совершенно вас понимаю. Вы для него готовы на что угодно, а он — для вас. Ну ладно, ладно, не надо плакать!

Викторина судорожно глотнула воздух. Рука в поношенной перчатке ответила на пожатие Майкла.

— Я на вашем месте сказал бы ему все сегодня же, — добавил Майкл, — а я подготовлю остальное.

Когда она ушла, он подумал: «Надеюсь, Бикету не придет в голову, что я получил вознаграждение за эти шестьдесят фунтов!» — и, нажав кнопку звонка, он снова стал царапать промокашку на столе.

— Вы звонили, мистер Монт?

— Да, будем продолжать, мисс Перрен.

«Уважаемый сэр Джемс Фоггарт, мы уделили чрезвычайное внимание Вашему весьма интересному... м-м... труду. Хотя мы и считаем, что Ваши взгляды на теперешнее положение Великобритании среди других стран изложены прекрасно и представят большой интерес для каждого... м-м... вдумчивого человека, но мы не уверены, что таких людей... м-м... достаточно, чтобы книгу можно было издать без убытка. Мы опасаемся, как бы Ваша... м-м... точка зрения, что Великобритания должна искать спасения в распределении рынков, населения, спроса и предложения в пределах самой империи, к тому же изложенная чрезвычайно прямолинейно, не вызвала злобу всех политических партий, мы также считаем, что Ваше предложение — вывозить из Англии целые партии мальчиков и девочек, пока их еще не успела испортить городская цивилизация, — только вызовет раздражение у рабочего класса, понятия не имеющего о жизни вне своей страны и, как известно, не желающего дать своим детям возможность попытать счастья в других краях».

— Так и написать, мистер Монт?

— Да, только чуть-чуть смягчите. М-м... «И, наконец, Ваш взгляд на то, что на земле надо сеять хлеб, так необычен в наши дни, что мы предчувствуем враждебные выпады против Вашей книги во всей печати, исключая, пожалуй, старую гвардию, неунывающих консерваторов и нескольких понимающих людей».

— Дальше, мистер Монт.

— «В период неустойчивого равновесия», так и напишите, мисс Перрен, «при полной нереальности надежд, устаревших и сданных на свалку», почти так и напишите, мисс Перрен, «ни один план с расчетом на будущее и с откладыванием урожая еще на двадцать лет не может рассчитывать на популярность. Из этого Вы сами поймете причину, почему Вы... м-м... должны искать себе другого издателя». Словом — спасибо, что-то не хочется. «Остаемся с... — ну, там сами знаете, с чем, — уважаемый сэр Джемс Фоггарт. Ваши покорные слуги *Дэнби и Уинтер*». Когда вы это переведете, мисс Перрен, принесите, я подпишу.

— Хорошо. Но, мистер Монт, я думала, вы — социалист. А ведь это... вы простите, что я спрашиваю.

— Мисс Перрен, я недавно обнаружил, что время всяких ярлычков прошло. Как может человек быть кем-то определенным, когда все висит в воздухе? Возьмите либералов. Им видеть ситуацию мешает свобода торговли; лейбористской партии — налог на капитал; а консерваторам — идеи протекционизма; словом, все они опутаны лозунгами. Старый сэр Джемс Фоггарт чертовски прав, но никто не подумает его слушать. Его книга — только перевод бумаги, если ее кто-либо издаст. Мир сейчас — очень нереальная штука, мисс Перрен, а из всех стран — мы самая нереальная.

— Почему, мистер Монт?

— Почему? Да потому, что мы с бо́льшим упорством, чем любая другая нация, держимся за то, что, в сущности, у нас, как ни в одной другой стране, давным-давно лопнуло. Во всяком случае, нечего было мистеру Дэнби поручать мне это письмо, если он не собирался меня развлекать. Да, кстати, раз мы об этом заговорили, мне придется отказаться от новой книги Хэролда Мастера: может, это ошибка, но они не желают ее печатать.

— Но почему же, мистер Монт? Ведь «Рыдающая черепаха» имела такой успех!

— Да, но в новой книжке у Мастера появилась определенная мысль, которая неизбежно заставляет его что-то сказать. Уинтер говорит, что те, кто расхвалил «Рыдающую черепаху» как величайшее произведение искусства, конечно, за это на него накинутся; а мистер Дэнби называет эту книгу клеветой на человечество. Так что все против нее. Ну, давайте писать.

«Дорогой Мастер!

В увлечении своей темой Вы, очевидно, сами не заметили, как испортили всю музыку. В «Рыдающей черепахе» Вы вполне сыгрались с половиной оркестра, причем с самой... м-м... шумной половиной. Вы были очаровательно архаичны и достаточно хладнокровны. Что же Вы теперь наделали? Взяли в герои последнего туземца с Маркизских островов и переселили его в Лондон. Ваш роман — едчайшая сатира, настоящая критика жизни. Я уверен, что Вы не хотели писать о современности или копаться в нашей действительности; но тема увлекла Вас за собой. Холодная едкость и хладнокровие — вещи разные, сами понимаете, не говоря уже о том, что Вам пришлось отказаться от архаического стиля. Конечно, я лично считаю новый роман во сто раз лучше «Рыдающей черепахи» — то была приятная книжечка, о которой и сказать, в сущности, нечего. Но я не публика, и я — не критика. Молодые и худые будут огорчены тем, что Вы недостаточно современны, они скажут, что Вы морализируете; старые и толстые назовут Вас скептиком, разрушителем, а рядовые читатели примут Вашего островитянина всерьез и обидятся, что он у Вас лучше них. Как видите, перспектива не из веселых. Как же, по-вашему, мы «провернем» такую книжку? Очевидно, никак. Таково решение издательства. Я с ним не согласен: я издал бы книгу завтра же; но ничего не поделать, раз все в руках Дэнби и Уинтера. Итак, с большим сожалением я возвращаю то, что считаю настоящим произведением искусства.

Всегда Ваш *Майкл Монт*».

— А знаете, мисс Перрен, по-моему, вам не надо это переводить.

— Да, боюсь, это будет трудно.

— Отлично; но первое письмо обязательно переделайте. Я сейчас повезу жену на выставку; к четырем вернусь. Ах да, если тут зайдет один человек по фамилии Бикет — он когда-то у нас служил, — и спросит меня, пусть его проведут сюда. Только надо меня предупредить. Вы скажете об этом в конторе?

— Конечно, мистер Монт. Да, я хотела... скажите, не с этой ли мисс Мануэлли написана обложка для романа мистера Сторберта?

— Именно, мисс Перрен. Я сам ее отыскал.

— Очень интересное лицо, правда?

— Боюсь, что единственное в своем роде.

— По-моему, в этом нет ничего плохого.

— Как сказать, — проговорил Майкл и стал ковырять промокашку.

III. «ОТДЫХ ДРИАДЫ»

Флер, изящная как всегда, умело скрывала то, что Майкл называл «одиннадцатым баронетом», — он должен был появиться месяца через два. Она как будто душой и телом приспособилась к спокойному и неуклонному коллекционированию наследника. Майкл знал, что с самого начала по совету матери она пыталась влиять на пол будущего ребенка, повторяя перед сном и утром слова: «Изо дня в день, из часа в час он все больше становится мальчиком», — это должно было повлиять на подсознание, которое, как теперь уверяли, направляет ход событий; и она никогда не говорила: «Я обязательно хочу мальчика», потому что это, вызвав реакцию, привело бы к рождению девочки. Майкл заметил, что она все больше и больше дружит с матерью, как будто французские черты самой Флер были больше связаны с процессами, происходившими в ее теле. Она часто уезжала в Мейплдерхем в машине Сомса, а ее мать часто гостила на Саут-сквер. Присутствие красивой Аннет, в ее излюбленных черных кружевах, всегда было приятно Майклу, который не забыл, как она его поддержала в то время, когда все надежды казались потерянными. Хотя он все еще чувствовал, что не проник дальше порога в сердце Флер, и готовился играть вторую скрипку при «одиннадцатом баронете», все же после отъезда Уилфрида ему стало много легче. Его забавляло и трогало, что Флер сосредоточила все свои коллекционерские инстинкты на чем-то, не принадлежащем ни к какой эпохе, одинаково свойственном всем векам.

В сопровождении самого Обри Грина экспедиция на выставку в галерею Думетриуса отбыла из Саут-сквер после раннего завтрака.

— Ваша дриада заходила сегодня утром ко мне, Обри, — сказал Майкл в автомобиле. — Она хотела, чтобы я попросил вас всячески отпираться, если ее муж налетит на вас с обвинениями за то, что вы рисовали его жену. Он где-то видел репродукцию с картины.

— Гм-м-м, — пробормотал художник. — Что вы скажете, Флер, нужно отпираться?

— Конечно, Обри, непременно.

Улыбка Обри скользнула от Флер к Майклу.

— Как его фамилия?

— Бикет.

Обри Грин устремил глаза в пространство и медленно произнес:

> — Озлившийся Бикет сердито
> Сказал мне: «Вы будете биты:
> Как две капли — жена,
> И притом — обнажена,
> Мистер Грин, постыдились бы вы-то!»

— Обри, как не стыдно!

— Бросьте, Обри, — сказал Майкл. — Я говорю серьезно. Она страшно храброе маленькое существо. Она заработала деньги, которые им были нужны, и осталась вполне порядочной женщиной.

— Что касается меня — несомненно.

— Я думаю!

— Почему, Флер?

— Вы не губитель женщин, Обри.

— По правде говоря, она возбуждала во мне эстетическое чувство.

— Вот уж что не спасло бы ее от некоторых эстетов! — сказал Майкл.

— А кроме того, она из Путни.

— Вот это — уважительная причина. Значит, вы непременно дадите отпор, если Бикет к вам разлетится?

Обри Грин положил руку на сердце.

— Вот и приехали.

Заботясь об одиннадцатом баронете, Майкл выбрал час, когда истинные поклонники Обри Грина еще завтракали. Растрепанный юноша и три бледно-зеленые девицы одиноко бродили по галерее. Художник сразу провел их к своему шедевру; несколько минут все стояли перед картиной, как подобало, словно парализованные. Сразу рассыпаться в похвалах было неудобно; заговорить слишком поздно — тоже бестактно; говорить слишком восторженно прозвучало бы фальшиво; холодно проронить: «Очень мило, очень мило», — обидело бы. Сказать прямо: «Знаете, милый, говоря по правде, мне она ни чуточки не нравится», — разозлило бы художника окончательно.

Наконец Майкл тихонько ущипнул Флер, и она сказала:

— Действительно прелесть, Обри, и ужасно похоже, по крайней мере...

— Насколько можно судить. Но, право же, вы удивительно поймали сходство. Боюсь, что Бикет тоже так подумает.

— Бросьте, — сказал художник, — лучше скажите, как вы находите цветовую гамму?

— Прекрасно. Особенно тон тела; правда, Флер?

— Да, только мне кажется, что тень с этой стороны должна бы быть чуть глубже.

— Да? — уронил художник. — Пожалуй!

— Вы уловили дух, — сказал Майкл, — но вот что я скажу вам, дорогой мой, откровенно: в картине есть какой-то смысл. Не знаю, что с вами за это сделает критика.

Обри Грин улыбнулся.

— Это в ней была самая худшая черта. Она сама меня на это навела. Фатальная штука — заразиться идеей.

— Я лично с этим не согласен, а ты, Флер?

— Конечно, нет; только об этом не принято говорить.

— А пора бы, нечего плестись в хвосте за кафе «Крильон». Знаете, волосы здорово сделаны, и пальцы на ногах тоже — просто так и шевелятся, когда смотришь на них.

— И до чего приятно, когда ноги не изображены в виде всяких кубов. Кстати, Обри, асфодели похожи на цветы «Мадонны в гроте» Леонардо.

— Вся картина слегка в Леонардовом стиле, Обри. Придется вам с этим примириться.

— Да, Обри, мой отец видел эту картину. Кажется, он на нее зарится. Его поразило одно ваше замечание — про белую обезьяну, помните?

Обри Грин широко развел руками.

— Ну как же! Замечательная обезьяна! Только подумать — нарисовать такую вещь! Есть апельсин, разбрасывать кожуру и спрашивать взглядом: к чему все это?

— Мораль! — сказал Майкл. — Поосторожнее, старина! Ну, всего доброго! Вот наше такси. Идем, Флер. Оставим Обри наедине с его совестью.

В такси он взял ее за руку.

— Бедная птаха, этот Бикет! Что, если бы я наткнулся на тебя, как он — на свою жену!

— Я не выглядела бы так мило.

— Что ты! Гораздо милее, по-моему. Хотя, по правде сказать, она тоже очень мило выглядит.

— Так чего же Бикету огорчаться в наше просвещенное время?

— Чего? Господи, детка! Уж не думаешь ли ты, что Бикет... я хочу только сказать, что мы, люди без предрассудков, считаем, что мы — весь мир. Так вот, это все чепуха. Мы — только маленькая, шумная кучка. Мы говорим так, будто все прежние критерии и предрассудки исчезли; но они исчезли не больше, чем сельские дачки и серенькие городские домишки.

— Почему вдруг такая горячность, Майкл?

— Знаешь, милая, мне просто немножко приелась вся наша компания и ее манера держаться. Если бы эмансипация действительно существовала, это можно было бы выдержать. Но это не так. Между современностью и тем, что было тридцать лет назад, нет разницы и в десять процентов.

— Откуда ты знаешь? Тебя тогда на свете не было.

— Верно. Но я читаю газеты, говорю со всякими людьми и присматриваюсь к лицам. Наша компания думает, что они — как скатерть на столе, но они — только бахрома. Знаешь ли ты, что всего каких-нибудь сто пятьдесят тысяч человек у нас в Англии слышали бетховенскую симфонию? А сколько же, по-твоему, считают старика Бетховена устаревшим? Ну, может быть, наберется пять тысяч человек из сорока двух миллионов. Где же тут эмансипация?

Он замолчал, заметив, как опустились ее веки.

— Я думала, Майкл, что надо бы переменить занавески у меня в спальне — сделать голубые. Я видела вчера у Хартона как раз тот цвет, какой нужно. Говорят, что голубой цвет хорошо влияет на настроение, теперешние мои занавески слишком кричащие.

Одиннадцатый баронет!

— Все что хочешь, душенька. Сделай голубой потолок, если это нужно.

— Ну нет! А вот ковер тоже можно переменить — я видела чудесный серовато-голубой у Хартона.

— Ну, купи его. Хочешь сейчас съездить туда? Я могу вернуться в издательство подземкой.

— Да, по-моему, лучше съездить, а то еще упущу ковер.

Майкл высунул голову в окно.

— К Хартону, пожалуйста!

И, поправляя шляпу, он посмотрел на Флер. Вот она, эмансипированная женщина!

IV. ОТДЫХ БИКЕТА

Примерно в этот же час Бикет вернулся в свою комнату и поставил на место лоток. Все утро под сенью св. Павла он переживал Троицын день. Ноги у него гудели от усталости, и в мыслях было неспокойно. Он тешил себя надеждой, что будет иногда ради отдыха поглядывать на картинку, которая казалась ему почти фотографией Вик. А картинка затерялась! И ведь он ничего не вынимал из кармана — только повесил пальто. Неужели она вылетела в сутолоке или он сунул ее мимо кармана и уронил в вагоне? Ему ведь еще хотелось и оригинал посмотреть. Он помнил, что название галереи начиналось на «Д», и потратил за завтраком полтора пенса на газету, чтобы посмотреть объявления. Наверно, имя иностранное, раз картина с голой женщиной. «Думетриус». Ага! Он самый!

Как только он вернулся на свое место, ему сразу повезло. Тот самый «олдермен», которого он столько месяцев не видел, опять прошел мимо. Словно по наитию, Бикет сразу сказал:

— Надеюсь, что вижу вас в добром здоровье, сэр. Никогда не забываю вашу доброту.

«Олдермен», глядевший вверх, точно увидел на куполе св. Павла сороку, остановился, как в столбняке.

— Доброту? — спросил он. — Какую доброту? Ага, шары! Мне они были ни к чему.

— Конечно, сэр, конечно, — почтительно согласился Бикет.

— Ну, вот вам, — проворчал «олдермен», — только в другой раз не рассчитывайте.

Полкроны! Целых полкроны! Взгляд Бикета провожал удалявшуюся фигуру. «В добрый час!» — тихо пробормотал он и стал складывать лоток. «Пойду домой, отдохну малость, а потом поведу Вик смотреть эту картину. Забавно будет поглядеть на нее вдвоем».

Но Вик не было дома. Он сел и закурил. Ему было обидно, что ее не оказалось дома в первый его свободный день. Конечно, не сидеть же ей весь день в комнате. И все-таки! Он подождал минут двадцать, потом надел костюм и ботинки Майкла.

«Пойду посмотрю один, — решил он. — И стоить будет вдвое дешевле. Пожалуй, сдерут шесть пенсов, не меньше!»

С него содрали шиллинг — целый шиллинг, четверть его дневного заработка! — за то, чтоб посмотреть какую-то картину! Он робко вошел. Там были дамы, которые пахли духами и говорили нараспев, но внешностью они и в подметки не годились его Викторине! Одна из них за его спиной сказала:

— Посмотрите! Вот это сам Обри Грин! А вон его картина, о которой столько говорят, «Отдых дриады».

Дамы прошли мимо Бикета. Он пошел за ними. В конце комнаты, заслоненная платьями и каталогами, мелькнула картина. Пот проступил на лбу Бикета. Почти в натуральную величину, среди цветов и пушистых трав, ему улыбалось лицо — точный портрет Викторины! Неужели кто-нибудь на свете так похож на нее? Эта мысль была ему обидна: так обиделся бы коллекционер, найдя дубликат вещи, которую он считал уникумом.

— Изумительная картина, мистер Грин! Что за тип!

Молодой человек, без шляпы, со светлыми, откинутыми назад волосами, ответил:

— Находка — не правда ли?

— Удивительно — воплощенная душа лесной нимфы! И какая загадочная!

Это самое слово всегда говорили про Викторину! Тьфу, наваждение! Вот она лежит тут — всем напоказ, только потому, что какая-то проклятая баба как две капли воды похожа на нее. Ярость сдавила горло Бикету, кровь бросилась ему в голову, и вместе с тем какая-то странная физическая ревность охватила его. Этот художник! Какое он имел право рисовать женщину, похожую на Вик, — женщину, которая не посовестилась лежать в таком виде! А тут еще эти со всякими разговорами насчет кьяроскуро, и язычества, и какого-то типа Ленеарда! Черт бы побрал их фокусы и кривляние. Он хотел отойти — и не мог, прикованный к этому образу, так таинственно напоминавшему ту, которая до сих пор принадлежала только ему. Глупо так расстраиваться из-за совпадения, но ему хотелось разбить стекло и раскромсать это тело в клочки. Дамы с художником ушли, оставив его наедине с картиной. Без посторонних было не так обидно. Лицо было тоскливое, грустное и с такой дразнящей улыбкой! Сущее наваждение, право! «Ладно, — подумал Бикет, — надо пойти домой к Вик! Хорошо, что я ее не привел сюда глядеть на свою копию. Будь я олдерменом, я бы купил эту проклятую штуку и сжег».

И вдруг у входа Бикет увидел своего «олдермена», разговаривающего с каким-то чумазым иностранцем. Бикет замер в полном изумлении.

— Это вошходящая жвезда, миштер Форшайт, — услышал Бикет, — цены на его вещи поднимаются.

— Все это верно, Думетриус, но не каждому в наши дни доступна такая цена — слишком дорого!

— Хорошо, миштер Форшайт, вам я уштуплю дешть процентов.

— Уступите двадцать, и я покупаю.

Плечи «чумазого» поднялись вровень с его волосатыми ушами — нет, даже выше! А улыбка-то, улыбка!

— Миштер Форшайт! Пятнадцать, шэр!

— Хорошо, уговорили; только пошлите картину на квартиру к моей дочери, на Саут-сквер — вы знаете адрес? Когда у вас закрывается?

— Пошлежавтра, шэр.

Вот как! Значит, подделка под Вик перешла к этому «олдермену»?

Бикет яростно скрипнул зубами и выскользнул на улицу.

Он испытывал странное чувство. Не зря ли он так волнуется? Ведь в конце концов это не она. Но знать, что другая женщина может так же улыбаться, что у нее такие же черные кудри, те же изгибы тела! И он вглядывался в лицо каждой встречной женщины — ну совсем иное, совсем не похоже на Вик!

Когда он пришел домой, он увидел Вик посреди комнаты, с воздушным шариком у губ. Вокруг нее на полу, на стульях, на столе, на камине лежали надутые шары — весь его запас; один за другим они отлетали от ее губ и садились, куда хотели, — пунцовые, оранжевые, зеленые, красные, синие, оживляя своей пестротой унылую комнату. Все его шары надуты! А Вик стояла среди них, в своем лучшем платье, улыбающаяся, странно возбужденная.

— Что за представление? — воскликнул Бикет.

Приподняв платье, она вынула из чулка пачку хрустящих бумажек и протянула ему.

— Смотри! Шестьдесят четыре фунта, Тони! Я раздобыла все, что надо. Можем ехать!

— Что?!

— Меня точно осенило — пошла к мистеру Монту, который нам тогда прислал вещи, и он одолжил нам эти деньги. Когда-нибудь мы с ним расплатимся. Ну, разве это не чудо?

Бикет впился испуганными, как у кролика, глазами в ее лицо. Эта улыбка, этот взволнованный румянец! Странное чувство шевельнулось в нем — не обман ли все это? Вик не похожа на Вик! Нет! И вдруг ее руки обвились вокруг его шеи и влажные губы припали к его губам. Она прильнула к нему так, что он не мог шевельнуться. Голова закружилась.

— Наконец! Наконец-то! Как чудесно! Поцелуй меня, Тони.

Бикет обнял ее; его страсть была неподдельна, но за ней, временно заглушенное, вставало чувство какой-то нереальности...

Когда это случилось — вечером или уже ночью пришло первое сомнение — призрачное, робкое, настойчивое, неотвязное, оно на рассвете вгрызлось ему в душу, сковало его оцепенением. Деньги — картина — пропавшая газета — и это чувство нереальности. То, что она ему рассказала... Разве так бывает? Зачем мистер Монт станет давать в долг деньги? Она с ним виделась — это несомненно: комната, секретарша — она так безошибочно описала мисс Перрен. Откуда же это грызущее сомнение? Деньги — такая куча денег! С мистером Монтом... нет, никогда! Он настоящий джентльмен. Ох, какая же он свинья, что допускает такую мысль о Вик! Он повернулся к ней спиной, попробовал уснуть. Но разве уснешь, когда заползет такое подозрение? Нет! А ее лицо среди шаров — как она зацеловала его глаза, как замутила ему голову так, что он ни подумать, ни спросить, ни сказать ничего не мог. От смутных подозрений, от тоски и неизвестности, от трепетной надежды и видений Австралии Бикет встал совсем измученный.

— Так, — сказал он за завтраком, запивая какао хлеб с маргарином. — Я, во всяком случае, должен повидаться с мистером Монтом, — и вдруг он добавил, глядя ей прямо в лицо: — Вик?

Она ответила на его взгляд так же твердо и прямо — да, прямо. Ох, и свинья же он!..

Когда он ушел, Викторина остановилась посреди комнаты, прижав руки к груди. Она спала еще меньше его. Лежа тихо, как мышь, она без конца думала одно и то же: поверил ли он? поверил ли он? А вдруг не поверил — что тогда? Она вынула деньги, за которые было куплено — или продано? — их счастье, и еще раз пересчитала их. Обида на его несправедливость жгла ее. Разве ей хотелось стоять в таком виде перед мужчинами? Разве ей все это легко досталось? Да ведь она могла получить эти шестьдесят фунтов три месяца назад от того скульптора, который по ней с ума сходил — так он по крайней мере уверял ее. Но она выдержала испытание, да, выдержала. Тони совершенно не за что на нее сердиться, даже если б он узнал все. Ведь она это сделала ради него — главным образом ради него, — чтобы он не продавал эти шары во всякую погоду! Если б не она, они так бы и сидели ни с чем, а впереди зима, и безработица, как пишут в газетах, все растет! Опять сидеть в холоде, в тумане! Брр! Ведь у нее все еще иногда побаливает грудь, а он вечно хрипит. И эта тесная комнатушка, эта кровать, такая узкая, что невозможно повернуться, не разбудив его. Почему Тони сомневается в ней? А ведь он сомневается. Она поняла это из его робкого «Вик?». Убедит ли его мистер Монт? Тони такой хитрый. Она опустила голову. До чего все на свете несправедливо! У одних есть все, как у хорошенькой жены мистера Монта. А когда пытаешься найти выход и попытать заново счастья — вот что получается! Она тряхнула волосами. Тони должен ей поверить, должен. Если нет — она ему покажет. Она ничего не сделала стыдного. Ничего, совершенно ничего! И, как будто стремясь пойти вперед и повести за собой свое счастье, она вынула старый обитый жестью сундучок и аккуратно стала складывать в него вещи.

V. МАЙКЛ ДАЕТ СОВЕТЫ

Майкл все еще сидел над корректурой «Подделок». Кроме «чертовых куличек», у него не было никакого адреса, и послать корректуру было некуда. Восток велик, а Уилфрид не подавал признаков жизни. Вспоминает ли о нем теперь Флер? Майклу казалось, что не вспоминает. А Уилфрид — ну, он, вероятно, тоже начал ее забывать. Даже страсть не может жить, не питаясь.

— К вам мистер Форсайт, сэр.

Привидение в царстве книги!

— А, попросите его зайти.

Сомс вошел, неодобрительно оглядываясь.

— Это ваш кабинет? — спросил он. — Я зашел сообщить, что купил эту картину Обри Грина. Найдется у вас, где ее повесить?

— Конечно, найдется, — сказал Майкл. — Превосходная вещь, сэр, не правда ли?

— М-мда, — проворчал Сомс, — по нашим временам неплохо. Он далеко пойдет.

— Он большой поклонник «Белой обезьяны», которую вы нам подарили.

— А-а! Я сейчас занялся китайской живописью. Если я буду и дальше покупать... — Сомс остановился.

— Да, они что-то вроде противоядия, сэр, не так ли? Помните «Земной рай»? А гуси! У них перышки можно пересчитать.

Сомс не отвечал; он, очевидно, думал: «И как это я пропустил эти вещи, когда они только что появились на рынке?» Он поднял зонтик и, словно указывая на все издательское дело, спросил:

— А как Баттерфилд с этим справляется?

— Ах да, я как раз хотел вам сообщить, сэр. Он пришел вчера и рассказал, что видел на днях Элдерсона. Он зашел предложить ему экземпляр нумерованного издания книги, которую написал мой отец. Элдерсон не сказал ни слова и купил две штуки.

— Не может быть!

— Баттерфилду показалось, что его посещение здорово смутило Элдерсона. Ведь он, наверно, знает, что я связан с этой фирмой и что я — ваш зять.

Сомс нахмурился.

— Не знаю, стоит ли дразнить спящую собаку. Ну, во всяком случае, я сейчас иду туда.

— Упомяните о книге, сэр, и посмотрите, как Элдерсон это примет. Не возьмете ли и вы один экземпляр? Вы все равно состоите в списке. Баттерфилд хотел сегодня к вам зайти. Я вас избавлю от отказа. Вот книга — очень мило издана. Стоит гинею.

— «Дуэт», — прочел Сомс. — Это о чем же? Музыка?

— Не совсем. Кошачий концерт с участием призраков Гладстона и Дизраэли.

— Я мало читаю, — сказал Сомс. Он вынул бумажник. — Почему вы не берете за нее фунт? Вот вам еще шиллинг.

— Бесконечно благодарен, сэр. Я уверен, что отец будет страшно доволен, когда узнает, что вы купили книгу.

— Вот как? — Сомс чуть заметно улыбнулся. — А вы здесь работаете когда-нибудь?

— Да, пытаемся кое-что сделать.

— Сколько вы зарабатываете?

— Я лично около пятисот фунтов в год.

— И это все?

— Да, но я считаю, что больше трехсот я и не стою.

— Гм-м! Мне казалось, что вы отошли от своего увлечения социализмом?

— Кажется, да, сэр. Как-то он не вязался с моим положением.

— Да, — сказал Сомс. — Флер выглядит как будто хорошо.

— О, она молодцом. Она проделывает эти упражнения по Куэ, знаете?

Сомс прищурился.

— Это влияние матери, — проворчал он, — я в этом не разбираюсь. До свидания!

Он пошел к двери. Его спина казалась очень положительной и реальной. Он скрылся за дверью, и с ним как будто ушло чувство определенности.

Майкл взял корректуру и прочел два стихотворения. Горькие, как хина! Какое волнение, какая тоска в каждом слове! Вот уж где нет ничего китайского! В конце концов люди пожилые, вроде его отца и Старого Форсайта, правда, по-разному, но все же имеют какую-то опору. «В чем дело? — подумал Майкл. — Что у нас неладно? Мы активны, умны, самоуверенны — и все же не удовлетворены. Если бы только что-нибудь нас увлекло или разозлило! Мы отрицаем религию, традицию, собственность, жалость; а что мы ставим на их место? Красоту? Ерунда! С такими-то критериями, как Уолтер Нэйзинг и кафе «Крильон»? И все же какая-то цель у нас должна быть. Творить лучшую жизнь? Что-то непохоже. Загробный мир? Наверно, мне надо заняться спиритизмом, как сказал бы Старый Форсайт. Но духи только и делают, что болтаются между загробным миром и нашим, вряд ли они менее взбалмошны, чем мы!»

Так куда же, куда мы идем?

«К черту, — подумал Майкл, вставая из-за стола, — попробую продиктовать объявление!»

— Мисс Перрен, пожалуйста, зайдите ко мне. Объявление о новой книжке Дезерта для библиографических журналов: «Дэнби и Уинтер в скором времени выпускают стихи «Подделки». Поэт — автор «Медяков», имевших непревзойденный успех в текущем году». Как по-вашему, мисс Перрен, сколько издателей в нынешнем году так писало про свои книги? «В новых стихах — тот же блеск и живость, та же изумительная техника, что и в первом сборнике молодого автора».

— Блеск и живость, мистер Монт? Разве это так?

— Конечно, нет. Но что сказать — все то же отчаяние и пессимизм?

— Нет, нет. Но, может быть, лучше сказать: «Та же блестящая певучесть, те же изменчивые и оригинальные настроения».

— Можно, только дороже будет стоить. Напишите: «Тот же оригинальный блеск», на это они сразу клюнут. Мы обожаем все «оригинальное», но у нас ничего не выходит: утрировка еще, пожалуй, выходит, а «оригинальное» никак.

— Вот у мистера Дезерта выходит.

— Да, изредка; но больше, пожалуй, ни у кого. Где уж им быть «оригинальными», кишка тонка, — извините за выражение, мисс Перрен.

— Что вы, мистер Монт! Там вас ждет этот молодой человек, Бикет.

— Он пришел, да? — Майкл взял папироску. — Дайте мне собраться с духом, мисс Перрен, и зовите его сюда.

«Ложь во спасение, — подумал он. — Попробуем!»

Появление Бикета в комнате, где он был в последний раз по такому неприятному поводу, было отмечено некоторой натянутостью. Майкл стоял у камина с папиросой, Бикет стал спиной к высокой стопке модного романа с надписью «Изумительный новый роман» на обложке. Майкл кивнул.

— Здоро́во, Бикет.

Бикет кивнул.

— Как вы поживаете, сэр?

— Замечательно, спасибо.

Наступило молчание.

— Вот что, — наконец проговорил Майкл. — Я предполагаю, что вы пришли по поводу той небольшой суммы, которую я одолжил вашей жене. Вы не беспокойтесь, отдавать не к спеху.

И вдруг он заметил, что маленький человечек ужасно расстроен. И какое странное выражение в этих огромных, как у креветки, глазах, которые как будто хотят выскочить из орбит. Майкл поспешил добавить:

— Я сам верю в Австралию. Я считаю, что вы абсолютно правы, Бикет, и чем скорее вы уедете, тем лучше. Ваша жена неважно выглядит.

Бикет глотнул воздух.

— Сэр, — сказал он, — вы со мной поступили как джентльмен, и мне трудно говорить.

— Ну и не надо.

Кровь хлынула в лицо Бикету, и странным показался румянец на бледном, изможденном лице.

— Вы не так поняли меня, — сказал он. — Я пришел просить вас сказать мне правду. — Он вдруг вытащил из кармана бумажку: Майкл узнал смятую обложку романа.

— Я сорвал это с книги на прилавке, там, внизу. Глядите. Это моя жена?

Он протянул Майклу обложку.

Майкл растерянно глядел на обложку сторбертовского романа. Одно дело произнести «ложь во спасение», заранее ее обдумав, другое дело — отрицать очевидность.

Но Бикет и не дал ему говорить.

— Я по вашему лицу вижу, что это она, — сказал он. — Что же это такое? Я желаю знать правду — *я должен* знать правду! Если это ее лицо, значит, там, в галерее, — ее тело... Обри Грин, то же имя. Что же это значит? — Его лицо стало грозным, его простонародный акцент зазвучал резче. — Что за штуку она со мной разыграла? Я не уйду отсюда, пока вы не скажете!

Майкл сдвинул каблуки по-военному и сказал внушительно:

— Спокойней, Бикет!

— Спокойней! Посмотрел бы я, как вы были бы спокойны, если б ваша жена... И столько денег! Да вы ей никогда и не давали денег — никогда! И не говорите мне об этом!

Майкл принял твердое решение. Никакой лжи!

— Я одолжил ей десять фунтов, чтобы получилась круглая сумма, — вот и все; остальное она заработала честным трудом, и вы должны ею гордиться.

Бикет даже раскрыл рот.

— Гордиться? А как она их заработала? Гордиться! Господи ты боже мой!

— В качестве натурщицы. — Голос Майкла звучал холодно. — Я сам дал ей рекомендацию к моему другу, мистеру Грину, в тот день, когда вы со мной завтракали. Надеюсь, вы слышали о натурщицах?

Пальцы Бикета рвали обложку, обрывки падали на пол.

— Натурщицы! — воскликнул он. — Для художников — да, слышал, еще бы... Свиньи!

— Не больше свиньи, чем вы сами, Бикет. Будьте добры не оскорблять моего друга. Возьмите же себя в руки, слышите? Закурите-ка!

Бикет оттолкнул протянутый портсигар.

— Я... я так гордился ею, а она со мной вот что сделала! — Звук, похожий на рыдание, вырвался из его груди.

— Вы ею гордились, — сказал Майкл, и его голос стал резче, — а когда она делает для вас все, что в ее силах, вы от нее отрекаетесь — выходит так? Что ж, по-вашему, ей все это доставляло удовольствие?

Бикет вдруг закрыл лицо руками.

— Разве я знаю, — пробормотал он чуть слышно.

Жалость волной охватила Майкла. Жалость? Долой!

Он сухо проговорил:

— Перестаньте, Бикет. Вы, кажется, забыли, что вы сами-то сделали для нее?

Бикет отнял руки от лица и дико уставился на Майкла.

— Уж не рассказали ли вы ей об этом?

— Нет, но расскажу непременно, если только вы не возьмете себя в руки.

— Да не все ли мне равно — рассказывайте. Лежать в таком виде перед всем светом! Шестьдесят фунтов! Честно заработала! Думаете, я так и поверил? — Отчаяние звучало в его голосе.

— Ах так! — сказал Майкл. — Да ведь вы просто не верите потому, что вы невежественны, как те свиньи, о которых вы только что говорили. Женщина может сделать то, что сделала ваша жена, и остаться абсолютно порядочной — я вот нисколько не сомневаюсь, что так оно и было. Достаточно посмотреть на нее и послушать, как она об этом говорит. Она пошла на это, потому что не могла вынести, что вы продаете шары. Она пошла на это, потому что хотела вытащить вас из грязи и найти выход для вас обоих. А теперь, когда этот выход найден, вы подымаете такую бучу. Бросьте, Бикет, будьте молодцом! А как, по-вашему, если бы я ей рассказал, что вы для нее сделали, она бы тоже так ныла и выла? Никогда! И вы поступили по-человечески, и она поступила по-человечески, черт возьми! И, пожалуйста, этого не забывайте.

Бикет снова глотнул воздуху.

— Хорошо вам рассуждать, — сказал он упрямо, — с вами таких вещей не бывало.

Майкла сразу охватило смущение. Нет, с ним этого не бывало! И все прежние сомнения относительно Флер и Уилфрида будто ударили его по лицу.

— Слушайте, Бикет, — сказал он вдруг, — неужели вы сомневаетесь в любви своей жены? В этом ведь все дело. Я видел ее только два раза, но я не понимаю, как можно ей не верить. Если бы она вас не любила, зачем же ей тогда ехать с вами в Австралию, раз она знает, что может заработать здесь большие деньги и весело жить, если захочет. Я могу поручиться за моего друга Грина. Он — сама порядочность, и я знаю, что он не позволил себе ничего лишнего.

Но, глядя Бикету в лицо, он сам подумал: «А все прочие художники тоже были «сама порядочность»?»

— Слушайте, Бикет! Всем нам приходится иногда в жизни тяжко — и это для нас хорошая проверка. Вам просто надо верить ей — и все; тут ничего больше не поделаешь.

— Выставляться напоказ перед всем светом! — Слова с трудом выходили из пересохшего горла. — Я видел, как картину вчера купил какой-то треклятый олдермен.

Майкл невольно усмехнулся такому определению Старого Форсайта.

— Если хотите знать, — сказал он, — картина куплена моим тестем нам в подарок и будет висеть в нашем доме. И потом, имейте в виду, Бикет, это превосходная вещь.

— Еще бы! — воскликнул Бикет. — За деньги-то! Деньги все могут купить. Они могут и человека купить со всеми потрохами!

«Нет, — подумал Майкл, — с ним ничего не поделаешь. Какая уж тут эмансипация! Он никогда, вероятно, и не слыхал о древних греках. А если и слыхал, то считает их сворой распутных иностранцев. Нет, надо этот разговор кончать». И вдруг он увидел, что слезы выступили на огромных глазах Бикета и покатились по впалым щекам.

Вконец расстроившись, Майкл сказал:

— Когда попадете в Австралию, вы обо всем этом даже и не вспомните. Черт возьми, Бикет, будьте же мужчиной! Она сделала это из лучших побуждений. Будь я на вашем месте, я никогда бы и виду не подал, что все знаю. Наверно, и она так поступила бы, если б я рассказал ей, как вы таскали эти злополучные «Медяки».

Бикет сжал кулаки, что до смешного противоречило его слезам, потом, не добавив ни слова, повернулся и поплелся к двери.

«Н-да, — подумал Майкл, — ясно, что давать советы не моя специальность. Несчастный он человечишка!»

VI. КВИТЫ

Шатаясь, как слепой, шел Бикет по Стрэнду. Характер у него от природы был спокойный, и после нервной вспышки он чувствовал себя совершенно больным и разбитым. Солнце и ходьба понемногу восстанавливали способность мыслить. Он узнал правду. Но вся ли это правда? Неужели все эти деньги она заработала без... Если бы он поверил этому, то, может быть, там, далеко от этого города, где люди за шиллинг могут ее видеть голой, все могло бы забыться. Но столько денег! И даже если и так, если все заработано «честно», как утверждает мистер Монт, сколько дней, перед сколькими мужчинами выставляла она свою наготу! Он громко застонал. Мысль о возвращении домой, о предстоящей сцене, о том, что он мог вдруг узнать во время этой сцены, была просто невыносима. И все-таки надо идти домой. Лучше бы ему стоять на тротуаре и торговать шарами. Вот теперь он свободен впервые в жизни, словно какой-нибудь чертов олдермен, — ему только и дела, что пойти и взять билет туда, к этим распроклятым бабочкам! Но чему он обязан этой свободой? Даже мысль об этом была невыносима, и отвлечься от этой мысли нечем. Лучше бы он спер эти деньги из кассы магазина. Лучше бы на совести лежала кража, чем эта страшная, злая мужская ревность. «Будьте мужчиной!» Легко сказать. «Возьмите себя в руки — ведь она сделала это ради вас!» Лучше бы она этого не делала! Блэкфрайерский мост! Нырнуть туда, в грязную воду, — и конец. Нет, еще раза три всплывешь, а потом тебя выловят живьем да еще посадят за это — и ничего не выиграешь, даже не получишь удовольствия от того, что Вик увидит, что она наделала, когда придет опознавать труп. Смерть есть смерть — и ему никогда не узнать, что Вик будет чувствовать после его смерти. Он плелся по мосту, уставившись в землю. Вот и Дич-стрит — как он, бывало, проходя здесь, торопился к Вик, когда она болела воспалением легких. Неужто никогда больше не вернется это чувство? Он пробрался мимо окна и вошел.

Викторина все еще сидела над бурым, обитым жестью сундучком. Она выпрямилась, и ее лицо стало холодным и усталым.

— Ну, я вижу, ты все знаешь, — проговорила она.

Бикету нужно было сделать только два шага в этой крохотной комнатушке. Он шагнул к жене и положил руки ей на плечи. Лицо его пододвинулось вплотную, большие глаза напряженно впились в ее зрачки.

— Я знаю, что ты выставляла себя напоказ перед всем Лондоном; теперь я хочу знать остальное.

Викторина широко открыла глаза.

— Остальное! — В ее голосе даже не звучал вопрос, она просто повторила это слово без всякого выражения.

— Да, — хрипло сказал Бикет, — остальное, ну?

— Если ты думаешь, что было «остальное», — достаточно!

Бикет отдернул руки.

— Ох, ради всего святого, не говори ты загадками. Я и так чуть не спятил.

— Вижу, — сказала Викторина, — вижу, что ты не тот, за кого я тебя принимала. Ты думаешь, мне самой это было приятно?

Она приподняла платье и вынула деньги.

— Вот, возьми. Можешь ехать в Австралию без меня.

— И предоставить тебя этим проклятым художникам! — хрипло крикнул Бикет.

— И предоставить меня самой себе. Бери!

Но Бикет отступил к двери, с ужасом глядя на деньги.

— Нет, я не возьму!

— Но я их не могу оставить себе. Я их заработала, чтобы вытащить тебя из этой ямы.

Наступило долгое молчание. Бумажки лежали между ними на столе — почти новые, хрустящие, чуть засаленные, — они таили желанную, долгожданную свободу, счастливую жизнь вдвоем, на солнышке. Так они и лежали; никто не хотел их брать. Что же делать?

— Вик, — сказал наконец Бикет хриплым шепотом, — поклянись, что ты ни разу не позволила им коснуться тебя.

— Да, в этом я могу поклясться.

И она могла улыбаться при этих словах — улыбаться своей загадочной улыбкой! Как верить ей? Столько месяцев она жила, скрывая от него все, а потом — солгала ему! Он опустился на стул около стола и уронил голову на руки.

Викторина отвернулась и стала обвязывать сундучок старой веревкой. Бикет поднял голову, услышав звяканье крышки. Значит, она в самом деле хочет уйти от него? Вся жизнь показалась ему разбитой, пустой, как шелуха ореха на Хэмстед-Хисе. Слезы покатились у него из глаз.

— Когда ты была больна, — сказал он, — я воровал для тебя. Меня за это выкинули со службы.

Она быстро обернулась к нему.

— Тони, ты мне никогда этого не говорил. Что ты крал?

— Книги. Все твое усиленное питание — с этих книг.

Целую минуту она стояла, глядя на него без слов, потом молча протянула руки; Бикет схватил их.

— Мне ни до чего дела нет, — задыхаясь, прошептал он, — клянусь богом! Лишь бы ты любила меня, Вик!

— И мне тоже! Ох, уедем отсюда, Тони, из этой ужасной комнатушки, из этой ужасной страны. Уедем, уедем подальше!

— Да, — сказал Бикет и прижал к глазам ее ладони.

VII. БЕСЕДА С ЭЛДЕРСОНОМ

Сомс ушел от Дэнби и Уинтера, думая то об Элдерсоне, то о «Белой обезьяне». Как и предполагала Флер, он крепко запомнил слова Обри Грина об этой картине, уцелевшем обломке жизни Джорджа Форсайта. «Есть плоды жизни, разбрасывать кожуру — и попасться на этом». Сомс пытался применить эти слова к области деловой.

Страна явно проживала свой капитал. При сокращении морских перевозок и кризисе на европейском рынке Англия импортировала продовольствие, за которое не могла расплатиться. По мнению Сомса, они на этом попадутся, и даже очень скоро. Престиж Британии — очень хорошая вещь, предмет восхищения всего мира и все прочее, но нельзя жить без конца одним восхищением. А тут застой в морских перевозках, разорение целого ряда концернов и толпы безработных — веселенькая история, нечего сказать! Даже страхование должно будет пострадать от этого. Может, Элдерсон все это предвидел и заблаговременно обеспечивает себя? Если все равно в конце концов попадешься — какой смысл быть честным? Эта мысль была так цинична, что вся форсайтская натура Сомса восстала против нее, — и все же она навязчиво лезла в голову. Стоит ли при всеобщем банкротстве трудиться, думать о будущем, оставаться честным?

Даже консерваторы перестали называться консерваторами — как будто это слово стало смешным и «консервировать» уже нечего. «Есть плоды, разбрасывать кожуру и в конце концов попасться на этом». Этот молодой художник хорошо сказал, и картину он сделал тоже хорошо, хотя Думетриус, как всегда, заломил несуразную цену. Куда Флер повесит картину? Возможно, в холле — там хорошее освещение, а тех, кто у них бывает, вряд ли особенно смутит обнаженное тело. Интересно, куда девались все картины с нагой натурой? Ему как-то не попадались картины с нагим телом — их так же трудно было найти, как пресловутого мертвого осла. Сомсу вдруг представилась вереница умирающих ослов, бредущих на край света с грузом этюдов обнаженного тела. Отгоняя от себя это экстравагантное видение, он поднял глаза и увидел вполне реальный собор Св. Павла. Этого бедняги с цветными шарами что-то не видно. Впрочем, все равно сказать ему нечего. По странной ассоциации Сомс вспомнил о цели своего похода — об ОГС и полугодовом отчете. По его предложению они постановили просто списать эти германские дела — чистого убытку на двести тридцать тысяч фунтов! Дивидендов никаких не будет, и даже на следующее полугодие перейдет дебет. Но лучше вырвать гнилой зуб сразу и покончить с этим; акционеры за шесть месяцев до общего собрания привыкнут к потере. Он сам уже привык, и они со временем тоже привыкнут. Акционеры редко злятся, если их не пугать, — долготерпеливая публика!

В конторе старый клерк, как всегда, наполнял чернильницы из бутыли.

— Директор здесь?

— Да, сэр.

— Пожалуйста, скажите, что я пришел.

Старый клерк вышел. Сомс взглянул на часы. Двенадцать! Тоненький луч света скользнул по обоям и полу. В комнате не было ничего живого, кроме синей мухи и тикающих часов, даже свежей газеты не было. Сомс следил за мухой. Он вспомнил, как в детстве предпочитал синих мух простым за их яркую окраску. Это был урок. Яркие вещи, блестящие люди — самое опасное в жизни. Взять хоть кайзера и этого пресловутого итальянского поэта — как его там? А их собственный фигляр! Он не удивится, если окажется, что Элдерсон — блестящий человек в личной жизни. Что же он не идет? Может быть, виной этой задержки встреча с молодым Баттерфилдом? Муха поползла по стеклу, упала, жужжа, снова поползла; солнечный луч крался по полу.

В комнате стояла пустота и тишина, словно воплощение основного правила страхования. «Незыблемость и неизменность».

«Что же мне, вечно здесь торчать?» — подумал Сомс и подошел к окну. На этой широкой улице, выходившей к реке, солнце освещало только нескольких пешеходов и тележку разносчика, но дальше, на главной улице, грохотало и шумело уличное движение. Лондон! Чудовищный город! И весь застрахован! Что с ним будет через тридцать лет? И только подумать, что будет существовать Лондон, которого он не увидит. Ему стало жаль города, жаль себя. Даже старого Грэдмена не будет. Вероятно, страховые общества позаботятся обо всем — а может быть, и нет. И вдруг он увидел Элдерсона. Он был вполне элегантен, в светлом костюме, с гвоздикой в петлице.

— Размышляете о будущем, мистер Форсайт?

— Нет, — ответил Сомс. Как этот человек угадал его мысли?

— Я рад, что вы зашли. Я имею возможность поблагодарить вас за тот интерес, какой вы проявляете к делам Общества. Это очень редко бывает. Обычно директор-распорядитель все делает один.

Насмехается? Тон у него очень оживленный, даже слегка нахальный. Хорошее настроение всегда казалось Сомсу подозрительным — обычно тут крылась какая-то причина.

— Если бы все директора относились к делу так же добросовестно, как вы, можно было бы спать спокойно. Я прямо скажу вам, что помощь, которую мне оказывало правление до того, как вы стали его членом, была... ну, скажем, просто ничтожной.

Льстит! Наверно, ведет к чему-то!

Элдерсон продолжал:

— Могу сказать вам то, чего не мог сказать никому другому: я очень недоволен тем, как идут дела, мистер Форсайт. Англия скоро увидит, в каком положении она очутилась.

Услышав такое неожиданное подтверждение своих собственных мыслей, Сомс вдруг ощутил реакцию.

— Нечего плакать прежде, чем мы расшиблись. Фунт стоит высоко, мы еще крепко сидим.

— Сидим в калоше! И если не принять решительных мер, мы так там и останемся. А вы знаете, что всякие решительные меры — это дезорганизация, и ощутимых результатов надо ждать годами.

И как этот человек мог говорить такие вещи и при этом блестеть и сиять, как новый медяк? Это подтверждало теорию Сомса:

видно, ему безразлично, что будет. И вдруг Сомс решил попробовать.

— Кстати, о годах ожидания: я пришел сказать, что нужно, по-моему, созвать собрание пайщиков по поводу этих убытков на германских контрактах.

Сомс проговорил эти слова, глядя в пол, и внезапно поднял голову. Светло-серые глаза Элдерсона встретили его взгляд не сморгнув.

— Я ждал, что вы это предложите, — сказал он.

«Как же, ждал ты», — подумал Сомс, потому что он сам это только что придумал.

— Конечно, соберите акционеров, но вряд ли правление это одобрит.

Сомс удержался, чтобы не сказать: «И я тоже».

— И пайщики не одобрят. По долголетнему опыту я знаю, что чем меньше вы их впутываете во всякие неприятности, тем лучше для всех.

— Может быть, и так, — сказал Сомс, упрямо стоя на своем, — но это один из видов порочного нежелания смотреть фактам в глаза.

— Не думаю, мистер Форсайт, что вы в будущем сможете обвинить меня в том, что я не смотрел фактам в глаза.

В будущем! Черт возьми, на что же этот человек намекает?

— Во всяком случае, я предложу это на ближайшем заседании правления, — сказал он.

— Конечно! — поддержал Элдерсон. — Самое лучшее — всегда доводить дело до конца, не так ли?

Снова чуть заметная ирония. Как будто он что-то скрывал. Сомс машинально посмотрел на манжеты этого человека, отлично выглаженные, с голубой полоской; на его пикейный жилет и пестрый галстук — настоящий денди. Ничего, сейчас он ему закатит вторую порцию!

— Кстати, — сказал он, — Монт написал книгу. Я купил один экземпляр.

Не сморгнул! Только чуть больше обнажились зубы — безусловно, фальшивые!

— А я взял две. Милый, бедный Монт!

Сомс почувствовал себя побежденным. Этот тип был забронирован, как краб, отлакирован, как испанский стол.

— Ну, мне надо идти, — объявил Сомс.

Директор-распорядитель протянул ему руку.

— Прощайте, мистер Форсайт. Я так вам благодарен!

Что это, Элдерсон даже пожимает ему руку? Сомс вышел смущенный. Так редко жали ему руку. Он почувствовал, что это его сбило с толку. А может, это только заключительная сцена умелой комедии? Как знать! Однако теперь у него было еще меньше желания созывать собрание пайщиков, чем раньше. Нет, это просто был пробный камень — и тут Сомс промахнулся. Впрочем, другой камешек — насчет Баттерфилда — попал в цель. Если бы Элдерсон был невиновен, он обязательно сказал бы: «Какая наглость — это посещение». Хотя у такого типа достанет хладнокровия нарочно смолчать, чтобы подразнить человека. Нет! Ничего не попишешь, как теперь говорят. У Сомса было так же мало доказательств виновности, как и раньше, и он, откровенно говоря, был этому рад. Ни к чему такой скандал не приведет, разве что очернит все Общество вместе с директорами. Люди ведь так неосторожны — они никогда не знают, где остановиться, не разбираются в том, кто действительно виноват. Надо держаться начеку и продолжать свое дело. Нечего тревожить осиное гнездо. Сомс шел и думал об этом, как вдруг его окликнул голос:

— Приятная встреча, Форсайт! Нам по дороге?

Старый Монт спускался по лестнице из «Клуба шутников».

— А вам куда? — спросил Сомс.

— Иду завтракать в «Аэроплан».

— А-а, в этот новомодный клуб?

— Он идет в гору, вы знаете, идет в гору!

— Я только что видел Элдерсона. Он купил два экземпляра вашей книги.

— Да что вы! Вот бедняга!

Сомс слегка улыбнулся.

— Он то же самое сказал про вас! А как вы думаете, кто ему их продал? Молодой Баттерфилд!

— И он еще жив?

— Был жив сегодня утром.

Сэр Лоренс хитро сощурился.

— Знаете, что я думаю, Форсайт. Говорят, что у Элдерсона на содержании две женщины.

Сомс раскрыл глаза. Это мысль! Все объясняется тогда очень просто.

— Моя жена говорит, что одна из них безусловно лишняя. А вы что скажете?

— Я? — сказал Сомс. — Я только знаю, что этот человек хладнокровен, как рыба. Ну, мне сюда! До свидания!

Нет, никакой помощи от этого баронетишки не дождаться. Решительно ничего не принимает всерьез. Две женщины у Элдерсона! В его-то годы! Ну и жизнь! И всегда находятся такие люди, которым все мало, они идут на любой риск. Сомс не мог этого понять. Сколько ни изучай таких людей — ничего не разберешь! И все-таки такие люди существуют. Он прошел через холл в комнату, где завтракали «знатоки». Взяв со стола меню, он заказал дюжину устриц, но, вспомнив, что в названии месяца нет буквы «р», взял вместо них жареную камбалу[1].

VIII. СБЕЖАЛ

— Нет, родная, природа сдана в архив.

— Что ты хочешь этим сказать, Майкл?

— Да ты почитай романы с природой. Прилизанные описания корнуолских скал или йоркширских болот — ты была когда-нибудь на йоркширском болоте? Просто не выдержать! А романы о Дартмуре! Жуть! Этот Дартмур, откуда приходят все страсти, — а ты была там когда-нибудь? Ведь все это ерунда! А эти, которые пишут о Полинезии! Ой-ой-ой! А поэты, из тех, что «брызжут и блещут», — разве они в состоянии показать природу? Те, которые работают под сельских простачков, чуть получше, конечно. В конце концов старик Водсворт дал нам Природу с большой буквы, и она успокоительна, как бром. Конечно, есть еще настоящая природа, с маленькой буквы; если ты имеешь дело с ней, то тут обычно идет борьба не на жизнь, а на смерть. А Природу, о которой мы столько кричим, запатентовали, сделали из нее настой и разлили по бутылкам. Для современного стиля природа уже устарела.

— Ну, ладно, давай все же покатаемся по реке, Майкл. Может, выпить чаю в «Шелтере»?

Они уже подъезжали к дому, который Майкл называл «завидной резиденцией», когда Флер наклонилась вперед и, коснувшись его колена, сказала:

— Я к тебе и вполовину не так отношусь, как ты заслуживаешь, Майкл.

---

[1] Англичане утверждают, что устрицы вкусны только в те месяцы, в названиях которых есть буква «р», — то есть с сентября по апрель.

— Что ты, детка! А по-моему, так.

— Я знаю, я эгоистка, особенно теперь.

— Но ведь это из-за одиннадцатого баронета.

— Да, ребенок — большая ответственность. Я надеюсь, что он будет похож на тебя.

Майкл подвел лодку к пристани, сложил весла и сел рядом с Флер.

— Если он пойдет в меня, я его лишу наследства. Но сыновья обычно похожи на мать.

— Я говорю про характер. Я страшно хочу, чтоб он был веселый, спокойный и чтоб он чувствовал, что стоит жить на свете.

Майкл поглядел на ее губы — они дрожали, — на ее щеку, покрывшуюся легким загаром за этот день на солнце, и, наклонившись, он прижался к ее щеке.

— Я уверен, он будет славный малыш, веселый.

Флер покачала головой.

— Я не хочу, чтоб он был жадный и занят только собой — у меня, знаешь, это в крови; я вижу, как это плохо, и ничего не могу с собой сделать. Как ты умудряешься быть не таким?

Майкл взъерошил волосы свободной рукой.

— Солнце не слишком печет, маленькая?

— Нет, серьезно, Майкл, как ты умудряешься?

— Но ведь я тоже жадный. Ты ведь знаешь, как ты мне нужна. И тут уж ничем не поможешь.

Ее щека ласково потерлась об его щеку, и, осмелев, он сказал:

— Помнишь, как ты однажды вечером в этом самом месте подошла к берегу и увидела меня в лодке. Когда ты ушла, я стал на голову, чтобы охладить ее. Я тогда чуть с ума не сошел, совсем не надеялся. — Он остановился. Нет! Не стоит ей напоминать, что в тот вечер она ему сказала: «Приходите опять, когда я наверно буду знать, что не добьюсь своего». Неведомый братец!

Флер сказала спокойно:

— Я была свиньей по отношению к тебе, Майкл. Но я была страшно несчастна. Это прошло наконец, совсем прошло. Теперь все в порядке, кроме моего характера.

— Ну, это ничего. А как насчет чаю?

Рука об руку они поднялись по лужайке. Дома никого не было: Сомс уехал в Лондон. Аннет — в гости.

— Дайте нам чай на веранду, — попросила Флер.

Сидя рядом с Флер, такой счастливый, каким он себя еще не помнил, Майкл чувствовал всю прелесть Природы с большой буквы, чувствовал косые лучи солнца, запах гвоздики и роз, шелест осин. Ворковали любимые голуби Аннет, а на дальнем берегу спокойной реки высились кроны тополей. Но в конце концов он так наслаждался всем этим потому, что рядом была его любимая, и смотреть на нее, касаться ее было его радостью. И впервые он чувствовал, что ей не хочется встать и упорхнуть куда-нибудь к кому-нибудь другому. Странно, что вот так, вне тебя, может существовать другой человек, который абсолютно отнял у всего на свете значение, забрал в свои руки «всю эту музыку», и что этот человек — твоя жена! Ужасно странно, особенно если подумать, что́ ты, в сущности, такое! Он услышал голос Флер:

— Мать у меня, конечно, католичка; она не ходит в церковь потому, что живет с отцом здесь. Она и меня не очень заставляла. Но я все думаю, Майкл, как мы поступим *с ним?*

— Пусть растет, как хочет.

— Не знаю. Чему-нибудь его надо учить, ведь он пойдет в школу. Католикам религия все-таки что-то дает.

— Да, вера вслепую. Это сейчас единственный логический путь.

— Я думаю, что человеку без религии всегда кажется, что ничто на свете не имеет значения.

Майкл чуть было не сказал: «Давай воспитывать его солнцепоклонником», но вместо этого проговорил:

— Мне кажется, чему бы его ни учить — все это только пока он сам не начнет думать, а уж тогда он решит, что ему больше всего подходит.

— Ну, а твое мнение, Майкл? Ведь ты один из самых хороших людей, кого я знаю.

— Ну да, — сказал Майкл, странно польщенный. — Разве?

— Нет, серьезно, что ты об этом думаешь, Майкл?

— Видишь ли, детка, никакой доктрины я не придерживаюсь, значит, и религии у меня нет. Я считаю, что надо быть на высоте, — но это уже этика.

— Но ведь, право же, трудно ни во что не верить, кроме себя самого. Если из какой-нибудь религии можно что-либо извлечь, то не лучше ли ее принять?

Майкл улыбнулся — правда, только мысленно.

— Ты можешь поступать с одиннадцатым баронетом, как тебе будет угодно, а я буду тебе помогать. При его наследственности он, наверно, будет немножко скептиком.

— Но я не хочу этого! Мне гораздо больше хочется, чтобы он

был последовательный и убежденный. Скептицизм только лишает людей спокойствия.

— Чтобы в нем не было «белой обезьяны», да? Ну не знаю. Это, по-моему, носится в воздухе. Самое главное — вбить ему с малолетства уважение к другим людям, вбить хоть шлепками, если нужно.

Флер посмотрела на него ясными глазами и засмеялась.

— Да, — сказала она. — Моя мать пробовала так меня воспитывать, но папа запретил.

Они вернулись домой в девятом часу.

— Либо твой отец здесь, либо мой, — сказал Майкл в холле. — Вон лежит доисторическая шляпа.

— Это папина. Она внутри серая, а у Барта — беж.

Действительно, в китайской гостиной сидел Сомс, держа в руке распечатанное письмо, а у его ног Тинг-а-Линг. Сомс протянул письмо Майклу, не говоря ни слова. На письме не было ни даты, ни адреса. Майкл стал читать:

«Дорогой мистер Форсайт!

Может быть, Вы будете столь любезны доложить правлению на заседании во вторник, что я уезжаю, чтобы оказаться в безопасности от последствий каких бы то ни было грехов, если таковые за мной водились. Когда Вы получите это письмо, я буду за пределами досягаемости. Как в частной жизни, так и в делах я всегда держался того мнения, что надо уметь вовремя остановиться. Бесполезно будет предпринимать против меня судебное преследование, так как, выражаясь юридическим языком, моя особа будет неприкосновенна и никакого имущества я не оставляю. Если Ваша цель была — поймать меня в ловушку, я не могу поздравить Вас с Вашей тактикой. Если, напротив, посещение того молодого человека было инспирировано Вами как предупреждение о том, что Вы собираетесь довести дело до конца, я почитаю своим приятным долгом еще раз поблагодарить Вас, как благодарил при Вашем последнем посещении.

Остаюсь, любезный мистер Форсайт,

Ваш покорный слуга *Роберт Элдерсон*».

Майкл весело проговорил:

— Счастливое избавление! Теперь вы будете чувствовать себя спокойнее, сэр.

Сомс провел рукой по лицу, словно желая стереть застывшее на нем выражение.

— Мы обсудим это после, — сказал он. — Ваша собачонка все время сидела тут со мной.

Майкл восхищался тестем в этот момент: он явно скрывал свое огорчение ради Флер.

— Флер немного устала, — сказал он. — Мы катались по реке и пили чай в «Шелтере». Мадам не было дома. Давай сейчас же обедать, Флер.

Флер взяла на руки Тинг-а-Линга и пыталась уклониться от его жадного язычка.

— Прости, что заставили тебя ждать, папа, — пробормотала она, прячась за коричневой шерстью. — Я только пойду умоюсь, а переодеваться не стану.

Когда она ушла, Сомс протянул руку за письмом.

— Хорошая заварилась каша, а? Не знаю, чем это кончится.

— Но разве это еще не конец, сэр?

Сомс изумленно посмотрел на него. Ох, уж эта молодежь! Тут ему угрожает публичный скандал, который может привести бог весть к чему — к потере имени в Сити, возможно, и к потере состояния, а им хоть бы что! Никакого чувства ответственности, абсолютно никакого. Все дурные предчувствия, обычно одолевавшие Джемса, весь его пессимизм проснулся в Сомсе с той минуты, как ему вручили в клубе это письмо. Только удивительная выдержка следующего за Джемсом поколения мешала ему даже сейчас, когда Флер вышла из комнаты, дать волю своим страхам.

— Ваш отец в городе?

— Вероятно, сэр.

— Отлично! — Сомс, впрочем, не чувствовал особого облегчения. Этот баронетишка тоже довольно безответственный человек — заставить Сомса войти в такое правление!

А все оттого, что связываешься с людьми, воспитанными в непростительном легкомыслии, без всякого понимания ценности денег.

— Теперь, когда Элдерсон сбежал, — заговорил Сомс, — все должно открыться. Его признание у меня в руках.

— А почему бы не разорвать его, сэр, и не объявить, что Элдерсон заболел туберкулезом?

Невозможность добиться серьезности от этого молодого человека действовала на Сомса так, как если бы он объелся тяжелым пудингом.

— И, по-вашему, это было бы честно? — сурово сказал он.

— Простите, сэр, — Майкл сразу отрезвел. — Чем мне вам помочь?

— Тем, что оставите ваше легкомыслие и постараетесь скрыть все это от Флер.

— Непременно, — проговорил Майкл серьезным тоном, — обещаю вам. Буду молчать, как рыба. А что вы собираетесь предпринять?

— Нам придется созвать пайщиков и объяснить всю эту махинацию. Они, вероятно, истолкуют ее в дурную сторону.

— Но почему? Вы ведь никак не могли предотвратить то, что произошло?

Сомс сердито фыркнул.

— В жизни нет никакой связи между воздаянием и заслугами. Если война вас этому не научила, то ничто не научит.

— Так, — проговорил Майкл. — Ну, сейчас придет Флер. Вы меня извините на минуту — мы продолжим наш разговор при первой возможности.

Возможность представилась, только когда Флер легла спать.

— Вот что, сэр, — сказал Майкл, — мой отец сейчас, наверно, в «Аэроплане». Он ходит туда размышлять о конце света. Хотите, я его вызову, если завтра у вас действительно заседание правления?

Сомс кивнул. Сам он всю ночь не сомкнет глаз — чего же ему щадить Старого Монта?

Майкл подошел к китайскому шкафчику.

— Барт? Говорит Майкл. Старый Фор... мой тесть сидит у нас; он проглотил горькую пилюлю... Нет, Элдерсон. Не можете ли вы заехать и послушать?.. Он приедет, сэр. Останемся здесь или поднимемся ко мне в кабинет?

— Здесь, — сказал Сомс, пристально разглядывая «Белую обезьяну». — Не знаю, куда мы идем? — внезапно добавил он.

— Если б мы знали, мы умерли бы от скуки, сэр.

— Это ваше личное мнение. Просто не на кого положиться! Не знаю, куда это нас заведет.

— Может быть, куда-нибудь, не в ад и не в рай.

— Подумать только — человек его лет!

— Он одних лет с моим отцом, сэр; возможно, это было неважное поколение. Если бы вы побывали на войне, сэр, вы бы смотрели на жизнь веселее.

— Вы уверены? — проворчал Сомс.

— Конечно! Война здорово выбивает из колеи — это верно;

но зато когда попадешь в такую переделку, тут уж понимаешь, что такое выдержка.

Сомс поглядел на него. Неужели этот юнец читает ему лекцию о вреде пессимизма?

— Возьмите Баттерфилда, — продолжал Майкл, — ведь пошел же он к Элдерсону. Возьмите девочку, которая позировала для этой картины, — знаете, что вы нам подарили. Она — жена того упаковщика, которого от нас выперли за кражу книг. Она заработала уйму денег тем, что позировала голой; и не сбилась с пути. Теперь они едут в Австралию на эти деньги. Да возьмите и самого этого воришку: он таскал книги, чтобы подкормить жену после воспаления легких, а потом стал торговать воздушными шарами.

— Не понимаю, к чему вы все это рассказываете, — сказал Сомс.

— Я говорю о выдержке, сэр. Вы ведь сказали, что не знаете, к чему мы идем. Посмотрите хотя бы на безработных. Разве есть еще страна в мире, где они так держатся, как здесь? Право, я иногда начинаю гордиться, что я англичанин. А вы?

Слова Майкла задели что-то глубоко в душе Сомса; но, не выдавая своих переживаний, он продолжал смотреть на «Белую обезьяну». Какая тревожная, нечеловеческая и вместе с тем страшно человеческая угрюмая тоска в глазах этого существа! «Белков глаз не видно, — подумал Сомс, — должно быть, оттого это и кажется». И Джорджу нравилось, чтобы такая картина висела против его кровати! Да, у Джорджа была выдержка — шутил до последнего вздоха; настоящий англичанин этот Джордж. И все Форсайты — настоящие англичане. Старый дядя Джолион и его обращение с пайщиками; Суизин — прямой, надутый, огромный в слишком тесном для него кресле у Тимоти. «Вся эта мелкота!» — Сомс как будто слышал, как он произносит эти слова. И дядя Николас, на которого так похож этот тип, Элдерсон, — правда, только внешне, — тоже живой и очень любивший пожить человек, но совершенно вне всяких подозрений в нечестности. А старый Роджер с его причудами и немецкой бараниной! И, наконец, его собственный отец, Джемс, как он долго тянул; худой — в чем только душа держалась! — и все-таки жил да жил. А Тимоти, словно законсервированный в консолях, доживший до ста лет! Выдержка и крепкий костяк у всех этих прежних англичан, несмотря на их чудачества. И в Сомсе зашевелилась какая-то атавистическая сила воли. Поживем — увидим и другим покажем, вот и все!

Шум автомобиля вывел его из раздумья. Вошел Старый Монт — конечно, такой же чирикающий и легкомысленный, как всегда. И вместо того чтобы протянуть руку, Сомс протянул ему письмо Элдерсона.

— Ваш драгоценный школьный товарищ сбежал, — проговорил он.

Сэр Лоренс прочел письмо и свистнул.

— А куда он сбежал, по-вашему, Форсайт, — в Константинополь?

— Скорее в Монте-Карло, — угрюмо сказал Сомс. — Незаконно получал комиссию — за это власти не обязаны его выдавать.

Лицо баронета странно передернулось, что доставило Сомсу некоторое удовольствие: почувствовал все-таки!

— Я полагаю, он просто удрал от своих дам, Форсайт.

Нет, этот человек неисправим! Сомс сердито пожал плечами.

— Не мешало бы вам понять, что дело совсем скверно.

— Но, право, дорогой мой Форсайт, дело скверно уже с тех пор, как французы заняли Рур. Элдерсон благополучно скрылся, мы назначим кого-нибудь другого — только и всего.

Сомсу вдруг показалось, что он сам преувеличенно честен. Если такой почтенный человек, девятый баронет, не видит, какие обязательства налагает на них признание Элдерсона, то существуют ли эти обязательства? Нужно ли поднимать скандал и шум? Видит бог, ему лично этого не хочется! И он с трудом проговорил:

— У нас теперь на руках неопровержимое доказательство мошенничества. Мы *знаем*, что Элдерсон брал взятки за проведение сделок, на которых пайщики понесли большой убыток. Как же мы можем скрывать от них эти сведения?

— Но ведь дело уже сделано, Форсайт. Разве пайщикам поможет, если они узнают правду?

Сомс нахмурился.

— Мы — доверенные лица. Я не намерен идти на риск и скрывать этот обман. Если мы скроем его, мы станем соучастниками. В любое время все может обнаружиться.

Если в нем говорила осторожность, а не честность, — что поделать!

— Я бы хотел пощадить имя Элдерсона. Мы с ним вместе...

— Знаю, — сухо отрезал Сомс.

— Но как же может открыться, Форсайт? Элдерсон не расскажет, Баттерфилд — тоже, если вы ему прикажете. Те, кто давал взятки, и подавно будут молчать. А кроме нас троих, никто не знает. И ведь нам никакой выгоды это не дало.

Сомс молчал. Аргумент довольно веский. Конечно, крайне несправедливо, чтобы он, Сомс, нес наказание за грехи Элдерсона!

— Нет, — сказал он вдруг, — так не годится. Отступи от закона хоть раз — и неизвестно, куда это заведет. Пайщики понесли убытки, и они вправе знать все факты, которые известны директорам. Может быть, они найдут какой-нибудь способ поправить дело. Об этом не нам судить. Может быть, они найдут средство против нас самих.

— Ну если так, Форсайт, то я с вами.

Сомсу стало неприятно. Нечего Монту изображать рыцарские чувства там, где они ему ничего не стоят; если дойдет до расплаты, так пострадает не Монт, чьи земли заложены и перезаложены, а он сам, потому что его имущество можно легко реализовать.

— Прекрасно, — холодно проговорил он. — Не забудьте завтра ваши слова. Я иду спать.

Стоя в своей комнате у открытого окна, он не чувствовал себя очень добродетельным, а просто был спокойнее. Он наметил свою линию — и не отступит от нее!

IX. СОМСУ РЕШИТЕЛЬНО ВСЕ РАВНО

За этот месяц, после получения письма Элдерсона, Сомс постарел больше чем на тридцать дней. Он заставил сомневающееся правление принять его план — сообщить обо всем пайщикам; было назначено специальное собрание, и точно так же, как двадцать три года тому назад, когда он разводился с Ирэн, он должен был предстать перед публикой, так что сейчас он день и ночь уже страдал от страха перед пронзительными глазами толпы. У французов есть пословица: «Отсутствующие всегда виноваты», но Сомс сильно сомневался в ее правильности. Элдерсона на общем собрании не будет, но Сомс готов был пари держать, что вину возложат не на отсутствующего Элдерсона, а на него самого. Вообще французам нельзя доверять. Волнуясь за Флер, боясь публичного выступления, Сомс плохо спал, плохо ел и чувствовал себя прескверно. Аннет посоветовала ему пойти к врачу. Вероятно, поэтому он и не пошел. Он верил докторам, но только для других, ему же, как он обычно говорил, они никогда не помогали — скорей всего потому, что до сих пор их помощь не требовалась.

Видя, что он не слушается ее советов и с каждым днем становится все угрюмее, Аннет дала ему книжку Куэ. Он пробежал брошюрку и собирался бросить ее в поезде, но теория, какой бы экстравагантной она ему ни казалась, чем-то его привлекла. В конце концов, делает же Флер эти упражнения; к тому же они ничего не стоят, и все-таки — вдруг поможет! И помогло. Внушив себе двадцать пять раз подряд перед сном, что он чувствует себя все лучше и лучше, он в эту ночь спал так крепко, что Аннет в соседней комнате совсем не спала.

— Знаешь ли, мой друг, — сказала она за завтраком, — ты так храпел сегодня ночью, что я даже не слышала, как запел петух.

— А зачем тебе его слышать? — сказал Сомс.

— Ну, это неважно, если только ты хорошо выспался. Уж не мой ли Куэ помог тебе так чудесно заснуть?

Отчасти из нежелания поощрять Куэ, отчасти из нежелания поощрять Аннет, Сомс уклонился от ответа; но у него было странное ощущение своей силы, словно ему стало все равно, что скажут люди.

«Обязательно сегодня вечером еще раз проделаю», — подумал он.

— Ты знаешь, — продолжала Аннет, — у тебя идеальный темперамент для Куэ. Если ты излечишься от своих тревог, ты, наверно, располнеешь.

— Располнею! — И Сомс посмотрел на ее округлую фигуру. — Ты еще скажи, что я отпущу бороду!

Полнота и бороды у него ассоциировались с французами. Нет, надо за собой последить, если хочешь продолжать эту... гм... как же это назвать? Ерундой не назовешь, даже если и приходится завязывать двадцать пять узелков на веревочке. Как это по-французски! Словно перебирать четки. Сам он, правда, только просчитал по пальцам. Ощущение своей силы продолжалось и в поезде, до самого Лондона; он был убежден, что может посидеть на сквозняке, если захочет; что Флер благополучно разрешится мальчиком; что же касается ОГС, то десять против одного, что его имя не будет упомянуто в отчетах и речах.

После раннего завтрака и еще двадцати пяти внушений за кофе он отправился в Сити.

Это заседание правления перед экстренным собранием пайщиков было вроде генеральной репетиции. Предстояло выработать детали отчета, и Сомс особенно старался, чтобы была соблюдена безличная форма. Он был категорически против того, чтобы открыть пайщикам, что молодой Баттерфилд рассказал, а Элдерсон написал именно ему, надо просто сказать: «Один из членов правления». Больше ничего не надо. Разумеется, объяснения давать придется председателю и старшему директору — лорду Фонтеною. Однако Сомс убедился, что правление считает, будто именно ему нужно изложить дело перед собранием. Никто, говорили они, не может сделать это так убедительно и уверенно. Председатель сделает краткое вступление и потом попросит Сомса дать показания обо всем, что ему известно. Лорд Фонтеной настойчиво говорил:

— Это ваше дело, мистер Форсайт. Если бы не вы, Элдерсон и посейчас был бы здесь. С самого начала до самого конца вы все время шли против него; и, черт возьми, лучше бы вы этого не делали! Видите, какие вышли неприятности! Он был большой умник, мы еще о нем пожалеем. Наш новый директор-распорядитель и в подметки ему не годится. А если он и взял тайком несколько тысчонок, так ведь брал-то он с немчуры.

Вот старая морская свинка! Сомс едко возразил:

— А те четверть миллиона, которые потеряли пайщики ради этих нескольких тысчонок, — это, по-вашему, пустяк?

— Пайщики могли бы получить и прибыль, как в первый год. Кто из нас не ошибается!

Сомс переводил взгляд с лица на лицо. Никто не поддерживал Фонтеноя, но в глазах у всех, кроме, разве, Старого Монта, он прочел озлобление против себя. Как будто на этих лицах было написано: «Ничего у нас не случалось, пока вы не появились в правлении». Да, он нарушил их спокойствие — и за это его не любят. Какая несправедливость! Сомс сказал вызывающе:

— Значит, вы предоставляете все дело мне? Отлично!

Какую линию он собирался проводить и была ли у него в виду какая-либо определенная линия, он и сам не знал, но после этих слов даже «старая морская свинка» Фонтеной, и тот стал с ним несравненно любезнее. Однако, уходя с собрания, Сомс чувствовал полный упадок сил. Значит, во вторник придется ему стоять у всех на виду.

Справившись по телефону о здоровье Флер — она лежала, так как плохо себя чувствовала, — Сомс поехал домой с ощущением, что его предали. Оказывается все же, что нельзя полагаться на этого француза с его двадцатью пятью узелками. Как бы он себя хорошо ни чувствовал, его дочь, его репутация и, возможно, даже его состояние не зависели от его подсознательного «я». За обедом он молчал, а потом прошел в свою картинную галерею, чтобы все обдумать. Полчаса он простоял у открытого окна, наедине с летним вечером; и чем дольше он стоял, тем лучше понимал, что в его жизни все связано одно с другим. Его дочь — да разве не ради нее он заботится о своей репутации и о своем состоянии? Репутация? Какие они дураки, если не видят, что он был осторожен и честен, как только мог, — что ж, тем хуже для них! Его состояние... да, надо будет на всякий случай теперь же перевести на имя Флер и ее ребенка еще пятьдесят тысяч. Только бы она благополучно разрешилась! Пора Аннет совсем к ней переехать. Говорят, есть какой-то наркоз. Ей страдать — да разве можно!

Вечер медленно угасал. Солнце зашло за давно знакомые деревья. Руки Сомса, впившиеся в подоконник, почувствовали сырость росы. Аромат травы и реки подкрался к нему. Небо побледнело и стало темнеть; высыпали звезды. Он долго прожил здесь — все детство Флер, лучшие годы своей жизни. Но все-таки он не будет в отчаянии, если придется все продать, — он всей душой в Лондоне. Продать? Не слишком ли он забегает вперед? Нет, нет, до этого не дойдет! Он отвел взгляд от окна и, повернув выключатель, в тысячу первый раз обошел галерею. После свадьбы Флер он купил несколько прекрасных экземпляров, не тратил зря деньги на всяких модных художников. И продал кое-что тоже очень удачно. По его вычислениям, собрание в этой галерее стоит от семидесяти до ста тысяч фунтов; и если считать, что он иногда продавал очень выгодно, то вся коллекция обошлась ему тысяч в двадцать пять, не больше. Неплохой результат увлечения коллекционерством, уже не говоря об удовольствии. Конечно, он мог бы увлечься чем-нибудь другим: бабочками, фотографией, археологией или первыми изданиями книг; мало ли в какой области можно противопоставить свой вкус общепринятой моде и выиграть на этом; но он ни разу не пожалел, что выбрал картины. О нет! Тут было что показать за свои деньги, было больше славы, больше прибыли и больше риска. Эта мысль его самого слегка поразила: неужели он увлекся картинами, потому что в этом был риск? Риск никогда не привлекал его — по крайней мере так он думал до сих пор. Может быть, тут играло роль «подсознание»? Вдруг он сел и закрыл глаза. Надо еще раз попробовать — удивительно приятное ощущение было утром, что «все — все равно!». Он не помнил, чтобы раньше у него бывало такое чувство. Всегда ему казалось, что обязательно нужно беспокоиться, — что-то вроде страховки от неведомых зол. Но беспокойство так утомляет, так страшно утомляет. Не потушить ли свет? В книжке говорилось, что надо расслабить мускулы. По смутно освещенной комнате ложились тени; звездный свет, входя в большие окна, одевал все предметы дымкой нереальности, и Сомс тихо сидел в большом кресле. Неясное бормотание слетало с его губ: «Полнее, полнее, полнее». «Нет, нет, — подумал он, — я не то говорю». И он снова начал бормотать: «Спокойней, спокойней, спокойней». Кончики пальцев отстукивали такт. Еще, еще — надо как следует попробовать. Если бы не надо было беспокоиться! Еще, еще — «спокойней, спокойней, спокойней!». Если бы только... Его губы перестали шевелиться, седая голова упала на грудь, он погрузился в подсознание. И звездный свет одел и его дымкой нереальности.

X. НО ОСТОРОЖНОСТЬ — БЛАГОЕ ДЕЛО

Майкл совершенно не знал Сити, и он пробирался сквозь дебри Полтри в святая святых — контору «Кэткот, Кингсон и Форсайт» — с тем же чувством, с каким старые составители карт говорили: «Там, где неизвестность, воображай ужасы». Он находился в несколько задумчивом настроении, так как только что завтракал с Сибли Суоном в кафе «Крильон». Он знал всю компанию — семь человек еще более современных людей, чем Сибли Суон, кроме одного русского, до того ультрасовременного, что он даже не говорил по-французски и никто с ним не мог разговаривать. Майкл слушал, как они громили все на свете, и следил за русским, который закрывал глаза, как больной ребенок, когда упоминали кого бы то ни было из современников.

«Держись! — подумал Майкл, когда в этой свалке уже были сбиты с ног несколько его любимцев. — Бейте, режьте! Еще посмотрим, чья возьмет». Но он сдержался до момента ухода.

— Сиб, — сказал он, вставая, — ведь все эти типы — мертвецы; не убрать ли их отсюда, в такую-то жарищу?

— Что такое? — воскликнул Сибли Суон при тягостном молчании «этих типов».

— Я хочу сказать, что если они живы, то их дело совсем скверно. — И, увернувшись от брошенной шоколадки, которая попала в русского, он пошел к выходу.

Идя по улице, он размышлял: «А хорошие, в сущности, ребята! И совсем не так уж высокомерны, как воображают. Вполне человеческое желание пустить этому русскому пыль в глаза. Уф! Ну и жара!»

В этот первый день состязаний Итона с Хэрроу все скрытое тепло прохладного лета вдруг вспыхнуло и сейчас заливало Майкла, ехавшего на империале автобуса; жара заливала соломенные шляпы и бледные, потные лица, бесконечные вереницы автобусов, дельцов, полисменов, лавочников у дверей, продавцов газет, шнурков для ботинок, игрушек, бесконечные повозки и автомобили, вывески и провода — всю гигантскую путаницу огромного города, невидимым инстинктом слаженную почти до предельной точности. Майкл смотрел и недоумевал. Как это выходит, что каждый занят только собой и своим делом, а между тем все это движение идет по какому-то закону? Даже муравейник, пожалуй, не выглядит столь суетливым и беспорядочным. Обнаженные провода пересекаются, переплетаются, перепутываются — кажется, их никогда не размотаешь, и все-таки жизнь и порядок, нужный для этой жизни, каким-то образом сохраняются. «Настоящее чудо, — думал он, — жизнь современного города!» И вдруг весь этот водоворот сразу стих, как будто уничтоженный безжалостной рукой какого-нибудь верховного Сибли Суона: Майкл очутился перед тупиком. По обеим сторонам плоские дома, недавно оштукатуренные, удивительно похожие друг на друга; в конце — плоский серый дом, еще больше похожий на все остальные, и сплошной серый девственный асфальт, не запятнанный ни лошадьми, ни бензином; ни машин, ни повозок, ни полисменов, ни торговцев, ни кошек, ни мух. Никаких признаков человеческой жизни, кроме названий фирм с правой и с левой стороны каждой парадной двери.

«Кэткот, Кингсон и Форсайт. Нотариальная контора; второй этаж».

«Правь, Британия!» — подумал Майкл, поднимаясь по широкой каменной лестнице.

Его провели в комнату, где он увидел старичка с лицом мопса, с окладистой седой бородкой, в черном люстриновом пиджачке и объемистом пикейном жилете на объемистом животике. Он привстал со своего стула-вертушки навстречу Майклу.

— А-а, — сказал он, — мистер Майкл Монт, если не ошибаюсь. Я вас ждал. Мы вас долго не задержим, мистер Форсайт сейчас придет. Он вышел на минуту. Миссис Майкл, надеюсь, в добром здоровье?

— Да, спасибо, но, конечно, она...

— Понимаю, вы за нее волнуетесь. Присаживайтесь. Может быть, хотите пока почитать черновик?

Майкл покорно взял из пухлой руки большой исписанный лист и сел напротив клерка. Глядя одним глазом на старика, а другим на документ, он добросовестно читал.

— Как будто тут есть какой-то смысл, — сказал он наконец.

Старик разинул бородатый рот, как лягушка на муху, и Майкл поспешил исправить ошибку:

— Тут учитывается и то, что случится, и то, что будет, если ничего не случится, — прямо как букмекеры на скачках.

Он тут же почувствовал, что только напортил. Старик ворчливо сказал:

— Мы здесь зря время не тратим. Извините, я занят.

Майкл с искренним раскаянием следил, как старичок отмечает «птичками» какой-то длинный перечень. Он был похож на старого пса, который лежит у порога, сторожит помещение и ищет блох. Так прошло минут пять в совершенном молчании, пока не вошел Сомс.

— Вы уже здесь? — сказал он.

— Да, сэр, я постарался прийти точно в назначенное время. Какая славная, прохладная комната!

— Вы это прочли? — Сомс показал на черновик.

Майкл кивнул.

— Поняли?

— Кое-что как будто понял.

— Доход с *этих* пятидесяти тысяч, — сказал Сомс, — находится в распоряжении Флер, пока ее старший ребенок — если это будет мальчик — не достигнет двадцати одного года, после чего весь капитал безограничительно переходит к нему. Если это будет девочка, половина доходов остается в пожизненное пользование Флер, а половина будет выплачиваться ее дочери, когда та достигнет совершеннолетия или же выйдет замуж, и половина капитала переходит к ней или ее законным детям по достижении ими совершеннолетия или по вступлении в брак, в равных долях. Вторая половина капитала переходит в полную собственность Флер и может передаваться по ее завещанию или по законам наследования.

— У вас все получается удивительно ясно, — сказал Майкл.

— Погодите, — проговорил Сомс. — Если у Флер не будет детей...

Майкл вздрогнул.

— Все возможно, — серьезно произнес Сомс, — и опыт учит меня, что именно непредусмотренные обстоятельства чаще всего и возникают. В таком случае доходы принадлежат Флер до конца жизни, и капитал она может завещать, кому пожелает. Если она этого не сделает, он переходит к ближайшему родственнику. Тут предусмотрено все.

— Что же, ей надо писать новое завещание? — спросил Майкл, чувствуя, что его лоб покрывается холодным потом.

— Если пожелает. Но ее завещание предусматривает все возможности.

— Надо ли мне что-нибудь сделать?

— Нет. Я хотел вам все объяснить, прежде чем подпишу. Дайте мне, пожалуйста, документы, Грэдмен, и позовите Уиксона.

Майкл увидел, как старичок достал из шкафа лист веленевой бумаги, исписанный каллиграфическим почерком и украшенный печатями, любовно посмотрел на него и положил перед Сомсом. Когда он вышел из комнаты, Сомс сказал тихо:

— Во вторник собрание — мало ли что может быть. Но что бы ни случилось, эти деньги в безопасности.

— Вы очень добры к нам, сэр.

Сомс наклонил голову, пробуя перо.

— Боюсь, я обидел вашего старого клерка, — сказал Майкл, — он мне ужасно понравился, но я нечаянно сравнил его с букмекером.

Сомс улыбнулся.

— Грэдмен — своеобразный тип, — сказал он, — таких уже не много осталось.

Майкл думал, можно ли быть своеобразным типом до шестидесятилетнего возраста, когда «тип» вошел в сопровождении бледного человека в темном костюме.

Сомс, глядя как-то вбок, без предисловий сказал:

— Это — послесвадебный подарок моей дочери. Я подписываюсь в здравом уме и твердой памяти.

Он подписался и встал.

Бледный человек и Грэдмен тоже подписались. Когда бледный человек вышел, в комнате наступила полная тишина.

— Я вам еще нужен? — спросил Майкл.

— Да, я хочу, чтобы вы зашли со мною в банк — я положу эту дарственную вместе с другими. Я больше не приду сегодня, Грэдмен.

— До свидания, мистер Грэдмен.

Майкл услышал, как старик что-то пробормотал в бороду, почти утонувшую в ящике стола, куда он прятал документы, и вышел вслед за Сомсом.

— Вот здесь была раньше наша контора, — сказал Сомс, когда они проходили Полтри, — а до меня тут был мой отец.

— Пожалуй, тут веселее, — заметил Майкл.

— Опекуны встретят нас в банке, вы их помните?

— Двоюродные братья Флер, сэр, да?

— Троюродные. Старший сын молодого Роджера и старший сын молодого Николаса. Я выбрал молодых. Очень молодой Роджер был ранен в войну — он ничем не занимается; очень молодой Николас — юрист.

У Майкла даже уши навострились.

— А как назовут следующее поколение, сэр? «Очень, очень молодой Роджер» звучит даже обидно, правда?

— У него не будет детей при таких налогах. Он себе не может этого позволить; он серьезный малый. А как вы назовете своего, если родится мальчик?

— Мы хотели его назвать Кристофером в честь святого Павла и Колумба. Флер хочет, чтобы он был крепкий, а я — чтобы был пытливый.

— Гм-м! А если девочка?

— О-о, девочку назовем Энн.

— Так, — сказал Сомс, — очень хорошо. А вот и они!

Они подошли к банку; у входа Майкл увидел двух Форсайтов в возрасте между тридцатью и сорока, их лица с выдающимися подбородками он смутно помнил. В сопровождении человека с блестящими пуговицами они прошли в комнату, где другой человек, без пуговиц, достал лакированный ящик. Один из Форсайтов открыл его ключом. Сомс пробормотал какое-то заклинание и положил дарственную в ящик. После того как он и тот Форсайт, у которого подбородок больше выдавался, обменялись с чиновником замечаниями о банковских делах, все вышли в переднюю и расстались со словами: «Ну, до свидания!»

— Теперь, — сказал Сомс в уличном шуме и грохоте, — он, думается мне, обеспечен. Когда вы, собственно, ждете?

— Примерно через две недели.

— Вы верите в это... этот наркоз?

— Хотелось бы верить. — И Майкл снова почувствовал испарину на лбу. — Флер изумительно спокойна: она проделывает упражнения по Куэ вечером и утром.

— Ах, эти! — сказал Сомс. Он ни словом не упомянул, что сам их проделывает, не желая выдавать состояние своих нервов. — Если вы домой, я пойду с вами.

— Прекрасно.

Когда они пришли, Флер лежала на диване. Тинг-а-Линг прикорнул у нее в ногах.

— Пришел твой отец, дорогая. Он украсил наше будущее еще пятьюдесятью тысячами. Я думаю, он сам захочет тебе рассказать.

Флер беспокойно зашевелилась.

— Сейчас, погоди. Если будет такая жара, Майкл, я просто не выдержу.

— Ничего, погода переменится, детка моя. Еще дня три — и будет гроза.

Он приподнял пальцем мордочку Тинга и повернул ее к себе.

— Ну, а как бы тебя научить не совать всюду свой нос, старик? И носа-то у тебя почти что нет.

— Он чувствует, что все чего-то ждут.

— Ты умный звереныш, старина, а?

Тинг-а-Линг фыркнул.

— Майкл!

— Да, маленькая?

— Мне теперь как-то все безразлично — удивительно странное чувство.

— Это от жары.

— Нет, наверное, просто потому, что слишком долго тянется. Ведь все готово — и теперь все как-то кажется глупым. Ну еще одним человеком на свете больше или меньше — не все ли равно?

— Что ты! Конечно, нет!

— Еще один комар закружится, еще один муравей забегает.

— Не надо, Флер, — сказал Майкл тревожно, — это у тебя просто настроение.

— Вышла книга Уилфрида?

— Завтра выходит.

— Ты прости, что я так тебя огорчала тогда. Мне просто не хотелось его потерять.

Майкл взял ее руку.

— А мне, думаешь, хотелось?

— Он, конечно, ни разу не написал?

— Нет.

— Что ж, наверно, у него все прошло. Нет ничего постоянного в мире.

Майкл прижался щекой к ее руке.

— Кроме меня, — проговорил он.

Рука соскользнула к его губам.

— Передай папе привет и скажи ему, что я спущусь к чаю. Ой, как мне жарко!

Майкл минутку помедлил и вышел. Черт бы подрал эту жару — бедняжка совсем измучилась.

Внизу Сомс стоял перед «Белой обезьяной».

— Я бы снял ее на вашем месте, — проворчал он, — пока все не кончится.

— Почему, сэр? — удивился Майкл.

Сомс нахмурился.

— Эти глаза!

Майкл подошел к картине. Да! Не обезьяна, а какое-то наваждение.

— Но ведь это исключительная работа, сэр.

— С художественной точки зрения — конечно. Но в такое время надо быть поосторожнее с тем, что Флер видит.

— Пожалуй, вы правы. Давайте ее снимем.

— Я подержу, — сказал Сомс и взялся за раму.

— Крепко? Вот так! Ну, снимаю.

— Можете сказать Флер, что я взял ее, чтобы определить, к какой эпохе она относится, — заметил Сомс, когда картина была спущена на пол.

— Тут и сомнения быть не может, сэр, — к нашей, конечно.

— Что? Ах, вы хотите сказать... Да! гм-м... ага! Не говорите ей, что картина здесь.

— Нет, я ее запрячу подальше. — И Майкл поднял картину. — Можно вас попросить открыть дверь, сэр?

— Я вернусь к чаю, — сказал Сомс. — Выйдет, как будто я отвозил картину. Потом можете ее опять повесить.

— Конечно. Бедная зверюга! — И Майкл унес «Обезьяну» в чулан.

XI. С МАЛЕНЬКОЙ БУКВЫ

Вечером в следующий понедельник, когда Флер легла спать, Майкл и Сомс сидели в китайской комнате; в открытые окна вливался лондонский шум и томительная жара.

— Говорят, война убила чувство, — сказал Сомс внезапно. — Это правда?

— Отчасти да, сэр. Мы видели действительность так близко, что она нам больше не нужна.

— Не понимаю.

— Я хочу сказать, что только действительность заставляет человека чувствовать. А если сделать вид, что ничего не существует, — значит, и чувствовать не надо. Очень неплохо выходит — правда, только до известного предела.

— А-а! — протянул Сомс. — Ее мать завтра переезжает сюда совсем. Собрание пайщиков ОГС назначено на половину третьего. Спокойной ночи!

Майкл следил из окна, как жара черной тучей сгущается над сквером. Несколько теплых капель упало на его протянутую ладонь. Кошка, прокравшись мимо фонарного столба, исчезала в густой, почти первобытной тени.

Странный вопрос задал ему Старый Форсайт о чувствах. Странно, что именно он спрашивает об этом. «До известного предела! Но не переходим ли мы иногда этот предел?» — подумал Майкл. Взять, например, Уилфрида и его самого — после войны они считали богохульством не признавать, что надо только есть, пить и веселиться: ведь все равно завтра умирать! Даже такие люди, как Нэйзинг и Мастер, не бывавшие на войне, тоже так думали после войны. Что же, Уилфрид и проверил это на своей собственной шее, а он — на собственном сердце. И можно сказать наверняка, что каждого, кроме тех, у кого в жилах чернила вместо крови, жизнь рано или поздно здорово проучит. Да ведь сейчас Майкл охотно бы взял на себя все страдания, все опасности, угрожавшие Флер. А почему бы у него появилось такое чувство, если ничто в мире не имеет значения?

Отвернувшись от окна, он прислонился к лакированной

спинке изумрудного дивана и стал разглядывать опустевшее пространство между двумя китайскими шкафчиками. Все-таки здорово заботливый старик: хорошо, что снял «Обезьяну». Это животное — символ настроения всего мира: вера разрушена, надежда подорвана. И ведь это, черт возьми, не только у молодежи — и старики в таком же настроении! Старый Форсайт тоже, конечно, иначе он не боялся бы глаз обезьяны; да, и он, и отец Майкла, и Элдерсон, и все остальные. Ни у молодых, ни у старых нет настоящей веры ни во что! И все же какой-то протест поднялся в душе Майкла, шумный, как стая куропаток. Неправда, что нет ничего вне человека, что бы его по-настоящему затрагивало; неправда, что нет такого другого человека, — есть, черт возьми, все есть! Значит, чувство не умерло; значит, не умерли вера и надежда, что в конце концов одно и то же. Может быть, они только меняют кожу, превращаются из куколок в бабочек, что ли. Возможно, что надежда, чувства, вера спрятались, притаились, но они существуют — и в Старом Форсайте, и в нем самом. Майклу даже захотелось опять повесить «Обезьяну». Не стоит преувеличивать ее значение!.. О черт! Ну и молния! Изломанная полоса резкого света сорвала покров темноты с ночи. Майкл стал закрывать окна. Оглушительный удар грома загрохотал над крышей, пошел дождь, хлеща и стегая стекла. Майкл увидел бегущего человека, черного, как тень на синем экране; увидел его при следующей вспышке молнии, необычайно отчетливо и ясно, увидел его испуганно-веселое лицо, как будто говорившее: «О черт! Ну и промок же я!»

Еще один бешеный удар! «Флер!» — подумал Майкл и, опустив последнюю раму, побежал наверх.

Она сидела в кровати, и лицо ее казалось по-детски круглым и перепуганным.

«Вот дьяволы! — подумал он, невольно путая грохот пушек и гром. — Разбудили ее!»

— Ничего, моя маленькая. Просто летнее развлечение. Ты спала?

— Мне что-то снилось!

Он почувствовал, как ее пальцы сжались в его руке, и с бессильной яростью увидел, что ее лицо вдруг стало напряженно-испуганным. Нужно же было!

— Где Тинг?

Собаки в углу не было.

— Под кроватью — не иначе! Хочешь, я его тебе подам?

— Нет, оставь его, он терпеть не может грозы.

Она прислонилась головой к его плечу, и Майкл закрыл рукой ее другое ухо.

— Я никогда не любила грозы, — сказала Флер, — а теперь просто... просто больно!

На лице Майкла, склоненном над ее волосами, застыла гримаса непреодолимой нежности. От следующего удара она спрятала лицо у него на груди, и, присев на кровать, он крепко прижал ее к себе.

— Скорее бы уж кончилось, — глухо прозвучал ее голос.

— Сейчас кончится, детка; так сразу налетело! — Но он знал, что она говорит не о грозе.

— Если все кончится благополучно, я совсем иначе буду к тебе относиться, Майкл.

Страх в ожидании такого события — вещь естественная; но то, как она сказала: «если кончится благополучно» — просто перевернуло сердце Майкла. Невероятно, что такому молодому, прелестному существу может угрожать хоть отдаленная опасность смерти; немыслимо больно, что она должна бояться! Он и не подозревал этого. Она так спокойно, так просто ко всему этому относилась.

— Перестань! — прошептал он. — Ну, конечно, все сойдет благополучно.

— Я боюсь!

Голос прозвучал совсем тихо и глухо, но ему стало ужасно больно. Природа с маленькой буквы вселила страх в эту девочку, которую он так любит. Природа безбожно грохотала над ее бедной головкой!

— Родная, тебя усыпят, и ты ничего не почувствуешь И сразу станешь веселая, как птичка.

Флер высвободила руку.

— Нет, нельзя усыплять, если ему это вредно. Или это не вредно?

— Думаю, что нет, родная. Я узнаю. А почему ты решила?

— Просто потому, что это неестественно. Я хочу, чтобы все было как следует. Держи мою руку крепче, Майкл. Я... я не буду глупить. Ой! Кто-то стучит, поди взгляни!

Майкл приотворил дверь. На пороге стоял Сомс — какой-то неестественный, в синем халате и красных туфлях.

— Как она? — шепнул он.

— Ничего, ничего.

— Ее нельзя оставлять одну в этой неразберихе.

— Нет, сэр, конечно, нет. Я буду спать на диване.

— Позовите меня, если нужно.

— Хорошо.

Сомс заглянул через его плечо в комнату. В горле у него застрял комок и мешал ему сказать то, что ему хотелось. Он только покачал головой и пошел. Его тонкая фигура, казавшаяся длиннее обычного, проскользнула по коридору мимо японских гравюр, которые он подарил им. Закрыв дверь, Майкл подошел к кровати. Флер уже улеглась; ее глаза были закрыты, губы тихо шевелились. Он отошел на цыпочках. Гроза уходила к югу, и гром рокотал и ворчал, словно о чем-то сожалея. Майкл увидел, как дрогнули ее веки, как губы перестали шевелиться и потом опять задвигались. «Куэ!» — подумал он.

Он прилег на диван, недалеко от кровати, откуда он мог бесшумно привстать и смотреть на нее. Много раз он подымался. Она задремала, дышала ровно. Гром стихал, молния едва мерцала. Майкл закрыл глаза.

Последний слабый раскат разбудил его — и он еще раз приподнялся и поглядел на нее. Она лежала на подушках, в смутном свете затененной лампы — такая юная-юная! Без кровинки, словно восковой цветок! Никаких предчувствий, никаких страхов — совсем спокойная! Если бы она могла вот так проспать и проснуться, когда все будет кончено! Он отвернулся и снова увидел ее — далеко, смутно отраженную в зеркале; и справа — тоже она. Она была везде в этой прелестной комнате, она жила во всех зеркалах, жила неизменной хозяйкой в его сердце.

Стало совсем тихо. Сквозь чуть раздвинутые серо-голубые занавески были видны звезды. Большой Бен пробил час.

Майкл уже спал или только задремал и что-то видел во сне. Тихий звук разбудил его. Крохотная собачонка с опущенным хвостом, желтенькая, низенькая, незаметная, проходила по комнате, пробираясь в свой уголок. «А-а, — подумал Майкл, закрывая глаза, — это ты!»

XII. ИСПЫТАНИЕ

На следующий день, войдя в «Аэроплан», где его ждал сэр Лоренс, подчеркнуто элегантный, Майкл подумал: «Добрый старый Барт! Нарядился для гильотины!»

— По этой белой полосочке они сразу поймут, с кем имеют дело, — сказал он, — у Старого Форсайта тоже сегодня хороший галстук, но не такой шикарный.

— А-а! Как поживает Старый Форсайт? В хорошем настроении?

— Неудобно было его спрашивать, сэр. А вы сами как?

— Совершенно как перед матчем Итона с Уинчестером. Я думаю, что мне надо за завтраком выпить.

Когда они уселись, сэр Лоренс продолжал:

— Помню, я видел в Коломбо, как человека судили за убийство. Этот несчастный положительно весь посинел. Мне кажется, что самый мой любимый момент в истории, это когда Уолтер Рэйли попросил другую рубашку. Кстати, до сих пор не установлено наверняка — были ли придворные в те времена вшивыми или нет. Что ты будешь есть, мой милый?

— Холодный ростбиф, маринованные орехи и торт с вареньем.

— Делает тебе честь. Я буду есть пилав; здесь превосходно жарят утку! Думаю, что нас сегодня выставят, Майкл. «Nous sommes trahis»[1] — было когда-то прерогативой французов, но боюсь, что и мы попали в такое же положение. Всему виной — желтая пресса.

Майкл покачал головой.

— Мы так говорим, но мы поступаем по-другому. У нас климат не такой.

— Звучит глубокомысленно. Смотри, какой хороший пилав, не возьмешь ли и ты? Тут иногда бывает старик Фонтеной, его денежные дела не блестящи. Если нас выставят, для него это будет серьезно.

— Чертовски странно, — вдруг сказал Майкл, — как все-таки еще титулы в ходу. Ведь не верят же в их деловое значение?

— Репутация, дорогой мой, — добрый, старый английский джентльмен. В конце концов, в этом что-то есть.

— Я думаю, сэр, что у пайщиков это просто навязчивая идея. Им еще в детстве родители показывают лордов.

— Пайщики, — повторил сэр Лоренс, — понятие широкое. Кто они, что они такое, когда их можно видеть?

— Когда? Сегодня в три часа, — сказал Майкл, — и я собираюсь их хорошенько рассмотреть.

---

[1] Нас предали (*фр.*).

— Но тебя не пропустят, мой милый.

— Неужели?

— Конечно, нет.

Майкл сдвинул брови.

— Какая газета там наверняка не будет представлена? — спросил он.

Сэр Лоренс засмеялся тоненьким, пискливым смехом.

— «Нива», — сказал он, — «Охотничий журнал», «Садовник».

— Вот я и проскочу за их счет.

— Надеюсь, что если мы и умрем, то смертью храбрых, — сказал сэр Лоренс, внезапно став серьезным.

Они вместе взяли такси, но, не доехав до отеля, расстались.

Майкл передумал насчет прессы и просто решил занять наблюдательный пост в коридоре и ждать случая. Мимо него проходили толстые люди в темных костюмах, по которым сразу было видно, что они ели на завтрак палтус, филе и сыр. Он заметил, что каждый подавал швейцару бумажку. «Я тоже суну ему бумажку и проскочу», — подумал Майкл. Высмотрев группу особенно толстых людей, он спрятался между ними и прошел в дверь, держа в руке объявление о выходе в свет «Подделок». Показав ее через плечо осанистого толстяка, он быстро проскользнул в зал и сел. Он видел потом, как швейцар заглядывал в дверь. «Нет, мой милый, — подумал он, — если бы ты умел отличать всякий сброд от пайщиков, тебя бы тут не держали».

Он нашел на своем месте повестку и, прикрывшись ею, стал рассматривать присутствующих. Ему казалось, что это помещение — помесь концертного зала с железнодорожной станцией. В глубине была эстрада с длинным столом, за которым стояло семь пустых стульев; на столе — семь чернильниц с семью гусиными перьями, торчавшими стоймя. «Гусиные перья! — подумал Майкл. — Наверно, это просто символ: теперь у каждого есть вечная ручка».

Сзади эстрады была дверь, а перед эстрадой, пониже, — столик, за которым четыре человека поигрывали блокнотами. «Оркестр», — подумал Майкл. Он стал разглядывать пайщиков, рассевшихся в восемь рядов. Весь их облик выдавал в них пайщиков — Майкл сам не знал почему. Лица у них были самые разнообразные, но у всех было выражение, как будто они ждут чего-то, чего им, наверно, не получить. Какую жизнь они ведут? Или жизнь ведет их? Почти у всех у них усы. Справа и слева от него сидели те самые толстяки, с которыми он проскользнул в зал; у них были пухлые ушные мочки, а шеи были еще шире, чем плоские, широкие затылки. Майкл был подавлен. Среди пайщиков маячило несколько женщин и два-три пастора. Никто не разговаривал, из чего он заключил, что никто друг друга не знает. Он подумал, что, появись в зале собака, обстановка стала бы более человечной. Он рассматривал зеленоватые стены с коричневым бордюром и золотыми орнаментами, когда дверь за эстрадой распахнулась и семь человек в черных сюртуках вошли и с легким поклоном уселись за стол, против гусиных перьев. Майклу они напомнили военных, садящихся на коней, или пианистов перед игрой — так они пристраивались. Этот — справа от председателя — наверно, старый лорд Фонтеной. Какие у него подвижные черты лица! Майклу пришла в голову нелепая фантазия: внутри черепа сидит маленький человечек в белом цилиндре и правит этими чертами, как четверкой. Следующее лицо словно сошло с портрета «Министры ее величества королевы Виктории в 1850 году» — круглое и розовое, с прямым носом, маленьким ртом и беленькими бачками. Справа, в конце, сидел человек с выступающим подбородком и глазами, буравившими стену сзади Майкла. «Юрист!» — подумал Майкл. Он перевел взгляд на председателя. Еврей он или нет? Бородатый человек, рядом с председателем, начал что-то читать по книге, быстро и монотонно. Должно быть, секретарь — строчит как пулемет свои протоколы. Дальше сидел, очевидно, новый директор-распорядитель, возле которого Майкл увидел своего отца. Темная закорючка над правым глазом сэра Лоренса была чуть-чуть приподнята, и губы поджаты под ровной линией коротких усов. В его внешности, живой и в то же время спокойной, чудилось что-то восточное. В левой руке, между большим и указательным пальцами, он держал свой черепаховый монокль. «Не совсем подходит к обстановке, — подумал Майкл, — бедный старый Барт!» Наконец, он перешел к последнему, крайнему слева. Старый Форсайт сидел, точно он был один на свете; правый угол рта был чуть опущен, левая ноздря чуть приподнята. Майклу понравился его вид — удивительно независим и все-таки не выпадает из общего тона. В этой спокойной, аккуратной фигуре, в которой живым казался только чуть подрагивающий кончик лакированного ботинка, была полная сосредоточенность, полное уважение ко всему происходившему и в то же время странное презрение ко всему на свете. Он походил на статую действительности, вылепленную скульптором, не верившим в действительность. «Около него замерзнуть можно, — подумал Майкл. — И все же черт побери! Не могу не восхищаться им».

Председатель встал. «Еврей? Нет, не еврей. Не знаю», — думал Майкл. Он едва слушал, что говорил председатель, решая, еврей он или нет, хотя сам прекрасно понимал, что это безразлично. Председатель продолжал говорить. Майкл рассеянно ловил его слова: «Положение в Европе — ошибочная политика — французы — совершенно неожиданно — создавшаяся конъюнктура — директор — непредвиденные обстоятельства, которые сейчас нам разъяснят, — будущее этого крупного предприятия — нет оснований сомневаться...»

«Подмасливает, — подумал Майкл, — кажется, он все-таки... а впрочем...»

— Теперь я попрошу одного из наших директоров, мистера Форсайта, изложить сущность этого тягостного дела.

Сомс, бледный и решительный, достал из внутреннего кармана листок бумаги и встал — ну, как-то он выпутается?

— Я буду краток в изложении фактов, — проговорил он голосом, напомнившим Майклу старое, терпкое вино. — Одиннадцатого января сего года ко мне явился клерк, служивший в нашем Обществе...

Знакомый с этими подробностями, Майкл слушал невнимательно, стараясь уловить на лицах пайщиков какую-нибудь реакцию. Но он ничего не увидел и вдруг понял, зачем они носят усы: они не доверяют своим ртам. Характер сказывается в складе рта. Усы вошли в моду, когда люди перестали говорить, как герцог Веллингтон: «А, думайте обо мне что хотите, черт побери!» Перед войной бритые губы начали было опять входить в моду, но ни у майоров, ни у пайщиков, ни у рабочих успеха не имели. Майкл услышал слова Сомса:

— Ввиду таких обстоятельств мы пришли к заключению, что остается только ждать у моря погоды.

Майкл увидел, как по всем усам, словно ветер по лугу, пробежала внезапная дрожь. «Неудачно сказано, — подумал он, — мы все так поступаем, но не любим, когда нам об этом напоминают».

— Однако шесть недель назад, — продолжал Сомс, повысив голос, — из случайного инцидента ваш бывший директор-распорядитель, очевидно, понял, что сэр Лоренс Монт и я еще не отказались от наших подозрений, ибо я получил от него письмо, в котором он фактически признает, что брал втайне комиссионные за эти германские страховки, и просит меня уведомить правление, что он уехал за границу, не оставив никакого имущества. Мы постарались все это проверить. При таких обстоятельствах нам не оставалось никакого выхода, как только созвать вас всех и изложить перед вами факты.

Голос, не изменившийся ни на йоту, замолк; и Майкл увидел, как его тесть вернулся в свое одиночество. Аист на одной ноге, собирающийся клюнуть насекомое, и тот не казался бы таким одиноким. «Ужасно похоже на первый отчет о Ютландском бое, — подумал Майкл, — он перечислил все потери и не внес ни одной человеческой нотки».

Наступила пауза, как бывает, когда человек оказывается перед чужим забором и еще не нашел ворот. Майкл окинул взглядом всех членов правления. Только один из них проявил признаки жизни: он поднес платок к носу. Громкий звук сморкания нарушил оцепенение. Два пайщика сразу вскочили на ноги, один из них — сосед Майкла справа.

— Слово принадлежит мистеру Содри, — сказал председатель, и второй пайщик сел. Громогласно откашливаясь, сосед Майкла обратил к Сомсу свою тупую красную физиономию.

— Разрешите спросить вас, сэр, почему вы не уведомили правление, как только услышали об этом?

Сомс привстал.

— Надеюсь, вам небезызвестно, что такое обвинение без достаточных обоснований рассматривается как подсудное дело?

— Нет, вас бы не выдали.

— Члены правления — конечно; но малейшие слухи могли дать повод обвинить нас в клевете. Мы знали все только с чужих слов.

— Может быть, сэр Лоренс Монт изложит нам свое мнение?

У Майкла забилось сердце. Что-то легкомысленно-веселое было в фигуре его отца, когда он встал.

— Вы не должны забывать, сэр, что мистер Элдерсон в течение многих лет пользовался нашим полным доверием; он был настоящим джентльменом, и, будучи его старым школьным товарищем, я лично предпочел поверить его слову и одновременно... гм... не упускать из виду того, что мы узнали.

— Ага, — сказал сосед Майкла, — а что имеет сказать председатель насчет того, что правление держали в неведении?

— Мы вполне удовлетворены, сэр, той позицией, которую заняли наши директора в столь щепетильном положении. Соглаговолите принять во внимание, что злоупотребление было уже совершено, и излишняя торопливость не была бы ничем оправдана.

Майкл заметил, что шея его соседа покраснела еще больше.

— Я не согласен, — сказал он. — «Ждать у моря погоды»! Да мы могли бы у него отнять эти комиссионные, если бы его сразу захватить. — И он сел.

Не успел он опуститься в кресло, как встал второй пайщик.

— Слово мистеру Боттерилу, — сказал председатель.

Майкл увидел узкую, прилизанную голову на волосатой, вдавленной с боков шее и слегка согнутую спину, как у врача, когда он выслушивает больного.

— Если я вас правильно понял, сэр, — начал он, — эти два директора представляют общую позицию правления, и правление ничего не имело возразить против того, что находившийся на подозрении человек оставался директором-распорядителем. Джентльмен крайний слева — кажется, мистер Форсайт — говорил о «случайном инциденте». Если бы не этот инцидент, мы бы до сих пор оставались в руках беззастенчивого афериста. Это очень тревожный симптом. Очевидно, мы слишком слепо доверяли нашему правлению; пример такого рода излишнего доверия, вероятно, всем вам памятен. Политика страхования иностранных операций была явно затеяна директором-распорядителем в его собственных интересах. Мы потерпели на этом значительные убытки. И перед нами встает вопрос: может ли правление, которое доверяло подобному лицу и продолжало ему доверять после того, как против него возникли подозрения, — может ли такое правление стоять во главе солидного предприятия?

Майклу даже стало жарко во время этой речи.

Старый Форсайт был прав в конце концов, — подумал он, — они все-таки взбеленились».

Стул его левого соседа вдруг скрипнул.

— Мистер Толби, — произнес председатель.

— Это, джентльмены, дело серьезное. Я предлагаю правлению удалиться и дать нам посовещаться.

— Поддерживаю, — сказал сосед Майкла справа.

Обводя глазами стол правления, Майкл поймал взгляд Сомса, узнавшего его, и приветственно ухмыльнулся.

Заговорил председатель:

— Если вам так угодно, джентльмены, мы будем счастливы

пойти вам навстречу. Кто за это предложение, прошу поднять руку!

Все подняли руки, за исключением Майкла, двух женщин, которым оживленный разговор помешал услышать предложение, и одного пайщика, который сидел впереди Майкла неподвижно, как мертвый.

— Принято, — сказал председатель и поднялся с места.

Майкл увидел, что его отец встал и с улыбкой говорит что-то Старому Форсайту. Правление вышло гуськом, и дверь закрылась.

«Что бы ни случилось, надо молчать, а то еще ляпнешь что-нибудь», — подумал Майкл.

— Может быть, представители печати тоже соблаговолят удалиться? — сказал кто-то.

Обиженно вздернув подбородки, как будто ни у кого не желая спрашивать разрешения, четверо репортеров захлопнули блокноты. Когда они с явной неохотой удалились, среди пайщиков поднялось движение, как в стае уток, когда сзади подбежит собака. Майкл сразу догадался о причине: они сидели спиной друг к другу. Один из них сказал:

— Может быть, мистер Толби, внесший предложение, возьмет на себя роль председателя?

Сосед Майкла слева тяжело засопел.

— Хорошо, — сказал он, — кто захочет говорить, пусть повернется ко мне.

Все заговорили сразу, как будто желая узнать мнение всех, прежде чем выступить. Мистер Толби так сопел, что Майкл положительно ощущал сквозняк.

— Слушайте, джентльмены, — вдруг объявил он. — Так нельзя! Можно и без лишних формальностей, но надо сохранять порядок. Я выскажусь первым. Я не хотел обижать директоров, говоря в их присутствии. Но, как сказал вон тот джентльмен, мы должны защищаться и от жуликов, и от разгильдяев. Мы все знаем, что было и что будет в других обществах, если мы, пайщики, за себя не постоим. Так вот, во-первых, я скажу: нечего им было затевать дела с немчурой — это раз; во-вторых, они оказались недальновидными — это два; а в-третьих, я должен сказать, что все они уж слишком держатся друг за дружку. Рука руку моет. По-моему, надо вынести вотум недоверия.

В смешанный шум возгласов: «Слушайте! Слушайте!» — и каких-то неопределенных звуков вдруг ворвалось резкое «нет» со стороны пайщика, казавшегося мертвым. Майкл всей душой ему сочувствовал, тем более что тот все еще казался мертвым. Затем поднялся худой вылощенный человек с короткими седыми усиками.

— Вы меня извините, сэр, — начал он, — но ваше предложение кажется мне непродуманным. Мне любопытно было бы узнать, как бы вы сами стали действовать на месте нашего правления. Очень легко осуждать других.

— Слушайте! Слушайте! — сказал Майкл и сам удивился.

— Очень легко, — продолжал вылощенный джентльмен, — когда случается такая история, бранить правление, но я сам состою директором и хотел бы знать, кому можно доверять, как не своему директору-распорядителю? Что же касается страхования иностранных операций, то нам об этом сообщали на двух заседаниях, и мы в течение двух лет преспокойно получали с них дивиденды. Разве мы возражали против этого?

Мертвый пайщик так громко сказал «нет», что Майкл чуть не погладил его по голове.

Встал пайщик с докторской спиной.

— Я не схожусь в диагнозе с предыдущим оратором. Предположим, что он прав, и рассмотрим дело глубже. Всякий судит по результатам. Когда правительство делает ошибку, избиратели восстают против него, как только почувствуют на себе последствия этой ошибки. Это прекрасная проверка системы управления — может быть, слишком примитивная, но из двух зол это меньшее. Правление ответственно за свою политику: когда она убыточна — правление должно платить. Мистер Толби, будучи нашим неофициальным председателем, может быть, нарушил порядок, самолично предложив вотум недоверия; в таком случае я с радостью вношу это предложение от своего лица.

«Нет!» мертвого пайщика раздалось на этот раз так громогласно, что все замолчали, ожидая, что он заговорит. Однако он и тут не шевельнулся. Оба соседа Майкла вскочили с мест. Они закивали друг на друга над его головой, и мистер Толби сел.

— Мистер Содри, — сказал он.

— Слушайте, джентльмены, — сказал мистер Содри, — и леди тоже! Мне кажется, мы нашли компромисс. Директора, которые знали об управляющем, должны уйти; но на этом можно и остановиться. Джентльмен, сидящий впереди меня, все время говорит «нет». Пусть он выскажет свое мнение.

— Нет! — сказал мертвый пайщик уже не так громко.

— Ежели человек не может высказать своих взглядов, — закончил мистер Содри, чуть не сев на Майкла, — так нечего ему, по-моему, перебивать других.

Один пайщик из переднего ряда повернулся лицом к собранию.

— Я думаю, — сказал он, — что продолжать дискуссию — бесполезная трата времени, поскольку у собравшихся имеется два, если не три разных мнения по этому вопросу. Весь строй нашей страны основан на системе выбора доверенных представителей; хорош такой порядок или плох, но факт остается фактом. Кому-нибудь надо доверять. В нашем частном случае у нас пока что нет оснований не доверять правлению; и, как я сужу, у правления не было в прошлом никаких причин не доверять бывшему директору-распорядителю. Мы зашли бы слишком далеко, если бы в настоящее время предложили что-нибудь определенное вроде вотума недоверия; мне кажется, мы могли бы предложить правлению вернуться в зал и выслушать, какие они нам дадут гарантии против повторения чего-либо подобного в будущем.

Гомон, вызванный этой умеренной речью, был так неразборчив, что Майкл не мог уяснить его смысл. Последовавшая затем речь была совсем иного рода. Произнес ее пайщик справа, рыжеволосый, со светлыми ресницами, подстриженными усами и нечистым цветом лица.

— Я бы ничего не имел против того, чтобы пригласить директоров, — начал он с некоторой насмешкой в голосе, — и провести вотум недоверия в их присутствии. Но возникает другой вопрос, которого еще никто не коснулся: можем ли мы, дав им отставку, взыскать с них убытки? Дело было бы спорное, однако не безнадежное. Если же мы их не отставим, то совершенно очевидно, что мы при всем желании ничего не сможем предпринять против них.

Эта речь произвела совсем иной эффект. Пайщики вдруг замолкли, как будто услышав наконец нечто действительно важное. Майкл покосился на мистера Толби. Выпученные круглые глаза толстяка застыли в напряженной задумчивости. «Смотрит, как форель на муху», — подумал Майкл. Мистер Толби вдруг встал.

— Правильно, — сказал он, — надо их позвать!

— Да́, — сказал мертвый пайщик.

Возражений не было. Майкл увидел, что кто-то взошел на эстраду.

— Впустите представителей печати, — добавил мистер Толби.

XIII. СОМС ПРИЖАТ К СТЕНЕ

Когда за удалившимися директорами закрылась дверь, Сомс отошел к окну, как можно дальше от буфета, где они завтракали перед собранием.

— Похоронное настроение, а, Форсайт? — сказал голос у его уха. — Полагаю, что теперь нам крышка. У бедного Мозергилла ужасно унылый вид. По-моему, он, как Рэйли, должен попросить другую рубашку.

Сомс почувствовал, как все его упорство встало на дыбы.

— Нужно было взяться за дело как следует, — проворчал он. — Председатель для этого совершенно не годится.

Эх, старый дядя Джолион! Он бы живо с ними справился — тут нужна была крепкая рука.

— Это нам всем предупреждение против излишней лояльности. Слишком уж это несовременно. А-а, Фонтеной!

Подняв голову, Сомс увидел подвижное лицо Фонтеноя.

— Ну-с, мистер Форсайт! Надеюсь, вы удовлетворены. Прескверная история. Будь я председателем, я бы ни за что не покинул зал. Никогда не спускайте глаз с собак, Монт. Отвлекитесь — и они на вас накинутся. Я бы с наслаждением прошелся по рядам с хлыстом и непременно бы отхлестал тех двух толстомордых типов — они-то главные заправилы! Если у вас нет какого-нибудь запасного аргумента, мистер Форсайт, мы пропали!

— Какой же у меня может быть запасной аргумент? — холодно спросил Сомс.

— Черт возьми, сэр! Ведь это вы заварили всю кашу, теперь ваше дело ее расхлебывать! Я не могу лишиться директорского жалованья.

Сомс услышал, как сэр Лоренс пробормотал: «Слишком резко, мой милый Фонтеной», — и сказал сердито:

— Может быть, вам придется потерять больше, чем ваше директорское жалованье!

— Не могу! Пускай они тогда забирают Иглскорт хоть завтра и избавят меня от убытков. — Обида вдруг вспыхнула в глазах старика. — Государство прижимает вас к стенке, обирает до нитки и еще ждет, чтобы вы ему служили без всякого вознаграждения. Так нельзя, Монт, нельзя!

Сомс отвернулся; у него не было ни малейшего желания разговаривать — будто он стоял перед открытой могилой и следил, как медленно опускается гроб. Конец его непогрешимости! Сомс не обольщался. Завтра все это попадет в газеты — и его репутация дальновидного человека будет навсегда подорвана. Горько! Уж Форсайты больше никогда не скажут: «Сомс полагает...» Не будет больше старый Грэдмен следить за ним глазами преданной собаки, иногда ворча, но всегда подчиняясь непогрешимому хозяину. Тяжелый удар для старика! Деловые знакомые — правда, их не так уж много осталось — не будут больше смотреть на него с завистливым уважением. Интересно, достигнут ли слухи Думетриуса и торговцев картинами. Единственное утешение, что Флер не узнает. Флер! Ах, если бы у нее все прошло благополучно! На минуту он забыл обо всем остальном. Потом действительность снова нахлынула на него. Почему они все разговаривают так, как будто в комнате покойник? Впрочем, пожалуй, в комнате и правда покойник — его былая непогрешимость! Денежные потери казались ему делом второстепенным, отдаленным, неправдоподобным, как будущая жизнь. Монт что-то сказал насчет лояльности. Какое отношение имеет ко всему этому лояльность? Но если они думают, что он собирается трусить, — они жестоко ошибаются. Он ощутил прилив упрямой решимости. Пайщики, директора — пусть воют, пусть потрясают кулаками, — он собой помыкать не позволит! Он услышал голос:

— Прошу пожаловать, джентльмены.

Сомс снова занял место перед торчавшим без употребления гусиным пером; его поразила тишина. Пайщики ждали, что скажут директора, а директора ждали пайщиков. «Я бы с наслаждением прошелся по их рядам с хлыстом!» Нелепые слова произнесла эта «старая морская свинка», но какой-то смысл в них есть.

Наконец председатель, чей голос напоминал Сомсу кислый винегрет, политый маслом, иронически произнес:

— Что же, мы к вашим услугам, джентльмены.

Толстый краснолицый человек, сидевший подле Майкла, раскрыл пасть:

— Коротко говоря, господин председатель, мы совершенно не удовлетворены; но, прежде чем принять решение, мы бы желали послушать, что вы скажете.

Кто-то вскочил под носом у Сомса и добавил:

— Мы бы хотели знать, сэр, какие гарантии вы можете нам дать против повторения чего-либо подобного в будущем.

Сомс увидел, как председатель улыбнулся, — нет у него настоящей выдержки!

— Разумеется, никакой, сэр, — проговорил председатель. — Вряд ли вы полагаете, что, если бы мы знали, как наш директор-распорядитель злоупотребляет нашим доверием, мы держали бы его на службе лишнюю минуту.

«Не годится, — подумал Сомс, — он сам себе противоречит, и этот толстомордый тип, наверно, заметил».

— В том-то и дело, сэр, — сказал он. — Двое из вас знали, и все-таки этот мошенник сидел несколько месяцев на своем посту, обделывая свои дела и обкрадывая Общество, как только мог.

Все вдруг словно сорвались с цепи:

— А помните, что вы говорили?

— Вы взяли на себя коллективную ответственность.

— Вы говорили, что вполне одобряете поведение ваших содиректоров в этом деле.

Настоящая свора собак!

Сомс увидел, что председатель в сомнении наклонил голову, старик Фонтеной что-то бормотал, старик Мозергилл сморкался, Мэйрик пожимал острыми плечами. Вдруг их заслонил от него сэр Лоренс Монт, вставший с места.

— Разрешите мне слово! Что касается меня лично, то я считаю невозможным принять великодушную попытку председателя, которому угодно взять на себя часть ответственности, целиком лежащей на мне. Если я допустил ошибку, не рассказав о наших подозрениях, я должен за нее расплатиться, и я думаю, что могу... м-м... упростить ситуацию, если попрошу собрание принять мою отставку.

Он слегка поклонился, вставил монокль в глаз и сел.

Слова были встречены ропотом одобрения, удивления, порицания, восхищения. Это был благородный жест. Но Сомс не верил в благородные жесты — в них всегда была доля хвастовства. Неожиданно его охватило бешенство.

— По-видимому, — сказал он, вставая, — я являюсь вторым обвиняемым директором. Очень хорошо. Я полагаю, что от начала до конца выполнял только свой долг. Я убежден, что не допустил никакой ошибки. Я считаю в корне неправильным, что я должен за что-то расплачиваться. Я и так достаточно беспокоился и тревожился, а теперь становлюсь козлом отпущения для пайщиков, которые безропотно приняли политику иностранных страхований еще раньше, чем я вступил в правление, а теперь возмущаются, что она принесла им убытки. Я добился того, что эта политика была прекращена; я добился того, что мошенник не стоит больше во главе Общества, и, наконец, я добился того, что вас сегодня созвали для обсуждения этого вопроса. Я отнюдь не намерен петь перед вами Лазаря. Но существует и другая сторона дела. Я не считаю возможным отдавать свои услуги людям, которые их не ценят. Меня возмущает ваше сегодняшнее поведение. Если кто-нибудь считает, что у него есть ко мне претензии, — пусть подаст в суд. Я с удовольствием доведу это дело до Палаты лордов, если нужно. Я всю жизнь работаю в Сити и не привык к подозрениям и неблагодарности. Если то, что произошло здесь, — образец современных нравов, то больше меня в Сити не увидят. Я не прошу собрание принять мою отставку — я ухожу!

Поклонившись председателю и оттолкнув свой стул, он твердо пошел к двери, распахнул ее и вышел. Он отыскал свою шляпу. Он ни на секунду не сомневался, что преподнес им хороший сюрприз. Как эти толстомордые разинули рты! Ему очень хотелось посмотреть, что там творится, но он решил, что еще раз открыть дверь — несовместимо с чувством собственного достоинства. Вместо этого он взял сандвич и начал уничтожать его, став спиной к двери, со шляпой на голове. Вдруг рядом послышался голос:

— «И что произошло дальше — его не интересовало». Вот не думал, Форсайт, что вы такой оратор! Вы им здорово задали. Первый раз видел, чтобы собрание так бесилось. Что ж, вы спасли правление, отведя всю их досаду на себя лично. Это был удивительно благородный жест, Форсайт.

— Ничего подобного, — буркнул Сомс, дожевывая сандвич. — Вы тоже ушли?

— Да, я настоял на своей отставке. Когда я выходил, этот красномордый человек предлагал вотум доверия правлению — и вотум пройдет, Форсайт, вот увидите. Кстати, они что-то говорили о материальной ответственности.

— Говорили? — Сомс сердито усмехнулся. — Ну, этот номер не пройдет. Единственное, что они могли еще сделать, — это предъявить иск правлению за заключение иностранных контрактов ultra vires[1]; а раз они утвердили правление после того, как во-

[1] С превышением полномочий (*лат.*).

прос был поднят на общем собрании, они сами себя закопали. А нас с вами, конечно, нельзя притянуть за то, что мы не раскрыли наших подозрений, — это факт!

— И то хорошо, — вздохнул сэр Лоренс. — Но вы, Форсайт, вы никогда в жизни не произносили лучшей речи!

Сомс и сам это знал — и все-таки покачал головой. Он не только боялся, что о нем заговорят газеты, он еще вдруг почувствовал, что вел себя экстравагантно: никогда не следует выходить из себя! Горькая усмешка тронула его губы. Никто, даже Монт, не понимает, как несправедливо с ним обошлись.

— До свидания, — сказал он, — я ухожу.

— Я, пожалуй, подожду, Форсайт, посмотрю развязку.

— Развязку? Назначат двух других дураков и распустят слюни от умиления. Пайщики! Прощайте!

Он двинулся к выходу.

Проходя мимо Английского банка, он почувствовал, будто уходит от своей собственной жизни. Его проницательность, его осведомленность, его деловой опыт — все опозорено! Не хотят? Что ж, и не надо! Попробуйте заставить его еще когда-нибудь вмешиваться в эти дела. И это, и вообще все современное положение вещей — одно и то же: крохоборство; а настоящих людей оттесняют к стенке — людей, для которых фунт есть фунт, а не случайный клочок бумаги, людей, которые знают, что благо страны — это честное, строгое ведение своих собственных дел. Такие люди больше не нужны. Одного за другим их выставят, как выставили его ради всяких проходимцев, революционеров, беззаботных типов или ловких, беспринципных людей вроде Элдерсона. Это настоящее поветрие. Честность! Нельзя обыкновенную честность подменить сидением меж двух стульев.

Он свернул в Полтри, не подумав, зачем он туда идет. Что ж, пожалуй, надо сразу сказать Грэдмену, что он может теперь вести дела по собственному усмотрению. На углу переулка он еще раз остановился, как будто хотел запечатлеть его в памяти. Да, он откажется от всех доверенностей, и частных и других. Он не желает, чтобы над ним подсмеивались его собственные родственники. Но волна воспоминаний заставила его сердце сжаться от боли. Сколько было подписано доверенностей, возобновлено договоров, продано домов, распределено вкладов там, в его кабинете; какое удовлетворение он испытывал от правильного управления имуществом! Что ж, он и будет управлять своим собственным имуществом. А другие пусть сами заботятся о себе. Туго же им придется при нынешних настроениях!

Он медленно поднялся по каменной лестнице.

В святилище форсайтских дел он увидел непривычное зрелище: Грэдмена не было, а на большом тяжелом столе рядом с соломенной кошелкой лежала большая, тяжелая дыня. Сомс понюхал воздух. Дыня пахла изумительно. Он поднес ее к окну. Зеленовато-желтый цвет, кружевная сетка жилок — что-то в ней совсем китайское! Будет ли старый Грэдмен так же разбрасывать корки, как та белая обезьяна?

Он еще держал дыню в руках, когда раздался голос:

— А-а! Я вас не ждал нынче, мистер Сомс. Я собирался уйти пораньше, у моей жены сегодня гости.

— Как же, вижу, — сказал Сомс, водворяя дыню на место. — Сейчас вам и нечего делать, я только зашел просить вас составить отказы от доверенностей по форсайтским делам.

На лице старика появилось такое выражение, что Сомс не мог сдержать улыбки.

— Пожалуй, оставьте дела Тимоти; от остальных я отказываюсь. Можно их передать молодому Роджеру. Ему делать нечего.

Ворчливо и угодливо старик сказал:

— Ох, не понравится им это!

Сомс рассердился.

— Ничего, утешатся. Я хочу отдохнуть.

Он не собирался входить в объяснения — Грэдмен сам все прочтет завтра в «Вестнике финансов», или что он там выписывает.

— Значит, я теперь вас буду редко видеть, мистер Сомс? По делам мистера Тимоти ничего обычно не бывает. Ах, боже мой! Я просто огорчен. А как же с доверенностью вашей сестры?

Сомс посмотрел на Грэдмена и ощутил легкие угрызения совести — как всегда, когда чувствовал, что его ценят.

— Ну, ее можно сохранить. Свои дела я тоже, разумеется, буду вести сам. Всего лучшего, Грэдмен! Дыня прекрасная.

Он вышел, не дожидаясь ответа. Вот старик! Но и он недолго продержится, хотя вид у него бравый. Трудно будет подобрать другого такого.

Выйдя снова в Полтри, он решил идти на Грин-стрит и повидать Уинифрид — странно и неожиданно он почувствовал тоску по Парк-лейн, по прежним спокойным дням, по своему замкнутому и благополучному детству под крылышком Джемса и

Эмили. Уинифрид одна воплощала теперь его прошлое; ее твердый характер никогда не менялся, как бы она ни гонялась за модой.

Он застал ее в платье, не совсем подходящем ей по возрасту, за чашкой китайского чая; она его, правда, терпеть не могла, но что поделаешь, всякий другой чай — вульгарность. Она завела себе попугая: попугаи опять входили в моду. Птица нестерпимо шумела. Под влиянием ли этого или от китайского чая, заваренного по-английски из смеси, специально изготовляемой в Китае для иностранцев, и плохо действовавшего на Сомса, последний неожиданно для себя рассказал ей всю историю.

Когда он кончил, Уинифрид успокаивающе проговорила:

— И отлично сделал, Сомс; так им и надо.

Понимая, что представил дело не в том свете, в каком его покажут публике, Сомс заметил:

— Все это превосходно, но в финансовых газетах ты найдешь совершенно другую версию.

— О, но ведь их никто не читает. Я бы лично не беспокоилась. Ты делаешь упражнения Куэ? Такой приятный человечек. Я вчера ходила его слушать. Иногда скучновато, но это последнее слово науки.

Сомс сделал вид, что не слышит, — он никогда не признавался в своих слабостях.

— А как Флер, как ее дела? — спросила Уинифрид.

— Дела! — отозвался голос над головой. Эта птица! Она висела на парчовой занавеси, вертя головой вниз и вверх.

— Полли! — прикрикнула Уинифрид. — Не шали!

— Сомс! — крикнула птица.

— Слышишь, как я ее выучила? Ну не душка ли?

— Нет, — буркнул Сомс. — Я бы ее посадил в клетку, она испортит тебе занавеси.

Все сегодняшние обиды вдруг вспомнились ему. Что такое жизнь? Кривлянье попугаев. Разве люди видят правду? Они просто повторяют друг друга, как эта свора пайщиков, или вычитывают свои драгоценные убеждения в «Ежедневном вруне». На одного вожака приходится сотня баранов, идущих за ним.

— Оставайся обедать, мой дорогой, — сказала Уинифрид.

Да! Он останется обедать. Не найдется ли у нее случайно дыни? Ему совершенно не хотелось обедать наедине с женой на Саут-сквер. Флер, наверно, не выйдет из своей комнаты. Что же касается Майкла — он сам все видел и слышал; нечего еще раз пережевывать.

Он мыл руки перед обедом, когда горничная за дверью сказала:

— Вас просят к телефону, сэр!

Голос Майкла прозвучал по телефону напряженно и хрипло:

— Это вы, сэр?

— Да, в чем дело?

— У Флер началось. В три часа. Я вас никак не мог найти.

— Что? — крикнул Сомс. — Говорите скорее, как?

— Говорят, идет нормально. Но это такой ужас. Теперь, говорят, скоро кончится. — Голос оборвался.

— Господи! — пробормотал Сомс. — Где моя шляпа?

У двери горничная спросила:

— Вы вернетесь к обеду, сэр?

— Обед! — буркнул Сомс и вышел.

Он шел быстро, чуть не бегом, ища глазами такси. Конечно, ни одного нет. Ни одного! Против «Айсиум-Клуба» он поймал машину с опущенным верхом по случаю хорошей погоды после вчерашней грозы. Ох, эта гроза! Надо было предвидеть. На десять дней раньше срока! Почему, черт возьми, он не пошел прямо туда или по крайней мере не позвонил сказать, где он будет? Все, что случилось в этот день, развеялось как дым. Бедная девочка! Бедная крошка! Как же насчет обезболивания? Почему он не был там вовремя? Он мог бы... хотя... природа! Природа, черт бы ее побрал! Как будто она не могла оставить в покое Флер!

— Скорее! — бросил он шоферу. — Заплачу вдвойне.

Мимо «Клуба знатоков», мимо дворца, по Уайтхолу, мимо всех заповедных мест, откуда была изгнана природа, охваченный самыми примитивными чувствами, ехал Сомс, посеревший от волнения. Мимо Большого Бена — без пяти восемь! Пять часов! Пять часов такой муки!

— Скорее бы все кончилось, — пробормотал он вслух, — скорее бы, господи!

XIV. ПЫТКА

Когда его тесть поклонился председателю и вышел, Майкл еле удержался, чтоб не крикнуть «браво!». Кто бы подумал, что старик так разойдется! Да, он им показал, что и говорить! Несколько минут стоял сплошной гул голосов, прежде чем его соседу, мистеру Содри, удалось всех перекричать:

— Теперь, когда замешанный в это дело директор подал в отставку, я имею предложить вотум доверия остальным членам правления.

Майкл увидел, как его отец поднялся, чуть фатоватый и улыбающийся, и поклонился председателю.

— Я считаю свою отставку также принятой, если разрешите, я присоединюсь к мистеру Форсайту.

Кто-то сказал:

— Я охотно поддержу вотум доверия.

Задев колени мистера Содри, Майкл пошел к выходу. Обернувшись, он увидел, как почти все подняли руки за вотум доверия. «Брошены на растерзание пайщикам!» — подумал он и вышел из зала. Из деликатности он не стал разыскивать своих стариков. Они спасли свое достоинство, зато все остальное полетело к черту.

Шагая по улице, он размышлял о тернистых путях справедливости. Конечно, пайщики были в обиде; кто-нибудь должен был получить по шее, чтобы удовлетворить их чувство справедливости. Они прицепились к Старому Форсайту, который меньше всех виноват. Ведь если бы Барт держал язык за зубами, они, конечно, и его бы включили в вотум доверия. Все очень естественно и нелогично. И уже четыре часа.

«Подделки»! Старое чувство к Уилфриду проснулось в нем сегодня, в день выхода книги. Надо сделать все, что можно, чтобы его книгу пустить в ход. Бедный старый дружище! Просто нельзя допустить, чтобы ее холодно приняли.

Он зашел к двум крупным книготорговцам, потом отправился в свой клуб и заперся в телефонной будке. В прежнее время обычно брали кеб и объезжали всех. Звонить по телефону быстрее — впрочем, так ли? С бесконечными затруднениями он наконец поймал Сибли, Нэйзинга, Эпшира, Мастера и еще с полдюжины избранных. Он нарочно подчеркивал то, что их могло затронуть. Эта книга, говорил он, обязательно должна вызвать злобу старой гвардии и вообще всяких снобов; поэтому надо, чтобы сочувствующие ее поддержали. С каждым из них он говорил так, как будто на свете только его мнение играло роль.

«Если вы еще не дали рецензии на книгу, дорогой, сделайте это сегодня же. Ваше мнение особенно важно». И каждому он говорил: «Мне решительно все равно, как пойдет книга, но я хочу, чтобы Уилфриду отдали должное». Он и вправду так думал. В течение этого часа разговоров по телефону издатель в нем молчал, зато друг бился за своего друга. Он вышел из будки, вытирая ручьи пота со лба. Было уже половина шестого!

«Выпить чаю — и домой!» — подумал он. Он пришел домой в шесть часов. Тинг-а-Линг, совершенно незаметный, сидел в дальнем углу холла.

— Что с тобой, дружище?

В ответ послышался звук из спальни, от которого у него похолодела кровь, — протяжный, тихий стон.

— Боже мой! — ахнул он и полетел наверх.

В дверях его встретила Аннет. Он слышал, как она говорит что-то по-французски, называя его «mon cher», слышал слова «vers trois heures...[1] и доктор сказал, что не надо беспокоиться, все в порядке». Снова этот стон! Дверь закрылась у него перед носом: Аннет ушла. Майкл остался у дверей; совершенно холодный пот катился по его лицу, и ногти впивались в ладони.

«Вот как становишься отцом! — подумал он. — Вот как я стал сыном!» Опять этот стон! Он не мог оставаться у двери, он не мог решиться уйти. Ведь это может длиться еще очень долго! Он повторял все время: «Не надо волноваться, не надо волноваться!» Легко сказать! Какая бессмыслица! Его мозг, его сердце в поисках облегчения вдруг напали на странную мысль: что, если бы там рождался не его ребенок, не его, а Уилфрида; как бы он чувствовал себя здесь, на пороге? А ведь это могло случиться, вполне могло, — ведь теперь нет ничего священного. Ничего. Да, кроме того, что человеку дороже его самого, — кроме того, что вот так стонет там за дверью. Он не мог выдержать этого стояния у двери и пошел вниз. Он ходил взад и вперед по медному полу, с сигарой во рту, в бессильной ярости. Почему рождение должно быть таким? И в ответ пришло: «Не везде это так — например, в Китае». Думать, что все на свете чепуха, — и потом вот так напороться! То, что рождается такой ценой, должно и будет иметь значение. Об этом он позаботится! Но мозг Майкла отказывался работать; и он стоял неподвижно, весь превратившись в слух. Ничего! Он не мог выдержать хождения по комнате и снова пошел наверх. Сначала — ни звука, потом опять этот стон! На этот раз он убежал в кабинет и метался по комнате, смотря на карикатуры Обри Грина. Он ничего не видел и вдруг вспомнил о Старом Форсайте. Надо ему сказать!

Он позвонил в «Клуб знатоков», в «Смену» и во все клубы

---

[1] Часа в три (*фр.*).

отца, думая, не пошли ли они туда вместе после собрания. И все напрасно. Было уже половина восьмого. Сколько же это еще будет длиться? Он вернулся к дверям спальни: ничего не было слышно. Он пошел в холл. Теперь Тинг-а-Линг лежал у входной двери. «Ему надоело!» — подумал Майкл, поглаживая его по спине, и машинально открыл ящик для писем. Только одно письмо — почерк Уилфрида! Он прочел его у лестницы, лишь частью сознания воспринимая письмо и непрестанно думая о том, другом...

«Дорогой Монт!

Завтра отправляюсь в путь — хочу пересечь Аравию. Подумал, что надо тебе написать, на случай если Аравия «пересечет» меня. Я совсем образумился. Здесь слишком чистый воздух для всяких сантиментов, а страсть в изгнании быстро чахнет. Прости, что я тебе доставил столько волнений. С моей стороны было ошибкой вернуться в Англию после войны и слоняться без дела, сочиняя стишки для развлечения светских дам и чернильной братии. Бедная старая Англия — невеселые настали для нее времена! Передай ей привет — и вам обоим тоже.

Твой *Уилфрид Дезерт*.

P.S. Если ты издал то, что я оставил, передай, что мне причитается, моему отцу. *У.Д.*»

Майкл мельком подумал: «Ну вот и хорошо. А книга-то сегодня выходит из печати». Странно! Неужели Уилфрид прав и все это — чистейший вздор, чернильные потоки? Не усугубляется ли этим еще больше болезнь Англии? Может быть, всем надо сесть на верблюдов и пуститься в погоню за солнцем? А все же книги — радость и отдых; и они нужны; Англия должна держаться — должна! «Все вперед, все вперед. Отступления нет. Победа иль смерть!»... Боже! Опять!.. Стоны смолкли, Аннет вышла к нему.

— Отца, mon cher, отыщите ее отца.

— Пробовал — нигде нет! — задыхаясь, сказал Майкл.

— Попробуйте позвонить на Грин-стрит, к миссис Дарти. Courage![1] Все идет нормально — теперь уж совсем скоро.

Позвонив на Грин-стрит и добившись наконец ответа, он пошел в кабинет и, открыв дверь, стал ждать Старого Форсайта. Мельком он заметил круглую дырочку, выжженную в левой

---

[1] Бодритесь! (*Фр.*)

штанине, — он даже не заметил запаха гари, он даже не помнил, что курил. Надо подтянуться ради старика. Он услышал звонок и полетел открывать дверь.

— Ну? — спросил Сомс.

— Еще нет. Пойдемте в кабинет — там ближе!

Они поднялись вместе. Седая аккуратная голова, с глубокой складкой между бровями, и глаза, словно углубленные страданием, успокоили Майкла. Бедный старик! Ему тоже нелегко. Оба они, видно, с ума сходят!

— Хотите выпить, сэр? У меня тут есть коньяк.

— Давайте, — сказал Сомс, — все равно что.

С рюмками в руках, привстав, оба прислушались — подняли рюмки — выпили залпом. Они двигались автоматически, как две марионетки на одной веревочке.

— Папиросу, сэр?

Сомс кивнул.

Зажгли папиросы — поднесли их ко рту — прислушались — затянулись — выпустили дым. Майкл прижимал левую руку к груди. Сомс — правую. Так они сидели симметрично рядом.

— Ужасно трудно, сэр, извините!

Сомс кивнул головой. Его зубы были стиснуты. Вдруг его рука разжалась.

— Слышите? — сказал он.

Звуки — совсем другие — смутные!

Майкл крепко схватил и сжал что-то холодное, тонкое — руку Сомса.

Так они сидели рука в руке и смотрели на дверь неизвестно сколько времени.

Вдруг просвет двери исчез, на пороге появилась фигура в сером — Аннет!

— Все в порядке! Сын!

XV. ПОКОЙ

Когда Майкл на следующее утро очнулся от глубокого сна, первой его мыслью было: «Флер снова со мной!» Потом он вспомнил.

На его «все хорошо?», шепотом сказанное у дверей, сиделка выразительно закивала головой.

Несмотря на лихорадочное ожидание, он все-таки сумел остаться современным и сказать себе: «Нечего распускаться! Ступай и спокойно позавтракай».

В столовой Сомс презрительно щурился на надбитое яйцо. Он взглянул на вошедшего Майкла и уткнулся в свою чашку. Майкл прекрасно его понимал: ведь вчера они сидели, держась за руки! Он увидел, что у прибора Сомса лежит развернутая финансовая газета.

— Что-нибудь о собрании, сэр? Вашу речь, наверно, расписывают вовсю.

Сомс кашлянул и протянул газету. Заголовки гласили: «Бурное собрание — отставка двух директоров — вотум доверия». Майкл бегло просмотрел отчет, пока не дошел до слов:

«Мистер Форсайт, замешанный в это дело директор, в своей довольно длинной речи сказал, что не намерен петь Лазаря. Он заявил, что возмущен поведением пайщиков, что не привык к подозрениям. Он подал прошение об отставке».

Майкл опустил газету.

— Черт возьми! «Замешанный», «подозрения». Они этому придали такой оборот, точно...

— Газеты! — сказал Сомс и снова принялся за еду.

Майкл сел и начал очищать банан. «А ведь сумел красиво умереть, — подумал он. — Бедный старик».

— Знаете, сэр, — сказал он. — Я там был, и вот что я могу сказать: из всех только вы и мой отец возбудили во мне уважение.

— Гм! — промычал Сомс и положил ложку.

Майкл понял, что ему хочется побыть одному, и, проглотив банан, ушел к себе в кабинет. Пока его не позвали к Флер, он решил позвонить отцу.

— Как вы себя чувствуете после вчерашнего, Барт?

Голос сэра Лоренса, ясный, тонкий и высокий, ответил:

— Беднее и мудрее. Каков бюллетень?

— Лучше некуда.

— Поздравляем вас обоих. Мама спрашивает, есть ли у него волосы.

— Еще не видел. Сейчас пойду к нему.

И в самом деле, Аннет кивнула ему из приоткрытой двери.

— Она просит вас принести ей собачку, mon cher.

С Тинг-а-Лингом под мышкой, ступая на цыпочках, Майкл вошел. Одиннадцатый баронет! Он еще ничего не видел, потому что голова Флер склонилась над ребенком. Определенно — волосы у нее стали темнее. Майкл подошел к кровати и благоговейно коснулся ее лба.

Флер подняла голову и открыла его взгляду ребенка, бодро сосавшего ее мизинец.

— Чем не обезьянка? — послышался ее слабый голос.

Майкл кивнул. Конечно, обезьянка — но белая ли, вот вопрос!

— А ты как, дорогая?

— Теперь отлично, но что было... — Она перевела дыхание, и ее глаза потемнели. — Тинг, смотри!

Китайская собачка, деликатно наморщив ноздри, попятилась под рукою Майкла. Во всей ее повадке сквозило хитрое осуждение.

«Щенята, — казалось, говорила она. — У нас в Китае это тоже бывает. Мнение свое оставляю при себе».

— Что за глаза! — сказал Майкл. — Ему мы можем и не говорить, что ребенка принес доктор из Челси.

Флер еле слышно засмеялась.

— Пусти его, Майкл.

Майкл поставил собачку на пол, и она убежала в свой угол.

— Мне нельзя разговаривать, — сказала Флер, — но страшно хочется, как будто я несколько месяцев была немая.

«То же чувство, что и у меня, — подумал Майкл, — она и вправду была где-то далеко-далеко, совсем не здесь».

— Как будто тебя что-то держит, Майкл. Совсем не своей становишься.

— Да, — мягко проговорил Майкл, — устарелая процедура. Есть у него волосы? Мама спрашивала.

Флер обнажила голову одиннадцатого баронета, покрытую темным пушком.

— Как у моей бабушки, но они посветлеют. Глаза у него будут серые. Майкл, а как насчет крестных? Матерью, конечно, Элисон, а кто будет крестным отцом?

Майкл помолчал немного, прежде чем ответить:

— Я вчера получил письмо от Уилфрида. Хочешь, возьмем его? Он все еще там, но я могу держать за него губку в церкви.

— Он пришел в себя?

— По его словам — да.

Майкл не мог прочесть выражение ее глаз, но губы ее слегка надулись.

— Хорошо, — сказала она, — и, по-моему, совершенно достаточно одного крестного. Мои мне никогда ничего не дарили.

— А мне моя крестная дала Библию, а крестный — нагоняй. Значит, решено — Уилфрид.

И он наклонился к ней.

В ее глазах ему почудилось насмешливое и чуть виноватое выражение. Он поцеловал ее в голову и поспешил отойти.

У двери стоял Сомс, ожидая своей очереди.

— Только на одну минуту, сэр, — сказала сиделка.

Сомс подошел к кровати и остановился, глядя на дочь.

— Папочка, дорогой! — услышал Майкл.

Сомс погладил ей руку и, как бы выражая свое одобрение младенцу, кивнул и пошел к двери, но в зеркале Майкл увидел, что губы у него дрожат.

Когда Майкл опять спустился в нижний этаж, им овладело сильнейшее желание запеть. Но нельзя было; и, войдя в китайскую комнату, он стал смотреть в окно на залитый солнцем сквер. Эх, хорошо жить на свете! Что ни говори, а этого не станешь отрицать. Пусть задирают носы перед жизнью и смотрят на нее сверху вниз. Пусть возятся с прошлым и с будущим; ему подавай настоящее!

«Повешу опять «Белую обезьяну», — подумал он. — Не так-то легко будет этому животному нагнать на меня тоску».

Он пошел в чулан под лестницей и из-под четырех пар пересыпанных нафталином и завернутых в бумагу занавесок достал картину. Он отставил ее немного, чтобы посмотреть на нее в полусвете чулана. И глаза же у этой твари! Все дело в этих глазах.

— Ничего, старина, — сказал он. — Едем наверх. — И он потащил картину в китайскую комнату.

Сомс оказался там.

— Я хочу повесить ее, сэр.

Сомс кивнул.

— Подержите, пожалуйста, пока я закручу проволоку.

Сойдя на медный пол, Майкл сказал:

— Вот и хорошо, сэр, — и отступил посмотреть.

Сомс подошел к нему. Стоя рядом, они глядели на «Белую обезьяну».

— Она не успокоится, пока не получит своего, — сказал наконец Майкл. — Но вот беда — она сама не знает, чего хочет.

1924

ИНТЕРЛЮДИЯ

ИДИЛЛИЯ

В феврале 1924 года Джон Форсайт, только что перенесший испанку, сидел в салоне гостиницы в Кэмдене, штат Южная Каролина, и его светлые волосы медленно вставали дыбом. Он читал о случае линчевания.

Голос у него за спиной сказал:

— Поедемте с нами сегодня на пикник, знаете — к этим древним курганам?

Он поднял голову и увидел своего знакомого, молодого южанина по имени Фрэнсис Уилмот.

— С удовольствием. А кто будет?

— Да только мистер и миссис Пэлмер Харисон, и этот английский романист Гэрдон Минхо, и девочки Блэр и их подруги, и моя сестра Энн и я. Если хотите поразмяться, можете ехать верхом.

— Отлично! Сегодня утром сюда прислали новых лошадей из Колумбии.

— О, да это чудесно! Тогда и мы с сестрой поедем верхом и кто-нибудь из девочек Блэр. А остальных пусть забирают Хэрисоны.

— Про линчевание читали? — сказал Джон. — Какой ужас!

Молодой человек, с которым он говорил, сидел на окне. Джону очень нравились его лицо цвета слоновой кости, его темные волосы и глаза, тонкий нос и губы и изящная, свободная манера держаться.

— Все вы, англичане, с ума сходите, когда читаете о линчеваниях. У вас там, в Южных Соснах, нет негритянского вопроса. В Северной Каролине он вообще почти не возникает.

— Это правда, я и не считаю, что разбираюсь в нем. Но я не понимаю, почему бы не судить негров таким же судом, как белых. Есть, наверно, случаи, когда просто надо пристрелить человека на месте. Но мне непонятно, как вы можете защищать самосуд. Раз уж человека поймали, надо судить его как следует.

— В этом вопросе, знаете ли, рисковать не рекомендуется.

— Но если человека не судить, как же вы установите его вину?

— Нет, мы считаем, что лучше пожертвовать одним безвинным негром, чем подвергать опасности наших женщин.

— По-моему, нет ничего хуже, как убить человека за то, чего он не делал.

— В Европе — может быть. Здесь — нет. Очень еще все неустойчиво.

— А что говорят о суде Линча на Севере?

— Пищат понемножку, но совершенно напрасно. У нас негры, у них индейцы; думаете, они с ними церемонятся?

Джон Форсайт откинулся в качалке и растерянно нахмурился.

— У нас тут еще слишком много места, — продолжал Фрэнсис Уилмот. — Человеку есть куда скрыться. Так что если мы в чем уверены, то действуем не спрашиваясь.

— Да, каждая страна живет по-своему. А на какие это мы курганы едем?

— Остатки индейских поселений; им, говорят, несколько тысяч лет. Вы с моей сестрой не знакомы? Она приехала только вчера вечером.

— Нет. Когда выезжаем?

— В двенадцать; туда лесом ехать около часа.

Ровно в двенадцать, переодевшись для верховой езды, Джон вышел из отеля. Лошадей было пять, так как верхом пожелали ехать две девочки Блэр. Он поехал между ними, а Фрэнсис Уилмот с сестрой — впереди.

Девочки Блэр были молоденькие и по-американски хорошенькие — в меру яркие, круглолицые, румяные — тип, к которому он привык за два с половиной года, проведенных в Соединенных Штатах. Они сначала были слишком молчаливы, потом стали слишком много болтать. Верхом ездили по-мужски, и очень хорошо. Джон узнал, что они, как и устроители пикника мистер и миссис Харисон, живут на Лонг-Айленде. Они задавали ему много вопросов об Англии, и Джону, уехавшему оттуда девятнадцати лет, приходилось выдумывать много ответов. Он начал с тоской поглядывать через уши лошади на Фрэнсиса Уилмота и его сестру, которые ехали впереди в молчании, издали казавшемся чрезвычайно приятным. Дорога шла сосновым лесом, между стройных редких деревьев, по песчаному грунту; солнце светило ясное, теплое, но в воздухе еще был холодок. Джон ехал на гнедом иноходце и чувствовал себя так, как бывает, когда только что выздоровеешь.

Девочки Блэр интересовались его мнением насчет английского романиста — им до смерти хотелось увидеть настоящего писателя. Джон читал только одну его книгу и из действующих лиц помнил только кошку. Девочки Блэр не читали ни одной; но они слышали, что кошки у него «восхитительные».

Фрэнсис Уилмот придержал лошадь и указал на большой холм, по виду действительно насыпанный когда-то людьми. Они все придержали лошадей, посмотрели на него две минуты молча, решили, что это «очень интересно», и поехали дальше. Публика, высадившаяся из двух автомобилей, распаковывала в ложбинке еду. Джон отвел лошадей в сторону, чтобы привязать их рядом с лошадьми Уилмота и его сестры.

— Моя сестра, — сказал Фрэнсис Уилмот.

— Мистер Форсайт, — сказала сестра.

Она посмотрела на Джона, а Джон посмотрел на нее. Она была тоненькая, но крепкая, в длинном темно-коричневом жакете, бриджах и сапогах; волосы короткие, темные, под мягкой коричневой фетровой шляпой. Лицо, бледное, сильно загорелое, выражало какое-то сдержанное напряжение; лоб широкий, чистый, носик прямой и смелый, рот ненакрашенный, довольно большой и красивый. Но особенно поразили Джона ее глаза — как раз такие, какими в его представлении должны быть глаза у русалки. С чуть приподнятыми уголками, немигающие, и карие, и манящие. Он не мог разобрать, не косит ли она самую малость, но если и так, это только украшало ее. Он смутился. Оба молчали. Фрэнсис заявил: «А я, знаете ли, голоден», — и они вместе направились к остальным.

Джон вдруг обратился к сестре:

— Так вы только что приехали, мисс Уилмот?

— Да, мистер Форсайт.

— Откуда?

— Из Нэйзби. Это между Чарлстоном и Саванной.

— А, Чарлстон! Чарлстон мне понравился.

— Энн больше нравится Саванна, — сказал Фрэнсис Уилмот.

Энн кивнула. Она была, по-видимому, неразговорчива, но пока, в небольших дозах, ее голос звучал приятно.

— Скучновато у нас там, — сказал Фрэнсис. — Все больше негры. Энн никогда еще не видела живого англичанина.

Энн улыбнулась. Джон тоже улыбнулся. Разговор замер. Они подошли к еде, разложенной с таким расчетом, чтобы вызвать максимум мускульной и пищеварительной энергии. Миссис Пэлмер Харисон, дама лет сорока, с резкими чертами лица, сидела, вытянув вперед ноги; Гэрдон Минхо, английский романист, пристроил свои ноги более скромно; а дальше сидело множество девушек, все с хорошенькими и отнюдь не скромными ножками; немного в стороне мистер Пэлмер Харисон кривил маленький рот над пробкой большой бутылки. Джон и Уилмоты тоже сели. Пикник начался.

Джон скоро увидел, что все ждут, чтобы Гэрдон Минхо сказал что-нибудь, кроме «да», «да что вы!», «а», «вот именно!». Этого не случилось. Знаменитый романист был сначала чуть не болезненно внимателен к тому, что говорили все остальные, а потом словно впал в прострацию. Патриотическое чувство Джона было уязвлено, ибо сам он держался, пожалуй, еще более молчаливо. Он видел, что между тремя девочками Блэр и их двумя подругами готовится заговор — на свободе отвести душу по поводу молчаливых англичан. Бессловесная сестра Фрэнсиса Уилмота была ему большим утешением. Он чувствовал, что она не захочет, да и не вправе будет примкнуть к этому заговору. С горя он стал передавать закуски и был рад, когда период насыщения всухомятку пришел к концу. Пикник — как Рождество в будущем и прошлом лучше, чем в настоящем. Затем корзины были вновь упакованы, и все направились к автомобилям. Обе машины покатили к другому кургану, как говорили — в двух милях от места привала. Фрэнсис Уилмот и две девочки Блэр решили, что поедут домой смотреть, как играют в поло. Джон спросил Энн, что она думает делать. Она пожелала увидеть второй курган.

Они сели на лошадей и молча поехали по лесной дороге. Наконец Джон сказал:

— Вы любите пикники?

— Определенно — нет.

— Я тоже. А ездить верхом?

— Обожаю больше всего на свете.

— Больше, чем танцы?
— Конечно. Ездить верхом и плавать.
— А! Я думал... — И он умолк.
— Что вы думали?
— Ну, я просто подумал, что вы, наверно, хорошо плаваете.
— Почему?
Джон сказал смутившись:
— По глазам.
— Что? Разве они у меня рыбьи?
Джон рассмеялся.
— Да нет же! Они, как у русалки.
— Еще не знаю, принять ли это за комплимент.
— Ну конечно.
— Я думала, русалки малопочтенные создания.
— Ну что вы, напротив! Только робкие.
— У вас их много в Англии?
— Нет. По правде сказать, я их раньше никогда не видел.
— Так откуда же вы знаете?
— Просто чувствую.
— Вы, наверно, получили классическое образование. В Англии ведь это, кажется, всем полагается?
— Далеко не всем.
— А как вам нравится Америка, мистер Форсайт?
— Очень нравится. Иногда нападает тоска по родине.
— Мне бы так хотелось попутешествовать.
— Никогда не пробовали?
Она покачала головой.
— Сижу дома, хозяйничаю. Но старый дом, вероятно, придется продать — хлопком больше не проживешь.
— Я развожу персики около Южных Сосен. Знаете, в Северной Каролине? Это сейчас выгодно.
— Вы живете там один?
— Нет, с матерью.
— Она англичанка?
— Да.
— А отец у вас есть?
— Четыре года как умер.
— Мы с Фрэнсисом уже десять лет сироты.
— Хорошо бы вы оба приехали как-нибудь к нам погостить; моя мать была бы так рада.
— Она похожа на вас?
Джон засмеялся.

— Нет. Она красавица.

Глаза серьезно посмотрели на него, губы чуть-чуть улыбнулись.

— Я бы поехала с удовольствием, но нам с Фрэнсисом нельзя отлучаться одновременно.

— Но ведь сейчас вы оба здесь.

— Завтра уезжаем; мне хотелось увидеть Кэмден. — Глаза опять стали внимательно разглядывать лицо Джона. — Может, наоборот, вы поедете с нами и посмотрите наш дом? Он старый. И Фрэнсису доставили бы удовольствие.

— Вы всегда знаете, что доставит вашему брату удовольствие?

— Конечно.

— Вот это здорово. Но вам правда хочется, чтобы я приехал?

— Ну да.

— Я-то очень хотел бы; ненавижу отели. То есть... ну, вы знаете.

Но так как он и сам не знал, трудно было ожидать, что она знает.

Она тронула лошадь, и иноходец Джона перешел на легкий галоп.

В просветы нескончаемого соснового леса солнце светило им в глаза; пахло нагретыми сосновыми иглами, смолой и травой; дорога была ровная, песчаная; лошади шли бодро. Джон был счастлив. Странные у этой девушки глаза, манящие; и верхом она ездит даже лучше, чем девочки Блэр.

— Англичане, наверно, все хорошо ездят? — спросила она.

— Почти все, если вообще ездят; но сейчас у нас верховая езда не в почете.

— Так хотелось бы побывать в Англии! Наши предки приехали из Англии в тысяча семисотом году — из Вустершира. Где это?

— Это наш Средний Запад, — сказал Джон. — Только совсем не такой, как у вас. Там много фруктовых садов — красивая местность: белые деревянные домики, пастбища, сады, леса, зеленые холмы. Я как-то на каникулах ездил туда гулять с одним школьным товарищем.

— Должно быть, чудесно. Наши предки были католики. У них было имение Нэйзби; вот мы и свое назвали Нэйзби. А бабушка моя была французская креолка из Луизианы. Правда, что в Англии считают, будто в креолах есть негритянская кровь?

— Мы очень невежественны, — сказал Джон. — Я-то знаю,

что креолы — это старые испанские и французские семьи. В вас обоих есть что-то французское.

— Во Фрэнсисе — да. А мы не проехали этот курган? Мы уже сделали добрых четыре мили, а говорили — до него только две.

— А не все ли равно? Тот, первый, по-моему, не был так уж потрясающе интересен.

Ее губы улыбнулись; она, наверно, никогда не смеялась по-настоящему.

— А какие в этих краях индейцы? — спросил Джон.

— Наверно не знаю. Если есть, так, должно быть, семинолы. Но Фрэнсис думает, что эти курганы были еще до прихода теперешних племен. Почему вы приехали в Америку, мистер Форсайт?

Джон прикусил губу. Сказать причину — семейная распря, неудачный роман — было не так-то просто.

— Я сначала поехал в Британскую Колумбию, но там дело не пошло. Потом услышал о персиках в Северной Каролине.

— Но почему вы уехали из Англии?

— Да просто захотелось посмотреть белый свет.

— Да, — сказала она.

Звук был тихий, но сочувственный. Джон был рад, тем более что она не знала, чему сочувствует. Образ его первой любви редко теперь тревожил его — уже год, даже больше, как это кончилось. Он был так занят своими персиками. Кроме того, Холли писала, что у Флер родился сын. Вдруг он сказал:

— По-моему, надо поворачивать — посмотрите на солнце.

Солнце, и правда, было уже низко за деревьями.

— Ой, да.

Джон повернул коня.

— Давайте галопом, через полчаса сядет; а луны еще долго не будет.

Они поскакали назад по дороге. Солнце зашло еще скорее, чем он думал, стало холодно, свет померк. Вдруг Джон придержал лошадь.

— Простите, пожалуйста; кажется, мы не на той дороге, по которой ехали с пикника. Я чувствую, что мы сбились вправо. Дороги все одинаковые, а лошади только вчера из Колумбии, знают местность не лучше нашего.

Девушка засмеялась.

— Мы заблудимся.

— Хм! Это не шутка в таком лесу. Ему что, конца нет?

— Наверно, нет. Прямо приключение.

— Да, но вы простудитесь. Ночью здорово холодно.

— А у вас только что была испанка!

— О, это неважно. Вот дорога влево. Поедем по ней или прямо?

— По ней.

Они поехали дальше. Для галопа было слишком темно, скоро и рысью ехать стало невозможно. А дорога извивалась бесконечно.

— Вот так история, — сказал Джон. — Ой, как неприятно!

Они ехали рядом, но он еле-еле разглядел ее улыбку.

— Ну что вы! Страшно забавно.

Он был рад, что она так думает, но не совсем с ней согласен.

— Так глупо с моей стороны. Брат ваш меня не поблагодарит.

— Он же знает, что я с вами.

— Если б еще у нас был компас. Так всю ночь можно проплутать. Опять дорога разветвляется! О черт, сейчас совсем стемнеет.

И не успел он сказать это, как последний луч света погас; Джон едва различал девушку на расстоянии пяти шагов. Он вплотную подъехал к ее лошади, и Энн дотронулась до его рукава.

— Не надо беспокоиться, — сказала она, — вы этим только все портите.

Переложив поводья, он сжал ее руку.

— Вы молодчина, мисс Уилмот.

— О, зовите меня Энн. От фамилий как-то холодно, когда собьешься с дороги.

— Большое спасибо. Меня зовут Джон, по-настоящему — Джолион.

— Джолион — Джон, это хорошо.

— А я всегда любил имя Энн. Подождем, пока взойдет луна, или поедем дальше?

— А она когда взойдет?

— Часов в десять, судя по вчерашнему. И будет почти полная. Но сейчас только шесть.

— Поедем, пусть лошади сами ищут дорогу.

— Ладно. Только если уж они нас куда-нибудь привезут, так в Колумбию, а это не близко.

Они поехали шагом по узкой дороге. Теперь совсем стемнело. Джон сказал:

— Вам не холодно? Пешком идти теплее. Я поеду вперед; не отставайте, а то потеряете меня из виду.

Он поехал вперед и скоро спешился, потому что сам замерз. Ни звука нельзя было уловить в нескончаемом лесу, ни проблеска света.

— Вот теперь я озябла, — послышался голос Энн. — Я тоже слезу.

Так они шли с полчаса, ведя лошадей в поводу и чуть не ощупью находя дорогу; вдруг Джон сказал:

— Посмотрите-ка! Что-то вроде поляны! А что там налево чернеется?

— Это курган.

— Только какой, интересно? Тот, что мы видели, или второй, или еще новый?

— Пожалуй, побудем здесь, пока не взойдет луна, а тогда, может быть, разберемся и найдем дорогу.

— Правильно! Тут, наверно, и болота есть. Я привяжу лошадей и поищем, где укрыться. А холодно!

Он привязал лошадей с подветренной стороны, а когда повернулся, она была рядом с ним.

— Жутко здесь, — сказала она.

— Найдем уютное местечко и сядем.

Он взял ее под руку, и они двинулись в обход кургана.

— Вот, — сказал вдруг Джон, — здесь копали. Здесь не будет ветра. — Он пощупал землю — сухо. — Присядем здесь и поболтаем.

Прислонившись к стенке вырытой ямы, они закурили и сидели бок о бок, прислушиваясь к тишине. Лошади пофыркивали, тихо переступали, больше не было слышно ни звука. Деревья не шумели — лес был редкий, да и ветер стих, и живого было — только они двое и лошади. Редкие звезды на очень темном небе да чернеющие в темноте стволы сосен — больше они ничего не видели. И еще светящиеся кончики папирос и время от времени — в свете их — лица друг друга.

— Вы, наверно, никогда мне этого не простите, — мрачно сказал Джон.

— Ну что вы! Мне страшно нравится.

— Очень мило, что вы так говорите, но вы, наверно, ужасно озябли. Знаете что, возьмите мой пиджак.

Он уже начал снимать его, когда она сказала:

— Если вы это сделаете, я убегу в лес и заблужусь всерьез.

Джон покорился.

— Просто случай, что это вы, а не кто-нибудь из девочек Блэр, — сказал он.

— А вам бы хотелось?

— Для вас — конечно. Но не для меня, нет, право же!

Они повернулись друг к другу, так что кончики их папирос чуть не столкнулись. Едва различая ее глаза, он вдруг ощутил четкое желание обнять ее. Это казалось так нужно и естественно — но разве можно!

— Хотите шоколаду? — сказала она.

Джон съел малюсенький кусочек: шоколад нужно сберечь для нее.

— Настоящее приключение. Ой, как темно! Одна я бы испугалась, тут страшновато.

— Духи индейцев, — проговорил Джон. — Только я не верю в духов.

— Поверили бы, если б вас растила цветная нянька.

— А у вас была?

— Ну да, и голос у нее был мягкий, как дыня. У нас есть один старый негр, который в детстве был рабом. Самый милый из всех наших негров; ему скоро восемьдесят лет, волосы совсем белые.

— Ваш отец ведь уже не мог участвовать в Гражданской войне?

— Нет; два деда и прадед.

— А вам сколько лет, Энн?

— Девятнадцать.

— Мне двадцать три.

— Расскажите мне про свой дом в Англии.

— Теперь у меня там ничего и нет.

Он рассказал ей историю своей юности в сокращенном издании и решил, что она слушает замечательно. Потом попросил ее рассказать о себе и, пока она говорила, все думал, нравится ли ему ее голос. Она запиналась и проглатывала слова, но голос был мягкий и очень приятный. Когда она кончила свою немудрую повесть — она почти не уезжала из дому, — наступило молчание, потом Джон сказал:

— Еще только половина восьмого. Пойду взгляну на лошадей. А потом вы, может быть, поспите.

Он стал обходить курган и, добравшись до лошадей, постоял, поговорил с ними, погладил их морды. В нем шевелилось теплое чувство покровителя. Хорошая девочка, и храбрая. Такое лицо запомнишь, в нем что-то есть; вдруг он услышал ее голос, тихий, словно она не хотела показать вида, что зовет: «Джон! Ау, Джон!» Он ощупью пошел обратно. Она протянула вперед руки.

— Очень страшно! Шуршит что-то! У меня мурашки по спине бегают.

— Ветер поднялся. Давайте сядем спина к спине, вам будет теплее. Или знаете как — я сяду у стены, а вы прислонитесь ко мне и сможете уснуть. Только два часа осталось, потом поедем при луне.

Они сели, как он предлагал, она прислонилась к нему, головой уткнулась ему в плечо.

— Уютно?

— Очень. И мурашки кончились. Тяжело?

— Ни капельки, — сказал Джон.

Они еще покурили и поболтали. Звезды стали ярче, глаза привыкли к темноте. И они были благодарны друг другу за тепло. Джону нравился запах ее волос — как от сена — у самого его носа. Он с удовольствием обнял бы ее и прижал к себе. Но он этого не сделал. Однако ему было нелегко оставаться чем-то теплым, безличным, чтобы ей только было к чему прислониться. В первый раз после отъезда из Англии он испытывал желание обнять кого-нибудь — так сильно он тогда обжегся. Ветер поднялся, прошумел в деревьях, опять улегся; стало еще тише. Ему совсем не хотелось спать, и казалось странным, что она спит — ведь спит, не двигается! Звезды мерцали, он стал пристально смотреть на них. Руки и ноги у него затекли, и вдруг он заметил, что она и не думает спать. Она медленно повернула голову, и он увидел ее глаза — серьезные, манящие.

— Вам тяжело, — сказала она и приподнялась, но его рука вернула ее на место.

— Ни капельки, только бы вам было тепло и уютно.

Голова легла обратно; и бдение продолжалось. Изредка они переговаривались о всяких пустяках, и он думал: «Занятно — можно прожить месяцы со знакомыми людьми и знать их хуже, чем мы теперь будем знать друг друга».

Опять наступило долгое молчание; но теперь Джон обхватил ее рукой, так было удобнее обоим. И он начал подумывать, что луне, собственно, и не к чему всходить. Думала ли Энн то же самое? Он не знал. Но если и думала, луне было все равно, так как он вдруг понял, что она уже тут, где-то за деревьями, — странное спокойное мерцание стало излучаться в воздухе, поползло по земле, исходило из стволов деревьев.

— Луна! — сказал он.

Энн не двинулась, и сердце его заколотилось. Вот как! Ей, как и ему, не хотелось, чтобы луна всходила! Медленно неясное мерцание наливалось светом, кралось между стволами, окутало их фигуры; и мрак рассеялся. А они все сидели не шевелясь, словно боясь нарушить очарование. Луна набралась сил и в холодном сиянии встала над деревьями; мир ожил. Джон подумал: «Можно ее поцеловать?» — и сейчас же раздумал. Да разве она позволит! Но, словно угадывая его мысль, она повернула голову и посмотрела ему в глаза. Он сказал:

— Я за вас отвечаю.

Послышался легкий вздох, и она встала. Они стояли, потягиваясь, вглядываясь в побелевший таинственный лес.

— Посмотрите, Энн, курган тот самый! Вот тропинка к тому овражку, где мы ели. Теперь-то мы найдем дорогу.

— Да. — Интонация была для него непонятной.

Они подошли к лошадям, отвязали их и сели. Вдвоем они теперь, конечно, найдут дорогу; и они тронулись в путь. Ехали рядом.

Джон сказал:

— Ну вот, будет что вспомнить.

— Да, я никогда не забуду.

Больше они не говорили, только советовались о дороге, но скоро стало ясно, куда ехать, и они поскакали. Вот и луг, где играли в поло, — у самой гостиницы.

— Ступайте успокойте вашего брата. Я отведу лошадей и сейчас вернусь.

Когда он вошел в салон, Фрэнсис Уилмот, не переодевшись после поездки, сидел там один. У него было странное выражение лица — не то чтобы враждебное, но, уж конечно, и не дружелюбное.

— Энн прошла наверх, — сказал он. — Вы, по-видимому, неважно ориентируетесь. Я сильно беспокоился.

— Простите меня, пожалуйста, — смиренно сказал Джон, — я забыл, что лошади не знают местности.

— Что ж, — сказал Фрэнсис Уилмот и пожал плечами.

Джон в упор посмотрел на него.

— Уж вы не воображаете ли, что я отстал нарочно? А то у вас это на лице написано.

Фрэнсис Уилмот опять пожал плечами.

— Простите, — сказал Джон, — но вы, кажется, забыли, что

ваша сестра — порядочная женщина, с которой не станешь вести себя, как последний мерзавец.

Фрэнсис Уилмот не отвечал; он отошел к окну и глядел на улицу. Джон был очень зол; он присел на ручку кресла, внезапно почувствовав страшную усталость. Сидел и хмуро смотрел в пол. Вот черт! Он и сестре устроил сцену? Если так...

Голос за его спиной произнес:

— Я, знаете, не то хотел сказать! Извините, пожалуйста, я просто очень беспокоился. Руку!

Джон вскочил, и они обменялись рукопожатием, глядя прямо в глаза друг другу.

— Вы, наверно, совсем вымотались, — сказал Фрэнсис Уилмот. — Пойдемте ко мне; у меня там есть фляжка. Я уж и Энн дал глотнуть.

Они поднялись наверх. Джон сел на единственный стул, Фрэнсис Уилмот на кровать.

— Энн говорила, что звала вас ехать к нам завтра. Надеюсь, вы не раздумаете?

— Я бы с наслаждением.

— Ну, вот и отлично!

Они выпили, поболтали, покурили.

— Спокойной ночи, — вдруг сказал Джон, — а то я здесь у вас засну.

Они опять пожали друг другу руки, и Джон, пошатываясь, отправился к себе. Он уснул мгновенно.

На следующий день они втроем поехали через Колумбию и Чарлстон в имение Уилмотов. Дом стоял в излучине красноватой реки, окруженный хлопковыми полями и болотами, на которых росли вечнозеленые дубы, унылые, обвешанные флоридским мхом. Прежние лачуги рабов, в которых теперь жили только собаки, еще не были снесены. Дом был двухэтажный, с двумя деревянными лестницами, ведущими на увитую систарией веранду; он сильно нуждался в покраске. Комнаты все были проходные, в них висели старые портреты умерших Уилмотов и де Фревилей да бродили негры, переговариваясь тягучими, мягкими голосами.

Джону ни разу еще не было так хорошо, с самого приезда в Новый Свет, три с половиной года назад. По утрам он возился на солнышке с собаками или пытался писать стихи, так как молодые хозяева были заняты. После обеда он ездил верхом с ними обоими или с одной Энн. Вечерами учился у нее играть на гавайской гитаре перед камином, который топили, когда заходило солнце, или слушал, как Фрэнсис рассказывал о разведении хлопка — с ним после той минутной размолвки он был опять в самых лучших отношениях.

С Энн он говорил мало; они как бы снова погрузились в то молчание, которое началось, когда они сидели в темноте у старого индейского кургана. Но он следил за ней; он все время старался поймать серьезный, манящий взгляд ее темных глаз. Она казалась ему все менее и менее похожей на других знакомых девушек; была быстрее их, молчаливее, самостоятельнее. Дни бежали, солнце грело, по ночам пахло дымом лесных пожаров; и каникулы Джона подходили к концу. Он уже умел играть на гавайской гитаре, и под ее аккомпанемент они исполняли негритянские песни, арии из оперетток и прочие бессмертные произведения искусства. Настал последний день, и Джона охватило смятение. Завтра рано утром он уезжает в Южные Сосны, к своим персикам! В тот день, когда он в последний раз ездил с ней верхом, молчание было почти неестественное, и она даже не смотрела на него. Джон пошел наверх переодеваться, унося в душе ужас. Теперь он знал, что хочет увезти ее с собой, и был уверен, что она не поедет. Как скучно думать, что нельзя будет больше ловить на себе ее взгляд. Он изголодался от желания поцеловать ее. Он сошел вниз угрюмый и сел в кресло перед горящим камином; теребил за уши рыжего сеттера, смотрел, как в комнате темнеет. Может быть, она даже не придет попеть напоследок. Может быть, ничего больше не будет — только ужин и вечер втроем; не удастся даже сказать, что он любит ее, и услышать в ответ, что она его не любит. И он тоскливо думал: «Я сам виноват — дурак, зачем молчал, упустил случай».

В комнате стемнело, только камин горел; сеттер уснул. Джон тоже закрыл глаза. Так, казалось, было лучше ждать... самого худшего. Когда он открыл глаза, она стояла перед ним с гитарами.

— Хотите поиграть, Джон?

— Да, — сказал Джон, — давайте поиграем. В последний раз. — Он взял гитару.

Она села на коврик перед камином и стала настраивать. Джон соскользнул на пол, где лежал сеттер, и тоже стал настраивать. Сеттер встал и ушел.

— Что будем петь?

— Я не хочу петь, Энн. Пойте вы. Я буду аккомпанировать.

Она не смотрит на него! И не будет смотреть! Все кончено! Дурак, что он наделал!

Энн запела. Она пела протяжную песню — зов испанской горянки. Джон щипал струны, а мелодия щипала его за сердце. Она допела до конца, спела еще раз, и ее взгляд передвинулся. Что? Она смотрит на него наконец! Не надо показывать вида, что он заметил. Уж очень хорошо — этот долгий, темный взгляд поверх гитары. Между ними была ее гитара и его. Он отшвырнул эту гадость. И вдруг, подвинувшись на полу, обнял девушку. Она молча уронила голову ему на плечо, как тогда, у индейского кургана. Он наклонился щекой к ее волосам. От них пахло, как и тогда, сеном. И как тогда, в лунном свете, Энн закинула голову, так и теперь она повернулась к нему. Но теперь Джон поцеловал ее в губы.

1927

СЕРЕБРЯНАЯ ЛОЖКА

Но, друг мой,
Тернист наш путь!

Шекспир,
«Зимняя сказка»

ЧАСТЬ ПЕРВАЯ

I. ИНОСТРАНЕЦ

Трудно было с первого взгляда узнать американца в молодом человеке, который вышел из такси на Саут-сквер в Вестминстере в конце сентября 1924 года. Поэтому шофер поколебался, прежде чем запросить двойную плату. Молодой человек без всяких колебаний ему отказал.

— Разве вы неграмотны? — спокойно осведомился он. — Посмотрите — четыре шиллинга.

С этими словами он повернулся спиной к шоферу и взглянул на здание, перед которым остановилось такси. Сейчас ему предстояло впервые войти в английский дом, и он слегка волновался, точно ему должны были выдать семейную тайну. Вытащив из кармана конверт с адресом, он посмотрел на номер, выгравированный на медной дощечке у двери, прошептал: «Да, правильно», — и позвонил.

Ожидая, пока откроют, он обратил внимание на глубокую тишину, которую нарушил бой часов. Пробило четыре, и казалось, то был глас Времени. Когда замер гул, дверь приоткрылась, и лысый человек спросил:

— Что угодно, сэр?

Молодой американец снял мягкую шляпу.

— Здесь живет миссис Майкл Монт?

— Да, сэр.

— Пожалуйста, передайте ей мою карточку и письмо.

— «Мистер Фрэнсис Уилмот, Нэйзби, Ю. К.». Будьте добры, войдите, сэр.

Следуя за лакеем, Фрэнсис Уилмот прошел в комнату направо. Здесь внимание его привлек какой-то шорох, и чьи-то зубы оцарапали ему икру.

— Дэнди! — крикнул лысый лакей. — Ах ты, чертенок! Знаете, сэр, эта собака терпеть не может чужих. На место! Одной леди Дэнди прокусил однажды чулок.

Фрэнсис Уилмот с любопытством посмотрел на серебристо-серую собаку дюймов девяти вышиной и почти такой же ширины. Она подняла на него блестящие глаза и оскалила белые зубы.

— Это он малютку охраняет, сэр, — сказал лысый лакей, указывая на уютное гнездышко на полу перед незатопленным камином. — Когда ребенок в комнате, Дэнди бросается на чужих. Но теперь вы можете быть спокойны, сэр, раз он обнюхал ваши брюки. А к ребенку все-таки не подходите. Миссис Монт только что была здесь; я ей передам вашу карточку.

Фрэнсис Уилмот опустился на диванчик, стоявший посреди комнаты, а собака улеглась между ним и ребенком.

В ожидании миссис Монт молодой человек внимательно осматривал комнату. Потолок был окрашен в серебряный цвет, стены обшиты панелями тускло-золотого оттенка. В углу приютились маленькие позолоченные клавикорды — призрак рояля. Портьеры были из материи, затканной золотом и серебром. Блестели хрустальные люстры, на картинах, украшавших стены, были изображены цветы и молодая леди с серебряной шеей и в золотых туфельках. Ноги утопали в удивительно мягком серебристом ковре, мебель была из позолоченного дерева.

Молодого человека внезапно охватила тоска по родине. Мысленно он перенесся в гостиную старого, в колониальном стиле, дома на пустынном берегу красноватой реки в Южной Каролине. Снова видел он портрет своего прадеда, Фрэнсиса Уилмота, в красном мундире с высоким воротником, — майора королевских войск во время войны за независимость. Говорили, что прадед на этом портрете похож на человека, которого Фрэнсис Уилмот ежедневно видел в зеркале, когда брился: гладкие темные волосы, закрывающие правый висок, узкий нос, узкие губы, узкая рука, сжимающая рукоятку шпаги или бритву, решительный взгляд узких, словно щели, глаз. Фрэнсис вспомнил негров, работающих на хлопковом поле под ослепительным солнцем; такого солнца он не видел с тех пор, как сюда приехал; в мыслях он снова гулял со своим сеттером по краю громадного болота, под высокими печальными деревьями, разукрашенными гирляндами мха; он думал о родовом имении Уилмотов: дом сильно пострадал во время гражданской войны, и молодой человек не знал, восстанавливать ли его или продать одному янки, который хотел купить загородную виллу, куда он мог бы приезжать на воскресенье из Чарлстона, и который так отремонтирует дом, что его не узнаешь. Тоскливо будет в доме теперь, когда Энн вышла замуж за этого молодого англичанина, Джона Форсайта, и уехала на север, в Южные Сосны. И он понимал, что сестра, смуглая, бледная, энергичная, теперь для него потеряна. Да, эта комната навеяла на него тоску по родине. Такой великолепной комнаты он никогда еще не видел; ее гармонию нарушала только собака, лежавшая сейчас на боку. Она была такая толстая, что все ее четыре лапки болтались, не касаясь пола. Вполголоса он сказал:

— Это самая красивая комната, какую мне когда-либо приходилось видеть!

— Как приятно подслушать такое замечание!

В дверях стояла молодая женщина с волнистыми каштановыми волосами и матовым бледным лицом. Нос у нее был короткий, прямой, глаза карие, оттененные темными ресницами, веки очень белые. Улыбаясь, она подошла к Фрэнсису Уилмоту и протянула ему руку.

Он поклонился и серьезно спросил:

— Миссис Майкл Монт?

— Значит, Джон женился на вашей сестре? Она хорошенькая?

— Да.

— Красивая?

— Да, она красива.

— Надеюсь, вы не скучали? Беби вас занимал?

— Чудесный ребенок.

— О да! А Дэнди вас, говорят, укусил?

— Кажется, не до крови.

— А вы даже не посмотрели? Но собака совершенно здорова. Садитесь и расскажите мне о вашей сестре и Джоне. Это брак по любви?

Фрэнсис Уилмот сел.

— Да, несомненно. Джон прекрасный человек, а Энн...

Он услышал вздох.

— Я очень рада. Он пишет, что очень счастлив. Вы должны остановиться у нас. Здесь вас никто не будет стеснять. Можете смотреть на наш дом как на отель.

Молодой человек поднял на нее глаза и улыбнулся.

— Как вы добры! Ведь я впервые уехал из Америки. Слишком рано кончилась война.

Флер вынула беби из гнездышка.

— А вот это существо не кусается. Смотрите — целых два зуба, но они не опасны.

— Как его зовут?

— Кит, уменьшительное от Кристофер. К счастью, мы сошлись на этом имени. Сейчас придет Майкл, мой муж. Он член парламента. Но первое заседание только в понедельник — конечно, опять Ирландия. А мы вчера вернулись для этого из Италии. Чудная страна, вы должны туда съездить.

— Простите, какие это часы так громко бьют? Парламентские?

— Да, это Большой Бен. Он заставляет их помнить о времени. Майкл говорит, что парламент — лучший тормоз прогресса. Теперь, когда у нас впервые лейбористское правительство, год обещает быть интересным. Посмотрите, как эта собака охраняет моего беби. Не правда ли, трогательно? Челюсти у нее чудовищные.

— Какая это порода?

— Дэнди — динмонт. А раньше у нас была китайская собачка. С ней произошла трагическая история. Она всегда гонялась за кошками и однажды повздорила с воинственным котом, он ей выцарапал оба глаза... она ослепла, и пришлось...

Молодому человеку показалось, что в ее глазах блеснули слезы. Он тихонько вздохнул и сочувственно сказал:

— Очень печально.

— Мне пришлось обставить эту комнату по-новому. Раньше она была отделана в китайском стиле. Она мне слишком напоминала Тинг-а-Линга.

— Ну а этот песик загрызет любую кошку.

— К счастью, он вырос вместе с котятами. Нам он понравился потому, что у него кривые лапы. Ходит он с трудом и едва поспевает за детской колясочкой. Дэн, покажи лапки!

Дэнди поднял голову и тихонько заворчал.

— Он ужасно упрямый. Скажите, Джон изменился? Или похож еще на англичанина?

Молодой человек понял, что она наконец заговорила о чем-то для нее интересном.

— Похож. Но он чудесный малый.

— А его мать? Когда-то она была красива.

— Она и сейчас красива.

— Да, наверно. Седая, должно быть?

— Поседела. Вы ее не любите?

— Гм! Надеюсь, она не будет ревновать его к вашей сестре.

— Пожалуй, вы несправедливы.

— Пожалуй, несправедлива.

Она сидела неподвижно с ребенком на руках; лицо ее было сурово. Молодой человек, сообразив, что мысли ее где-то витают, встал.

— Когда будете писать Джону, — заговорила она вдруг, — передайте ему, что я ужасно рада и желаю ему счастья. Я сама не буду ему писать. Можно мне называть вас Фрэнсис?

Фрэнсис Уилмот поклонился.

— Я буду счастлив...

— А вы должны называть меня Флер. Ведь теперь мы с вами родственники.

— Флер! Красивое имя! — медленно, словно смакуя это слово, произнес молодой человек.

— Комнату вам приготовят сегодня же. Разумеется, у вас будет отдельная ванная.

Он прикоснулся губами к протянутой руке.

— Чудесно! — сказал он. — А я было начал тосковать по дому: здесь мне не хватает солнца.

В дверях он оглянулся. Флер положила ребенка в гнездышко и задумчиво смотрела куда-то в пространство.

II. ПЕРЕМЕНА

Не только смерть собаки побудила Флер по-новому обставить китайскую комнату. В тот день, когда Флер исполнилось двадцать два года, Майкл, вернувшись домой, объявил:

— Ну, дитя мое, я покончил с издательским делом. Старый Дэнби всегда так безнадежно прав, что на этом карьеры не сделаешь.

— О Майкл! Ты будешь смертельно скучать.

— Я пройду в парламент. Дело несложное, а заработок примерно тот же.

Эти слова были сказаны в шутку. Через шесть дней обнаружилось, что Флер приняла их всерьез.

— Ты был совершенно прав, Майкл. Это дело самое для тебя подходящее. У тебя есть мысли в голове.

— Чужие.

— И говоришь ты прекрасно. А живем мы в двух шагах от парламента.

— Это будет стоить денег, Флер.

— Да, я говорила с папой. Знаешь, это очень забавно — ведь ни один Форсайт не имел никакого отношения к парламенту. Но папа считает, что мне это пойдет на пользу, а баронеты только для этого и годятся.

— К сожалению, раньше нужно пройти в выборах.

— Я и с твоим отцом посоветовалась. Он кое с кем переговорит. Им нужны молодые люди.

— Так. А каковы мои политические убеждения?

— Дорогой мой, пора бы уже знать — в тридцать-то лет!

— Я не либерал. Но кто я — консерватор или лейборист?

— У тебя есть время решить этот вопрос до выборов.

На следующий день, пока Майкл брился, а Флер принимала ванну, он слегка порезался и сказал:

— Земля и безработица — вот что меня действительно интересует. Я фоггартист.

— Что это такое?

— Ведь ты же читала книгу сэра Джемса Фоггарта.

— Нет.

— А говорила, что читала.

— Все так говорили.

— Ну все равно. Он весь в будущем и программу свою строит, имея в виду тысяча девятьсот сорок четвертый год. Безопасность в воздухе, развитие земледелия, детская эмиграция; урегулировать спрос и предложение внутри империи; покончить с нашими убытками в делах с Европой; идти на жертвы ради лучшего будущего. В сущности, он проповедует то, что никакой популярностью не пользуется и считается невыполнимым.

— Эти взгляды ты можешь держать при себе, пока не пройдешь в парламент. Ты должен выставить свою кандидатуру по спискам тори.

— Какая ты сейчас красивая!

— Потом, когда ты уже пройдешь на выборах, можно заявить и о своих взглядах. Таким образом ты с самого начала займешь видное положение.

— План недурен, — сказал Майкл.

— И тогда можешь проводить программу этого Фоггарта. Он не сумасшедший?

— Нет, но он слишком трезв и рассудителен, а это приближается к сумасшествию. Видишь ли, заработная плата у нас выше, чем во всех других странах, за исключением Америки и доминионов; и понижения не предвидится. Мы идем в ногу с молодыми странами. Фоггарт стоит за то, чтобы Англия производила как можно больше продовольствия; детей из английских городов он предлагает отправлять в колонии, пока спрос колоний на наши товары не сравняется с нашим ввозом. Разумеется, из этого ничего не выйдет, если все правительства империи не будут действовать вполне единодушно.

— Все это как будто разумно.

— Как тебе известно, мы его издали, но за его счет. Это старая история — «вера горами двигает». Вера-то у него есть, но гора все еще стоит на месте.

Флер встала.

— Итак, решено! — сказала она. — Твой отец говорит, что сумеет провести тебя по спискам тори, а свои убеждения ты держи при себе. Тебе нетрудно будет завоевать симпатии, Майкл.

— Благодарю тебя, милочка. Дай я помогу тебе вытереться...

Однако раньше, чем переделывать китайскую комнату, Флер выждала, пока Майкл не прошел в парламент от одного из округов, где избиратели, по-видимому, проявляли интерес к земледелию. Выбранный ею стиль являл собой некую смесь Адама и «Louis Quinze»[1]. Майкл окрестил комнату «биметаллическая гостиная» и переселил «Белую обезьяну» к себе в кабинет. Он решил, что пессимизм этого создания не вяжется с карьерой политического деятеля.

Свой «салон» Флер открыла в феврале. После разгрома либералов «центр общества» сошел на нет, и ореол политико-юридической группы леди Элисон сильно померк. Теперь в гору шли люди попроще. По средам на вечерах у Флер бывали главным образом представители младшего поколения; а из стариков показывались в «салоне» ее свекор, два захудалых посланника и Пивенси Блайт, редактор «Аванпоста». Это был высокий человек с бородой и налитыми кровью глазами, столь не похожий на свой собственный литературный стиль, что его постоянно принимали за премьера какого-нибудь колониального кабинета. Он обнару-

---

[1] Людовика XV (*фр.*).

жил познания в таких вопросах, в которых мало кто разбирался. «То, что проповедует Блайт сегодня, консервативная партия не будет проповедовать завтра», — говорили о нем в обществе. Голос у него был негромкий. Когда речь заходила о политическом положении страны, Блайт изрекал такие афоризмы:

— Сейчас люди бродят во сне, а проснутся голыми.

Горячий сторонник сэра Джемса Фоггарта, он называл его книгу «шедевром слепого архангела». Блайт страстно любил клавикорды и был незаменим в «салоне» Флер.

Покончив с поэзией и современной музыкой, с Сибли Суоном, Уолтером Нэйзингом и Солстисом, Флер получила возможность уделять время сыну — одиннадцатому баронету. Для нее он был единственной реальностью. Пусть Майкл верит в теорию, которая принесет плоды лишь после его смерти, пусть лейбористы лелеют надежду завладеть страной — для Флер все это было неважно: 1944 год казался ей знаменательным только потому, что в этом году Кит достигнет совершеннолетия. Имеют ли какое-нибудь значение все эти безнадежные парламентские попытки что-то сделать? Конечно, нет! Важно одно — Англия должна быть богатой и сильной, когда подрастет одиннадцатый баронет! Они хотят строить какие-то дома — ну что ж, отлично! Но так ли это необходимо, если Кит унаследует усадьбу Липпинг-Холл и дом на Саут-сквер? Конечно, Флер не высказывала таких циничных соображений вслух и вряд ли сознательно об этом думала. На словах она безоговорочно поклонялась великому божеству — Прогрессу.

Проблемы всеобщего мира, здравоохранения и безработицы занимали всех, независимо от партийных разногласий, и Флер не отставала от моды. Но не Майкл и не сэр Джемс Фоггарт, а инстинкт подсказывал ей, что старый лозунг: «И волки сыты, и овцы целы» — лозунг, лежащий в основе всех партийных программ, — не столь разумен, как хотелось бы. Ведь Кит не голоден, а поэтому о других не стоит очень беспокоиться, хотя, разумеется, необходимо делать вид, что вопрос об этих «других» тебя беспокоит. Флер порхала по своему «салону», со всеми была любезна, перебрасывалась словами то с тем, то с другим из гостей, а гости восхищались ее грацией, здравым смыслом и чуткостью. Нередко она бывала и на заседаниях палаты общин, рассеянно прислушивалась к речам, но каким-то седьмым чувством (если у светских женщин шесть чувств, то у Флер, несомненно, их было семь) улавливала то, что могло придать блеск ее «салону»; отмечала повышение и падение правительственного барометра, изучала политические штампы и лозунги, а главное — людей, живого человека, скрытого в каждом из членов парламента.

За карьерой Майкла она следила, словно заботливая крестная, которая подарила своему крестнику молитвенник в сафьяновом переплете, надеясь, что настанет день, когда он об этой книге вспомнит. Майкл регулярно посещал заседания палаты всю весну и лето, но ни разу не раскрыл рта. Флер одобряла это молчание и выслушивала его рассуждения о фоггартизме, тем помогая ему уяснить самому себе свои политические убеждения. Если только в фоггартизме дано верное средство для борьбы с безработицей, как говорил Майкл, то и Флер готова была признать себя сторонницей Фоггарта: здравый смысл подсказывал ей, что безработица — это национальное бедствие — является единственной реальной опасностью, угрожающей будущности Кита. Ликвидируйте безработицу — и людям некогда будет «устраивать волнения».

Ее критические замечания часто бывали дельны:

«Дорогой мой, неужели хоть одна страна пожертвует настоящим ради будущего?» Или: «И ты действительно считаешь, что в деревне лучше жить, чем в городе?» Или: «Неужели ты согласился бы отправить четырнадцатилетнего Кита из Англии в какое-нибудь захолустье? Ты думаешь, что горожане на это пойдут?»

Подстрекаемый этими вопросами, Майкл ей возражал так упорно и с таким красноречием, что она уже не сомневалась в его успехе — со временем он сделает карьеру, как старый сэр Джайлс Снорхам, который скоро будет пэром Англии, потому что всегда носил шляпу с низкой тульей и проповедовал возврат к кабриолетам. Шляпы, бутоньерки, монокль — Флер не забывала обо всех этих атрибутах, способствующих политической карьере.

— Майкл, простые стекла не вредны для глаз, а монокль притягивает взоры слушателей.

— Дитя мое, отцу он никакой пользы не принес; я сомневаюсь, чтобы монокль помог ему продать хотя бы три экземпляра из всех его книг! Нет! Если я сделаю карьеру, то ею я буду обязан только своему красноречию.

Но она упорно советовала ему молчать и выжидать.

— Плохо, если ты на первых же порах оступишься, Майкл. Это лейбористское правительство не дотянет до конца года.

— Почему ты думаешь?

— У них уже голова пошла кругом, вот-вот сорвутся. Их едва терпят — а таким людям приходится быть любезными, иначе их уберут. А когда они уйдут, их сменят тори, причем, вероятно, надолго; и это время ты используешь для своих эксцентрических выходок. А пока завоевывай симпатии в своем округе. Право же, ты допускаешь ошибку, игнорируя избирателей.

В то лето Майкл уезжал на субботу и воскресенье в Мидбэкс «завоевывать симпатии избирателей», а Флер с одиннадцатым баронетом проводила эти дни у отца в Мейплдерхеме.

Отряхнув со своих ног прах Лондона после истории с Элдерсоном и ОГС, Сомс зажил в своем загородном доме с увлечением, даже странным для Форсайта. Он купил луга на противоположном берегу реки и завел джерсейских коров. Сельским хозяйством он заниматься не собирался, но ему нравилось переправляться в лодке через реку и смотреть, как доят коров. Кроме того, он настроил парников и увлекся выращиванием дынь. Английская дыня нравилась ему больше всякой другой, а жизнь с женой-француженкой все больше склоняла его к потреблению отечественных продуктов. Когда Майкл прошел в парламент, Флер прислала отцу книгу сэра Джемса Фоггарта «Опасное положение Англии». Получив этот подарок. Сомс сказал Аннет:

— Не понимаю, зачем мне эта книга? Что я буду с ней делать?

— Прочтешь ее, Сомс.

Сомс, перелиставший книгу, фыркнул:

— Понять не могу, о чем он тут пишет.

— Я ее продам на благотворительном базаре, Сомс. Она пригодится тем, кто умеет читать по-английски.

С этого дня Сомс, сам того не замечая, начал изучать книгу. Она показалась ему странной, в ней многим доставалось. Особенно понравилась ему глава, где автор осуждает рабочего, который не желает расставаться со своими подрастающими детьми. Сомс никогда не бывал за пределами Европы и имел очень смутное представление о таких странах, как Южная Африка, Австралия, Канада и Новая Зеландия; но, видимо, этот старик Фоггарт побывал везде и свое дело знал. То, что он говорил о развитии этих стран, показалось Сомсу разумным. Дети, отправляющиеся туда, сразу прибавляют в весе и обзаводятся собственностью в том возрасте, когда в Англии они все еще разносят пакеты, ищут работу, слоняются по улицам и квалифицируются на безработных или коммунистов. Выслать их из Англии! В этом было что-то привлекательное для того, кто был англичанином до мозга костей. Одобрил он также и ту главу, где автор распространяется на тему о том, что Англия должна питать самое себя и позаботиться о защите от воздушных нападений. А затем в Сомсе вспыхнула неприязнь к автору. Просто нытик какой-то! Сомс объявил Флер, что эти теории неосуществимы; автор строит воздушные замки. Что сказал об этой книге Старый Монт?

— Он не желает ее читать. Он говорит, что знаком со стариком Фоггартом.

— Гм! — сказал Сомс. — В таком случае меня не удивит, если в ней окажется доля истины. (Узколобый баронет уж очень старомоден!) Как бы то ни было, но я себе уяснил, что Майкл отошел от лейбористов.

— Майкл говорит, что лейбористская партия примет фоггартизм, как только поймет, в чем тут дело.

— Каким образом?

— Он считает, что фоггартизм поможет лейбористам больше, чем кому бы то ни было. Он говорит, что кое-кто из лидеров начинает к этому склоняться, а со временем присоединятся и остальные лидеры.

— Если так, — сказал Сомс, — до рядовых членов партии этот фоггартизм никогда не дойдет.

И на две минуты он погрузился в транс. Сказал он что-то глубокомысленное или нет?

Сомс бывал очень доволен, когда Флер с одиннадцатым баронетом приезжала к нему в конце недели. Когда родился Кит, Сомс был несколько разочарован — он ждал внучку, а одиннадцатый баронет являлся как бы неотъемлемой собственностью Монтов. Но проходили месяцы, и дед начинал интересоваться «занятным парнишкой» и удерживать его в Мейплдерхеме, подальше от Липпинг-Холла. Разумеется, он иногда раздражался, видя, как женщины возятся с беби. Такое проявление материнского инстинкта казалось ему неуместным. Так нянчилась Аннет с Флер; теперь то же он наблюдал у самой Флер. Быть может, французская кровь давала о себе знать. Он не помнил, чтобы его мать поднимала такой шум; впрочем, у него не сохранилось никаких воспоминаний о том периоде, когда он был годовалым ребенком. Когда мадам Ламот, Аннет и Флер возились с его внуком, когда эти представительницы трех поколений восхищались жирным куском мяса, Сомс отправлялся на рыбную ловлю, хотя прекрасно знал, что пойманную рыбу никто есть не станет.

К тому времени как он прочел книгу сэра Джемса Фоггарта, неприятное лето 1924 года миновало и наступил еще более неприятный сентябрь. А золотые осенние дни, пробивающиеся сквозь утренний туман, от которого на каждой паутине, протянувшейся на железных воротах, сверкают росинки, так и не наступили. Лил дождь, и вода в реке поднялась необычайно высоко. Газеты отметили, что это самое сырое лето за последние тридцать лет. Спокойная, с прозеленью водорослей и отражений деревьев, река текла и текла между намокшим садом Сомса и его намокшими лугами. Грибов не было; ежевика поспела водянистая. Сомс имел обыкновение каждый год съедать по одной ягодке: он утверждал, что по вкусу этой ягоды можно определить, дождливый ли был год. Появилось много мха и лишайников.

И тем не менее Сомс был настроен лучше, чем когда бы то ни было. Лейбористская партия уже несколько месяцев стояла у власти, а тучи только-только сгущались. Приход лейбористов к власти заставил Сомса обратить внимание на политику. За завтраком он пророчествовал, причем предсказания его несколько варьировались в зависимости от газетных сообщений; о тех предсказаниях, которые не сбывались, он неизменно забывал и поэтому всегда имел возможность твердить Аннет: «А что я тебе говорил?»

Впрочем, Аннет политикой не интересовалась; она посещала благотворительные базары, варила варенье, ездила в Лондон за покупками. Несмотря на склонность к полноте, она до сих пор была замечательно красива.

Когда Сомсу стукнуло шестьдесят девять лет, Джек Кардиган, муж его племянницы Имоджин, преподнес ему набор палок для гольфа. Сомс был сбит с толку. Черт возьми, что он будет с ними делать? Аннет, находчивая, как все француженки, рассердила его, посоветовав ими воспользоваться. Это было нетактично. В его-то годы! Но как-то в мае, в конце недели, приехал сам Кардиган с Имоджин и сильным ударом палки перебросил мяч через реку.

— Дядя Сомс, держу пари на ящик сигар, что до нашего отъезда вы этого сделать не сумеете, а уезжаем мы в понедельник.

— Я не курю и никогда не держу пари, — сказал Сомс.

— Пора бы начать! Слушайте, завтра я вас обучу игре в гольф.

— Вздор! — сказал Сомс.

Но вечером он заперся в своей комнате, облачился в пижаму и стал размахивать руками, подражая Джеку Кардигану. На следующий день он отправил женщин на прогулку в автомобиле: ему не хотелось, чтобы они над ним издевались. Редко приходилось ему переживать часы более неприятные, чем те, какие выпали в тот день на его долю. Досада его достигла высшей степени, когда ему удалось наконец попасть по мячу и мяч упал в реку у самого берега. Наутро он не мог разогнуть спину, и Аннет растирала его, пока он не сказал:

— Осторожнее! Ты с меня кожу сдираешь!

Однако яд проник в кровь. Испортив еще несколько клумб и газонов в собственном саду, Сомс вступил членом в ближайший гольф-клуб и каждый день после утреннего завтрака в течение часа бродил, гоняя мяч, по лужайке, а за ним следовал мальчик, отыскивавший мячи. Сомс тренировался со свойственным ему упорством и к июлю приобрел некоторую сноровку. Он горячо рекомендовал и Аннет заняться этим спортом, дабы убавить в весе.

— Мерси, Сомс, — отвечала она. — Я не имею ни малейшего желания походить на ваших английских мисс, плоских как доска и спереди и сзади.

Она была реакционерка, как вся ее нация, и Сомс не настаивал, так как втайне питал склонность к формам округлым. Он обнаружил, что гольф благотворно подействовал на его печень и настроение. На щеках появился румянец. После первой партии с Джеком Кардиганом, в которой последний дал ему три удара вперед на каждую лунку и обставил его на девять лунок, Сомс получил какой-то сверток. К великому его смятению, то был ящик сигар. Сомс недоумевал: что это взбрело Джеку в голову? Намерения Кардигана открылись ему лишь через несколько дней: как-то вечером, сидя у окна в своей картинной галерее, он обнаружил во рту сигару. Как это ни странно, но голова у него не кружилась. Ощущение несколько напоминало те времена, когда он «занимался Куэ». Теперь это вышло из моды — Уинифрид рассказывала ему, что какой-то американец открыл более короткий путь к счастью. Мелькнуло подозрение, что семья в заговоре с Джеком Кардиганом, и он решил курить только здесь, в картинной галерее; так сигары приобрели аромат тайного порока. Потихоньку он пополнял свои запасы. Но спустя некоторое время выяснилось, что Аннет, Флер и все остальные осведомлены обо всем, и тогда Сомс во всеуслышание заявил, что не сигары, а папиросы — величайшее зло нашего века.

— Дорогой мой, — сказала ему при встрече Уинифрид, — да тебя не узнать, ты стал другим человеком!

Сомс поднял брови. Никакой перемены он не заметил.

— Забавный тип этот Кардиган, — сказал он. — Сегодня я пообедаю и переночую у Флер: они только что вернулись из Италии. В понедельник заседание палаты.

— Да, — сказала Уинифрид. — И зачем это заседать во время летнего перерыва!

— Ирландия! — изрек Сомс. — Опять зашевелились.

Старая история, и конца ей не видно!

III. МАЙКЛ «ПРОИЗВОДИТ РАЗВЕДКУ»

Из Италии Майкл вернулся, охваченный тем желанием приняться за дело, которое свойственно людям после дней отдыха, проведенных на юге. Он вырос в деревне, по-прежнему интересовался проблемой безработицы, по-прежнему верил, что фоггартизм может разрешить ее; больше ни одним из обсуждаемых в палате вопросов он не увлекся и пока что поедал хлеб, взращенный другими, и ничего не делал. И теперь ему хотелось знать, какую, в сущности, позицию он занимает и долго ли будет ее занимать.

Выйдя в тот день из палаты, где разбирал накопившиеся письма, он побрел по улице с намерением «произвести разведку», как выразился бы Старый Форсайт. Направлялся он к Пивенси Блайту, в редакцию еженедельного журнала «Аванпост». Загорелый от итальянского солнца, похудевший от итальянской кухни, он шел быстро и думал о многом. Дойдя до набережной, где на деревьях сидели безработные птицы и тоже как будто выясняли, какую позицию они занимают и долго ли будут ее занимать, он достал из кармана письмо и перечитал его.

«12, Сэпперс-роу,
Кэмден-Таун.

Уважаемый сэр!

В справочнике «Весь Лондон» Ваша фамилия появилась недавно, и, быть может, Вы не будете жестоки к тем, кто страдает. Я — уроженка Австрии; одиннадцать лет назад вышла замуж за немца. Он был актером, служил в английских театрах, так как родители (их уже нет в живых) привезли его в Англию ребенком. Он был интернирован, и это подорвало его здоровье. Сейчас у него сильная неврастения, и никакой работы он выполнять не может. До войны у него всегда был ангажемент, и жили мы хорошо. Но часть денег была израсходована во время войны, когда я оставалась одна с ребенком, а остальное конфисковано по мирному договору, и вернули нам лишь ничтожную сумму, потому что мы оба — неангличане. То, что мы получили, ушло на уплату долгов, на доктора и на похороны нашего ребенка. Я очень его любила, но хорошо, что он умер: ребенок не может жить так, как мы сейчас живем. Я зарабатываю на жизнь шитьем; зарабатываю мало — фунт в неделю, а иногда ровно ничего. Антрепренеры не желают иметь дело с моим мужем: он иногда вдруг начинает трястись, и они думают, что он пьет; но, уверяю Вас, сэр, что у него нет денег на виски. Мы не знаем, к кому обратиться, не знаем, что делать. Вот я и подумала, сэр, не поможете ли Вы нам вернуть наши сбережения. Или, быть может, Вы дадите моему мужу какую-нибудь работу на свежем воздухе; доктор говорит, что ему это необходимо. Ехать в Германию или Австрию не имеет смысла, так как наши родные умерли. Думаю, таких, как мы, очень много, и все-таки обращаюсь к Вам с просьбой, сэр, потому что живем мы впроголодь, а жить нужно. Прошу прощения за причиняемое Вам беспокойство и остаюсь преданная Вам

Анна Бергфелд».

«Помоги им бог», — подумал Майкл без всякого, впрочем, убеждения, проходя под платанами возле «Иглы Клеопатры». Он считал, что богу едва ли не меньше дела до участи неимущих иностранцев, чем директору Английского банка до участи фунта сахара, купленного на часть фунтового банкнота. Богу в голову не придет заинтересоваться мелкой рябью на поверхности вод, которым он повелел течь, когда занимался устройством миров. В представлении Майкла бог был монархом, который сам себя строго ограничил конституцией. Он сунул письмо в карман. Бедные люди! Но ведь сейчас в Англии миллион двести тысяч безработных англичан, а всему виной проклятый кайзер со своим флотом! Если бы в 1899 году этому молодчику и его банде не пришло в голову начать борьбу за господство на море, Англия не попала бы в переделку и, может быть, не произошло бы вообще никакого столкновения!

Дойдя до Темпла, Майкл повернул к редакции «Аванпоста». Этим еженедельником он интересовался уже несколько лет. Казалось, «Аванпосту» все было известно, и журнал производил на читателя впечатление, будто, кроме него, никто ничего не знает, поэтому высказывания его звучали веско. Ни одной партии он особого предпочтения не отдавал и потому мог покровительствовать всем. Он не кричал о величии империи, но дела ее знал превосходно. Не будучи литературным журналом, он не пропускал случая сбить спесь с представителя литературного мира — это Майкл имел удовольствие отмечать еще в пору своей издательской работы. Заявляя о своем уважении к церкви и закону, журнал умело подпускал им шпильки. Он уделял много внимания театру. Но лучше всего ему, пожалуй, удавались разоблачения политических деятелей, которых он неоднократно ставил на место. Кроме того, от его передовиц исходил «святой дух» вдохновенного всеведения, облеченного в абзацы, не вполне понятные для простого смертного; без этого, как известно, ни один еженедельник не принимают всерьез.

Майкл, шагая через две ступеньки, поднялся по лестнице и вошел в большую квадратную комнату. Мистер Блайт стоял спиной к двери, указывая линейкой на какой-то кружочек, обозначенный на карте.

— Ни к черту такая карта не годится, — сообщил мистер Блайт самому себе.

Майкл фыркнул, Блайт оглянулся; глаза у него были круглые, навыкате, под глазами мешки.

— Хэлло! — вызывающе бросил он. — Вы? Министерство колоний издало эту карту специально для того, чтобы указать лучшие места для переселений, а о Беггерсфонтене позабыли.

Майкл уселся на стол.

— Я пришел спросить, что вы думаете о создавшемся положении. Моя жена говорит, что правительство лейбористов скоро будет опрокинуто.

— Очаровательная маленькая леди! — сказал Блайт. — Трудно сказать, когда правительство рухнет. По-видимому, оно будет прозябать, русский и ирландский вопросы им еще удастся разрешить, но возможно, что в феврале, при рассмотрении бюджета, они поскользнутся. Вот что, Монт: когда с русским вопросом будет покончено — ну, скажем, в ноябре, — можно выступить.

— Эта первая речь меня пугает, — сказал Майкл. — Как мне проводить фоггартизм?

— К тому времени успеет создаться фикция какого-то мнения.

— А мнение будет?

— Нет, — сказал мистер Блайт.

— Ох! — вздохнул Майкл. — А кстати, как насчет свободы торговли?

— Будут проповедовать свободу торговли и повышать пошлины.

— Бог и маммона?

— В Англии нельзя иначе, Монт, если нужно провести что-то новое. Есть же у нас либерал-юнионисты, тори-социалисты и...

— Прочие жулики, — мягко подсказал Майкл.

— Будут извиваться, ругать протекционизм, пока он не восторжествует над свободой торговли, а потом начнут ругать свободу торговли. Фоггартизм — это цель; свобода торговли и протекционизм — средства, а отнюдь не цель, как утверждают политики.

Словно подхлестнутый словом «политики», Майкл соскочил со стола; он начинал симпатизировать этим несчастным. Предполагалось, что они никаких чувств к родине не питают и не могут предугадать грядущих событий. Но, в самом деле, кто сумеет во время туманных прений определить, что хорошо, а что плохо для страны? Майклу казалось иногда, что даже старик Фоггарт на это не способен.

— Знаете ли, Блайт, — сказал он, — мы, политики, не думаем о будущем просто потому, что это бессмысленно. Каждый избиратель отождествляет свое личное благополучие с благополучием страны. Взгляды избирателя изменяются лишь в том случае, если у него самого жмет башмак. Кто выступит на защиту фоггартизма, если эта теория, осуществленная на практике, приведет к повышению цен на продукты и отнимет у рабочего детей, зарабатывающих на семью? А благие результаты скажутся лишь через десять или двадцать лет!

— Дорогой мой, — возразил Блайт, — наше дело — обращать неверных. В настоящее время члены тред-юнионов презирают внешний мир. Они его никогда не видели. Их кругозор ограничен их грязными улочками. Но стоит затратить пять миллионов и организовать поездку за границу для ста тысяч рабочих, чтобы через пять лет сказались результаты. Рабочий класс заразился лихорадочным желанием завладеть своим местом под солнцем. Их дети могут получить это место. Но можно ли винить рабочих теперь, когда они ничего не знают?

— Мысль неплоха! — заметил Майкл. — Но как посмотрит на это правительство? Можно мне взять эти карты?.. Кстати, — добавил он, направляясь к двери, — известно ли вам, что и сейчас существуют общества для отправки детей в колонии?

— Известно, — проворчал Блайт. — Прекрасная организация! Обслуживает несколько сот ребят, дает конкретное представление о том, что могло бы быть. Расширить ее деятельность во сто раз — и начало будет положено. В настоящее же время это капля в море. Прощайте!

Майкл вышел на набережную, размышляя о том, можно ли из любви к родине защищать необходимость эмиграции. Но тотчас же он вспомнил о тяжелых жилищных условиях в этом грязном дымном городе; о детях, обездоленных с рождения; о толпах безработных, которые в настоящих условиях ни на что рассчитывать не могут. Право же, нельзя примириться с таким положением дел в стране, которую любишь! Башни Вестминстера темнели на фоне заката. И в сознании Майкла встали тысячи мелочей, связанных с прошлым, — деревья, поля и ручьи, башни, мосты, церкви; все звери и певчие птицы Англии, совы, сойки, грачи в Липпинг-Холле, едва уловимое отличие кустарников, цветов и мхов от их иностранных разновидностей; английские запахи, английский туман над полями, английская трава; традиционная яичница с ветчиной; спокойный, добрый юмор, умеренность и мужество; запах дождя, цвет яблони, вереск и море. Его земля, его племя — сердцевина у них не гнилая. Он прошел мимо башни с часами. Здание парламента стояло кружевное, внушительное, красивее, чем принято считать. Быть может, в этом доме ткут, словно паутину, будущее Англии? Или же раскрашивают занавес, экран, заслоняющий старую Англию?

Раздался знакомый голос:

— Какая громадина!

И Майкл увидел своего тестя, созерцающего статую Линкольна.

— Зачем ее здесь поставили? — сказал Сомс. — Ведь он не англичанин!

Он зашагал рядом с Майклом.

— Как Флер?

— Молодцом. Италия пошла ей на пользу.

Сомс засопел.

— Легкомысленный народ! — сказал он. — Вы видели Миланский собор?

— Да, сэр. Пожалуй, это единственное, к чему мы остались равнодушны.

— Гм! В тысяча восемьсот восемьдесят втором году у меня от

итальянской стряпни сделались колики. Должно быть, теперь там лучше кормят. Как мальчик?

— Прекрасно, сэр.

Сомс удовлетворенно проворчал что-то. Они завернули за угол, на Саут-сквер.

— Это что такое? — сказал Сомс.

У подъезда стояло два старых чемодана. Какой-то молодой человек с саквояжем в руке звонил у парадной двери. Только что отъехало такси.

— Понятия не имею, сэр, — сказал Майкл. — Быть может, это архангел Гавриил.

— Он не туда попал, — сказал Сомс, направляясь к подъезду.

Но в эту минуту молодого человека впустили в дом.

Сомс подошел к чемоданам.

— «Фрэнсис Уилмот, — прочел он вслух, — пароход «Амфибия». Это какое-то недоразумение!

IV. ТОЛЬКО РАЗГОВОРЫ

Когда они вошли в дом, Флер уже показала молодому человеку его комнату и спустилась вниз. Она была в вечернем туалете — иными словами, скорее раздета, чем одета; волосы ее были коротко острижены...

— Дорогая моя, — сказал ей Майкл, когда короткая стрижка входила в моду, — ну пожалей меня, не делай этого! Ведь у тебя будет такой колючий затылок, что и поцеловать нельзя будет.

— Дорогой мой, — ответила она, — это неизбежно. Ты всякую новую моду встречаешь в штыки.

Она попала в первую дюжину женщин со стрижеными затылками и уже опасалась, как бы не опоздать и попасть в первую дюжину тех, кто снова начнет отпускать волосы. У Марджори Феррар — «Гордости гедонистов», как называл ее Майкл, — волосы отросли уже на добрый дюйм. Отставать от Марджори Феррар не хотелось...

Подойдя к отцу, она сказала:

— Папа, я предложила одному молодому человеку остановиться у нас. Джон Форсайт женился на его сестре. Ты загорел, дорогой мой. Как мама?

Сомс молча смотрел на нее.

Наступил один из тех неприятных моментов, когда Флер чувствовала, что отец любит ее слишком сильно и словно не прощает ее поверхностной любви к нему. Ей казалось, что он не имеет права так смотреть на нее. Как будто в этой старой истории с Джоном она не страдала больше, чем он! Если теперь она может спокойно вспоминать прошлое, то и он должен последовать ее примеру. А Майкл — Майкл не сказал ни слова, даже не пошутил! Она закусила губу, тряхнула коротко подстриженными волосами и прошла в «биметаллическую» гостиную.

За обедом, когда подали суп, Сомс заговорил о своих коровах и пожалел, что они не херефордской породы. Должно быть, в Америке много херефордских коров?

Фрэнсис Уилмот ответил, что американцы разводят голштинских коров.

— Голштинских? — повторил Сомс. — У нас они вошли в моду, когда я был мальчишкой. Какой масти?

— Пестрые, — сказал Фрэнсис Уилмот. — У вас в Англии чудесная трава.

— Слишком у нас сыро, — сказал Сомс. — Мы на реке.

— Темза? Какой она ширины, когда нет прилива?

— Там, где живу я, — не больше ста ярдов.

— А рыба водится?

— Рыбы много.

— Вода в Темзе прозрачная, а в наших южных реках бурая. А из деревьев у вас чаще всего попадаются ивы, тополя и вязы.

Сомс недоумевал. В Америке он ни разу не был. Американцев считал, конечно, людьми, но очень своеобразными: все они на одно лицо, голова у них не гнется, плечи неестественно широкие, а голос резкий. Их доллар стоит слишком высоко, они все имеют автомобили и презирают Европу, однако наводняют Европу и увозят к себе на родину все, что только можно увезти. Пить им не разрешается, а говорят они очень много. Но этот молодой человек опровергает все предвзятые мнения. Он пьет херес и говорит только тогда, когда к нему обращаются. Голос у него звучит мягко, а плечи не слишком широкие. Но может быть, Европу он все-таки презирает?

— Должно быть, Англия вам показалась очень маленькой, — сказал Сомс.

— О нет, сэр. Лондон очень велик, а пригороды у вас очаровательны.

Сомс скосил глаза и посмотрел на кончик носа.

— Недурны! — сказал он.

Подали палтус. За стулом Сомса послышался какой-то шорох.

— Собака! — сказал Сомс и подцепил на вилку кусок рыбы, показавшийся ему несъедобным.

— Нет, нет, папа. Он хочет только, чтобы ты на него посмотрел.

Сомс опустил руку, и Дэнди лег на бок.

— Есть он не хочет, — продолжала Флер. — Он требует, чтобы на него обратили внимание.

Подали жареных куропаток.

— Что бы вам хотелось посмотреть здесь, в Англии, мистер Уилмот? — спросил Майкл. — Вряд ли вы найдете у нас что-нибудь такое, чего бы не было в Америке. Даже Риджент-стрит модернизирована.

— Я хочу посмотреть лейб-гвардейцев, выставку собак Крафта, ваших чистокровных лошадей и дерби.

— Дерби вам придется ждать до июня будущего года, — заметил Сомс.

— Скаковых лошадей вам покажет мой кузен Вэл, — сказала Флер. — Вы знаете, он женат на сестре Джона.

Подали мороженое.

— Вот чего у вас, наверное, много в Америке, — сказал Сомс.

— Нет, сэр, на юге мороженого едят мало. Есть у нас кое-какие местные кушанья — очень вкусные.

— Мне говорили о черепахах.

— Я таких деликатесов не ем. Ведь я живу в глуши и много работаю. У нас все по-домашнему. Работают у меня славные негры; они прекрасно стряпают. Самые старые помнят еще моего деда.

А, так он из Южных Штатов! Сомс слыхал, что жители Южных Штатов джентльмены. И не забыл «Алабаму»[1] и как его отец Джемс говорил: «Я так и знал», когда в связи с этой историей правительство получило по носу.

В молчании, наступившем, когда подали поджаренный хлеб с икрой, были ясно слышны шаги Дэнди по паркету.

— Вот единственное, что он любит, — сказала Флер. — Дэн, ступай к хозяину! Дай ему кусочек, Майкл!

---

[1] Название британского военного корабля, официально не входившего в состав британского флота, но нанесшего большой урон северянам во время гражданской войны в США, после чего Англия была вынуждена уплатить США контрибуцию.

И она украдкой посмотрела на Майкла, но он не ответил на ее взгляд.

Во время путешествия по Италии Майкл переживал свой подлинный медовый месяц. Под влиянием новой обстановки, солнца и вина Флер словно отогрелась, не прочь была покутить, охотно отвечала на его ласки, и Майкл впервые со дня женитьбы чувствовал, что та, кого он любит, избрала его своим спутником. А теперь явился этот американец и принес напоминание о том, что ты играешь только вторую скрипку, а первое место принадлежит троюродному брату и первому возлюбленному. И Майкл чувствовал, что снова оторвали чашу от его уст. Флер пригласила молодого человека, потому что тот связан с ее прошлым, в котором Майклу не отведено места. Не поднимая глаз, Майкл угощал Дэнди лакомыми кусочками.

Молчание нарушил Сомс.

— Возьмите мускатный орех, мистер Уилмот. Дыня без мускатных орехов...

Когда Флер встала из-за стола, Сомс последовал за ней в гостиную, а Майкл увел молодого американца в свой кабинет.

— Вы знали Джона? — спросил Фрэнсис Уилмот.

— Нет, ни разу с ним не встречался.

— Он славный человечек. Сейчас он разводит персики.

— И думает заниматься этим и впредь?

— Конечно.

— В Англию не собирается?

— В этом году нет. У них прекрасный дом, есть лошади и собаки. Можно и поохотиться. Быть может, будущей осенью он приедет с моей сестрой.

— Вот как? — отозвался Майкл. — А вы долго думаете здесь прожить?

— К Рождеству хочу вернуться домой. Я думаю побывать в Риме и Севилье. И хочу съездить в Вустершир, посмотреть дом моих предков.

— Когда они переселились?

— При Вильгельме и Марии. Были католиками. Там хорошо, в Вустершире?

— Очень хорошо, особенно весной. Много фруктовых садов.

— О, вы еще здесь что-то разводите?

— Очень мало.

— Я так и думал. В поезде, по дороге из Ливерпуля, я смотрел в окно и видел прекрасные луга, двух-трех овец, но не было людей, работающих в полях. Значит, теперь все живут в городах?

— За редкими исключениями. Вы должны съездить в имение моего отца; в тех краях еще можно найти одну-две брюквы.

— Печально, — сказал Фрэнсис Уилмот.

— Да. Во время войны мы снова начали сеять пшеницу, но затем бросили это дело.

— Почему?

Майкл пожал плечами:

— Непонятно, чем руководствуются наши государственные деятели. Когда они у власти, им плевать на земельный вопрос. Как только они попадают в оппозицию, так начинают о нем трубить. К концу войны у нас был первый воздушный флот в мире и земледелие начало было развиваться. А как поступило правительство? Махнуло рукой и на то и на другое. Это трагично. А что разводят у вас в Каролине?

— В наших краях возделывают только хлопок. Но теперь нелегко на этом заработать. Рабочие руки стоят дорого.

— Как, и у вас то же самое?

— Да, сэр. Скажите, иностранцев пускают на заседания парламента?

— Конечно. Хотите послушать прения по ирландскому вопросу? Я могу устроить вам место на галерее для знатных иностранцев.

— Я думал, англичане — народ чопорный, но у вас я себя чувствую совсем как дома. Этот старый джентльмен — ваш тесть?

— Да.

— Он какой-то особенный. Он банкир?

— Нет. Но, пожалуй, следовало бы ему быть банкиром.

Взгляд Фрэнсиса Уилмота, бродивший по комнате, остановился на «Белой обезьяне».

— Знаете, — сказал он тихо, — вот это изумительная вещь. Нельзя ли устроить, чтобы этот художник написал мне картину, я бы отвез ее Энн и Джону.

— Боюсь, затруднительно будет. Видите ли, он был китаец, даже не самого лучшего периода, и уже лет пятьсот как отправился к праотцам.

— Ах так! Ну, животных он прекрасно чувствовал.

— Мы считаем, что он прекрасно чувствовал людей.

Фрэнсис Уилмот удивился и промолчал.

Майклу подумалось, что этот молодой человек вряд ли в состоянии оценить сатиру.

— Значит, вы хотите побывать на выставке собак Крафта? — сказал он. — Вероятно, любите собак?

— Я думаю купить ищейку для Джона и двух для себя. Хочу разводить породистых ищеек.

Майкл откинулся на спинку стула и выпустил облако дыма. Он почувствовал, что для Фрэнсиса Уилмота мир еще совсем молод и жизнь мягко, словно на резиновых шинах, несет его к желанной цели. А вот Англия-то!..

— Что вы, американцы, хотите взять от жизни? — неожиданно задал он вопрос.

— Мне кажется, мы хотим добиться успеха. Во всяком случае, это можно сказать о Северных Штатах.

— К этому мы стремились сто лет тому назад, — сказал Майкл.

— О! А теперь?

— Успеха мы добились, а теперь размышляем, не посадили ли мы сами себя в калошу.

— Видите ли, — сказал Фрэнсис, — ведь Америка заселена не так густо, как Англия.

— Совершенно верно, — сказал Майкл. — Здесь на каждое место имеется кандидат, а многим приходится сидеть у самих себя на коленях. Хотите выкурить еще одну сигару или пойдем в гостиную?

V. ПАСЫНКИ

Быть может, провидение было вполне удовлетворено улицей Сэпперс-роу в Кэмден-Тауне, но Майкл никакого удовлетворения не испытывал. Как оправдать эти унылые однообразные ряды трехэтажных домов, таких грязных, что их можно было сравнить только с воротничками, выстиранными в Италии? Какое отношение к коммерции имеют эти жалкие лавчонки? Кому придет в голову свернуть на эти задворки с шумной, звенящей трамваями улицы, пропитанной запахом жареной рыбы, бензина и старого платья? Даже дети, которых с героическим упорством производили здесь на свет во вторых и третьих этажах, уходили искать радостей жизни подальше: ведь на Сэпперс-роу не представлялось возможности ни попасть под колеса, ни поглазеть на афиши кино. Уличное движение здесь составляли только ручные тележки, велосипеды, фургоны, видавшие лучшие времена, да сбившиеся с дороги такси; потребность в красоте удовлетворяли только герань в горшках да пятнистые кошки. Вся улица никла, рассыпалась в прах.

Отправляясь туда, Майкл поступал против своих принципов. Именно здесь чувствовалось, как густо населена Англия, а он проповедовал уменьшение населения и тем не менее собирался нанести визит разорившимся иностранцам и не дать им умереть. Он заглянул в две-три лавчонки. Ни души! Что хуже — битком набитая лавчонка или пустая? Перед домом № 12 Майкл остановился, поднял голову и увидел в окне лицо, бледное, восковое. Голова женщины, сидевшей у окна, была опущена над шитьем.

«Вот моя корреспондентка», — подумал он.

Он вошел в парикмахерскую в первом этаже, увидел пыльное зеркало, грязный таз, сомнительной чистоты полотенце, флаконы и два ветхих стула. На одном из этих стульев сидел верхом худой человек без пиджака и читал «Дейли Мейл». Щеки у него были впалые, волосы жидкие, а глаза — философа, трагические и задумчивые.

— Волосы подстричь, сэр?

Майкл покачал головой.

— Здесь живут мистер и миссис Бергфелд?

— Наверху.

— Как мне туда попасть?

— Вот сюда.

За занавеской Майкл увидел лестницу и, поднявшись на верхнюю площадку, остановился в нерешительности. В памяти еще живы были слова Флер, прочитавшей письмо Анны Бергфелд: «Да, конечно, но какой смысл?» В эту минуту дверь отворилась, и Майклу почудилось, что перед ним стоит мертвец, вызванный из могилы. Мертвенно бледным и таким напряженным было лицо.

— Миссис Бергфелд? Моя фамилия Монт. Вы мне писали.

Женщина так задрожала, что Майкл испугался, как бы она не потеряла сознания.

— Простите, сэр, я сяду.

И она опустилась на край кровати. В комнате было очень чисто и пусто; кровать, деревянный умывальник, герань в горшке, у окна стул, на нем брошенное шитье, женская шляпа на гвоздике, на сундуке — аккуратно сложенные брюки; больше в комнате ничего не было.

Женщина снова встала. На вид ей было не большс тридцати лет; худая, но сложена хорошо; овальное, бледное, без кровинки, лицо и темные глаза больше вязались с картинами Рафаэля, чем с этой улицей.

— Словно ангела увидела, — сказала она. — Простите меня, сэр.

— Довольно странный ангел, миссис Бергфелд. Ваш муж дома?

— Нет, сэр. Фриц пошел погулять.

— Скажите, миссис Бергфелд, вы поедете в Германию, если я заплачу за проезд?

— Теперь мы не получим разрешения на постоянное жительство; Фриц прожил здесь двадцать лет; он уже не германский подданный, сэр. Такие люди, как мы, им не нужны.

Майкл взъерошил волосы.

— А сами вы откуда родом?

— Из Зальцбурга.

— Не хотите ли туда вернуться?

— Я бы хотела, но что мы там будем делать? Теперь в Австрии народ беден, а родственников у меня нет. Здесь мне все-таки дают работу.

— Сколько вы зарабатываете в неделю?

— Иногда фунт, иногда пятнадцать шиллингов. Этого хватает на хлеб да на квартирную плату.

— Вы не получаете пособия?

— Нет, сэр. Мы не зарегистрированы.

Майкл достал пятифунтовый билет и положил его вместе со своей визитной карточкой на умывальник.

— Мне придется об этом подумать, миссис Бергфелд. Быть может, ваш муж заглянет ко мне?

Призрачная женщина густо покраснела, и Майкл поспешил выйти.

Внизу за занавешенной дверью парикмахер вытирал таз.

— Застали вы их дома, сэр?

— Только миссис Бергфелд.

— А! Должно быть, она видала лучшие дни. Муж ее — странный парень; как будто не в себе. Хотел стать моим компаньоном, но мне придется закрыть парикмахерскую.

— В самом деле? Почему?

— Мне нужен свежий воздух — у меня осталось одно легкое, да и то затронуто. Придется поискать другой работы.

— Теперь это не так-то легко.

Парикмахер пожал костлявыми плечами.

— Эх, — сказал он. — Всю жизнь я был парикмахером, только во время войны отошел от этого дела. Странно было возвращаться сюда после того, как я побывал на фронте. Война выбила меня из строя.

Он закрутил свои жидкие усики.

— Пенсию получаете? — спросил Майкл.

— Ни одного пенни! Сейчас мне нужна работа на свежем воздухе.

Майкл осмотрел его с ног до головы. Худой, узкогрудый, с одним легким!

— А вы имеете представление о деревенской жизни?

— Ни малейшего. А все-таки нужно что-нибудь найти, а то хоть помирай.

Его трагические глаза впились в лицо Майкла.

— Печально, — сказал Майкл. — Прощайте!

Парикмахер ответил судорожным кивком.

Покинув Сэпперс-роу, Майкл вышел на людную улицу. Ему вспомнилась сценка из одной пьесы, которую он видел года два назад; кто-то из действующих лиц произносит такие слова: «Условия, в каких живет народ, оставляют желать лучшего. Я приму меры, чтобы поднять этот вопрос в палате». Условия, в каких живет народ! Кто принимает это близко к сердцу? Это только кошмар, встревоживший на несколько ночей, семейная тайна, которую тщательно скрывают, вой голодной собаки, доносящийся издалека. И быть может, меньше всех встревожены те шестьсот человек, что заседают с ним в палате. Ибо улучшать условия, в каких живет народ, — их непосредственная задача, а сознание выполняемого долга успокаивает совесть. Со времен Оливера Кромвеля их сменилось там, верно, не менее шестнадцати тысяч, и все преследовали одну и ту же цель. Ну и что же, добились чего-нибудь? Вернее, что нет. А все-таки они-то работают, а другие только смотрят да помогают советами!

Об этом он размышлял, когда раздался чей-то голос:

— Не найдется ли у вас работы, сэр?

Майкл ускорил шаги, потом остановился. Он заметил, что человек, задавший этот вопрос, шел, опустив глаза, и не обратил внимания на эту попытку к бегству. Майкл подошел к нему; у этого человека были черные глаза и круглое одутловатое лицо, напоминавшее пирог с начинкой. Приличный, хоть и обтрепанный, спокойный и печальный, на груди воинский значок — значок демобилизованных солдат.

— Вы что-то сказали? — спросил Майкл.

— Понятия не имею, как это у меня вырвалось, сэр.

— Без работы?

— Да, и приходится туго.

— Женаты?

— Вдовец, сэр; двое детей.

— Пособие?

— Получаю; и здорово оно мне надоело.

— Вы были на войне?

— Да, в Месопотамии.

— За какую работу возьметесь?

— За любую.

— Как фамилия? Дайте мне ваш адрес.

— Генри Боддик; 94, Уолтхэм-Билдингс, Геннерсбери.

Майкл записал.

— Обещать ничего не могу, — сказал он.

— Понимаю, сэр.

— Ну, всего вам хорошего. Сигару хотите?

— Очень вам благодарен, сэр. И вам всего хорошего!

Майкл козырнул и пошел вперед. Отойдя подальше от Генри Боддика, он сел в такси. Еще немного — и он рисковал утратить то спокойствие духа, без которого невозможно заседать в палате.

На Портлэнд-плейс часто попадались дома с табличками: «Продается или сдается внаем», и это помогло ему вновь обрести равновесие.

В тот же день он повел Фрэнсиса Уилмота в парламент. Проводив молодого человека на галерею для знатных иностранцев, он прошел вниз.

В Ирландии Майкл никогда не был, и прения представляли для него мало интереса. Впрочем, он мог наглядно убедиться, что по каждому вопросу возникает ряд препятствий, исключающих возможность соглашения. Необходимость сговориться подчеркивал почти каждый оратор, тут же заявляя, что нельзя уступить по тому или иному пункту, и тем самым сводя на нет все шансы на соглашение. Однако Майклу показалось, что, если принять во внимание тему, прения протекают сравнительно гладко; сейчас члены палаты выйдут из зала в разные двери, чтобы проголосовать за то, за что они решили голосовать еще до начала прений. Вспомнилось ему, какое волнение испытывал он, впервые присутствуя на заседании. Каждая речь производила на него глубокое впечатление, и казалось — каждый оратор должен был обратить слушателей в свою веру. Велика была его досада, когда он убедился, что прозелитов нет! За кулисами работает какая-то сила, куда более мощная, чем самое яркое и искреннее красноречие. Стирают белье в другом месте, здесь его только проветривают, перед тем как надеть. Но все же, пока люди не выразят своей мысли вслух, они сами не знают, о чем думают, а иногда не знают и после того, как высказались. И в сотый раз Майкл почувствовал дрожь в коленях. Через несколько недель ему самому придется выступить. Отнесется ли к нему палата «с обычным снисхождением» или же остановят его фразой: «Молодой человек, яйца курицу не учат! Замолчите!»?

Он огляделся по сторонам.

Его коллеги, члены палаты, сидели в самых разнообразных позах. Казалось, на этих избранниках народа оправдывалась доктрина: человеческая природа остается неизменной, а если изменяется, то так медленно, что процесс незаметен. Прототипы этих людей он уже видел — в римских статуях, в средневековых портретах. «Просты, но обаятельны», — подумал он, бессознательно повторяя слова, которые в пору своего расцвета Джордж Форсайт говорил, бывало, о самом себе. Но принимают ли они себя всерьез, как во времена Бэрка[1] или хотя бы как во времена Гладстона?

Слова «с обычным снисхождением» нарушили ход его мыслей. Значит, ему предстоит выслушать первую речь одного из членов. Да, совершенно верно! Депутат от Корнмаркета. Майкл приготовился слушать. Оратор говорил сдержанно и толково; видимо, он старался внушить, что не следует пренебрегать правилом: «Поступай по отношению к другим так, как бы ты хотел, чтобы поступали по отношению к тебе»; да, этим правилом пренебрегать не нужно даже в тех случаях, когда вопрос касается Ирландии. Но речь была растянута, слишком растянута. Майкл заметил, что слушатели устали. «Эх, бедняга!» — подумал он, когда оратор поспешно сел. После него выступил очень красивый джентльмен. Он поздравил уважаемого коллегу с блестящей

[1] Английский политический деятель (1729 — 1797).

речью, но высказал сожаление, что она не имеет никакого отношения к разбираемому вопросу. Вот именно! Майкл покинул заседание и, отыскав своего «знатного иностранца», пошел с ним на Саут-сквер.

Фрэнсис Уилмот был в восторге.

— Замечательно! — воскликнул он. — Кто этот джентльмен под балдахином?

— Спикер, председатель палаты.

— Следовало бы дать ему подушку с кислородом. Наверно, его клонит ко сну. Мне понравился депутат, который...

— Тот самый идеализм, который мешает вам вступить в Лигу Наций? — усмехнулся Майкл.

Фрэнсис Уилмот резко повернул голову.

— Ну что же, — сказал он, — мы такие же люди, как и все остальные, если покопаться поглубже.

— Совершенно верно, — отозвался Майкл, — идеализм — это всего-навсего отходы географии, дымка, заволакивающая даль. Чем дальше вы от сути дела — тем гуще дымка. Мы относимся к европейской ситуации на двадцать морских миль идеалистичнее, чем французы. А вы — на три тысячи миль идеалистичнее, чем мы. Что же касается негритянского вопроса, то тут мы настолько же идеалистичнее вас, не так ли?

Фрэнсис Уилмот прищурил темные глаза.

— Да, — сказал он. — В Штатах — чем дальше на север, тем идеалистичнее люди в отношении негров. Мы с Энн всю жизнь прожили среди негров — и ни одной неприятности: их любим, они нас любят; но попробуй один из них посягнуть на сестру, я, кажется, сам принял бы участие в его линчевании. Мы много раз говорили на эту тему с Джоном. Он не понимает моей точки зрения: говорит, что негра надо судить таким же судом, как и белого; но он еще не знает, что такое Юг. Умом он все еще живет за три тысячи морских миль.

Майкл промолчал. Что-то в нем всегда замыкалось при упоминании этого имени.

Фрэнсис Уилмот прибавил задумчиво:

— В каждой стране есть несколько святых, опровергающих вашу теорию. А все остальные — самые обыкновенные представители рода человеческого.

— Кстати, о роде человеческом, — сказал Майкл. — Вон идет мой тесть.

VI. СОМС НАЧЕКУ

Сомс задержался в городе и в тот день провел несколько часов в Зоологическом саду в попытках удержать маленьких Кардиганов, внуков Уинифрид, на почтительном расстоянии от обезьян и диких кошек. Водворив их затем в родной дом, он скучал в своем клубе и лениво перелистывал вечернюю газету, пока не наткнулся случайно на следующую заметку, помещенную в столбце «О чем говорят».

«В доме одной молодой леди, проживающей неподалеку от Вестминстера, происходят по средам собрания, на которых готовят сюрприз к следующей парламентской сессии. Ее мужу, будущему баронету, имевшему какое-то отношение к литературе, поручено выступить в парламенте с проповедью фоггартизма — учения сэра Джемса Фоггарта, изложенного в его книге «Опасное положение Англии». Инициатором дела является несколько чудаковатый субъект, редактирующий один хорошо известный еженедельник. Посмотрим, что из этого выйдет, а пока вышеупомянутая предприимчивая молодая леди пользуется случаем создать свой «салон», спекулируя на любопытстве, порождаемом политическим авантюризмом».

Сомс протер глаза, затем еще раз прочел заметку. Гнев его возрастал. «Предприимчивая молодая леди пользуется случаем создать свой «салон». Кто это написал? Он сунул газету в карман — кажется, это была его первая кража — и в надвигающихся сумерках побрел по направлению к Саут-сквер, упорно размышляя об анонимной заметке. Намек казался ему абсолютно верным и глубоко коварным. Он все еще размышлял, когда к нему подошли Майкл и Фрэнсис Уилмот.

— Добрый вечер, сэр!

— А, — сказал Сомс. — Я хотел с вами поговорить. В вашем лагере есть изменник.

И без всякого злого умысла он бросил гневный взгляд на Фрэнсиса Уилмота.

— В чем дело, сэр? — спросил Майкл, когда они вошли в его кабинет. Сомс протянул сложенную газету.

Майкл прочел заметку и скорчил гримасу.

— Тот, кто это написал, бывает на ваших вечерах, — сказал Сомс, — это ясно. Кто он?

— Очень возможно, что это она.

— Неужели они напечатали бы такого рода заметку, написанную женщиной?

Майкл ничего не ответил. Старый Форсайт явно не поспевает за веком.

— Скажут они мне, кто написал, если я пойду в редакцию? — спросил Сомс.

— К счастью, не скажут.

— Почему «к счастью»?

— Видите ли, сэр, пресса — цветок весьма чувствительный. Он может свернуть лепестки, если вы к нему прикоснетесь. А кроме того, они всегда говорят вещи приятные и незаслуженные.

— Но ведь это... — начал было Сомс, но вовремя остановился и добавил: — Так вы хотите сказать, что мы должны это проглотить?

— Боюсь, что так, и заесть сахаром.

— У Флер завтра вечер?

— Да.

— Я приду и буду наблюдать.

Майкл мысленно представил себе своего тестя в виде субъекта в штатском, поставленного на страже у стола со свадебными подарками.

Но, несмотря на напускное равнодушие, Майкл был задет. Он знал, что его жене нравится коллекционировать знаменитостей, что она порхает и своими чарами старается привлечь нужных ей людей. Раньше он только снисходительно ей удивлялся, но сейчас почувствовал в этом нечто большее, чем невинную забаву. Быстрота, с которой загоралась и гасла ее улыбка, словно под стрижеными волосами был скрыт выключатель; живые повороты прелестной открытой шеи; искусно, если и недостаточно искусно, скрытая игра красивых глаз; томность и дрожание белых век; выразительные руки, которыми она легко и изящно лепила себе карьеру, — от всего этого Майклу вдруг стало больно. Правда, она это делает для него и для Кита! Говорят, француженки помогают своим мужьям делать карьеру. В ней есть французская кровь. А может быть, это стремление к идеалу, желание иметь все самое лучшее и быть лучше тех, кто ее окружает? Так размышлял Майкл. Но в среду вечером он тревожно всматривался в лица гостей, стараясь поймать иронические взгляды.

Сомс следовал иному методу. У него в сознании все решалось проще, чем у человека, который критикует днем, а ночью обнимает. Он не видел оснований, почему Флер не собирать у себя аристократов, лейбористских членов палаты, художников, послов, всяких молодых идиотов и даже писателей, если эти люди ее интересуют. Он несколько наивно рассуждал, что чем выше они стоят, тем меньше шансов впутаться из-за них в какую-нибудь неприятную историю; и, пожалуй, денег взаймы они не попросят. Его дочь не хуже, если не лучше всех этих людей. Он был глубоко оскорблен тем, что кто-то считает, будто она всеми силами старается привлечь их к себе. Нет, не она за ними охотится, а они за ней. Он стоял у стены, под картиной Фрагонара, которую он подарил Флер. Седой, с аккуратно подстриженными волосами и энергичным подбородком, он обводил глазами комнату, ни на ком не задерживаясь взглядом, как человек, который видел в жизни много, но интересного нашел мало. Его можно было принять за какого-нибудь посланника.

Перед ним, повернувшись к нему спиной, остановилась молодая женщина с короткими золотисто-рыжими волосами; она разговаривала с глуповатым на вид человеком, который все время потирал руки. Сомсу слышно было каждое слово.

— Не правда ли, эта маленькая Монт ужасно забавна? Посмотрите на нее, она разговаривает с «доном Фернандо»; можно подумать, что он для нее все. А, вот Бэшли! Как она к нему разлетелась! Прирожденная выскочка! Но она ошибается — таким путем «салона» не создашь. Создать «салон» может человек умный, с ярко выраженной индивидуальностью; человек, презирающий общественное мнение. Она для этой роли не годится. Да и кто она, в сущности, такая?

— Деньги? — подсказал собеседник.

— Не так уж много. А Майкл так в нее влюблен, что даже поглупел. Впрочем, и парламент на него действует. Вы слышали их разговоры об этом фоггартизме? Продукты питания, дети, будущее — невероятная скука!

— Новизна, — промурлыкал глуповатый человек, — вот мания нашего века.

— Досадно, когда такое ничтожество старается выдвинуться и пускает в ход такую чепуху, как этот фоггартизм. Вы читали книгу Фоггарта?

— Нет. А вы?

— Конечно, нет! Мне жаль Майкла. Эта маленькая выскочка его эксплуатирует.

Сомс, очутившись словно в западне, не выдержал и засопел. Почувствовав, быть может, ветерок, молодая женщина оглянулась и увидела такие холодные серые глаза и такое хмурое лицо, что поспешила отойти.

— Кто этот мрачный старик? — спросила она своего собеседника. — Я даже испугалась.

Глуповатый джентльмен предположил, что это бедный родственник: видимо, он здесь ни с кем не знаком.

А Сомс направился прямо к Майклу.

— Кто эта молодая женщина с рыжими волосами?

— Марджори Феррар.

— Она предательница. Выгоните ее!

Майкл опешил.

— Но мы ее очень хорошо знаем. Она — дочь лорда Чарльза Феррара и...

— Выгоните ее! — повторил Сомс.

— Откуда вы знаете, сэр, что она предательница?

— Я только что слышал, как она повторила то, что было в заметке, и прибавила еще кое-что похуже.

— Но она у нас в гостях.

— Недурна гостья! — сквозь зубы проворчал Сомс.

— Нельзя выгонять гостей. А кроме того, она внучка маркиза. Скандал будет грандиозный.

— Ну, так устройте скандал!

— Приглашать мы ее больше не будем, но, право же, это все, что можно сделать.

— Вот как? — сказал Сомс и, отойдя от зятя, направился к той, на которую только что донес. Майкл, взволнованный, последовал за ним. Ему еще не приходилось видеть тестя приготовившимся к прыжку. Подойдя, он услышал, как Сомс сказал негромко, но очень внятно:

— Сударыня, вы были так любезны, что назвали мою дочь выскочкой — назвали в ее же доме.

Майкл видел, как молодая женщина оглянулась и с видом обиженным и наглым широко раскрыла свои холодные голубые глаза. Потом она засмеялась, а Сомс сказал:

— Вы предательница. Будьте добры удалиться.

Вокруг стояло человек шесть, и все они слышали! Проклятье! А он — Майкл — хозяин дома! Выступив вперед, он взял под руку Сомса и спокойно сказал:

— Довольно, сэр! Ведь мы не на мирной конференции.

Все притихли; никто не шелохнулся. Только глуповатый джентльмен потирал свои белые руки.

Марджори Феррар сделала шаг по направлению к двери.

— Я не знаю, кто этот человек, — сказала она, — но он — лжец!

— Неправда!

Бросил это слово смуглый молодой человек. Он смотрел на Марджори Феррар; их взгляды встретились.

И вдруг Майкл увидел Флер. Очень бледная, она стояла за его спиной. Конечно, слышала все! Она улыбнулась, подняла руку и сказала:

— Сейчас будет играть мадам Карелли.

Марджори Феррар направилась к двери; глуповатый джентльмен следовал за ней, все еще потирая руки, словно снимая с себя ответственность за инцидент. Сомс, как собака, для верности шел за ними; за Сомсом шагал Майкл. Донеслись слова: «Как забавно!» Послышался заглушенный смех. Парадная дверь захлопнулась. Инцидент был исчерпан.

Майкл вытер пот со лба. Он восхищался своим тестем и в то же время досадовал: «Заварил старик кашу!» Он вернулся в гостиную. Флер стояла у клавикордов с таким видом, словно ничего не случилось. Но Майкл заметил, что ее пальцы вцепились в платье, и сердце у него заныло. Волнуясь, он ждал последней ноты.

Сомс поднялся наверх и там, в кабинете Майкла, перед «Белой обезьяной», проанализировал свой поступок. Он ни о чем не жалел. Рыжая кошка! «Прирожденная выскочка»! «Деньги?» — «Не так уж много». Ха! «Это ничтожество»! Так она — внучка маркиза? Ну что ж, он указал нахалке на дверь. Все, что было в нем сильного и смелого, все, что восставало против покровительства и привилегий, — дух, унаследованный от предков, все возмутилось в нем. Кто они — эти аристократы? Какое право имеют напускать на себя важность? Нахалы! Многие из них — потомки тех, кто поднялся на высоту только благодаря грабежам и маклерству! И кто-то осмелился назвать его дочь — его дочь — выскочкой! Да он пальцем не шевельнет, шагу лишнего не ступит, хоть бы ему предстояло встретиться с самим королем! Если Флер нравится окружать себя этими людьми, то почему бы ей этого не делать? Неожиданно у него замерло сердце. А вдруг она скажет, что он погубил ее «салон»? Ну что ж! Ничего не поделаешь. Лучше было сразу покончить с этой мерзавкой и уяснить себе положение. «Я не буду ждать Флер, — подумал он. — Буря в стакане воды!»

Когда он поднимался по лестнице в свою комнату, до него

донеслись звуки клавикордов. Он подумал, не просыпается ли от этой музыки его внук. Вдруг послышалось ворчание, и Сомс подскочил. Ах, эта собака лежит у двери, ведущей в комнату беби! Жаль, что Дэнди не было внизу, уж он бы прокусил чулки этой рыжей кошке! Сомс поднялся наверх и посмотрел на дверь комнаты Фрэнсиса Уилмота, находившейся как раз против его комнаты.

Очевидно, молодой американец тоже кое-что подслушал; но с ним говорить об этом нельзя — ронять свое достоинство! И, захлопнув свою дверь, чтобы звуки клавикордов не долетали до него, Сомс крепко закрыл глаза.

VII. ЗВУКИ В НОЧИ

Майкл никогда не видел Флер плачущей, и сейчас, когда она лежала ничком на кровати и, уткнувшись в одеяло, старалась заглушить рыдания, он почувствовал чуть ли не панический страх. Когда он коснулся ее волос, она затихла.

— Не падай духом, любимая, — сказал он ласково. — Не все ли равно, что говорят, если это неправда.

Она приподнялась и села, скрестив ноги. Волосы у нее были растрепаны, заплаканное лицо раскраснелось.

— Кому какое дело — правда это или неправда! Важно то, что меня заклеймили.

— Ну что же, и мы ее заклеймили кличкой «предательница».

— Как будто этим поможешь делу! За спиной все мы говорим друг о друге. На это никто не обращает внимания. Но как я покажусь теперь в обществе, когда все хихикают и считают меня выскочкой? В отместку она оповестит весь Лондон. Разве я могу теперь устраивать вечера?

Оплакивает ли она свою карьеру или его? Майкл подошел к ней сзади и обнял ее.

— Мало ли что думают люди, моя детка. Рано или поздно это нужно понять.

— Ты сам не желаешь этого понять. Если обо мне думают плохо, я не могу быть хорошей.

— Считаться надо только с теми, кто тебя действительно знает.

— Никто никого не знает, — упрямо сказала Флер. — Чем лучше люди относятся, тем меньше они знают; и никакого значения не имеет, что они, в сущности, думают.

Майкл опустил руки. Флер молчала так долго, что он опять обошел кровать и заглянул ей в лицо, хмурившееся над подпиравшими его ладонями. Столько грации было в ее позе, что ему стало больно от любви к ней. И оттого, что ласки только раздражали ее, ему было еще больнее.

— Я ее ненавижу! — сказала она наконец. — Если я смогу ей повредить, я это сделаю.

Он тоже не прочь был отомстить «Гордости гедонистов», но ему не хотелось, чтобы Флер думала о мести. У нее это было серьезнее, чем у него, потому что он, в сущности, был неспособен причинять людям зло.

— Ну, дорогая моя, может быть, мы ляжем спать?

— Я сказала, что не буду устраивать вечера. Нет, буду!

— Отлично, — сказал Майкл. — Вот и молодец.

Она засмеялась. Это был странный смех, резко прозвучавший в ночи. Майкла он не успокоил.

В ту ночь все бодрствовали в доме. Сомса мучили ночные страхи, которые за последнее время улеглись было под влиянием сигар и пребывания на свежем воздухе во время игры в гольф. И мешали эти проклятые часы, неуклонно отбивавшие время, а между тремя и четырьмя послышался шорох, словно кто-то бродил по дому.

То был Фрэнсис Уилмот. Молодой человек пребывал в странном состоянии с той самой минуты, как снял с Сомса обвинение во лжи. Сомс не ошибся: Фрэнсис Уилмот тоже слышал, как Марджори Феррар чернила хозяйку дома, но в тот самый момент, когда он выступил с протестом, на него нашло ослепление. Эти голубые глаза, смотревшие на него вызывающе, казалось, говорили: «Молодой человек, вы мне нравитесь!» И теперь этот взгляд его преследовал. Стройная нимфа с белой кожей и золотисто-рыжими волосами, дерзкие голубые глаза, веселые красные губы и белая шея, душистая, как сосновое дерево, нагретое солнцем, — забыть он ее не мог. Весь вечер он следил за ней, но было что-то жуткое в том, какое неизгладимое впечатление она произвела на него в тот последний момент. Теперь он не мог заснуть. Хоть он и не был ей представлен, но знал, что ее зовут Марджори Феррар, и это имя ему нравилось. Он вырос вдали от городов, мало знал женщин, и она казалась ему совсем особенной, необыкновенной. А он изобличил ее во лжи! Волнение его было так велико, что он выпил всю воду из графина, оделся и потихоньку стал спускаться с лестницы. Когда он проходил мимо

Дэнди, собака заворочалась, словно хотела сказать: «Странно, но эти ноги мне знакомы!» Он спустился в холл. Молочный свет лился в полукруглое окно над дверью. Закурив папиросу, Фрэнсис Уилмот присел на мраморный ларь-саркофаг. Это настолько его освежило, что он встал, повернул выключатель, взял телефонную книжку и машинально отыскал букву «Ф». Вот ее адрес: «Феррар, Марджори. Ривер Студиос, Рэн-стрит, 3».

Погасив свет, он осторожно снял дверную цепочку и вышел на улицу. Он знал, как пройти к реке, и направился туда.

Был тот час, когда звуки, утомленные, засыпают, и можно услышать, как летит мотылек. Воздух был чистый, не отравленный дымом; Лондон спал в лучах луны. Мосты, башни, вода — все серебрилось и казалось отрезанным от людей. Даже дома и деревья отдыхали, убаюканные луной, и словно повторяли вслед за Фрэнсисом Уилмотом строфу из «Старого моряка»[1].

> О милый сон, по всей земле
> И всем отраден он!
> Марии вечная хвала!
> Она душе моей дала
> Небесный милый сон.

Он свернул наудачу вправо и пошел вдоль реки. Никогда еще не приходилось ему бродить по большому городу в этот мертвый час. Замерли страсти, затихла мысль о наживе; уснула спешка, сном забылись страхи; кое-где ворочается человек на кровати; кто-нибудь испускает последний вздох. Внизу на воде темными призраками казались лихтеры и баржи, красные огоньки светились на них; фонари вдоль набережной горели впустую, словно вырвались на свободу. Человек притаился, исчез. Во всем городе бодрствовал он один и делал — что? От природы находчивый и сообразительный, молодой человек был неспособен поставить диагноз и, уж во всяком случае, не видел ничего смешного в том, что бесцельно бродит ночью по городу. Вдруг он почувствовал, что сможет вернуться домой и заснуть, если ему удастся взглянуть на ее окна. Проходя мимо галереи Тэйта, он увидел человека; пуговицы его блестели в лучах луны.

— Скажите, полисмен, где Рэн-стрит?

— Прямо, пятая улица направо.

Фрэнсис Уилмот снова зашагал. Луна опускалась за дома, ярче сверкали звезды, дрожь пробежала по деревьям. Он свернул

---

[1] Поэма Колриджа.

в пятую улицу направо, прошел квартал, но дома не нашел. Было слишком темно, чтобы различить номера. Снова повстречался ему человек с блестящими пуговицами.

— Скажите, полисмен, где Ривер Студиос?

— Вы прошли мимо; последний дом по правой стороне.

Фрэнсис Уилмот повернул назад. Вот он — этот дом! Молодой человек остановился и посмотрел на темные окна. За одним из этих окон — она! Поднялся ветер, и Фрэнсис Уилмот повернулся и пошел домой. Осторожно, стараясь не шуметь, поднялся он по лестнице мимо Дэнди, который снова приподнял голову и проворчал: «Еще более странно, но это те же самые ноги!» — потом вошел в свою комнату, лег и заснул сладким сном.

VIII. ВОКРУГ ДА ОКОЛО

За завтраком все обходили молчанием инцидент, происшедший накануне, но это не удивило Сомса: естественно, что в присутствии молодого американца говорить не следует; однако Сомс заметил, что Флер бледна. Ночью, когда он не мог заснуть, в нем зародились опасения юридического порядка. Можно ли в присутствии шести человек безнаказанно назвать «предательницей» даже эту рыжую кошку? После завтрака он отправился к своей сестре Уинифрид и рассказал ей всю историю.

— Прекрасно, мой милый, — одобрила она. — Мне говорили, что эта молодая особа очень бойка. Знаешь ли, у ее отца была лошадь, которую побила французская лошадь — не помню ее клички — на этих скачках в... ах, боже мой, как называются эти скачки?

— Понятия не имею о скачках, — сказал Сомс.

Но к вечеру, когда он сидел о «Клубе знатоков», ему подали визитную карточку:

Лорд Чарльз Феррар
Хай-Маршес
бл. Ньюмаркета
«Бэртон-Клуб»

У него задрожали было колени, но на выручку ему пришло слово «выскочка», и он сухо сказал:

— Проводите его в приемную.

Он не намерен был спешить из-за этого субъекта и спокойно

допил чай, прежде чем направиться в этот мало уютный уголок клуба.

Посреди маленькой комнаты стоял высокий худощавый джентльмен с закрученными кверху усами и моноклем, словно вросшим в орбиту правого глаза. Морщины пролегли на его худых увядших щеках, в густых волосах пробивалась у висков седина. Сомсу нетрудно было с первого же взгляда почувствовать к нему антипатию.

— Если не ошибаюсь, мистер Форсайт?

Сомс наклонил голову.

— Вчера вечером, в присутствии нескольких человек, вы бросили моей дочери в лицо оскорбление.

— Да. Оно было вполне заслужено.

— Значит, вы не были пьяны?

— Ничуть.

Его сухие, сдержанные ответы, казалось, привели посетителя в замешательство. Он закрутил усы, нахмурился, отчего монокль глубже врезался в орбиту, и сказал:

— У меня записаны фамилии тех, кто при этом присутствовал. Будьте добры написать каждому из них в отдельности, что вы отказываетесь от этих слов.

— И не подумаю.

С минуту длилось молчание.

— Вы, кажется, стряпчий?

— Адвокат.

— Значит, вам известно, каковы могут быть последствия вашего отказа.

— Если ваша дочь пожелает подать в суд, я буду рад встретиться с ней там.

— Вы отказываетесь взять свои слова обратно?

— Категорически.

— В таком случае, до свидания!

— До свидания!

Сомс был бы рад поколотить посетителя, но вместо этого он отступил на шаг, чтобы дать ему пройти. Вот наглец! Ему ясно вспомнился голос старого дяди Джолиона, когда он еще в восьмидесятых годах говорил о ком-то: «кляузный человечишка, стряпчий». И он почувствовал потребность отвести душу. Конечно, Старый Монт знает этого субъекта; нужно повидаться с ним и расспросить.

В клубе «Аэроплан» он застал не только сэра Лоренса Монта,

казавшегося необычайно серьезным, но и Майкла, который, видимо, рассказал отцу о вчерашнем инциденте. Сомс почувствовал облегчение: ему тяжело было бы говорить об оскорблении, нанесенном его дочери. Сообщив о визите лорда Феррара, он спросил:

— Этот... Феррар — каково его положение?

— Чарли Феррар? Он кругом в долгах; у него есть несколько хороших лошадей, и он — прекрасный стрелок.

— На меня он не произвел впечатления джентльмена, — сказал Сомс.

Сэр Лоренс поднял брови, словно размышляя о том, что ответить на это замечание, высказанное о человеке с родословной человеком, таковой не имеющим.

— А его дочь отнюдь не леди, — добавил Сомс.

Сэр Лоренс покачал головой.

— Сильно сказано, Форсайт, сильно сказано! Но вы правы — есть у них какая-то примесь в крови. Шропшир — славный старик, его поколение не пострадало. Его тетка была...

— Он назвал меня стряпчим, — мрачно усмехнувшись, сказал Сомс, — а она назвала меня лжецом. Не знаю, что хуже.

Сэр Лоренс встал и посмотрел в окно на Сент-Джемс-стрит. У Сомса зародилось ощущение, что эта узкая голова, высоко посаженная над тонкой прямой спиной, в данном случае окажется ценнее его собственной. Тут приходилось иметь дело с людьми, которые всю жизнь говорили и делали что им вздумается и нисколько не заботились о последствиях; этот баронет и сам так воспитан — ему лучше знать, что может прийти им в голову.

— Она может обратиться в суд, Форсайт. Ведь это было на людях. Какие вы можете привести доказательства?

— Я своими ушами слышал.

Сэр Лоренс посмотрел на уши Сомса, словно измеряя их длину.

— Гм! А еще что?

— Эта заметка в газете.

— С газетой она договорится. Еще?

— Ее собеседник может подтвердить.

— Филип Куинси? — вмешался Майкл. — На него не рассчитывайте.

— Что еще?

— Видите ли, — сказал Сомс, — ведь этот молодой американец тоже кое-что слышал.

— А, — протянул сэр Лоренс. — Берегитесь, как бы она им тоже не завладела. И это все?

Сомс кивнул. Как подумаешь — маловато!

— Вы говорите, что она назвала вас лжецом. Вы тоже можете подать на нее в суд.

Последовало молчание; наконец Сомс сказал:

— Нет! Она — женщина.

— Правильно, Форсайт! У них еще сохранились привилегии. Теперь остается только выжидать. Посмотрим, как повернутся события. «Предательница»! Должно быть, вы себе не представляете, во сколько вам может влететь это слово?

— Деньги — вздор! — сказал Сомс. — Огласка — вот что плохо!

Фантазия у него разыгралась: он уже видел себя в суде. Вот он оглашает злобные слова этой нахалки, бросает публике и репортерам слово «выскочка», сказанное о его дочери. Это единственный способ защитить себя. Тяжело!

— Что говорит Флер? — неожиданно обратился он к Майклу.

— Война во что бы то ни стало.

Сомс подпрыгнул на стуле.

— Как это по-женски! Женщины лишены воображения.

— Сначала я тоже так думал, сэр, но теперь сомневаюсь. Флер рассуждает так: если не схватить Марджори Феррар за волосы, она будет болтать направо и налево; если же предать дело огласке, она не сможет причинить вреда.

— Пожалуй, я зайду к старику Шропширу, — сказал сэр Лоренс. — Наши отцы вместе стреляли вальдшнепов в Албании в пятьдесят четвертом году.

Сомс не понимал, какое это может иметь отношение к делу, но возражать не стал. Маркиз — это, как-никак, почти герцог; быть может, даже в наш демократический век он пользуется влиянием.

— Ему восемьдесят лет, — продолжал сэр Лоренс, — страдает подагрой, но все еще трудолюбив как пчела.

Сомс не мог решить, хорошо это или плохо.

— Откладывать не стоит, пойду к нему сейчас.

На улице они расстались; сэр Лоренс повернул на север, по направлению к Мейферу.

Маркиз Шропшир диктовал своему секретарю письмо в Совет графства, настаивая на одном из пунктов своей обширной программы всеобщей электрификации. Один из первых встал он на защиту электричества и всю жизнь был ему верен. Это был невысокий, похожий на птицу старик с розовыми щеками и аккуратно подстриженной белой бородкой. Одетый в мохнатый суконный костюм с синим вязаным галстуком, продетым в кольцо, он стоял в своей любимой позе: одну ногу поставил на стул, локтем оперся о колено и подпер подбородок рукой.

— А, молодой Монт! — сказал он. — Садитесь.

Сэр Лоренс сел и положил ногу на ногу. Ему приятно было слышать, что в шестьдесят шесть лет его называют «молодым Монтом».

— Вы мне опять принесли одну из ваших чудесных новых книг?

— Нет, маркиз, я пришел за советом.

— А! Мистер Мэрси, продолжайте: «Таким путем, джентльмены, вы добьетесь для наших налогоплательщиков экономии по меньшей мере в три тысячи ежегодно; облагодетельствуете всю округу, избавив ее от дыма четырех грязных труб, и вам будет признателен ваш покорный слуга Шропшир».

Вот и все, мистер Мэрси; благодарю вас. Итак, дорогой мой Монт?

Проводив глазами спину секретаря и поймав на себе блестящие глаза старого лорда, глядевшие с таким выражением, точно он намерен каждый день видеть и узнавать что-нибудь новое, сэр Лоренс вынул монокль и сказал:

— Ваша внучка, сэр, и моя невестка хотят затеять свару.

— Марджори? — спросил старик, по-птичьи склонив голову набок. — Это меня не касается. Очаровательная молодая женщина; приятно на нее смотреть, но это меня не касается. Что она еще натворила?

— Назвала мою невестку выскочкой, сказала, что она гоняется за знаменитостями. А отец моей невестки назвал вашу внучку в лицо предательницей.

— Смелый человек, — сказал маркиз. — Смелый. Кто он такой?

— Его фамилия Форсайт.

— Форсайт? — повторил старый пэр. — Форсайт? Фамилия знакомая. Ах, да! «Форсайт и Трефри» — крупные чаеторговцы. Мой отец покупал у них чай. Нет теперь такого чая. Это тот самый?

— Быть может, родственник. Этот Форсайт — адвокат, сейчас практикой не занимается. Все знают его коллекцию картин. Он человек стойкий и честный.

— Вот как! А его дочь действительно гоняется за знаменитостями?

Сэр Лоренс улыбнулся.

— Ей нравится быть окруженной людьми. Очень хорошенькая. Прекрасная мать. В ней есть французская кровь.

— А! — сказал маркиз. — Француженка! Они сложены лучше, чем наши женщины. Чего вы от меня хотите?

— Поговорите с вашим сыном Чарльзом.

Маркиз снял ногу со стула и выпрямился. Голова его заходила из стороны в сторону.

— С Чарли я не говорю, — серьезно сказал он. — Мы уже шесть лет как не разговариваем.

— Простите, сэр. Не знал. Жалею, что побеспокоил вас.

— Нет, нет! Я очень рад вас видеть. Если я увижу Марджори... я подумаю, подумаю. Но, дорогой мой Монт, что поделаешь с этими молодыми женщинами? Чувства долга у них нет, постоянства нет, волос нет, фигуры тоже. Кстати, вы знаете этот проект гидростанции на Северне? — Он взял со стола брошюру. — Я уже столько лет приставал к ним, чтобы начинали. Будь у нас электричество, даже мои угольные копи могли бы дать доход; но они там все раскачиваются. Американцев бы нам сюда.

Видя, что у старика чувство долга заслонило все остальные помыслы, сэр Лоренс встал и протянул руку.

— До свидания, маркиз. Очень рад, что нашел вас в добром здоровье.

— До свидания, дорогой Монт. Я всегда к вашим услугам. И не забудьте, пришлите мне еще что-нибудь из ваших книг.

Они пожали друг другу руку. Оглянувшись в дверях, сэр Лоренс увидел, что маркиз принял прежнюю позу: поставил ногу на стул, подбородком оперся на руку и уже погрузился в чтение брошюры. «Вот это да», как сказал бы Майкл, — подумал он. — Но что мог сделать Чарли Феррар? Почему старик шесть лет с ним не разговаривает? Может быть, Старый Форсайт знает...»

В это время Старый Форсайт и Майкл шли домой через Сент-Джемс-парк.

— Этот молодой американец, — начал Сомс. — Как вы думаете, что побудило его вмешаться?

— Не знаю, сэр. А спрашивать не хочу.

— Правильно, — мрачно отозвался Сомс: ему самому неприятно было бы обсуждать с американцем вопросы личного достоинства.

— Слово «выскочка» что-нибудь значит в Америке?

— Не уверен; но коллекционировать таланты — это в Штатах особый вид идеализма. Они желают общаться с теми, кого считают выше себя. Это даже трогательно.

Сомс держался другого мнения: почему, он затруднился бы объяснить. До сих пор его руководящим принципом было никого не считать выше самого себя и своей дочери, а говорить о руководящих принципах не принято. К тому же этот принцип так глубоко затаился в нем, что он и сам не знал о его существовании.

— Я буду молчать, — сказал он, — если он сам не заговорит. Что еще может сделать эта особа? Она, вероятно, член какой-нибудь группы?

— Неогедонисты.

— Гедонисты?

— Да, сэр. Их цель — любой ценой получать как можно больше удовольствий. Никакого значения они не имеют. Но Марджори Феррар у всех на виду. Она немножко рисует, имеет какое-то отношение к прессе, танцует, охотится, играет на сцене; на воскресенье всегда уезжает в гости. Это хуже всего — ведь в гостях делать нечего, вот они и болтают. Вы когда-нибудь бывали на воскресном сборище, сэр?

— Я? — сказал Сомс. — Ну что вы!

Майкл улыбнулся — действительно, величины несовместимые.

— Надо как-нибудь затащить вас в Липпинг-Холл.

— Ну нет, благодарю.

— Вы правы, сэр. Скука смертная. Но это кулисы политики. Флер считает, что это мне на пользу. А Марджори Феррар знает всех, кого мы знаем, знает и тех, кого мы не знаем. Положение очень неловкое.

— Я бы держал себя так, словно ничего не случилось, — сказал Сомс. — Но как быть с газетой? Следует их предостеречь, что эта женщина — предательница.

Майкл с улыбкой посмотрел на своего тестя.

В холле их встретил лакей.

— К вам пришел какой-то человек, сэр. Его фамилия — Бегфилл.

— А, да! Куда вы его провели, Кокер?

— Я не знал, что мне с ним делать, сэр: он весь трясется. Я его оставил в столовой.

— Вы меня простите, сэр, — сказал Майкл.

Сомс прошел в гостиную, где застал свою дочь и Фрэнсиса Уилмота.

— Мистер Уилмот уезжает, папа. Ты пришел как раз вовремя, чтобы попрощаться.

Если он испытывал когда-нибудь чувство благожелательности к посторонним людям, то именно в такие минуты. Против молодого человека он ничего не имел, пожалуй, даже ему симпатизировал, но чем меньше около тебя людей, тем лучше. Кроме того, перед Сомсом стоял вопрос: что подслушал американец? Трудно было устоять перед компромиссом с самим собой и не задать ему этого вопроса.

— До свидания, мистер Уилмот, — сказал он. — Если вы интересуетесь картинами... — он приостановился и добавил: — Вам следует заглянуть в Британский музей.

Фрэнсис Уилмот почтительно пожал протянутую руку.

— Загляну. Счастлив, что познакомился с вами, сэр.

Пока Сомс недоумевал, почему он счастлив, молодой человек повернулся к Флер.

— Из Парижа я напишу Джону и передам ему ваш привет. Вы были удивительно добры ко мне. Я буду рад, если вы с Майклом поедете в Штаты и навестите меня. А если вы привезете с собой вашу собачку, я с удовольствием разрешу ей еще раз меня укусить.

Он поцеловал руку Флер и вышел, а Сомс задумчиво уставился в затылок дочери.

— Несколько неожиданно, — сказал он, когда дверь закрылась. — Что-нибудь с ним случилось?

Она повернулась к нему и холодно спросила:

— Папа, зачем ты устроил вчера этот скандал?

Несправедливость обвинения бросалась в глаза, и Сомс молча закусил ус. Словно он мог промолчать, когда ее оскорбили в его присутствии!

— Как, по-твоему, какую пользу ты этим принес?

Сомс не пытался дать объяснение, но ее слова причинили ему боль.

— Ты сделал так, что теперь мне трудно смотреть людям в глаза. И все-таки скрываться я не буду. Если я — выскочка, не пренебрегающая никакими средствами, чтобы создать «салон», я свою роль проведу до конца. Но ты, пожалуйста, впредь не думай, что я ребенок, который не может постоять за себя.

Снова Сомс промолчал, оскорбленный до глубины души.

Флер быстро взглянула на него и сказала:

— Прости, но я ничего не могу поделать; ты все испортил.

И она вышла из комнаты.

Сомс вяло подошел к окну и посмотрел на улицу. Увидел, как отъехало такси с чемоданами; увидел, как голуби опустились на мостовую и вновь взлетели; увидел, как в сумерках мужчина целует женщину, а полисмен, закурив трубку, уходит со своего поста. Много любопытных вещей видел Сомс. Он слышал, как пробил Большой Бен. Ни к чему все это. Он думал о серебряной ложке. Когда родилась Флер, он сам сунул ей в рот эту ложку.

IX. КУРЫ И КОШКИ

Человек, которого Кокер провел в столовую, стоял не двигаясь. Постарше Майкла, шатен, с намеком на бакенбарды и с бледным лицом, на котором застыло обычное у актеров, но незнакомое Майклу заученно-оживленное выражение, он одной рукой вцепился в край стола, другой — в свою черную широкополую шляпу. В ответ на взгляд его больших, обведенных темными кругами глаз Майкл улыбнулся и сказал:

— Не волнуйтесь, мистер Бергфелд, я не антрепренер. Пожалуйста, садитесь и курите.

Посетитель молча сел и, пытаясь улыбнуться, взял предложенную папиросу. Майкл уселся на стол.

— Я узнал от миссис Бергфелд, что вы на мели.

— И прочно, — сорвалось с дрожащих губ.

— Должно быть, всему виной ваше здоровье и ваша фамилия?

— Да.

— Вам нужна работа на открытом воздухе. Никакого гениального плана я не придумал, но вчера ночью меня осенила одна мысль. Что вы скажете о разведении кур? Все этим занимаются.

— Если бы у меня были мои сбережения...

— Да, миссис Бергфелд мне рассказала. Я могу навести справки, но боюсь...

— Это грабеж!

За звуком его слов Майкл сейчас же услышал голоса всех антрепренеров, которые отказали этому человеку в работе.

— Знаю, — сказал он успокоительным тоном. — Грабят Петра, чтобы заплатить Павлу. Что и говорить, этот пункт договора — чистое варварство. Только, право же, не стоит этим терзаться.

Но посетитель уже встал.

— Отнимают у одного, чтобы заплатить другому! Тогда почему не отнять жизнь у одного, чтобы дать ее другому? То же самое! И это делает Англия — передовая страна, уважающая права личности! Омерзительно!

Майкл почувствовал, что актер хватает через край.

— Вы забываете, — сказал он, — что война всех нас превратила в варваров. Этого мы еще не преодолели. И, как вам известно, искру в пороховой погреб бросила ваша страна. Но что же вы скажете о разведении кур?

Казалось, Бергфелд с величайшим трудом овладел собой.

— Ради моей жены, — сказал он, — я готов делать что угодно. Но если мне не вернут моих сбережений, как я могу начать дело?

— Обещать ничего не обещаю, но, быть может, я буду вас финансировать для начала. Этот парикмахер, который живет в первом этаже, тоже хочет получить работу на свежем воздухе. Кстати, как его фамилия?

— Суэн.

— Вы с ним ладите?

— Он упрямый человек, но мы с ним в хороших отношениях.

Майкл слез со стола.

— Дайте мне время, я это обдумаю. Надеюсь, кое-что нам удастся сделать, — и он протянул руку.

Бергфелд молча пожал ее. Глаза его снова смотрели мрачно.

«Этот человек, — подумал Майкл, — может в один прекрасный день покончить с собой». И он проводил его до двери. Несколько минут смотрел он вслед удаляющейся фигуре с таким чувством, словно самый мрак соткан из бесчисленных историй, столь же печальных, как жизнь этого человека, и парикмахера, и того, который остановил его и шепотом попросил работы. Да, пусть отец уступит ему клочок земли за рощей в Липпинг-Холле. Он — Майкл — купит им домик, купит кур, и так будет основана колония — Бергфелды, парикмахер и Генри Боддик. В роще они могут нарубить деревьев и построить курятники. Производство предметов питания — проведение в жизнь теории Фоггарта. Флер над ним посмеется. Но разве в наши дни может человек избежать насмешек? Он вошел в дом. В холле стояла Флер.

— Фрэнсис Уилмот уехал, — сказала она.

— Почему?

— Он уезжает в Париж.

— Что он подслушал вчера?

— Неужели ты думаешь, что я его спрашивала?

— Конечно, нет, — смиренно сказал Майкл. — Пойдем наверх, посмотрим на Кита; ему как раз время купаться.

Действительно, одиннадцатый баронет сидел в ванне.

— Идите, няня, — сказала Флер. — Я им займусь.

— Он три минуты сидит в ванне, мэм.

— Сварился всмятку, — сказал Майкл.

Ребенку был год и два месяца, и энергии его можно было позавидовать: все время он находился в движении. Казалось, он вкладывал в жизнь какой-то смысл. Жизненная сила его была абсолютна — не относительна. В том, как он прыгал, и ворковал, и плескался, была радость мошки, пляшущей в луче света, галчонка, пробующего летать. Он не предвкушал будущих благ, он наслаждался минутой. Весь белый, с розовыми пятками, с волосами и глазенками, которым еще предстояло посветлеть, он цеплялся руками за мать, за мыло, за полотенце — казалось, ему недостает только хвоста. Майкл смотрел на него и размышлял. Этот человечек имеет в своем распоряжении все, чего только можно пожелать. Как они будут его воспитывать? Подготовлены ли они к этой задаче? Ведь и они тоже, как и все это поколение их класса, родились эмансипированными, имели отцов и матерей, скрепя сердце поклонявшихся новому фетишу — свободе! Со дня рождения они имели все, чего только могли пожелать, им оставалось одно: ломать себе голову над тем, чего же им еще не хватает. Избыток свободы побуждал к беспокойным исканиям. С войной свободе пришел конец; но война перегнула палку, снова захотелось произвола. А для тех, кто, как Флер, немножко запоздал родиться и не мог принять участие в войне, рассказы о ней окончательно убили уважение к чему бы то ни было. Пиетет погиб, служение людям сдано в архив, атавизм опровергнут, всякое чувство смешно и будущее туманно — так нужно ли удивляться, что современные люди — те же мошки, пляшущие в луче света, только принимающие себя всерьез? Так думал Майкл, сидя над ванночкой и хмурясь на своего сынишку. Можно ли иметь детей, если ни во что не веришь? Впрочем, сейчас опять пытаются найти объект какой-то веры. Только уж очень это медлительный процесс. «Слишком мы много анализируем, — думал он, — вот в чем беда».

Флер вытерла одиннадцатого баронета и начала присыпать его тальком; ее взгляд словно проникал ему под кожу, чтобы убедиться, все ли там в порядке. Майкл следил, как она брала то одну, то другую ручку, осматривая каждый ноготок, на секунду целиком отдаваясь материнскому чувству. А Майкл, с грустью сознавая несовместимость подобных переживаний с положением члена парламента, щелкнул перед носом младенца пальцами и вышел из детской.

Он отправился в свой кабинет, достал один из томов Британской энциклопедии и отыскал слово «куры». Прочел об орпингтонах, легхорнах, брамапутрах, но пользы извлек мало. Он вспомнил: если перед клювом курицы провести мелом черту, курица вообразит, что клюв ее к этой черте привязан. Ему хотелось, чтобы кто-нибудь провел меловую черту перед его носом. Может быть, фоггартизм такая черта? В эту минуту послышался голос:

— Скажите Флер, что я ухожу к ее тетке.

— Покидаете нас, сэр?

— Да, здесь во мне не нуждаются.

Что могло случиться?

— Но с Флер вы повидаетесь перед уходом, сэр?

— Нет, — сказал Сомс.

Неужели кто-то стер меловую черту перед носом Старого Форсайта?

— Скажите, сэр, прибыльное это дело — разводить кур?

— Теперь нет прибыльных дел.

— И тем не менее суммы, получаемые от налогоплательщиков, все увеличиваются?

— Да, — сказал Сомс, — тут что-то неладно.

— Не думаете ли вы, сэр, что люди преувеличивают свои доходы?

Сомс заморгал. Даже сейчас, в пессимистическом настроении, он все же был лучшего мнения о людях.

— Позаботьтесь, чтобы Флер не вздумала оскорблять эту рыжую кошку, — сказал он. — Флер родилась с серебряной ложкой во рту; по ее мнению, она может делать все, что ей вздумается. — Он захлопнул за собой дверь.

Серебряная ложка во рту! Как кстати!..

Уложив ребенка, Флер удалилась в свое святилище, которое в былые дни носило бы название будуара. Подсев к бюро, она мрачно задумалась. Как мог отец устроить такой скандал на людях? Неужели он не понимает, что эти слова не имеют никакого значения, пока они не преданы огласке? Она горела желанием излить свои чувства и сообщить людям свое мнение о Марджори Феррар.

Она написала несколько писем — одно леди Элисон и два письма женщинам, бывшим свидетельницами вчерашней сцены. Третье письмо она закончила так:

«Женщина, которая прикидывается вашим другом, пробирается к вам в дом и за вашей спиной наносит вам удар, такая женщина — змея. Не понимаю, как ее терпят в обществе. Она не имеет представления о нравственности, какие бы то ни было моральные побуждения ей чужды. Что касается ее очарования — о боже!»

Так! Теперь оставался еще Фрэнсис Уилмот. Она не все успела ему сказать.

«Милый Фрэнсис, Мне жаль, что Вы так внезапно уехали. Я хотела Вас поблагодарить за то, что вчера Вы выступили в мою защиту. О Марджори Феррар скажу только, что дальше идти некуда. Но в лондонском обществе не принято обращать внимания на шпильки. Я была очень рада познакомиться с Вами. Не забывайте нас; когда вернетесь из Парижа — приходите.

Ваш друг *Флер Монт*».

Впредь она будет приглашать на свои вечера только мужчин. Но придут ли они, если не будет женщин? А такие мужчины, как Филип Куинси, не менее ядовиты, чем женщины. Кроме того, могут подумать, что она глубоко оскорблена. Нет! Пусть все идет по-старому; нужно только вычеркнуть этих субъектов «кошачьей породы». Впрочем, она ни в ком не уверена, если не считать Элисон и такой тяжелой артиллерии, как мистер Блайт, посланники и три-четыре политических деятеля. Все остальные готовы вцепиться когтями вам в спину или в лицо, если на них никто не смотрит. Это модно. Живя в обществе, кто может избегать царапин и кто не царапается сам? Без этого жизнь была бы ужасно тусклой. Как можно жить и не царапаться — разве что в Италии? Ах, эти фрески Фра Анжелико в монастыре св. Марка! Вот кто никогда не царапался! Франциск Ассизский беседует с птицами среди цветочков, и солнце, и луна, и звезды — все ему родные. А св. Клара и св. Флер — сестра св. Франциска! Отрешиться от мира и быть хорошей! Жить для счастья других! Как ново! Как увлекательно — на одну неделю. А потом как скучно!

Она отодвинула занавеску и посмотрела на улицу. При свете фонаря она увидела двух кошек, тонких, удивительно грациозных. Они стояли друг против друга. Вдруг они отвратительно замяукали, выпустили когти и сцепились в клубок. Флер опустила занавеску.

X. ФРЭНСИС УИЛМОТ МЕНЯЕТ ФРОНТ

Приблизительно в это же время Фрэнсис Уилмот опустился на стул в зале отеля «Космополис», но тотчас же выпрямился. В центре комнаты, скользя по паркету, отступая, поворачиваясь, изгибаясь в объятиях человека с лицом, похожим на маску, танцевала та, от которой он, верный Флер и Майклу, решил бежать в Париж. Судьба! Ибо, конечно, он не мог знать, что по вечерам она часто приходит сюда танцевать. Она и ее партнер танцевали безупречно; Фрэнсис Уилмот, любивший танцы, понимал, что видит зрелище исключительное. Когда они остановились в двух шагах от него, он медленно произнес:

— Это было красиво.

— Здравствуйте, мистер Уилмот.

Как! Она знает его фамилию! Казалось бы, в этот момент ему следовало продемонстрировать свою преданность Флер; но она опустилась на стул рядом с ним.

— Итак, вчера вечером вы сочли меня предательницей?

— Да.

— Почему?

— Потому что я слышал, как вы назвали хозяйку дома «выскочкой».

Марджори Феррар усмехнулась.

— Дорогой мой, хорошо было бы, если бы люди не давали своим друзьям худших прозвищ! Я не хотела, чтобы слышали вы или тот старик со страшным подбородком.

— Это ее отец, — серьезно сказал Фрэнсис Уилмот. — Вы его оскорбили.

— Ну что ж! Сожалею!

Теплая рука без перчатки коснулась его руки. От этого прикосновения по руке Фрэнсиса Уилмота словно пробежал ток.

— Вы танцуете?

— Да, но с вами я бы не осмелился.

— Нет, нет, пойдемте!

У Фрэнсиса Уилмота закружилась голова, а затем он и сам закружился в танце.

— Вы танцуете лучше, чем англичане, если не говорить о профессионалах, — сказала она. Губы ее были на расстоянии шести дюймов от его лица.

— Горжусь вашей похвалой, мэм.

— Разве вы не знаете, как меня зовут? Или вы всегда называете женщин «мэм»? Это очень мило.

— Конечно, я знаю ваше имя и знаю, где вы живете. Сегодня в четыре часа ночи я был в нескольких шагах от вашего дома.

— Что вы там делали?

— Мне хотелось быть поближе к вам.

Марджори Феррар сказала, словно размышляя вслух:

— Никогда еще мне не приходилось слышать такой галантной фразы. Приходите ко мне завтра пить чай.

Поворачиваясь, пятясь, проделывая все па, Фрэнсис Уилмот медленно проговорил:

— Я должен ехать в Париж.

— Не бойтесь, я вам зла не причиню.

— Я не боюсь, но...

— Значит, я вас жду. — И, перейдя к партнеру с лицом, похожим на маску, она оглянулась на него через плечо.

Фрэнсис Уилмот вытер лоб. Удивительное событие, окончательно поколебавшее его представление об англичанах как о натянутых, чопорных людях! Если бы он не знал, что она — дочь лорда, он принял бы ее за американку. Быть может, она еще раз пригласит его танцевать? Но она вышла, не взглянув на него.

Всякий типичный современный молодой человек возгордился бы. Но он не был ни типичен, ни современен. Хотя в 1918 году он шесть месяцев обучался в школе летчиков, один раз побывал в Нью-Йорке да наезжал иногда в Чарлстон и Саванну, он остался деревенским жителем, верным традиции хороших манер, работы и простого образа жизни. Женщин он знал мало и относился к ним почтительно. Он судил о них по своей сестре и по немолодым подругам своей покойной матери. На пароходе некая северянка сообщила ему, что на Юге девушки измеряют жизнь количеством мужчин, которых им удается покорить; и нарисовала ему забавный портрет девушки с Юга. Южанин удивился. Энн была не такая. Впрочем, возможно, что, выйдя девятнадцати лет за первого молодого человека, сделавшего ей предложение, она просто не успела развернуться.

На следующее утро он получил записку Флер. «Дальше идти некуда!» Куда идти? Он возмутился. В Париж он не уехал и в четыре часа был на Рэн-стрит.

У себя в студии Марджори Феррар, одетая в голубую блузу, соскабливала краску с холста. Через час Фрэнсис Уилмот был ее рабом. Выставка собак Крафта, лейб-гвардейцы, дерби — он забыл даже о своем желании это посмотреть; теперь во всей Англии для него существовала только Марджори Феррар, ее одну хотел он видеть. Вряд ли он помнил, в какую сторону течет река, и, выйдя из дома, чисто случайно повернул на восток, а не на запад. Ее волосы, ее глаза, голос — она его околдовала. Да, он сознавал, что он дурак, но ничего против этого не имел; дальше мужчина идти не может! Она обогнала его в маленьком открытом автомобиле, которым сама управляла. Она ехала на репетицию; махнула ему рукой. Он задрожал и побледнел. Когда автомобиль скрылся из виду, он почувствовал себя покинутым, словно заблудившимся в мире теней, серых и тусклых. А! Вот парламент! А неподалеку находится единственный в Лондоне дом, где он может поговорить о Марджори Феррар, тот самый дом, в котором она держала себя недостойно. Он горел желанием защитить ее от обвинения в том, что «дальше идти некуда». Он понимал, что не подобает говорить с Флер о ее враге, но все же это было лучше, чем молчать. Итак, он повернул на Саут-сквер и позвонил.

Флер пила чай в гостиной.

— Вы еще не в Париже? Как мило! Чаю хотите?

— Я уже пил, — краснея, ответил Фрэнсис Уилмот. — Пил у *нее*.

Флер широко раскрыла глаза.

— О! — воскликнула она со смехом. — Как интересно! Где же это она вас подцепила?

Фрэнсис Уилмот не совсем понял смысл этой фразы, но почувствовал в ней что-то оскорбительное.

— Вчера она была на thé dansant[1] в том отеле, где я остано-

---

[1] Танцы (*фр.*).

вился. Она изумительно танцует. И вообще она — изумительная женщина. Пожалуйста, объясните мне, что вы имели в виду, когда писали: «Дальше идти некуда»?

— А вы мне объясните, что это за перемена фронта?

Фрэнсис Уилмот улыбнулся.

— Вы были так добры ко мне, и мне хочется, чтобы вы с ней помирились. Конечно, она не думала того, что тогда сказала.

— В самом деле? Она сама вам это сообщила?

— Гм, не совсем. Она не хотела, чтобы мы услышали ее слова, — вот что она сказала.

— Да?

Он смотрел на ее улыбающееся лицо и, быть может, смутно сознавал, что дело не так просто, как ему кажется. Но он был молод, к тому же американец, — и не верил, что его желание помирить их неосуществимо.

— Мне невыносимо думать, что вы с ней в ссоре. Может быть, вы согласитесь встретиться с ней у меня в отеле и пожать ей руку?

Флер окинула его взглядом с головы до ног.

— Мне кажется, в вас есть французская кровь, не правда ли?

— Да, моя бабка была француженка.

— А во мне французской крови больше. Знаете ли, французы — не из тех, кто легко прощает. И они не убеждают себя верить в то, во что хотят верить.

Фрэнсис Уилмот встал, и в голосе его послышались властные нотки.

— Вы мне объясните эту фразу в вашем письме?

— Дорогой мой! Конечно, я имела в виду, что она достигла предела совершенства. Разве вы этого не засвидетельствуете?

Фрэнсис Уилмот понял, что его высмеивают. Плохо разбираясь в своих чувствах, он направился к двери.

— Прощайте, — сказал он. — Вряд ли вы когда-нибудь захотите меня видеть.

— Прощайте, — сказала Флер.

Грустный, недоумевающий, он вышел, еще острее чувствуя свое одиночество. Не было в этом городе никого, кто бы ему помог. Все здесь запутанно и сложно. Люди говорят не то, что думают; а его богиня так же загадочна и причудлива, как и все остальные! Нет, еще более загадочна — ибо какое ему дело до остальных?

XI. СОМС ПОСЕЩАЕТ РЕДАКЦИЮ

Сомс, расстроенный и взволнованный, поехал на Гринстрит к своей сестре. Беспокоило его то, что Флер нажила себе врага, пользующегося влиянием в обществе. И упрек в том, что виною всему — он сам, казался особенно несправедливым потому, что, в сущности, так оно и было.

Вечер, проведенный в обществе спокойной и рассудительной Уинифрид Дарти, и турецкий кофе, который он всегда пил с наслаждением, хотя и считал вредным для печени, несколько его успокоили, и он снова попытался взглянуть на инцидент как на бурю в стакане воды.

— Вот эта заметка в газете не дает мне покоя, — сказал он.

— Неприятная история, Сомс, но я бы не стала волноваться. Люди просматривают эти заметки и тотчас же о них забывают. Помещают их просто так — для забавы.

— Недурная забава! Эта газета пишет, что у нее не меньше миллиона читателей.

— Ведь имен нет.

— Эти политики и светские бездельники все друг друга знают, — сказал Сомс.

— Да, дорогой мой, — ласковым, успокоительным тоном заметила Уинифрид, — но теперь не принято к чему бы то ни было относиться серьезно.

Она рассуждала разумно. Успокоенный, он улегся спать.

Но с тех пор как Сомс отошел от дел, он изменился сильнее, чем предполагал. У него не было больше профессиональных забот, на которые он мог бы обратить унаследованную от Джемса способность тревожиться, и ему ничего не оставалось, как беспокоиться из-за повседневных неприятностей. Чем больше он думал об этой заметке, тем сильнее ему хотелось дружески побеседовать с редактором. Если он сможет прийти к Флер и сказать: «С этой публикой я все уладил. Больше подобных заметок не будет», — гнев ее остынет. Если не имеешь возможности внушить людям благоприятное мнение о своей дочери, то, во всяком случае, можно заткнуть рот тем, кто громогласно высказывает мнение неблагоприятное.

Сомс ненавидел, когда его имя попадало в газеты, в остальном же он относился к ним терпимо. Он читал «Таймс». «Таймс» читал и его отец — Сомс с детства помнил хруст больших страниц. В «Таймсе» помещали новости, больше новостей, чем он успевал прочесть. К ее передовицам он относился с уважением; и хотя утверждал порой, что количество приложений можно бы и сократить, все же считал, что это достойная джентльмена газета. Аннет и Уинифрид читали «Морнинг пост». О других газетах Сомс имел смутное представление, заголовки в них были напечатаны слишком крупным шрифтом и страницы были словно разрезаны на куски. На прессу в целом Сомс смотрел, как всякий англичанин: она существует. У нее есть достоинства и недостатки, и — как бы то ни было — от нее не уйдешь.

На следующее утро, часов в одиннадцать, он отправился на Флит-стрит.

В редакции «Ивнинг Сан» он подал свою визитную карточку и изъявил желание повидаться с редактором. Клерк бросил взгляд на цилиндр Сомса, а затем провел посетителя по коридору в маленькую комнатку. Кто-нибудь его примет.

— Кто-нибудь? — сказал Сомс. — Мне нужен редактор.

Редактор очень занят. Не может ли Сомс зайти попозже, когда народу будет меньше?

— Нет, — сказал Сомс.

Не сообщит ли он, по какому делу пришел? Сомс отказался.

Клерк еще раз посмотрел на его цилиндр и удалился. Через четверть часа Сомса ввели в комнату, где веселый человек в очках перелистывал альбом с газетными вырезками. Когда Сомс вошел, человек поднял глаза, взял со стола его визитную карточку и сказал:

— Мистер Сомс Форсайт? Да?

— Вы редактор? — спросил Сомс.

— Один из редакторов. Садитесь. Чем могу служить?

Сомс, желая произвести хорошее впечатление, не сел и поторопился достать из бумажника газетную вырезку.

— Во вторник вы напечатали вот это.

Редактор просмотрел заметку, казалось, просмаковал ее и спросил:

— Да?

— Будьте добры сказать мне, кто это написал.

— Мы никогда не сообщаем фамилий наших корреспондентов, сэр.

— Я-то, собственно говоря, знаю.

Редактор открыл рот, словно хотел сказать: «В таком случае, зачем же вы спрашиваете?» — но вместо этого улыбнулся.

— Видите ли, — начал Сомс, — автор этой заметки имеет в виду мою дочь, миссис Флер Монт, и ее мужа.

— Вот как? Вы осведомлены лучше, чем я. Но что вам не нравится в этой заметке? Самая безобидная болтовня.

Сомс посмотрел на него. Этот человек слишком беззаботен!

— Вы так думаете? — сухо сказал он. — А приятно вам будет, если вашу дочь назовут «предприимчивой леди»?

— Что же тут такого? Слово необидное. Кроме того, фамилия не указана.

— Значит, вы помещаете заметки с тем, чтобы никто их не понял? — насмешливо спросил Сомс.

Редактор засмеялся.

— Нет, вряд ли, — сказал он. — Но не слишком ли вы чувствительны, сэр?

Дело принимало неожиданный для Сомса оборот. Прежде чем просить редактора впредь не помещать столь обидных заметок, Сомс, видимо, должен был ему доказать, что заметка обидна; а для этого пришлось бы вскрыть всю подноготную.

— Видите ли, — сказал он, — если вы не понимаете, что тон заметки неприятен, то я не сумею вас убедить. Но я бы попросил впредь подобных заметок не помещать. Случайно я узнал, что вашей корреспонденткой руководит недоброе чувство.

Редактор снова взглянул на вырезку.

— Я бы не сказал, судя по этой заметке. Люди, занимающиеся политикой, постоянно наносят и получают удары. Они не слишком щепетильны. А эта заметка вполне безобидна.

Задетый словами «чувствительный» и «щепетильный», Сомс брюзгливо сказал:

— Все это мелочи, не заслуживающие внимания.

— Вполне с вами согласен, сэр. Всего хорошего.

И редактор снова занялся газетными вырезками.

Этот субъект — как резиновый мяч! Сомс приготовился сделать выпад.

— Если ваша корреспондентка считает, что можно безнаказанно давать выход своему сплину на страницах газет, то она не замедлит убедиться в своей ошибке.

Сомс ждал ответа. Его не последовало.

— Прощайте, — сказал он и повернулся к двери.

Свидание вышло не столь дружеское, как он рассчитывал. Ему вспомнились слова Майкла: «Пресса — цветок чувствительный». Сомс решил о своем визите не упоминать.

Два дня спустя, просматривая в «Клубе знатоков» «Ивнинг Сан», Сомс наткнулся на слово «фоггартизм». Гм! Передовая статья.

«Из всех панацей, коими увлекаются молодые и не теряющие надежду политики, самой нелепой является та, которая именуется «фоггартизмом». Необходимо выяснить сущность этого патентованного средства, изобретенного для борьбы с так называемой национальной болезнью; сделать это нужно не откладывая, пока средство не выброшено на рынок. Рецепт дан в книге сэра Джемса Фоггарта «Опасное положение Англии», и, если следовать этому рецепту, рабочая сила Англии должна уменьшиться. Пророки фоггартизма предлагают нам рассылать во все концы империи сотни тысяч мальчиков и девочек, окончивших школы. Не говоря уже о полной невозможности втянуть их в жизнь медленно развивающихся доминионов, мы обречены терять приток рабочей силы для того, чтобы через двадцать лет спрос наших доминионов на продукты производства повысился и сравнялся с производительностью Великобритании. Более сумасбродного предложения нельзя себе представить. Рядом с этой болтовней об эмиграции — ибо «болтовня» — самое подходящее наименование для такой бьющей на сенсацию программы — проводится слабенькая пропаганда «назад к земле». Краеугольным камнем фоггартизма является следующая доктрина: в Англии заработная плата и прожиточный минимум в настоящее время столь высоки, что мы не имеем возможности конкурировать с германской продукцией или восстановить наши торговые отношения с Европой. Такая точка зрения по вопросу о нашем промышленном превосходстве над другими странами до сих пор еще в Англии не выдвигалась. Чем скорее эти дешевые болтуны, пролезшие на выборах, поймут, что английский избиратель не желает иметь дело со столь сумасшедшими теориями, тем скорее станет ясно, что фоггартизм — мертворожденный младенец».

Какое бы внимание ни уделил Сомс «Опасному положению Англии», он нимало не был повинен в пристрастии к фоггартизму. Если бы завтра теория Фоггарта была разбита, Сомс, не доверявший никаким теориям и идеям и, как истый англичанин, склонявшийся к прагматизму, констатировал бы с облегчением, что Майкл благополучно отделался от громоздкой обузы. Но сейчас у него возникло подозрение: не сам ли он вдохновил автора этой статьи? Быть может, это был ответ веселого редактора?

Вторично приняв решение не упоминать о своем визите, он отправился обедать на Саут-сквер.

В холле он увидел незнакомую шляпу: очевидно, к обеду кто-то был приглашен. Действительно, мистер Блайт, со стаканом в руке и маслиной во рту, беседовал с Флер, свернувшейся клубочком на подушках перед камином.

— Папа, ты знаком с мистером Блайтом? Еще один редактор!

Сомс с опаской протянул руку.

Мистер Блайт проглотил маслину.

— Никакого значения эта статья не имеет, — сказал он.

— По-моему, — сказала Флер, — вы должны дать им понять, какими дураками они себя выставили.

— Майкл разделяет вашу точку зрения, миссис Монт?

— Майкл решил ни на шаг не отступать!

И все оглянулись на Майкла, входившего в комнату.

Вид у него и правда был решительный.

По мнению Майкла, нужно было идти напролом, иначе вообще не стоило ничего начинать. Члены парламента должны отстаивать свои собственные убеждения, а не те, что навязывает им Флит-стрит. Если они искренно верят, что политика Фоггарта есть единственный способ борьбы с безработицей и неудержимым притоком населения в города, то эту политику они и должны проводить, невзирая на нападки прессы. Здравый смысл на их стороне, а в конечном счете победа всегда останется за здравым смыслом. Оппозиция, которую вызывает фоггартизм, основана на желании навязать тред-юнионам снижение заработной платы и удлинение рабочего дня, только никто не решается прямо это высказать. Пусть газеты изощряются, сколько им угодно. Он готов пари держать, что через шесть месяцев, когда публика свыкнется с идеей фоггартизма, они половину своих слов возьмут назад. И неожиданно он обратился к Сомсу:

— Надеюсь, сэр, вы не ходили в редакцию объясняться по поводу этой заметки?

Сомс как в частной, так и в общественной жизни придерживался правила избегать лжи в тех случаях, когда его припирали к стене. Ложь чужда английскому духу и даже некрасива. Скосив глаза на свой нос, он медленно проговорил:

— Видите ли, я дал им понять, что фамилия этой особы мне известна.

Флер нахмурилась, мистер Блайт потянулся за соленым миндалем.

— А что я вам говорил, сэр? — воскликнул Майкл. — Последнее слово всегда останется за ними. Пресса преисполнена чувства собственного достоинства, и мозоли у нее на обеих ногах, не так ли, мистер Блайт?

Мистер Блайт внушительно произнес:

— Прессе свойственны все человеческие слабости, молодой человек. Она предпочитает критиковать, а не быть жертвой критики.

— Я думала, что впредь буду избавлена от заступничества, — ледяным тоном сказала Флер.

Разговор снова перешел на фоггартизм, но Сомс мрачно молчал. Больше он никогда не будет вмешиваться не в свое дело! И, подобно всем любящим, он задумался о своей горькой судьбе. В сущности, ведь вмешался-то он в свое дело! Ее честь, ее счастье — разве это его не касается? А она на него обиделась. После обеда Флер вышла, оставив мужчин за стаканом вина; впрочем, пил один мистер Блайт. Сомс улавливал обрывки разговора: на следующей неделе этот похожий на лягушку редактор собирался разразиться статьей в «Аванпосте». Майкл хотел при первом удобном случае выступить со своей речью. Для Сомса это были пустые слова. Когда встали из-за стола, он сказал Майклу:

— Я ухожу.

— Мы идем в палату, сэр; вы не останетесь с Флер?

— Нет, — сказал Сомс, — мне пора.

Майкл пристально на него посмотрел.

— Сейчас я ей скажу, что вы уходите.

Сомс надел пальто и уже открывал дверь, когда до него донесся запах фиалок. Голая рука обвилась вокруг его шеи. Что-то мягкое прижалось к нему сзади.

— Папа, прости, я была такой скверной.

Сомс покачал головой.

— Нет, — послышался голос Флер, — так ты не уйдешь.

Она проскользнула между ним и дверью. Ее глаза смотрели на него в упор, блестели ослепительно белые зубы.

— Скажи, что ты меня прощаешь!

— Этим всегда кончается, — отозвался Сомс.

Она коснулась губами его носа.

— Ну вот! Спокойной ночи, папочка! Знаю, что я избалована!

Сомс судорожно ее обнял, открыл дверь и, не говоря ни слова, вышел.

Под парламентскими часами газетчики что-то выкрикивали. Должно быть, политические новости, предположил Сомс. Приближается падение лейбористского правительства — какой-то редактор подставил им ножку, с них станется! Ну что ж! Одно правительство падет, будет другое! Сомсу все это казалось очень далеким. Она — она одна имела для него значение.

XII. МАЙКЛ РАЗМЫШЛЯЕТ

Когда Майкл и мистер Блайт пришли, они застали «Мать всех парламентов» в великом волнении. Либералы отказались поддержать лейбористское правительство, и оно вот-вот должно было пасть. На парламентской площади толпились люди, смотревшие на часы и ожидавшие сенсационных событий.

— Я не пойду в палату, — сказал Майкл. — Голосования сегодня не будет. Теперь, по-видимому, один выход — роспуск палаты. Я хочу побродить и подумать.

— Стоит ненадолго зайти, — сказал мистер Блайт.

Они расстались, и Майкл побрел по улице. Вечер был тихий, и он страстно желал услышать голос своей страны. Но где можно было его услышать? Соотечественники Майкла высказывают мнения «за» и «против», рассуждают каждый о своем — здесь речь идет о подоходном налоге или о пособиях, там перечисляют имена лидеров или слышится слово «коммунизм». Но все умалчивают о той тревоге, которую испытывает каждый. Теперь, как и предсказывала Флер, к власти придут тори. Страна ищет болеутоляющее средство — «сильное и прочное правительство». Но сможет ли это сильное и прочное правительство бороться с наследственным раком, восстановить утраченное равновесие? Сумеет ли успокоить ноющую боль, которую ощущают все, ни словом о ней не упоминая?

«Мы избалованы прошлым благополучием, — думал Майкл. — Мы ни за что не признаемся в том, что больны, и, однако, остро ощущаем свою болезнь!»

Англия с серебряной ложкой во рту! Зубов у нее уже не осталось, чтобы эту ложку удерживать, но духу не хватает расстаться с ложкой! А наши национальные добродетели — выносливость, умение все принимать с улыбкой, крепкие нервы и отсутствие фантазии? Сейчас эти добродетели граничат с пороками, ибо приводят к легкомысленной уверенности в том, что Англия сумеет как-нибудь выпутаться, не прилагая особых усилий. Но с каждым годом остается все меньше шансов оправиться от потрясения, меньше времени для упражнения в британских «добродетелях». «Тяжелы мы на подъем, — думал Майкл. — В тысяча девятьсот двадцать четвертом году это непростительно».

С этими мыслями он повернул на восток. В театрах начались спектакли. «Великий паразит», как называл Лондон сэр Джемс Фоггарт, лежал пустынный, залитый огнями. По бессонной Флит-стрит Майкл прошел в Сити, горячечный днем, мертвый ночью. Здесь все богатство Англии дремало после дневного разгула. Сюда стягивались все нити национального кредита, основанного — на чем? На сырье и продуктах питания, которых каждая новая война может лишить Англию, беззащитную против воздушного нападения; на рабочей силе, не вмещающейся в европейские масштабы. И все же пока что кредит Англии стоит высоко и всем импонирует, кроме разве тех, кто получает пособие. Обещание заплатить все еще дает Англии возможность купить все, что угодно, только не душевный покой. Майкл брел дальше, миновал Уайтчепл, еще людный и красочный, дошел до Майл-Энда. Здесь дома были ниже, словно не хотели заслонять звездное небо, к которому нет путей. Майкл как бы перешел через границу. Тут обитала как будто иная раса, была другая Англия, но тоже живущая сегодняшним днем и не менее беззаботная, чем Англия Флит-стрит и Сити. О, пожалуй, еще более беззаботная! Ибо обитатели Майл-Энда знали, что не в их власти оказывать влияние на политику. Миля за милей тянулись серые улицы с низкими домами, улицы, уходившие к заброшенным полям. Но Майкл дальше не пошел; он увидел кино и завернул туда.

Сеанс давно начался. Героиня лежала, связанная, поперек седла злодея-ковбоя, скакавшего на диком мустанге. Через каждые десять секунд на экране появлялся Джон Т. Бронсон, управляющий туксонвильскими медными рудниками; он мчался в шестидесятисильном «Паккарде», намереваясь перерезать дорогу злодею раньше, чем тот достигнет реки Пима. Майкл наблюдал за своими соседями. Как упиваются! Сильное и прочное правительство — очень оно им нужно! Кино — вот болеутоляющее средство. Он видел, как упал мустанг, подстреленный Джоном Т. Бронсоном, а на экране появились слова: «Волосатый Пит не отступает... Она не достанется тебе, Бронсон». Здорово! Пит швыряет женщину в реку. Джон Т. Бронсон прыгает в воду, хватает героиню за волосы. Но Волосатый Пит опустился на одно колено и прицелился. Пули прорезали поверхность воды. Одна пуля прострелила плечо героине — ух, какая дырка! Это что за звук? Джон Т. Бронсон скрежещет зубами. Вот он подплыл к берегу, вытащил героиню на сушу. Достает из-под кепки револьвер. Слава богу, сухой!

«Берегись, Волосатый Пит!» Облачко дыма. Пит корчится на песке, хватает его зубами, сейчас съест! «Волосатый Пит покончил счеты с жизнью». Темп музыки замедляется. Джон Т. Бронсон поднимает очнувшуюся героиню. На берегу реки Пима они стоят обнявшись. Солнце заходит. «Наконец-то, любимая!»

«Правильно, — размышлял Майкл, выходя на залитую электрическим светом улицу. — Назад к земле! Ходите за плугом! Когда у них есть кино? Как бы не так!» Он снова повернул на запад, поднялся на империал автобуса и занял место рядом с человеком в замасленном костюме. Они ехали молча; наконец Майкл сказал:

— Как вы смотрите на политическое положение, сэр?

Человек — быть может, слесарь — ответил, не поворачивая головы:

— По-моему, они перехитрили сами себя.

— Должны были дать бой по русскому вопросу, не правда ли?

— Нет, с этим у них бы тоже не вышло. Они должны были продержаться до весны и начать борьбу за введение жесткого бюджета.

— Настоящий классовый подход?

— Да.

— И вы считаете, что классовая политика может справиться с безработицей?

Человек пожевал губами, словно обсасывал новую идею.

— Эх! Политикой я сыт по горло! Сегодня есть работа, завтра — нет; что толку в политике, если она не может дать тебе постоянной работы?

— Совершенно верно.

— Репарации, — продолжал сосед, — нам от этого лучше не будет. Рабочие всех стран должны сплотиться.

И он посмотрел на Майкла: как, мол, тебе это понравится?

— А вы не подумываете о том, чтобы эмигрировать в доминионы?

Тот покачал головой.

— Не очень-то мне нравятся те, что приезжают из Австралии и Канады.

— Следовательно, вы заядлый англичанин, как и я.

— Верно! — сказал сосед. — Прощайте, мистер! — и он вышел.

Майкл ехал, пока автобус не остановился под Большим Беном. Было около полуночи. Опять выборы! Удастся ли ему пройти вторично, не заявляя о своих подлинных убеждениях? Нет ни малейшей надежды за три недели растолковать сельским избирателям сущность фоггартизма. Даже если он начнет говорить сейчас и не замолчит до самых выборов, они поймут только, что он держится очень крайних взглядов по вопросу об имперских преференциях, что, кстати, близко к истине. Не может он заявить, что Англия идет по неверному пути, — тогда вообще лучше снять свою кандидатуру. Не может он пойти к рядовому избирателю и сказать ему: «Послушайте, нечего надеяться на то, что в течение следующих десяти лет условия жизни значительно улучшатся; сейчас мы должны терпеть, за все переплачивать для того, чтобы через двадцать лет Англия могла сама себя прокормить и не жить под угрозой голодной смерти». Разве можно говорить такие вещи! И не может он заявить своему комитету: «Друзья мои, политическая платформа, на которой я стою, других сторонников пока не имеет».

Нет! Если избираться снова, нужно забыть о личных мнениях. Но стоит ли избираться снова? Трудно было найти человека менее тщеславного, чем Майкл; он понимал, что он «легковес». Но этого конька он оседлал прочно; чем дальше, тем громче ржал конек, тем больше это ржание напоминало глас вопиющего в пустыне, а пустыней была Англия. Заглушить это ржание; изменить Блайту; махнуть рукой на свои убеждения и все-таки остаться в парламенте — этого он не мог. Словно вернулось время войны. Затянуло, а выхода нет. А его затянуло, засосало глубже поверхностных интересов межпартийной борьбы. Фоггартизм стремится к практическому разрешению самых больных для Англии вопросов — впереди независимая, уравновешенная империя; Англия, обеспеченная от воздушных нападений и свободная от безработицы, вновь обретенное правильное соотношение между городом и деревней. Неужели все это безнадежные мечты? Похоже, что так. «Ну что ж, — подумал Майкл, открывая свою дверь, — пусть считают меня дураком, я со своих позиций не сдвинусь». Он поднялся к себе, открыл окно и выглянул на улицу.

Великий город все еще гудел; в небе отражались миллионы огней. Виден был какой-то шпиль и несколько звезд; неподвижно застыли деревья в сквере. Тихая безветренная ночь. Майкл вспомнил далекий вечер, когда Лондон выдержал последний налет цеппелинов. Три часа просидел тогда выздоравливающий Майкл у окна госпиталя.

«Какие мы все дураки, что не отказываемся от воздушной войны! — подумал он. — Но раз уж мы не отказываемся от нее, необходимо создать мощный воздушный флот. Мы должны обезопасить себя от воздушных нападений. Умный человек — и тот это поймет!»

Под окном остановились двое; одного он знал — это был его сосед.

— Вот увидите, — сказал сосед, — эти выборы не останутся без последствий.

— Да что от них толку, от последствий? — сказал другой.

— Не надо вмешиваться; все сделается само собой. Надоела мне вся эта болтовня. Уменьшат подоходный налог на шиллинг — вот тогда посмотрим.

— А что делать с земельной проблемой?

— А, к черту землю! Оставьте ее в покое, фермерам только того и нужно. Чем больше вмешиваешься в эти дела, тем хуже.

— Махнуть на все рукой?

Сосед засмеялся.

— Да, вроде того. А что можно сделать? Стране все это не нужно. Спокойной ночи!

Слышно было, как закрылась дверь, как удалялись шаги. Проехал автомобиль. Ночная бабочка коснулась щеки Майкла. «Стране все это не нужно!» Политика! Зевают до одури, пожимают плечами, полагаются на случай. А что же и делать? Ведь «стране все это не нужно!». И Большой Бен пробил двенадцать.

XIII. ДЕЛО ЗАТЕВАЕТСЯ

В каждом человеческом улье можно найти людей, как бы предназначенных служить объектом пересудов — может быть, потому, что вся жизнь их проходит по особо изогнутой кривой. К таким людям принадлежала Марджори Феррар. Что бы с ней ни случилось, об этом немедленно начинали говорить в том кругу занятых и праздных людей, который называется обществом. Слух о том, что ее выгнали из салона, распространился быстро, и всем были известны письма, написанные Флер. На вопрос, почему ее изгнали, отвечали по-разному — и правду и неправду; по одной из легендарных версий выходило, что она пыталась отбить Майкла у его супруги.

Сколь сложны причины большинства судебных процессов! Быть может, Сомс, говоривший об инциденте как о «буре в стакане воды», оказался бы прав, если бы лорд Чарльз Феррар не запутался в долгах до такой степени, что вынужден был лишить свою дочь ежемесячно выдававшейся ей суммы, и еще если бы сэр Александр Макгаун, депутат от одного из шотландских городов, в течение некоторого времени не добивался руки Марджори Феррар. Состояние, нажитое торговлей джутом, известность в парламентских кругах, мужественная внешность и решительный характер повысили шансы сэра Александра за целый год не больше, чем то сделало в один вечер это финансовое мероприятие лорда Чарльза Феррара. Правда, его дочь была из тех, кто всегда в критический момент может раздобыть денег, но даже у таких людей бывают минуты, когда им приходится серьезно об этом подумать. Соответственно своему полу и возрасту, Марджори Феррар запуталась в долгах не меньше, чем ее отец. И отказ в пособии явился последней каплей. В минуту уныния она приняла предложение сэра Александра с тем условием, чтобы помолвки не оглашали. Когда распространился слух о скандале, происшедшем в доме Флер, сэр Александр, пылая гневом, явился к своей нареченной. Чем он может помочь?

— Конечно, ничем. Не глупите, Алек! Не все ли равно?

— Но это чудовищно! Разрешите мне пойти к этому старому негодяю и потребовать, чтобы он принес извинение.

— Отец был у него, он и слышать ничего не хочет. Подбородок у старика такой, что на него можно повесить чайник.

— Послушайте, Марджори, разрешите мне огласить нашу помолвку, и тогда я начну действовать. Я не желаю, чтобы эта сплетня распространилась.

Марджори Феррар покачала головой.

— Нет, дорогой мой! Вы все еще находитесь на испытании. А на сплетни я не обращаю внимания.

— А я обращаю и завтра же пойду к этому субъекту.

Марджори Феррар пристально всматривалась в его лицо: у него были карие сверкающие глаза, сильно развитая нижняя челюсть и жесткие черные волосы. Она слегка вздрогнула и сказала:

— Этого вы не сделаете, Алек, иначе вы все испортите. Отец хочет, чтобы я подала в суд. Он говорит, что мы получим хорошую компенсацию.

Макгаун-шотландец возрадовался. Макгаун-влюбленный страдал.

— Пожалуй, но вся история принесет вам много неприятностей, — пробормотал он, — если эта скотина не пойдет на ваши условия до суда.

— Э нет! На мои условия он пойдет. Все его свидетели у меня в руках.

Макгаун схватил ее за плечи и страстно поцеловал.

— Если он заупрямится, я ему все кости переломаю.

— Дорогой мой! Да ведь ему под семьдесят.

— Гм! Но, кажется, в это дело замешан человек помоложе?

— Кто, Майкл? О, Майкл — прелесть! Я не хочу, чтобы вы ему ломали кости.

— Вот как! — сказал Макгаун. — Подождем, пока он выступит с речью об этом идиотском фоггартизме. Вот тогда я его съем!

— Бедняжка Майкл!

— Мне говорили еще о каком-то молодом американце?

— О, это перелетная птица, — сказала Марджори Феррар, высвобождаясь из его объятий. — О нем и думать не стоит.

— Адвокат у вас есть?

— Нет еще.

— Я вам пришлю своего. Он их заставит поплясать.

После его ухода она задумалась, правилен ли ее ход. О, если бы не это безденежье! За месяц со дня тайной помолвки она узнала, что в Шотландии, как и в Англии, руководствуются правилом: «Даром ничего, а за шесть пенсов самую малость». Макгаун требовал от нее много поцелуев, а ей подарил одну драгоценную безделушку, которую она все же не решалась заложить. Похоже было на то, что в конце концов придется ей выйти за него замуж. Этот брак мог иметь и хорошую сторону: Макгаун был настоящим мужчиной, а ее отец позаботится о том, чтобы в отношениях с ней он был столь же либерален, как в своих политических выступлениях. Пожалуй, с таким мужем ей даже легче будет проводить свой лозунг: «Живи и рискуй!» Отдыхая на кушетке, она думала о Фрэнсисе Уилмоте. Как муж он никуда не годен, но как любовник мог бы быть очарователен — наивный, свежий, нелепо преданный; в Лондоне его никто не знал; ей нравились его темные глаза, милая улыбка, стройная фигура. Он был слишком старомоден и уже дал ей понять, что хочет на ней жениться. Какой ребенок! Но сейчас он для нее недоступная роскошь. Позднее —

как знать? В мыслях она уже «жила и рисковала» с Фрэнсисом Уилмотом. А пока — эта морока с процессом!

Она старалась отделаться от этих мыслей, велела оседлать лошадь, переоделась и поехала в Гайд-парк. Вернувшись домой, снова переоделась и отправилась в отель «Космополис», где танцевала со своим бесстрастным партнером и с Фрэнсисом Уилмотом. После этого еще раз переоделась, поехала в театр на премьеру, после театра ужинала с компанией актеров и спать легла в два часа.

Подобно большинству женщин, Марджори Феррар далеко не оправдывала своей репутации. Когда проповедуешь снисхождение, доверчивые люди и к тебе относятся снисходительно. Правда, любовные интриги у нее бывали, но границу она переступила только дважды; опиум курила только один раз, после чего ее тошнило; кокаин нюхала только для того, чтобы узнать, что это такое. Играла очень осторожно — и только на скачках; пила умеренно и никогда не пьянела. Конечно, она курила, но самые легкие папиросы и всегда с мундштуком. Она умела танцевать не совсем скромные танцы, но делала это лишь в исключительных случаях. Барьеры брала очень редко, и то только на лошадях, в которых была уверена. Чтобы не отставать от века, она читала, конечно, все сенсационные новинки, но особых стараний раздобыть их не прилагала. На аэроплане летала, но не дальше Парижа. Она прекрасно управляла автомобилем и любила быструю езду, но никогда не подвергала себя опасности и обычно щадила пешеходов. Ее здоровью можно было позавидовать, и она втихомолку заботилась о нем. Ложась спать, засыпала через десять минут; спала днем, если не имела возможности выспаться ночью. Она интересовалась одним из передовых театров и иногда выступала на сцене. Ее томик стихов удостоился одобрительного отзыва, потому что написан был представительницей класса, который считается чуждым поэзии. В сущности, в ее стихах не было ничего оригинального, кроме неправильного размера. В обществе находили, что она слишком хорошо помнит свой символ веры: «Хватай жизнь обеими руками и, не задумываясь, вкушай!»

Вот почему явившийся на следующее утро адвокат сэра Александра Макгауна пристально всматривался в ее лицо, сидя на кончике стула у нее в студии. Ее репутацию он знал лучше, чем сэр Александр. Мистеры Сэтлуайт и Старк предпочитали выигрывать дела, за которые брались. Выдержит ли обстрел эта молодая и привлекательная леди, пользующаяся такой известностью? Что касается платы, то сэр Александр дал гарантию, а слово «предательница» для начала неплохо, но в такого рода делах трудно предсказать, за кем останется победа. Наружность ее произвела на мистера Сэтлуайта благоприятное впечатление. Скандала в суде она, по-видимому, не устроит; и в лице у нее нет, как он того боялся, ничего от Обри Бердслея, что так не любят присяжные. Нет! Эффектная молодая женщина, голубоглазая, цвет волос достаточно модный. Если ее версия удовлетворительна, все пойдет хорошо.

Марджори Феррар, в свою очередь, разглядывала адвоката; ей казалось, что этот человек сумеет избавить ее от хлопот. У него было длинное лицо, серые, глубоко посаженные глаза, оттененные темными ресницами, густые волосы; для своих шестидесяти лет он хорошо сохранился и одет был прекрасно.

— Что вы хотите знать, мистер Сэтлуайт?

— Правду.

— Ну конечно! Видите ли, я говорила мистеру Куинси, что миссис Монт горит желанием создать «салон», но для этого ей кое-чего не хватает, а старик, который меня подслушал, принял мои слова за оскорбление...

— И все?

— Может быть, я сказала, что ей нравится коллекционировать знаменитостей; и это верно.

— Так; но почему он вас назвал предательницей?

— Должно быть, потому, что она его дочь и хозяйка дома.

— А мистер Куинси подтвердит ваши слова?

— Филип Куинси? Ну конечно. Он у меня в руках.

— Больше никто не слышал, что вы о ней говорили?

Она секунду молчала.

— Нет.

«Ложь номер первый!» — подумал мистер Сэтлуайт и саркастически-ласково усмехнулся.

— А этот молодой американец?

Марджори засмеялась.

— Во всяком случае, он будет молчать.

— Поклонник?

— Нет. Он уезжает в Америку.

«Ложь номер второй, — подумал Сэтлуайт. — Но лжет она мастерски».

— Итак, вы хотите получить извинение в письменной форме,

чтобы показать его всем, кто был свидетелем нанесенного вам оскорбления; а затем мы можем потребовать и денег?

— Да, чем больше, тем лучше.

«Вот сейчас она говорит правду!» — подумал мистер Сэтлуайт.

— Вы нуждаетесь в деньгах?

— О да!

— Вы не хотите доводить дело до суда?

— Не хочу; хотя, пожалуй, это было бы забавно.

Мистер Сэтлуайт опять улыбнулся.

— Это смотря по тому, сколько у вас за душой тайных преступлений.

Марджори Феррар тоже улыбнулась.

— Я вам все поведаю, — сказала она.

— Ну что вы, что вы! Следовательно, мы начнем действовать и посмотрим, что он предпримет. Он человек со средствами и юрист.

— Мне кажется, он пойдет на все — только бы не трепали на суде имя его дочери.

— Да, — сухо отозвался мистер Сэтлуайт, — так и я бы поступил на его месте.

— Вы знаете, она и правда выскочка.

— А! Вы не сказали случайно этого слова в разговоре с мистером Куинси?

— Н-нет, не сказала.

«Ложь номер третий! — подумал мистер Сэтлуайт. — И на этот раз шитая белыми нитками».

— Вы совершенно уверены?

— Не совсем.

— А он утверждает, что вы это сказали?

— Я его назвала лжецом.

— Вот как? И вас слышали?

— О да!

— Это может оказаться очень серьезным.

— Вряд ли он заявит на суде, что я назвала ее выскочкой.

— Это очень неглупо, мисс Феррар, — сказал мистер Сэтлуайт. — Думаю, что мы с этим делом справимся.

И, напоследок взглянув на нее из-под длинных ресниц, он направился к двери. Три дня спустя Сомс получил официальное письмо. От Сомса требовали формального извинения, и письмо заканчивалось словами: «В случае отказа дело будет передано в суд». За всю свою жизнь Сомс дважды обращался в суд: один раз по делу о нарушении контракта, другой раз — по поводу развода. А сейчас его привлекают за диффамацию! Сам он всегда считал себя пострадавшей стороной. Конечно, он не намерен был извиняться. Теперь, когда ему угрожали, он почувствовал себя гораздо спокойнее. Стыдиться ему нечего. Завтра же он готов еще раз назвать «рыжую кошку» предательницей и, в случае необходимости, заплатить за это удовольствие. Он перенесся мыслью в начало восьмидесятых годов, когда сам он, начинающий адвокат, выступал по делу своего дяди Суизина против другого члена «Уолпол-Клуба». Суизин на людях обозвал его «плюгавым церковником, торгашом и ничтожеством». Сомс вспомнил, как он свел оскорбление к «ничтожеству», доказав, что рост истца — пять футов четыре дюйма, что к церкви он действительно имеет отношение и любит собирать по подписке деньги на трусики для дикарей островов Фиджи. «Ничтожество» присяжные оценили в десять фунтов, и Сомс всегда утверждал, что решающую роль в этом сыграли трусики. Королевский адвокат Бобстэй очень удачно ими оперировал. Да, теперь таких адвокатов, как при Виктории, не осталось. Бобстэй живо изничтожил бы «кошку». После суда дядя Суизин пригласил его обедать и угощал йоркской ветчиной под соусом из мадеры и своим любимым шампанским. Он всех так угощал. Ну, надо надеяться, что и сейчас есть адвокаты, которые сумеют погубить репутацию, особенно если она безупречна. При желании дело можно будет уладить в последний момент. А Флер, во всяком случае, останется в стороне — нет необходимости привлекать ее в качестве свидетельницы.

Он был как громом поражен, когда неделю спустя Майкл позвонил ему по телефону в Мейплдерхем и сообщил, что на имя Флер через адвоката пришла повестка. Обвинение — диффамация в письмах, содержащих, между прочим, такие выражения: «змея» и «какие бы то ни было моральные побуждения ей чужды».

Сомс похолодел.

— Говорил я вам: следите, чтобы она не оскорбляла эту женщину!

— Знаю, сэр, но она со мной не советуется, когда пишет письмо кому-нибудь из своих друзей.

— Нечего сказать — друзья! — сказал Сомс. — Вот положение!

— Да, сэр. Я очень беспокоюсь. Она решила бороться. Слышать не хочет об извинении.

Сомс заворчал так громко, что у Майкла за сорок миль зазвенело в ухе.

— Что же теперь делать?

— Предоставьте это мне, — сказал Сомс. — Сегодня вечером я к вам приеду. Может ли Флер привести доказательства в подтверждение этих слов?

— Она считает...

— Нет! — неожиданно оборвал Сомс. — По телефону не говорите!

Он повесил трубку и вышел в сад. Женщины! Изнеженные, избалованные, воображают, что могут говорить все, что им вздумается! И действительно говорят, пока их не проучит другая женщина. Он остановился неподалеку от пристани и стал смотреть на реку. Вода была прозрачная, чистая; река течет туда, в Лондон, и там воды ее становятся грязными. А его ждет в Лондоне это неприятное, грязное дело. Теперь ему придется собирать улики против этой Феррар и запугать ее. Отвратительно! Но ничего не поделаешь, нельзя допускать, чтобы Флер впутали в судебный процесс. Эти великосветские процессы — ничего они не приносят, кроме обид и унижения. Как на войне — можно победить и потом сожалеть о победе или проиграть и сожалеть еще сильнее. А все — плохой характер и зависть.

Был тихий осенний день, в воздухе пахло дымом от сухих листьев, которые садовник сгреб в кучу и поджег, и Сомс начал резонерствовать. Только что собрался зять работать в парламенте и создать имя своему сыну, а Флер остепенилась и начала завоевывать себе положение в обществе, как вдруг разразился этот скандал, и теперь все светские болтуны и насмешники на них ополчатся. Он посмотрел на свою тень, нелепо протянувшуюся по берегу к воде, словно ей хотелось пить. Как подумаешь — все кругом нелепо. В обществе, в Англии, в Европе — тени дерутся, расползаются, скалят зубы, машут руками; весь мир топчется на месте в ожидании нового потопа. Н-да! Он сделал несколько шагов к реке, и тень опередила его и окунулась в воду. Так и все они свалятся в холодную воду, если вовремя не перестанут ссориться. Он резко свернул в сторону и вошел в огород. Здесь все было реально, все созрело, торчали сухие стебли. Как же раскопать прошлое этой женщины? Где оно? Так легкомысленна эта современная молодежь! У всех у них, конечно, есть прошлое; но важно одно: найти конкретный определенно безнравственный поступок, а такого может в конце концов и не оказаться. Люди всегда избегают приводить конкретные доказательства. Это и рискованно, и как будто неудобно. Все сплетни, больше ничего.

И, прогуливаясь среди артишоков, с одобрением думая о людях скрытных и с неодобрением о тех, что хочет вызвать их на сплетни, Сомс мрачно решил, что без сплетен не обойтись. Костер из листьев догорал, остро пахло артишоками, солнце зашло за высокую стену из выветрившегося за полвека кирпича; покой и холод царили везде, только не в сердце Сомса. Он часто, утром или вечером, заглядывал в огород — овощи были реальны, просты, их можно было съесть за обедом. Свои овощи были вкуснее покупных и дешевле — никаких спекулянтов-посредников. Может быть, играл тут роль и атавизм, ведь его прадед, отец «Гордого Доссета», был последним в длинной цепи Форсайтов-земледельцев. С годами овощи все больше интересовали Сомса. Когда Флер была совсем крошкой, он, вернувшись из Сити, нередко находил ее среди кустов черной смородины, где она возилась с куклой. Один раз в волосах у нее запуталась пчела и ужалила его, когда он стал ее вытаскивать. То были самые счастливые его годы, пока она не выросла, не окунулась в светскую жизнь, не начала дружить с женщинами, которые ее оскорбляют. Значит, она не желает приносить извинения? Ну что ж, она ни в чем не виновата. Но быть правой и идти в суд — значит пережить мучительное испытание. Суды существуют для того, чтобы карать невиновных, будь то за развод, или за нарушение слова, или за клевету. Виновные уезжают на юг Франции или не являются по вызову в суд, предоставляя вам платить издержки. Разве не пришлось ему платить, когда он подавал в суд на Босини? И где, как не в Италии, были молодой Джолион и Ирэн, когда он вел дело о разводе? И тем не менее он не мог себе представить, чтобы Флер унизилась перед этой «рыжей кошкой». Сгущались сумерки, и решимость Сомса крепла. Нужно раздобыть улики, которые запугают эту особу и заставят ее отказаться от судебного процесса. Другого выхода нет!

XIV. ДАЛЬНЕЙШИЕ РАЗМЫШЛЕНИЯ

По не вполне понятным причинам зловредный редактор действительно «подставил ножку» правительству, и Майкл засел писать обращение к избирателям. Как сказать много и скрыть самое главное?

«Избиратели Мидбэкса, — решительно написал он, а затем долго сидел не двигаясь, как человек, слишком плотно пообедавший. — Если вы снова обратитесь ко мне как к своему представителю, — медленно писал он, — я приложу все силы, чтобы послужить на пользу страны. В первую очередь я считаю необходимым следующее: сокращение вооружений, а в худшем случае увеличение воздушного флота в целях защиты Англии; развитие земледелия; ликвидацию безработицы путем эмиграции в доминионы; борьбу с дымом и уничтожение трущоб как меры здравоохранения. В случае моего избрания я буду преследовать свои цели решительно и неуклонно, не пороча, однако, тех, кто моих убеждений не разделяет. На наших митингах я постараюсь дать вам более ясное представление о моей платформе и сочту своим долгом ответить на все вопросы».

Можно ли этим ограничиться? Можно ли в обращении к избирателям не порочить противников, не превозносить самого себя? Как посмотрит на это комитет? Что скажут избиратели? Ну что ж! Если комитет останется недоволен, пускай вышвырнет обращение, а вместе с ним и его, Майкла! Впрочем, у них нет времени искать другого депутата.

Комитет действительно остался недоволен, но примирился, и обращение вместе с портретом Майкла было отпечатано и распространено среди избирателей. Майкл утверждал, что он на этом снимке похож на парикмахера.

А затем его затянула ссора, которая, как и всякая ссора, началась с общего, а кончилась личностями.

Во время первого своего воскресного отдыха в Липпинг-Холле Майкл стал осуществлять идею о птичьем дворе: распланировал участок, обсудил, как провести воду. Управляющий хмурился. По его мнению, то была ненужная трата денег. Кто будет обучать эту публику? У него, во всяком случае, нет на это времени. Тут пахнет сотнями, а толку не будет.

— Нечего горожанам браться за сельское хозяйство, мистер Майкл.

— Все так говорят. Но послушайте, Тэтфилд, эти люди — безработные; из них двое были на войне. Я рассчитываю на вашу помощь. Вы сами говорите, что этот участок годится для разведения кур, а сейчас им все равно никто не пользуется. Поручите Баумену руководить этой тройкой, пока они не ознакомятся с делом. Подумайте, каково бы вам жилось, если бы вы сами были безработным.

Управляющий знал Майкла с пеленок и питал к нему слабость. Он предвидел, каковы будут результаты, но если мистеру Майклу угодно тратить отцовские денежки, то его — Тэтфилда — это не касается. Он даже вспомнил, что знает поблизости одного паренька, который продает свой домишко, и что в роще дров «хоть отбавляй».

Во вторник на следующей неделе после падения правительства Майкл приехал в город и предложил своим безработным явиться в среду к трем часам на совещание. Они пришли в назначенный час и уселись вокруг обеденного стола, а Майкл, стоя под картиной Гойи, словно генерал, развертывающий план кампании, изложил свое предложение. По лицам этих людей трудно было угадать, какое впечатление произвели его слова. Один только Бергфелд раньше слышал об этом плане, но вид у актера был очень неуверенный.

— Я понятия не имею, как вы посмотрите на мое предложение, — продолжал Майкл, — но все вы нуждаетесь в работе. Двое ищут работы на свежем воздухе, а вы, Боддик, насколько мне известно, готовы взяться за что угодно.

— Правильно, сэр, — ответил Боддик. — Я на все согласен.

Майкл тотчас же отметил его как самого надежного из тройки.

Другие двое молчали. Наконец Бергфелд сказал:

— Если бы у меня были мои сбережения...

Майкл поспешил его перебить:

— Я вкладываю капитал, это мой взнос, а вы вносите свой труд. Вряд ли будут какие-нибудь барыши, но на жизнь хватит. Ваше мнение, мистер Суэн?

Парикмахер, в теплом свете испанской комнаты более чем когда-либо похожий на призрак, улыбнулся.

— Вы очень добры, сэр. Я готов попробовать, но — кто у нас будет главным?

— Это кооперативное товарищество, мистер Суэн.

— А, я так и думал, — протянул парикмахер. — Но в таких случаях дело всегда кончается тем, что кто-нибудь забирает все в свои руки и выбрасывает остальных.

— Отлично, — неожиданно решил Майкл, — я сам буду главным. Но если вам это дело не улыбается, скажите сейчас же; в противном случае я распоряжусь о постройке дома, и через месяц вы переселяетесь.

Боддик поднялся и заявил:

— Я согласен, сэр. А как быть с детьми?

— Сколько им лет, Боддик?

— Две девочки, четырех и пяти лет.

— Ах, да! — Майкл об этом забыл. — Мы что-нибудь для них придумаем.

Боддик пожал Майклу руку и вышел. Другие двое замешкались.

— Прощайте, мистер Бергфелд; прощайте, мистер Суэн! Не могу ли я...

— Разрешите сказать вам два слова?

— Вы можете говорить в присутствии друг друга.

— Сэр, я привык к своему ремеслу. Стрижка, бритье...

— Ну, мы вам раздобудем такую породу кур, которых можно стричь, — сказал Майкл.

Парикмахер криво усмехнулся и заметил:

— Нищим выбирать не приходится.

— А я хотел вас спросить, какой системе мы будем следовать? — осведомился Бергфелд.

— Об этом мы подумаем. Вот две книги по птицеводству для вас и мистера Суэна, потом поменяетесь.

Майкл заметил, что Бергфелд взял обе книги, а Суэн не стал протестовать.

Проводив их, он выглянул на улицу и посмотрел им вслед, размышляя: «Ничего из этого не выйдет, но все-таки пусть попробуют».

К нему подошел какой-то молодой человек.

— Мистер Майкл Монт, член парламента?

— Да.

— Миссис Майкл Монт дома?

— Кажется, дома. Что вам нужно?

— Я должен передать лично ей.

— Вы от кого?

— От Сэтлуайта и Старка.

— Портные?

Молодой человек улыбнулся.

— Входите, — сказал Майкл. — Я узнаю, дома ли она.

Флер была в гостиной.

— Дорогая, к тебе пришел какой-то молодой человек от портного.

— Миссис Майкл Монт? Вам повестка по делу Феррар против Монт; дело о диффамации. Всего хорошего, мэм.

В этот промежуток времени, от четырех до восьми, когда из

Мейплдерхема приехал Сомс, Майкл страдал сильнее, чем Флер. Жуткая перспектива: сидеть в суде и наблюдать, как законники по всем правилам юридической науки пытают твою жену! Его нисколько не утешало, что Марджори Феррар также будет фигурировать на суде и ее личная жизнь сделается достоянием общества. Вот почему он был огорчен, когда Флер заявила:

— Отлично! Если она хочет огласки, пусть будет так! Я знаю, что в ноябре прошлого года она летала в Париж с Уолтером Нэйзингом; и мне все говорили, что она целый год была любовницей Бэрти Кэрфью.

Великосветский процесс — сливки для светских кошек, навоз для навозных мух, а Флер — центральная фигура процесса. Майкл с нетерпением ждал Сомса. Хотя кашу заварил Старый Форсайт, но теперь Майкл у него искал помощи. У старика есть опыт, здравый смысл и подбородок; старик скажет, как нужно действовать. Поглядывая на единственный кусок обоев, не закрытый карикатурами, Майкл думал о том, как жестока жизнь. За обедом ему предстоит есть омара, которого сварили заживо. Вот этот его кабинет убирает поденщица, у которой мать умирает от рака, а сын лишился ноги на войне, и вид у нее всегда такой усталый, что от одной мысли о ней делается не по себе. Бесчисленные Бергфелды, Суэны, Боддики; городские трущобы, Франция, опустошенная войной, нищие итальянские деревушки! И надо всем этим тонкая корка высшего общества. Члены парламента и светские женщины, как сам он и Флер, любезно улыбаются и сосут серебряные ложки, а время от времени, забыв и ложки и улыбки, вцепляются друг в друга и дерутся не на жизнь, а на смерть.

«Какие она может привести доказательства в подтверждение этих слов?» Майкл напрягал память. По его мнению, перелету Уолтера Нэйзинга и Марджори Феррар в Париж не следовало придавать значения. В наше время парочки могут еще летать безнаказанно. А что там между ними было потом, в этом европейском Вавилоне, — поди докажи! Иначе обстояло дело с Бэрти Кэрфью. Нет дыма без огня, а дымом пахло в течение целого года. Майкл знал Бэрти Кэрфью, предприимчивого директора театрального общества «Nec plus ultra»[1]. Это был длинный молодой человек с длинными глянцевитыми волосами, которые он со

---

[1] «Дальше некуда» (*лат.*).

ба зачесывал назад, и с длинной биографией; своеобразная смесь энтузиазма и презрения. За его сестру, которую он называл «Бедная Нора», Майкл отдал бы десяток таких, как Бэрти. Она заведовала детским приютом в Бетнел-Грин, и от одного ее взгляда живо замолкали все злые и трусливые языки.

Большой Бен пробил восемь, залаял Дэнди, и Майкл догадался, что пришел Сомс.

За обедом Сомс молчал, и только когда подали бутылку липпингхоллской мадеры, попросил, чтобы ему показали повестку.

Когда Флер ее принесла, он словно погрузился в транс. «О своем прошлом задумался, — решил Майкл. — Хоть бы очнулся поскорее».

— Ну, папа? — окликнула его наконец Флер.

Сомс поднял глаза и посмотрел на дочь.

— От своих слов ты, полагаю, не откажешься?

Флер тряхнула головой.

— А ты хочешь, чтобы я отказалась?

— Чем ты можешь их подкрепить? Мало того, что кто-то тебе сказал, это не доказательство.

— Я знаю, что Эмебел Нэйзинг была здесь и сказала, что ей все равно, пусть Уолтер летит в Париж с Марджори Феррар, но почему ее заранее не предупредили? Тогда она бы тоже могла с кем-нибудь удрать в Париж.

— Мы можем вызвать ее в качестве свидетельницы, — сказал Сомс.

Флер покачала головой.

— На суде она ни за что не выдаст Уолтера.

— Гм! Что ты еще скажешь о мисс Феррар?

— Все знают о ее связи с Бэрти Кэрфью.

— Да, — вмешался Майкл, — но между «все знают» и «такой-то сказал» зияет пропасть.

Сомс кивнул.

— Она просто хочет выманить у нас деньги! — воскликнула Флер. — Она всегда нуждается. Да разве ей есть дело до того, считают ли ее люди нравственной или безнравственной! Она не признает морали; в ее кружке все презирают мораль.

— Ага! Ее точка зрения на мораль! — веско сказал Сомс. Мысленно он уже слышал, как адвокат излагает присяжным современную точку зрения на нравственность. — В подробности ее личной жизни, быть может, и не придется вдаваться.

Майкл встрепенулся.

— Честное слово, сэр, это блестящая мысль! Если мы заставим ее признаться, что она читала некоторые — определенного характера — книги, играла в некоторых пьесах, показывалась в не весьма скромных костюмах...

Он откинулся на спинку стула. А что, если те же вопросы зададут Флер? Ведь мода требует сейчас многого, будь ты в душе хоть трижды нравственна! Кто в наше время признает себя шокированным?

— Ну? — сказал Сомс.

— Видите ли, сэр, у каждого свои взгляды. Наша точка зрения не обязательна для судьи и присяжных. Пожалуй, и мы с вами по-разному смотрим на вещи.

Сомс взглянул на дочь. Он понял: распущенная болтовня, желание следовать моде, развращающее влияние знакомых! Но все же ни один присяжный не сможет перед ней устоять. Кроме того, она — мать, а та — нет; а если мать, то лучше бы она ею не была. Нет, он решил не отказываться от своего плана. Искусный адвокат сумеет свести все дело к разоблачению легкомысленного кружка и современных взглядов на нравственность и обойти молчанием личную жизнь этой женщины.

— Запишите мне фамилии ее знакомых, названия книг, танцевальных клубов и так далее, — сказал он. — Мы пригласим лучшего адвоката.

Это совещание несколько успокоило Майкла. Вся история будет менее отвратительной, если удастся от частного перейти к общему и, вместо того чтобы разбирать поведение Марджори Феррар, повести атаку на ее теории. Сомс увлек Майкла в холл.

— Я хочу иметь все сведения о ней и об этом молодом человеке.

У Майкла физиономия вытянулась.

— Ничем не могу помочь, сэр; я ничего не знаю.

— Нужно ее запугать, — сказал Сомс. — Если это удастся, я, быть может, улажу дело до суда, не принося никаких извинений.

— Понимаю, но вы не используете этих сведений на суде?

Сомс кивнул.

— Я им дам понять, что нас оправдают. Скажите мне адрес этого молодого человека.

— Макбет-Чэмберс, Блумсбери. Недалеко от Британского музея. Но помните, сэр: если на суде будут мыть грязное белье Марджори Феррар, то нам это повредит не меньше, чем ей.

Снова Сомс кивнул.

Когда Флер и Сомс пошли наверх, Майкл закурил папиросу и вернулся в гостиную. Он открыл клавикорды. Звук у них был очень слабый — можно было побренчать, не опасаясь разбудить одиннадцатого баронета. От примитивной испанской мелодии, подобранной им три года назад, во время свадебного путешествия, он перешел на песенку американских негров: «У меня венец, у тебя венец — у всех божьих деток райский венец. Не всякого, кто хочет, пустят в рай. У всех божьих деток венец».

Со стен на него поблескивали хрустальные канделябры. Мальчиком он любил цветные стекла люстр в гостиной тети Памелы на Брук-стрит, но когда подрос, стал смеяться над ними, как все. А теперь люстры опять вошли в моду, а тетя Памела умерла! «У нее венец — у него венец». Вот проклятая мелодия! «Aupres de ma blonde il fait bon — fait bon — fait bon. Aupres de ma blonde il fait bon dormir»[1].

Его «милая», наверное, уже легла. Пора идти! Но пальцы все наигрывали что-то, а мысли безвольно ходили по кругу — куры и политика, Старый Форсайт, Флер, фоггартизм и Марджори Феррар — так крутится человек, попавший в водоворот, когда вода вот-вот покроет его с головой. Кто это сказал, что для современного человека единственное спасение — обновить свое сердце; родиться заново, с верой, что жить стоит, что есть и лучшая жизнь? Религия? Ну нет, с этим покончено. Человечество должно спасаться собственными силами. Спасаться — а что это, как не проявление «воли к жизни»? А воля к жизни, так же ли она сильна сейчас, как раньше? Вот в чем вопрос. Майкл перестал играть и прислушался к тишине. Даже часы не тикают — зачем помнить о времени в модной гостиной; а за окнами спит Англия. Сохранила ли Англия свою волю к жизни; или все они так избалованы, так впечатлительны, что дали ей ослабнуть? Может быть, они так долго сосали серебряную ложку, что, убоявшись деревянной, предпочитают просто встать из-за стола? «Не верю я этому, — подумал Майкл, — не верю. Только куда мы идем? Куда иду я? Куда идут все божьи детки?» Скорей всего спать.

И Большой Бен пробил час.

---

[1] «Рядом с моей милой хорошо уснуть...» — одна из самых популярных французских песенок во время войны 1914 — 1918 гг.

ЧАСТЬ ВТОРАЯ

I. МАЙКЛ ПРОИЗНОСИТ РЕЧЬ

В новом парламенте прения после тронной речи подходили к концу. И вот тогда-то Майкл встал и приготовился говорить. В руке он держал заметки, а в голове у него не было ни одной мысли. Началось сердцебиение, и ноги отказывались служить. Политика, которую он взялся проводить, была, по существу, не новой, но методы ее противоречили общественному мнению, и Майкл не ждал ничего, кроме смеха. Свою речь он мысленно сравнивал с семенами новой травы, занесенной порывами ветра в сад, столь густо заросший, что для нового растения не осталось ни одного свободного уголка. Есть на свете трава, называемая китайским плевелом, которая, раз пустив росток, заглушает все прочие травы. Майкл от всей души желал, чтобы фоггартизм уподобился этому китайскому плевелу; впрочем, скорее он ожидал того, что видел в Монтерее, во время кругосветного путешествия, которое совершил после войны. Каким-то ветром туда, на берег Калифорнии, занесло семена японского тиса. Сомкнутым строем эти темные хилые деревца двинулись в глубь страны, прошли несколько миль. Дальше их отряду пути не было — туземная растительность восстала против него; но одна рощица пустила корни и держалась крепко.

Первую фразу своей речи он столько раз репетировал, что сейчас сумел ее произнести, хотя во рту у него пересохло, а в голове было пусто. Обдернув жилет и откинув назад голову, он выразил сожаление по поводу того, что речь короля не предсказала никакой последовательной политики, каковая могла бы избавить страну от настоящей ее болезни — безработицы и перенаселения. Подходя к делу с экономической точки зрения, каждый дальновидный политик, оценивая создавшееся положение, должен знать, что Англию нельзя рассматривать изолированно от остального мира. (*Ха-ха!*) Иронический смех, прозвучавший столь неожиданно, развязал Майклу язык. В голове прояснилось. Усмехнувшись и от этого сразу похорошев, он продолжал.

Все ораторы, выступавшие в палате, останавливались на серьезной проблеме безработицы, причем надежды возлагали на завоевание европейского рынка. При всем своем уважении к ним он должен заявить, что формула «И волки сыты, и овцы целы» не так реальна, как хотелось бы. (*Смех.*) Утверждал ли кто-нибудь из них, что в Англии заработную плату нужно снизить и количество рабочих часов увеличить, или что в Европе заработная плата должна повыситься, а количество рабочих часов — уменьшиться? Нет, на это у них не хватило смелости. Англия, которой предстоит уничтожить безработицу, является единственной в мире страной, вынужденной покупать на стороне около семидесяти процентов того количества продуктов питания, какое необходимо населению, причем шесть седьмых ее населения проживает в городах. Эти шесть седьмых заняты производством товаров, слишком дорогих для европейских стран, и, однако, Англия должна продать этих товаров столько, чтобы ей хватило на уплату за ввозимые из-за границы продукты питания, которые поддерживают жизнь людей, занятых в производстве. (*Смешки.*) Если это и шутка, то довольно мрачная. (*Голос: «Вы забыли о морских перевозках».*) Он принимает поправку почтенного депутата и возлагает всяческие надежды на эту отрасль нашей деятельности. Впрочем, по всем признакам, коэффициент ее падает.

На этом этапе его речи коэффициент Майкла тоже слегка упал — он вдруг ощутил желание махнуть рукой на фоггартизм и сесть. Холодное внимание, слабые улыбки, выражение лица бывшего премьера, казалось, призывали его сдаться. «Как молод! О, как ты молод!» — читал он на лицах слушателей. «Мы здесь заседали раньше, чем ты надел штанишки». И он был с ними вполне согласен. Но ничего не оставалось, как продолжать: на галерее для дам сидела Флер, на галерее для иностранцев — старик Блайт; и какое-то упрямство овладело Майклом. Крепко сжав в руке записки, он снова заговорил:

— Несмотря на войну, а быть может, благодаря войне население Великобритании увеличилось на два миллиона. Эмиграция упала с трехсот тысяч до ста тысяч. И с таким положением вещей предлагают бороться лишь путем завоевания европейского рынка, который, по вполне понятным причинам, нимало не хочет быть завоеванным. Какова же альтернатива? Быть может, кое-кто из почтенных депутатов знаком с произведением сэра Джемса Фоггарта «Опасное положение Англии». (*«Слушайте, слушайте!» — с задней скамьи лейбористов.*) Он читал в одном из органов прессы, что никто еще не предлагал англичанам столь сумасбродной системы. (*«Слушайте, слушайте!»*) Фоггартизм действительно заслуживает этого обвинения, ибо он дальновиден и вдобавок еще предлагает стране взглянуть прямо в лицо создавшемуся положению...

Майкл уже готов был огласить свою веру, как вдруг его остановила мысль: «Верно ли это? Не заблуждаюсь ли я? Быть может, я невежественный дурак?» Он проглотил слюну и, глядя прямо перед собой, продолжал:

— Фоггартизм восстает против того, чтобы люди, находящиеся в нашем положении, пробавлялись паллиативными средствами; он предлагает, чтобы народ назначил себе какой-нибудь определенный срок, — скажем, двадцать лет — минута в жизни нации — и в течение этого срока работал упорно и стойко. Фоггартизм требует, чтобы Британская империя с ее огромными ресурсами, большей частью не использованными, могла обеспечить самое себя. Сторонники имперской политики спросят: «Что в этом нового?» Новое заключается в степени и в методе. Фоггартизм утверждает, что необходимо познакомить британский народ со всеми нашими доминионами — познакомить путем организованных путешествий и широкой пропаганды. Эта мера не может не вызвать усиленной эмиграции. Но почтенным депутатам хорошо известно, что эмиграция взрослых не дает желаемых результатов, ибо наши горожане уже развращены и отравлены городом и принесут мало пользы в доминионах, а тех немногих англичан, которые еще живут в деревне, трогать нельзя. Поэтому фоггартизм предлагает отправлять в доминионы мальчиков и девочек в возрасте от четырнадцати или пятнадцати до восемнадцати лет. Членам палаты известно, что в этом направлении уже были сделаны опыты, увенчавшиеся успехом, но опыты эти — лишь капля в море. К этому вопросу нужно подойти с такой же энергией, какая была проявлена во время войны. Развитие детской эмиграции требует таких же масштабов и той же энергии, какие были приложены к работе военных заводов, после того как в это дело вмешался один почтенный член парламента, — ее надо увеличить в сто раз. Конечно, если доминионы не пойдут всей душой нам навстречу, из этого ничего не выйдет, но я считаю, что такого сотрудничества добиться можно. В настоящее время жители доминионов враждебно относятся к английским эмигрантам, ибо не верят, что взрослые эмигранты могут принести пользу стране. Но от этого враждебного отношения не останется и следа, если мы будем направлять в доминионы работоспособную молодежь. Я полагаю, что за первой удачливой группой потянутся вторая и третья, и так без конца; важно только знать, с чего начать и каким людям поручить проведение этого проекта в жизнь.

Кто-то за его спиной сказал: «Ох, какая ерунда!» Майкл смутился, но, помедлив, вновь закусил удила и продолжал:

— Если такую работу делать наполовину, то лучше и не начинать, но ведь на войне то, что оказывалось нужным, всегда делали, и всегда находились подходящие люди. Я призываю палату разделить со мной точку зрения, что сейчас наша страна почти в таком же критическом положении, как была тогда.

Он заметил, что кое-кто слушает его со вниманием, и, переведя дух, продолжал:

— Если оставить в стороне Ирландию... (*Голос: «Почему?»*) Я предпочитаю не трогать тех, кто не хочет, чтобы их трогали... (*Смех.*)... то в настоящее время соотношение белого населения Англии и остальных территорий империи — примерно пять к двум. Если в течение двадцати лет проводить в широком масштабе эмиграцию детей, мы сильно выровняем эту пропорцию, английское влияние во всей Британской империи упрочится окончательно, а предложение и спрос между Англией и доминионами придет в равновесие. (*Голос: «Тогда доминионы будут сами себя снабжать».*) Почтенный депутат извинит меня, если я скажу, что об этом говорить преждевременно. Мы далеко ушли в области механизации промышленности. Конечно, может пройти пять, семь лет раньше, чем безработица понизится хотя бы до довоенного уровня, но сумеет ли кто-нибудь выдвинуть иной способ борьбы с этим злом? Я стою за высокую заработную плату и умеренный рабочий день. Я считаю, что Британия хотя и далеко опередила Европу, но дает лишь приличный минимум, а иногда и того меньше; я стою за увеличение заработной платы и сокращение рабочего дня. И это требование рабочие выставляют везде, где только развевается британский флаг. (*«Слушайте, слушайте!»*) От своих требований они не откажутся, на это рассчитывать не приходится. (*«Слушайте, слушайте! О! О!»*) Уравнение спроса и предложения в пределах империи есть единственный способ улучшить условия жизни. В мире произошли такие перемены, что прежняя установка: «Покупай на самом дешевом рынке и продавай на самом дорогом» — к Англии уже неприменима. Свобода торговли никогда не была принципом. (*«О! О! Слушайте, слушайте!» И смех.*) Или, вернее, были близнецы —

Свобода торговли и Целесообразность, и их перепутали, и теперь у обоих вид достаточно хилый. Но распространяться на эту тему я не собираюсь. (*Голос: «Лучше не надо».*)

Майкл видел, что эти слова бросил человек, сидевший на скамье либералов, — брюнет с красной физиономией и коротко подстриженными усами. Он не знал его фамилии, но физиономия ему не понравилась, она горела не только жаром политики. На чем же он остановился? Ах, да...

— В программе Фоггарта любопытен еще один пункт. В настоящее время Англия недостаточно защищена от воздушных нападений и не может сама себя прокормить, вследствие чего распаляет хищнические инстинкты других наций. И здесь я должен просить прощения за то, что обращаю внимание членов палаты на Золушку, иными словами — землю. В тронной речи по этому щекотливому вопросу было сказано только, что будет созвана конференция представителей всех интересов. Но такая конференция ничего не даст, если все партии заранее не сговорятся последовательно проводить определенную линию. Здесь снова выступает на сцену фоггартизм и предлагает: «Следуйте строго очерченной программе по земельному вопросу и не изменяйте ей. Пусть для вас она будет так же священна, как для Америки «сухой закон». (*Голос: «И так же проклята». Смех.*) Священная и проклятая — словно название романа Достоевского. (*Смех.*) Да, без этого мы не обойдемся. От нашей политики в земельном вопросе зависит не только благополучие фермеров, землевладельцев и землепашцев, но и самое существование Англии, если снова разразится война. В этом, только в этом заключается единственная надежда спасти Англию. Фоггартизм требует, чтобы мы твердо проводили нашу земельную политику, и тогда через десять лет семьдесят процентов продуктов питания мы будем производить у себя. Во время войны было высчитано, что эту цифру можно немедленно довести до восьмидесяти двух процентов; и многое в этом направлении уже было сделано. Почему же всему этому дали заглохнуть? Почему столько труда пошло насмарку? Мы должны верить в наше сельское хозяйство; а вера появится только при условии упорной и последовательной деятельности.

Майкл сделал паузу. На соседней скамье кто-то зевнул; слышалось шарканье ног; вошел еще один из бывших премьеров; несколько членов вышли. Вопрос «о земле» всем надоел. Не затронуть ли ему третий пункт программы Фоггарта — воздушный флот? Но и по этому вопросу ничего нового не скажешь. А кроме того, придется сделать вступление: поговорить об уничтожении воздушной войны или хотя бы о частичном разоружении. Нет, это займет слишком много времени! Лучше и не начинать. Он быстро заговорил:

— Эмиграция! Земля! Фоггартизм требует, чтобы к обеим этим проблемам отнеслись с тем же вниманием, какое уделяли насущным вопросам во время войны. Я счастлив, что на мою долю выпала честь познакомить представителей всех партий с этим великим — что бы ни думали почтенные депутаты — произведением сэра Джемса Фоггарта. Прошу прощения, что отнял у слушателей столько времени.

Он сел. Говорил он тридцать минут. Как гора с плеч! Встал один из депутатов.

— Должен поздравить депутата от Мидбэкса с первой его речью, которая, как мы все готовы признать, была интересна как по содержанию, так и по форме, хотя почтенный депутат и занимался постройкой воздушных замков, призывая нас есть меньше хлеба и платить больше налогов. Депутат от Тайна и Тиса в начале прений сделал намек на партию, к которой я имею честь принадлежать, и...

«Так!» — подумал Майкл и, убедившись, что этот оратор не намерен останавливаться на его речи, покинул палату.

II. ПОСЛЕДСТВИЯ

Когда он шел домой, в голове у него было пусто и на сердце легко. Да, вот в чем беда — легковес! Никто не обратит на него серьезного внимания. Он вспомнил первую речь депутата от Корнмаркета. По крайней мере он, Майкл, замолчал сегодня, как только слушатели начали зевать. Ему было жарко, и он проголодался. Оперные певцы толстеют от звука своего голоса, а члены парламента худеют! Он решил прежде всего принять ванну.

Он одевался, когда вошла Флер.

— Ты говорил прекрасно, Майкл. Но какая это скотина!

— Кто?

— Его фамилия Макгаун.

— Сэр Александр Макгаун? А что такое?

— Завтра прочтешь в газетах. Он инсинуировал, будто ты, как один из издателей, заинтересован в том, чтобы книга Фоггарта имела сбыт.

— Да, это сильно!

— И вся его речь была возмутительна. Ты его знаешь?

— Макгауна? Нет. Он депутат от какого-то шотландского города.

— Тебе он враг. Блайт тобой очень доволен и возмущается Макгауном; твой отец тоже. Я еще ни разу не видала его таким взбешенным. Ты должен написать в «Таймс» и объяснить, что еще до выборов вышел из издательства Дэнби и Уинтер. Твои родители у нас сегодня обедают. Ты знал, что твоя мать была в палате?

— Мама? Да ведь она ненавидит политику.

— Она сказала только: «Жаль, что Майкл не откинул волосы со лба. Мне нравится его лоб». А когда Макгаун сел, она заметила: «Дорогая моя, у этого человека как будто срезан затылок. Как вы думаете, не из Пруссии ли он родом? И мочки ушей у него толстые. Не хотела бы я быть его женой». У нее был с собой бинокль.

Когда Майкл с Флер спустились вниз, сэр Лоренс и леди Монт уже были в гостиной и стояли друг против друга, словно два аиста, если не на одной ноге, то, во всяком случае, с большой важностью. Откинув волосы со лба Майкла, леди Монт клюнула его в лоб.

— Как вы там высидели, мама?

— Милый мой мальчик, я была ужасно довольна. Вот только этот человек мне не понравился — у него безобразная форма головы. Но где ты набрался таких познаний? Ты очень умно говорил.

Майкл усмехнулся.

— А вы что скажете, сэр?

Сэр Лоренс скроил гримасу.

— Ты сыграл роль enfant terrible[1], дорогой мой. Одним твоя речь не понравится потому, что они никогда об этом не думали, а другим — именно потому, что они думали.

— Как! Значит, в душе они фоггартисты?

— Конечно. Но в палате не следует защищать подлинные свои убеждения. Это не принято.

---

[1] Избалованный ребенок, которому спускаются все дерзости (*фр.*).

— Славная комната, — проворковала леди Монт. — Раньше она была китайской. А где «Обезьяна»?

— В кабинете у Майкла, мама. Она нам надоела. Хотите взглянуть до обеда на Кита?

Когда Майкл остался наедине с отцом, они оба уставились на один и тот же предмет — на табакерку эпохи Людовика Пятнадцатого, которую отыскал где-то Сомс.

— Папа, вы реагировали бы на инсинуацию Макгауна?

— Макгаун — фамилия этого торгаша? Да, несомненно.

— Как?

— Уличил бы его во лжи.

— В частном разговоре, в прессе или в палате?

— И то, и другое, и третье. В разговоре я бы просто назвал его лжецом. В заметке я употребил бы слова: «Легкомысленное отношение к истине». В парламенте я бы выразил сожаление, что «его плохо информировали». Можно добавить, что людям случалось получать за такие вещи по физиономии.

— Но неужели вы допускаете, что кто-нибудь поверит этой клевете? — спросил Майкл.

— Поверят всему, что свидетельствует о развращении политических нравов. Это так свойственно людям. Забота о честности общественных деятелей была бы превосходной чертой, если бы ее обычно не проявляли люди, сами столь мало честные, что и в других они вряд ли сумеют ее оценить. — Сэр Лоренс поморщился, вспомнив ОГС. — А кстати, почему Старого Форсайта не было сегодня в палате?

— Я ему предложил пропуск, но он сказал, что не был в палате с тех пор, как Гладстон проводил билль о гомруле. Да и тогда пошел только потому, что боялся, как бы его отца не хватил удар.

Сэр Лоренс вставил монокль.

— Я не совсем понимаю.

— У отца был пропуск, и он не хотел его терять.

— Понял. Очень благородно со стороны «Старого Форсайта».

— Он нашел, что Гладстон слишком многословен.

— А! В былые годы речи бывали и длиннее. Ты быстро справился со своим делом, Майкл. Я бы сказал, что со временем из тебя выйдет толк. А у меня есть новость для Старого Форсайта. Я знаю, почему Шропшир не разговаривает с Чарли Ферраром. Старик только с этим условием и заплатил в третий раз его долги, чтобы спасти его от доски позора. Я надеялся на что-нибудь более таинственное. В каком положении процесс?

— Последнее, что я слышал, это что проводят какие-то взаимные запросы сторон.

— А, знаю. Отвечают такое, что ничего не разберешь, и притом вполне беспристрастно. Потом задают тебе ряд вопросов, и ты отвечаешь точно так же. Из всего этого адвокаты что-то извлекают. Что у вас сегодня на обед?

— Флер обещала заколоть жирного тельца, когда я произнесу мою первую речь.

Сэр Лоренс вздохнул.

— Очень рад. Твоя мать снова увлекается витаминами, и теперь мы едим главным образом морковь, обычно сырую. Хорошо, когда в жилах жены течет французская кровь! По крайней мере не страдаешь от недоедания. А вот и дамы!..

Не раз отмечалось, что люди, подчеркивающие свое презрение к отзывам прессы, прочитывают за завтраком все газеты в те дни, когда отзыв должен появиться. Майкл истратил на утренние газеты около шиллинга. Из тридцати газет только в четырех упоминалось о его речи. «Таймс» изложила ее сжато и точно. «Морнинг пост» выхватила несколько фраз об империи, предпослав им слова: «В не лишенной интереса речи». «Дэйли телеграф» отметила: «Среди других ораторов выступил мистер Майкл Монт». А «Манчестер Гардиан» сообщила: «Депутат от Мидбэкса в своей первой речи ратовал за переселение детей в доминионы».

Сэр Александр Макгаун, несколько лет заседавший в парламенте, удостоился большего внимания, но об инсинуации в газетах не было ни слова. Майкл обратился к Хэнзарду[1].

Его собственная речь, сверх ожидания, показалась ему вполне связной. Когда вошла Флер, он дочитывал речь Макгауна.

— Налей мне кофе, старушка.

Флер подала ему кофе и прислонилась к его плечу.

— Этот Макгаун ухаживает за Марджори Феррар, — сказала она. — Теперь я припоминаю.

Майкл размешал сахар.

— Черт возьми! В палате такими дрязгами не занимаются.

— Ошибаешься. Мне Элисон говорила. Вчера я просто не подумала. Отвратительная речь, не правда ли?

---

[1] Официальный бюллетень — отчеты о заседаниях английского парламента.

— Могла быть хуже, — усмехнулся Майкл.

— «Как один из компаньонов фирмы, выпустившей это любопытное произведение, он, несомненно, заинтересован в его распространении; вот чем можно объяснить энтузиазм оратора». Неужели это тебя не приводит в бешенство?

Майкл пожал плечами.

— Ты когда-нибудь сердишься, Майкл?

— Дорогая моя, не забудь, что я проделал войну. Ну-с, напишем в «Таймс». Как бы это сформулировать?

«Сэр,

Разрешите мне через вашу уважаемую газету (этак спокойнее) и в интересах публики (чтобы звучало не слишком лично)...» Гм! А дальше?..

— «Сообщить, что сэр Александр Макгаун солгал, намекнув в своей речи, что я заинтересован в распространении книги сэра Джемса Фоггарта».

— Прямолинейно, — сказал Майкл, — но они этого не поместят. Не лучше ли так:

«... оповестить публику, что сэр Александр Макгаун в своей речи несколько исказил факты. Считаю долгом заявить, что еще до моего избрания в парламент я перестал работать в издательстве, выпустившем книгу сэра Джемса Фоггарта «Опасное положение Англии» и, вопреки тому, что говорил сэр Александр Макгаун, нимало не заинтересован в распространении этой книги. Не смею утверждать, что он хочет затронуть мою честь (слово «честь» нужно вставить), но его слова напрашиваются на такое истолкование. Книга меня интересует лишь постольку, поскольку я озабочен действительно опасным положением Англии. Искренно преданный и т. д.». Ну как?

— Слишком мягко. А кроме того, я бы не стала говорить, что ты действительно считаешь положение Англии опасным. Это, знаешь ли, вздор. То есть я хочу сказать, что это преувеличенно.

— Отлично, — сказал Майкл, — напишем вместо этого: «Озабочен положением страны». В палате я попрошу слова в порядке информации, а в кулуарах — без всякого порядка. Интересно, как отзовется «Ивнинг сан».

«Ивнинг сан», которую Майкл купил по дороге в парламент, угостила его передовой статьей, озаглавленной «Снова фоггартизм» и начинающейся так: «Вчера депутат от Мидбэкса вызвал смех всей палаты, произнеся речь в защиту сумасшедшей теории, именуемой фоггартизмом, о которой мы уже упоминали на страницах нашей газеты». За этим следовало двадцать строк, написанных в не менее оскорбительном тоне. Майкл отдал газету швейцару.

В палате, убедившись, что Макгаун присутствует на заседании, Майкл воспользовался первым удобным случаем и встал:

— Мистер спикер! Я хочу опровергнуть заявление, сделанное вчера во время прений и затрагивающее мою честь. Почтенный депутат от Грингоу заявил в своей речи... — тут Майкл прочел абзац из Хэнзарда. — Правда, я имел отношение к издательству, выпустившему в августе тысяча девятьсот двадцать третьего года книгу сэра Джемса Фоггарта, но все связи с этим издательством я порвал в октябре тысяча девятьсот двадцать третьего года, задолго до того, как вошел в парламент. Поэтому я нимало не заинтересован в распространении этой книги, хотя от души желаю, чтобы принципы фоггартизма были проведены в жизнь.

Он сел под жидкие аплодисменты. Тогда поднялся сэр Александр Макгаун. Это был тот самый человек с красной физиономией, который так не понравился Майклу накануне.

— Мне кажется, — начал он, — что почтенный депутат от Мидбэкса был недостаточно заинтересован своей собственной речью, ибо отсутствовал, когда я на нее отвечал. Не могу согласиться с тем, что мои слова могут быть истолкованы так, как он их истолковал. Я сказал тогда — и сейчас повторяю, — что один из издателей несомненно был заинтересован в том, чтобы выпущенная им книга завоевала симпатии публики. Почтенный депутат принял на свой счет слова, к нему не относившиеся.

Он повернулся лицом к Майклу — мрачный, красный, вызывающий.

Майкл снова встал.

— Я рад, что почтенный депутат устранил возможность неправильного истолкования его слов.

Через несколько минут оба покинули зал.

В газетах нередко появляются отчеты о том, как мистер Суош, почтенный депутат от Топклифа, обозвал мистера Бэклера, почтенного депутата от Путинга, именем, не вполне подходящим к обстановке парламента. (*«К порядку!»*) И как мистер Бэклер в ответ выразился о мистере Суош еще менее лестно. (*«Слушайте, слушайте! К порядку!»*) И как мистер Суош потрясал кулаками (*шум*), а мистер Бэклер взывал к спикеру или швырял бумаги. (*«К порядку, тише!»*) И как последовало великое смятение, и мистер Суош или мистер Бэклер был лишен права посещать заседания и вынужден был, громко крича, покинуть Мать всех парламентов в сопровождении дежурного полисмена, и прочие поучительные подробности. Небольшое недоразумение между Майклом и сэром Александром разрешилось по-иному. Инстинктивно соблюдая правила приличия, они направились в умывальную; по дороге в это мраморное убежище они не обращали друг на друга ни малейшего внимания. Остановившись перед вешалкой для полотенец, Майкл сказал:

— Ну, сэр, можете вы мне объяснить, почему вы вели себя, как грязная скотина? Вы прекрасно знали, как будут истолкованы ваши слова.

Сэр Александр отложил в сторону щетку.

— Получайте, — сказал он и со всего размаху дал Майклу по уху. Майкл пошатнулся, затем, размахнувшись, угодил сэру Александру в нос. Оба действовали энергично, сэр Александр был человек коренастый, а Майкл увертливый, но ни тот, ни другой не умели работать кулаками. Драку прервал почтенный депутат от Уошбэзона, выходивший из уборной. Поспешно войдя в умывальную, он тотчас же получил синяк под глазом и удар в диафрагму, отчего согнулся вдвое, а затем показал себя более красноречивым оратором, чем могли бы ожидать люди, знавшие этого почтенного джентльмена.

— Простите, пожалуйста, сэр, — сказал Майкл. — Невиновные всегда страдают больше, чем виновные.

— Я бы вас обоих запретил сюда пускать, — кипятился депутат от Уошбэзона.

Майкл усмехнулся, а сэр Александр сказал:

— К черту!

— Вздорные забияки! — проворчал депутат от Уошбэзона. — Как же я теперь, черт возьми, буду выступать сегодня?

— Если вы явитесь с повязкой на глазу, — сказал Майкл, примачивая подбитый глаз депутата холодной водой, — и объясните, что пострадали при столкновении автомобилей, вашу речь выслушают с особым вниманием, и газеты дадут хороший отзыв. Разрешите предложить вам для повязки подкладку от галстука?

— Не троньте мой глаз, — зарычал депутат от Уошбэзона, — и убирайтесь отсюда, пока я не вышел из терпения.

Майкл застегнул верхнюю пуговицу жилета, расстегнувшуюся во время драки, и, посмотрев в зеркало, убедился, что ухо у него горит, манжета в крови, а у противника кровь идет носом.

«Ну и скандал! — подумал он, выходя на свежий воздух. — Хорошо, что мы столкнулись в умывальной! Дома я, пожалуй, умолчу».

Ухо у него ныло, настроение было скверное. Сияние фоггартизма потускнело, свелось к драке в умывальной. Есть с чего охладеть к своему призванию! Но даже депутат от Уошбэзона оказался в смешном положении, так что в газеты это дело едва ли попадет.

Переходя улицу к своему дому, он увидел Фрэнсиса Уилмота, направляющегося на запад.

— Хэлло!

Фрэнсис Уилмот поднял голову и остановился. Он похудел, глаза ввалились, он разучился улыбаться.

— Как поживает миссис Монт?

— Очень хорошо, благодарю вас. А вы?

— Прекрасно, — сказал Фрэнсис Уилмот. — Пожалуйста, передайте ей, что я получил письмо от ее двоюродного брата Джона. Он очень рад, что я с ней познакомился. Шлет ей привет.

— Благодарю, — сухо сказал Майкл. — Заходите к нам, выпьем чаю.

Молодой человек покачал головой.

— Вы поранили руку?

Майкл засмеялся.

— Нет, повредил одному субъекту нос.

Фрэнсис Уилмот слабо улыбнулся.

— Мне давно уже хочется проделать то же самое. Чей это был нос?

— Некоего Макгауна.

Фрэнсис Уилмот схватил Майкла за руку.

— Тот самый нос!

Затем, видимо, смущенный своей откровенностью, он повернулся на каблуках и ушел, предоставив Майклу теряться в догадках.

На следующее утро газеты умолчали о кровопускании, имевшем место накануне, и ограничились сообщением, что депутат от Уошбэзона простудился и не выходит из дому.

Консервативная пресса скромно умалчивала о фоггартизме; но один либеральный и один лейбористский журнал поместили передовицы, которые Майкл внимательно прочел.

Орган либералов писал: «В прениях по тронной речи выделяется одно выступление. В наше беспокойное время, когда хватаются за всевозможные шарлатанские средства, нельзя не обратить внимания на теорию, которую депутат от Мидбэкса назвал фоггартизмом по имени престарелого сэра Джемса Фоггарта. Нечего ждать со стороны либералов какой бы то ни было поддержки теории, ничего общего с основами либерализма не имеющей. Но возникает опасение, что на нее клюнет ряд консерваторов, вернее — самые косные из них. Беспорядочное выражение пессимистических взглядов всегда привлекает известным образом настроенных людей. Положение Англии не опасно. Ничто в нем не оправдывает истерического отклонения от нашей традиционной политики. Впрочем, не надо закрывать глаза на то, что за последнее время ряд так называемых мыслителей поговаривает о возвращении к «блестящей изоляции», за которой (признают они то или нет) мы видим гибель свободы торговли. Молодой депутат от Мидбэкса приподнял было этот краеугольный камень либерализма, но тут же выпустил его из рук; возможно, что бремя показалось ему не по силам. В основе же фоггартизм не что иное, как подкоп под свободу торговли и пощечина Лиге Наций».

Майкл вздохнул и обратился к лейбористскому журналу; статья была подписана и выражала более человеческую точку зрения:

«Итак, для того, чтобы безработица не тревожила капиталистов, нам предлагается сплавлять наших детей на край света, как только они выучатся грамоте. О сэре Джемсе Фоггарте я слышу впервые, но, если только правильны цитаты из его книги, приведенные вчера в парламенте депутатом от одного из земледельческих округов, есть в этом старом джентльмене что-то подозрительно прусское. Интересно, что говорит по этому поводу рабочий у себя дома? Боюсь, что там не обходится без слов «к черту!». Нет, сэр Джемс Фоггарт, английские рабочие не намерены скрывать свои карты и, признавая за старой родиной немало недостатков, все же предпочитают ее всякой другой для себя и своих детей. Спасибо, сэр Джемс Фоггарт, что-то не хочется».

«Вот это ясно, — подумал Майкл. — Ошибка, что излагать теорию поручили мне. Лучше бы Блайт подыскал городского депутата из лейбористов».

Перед его мысленным взором фоггартизм, разодранный на клочки завистью и классовой ненавистью, лозунгами, фракциями и партиями, как пристыженный призрак, удирал, поджав хвост, из парламента и прессы, непризнанный, не принятый!

— Ладно, — бормотал он, — я не отступлю. Если уж быть дураком, так лучше дураком в квадрате. Так ведь, Дэн?

Дэнди, приподняв голову, глядел на него своими глазами-бусинками.

III. МАРДЖОРИ ФЕРРАР У СЕБЯ ДОМА

Фрэнсис Уилмот шел в Челси, на свидание с той, которая была для него символом жизни. Влюбленный по уши и достаточно старомодный, чтобы мечтать о браке, он проводил дни пришитым к юбке, которая явно от него ускользала. Его наивная страсть вырвала у Марджори Феррар признание; она сообщила ему о своей помолвке, сказав напрямик: ей нужны деньги, она запуталась в долгах, а жить в глуши не намерена.

Он поспешил предложить ей все свое состояние. Она отказалась, заявив:

— Дорогой мой, до этого я еще не дошла.

Часто она готова была сказать ему: «Подождите, пока я выйду замуж», но выражение его лица всегда ее останавливало. Он был примитивен; она знала, что ему чужд ее идеал: быть безупречной женой, любовницей и матерью одновременно. Она держала его при себе только полуобещаниями, что она отвергнет Макгауна, и заботилась о том, чтобы они с Макгауном не встречались. Два раза ей не удалось помешать их встрече, свидание было мучительное, и в результате ей пришлось лгать больше, чем она привыкла. Кончилось тем, что она по-настоящему увлеклась молодым человеком. Она видела в нем много нового. Ей нравились его темные глаза, его грация и как росли у него волосы на затылке; нравился его голос и старомодная манера вести беседу. И, как это ни странно, ей нравилась его порядочность. Дважды она просила его разузнать, не собирается ли Флер «прийти с повинной»; дважды он ей отказал, заявив:

— Они были очень добры ко мне; и я не мог бы передать вам, что они говорят, даже если бы это было мне известно.

Она рисовала его портрет, и в студии, где они встречались, стоял на мольберте холст, на который Марджори Феррар успела положить только несколько мазков. Свидания их происходили почти ежедневно, между тремя и четырьмя, когда уже начинало смеркаться. Этот час Макгаун всегда проводил в парламенте. Фрэнсис Уилмот позировал в отложном воротничке, что ему очень шло. Ей нравилось, когда он сидел на диване и следил за ней взглядом; ей нравилось подходить к нему вплотную и смотреть, как дрожат его пальцы, прикасающиеся к ее юбке или рукаву, как блестят глаза, как меняется выражение лица, когда она от него отходит. Верил он в нее безгранично, и при нем она следила за собой. Ведь детей не полагается шокировать!

В тот день она ждала Макгауна к пяти часам и уже волновалась, когда Фрэнсис Уилмот явился и сказал:

— Я встретил Майкла Монта; у него манжета была в крови. Угадайте, чья кровь?

— Неужели Алека?

Фрэнсис Уилмот выпустил ее руки.

— Не называйте при мне этого человека «Алеком».

— Мой милый мальчик, вы слишком впечатлительны. Я ждала, что они поссорятся, ведь я читала их речи. А у Майкла глаз подбит? Нет? Гм! Ал... «этот человек», наверное, взбешен. Кровь была свежая?

— Да, — мрачно сказал Фрэнсис Уилмот.

— Ну, так он не придет. Садитесь на диван и давайте хоть раз в жизни серьезно поработаем.

Но он упал перед ней на колени и обвил руками ее талию.

— Марджори! Марджори!

Поклонница радостей жизни, пропитанная иронией, как и все ее поколение, она все же смутно пожалела его и себя. Обидно было, что нельзя велеть ему скорей достать разрешение на брак и кольцо, или еще чего ему там хочется, и покончить с этим делом! Нельзя даже сказать ему, что она готова покончить и без разрешения и без кольца. Ведь главное — не растеряться. Однажды в жизни она заметила, что скоро надоест любовнику, — не растерялась и дала ему отставку раньше, чем он это осознал; в другой раз любовник надоел ей — она не растерялась и тянула, пока и ему не надоело. Бывало, что любимцы, за которых она стояла горой, шли ко дну, — она ни разу не растерялась и защищала других, более удачливых; бывало, что в игре ей переставало везти, — и она бросала карты, не дожидаясь полного проигрыша. Не раз она оправдывала репутацию одной из самых современных женщин.

Поэтому она поцеловала Фрэнсиса Уилмота в голову, разжала его руки и посоветовала быть паинькой; и у нее мелькнула мысль, что первая молодость ее миновала.

— Забавляйте меня, пока я буду работать. У меня отвратительное настроение.

И Фрэнсис Уилмот, словно хмурый призрак, стал ее забавлять.

Существует мнение, что нос, пострадавший от удара, сильно распухает лишь через час или два. Вот почему сэр Александр Макгаун явился в половине пятого сообщить, что не может прийти в пять. Приехал он прямо из парламента и всю дорогу прикладывал к носу мешочек со льдом. Накануне Марджори Феррар дала ему понять, что молодой американец «находится сейчас в Париже», — поэтому он остановился как вкопанный при виде молодого человека, сидевшего без галстука и с расстегнутым воротничком. Фрэнсис Уилмот молча поднялся с дивана. Марджори коснулась кистью холста.

— Взгляните, Алек, я только что начала портрет.

— Нет, благодарю, — сказал Макгаун.

Сунув галстук в карман, Фрэнсис Уилмот поклонился и направился к двери.

— Чаю не хотите, мистер Уилмот?

— Не хочется, благодарю вас.

Когда он ушел, Марджори Феррар взглянула на нос своего нареченного. Нос был крупный, но пока почти не распух.

— А теперь объясните, зачем вы лгали? — сказал Макгаун. — Вы мне сказали, что этот шалопай уехал в Париж. Значит, вы мною играете, Марджори?

— Конечно! А почему бы и нет?

Макгаун подошел к ней вплотную.

— Положите кисть!

Марджори подняла ее — в ту же секунду кисть была у нее выхвачена и полетела в сторону.

— Портрет вы оставите недоконченным и этого субъекта больше не увидите. Он в вас влюблен.

Он сжал ей руки.

Она откинула голову, рассерженная не меньше, чем он.

— Пустите! Неужели вы считаете себя джентльменом?

— Нет, я просто мужчина.

— Сильный и молчаливый — герой скучного романа. Садитесь и ведите себя прилично.

Поединок глаз — темных и горящих, голубых и холодных — продолжался не меньше минуты. Потом он выпустил ее руки.

— Поднимите кисть и дайте мне.

— Черт возьми, этого я не сделаю!

— Значит, нашей помолвке конец. Если вы столь старомодны, то я вам не пара. Ищите себе жену, которая подарила бы вам к свадьбе плетку.

Макгаун схватился за голову.

— Я слишком люблю вас и теряю власть над собой.

— Ну, так поднимите кисть.

Макгаун поднял ее.

— Что у вас с носом сделалось?

Макгаун прикрыл нос рукой.

— Я налетел на дверь.

Марджори Феррар засмеялась.

— Бедная дверь!

Он посмотрел на нее с удивлением.

— Вы самая жестокая женщина из всех, кого я встречал. И почему я вас люблю — не понимаю.

— Столкновение с дверью плохо отразилось на вашей внешности и характере. Почему вы пришли раньше, чем всегда?

У Макгауна вырвался стон.

— Меня к вам тянет, и вы это знаете.

Марджори Феррар повернула холст к стене и стала рядом.

— Не знаю, как вы рисуете себе нашу совместную жизнь, Алек, но боюсь, что счастья нам не видать. Не хотите ли виски с содовой? Вот там, в буфете. Не хотите? А чаю? Тоже нет? Следовало бы нам договориться. Если я выйду за вас замуж, что очень сомнительно, — затворницей я жить не намерена. Я буду принимать своих друзей. И теперь, пока мы не поженились, я тоже буду их принимать. Если это вам не по вкусу, можете со мной расстаться.

Она видела, как он сжал руки. Нелегкая задача быть его женой! Если бы только был какой-нибудь «подходящий заместитель»! Если бы Фрэнсис Уилмот был богат и жил не там, где растет хлопок и негры поют в полях; где текут красные реки, светит солнце и болота затянуты мхом; где растут грейпфруты, — или они там не растут? — а дрозды поют нежнее, чем соловьи. Южная Каролина, о которой с таким восторгом рассказывал ей Фрэнсис Уилмот! Чужой мир глянул прямо в глаза Марджори Феррар. Южная Каролина! Невозможно! Так же невозможно, как если бы ей предложили жить в девятнадцатом веке!

Макгаун подошел к ней.

— Простите меня, Марджори.

Он положил ей руки на презрительно вздернутые плечи, поцеловал ее в губы и ушел.

А она опустилась в свое любимое кресло и стала нервно покачивать ногой.

Опилки высыпались из ее куклы — жить стало скучно.

Чего она хочет? Отдохнуть от мужчин и неоплаченных счетов? Или ей нужно еще что-то пушистое, именуемое «настоящей любовью»? Во всяком случае, чего-то ей не хватает. Итак, одевайся, иди и танцуй; потом еще раз переоденься и иди обедать; а за платья еще не уплачено!

А в общем, лучше всего разгоняет сплин хороший глоток чего-нибудь горячего!

Она позвонила, и когда ей подали все необходимое, смешала вино с коньяком, всыпала мускатных орехов и выпила стакан до дна.

IV. FONS ET ORIGO[1]

Через несколько дней Майкл получил два письма. На одном была австралийская марка, оно гласило:

«Дорогой сэр,

Надеюсь, что вы и супруга ваша здоровы. Я подумал, что вам, может, интересно узнать о нас. Так вот прожили мы тут полтора года, а похвастаться нечем. Много лишнего болтают об Австралии. Климат бы ничего, когда не слишком сухо или не очень уж мокро; жене моей он очень по нраву; но вот когда говорят, что здесь легко нажить состояние, только и остается ответить, что все это басни. Люди здесь чудные — будто мы им и не нужны, и они нам будто ни к чему. Относятся к нам так, точно мы дерзость какую сделали, что приехали в их распрекрасную страну. Народу здесь маловато, но им, наверное, кажется, что хватит. Я частенько жалею, что уехал. Жена говорит, что здесь нам лучше, а я не знаю. А про эмиграцию много привирают, это-то верно.

Я не забыл, сэр, как вы были добры к нам. Жена шлет привет вам и супруге.

Уважающий вас *Антони Бикет»*.

Зажав письмо в руке, Майкл снова видел перед собой Бикета — худое лицо, огромные глаза, большие уши, щуплая фигура на лондонской улице под связкой цветных шаров. Пичуга не-

---

[1] Первоисточник (*лат.*).

счастная, никак не найдет себе места под солнцем! И сколько таких — тысячи и тысячи! Что ж, не для таких, как эти двое, он проповедует эмиграцию; он проповедует ее для тех, кто еще не сложился, сумеет приспособиться. Их и встретят по-иному! Он распечатал другое письмо.

«Ролл-Мэнор бл. Хэнтингтона.

Уважаемый сэр,

Чувство разочарования, которое я испытывал со дня выхода моей книги, в значительной мере ослабело благодаря тому, что Вы любезно упомянули о ней в парламенте и взяли на себя защиту выдвигаемых мною тезисов. Я — старик и в Лондон теперь не заглядываю, но встреча с Вами доставила бы мне удовольствие. Быть может, Вы бываете в моих краях, я буду счастлив, если Вы согласитесь у меня позавтракать или приедете вечером и здесь переночуете.

Искренне Вам преданный *Дж. Фоггарт*».

Майкл показал письмо Флер.

— Если ты туда поедешь, дорогой мой, ты будешь смертельно скучать.

— Нужно съездить, — сказал Майкл. — Fons et origo!

Он написал, что приедет на следующий день к завтраку.

На станции его ждали человек в зеленой ливрее и лошадь, запряженная в доселе не виданный им экипаж. Человек в зеленой ливрее, рядом с которым уселся Майкл, сообщил ему:

— Сэр Джемс думал, сэр, что вам захочется полюбоваться окрестностями; вот он и прислал двуколку.

Был тихий, пасмурный день — один из тех дней, какие бывают поздней осенью, когда последние уцелевшие на деревьях листья ждут, чтобы их подхватил ветер. На дорогах стояли лужи, и пахло дождем; стаями взлетали грачи, словно удивленные звуком лошадиных копыт; и земля на вспаханных полях отливала красноватым блеском глины. Равнину несколько оживляли тополя и бурые, крытые черепицей крыши коттеджей.

— Вот усадьба, сэр, — сказал человек в ливрее, указывая кнутом.

Между фруктовым садом и группой вязов, где, очевидно, гнездились грачи, Майкл увидел длинный низкий дом из старого выветренного кирпича, увитый ползучими растениями. Вдали виднелись сараи, навесы и стена огорода. Двуколка свернула в липовую аллею и неожиданно остановилась перед домом. Майкл дернул ручку старого железного звонка. На унылый звон вышел унылый человек, который сморщил лицо и сказал:

— Мистер Монт? Сэр Джемс вас ожидает. Пожалуйте сюда.

Пройдя через низкий старинный холл, где приятно пахло дымом, Майкл остановился перед дверью, которую сморщенный человек закрыл перед самым его носом.

Сэр Джемс Фоггарт! Должно быть, это старый помещик, в крагах, аккуратный, энергичный, с седыми бакенбардами и обветренным лицом; или один из не вымерших еще грузных и коренастых Джонов Булей с короткой шеей, плоской макушкой, прикрытой плоским белым цилиндром.

Сморщенный человек снова открыл дверь и сказал:

— Сэр Джемс просит вас, сэр.

Перед камином в большой комнате, где было много книг, сидел величественный старик с седой бородой и седыми кудрями, престарелый британский лев, в бархатном, побелевшем на швах пиджаке.

Он сделал попытку встать.

— Пожалуйста, не вставайте, сэр, — сказал Майкл.

— Да, вы уж меня простите. Хорошо доехали?

— Очень.

— Садитесь. Меня растрогала ваша речь. Первая, кажется?

Майкл поклонился.

— Но, надеюсь, не последняя.

Голос у него был низкий и звучный; зорко смотрели глаза изпод густых нависших бровей. Густые седые волосы вились и спускались на воротник пиджака. Первобытный человек, достигший высшей ступени развития. На Майкла он произвел глубокое впечатление.

— Я ждал этой чести, сэр, с тех пор, как мы издали вашу книгу, — сказал Майкл.

— Я отшельник, нигде теперь не бываю. По правде сказать — не хочу, многое мне теперь не по вкусу. Я пишу, курю трубку. Позвоните, мы позавтракаем. Кто этот сэр Александр Макгаун? Что он, напрашивается на пощечину?

— Уже получил, сэр, — сказал Майкл.

Сэр Джемс Фоггарт откинулся на спинку кресла и захохотал. Смех у него был протяжный, низкий, глухой, словно смех на тромбоне.

— Здорово! А как приняли вашу речь? Когда-то я многих знал в палате, отцов, дедов теперешних.

— Как объяснить, сэр, что вы, никогда не выходя из дому, так хорошо знаете нужды Англии? — вкрадчиво спросил Майкл.

Сэр Джемс Фоггарт указал своей крупной худой рукой на стол, заваленный журналами и книгами.

— Читаю, — сказал он, — все читаю, зрение мне еще не изменило. Я немало повидал на своем веку.

Он умолк, словно созерцая картины прошлого.

— Вы продолжаете свою работу?

— М-да! Людям будет что почитать, когда я умру. Мне, знаете ли, восемьдесят четыре.

— Странно, что к вам не заглянули репортеры, — сказал Майкл.

— Как же, заглянули. Были здесь вчера. Трое, с разными поездами, очень вежливые молодые люди. Но я понял, что им не раскусить старика.

В эту минуту дверь раскрылась и вошел сморщенный человек; за ним следовали горничная и три кошки. Сморщенный человек и горничная поставили один поднос на колени сэру Джемсу, а другой — на маленький столик перед Майклом. На каждом подносе была куропатка с картофелем, шпинат и хлебный соус. Сморщенный человек наполнил стакан сэра Джемса ячменной водой, а стакан Майкла — бордо и удалился. Три кошки, громко мурлыча, стали тереться о брюки сэра Джемса.

— Надеюсь, вы ничего не имеете против кошек? Сегодня нет рыбки, киски!

Майкл проголодался и съел всю куропатку. Сэр Джемс почти все отдал кошкам. Потом подали компот, сыр, кофе и сигары. Потом все убрали, кроме кошек, которые, насытившись, улеглись треугольником перед камином.

Сквозь дым двух сигар Майкл смотрел на старика; и хотелось почерпнуть из этого источника мудрости, но брало сомнение — выдержит ли, очень уж он стар! Ну что ж! Попробовать можно.

— Вы знаете Блайта, сэр? Редактора «Аванпоста»? Он пылкий ваш сторонник. А я — лишь рупор.

— Знаю его еженедельник, один из лучших. Но слишком умничает.

— Вы разрешите мне воспользоваться случаем и задать вам несколько вопросов? — сказал Майкл.

Сэр Джемс посмотрел на огонек своей сигары.

— Валяйте!

— Скажите, сэр, может ли Англия действительно обособиться от Европы?

— А может ли она заключить союз с Европой? Альянсы, базирующиеся на обещании помощи — обещании, которое выполнено не будет, — хуже чем бесполезны.

— Но представьте себе, что вновь подвергнется вторжению Бельгия или Голландия!

— Вот разве что так. Но самое главное, мой юный друг, это чтобы в Европе знали, что сделает и чего не сделает Англия в том или ином случае. А этого они никогда не знают. «Коварный Альбион!» Хе-хе! Мы всегда скрываем свои планы до последней минуты. Большая ошибка. Получается, будто мы держим нос по ветру, что, собственно, недалеко от истины при нашей демократии.

— Как интересно, сэр, — солгал Майкл. — А что вы скажете о пшенице? Как стабилизировать цену, чтобы таким путем поощрять развитие земледелия?

— А, это мой конек! Нам нужен хлебный заем, мистер Монт, и государственный контроль. Правительство должно ежегодно скупать заранее необходимое нам количество хлеба и делать запасы, затем по другой цене закупать хлеб у здешних фермеров — так, чтобы они имели хорошую прибыль; а на рынок выбрасывать по цене, средней между этими двумя ценами. И в самом непродолжительном времени у нас будут сеять много пшеницы и земледелие возродится.

— А не повысятся ли цены на хлеб, сэр?

— О нет.

— И не понадобится ли целая армия чиновников?

— Нет. Можно использовать имеющийся аппарат.

— Государственная торговля, сэр? — недоверчиво спросил Майкл.

Голос сэра Джемса загудел еще глуше:

— Случай исключительный — случай важный, — почему бы и нет?

— Ну конечно, — поспешил согласиться Майкл. — Я никогда об этом не думал, но почему бы и нет?.. А что вы скажете об оппозиции, с какой сталкиваешься, когда речь заходит об эмиграции детей? Как вы думаете, не объясняется ли это привязанностью родителей к детям?

— Главным образом объясняется страхом лишиться заработка, получаемого детьми.

— Все же, знаете ли, — проговорил Майкл, — понятно, что не всякому хочется навсегда расстаться со своими детьми, как только им минет пятнадцать лет.

— Понятно! Человеческая природа эгоистична, молодой человек. Цепляться за них и видеть, как они гибнут у тебя на глазах или вырастают для худшей жизни, чем ты сам прожил, — вот, как вы изволили сказать, человеческая природа.

Майкл, который этого не говорил, слегка опешил.

— На эмиграцию детей потребуется очень много денег.

Ногой, обутой в туфлю, сэр Джемс потрогал кошек.

— Деньги! Золото у нас еще есть, но мы не умеем им пользоваться. Еще один стомиллионный заем — значит, государственные расходы увеличатся на четыре с половиной миллиона в год, и ежегодно отправляется по меньшей мере сто тысяч детей. Через пять лет мы сэкономим эту сумму, ибо не нужно будет выплачивать пособия безработным.

Он махнул сигарой и обсыпал пеплом свой бархатный пиджак.

— Да, пожалуй, — согласился Майкл, стряхивая пепел в кофейную чашку. — Но если отсылать детей вот так, оптом, сумеют ли о них позаботиться, поставить их на ноги?

— Нужно действовать постепенно; была бы охота, все можно сделать.

— А не думаете ли вы, что там они бросятся в большие города?

— Научите их любить землю и дайте им землю.

— Боюсь, что этого мало, — смело сказал Майкл. — Соблазн города очень велик.

Сэр Джемс кивнул.

— Можно жить в городах, если города не перенаселены. Те, которые поселятся в городах, будут способствовать повышению спроса на наши фабрикаты.

«Ну, — подумал Майкл, — кажется, дело идет неплохо. О чем бы еще его спросить?»

И он задумчиво созерцал кошек, беспокойно ворочавшихся перед камином. Тишину нарушило какое-то странное сопение. Майкл поднял глаза. Сэр Джемс Фоггарт спал! Спящий, он казался еще более внушительным, пожалуй, слишком внушительным, ибо храпел на всю комнату. Кошки крепче свернулись клубочком. Слегка запахло гарью. Майкл наклонился и поднял упавшую на ковер сигару. Что теперь делать? Ждать пробуждения или смыться? Бедный старик! Никогда еще фоггартизм не казался Майклу более безнадежным делом, как в этом святилище, у самого первоисточника. Заткнув уши, он сидел неподвижно. Кошки одна за другой встали. Майкл взглянул на часы. «Я опоздаю на поезд, — подумал он и на цыпочках пошел к двери, вслед за дезертирующими кошками. Словно последние силы фоггартизма исходили в храпе! «Прощайте, сэр», — сказал он тихо и вышел. На станцию он задумчиво шел пешком. Фоггартизм! Эта простая, но обширная программа основана, по-видимому, на предпосылке, что люди способны видеть на два дюйма дальше собственного носа. Но верна ли эта предпосылка? А если верна, почему же тогда в Англии такое засилье городов и такое перенаселение? На одного человека, способного здраво заглянуть в будущее и на том успокоиться, имеется девять — а то и девяносто девять, — взгляды которых узки и пристрастны и которые совсем не намерены успокоиться. Политика практиков! Вот ответ на всякие умные мысли, сколько ни кричи о них. «А, да, молодой Монт — политик, но не практик!» — такой ярлык равноценен общественной смерти. И Майкл, сидя в вагоне и глядя на английскую траву, чувствовал, словно горсти земли уже сыплются на крышку его гроба. Интересно, есть ли чувство юмора у пеликанов, вопиющих в пустыне? Если нет, плохо им, бедным, приходится. Трава, трава, трава! Трава и города! И скоро, опустив подбородок в воротник теплого пальто, Майкл заснул еще крепче, чем сэр Джемс Фоггарт.

V. ДЕЛО РАЗВЕРТЫВАЕТСЯ

Когда Сомс сказал: «Предоставьте это мне», он говорил то, что думал. Но, право же, утомительно, что улаживать неприятности всегда приходится ему одному!

Чтобы без помехи заняться этим делом, он на время переселился к своей сестре Уинифрид Дарти на Грин-стрит. В первый же вечер к обеду пришел его племянник Вэл, и Сомс воспользовался случаем и спросил его, известно ли ему что-нибудь о лорде Чарльзе Ферраре.

— Что вы хотите знать, дядя Сомс?

— Все, что могло бы его опорочить. Я слышал, что его отец с ним не разговаривает.

— Ходят слухи, — сказал Вэл, — что его лошадь, которая не выиграла Кэмбриджширского кубка, возьмет Линкольнширский.

— При чем это?

Вэл Дарти посмотрел на него сквозь ресницы. Он не намерен был вмешиваться в светские интриги.

— При том, что если он в ближайшее время не выиграет хороший куш, ему крышка.

— И это все?

— Ну, а вообще он из тех субъектов, которые очень любезны, если вы им нужны, и очень невежливы, если не могут вас использовать.

— Так я и думал, судя по его физиономии, — сказал Сомс. — Ты вел с ним какие-нибудь дела?

— Да, как-то я ему продал однолетку от Торпеды и Бэнши.

— Он тебе заплатил?

— Да, — усмехнулся Вэл, — а лошадь оказалась никуда не годной.

— Гм! Должно быть, после этого он и перестал быть любезным. Больше ты ничего не знаешь?

— Нет, ничего. — Он, конечно, знал кое-что еще, но то были сплетни; а не все, о чем, попыхивая сигарами, толкуют лошадники, годится для ушей юристов.

Как это ни странно, но Сомс, старый и опытный, не подозревал, что в так называемом «свете» изо дня в день клевещут на всех и каждого и все обходится мирно; клеветники обедают со своими жертвами, играют с ними в карты, и все исполнены лучших чувств, и знают, что стоит расстаться — и они с новыми силами будут порочить друг друга. До посторонних ушей такие милые и убийственные вещи не доходят, и Сомс понятия не имел, с какого конца приступить к делу.

— Не можешь ли ты пригласить к чаю этого мистера Кэрфью? — спросил он Флер.

— Зачем, папа?

— Я хочу кое-что у него выведать.

— Мне кажется, для этого существуют сыщики.

Сомс изменился в лице. С тех пор, как двадцать с лишним лет назад мистер Полтид накрыл его в Париже, когда он явился с визитом к собственной жене, от одного слова «сыщик» у него начиналась боль под ложечкой. Он заговорил о другом. А между тем, что он мог сделать, не прибегая к помощи сыщиков?

Как-то вечером Уинифрид ушла в театр, а Сомс закурил сигару и погрузился в размышления. Майкл снабдил его списком ультрасовременных книг и пьес, которыми интересовались люди, строго следующие моде. Он даже дал ему одну из таких книг — «Шпанская мушка» Персиваля Кэлвина. Сомс принес книгу из спальни, зажег лампу и стал читать. Просмотрев первые страницы и не найдя в них ничего предосудительного, он решил читать с конца. Дело пошло на лад; вскоре он наткнулся на отрывок эротического содержания, от него незаметно перешел к предшествующему отрывку и так добрался до середины книги. Тогда только он с изумлением обратился к титульному листу. Чем объяснить, что и автор и издатель до сих пор на свободе? А! Книга издана за границей! Сомс вздохнул с облегчением. Дожив до шестидесяти девяти лет, не будучи ни судьей, ни присяжным, которым быть шокированными полагается по должности, он все же был потрясен. Если такие книги читают женщины, значит, действительно стерлось все, что отличало женщину от мужчины.

Он снова взялся за книгу и внимательно дочитал до самого начала. Интересовали его только эротические места. Все остальное производило впечатление бессвязной болтовни. Немного погодя он опять задумался. Для чего написана эта книга? Конечно, автор хотел на ней заработать. Но, быть может, он преследовал еще какую-нибудь цель? Видно, это один из тех, которые, желая дать в произведении «жизнь», считают необходимым подробно описывать каждый визит в спальню. Кажется, у них это называется «реализмом», «искусством ради искусства»? Убедившись на печальном опыте, что «жизнь» — это не только визиты в спальню, Сомс не мог согласиться с тем, что эта книга показывает жизнь как она есть. «Этот Кэлвин — оригинал, сэр, — сказал Майкл, когда принес ему роман. — По его мнению, стать целомудренным можно только путем крайнего разврата; вот он и показывает, как его герои и героиня приходят к целомудрию». «Вернее, к бедламу», — подумал Сомс. Ну что ж, посмотрим, что на это скажет английский суд. Но как доказать, что эта женщина и ее друзья читали книгу не без удовольствия? И тут его осенила мысль столь блестящая, что он должен был подумать, раньше чем в нее уверовать. Эти «ультрасовременные» молодые люди отличаются редкой самоуверенностью; считают «скучными» или «жеманными» всех, кто не разделяет их убеждений. Не выскажутся ли они откровенно, если газеты откроют против этой книги кампанию? А если они выскажутся в печати, то нельзя ли это использовать как доказательство их антиморальных убеждений? Гм! К этому делу нужно подойти осторожно. А прежде всего — как доказать, что Марджори Феррар книгу прочла? Размышляя, Сомс снова наткнулся на блестящую идею. Почему не использовать молодого Баттерфилда, который помог ему доказать виновность Элдерсона в той истории с ОГС и получил место в издательстве Дэнби и Уинтера по его — Сомса — рекомендации? Майкл всегда твердит, что молодой человек глубоко ему благодарен. И, прижав книгу заглавием к боку, на случай встречи с кем-нибудь из прислуги, Сомс пошел спать.

Засыпая, он подумал, как бы ставя диагноз:

«Когда я был молод, мы такие книги читали, если они нам попадались под руку, но молчали об этом; а теперь люди считают своим долгом кричать, что книгу они прочли и она принесла им пользу».

На следующее утро он позвонил из «Клуба знатоков» в издательство Дэнби и Уинтер и попросил к телефону мистера Баттерфилда.

— Да?

— Говорит мистер Форсайт. Вы меня помните?

— О да, сэр!

— Не можете ли вы сегодня зайти в «Клуб знатоков»?

— Конечно, сэр. Если вы ничего не имеете против, я зайду в половине первого.

Сдержанный и щепетильный, когда речь заходила о вопросах пола, Сомс с неудовольствием думал о том, что ему придется говорить с молодым человеком о «непристойной» книге. Но делать было нечего, и, когда Баттерфилд явился, Сомс пожал ему руку и объявил:

— Разговор будет конфиденциальный, мистер Баттерфилд.

Баттерфилд посмотрел на него с собачьей преданностью и сказал:

— Да, сэр. Я помню, что вы для меня сделали.

Сомс показал ему книгу.

— Знаете вы этот роман?

Баттерфилд слегка улыбнулся.

— Да, сэр. Он напечатан в Брюсселе. Стоит пять фунтов.

— Вы его читали?

Молодой человек покачал головой.

— Не попадался мне, сэр.

Сомс почувствовал облегчение.

— И не читайте! А теперь выслушайте меня внимательно. Можете вы купить десять экземпляров — за мой счет — и разослать их лицам, поименованным в списке, который я вам дам? Эти люди имеют некоторое отношение к литературе. Можно вложить в книги рекомендательные записки, или как это у вас называется. Никаких фамилий не упоминайте.

— Цена все время повышается, сэр, — предостерег Баттерфилд. — Вам это будет стоить около шестидесяти фунтов.

— Неважно.

— Вы хотите сделать рекламу, сэр?

— О господи! Конечно, нет! У меня есть основания, но это к делу не относится.

— Понимаю, сэр. И вы хотите, чтобы книги, так сказать, с неба свалились?

— Вот именно, — сказал Сомс. — Насколько мне известно, издатели часто рассылают сомнительные книги людям, которым, по их мнению, такие книги придутся по вкусу. Слушайте дальше: можете ли вы зайти через неделю к одному из тех лиц, кому вы разошлете книги? Вы будете разыгрывать роль агента и предложите купить еще экземпляр романа. Дело в том, что я хочу наверно знать, действительно ли роман получен и прочтен этой особой. Своей фамилии, вы, конечно, не называйте. Сделаете это для меня?

Глаза молодого человека загорелись.

— Конечно, сэр. Я многим вам обязан, сэр.

Сомс отвернулся. Он не любил, когда его благодарили.

— Вот список фамилий с адресами. Я подчеркнул фамилию той особы, к которой вам придется зайти. Сейчас я вам выпишу чек. Если этих денег не хватит, вы мне сообщите.

Пока он писал, Баттерфилд просматривал список.

— Я вижу, сэр, что особа, к которой я должен зайти, — женщина.

— Да, для вас это имеет значение?

— Никакого, сэр, современные романы предназначаются для женщин.

— Гм! — сказал Сомс. — Надеюсь, дела у вас идут хорошо?

— Прекрасно, сэр. Я так жалел, что мистер Монт ушел от нас; после его ухода дела у нас пошли еще лучше.

Сомс поднял бровь. Эти слова подтвердили давнишние его подозрения.

Когда молодой человек ушел. Сомс начал перелистывать

«Шпанскую мушку». Не написать ли ему заметку в газету и подписаться «Pater familias»?[1] Нет, для этого нужен человек, сведущий в такого рода делах. А кроме того, не годится, чтобы заметка была анонимной. С Майклом советоваться не стоит, но может быть, Старый Монт знает какую-нибудь влиятельную персону из «Партенеума». Сомс потребовал оберточной бумаги, завернул в нее книгу, сунул сверток в карман пальто и отправился в «Клуб шутников».

Сэр Лоренс собирался завтракать, и они вместе уселись за стол. Убедившись, что лакей не подсматривает, Сомс показал книгу.

— Вы это читали?

Сэр Лоренс залился беззвучным смехом.

— Дорогой мой Форсайт, что за нездоровое любопытство? Все это читают и говорят, что книга возмутительная.

— Значит, вы не читали? — настаивал Сомс.

— Нет еще, но если вы мне ее дадите, прочту. Мне надоело слушать, как люди, читавшие ее взасос, пристают с вопросом, читал ли я эту «гнусную вещь». Это несправедливо, Форсайт. А вам она понравилась?

— Я ее просмотрел, — ответил Сомс, созерцая свой собственный нос. — У меня были причины для этого. Когда вы прочитаете, я вам объясню.

Два дня спустя сэр Лоренс принес ему книгу в «Клуб знатоков».

— Получайте, дорогой Форсайт! — сказал он. — Как я рад, что от нее отделался! Все время я пребывал в страхе, как бы кто-нибудь не подглядел, что я читаю! Персиваль Кэлвин — quel sale monsieur! [2]

— Именно! — сказал Сомс. — Так вот, я хочу открыть кампанию против этой книги.

— Вы? Что за непонятное рвение?

— Это длинная история, — сказал Сомс, садясь на книгу.

Он объяснил свой план и закончил так:

— Ничего не говорите ни Майклу, ни Флер.

Сэр Лоренс выслушал его с улыбкой.

— Понимаю, — сказал он, — понимаю! Очень умно, Форсайт. Вы хотите, чтобы я отыскал какого-нибудь человека, чья

---

[1] Отец семейства (*лат.*).

[2] Какая гнусная личность! (*Фр.*)

фамилия подействовала бы на них, как красная тряпка на быка. Писатель для этой цели не годится; они скажут, что он завидует, — и, пожалуй, будут правы: книга идет нарасхват. Знаете, Форсайт, я, кажется, обращусь к женщине.

— К женщине! — повторил Сомс. — На женщину они не обратят внимания.

Сэр Лоренс вздернул свободную бровь.

— Пожалуй, вы правы: теперь обращают внимание только на таких женщин, которые сами всякого мужчину перещеголяют. Может, мне написать самому и подписаться «Оскорбленный отец»?

— Мне кажется, анонимная заметка не годится.

— И тут вы правы, Форсайт; действительно не годится. Я загляну в «Партенеум» и посмотрю, кто там еще жив.

Два дня спустя Сомс получил записку:

«Партенеум».
Пятница.

Дорогой Форсайт!

Я нашел нужного человека — это редактор «Героя», и он готов подписать свою фамилию. Кроме того, я соответствующим образом его настроил. У нас был оживленный спор. Сначала он хотел отнестись к автору de haut en bas[1], обойтись с ним, как с нечистоплотным ребенком. Но я сказал: «Нет, это явление симптоматично. Отнеситесь к нему с должной серьезностью. Докажите, что книга показательна для целой школы, для определенного литературного направления. Создайте из этого повод для защиты цензуры». Слово «цензура», Форсайт, необходимо для того, чтобы их раздразнить. Итак, редактор решил расстаться с женой и, прихватив с собой книгу, уехать на субботу и воскресенье за город. Я восхищаюсь Вашим методом защиты, дорогой Форсайт, но Вы меня простите, если я скажу, что значительно важнее не доводить дело до суда, чем выиграть в суде.

Искренне преданный *Лоренс Монт*».

С последней мыслью Сомс был до того согласен, что уехал в Мейплдерхем и следующие два дня, чтобы успокоиться, ходил по полю и гонял палкой мяч в обществе человека, который ему совсем не нравился.

---

[1] Свысока (*фр.*).

VI. МАЙКЛ ЕДЕТ В БЕТНЕЛ-ГРИН

Чувство уныния, с которым Майкл вернулся от «первоисточника», несколько рассеялось благодаря письмам, которые он получал от самых разнообразных лиц; писали ему большей частью люди молодые — писали сочувственно и очень серьезно. Он стал подумывать, не слишком ли в конечном счете беспечны политики-практики, напоминающие конферансье в мюзик-холле, которые изо всех сил стараются заставить публику забыть, что у нее есть вкус. И зародилось подозрение: являются ли палата и даже пресса подлинными выразителями общественного мнения? Между прочим, получил он такое письмо:

«Солнечный приют».
Бетнел-Грин.

Дорогой мистер Монт.

Я была так рада, когда прочла Вашу речь в «Таймсе». Я сейчас же купила книгу сэра Джемса Фоггарта. Мне кажется, его план великолепен. Вы не знаете, как тяжело нам, пытающимся сделать что-то для детей, — как тяжело нам сознавать, что жизнь, которую приходится вести детям по окончании школы, сводит на нет всю нашу работу. Ведь мы лучше, чем кто бы то ни было, знаем, в каких условиях живут лондонские дети.

Многие матери, которым и самим живется несладко, все готовы сделать для своих малышей; но мы часто замечали, что, когда ребенку исполнится десять — двенадцать лет, эта любовь принимает иные формы. Мне кажется, тогда-то родители и начинают понимать, что ребенка можно использовать как работника. Там, где пахнет деньгами, нет места для бескорыстной любви. Пожалуй, это — естественно, но тем не менее очень печально, ибо заработок детей ничтожен и жизнь ребенка приносится в жертву ради нескольких шиллингов. Всей душой надеюсь, что Ваше выступление принесет плоды; но все делается так медленно, не правда ли? Хорошо бы Вам приехать сюда, посмотреть наш приют. Дети прелестны, и мы стараемся дать им побольше солнца.

Искренне Вам преданная *Нора Кэрфью*».

Сестра Бэрти Кэрфью! Но, конечно, процесса не будет, все обойдется! Благодарный за сочувствие, хватаясь за каждую возможность получше разобраться в фоггартизме, Майкл решил ехать. Быть может, Нора Кэрфью примет в свой приют детей

Боддика! Он предложил Флер ехать вместе, но она побоялась занести в дом заразу, опасную для одиннадцатого баронета, и Майкл отправился один.

Приют находился в местности, называемой Бетнел-Грин; три маленьких домика были соединены в один; три дворика, обнесенные общей стеной, превращены в площадку для игр; над входной дверью золотыми буквами было начертано: «Солнечный приют». На окнах висели веселые ситцевые занавески, стены были окрашены в кремовый цвет. В передней Майкла встретила Нора Кэрфью, высокая, стройная, темноволосая; у нее было бледное лицо и карие глаза, ясные и чистые.

«Да, — подумал Майкл, пожимая ей руку, — вот здесь все в полном порядке. В этой душе нет темных закоулков!»

— Как хорошо, что вы приехали, мистер Монт! Я вам покажу весь дом. Вот комната для игр.

Майкл вошел в залу — видимо, несколько маленьких комнат были соединены в одну. Шесть ребятишек в синих полотняных платьях сидели на полу и играли в какие-то игры. Когда Нора Кэрфью подошла к ним, они уцепились за ее платье. Все они, за исключением одной девочки, показались Майклу некрасивыми.

— Вот эти живут у нас постоянно. Остальные приходят после школы. Сейчас у нас только пятьдесят человек, но все-таки очень тесно. Нужно раздобыть денег, чтобы арендовать еще два дома.

— Какой у вас персонал?

— Нас шесть человек; две занимаются стряпней, одна бухгалтерией, а остальные стирают, штопают, играют с детьми и исполняют всю работу по дому. Две из нас живут здесь.

— Где же ваши арфы и венцы?

Нора Кэрфью улыбнулась.

— Заложены, — сказала она.

— Как вы разрешаете вопрос религии? — спросил Майкл, озабоченный воспитанием одиннадцатого баронета.

— В сущности — никак. Здесь нет детей старше двенадцати лет, а религиозными вопросами дети начинают интересоваться лет с четырнадцати, не раньше. Мы просто стараемся приучать детей быть веселыми и добрыми. На днях сюда приезжал мой брат. Он всегда надо мной подсмеивается, но все-таки хочет поставить в нашу пользу спектакль.

— Какая пойдет пьеса?

— Кажется, «Прямодушный»; брат говорит, что он уже давно

предназначил эту пьесу для какого-нибудь благотворительного спектакля.

Майкл посмотрел на нее с удивлением.

— А вы знаете, что это за пьеса?

— Нет. Кажется, одного из драматургов Реставрации?

— Уичерли[1].

— Ах да! — Глаза ее остались такими же ясными.

«Бедняжка! — подумал Майкл. — Не мое дело объяснять ей, что послужит источником ее доходов, по этот Бэрти, видимо, не прочь подшутить».

— Я должен привезти сюда жену, — сказал он, — ей понравится цвет стен и эти занавески. И еще скажите, не могли бы вы потесниться и принять двух маленьких девочек, если мы будем за них платить? Их отец безработный — я хочу дать ему работу за городом; матери нет.

Нора Кэрфью сдвинула брови, и лицо ее выразило напряженное желание одной доброй волей преодолеть все препятствия.

— Нужно попытаться, — сказала она. — Как-нибудь устрою. Как их зовут?

— Фамилия Боддик, имен я не знаю. Одной — четыре года, другой — пять.

— Дайте мне адрес, я сама к ним заеду. Если они не больны какой-нибудь заразной болезнью, мы их возьмем.

— Вы — ангел! — сказал Майкл.

Нора Кэрфью покраснела.

— Вздор! — сказала она, открывая дверь в соседнюю комнату. — Вот наша столовая.

Комната была небольшая. За пишущей машинкой сидела девушка, она подняла голову, когда вошел Майкл. Другая девушка сбивала яйца в чашке и в то же время читала томик стихов. Третья, видимо, занималась гимнастикой — она так и застыла с поднятыми руками.

— Это мистер Монт, — сказала Нора Кэрфью, — мистер Монт, который произнес в палате ту самую прекрасную речь. Мисс Бэтс, мисс Лафонтен, мисс Бистон.

Девушки поклонились, и та, что сбивала яйца, сказала:

---

[1] Уильям Уичерли (1640 — 1716). В его пьесах, в том числе и в «Прямодушном» (1674), показано развращенное высшее общество Англии периода после реставрации монархии. Пьесы чрезвычайно «вольные» как по языку, так и по ситуациям.

— Замечательная речь.

Майкл тоже поклонился.

— Боюсь, что все это впустую.

— Ну что вы, мистер Монт, она возымеет действие. Вы сказали то, о чем многие думают.

— Но знаете, — сказал Майкл, — они так глубоко прячут свои мысли!

— Садитесь же.

Майкл опустился на синий диван.

— Я родилась в Южной Африке, — сказала та, которая сбивала яйца, — и знаю, что значит ждать.

— Мой отец был в палате, — сказала девушка, занимавшаяся гимнастикой. — Ваша речь произвела на него глубокое впечатление. Во всяком случае, мы вам благодарны.

Майкл переводил взгляд с одной на другую.

— Если б вы ни во что не верили, вы не стали бы здесь работать, правда? Уж вы-то, наверное, не считаете, что Англия дошла до точки?

— О боже! Конечно, нет! — сказала девушка, сидевшая за машинкой. — Нужно пожить среди бедняков, чтобы это понять.

— В сущности, я имел в виду другое, — сказал Майкл. — Я размышлял, не нависла ли над нами серьезная опасность.

— Вы говорите о ядовитых газах?

— Пожалуй, но это не все; тут и гибельное влияние городов, и банкротство цивилизации.

— Не знаю, — отозвалась хорошенькая брюнетка, сбивавшая яйца. — Я тоже так думала во время войны. Но ведь Европа — это не весь мир. В сущности, она большого значения не имеет. Здесь и солнце-то почти не светит.

Майкл кивнул.

— В конце концов, если здесь, в Европе, мы сотрем друг друга с лица земли, то появится только новая пустыня величиной с Сахару, погибнут люди, слишком бедствовавшие, чтобы приспособиться к жизни, а для остального человечества наша судьба послужит уроком, не правда ли? Хорошо, что континенты далеко отстоят один от другого!

— Весело! — воскликнула Нора Кэрфью.

Майкл усмехнулся.

— Я невольно заражаюсь атмосферой этого дома. Знаете, я вами восхищаюсь: вы от всего отказались, чтобы прийти сюда работать.

— Пустяки, — сказала девушка за машинкой. — От чего было отказываться — от фокстротов? Во время войны мы привыкли работать.

— Уж коли на то пошло, — вмешалась девушка, сбивавшая яйца, — мы вами восхищаемся гораздо больше: вы не отказываетесь от работы в парламенте.

Снова Майкл усмехнулся.

— Мисс Лафонтен, вас зовут на кухню!

Девушка, сбивавшая яйца, направилась к двери.

— Вы умеете сбивать яйца? Я сию минуту вернусь.

И, вручив Майклу чашку и вилку, она скрылась.

— Какой позор! — воскликнула Нора Кэрфью. — Дайте мне!

— Нет, — сказал Майкл, — я умею сбивать яйца. А как вы смотрите на то, что в четырнадцать лет детей придется отрывать от дома?

— Конечно, многие будут резко возражать, — сказала девушка, сидевшая за машинкой, — скажут, что бесчеловечно, жестоко. Но еще бесчеловечнее держать детей здесь.

— Хуже всего, — сказала Нора Кэрфью, — это вопрос о заработках детей и еще идея о вмешательстве одного класса в дела другого. Да и имперская политика сейчас не в моде.

— Еще бы она была в моде, — проворчала гимнастка.

— О, — сказала машинистка, — но ведь это не та имперская политика, не правда ли, мистер Монт? Это скорее стремление уравнять права доминионов и метрополии.

Майкл кивнул.

— Содружество наций.

— Это не помешает маскировать подлинную цель: сохранить заработок детей, — сказала гимнастка.

И три девушки стали подробно обсуждать вопрос, насколько заработки детей увеличивают бюджет рабочего. Майкл сбивал яйца и слушал. Он знал, сколь важен этот вопрос. Согласились на том, что дети часто зарабатывают больше, чем себе на пропитание, но что «в конечном счете это недальновидно», потому что приводит к перенаселению и безработице, и «просто стыдно» портить детям жизнь ради родителей.

Разговор прервался, когда вошла девушка, сбивавшая яйца.

— Дети собираются, Нора.

Гимнастка исчезла. Нора Кэрфью сказала:

— Ну, мистер Монт, хотите взглянуть на них?

Майкл последовал за ней. Он думал: «Жаль, что Флер со

мной не поехала!» Казалось, эти девушки действительно во что-то верили.

Стоя в передней, Майкл смотрел, как дом наполняется детьми. Они казались странной смесью малокровия и жизнеспособности, живости и послушания. Многие выглядели старше своих лет, но были непосредственны, как щенята, и, видимо, никогда не задумывались о будущем. Казалось, каждое их движение, каждый жест мог быть последним. Почти все принесли с собой что-нибудь поесть. Они болтали и не смеялись. Их произношение оставляло желать много лучшего. Шесть-семь ребят показались Майклу хорошенькими, и почти у всех вид был добродушный. Движения их были порывисты. Они тормошили Нору Кэрфью и гимнастку, повиновались беспрекословно, ели без всякого аппетита и приставали к кошке. Майкл был очарован.

Вместе с ними пришли четыре или пять женщин — матери, которым нужно было о чем-нибудь спросить или посоветоваться. Они тоже были в прекрасных отношениях с воспитательницами. В этом доме не было речи о классовых различиях; значение имела только человеческая личность. Майкл заметил, что дети отвечают на его улыбку, а женщины остаются серьезными, хотя Норе Кэрфью и девушке, занимавшейся гимнастикой, они улыбались. Интересно, поделились бы они с ним своими мыслями, если б знали о его речи?

Нора Кэрфью проводила его до двери.

— Не правда ли, они милые?

— Боюсь, как бы мне не отречься от фоггартизма, если я слишком долго буду на них смотреть.

— Что вы! Почему?

— Видите ли, фоггартизм хочет сделать из них собственников.

— Вы думаете, что это их испортит?

Майкл усмехнулся.

— С серебряной ложкой связана опасность. Вот мой вступительный взнос.

Он вручил ей все свои деньги.

— О мистер Монт, право же...

— Ну так верните мне шесть пенсов, иначе мне придется идти домой пешком.

— Какой вы добрый! Навещайте нас и, пожалуйста, не отрекайтесь от фоггартизма.

По дороге на станцию он думал о ее глазах, а вернувшись домой, сказал Флар:

— Ты непременно должна туда съездить и посмотреть. Чистота там изумительная, и дух бодрый. Я набрался сил. Молодец эта Нора Кэрфью.

Флер посмотрела на него из-под опущенных ресниц.

— Да? — сказала она. — Хорошо, съезжу.

VII. КОНТРАСТЫ

На десяти акрах земли за рощей в Липпинг-Холле сквозь известь и гравий пробивалась чахлая трава; вокруг высился забор — символ собственности. Когда-то здесь пробовали держать коз, но затея не удалась, потому что в стране, не снисходившей до занятия сельским хозяйством, никто не желал пить козье молоко; с тех пор участок пустовал. Но в декабре этот уголок — бедный родственник владений сэра Лоренса Монта — подвергся энергичной эксплуатации. У самой рощи поставили дом, и целый акр земли превратили в море грязи. Сама роща поредела и приуныла от опустошительного рвения Генри Боддика и еще одного человека, в изобилии рубивших на доски лес, из которого подрядчик упорно отказывался строить сарай и курятник. Об инкубаторе пока нужно было только смутно мечтать. Вообще дело подвигалось не слишком быстро, но была надежда, что скоро после нового года куры смогут приступить к исполнению своих обязанностей. Майкл решил, что колонистам пора переселяться. Он наскреб мебели в доме отца, завез сухих продуктов, мыла и несколько керосиновых ламп, поселил Боддика в левой комнате, среднюю отвел Бергфелдам, а правую — Суэну. Он сам встретил их, когда автомобиль сэра Лоренса доставил их со станции. День был серый, холодный; с деревьев капало, из-под колес машины летели брызги. Стоя в дверях. Майкл смотрел, как они выгружаются, и думал, что никогда еще он не видал столь неприспособленных к жизни созданий. Первым вышел из машины Бергфелд, облаченный в свой единственный костюм; у него был вид безработного актера, что вполне соответствовало истине. Затем появилась миссис Бергфелд, у нее не было пальто, и она, казалось, совсем закоченела, что тоже соответствовало истине. Суэн вышел последним. Не то чтобы его изможденное лицо улыбалось, но он поглядывал по сторонам, словно говоря: «Ну и ну!»

Боддик, очевидно, наделенный даром предвидения, ушел в рощу. «Он единственное мое утешение», — подумал Майкл. Проводив приезжих в кухню, служившую в то же время столовой, Майкл достал бутылку рома, печенье и термос с горячим кофе.

— Мне ужасно досадно, что здесь такой беспорядок. Но, кажется, дом сухой, и одеял много. Неприятный запах от этих керосиновых ламп. Вы скоро ко всему привыкнете, мистер Суэн: ведь вы побывали на войне. Миссис Бергфелд, вы как будто озябли: налейте-ка рому в кофе; мы так делали перед атакой.

Все налили себе рому, что возымело свое действие. У миссис Бергфелд порозовели щеки и потемнели глаза. Суэн заметил, что домик «хоть куда», а Бергфелд приготовился произнести речь. Майкл его прервал:

— Боддик вам все объяснит и покажет. Я должен ехать: боюсь опоздать на поезд.

Дорогой он размышлял о том, что покинул свой отряд перед самой атакой. Сегодня он должен быть на званом обеде; яркий свет, драгоценности и картины, вино и болтовня; на деньги, каких стоит такой обед, его безработные могли бы просуществовать несколько месяцев; но о них и им подобных никто не думает. Если он обратит на это внимание Флер, она скажет:

— Мой милый мальчик, ведь это точно из романа Гэрдона Минхо, ты делаешься сентиментальным!

И он почувствует себя дураком. Или, быть может, посмотрит на ее изящную головку и подумает: «Легкий способ разрешать проблемы, моя дорогая, но те, кто так подходит к делу, страдают недомыслием». А потом глаза его скользнут вниз по ее белой шее, и кровь у него закипит, и рассудок восстанет против такого богохульства, ибо за ним — конец счастью. Дело в том, что наряду с фоггартизмом и курами Майклу подчас приходили в голову серьезные мысли в такие минуты, когда у Флер никаких мыслей не было; и, умудренный любовью, он знал, что ее не переделаешь и надо привыкать. Обращение таких, как она, возможно только в дешевых романах. Приятно, когда эгоистка-героиня, забыв о всех земных благах, начинает заботиться о тех, у кого их нет; но в жизни так не бывает. Хорошо еще, что Флер так изящно маскирует свой эгоизм; и с Китом... впрочем, Кит — это она сама!

Вот почему Майкл не заговорил с Флер о своих безработных, когда ехал с ней обедать на Итон-сквер. Вместо этого он прослушал лекцию об одной высокой особе, в жилах которой текла королевская кровь, — эта особа должна была присутствовать на обеде. Он подивился осведомленности Флер.

— Она интересуется социальными вопросами. И не забудь, Майкл, нельзя садиться, пока она не пригласит тебя сесть; и не вставай, пока она не встанет.

Майкл усмехнулся.

— Должно быть, там будут всякие важные птицы. Не понимаю, зачем они нас пригласили.

Но Флер промолчала — она обдумывала свой реверанс.

Особа королевской крови держала себя любезно, обед был великолепен, ели с золотых тарелок, блюда подавались с невероятной быстротой, что Флер приняла к сведению. Из двадцати четырех обедавших она была знакома с пятью, а остальных знала смутно, больше по иллюстрированным журналам. Там она видела их всех — они разглядывали на ипподромах скаковых лошадей, появлялись на фотоснимках со своими детьми или собаками, произносили речи о колониях или целились в летящую куропатку. Она тотчас же догадалась, почему на обед пригласили ее и Майкла. Его речь! Словно новый экземпляр в зоологическом саду, он возбуждал любопытство. Она видела, как гости посматривали в его сторону; он сидел против нее между двумя толстыми леди в жемчугах. Возбужденная и очень хорошенькая, Флер флиртовала с адмиралом, сидевшим по правую ее руку, и энергично защищала Майкла от нападок товарища министра, сидевшего слева. Адмирал был сражен, товарищ министра, по молодости лет, устоял.

— Недостаток знания — опасная вещь, миссис Монт, — сказал он, когда настала его очередь.

— Где-то я об этом читала, — сказала Флер. — Уж не в Библии ли?

Товарищ министра вздернул подбородок.

— Быть может, мы, работники министерства, знаем слишком много, но, несомненно, ваш супруг знает недостаточно. Фоггартизм — забавная теория, но и только!

— Посмотрим, — сказала Флер. — А вы что скажете, адмирал?

— Фоггартизм? Что это такое? Какой-нибудь новый «луч смерти»? Знаете ли, миссис Монт, я вчера видел одного человека, так он — честное слово — открыл луч такой силы, что проходит через трех быков и девятидюймовую кирпичную стену и поражает осла, стоящего за стеной.

Флер искоса взглянула на своего соседа слева и, наклонившись к адмиралу, прошептала:

— Хорошо бы, если б вы поразили осла, сидящего по левую мою руку; он в этом нуждается, а я тоньше девятидюймовой стены.

Но адмирал не успел направить свой «луч смерти» — особа королевской крови встала из-за стола.

В гостиной, куда перешла Флер, она некоторое время мало говорила и многое подмечала, потом к ней подошла хозяйка дома.

— Моя дорогая, ее высочество...

Флер, собираясь с мыслями, последовала за хозяйкой.

Сердечным жестом белой руки ей указали место на диване. Флер села. Сердечный голос сказал:

— Какую интересную речь произнес ваш муж! Она показалась мне такой новой и свежей.

— Да, мэм, — ответила Флер, — но говорят, что это ни к чему не поведет.

Улыбка скользнула по губам, не тронутым краской.

— Возможно. Он давно в парламенте?

— Только год.

— А! Мне понравилось, что он выступил в защиту детей.

— Кое-кто находит, что он проповедует новый вид рабства для детей.

— В самом деле? А у вас есть дети?

— Один ребенок, — сказала Флер. — И признаюсь, я бы не согласилась с ним расстаться, когда ему исполнится четырнадцать лет.

— Да? А вы давно замужем?

— Четыре года.

В эту минуту кто-то привлек к себе внимание высокой особы, и она вежливо закончила разговор. Флер показалось, что ее высочество осталась не вполне довольна ее семейной статистикой.

Домой они возвращались в такси, медленно пробиравшемся сквозь густой туман. Флер была оживлена и взволнованна, а Майкл молчал.

— Что с тобой, Майкл?

Тотчас же его рука легла ей на колено.

— Прости, милочка! Но, право же, как подумаешь...

— О чем? Ты имел успех, привлек всеобщее внимание.

— Все это — игра. Подавай им что-нибудь новенькое!

— Принцесса очень мило о тебе отзывалась.

— Ой, бедняжка! Впрочем, к чему только не привыкнешь!

Флер засмеялась. Майкл продолжал:

— За каждую новую идею хватаются и говорят столько, что она погибает. Дальше слов дело не идет, а слова утомляют; и не успеешь оглянуться, идея устарела!

— Ну, уж это неправда, Майкл! А как же свобода торговли, равноправие женщин?

Майкл стиснул ее колено.

— Все женщины говорят мне: «Ах, как интересно, мистер Монт! Это так волнует!» А мужчины заявляют: «Очень любопытно, Монт! Но на практике, конечно, неосуществимо». А у меня один ответ: «В период войны осуществлялись не менее грандиозные замыслы». Боже, ну и туман!

Действительно, они продвигались со скоростью улитки, а в окно можно было разглядеть только, как высоко, одно за другим, появлялись расплывшиеся пятна фонарей. Майкл опустил раму и высунулся.

— Где мы?

— А бог его знает, сэр.

Майкл кашлянул, снова поднял раму и покрепче обнял Флер.

— Знаешь, Уэстуотер спросил меня, читал ли я «Шпанскую мушку». Говорит, что в «Герое» появилась ругательная статья. В результате, конечно, книгу будут покупать нарасхват.

— Говорят, очень остроумная книга.

— Для детей не годится, взрослым ничего нового не открывает. Не понимаю, чем можно ее оправдать.

— Талантливо написана, дорогой мой. Если на нее нападают, то ее будут и защищать.

— Сиб Суон возмущается, говорит, что это гадость.

— Да, но Сиб уже немного устарел.

— Это-то верно, — задумчиво сказал Майкл. — О черт, как все быстро делается, только не в политике и не в тумане.

Такси остановилось. Майкл снова опустил раму.

— Я заблудился, сэр, — раздался хриплый голос шофера. — Мы должны быть неподалеку от набережной, но пусть меня повесят, если я знаю, где поворот.

Майкл застегнул пальто и, снова подняв окно, вышел из автомобиля.

Ночь была тихая; тишину нарушали только протяжные гудки автомобилей. Туман, холодный и едкий, проникал в легкие.

— Я пойду рядом с вами, сейчас мы едем у самого тротуара. Ползите дальше, пока мы не въедем в реку или в полисмена.

Такси двинулось вперед. Майкл шел рядом, нащупывая ногой край тротуара.

Послышался голос какого-то невидимого человека:

— Вот чертов туман!

— Да, — сказал Майкл. — Где мы?

— В сердце цивилизации двадцатого века.

Майкл засмеялся и пожалел об этом: у тумана был привкус грязи.

— Подумайте о полисменах! — продолжал голос. — Каково им стоять всю ночь напролет!

— Да, молодцы, — ответил Майкл. — Где вы, сэр?

— Здесь, сэр. А вы где?

Внезапно над головой Майкла показалась мутная луна — фонарь. Такси остановилось.

— Только бы мне учуять здание парламента! — сказал шофер. — Сейчас они там ужинают.

— Слушайте! — воскликнул Майкл. — Пробил Большой Бен. Это слева.

— Нет, сзади, — сказал шофер.

— Не может быть, а то мы были бы в реке. Разве что вы свернули в другую сторону.

— Понятия не имею, где я свернул, — чихая, сказал шофер. — Не бывало еще такого тумана.

— Остается одно: ехать потихоньку вперед, пока мы на что-нибудь не наткнемся.

Такси снова тронулось, а Майкл, придерживаясь рукой за автомобиль, ногой нащупывал выступ тротуара.

— Осторожнее! — воскликнул он вдруг. — Впереди машина!

За этим последовал толчок.

— Эй, вы там! — раздался голос. — Куда едете? Не видите, что ли?

Майкл подошел к такси, ехавшему впереди них.

— Разве можно так гнать, — сказал шофер, — подумаешь — луна светит!

— Простите, все обошлось благополучно, — сказал Майкл. — Вы еще соображаете, в какую сторону нужно ехать?

— Все рестораны закрыты, вот беда! Передо мной едет какой-то автомобиль; я уже три раза его задел, а толку никакого. Должно быть, шофер умер. Может быть, вы, мистер, пройдете вперед и посмотрите?

Майкл направился было к темной массе впереди, но в эту секунду туман словно поглотил ее. Майкл пробежал несколько шагов, чтобы окликнуть шофера, споткнулся, упал и поспешно поднялся. Он пошел вдоль тротуара, но вскоре сообразил, что свернул не в ту сторону, остановился и крикнул: «Хэлло!» В ответ послышалось слабое: «Хэлло!» Откуда? Он повернул назад и снова крикнул. Никакого ответа! Как испугается Флер! Он заорал во все горло. Как эхо, долетели пять-шесть «алло». Кто-то сказал над самым его ухом:

— Заблудились вы, что ли?

— Да, а вы?

— Ну ясно. Потеряли, что-нибудь?

— Такси.

— А что-нибудь там осталось?

— Моя жена.

— Ого! Ну, сегодня-то уж вам ее не найти.

Раздался хриплый непристойный смех, и темная фигура расплылась в тумане. Майкл стоял неподвижно. «Не терять голову, — подумал он. — Вот тротуар — либо они впереди, либо сзади; а может быть, я завернул за угол». Он пошел вперед вдоль тротуара. Ничего! Вернулся назад. Ничего!

— Куда я забрался? — пробормотал он. — Или они поехали дальше?

Было холодно, но он обливался потом. Флер, конечно, испугалась, и у него невольно вырвалась цитата из обращения к избирателям: «В первую очередь путем борьбы с дымом».

— Скажите-ка, мистер, нет ли у вас папиросы? — послышался чей-то голос.

— Я вам отдам все папиросы и прибавлю еще полкроны, если вы отыщете такси, в котором сидит дама, оно где-то здесь поблизости. Какая это улица?

— Не спрашивайте! Улицы словно взбесились.

— Слушайте! — резко сказал Майкл.

— Правильно, — чей-то нежный голос окликает.

— Хэлло! — крикнул Майкл. — Флер!

— Здесь! Здесь!

Голос долетал справа, слева, сзади. Потом раздался протяжный гудок автомобиля.

— Ну теперь мы их найдем, — сказал сгусток темноты. — Сюда, мистер! Ступайте осторожно и помните о моих мозолях!

Кто-то потянул Майкла за рукав пальто.

— Точно дымовая завеса перед атакой, — сказал незнакомец.

— И правда. Хэлло! Иду!

Гудок прозвучал на расстоянии двух шагов. Послышался голос:

— О Майкл!

Он лицом коснулся лица Флер, высунувшейся из окна такси.

— Одну секунду, дорогая! Получайте, мой друг! Очень вам благодарен. Надеюсь, вы благополучно доберетесь до дому.

— Мы видели ночки и похуже этой. Спасибо, мистер! Всего хорошего вам и вашей леди.

Послышалось шарканье ног, туман вздохнул: «Прощайте!»

— Ну, сэр, теперь я знаю, где мы, — прохрипел шофер. — Первый поворот налево, потом второй направо. А я думал, что вы заблудились, сэр!

Майкл сел в такси и обнял Флер. Она глубоко вздохнула и притихла.

— Страшная штука туман, — сказал он.

— Я думала, что тебя переехали.

Майкл был глубоко растроган.

— Ужасно досадно, милочка! А ты наглоталась этого отвратительного тумана. Ну ничего, приедем — зальем его чем-нибудь. Парень, который меня проводил, — бывший солдат. Любопытно, что англичане всегда острят и не теряют головы.

— А я потеряла!

— Ну, теперь ты ее нашла! — сказал Майкл, прижимая к себе ее голову и стараясь скрыть волнение. — В конце концов, туман — это наша последняя надежда. Пока у нас есть туман, Англия не погибнет. — Губы Флер прижались к его губам.

Он принадлежал ей, и не допустит она, чтобы он затерялся в тумане Лондона или фоггартизма! Так вот что? Потом все мысли исчезли.

У открытой дверцы стоял шофер.

— Мы приехали в ваш сквер, сэр. Может быть, вы узнаете свой дом?

Оторвавшись от Флер, Майкл пробормотал:

— Ладно!

Здесь туман был не такой густой. Майкл разглядел очертания деревьев.

— Вперед и направо, третий дом.

Да, вот он — дом, лавровые деревья в кадках, полукруглое окно холла освещено. Майкл вставил ключ в замочную скважину.

— Хотите выпить стаканчик? — предложил он.

Шофер кашлянул.

— Не откажусь, сэр.

Майкл принес ему виски.

— Вам далеко ехать?

— К Путнейскому мосту. За ваше здоровье, сэр!

Майкл всматривался в его замерзшее лицо.

— Жаль, что вам придется опять блуждать в тумане.

Шофер вернул ему стакан.

— Благодарю вас, сэр; теперь-то уж я не собьюсь с дороги. Поеду вдоль реки, а потом по Фулем-роуд. Вот уж не думал, что могу заблудиться в Лондоне. Зря я попробовал срезать, мне бы ехать напрямик, в объезд. Напугалась ваша леди, когда вы там пропали. Ну да ничего, обойдется. Не годится людям жить в эдаком тумане. Хоть бы в парламенте придумали от него средство.

— Да, следовало бы, — отозвался Майкл, протягивая ему фунтовую бумажку. — Спокойной ночи!

— Нет худа без добра, — сказал шофер, трогая машину. — Спокойной ночи, сэр. Благодарю вас.

— Вам спасибо, — сказал Майкл.

Такси медленно отъехало от подъезда и скрылось из виду.

Майкл вошел в испанскую столовую. Под картиной Гойи Флер кипятила воду в серебряном чайнике и жарила сухарики. Какой контраст с внешним миром, где черный, зловонный туман, и холод, и страхи! В этой красивой, теплой комнате, в обществе красивой теплой женщины стоит ли думать о паутине города, о заблудившихся людях и об окриках в тумане?

Закурив папироску, он взял из рук Флер чашку и поднес ее к губам.

— Право же, Майкл, мы должны купить автомобиль!

VIII. В ПОИСКАХ УЛИК

Редактор «Героя» получил такое несомненное удовольствие, что и многим другим стало весело.

— Самое популярное зрелище на Востоке, Форсайт, — сказал сэр Лоренс, — это мальчишка, которого шлепают; а Восток только тем отличается от Запада, что там мальчишка за твердую плату готов дать себя шлепать без конца. Мистер Персиваль Кэлвин, видно, не таков.

— Если он станет защищаться, — угрюмо сказал Сомс, — никто его не поддержит.

Они ежедневно просматривали обвинительные письма, подписанные: «Мать троих детей», «Роджер из Нортхэмптона», «Викторианец», «Элис Сент-Морис», «Артур Уифкин», «Спортсмен, если не джентльмен» и «Pro patria!»[1]. Почти в каждом письме можно было найти такие слова: «Не могу утверждать, что прочел книгу до конца, но я прочел достаточно, чтобы...»

Лишь пять дней спустя слово взяла защита, но до этого появилось еще оно письмо, подписанное «Розга». В этом письме автор с удовольствием отмечал, что редактор «Героя» в своей заметке от 14-го текущего месяца изобличил так называемую «литературную» школу, и у представителей этой школы «хватило ума безропотно принять заслуженную порку». Представители школы не нашли нужным выступить хотя бы анонимно.

— Это моя скромная лепта, Форсайт, — сказал сэр Лоренс, указывая Сомсу на письмо. — Если они и на это не клюнут, мы бессильны что-либо сделать.

Но «они» клюнули. В ближайшем номере газеты появилось письмо известного романиста Л. С. Д., после которого все пошло как по маслу. Романист заявил, что этой книги он не читал; быть может, она действительно не является художественным произведением, но редактор «Героя» взял на себя роль ментора, значит, говорить о нем больше нечего. А взгляд, что литературу следует наряжать во фланелевую юбку, вообще чушь, о которой и упоминать не стоит.

К великому удовольствию Сомса, письмо романиста развязало языки защитникам новой школы. Из десяти человек, перечисленных в списке, которых Баттерфилд снабдил экземплярами «Шпанской мушки», высказались четверо и подписались полной фамилией. Они утверждали, что «Шпанская мушка» несомненно является высокохудожественным произведением, и жалели тех, кто даже в наши дни считает, будто литература имеет отношение к нравственности. Оценивая художественные произведения, нужно помнить только об одном критерии — эстетическом. Ис-

---

[1] За родину (*лат.*).

кусство есть искусство, а нравственность есть нравственность, и пути у них разные и разными останутся. Чудовищно, что такое произведение пришлось издать за границей. Когда же Англия научится ценить талант?

Все эти письма Сомс вырезал и наклеил в тетрадь. Он получил то, что ему было нужно, и дискуссия перестала его интересовать. Кроме того, Баттерфилд сообщил ему следующее:

«Сэр,

В понедельник я нанес визит леди, о которой Вы говорили, и застал ее дома. Кажется, она была несколько недовольна, когда я предложил ей книгу. «Эту книгу, — сказала она, — я давным-давно прочла». — «Она вызвала сенсацию, сударыня», — сообщил я. «Знаю», — ответила она. Тогда я предложил: «Может быть, вы возьмете один экземпляр? Цена все время растет, книга будет стоить очень дорого». — «У меня она есть», — сказала она. Я разузнал то, о чем Вы меня просили, сэр, и больше не настаивал. Надеюсь, Ваше поручение я исполнил. Я буду счастлив, если Вы мне поручите еще что-нибудь. Я считаю, что тем положением, какое занимаю в настоящее время, я всецело обязан Вам».

У Сомса была в запасе и еще работа для молодого человека: он думал использовать его как свидетеля. Теперь оставалось разрешить вопрос о пьесах. Он посоветовался с Майклом.

— Скажите, эта молодая женщина все еще выступает в ультрасовременном театре, о котором вы говорили?

Майкл поморщился.

— Не знаю, сэр, но могу навести справки.

Выяснилось, что Марджори Феррар предложена роль Оливии в «Прямодушном», которого Бэрти Кэрфью готовил для утренника.

— «Прямодушный»? — спросил Сомс. — Это современная пьеса?

— Да, сэр, она написана двести пятьдесят лет назад.

— А! — протянул Сомс. — Тогда народ был грубый. Но ведь она разошлась с этим молодым человеком, как же она может участвовать в спектакле?

— О, их не проймешь. Надеюсь, сэр, вы все-таки не доведете дела до суда?

— Ничего не могу сказать. Когда спектакль?

— Седьмого января.

Сомс отправился в библиотеку своего клуба и взял томик

Уичерли. Начало «Прямодушного» его разочаровало, но дальше дело пошло лучше, и Сомс выписал все строчки, которые Джордж Форсайт в свое время назвал бы «гривуазными». По его сведениям, в этом театре пьесы шли по несокращенному тексту. Прекрасно! От таких фраз у присяжных волосы дыбом встанут. Теперь, заручившись «Шпанской мушкой» и этой пьесой, он был уверен, что молодая женщина и ее компания не смогут претендовать на «какое бы то ни было понятие о нравственности». В нем проснулся инстинкт профессионала. Адвоката сэра Джемса Фоскиссона он пригласил не за личные качества, а чтобы его не использовали противники. Младшим адвокатом был завербован «очень молодой» Николас Форсайт. Сомс был о нем невысокого мнения, но решил, что семейный круг предпочтительнее, особенно если дело до суда не дойдет.

В тот вечер у Сомса был разговор с Флер, укрепивший в нем желание избежать суда.

— Что случилось с молодым американцем? — спросил он.

Флер язвительно улыбнулась.

— С Фрэнсисом Уилмотом? О, он влюбился в Марджори Феррар. А она выходит замуж за сэра Александра Макгауна.

— Вот как?

— Майкл тебе рассказывал, как он его ударил по носу?

— Кто кого? — раздраженно спросил Сомс.

— Майкл — Макгауна, милый, у него хлынула кровь носом.

— Зачем он это сделал?

— Разве ты не читал его речи против Майкла?

— Ну, — сказал Сомс, — парламентская болтовня — это пустяки. Там все ведут себя, как дети. Значит, она выходит за него замуж. Это он ее настроил?

— Нет, она его.

Сомс только фыркнул в ответ; он почуял в словах Флер чисто женскую ненависть к другой женщине. А между тем — политические соображения и светские — как знать, что возникает раньше, где причина, где следствие? Во всяком случае, кое-что новое он узнал. Так она выходит замуж? Некоторое время он обдумывал этот вопрос, потом решил нанести визит Сэтлуайту и Старку. Если бы эта фирма пользовалась дурной репутацией либо всегда выступала в «causes célèbres»[1], он, конечно, не пошел бы к ним,

---

[1] Громкие скандальные процессы (*фр.*).

но Сэтлуайт и Старк были люди почтенные и имели аристократические связи.

Писать он им не стал, а просто взял шляпу и из «Клуба знатоков» отправился в контору на Кинг-стрит.

Поход этот напомнил ему прошлое — сколько раз он ходил для переговоров в такие конторы или вызывал туда своих противников! Он всегда предпочитал не доводить дел до суда. А вступая в переговоры, был неизменно бесстрастен и знал, что возражать ему будут столь же безлично — две машины, зарабатывающие на человеческой природе. Сегодня он не чувствовал себя машиной и, зная, что это плохо, остановился перед витриной с гравюрами и картинами. А, вот те первые оттиски гравюр Русселя, о которых говорил Старый Монт, — старик понимает толк в гравюрах. О, а вот и картина Фреда Уокера, и недурная! Мэйсон и Уокер — их время еще не миновало, нет. И в груди Сомса шевельнулось то чувство, которое испытывает человек, услышав, как на усыпанном цветами дереве поет дрозд. Давно, ой как давно не покупал он картин! Только бы разделаться с этим проклятым процессом, тогда опять все будет хорошо. Он оторвал взгляд от витрины и, глубоко вздохнув, вошел в контору «Сэтлуайт и Старк».

Кабинет старшего компаньона находился во втором этаже. Мистер Сэтлуайт встретил Сомса словами:

— Как поживаете, мистер Форсайт? Мы с вами не встречались со времени процесса Боббина против ЛЮЗ[1]. Кажется, это было в тысяча девятисотом году!

— В тысяча восемьсот девяносто девятом, — сказал Сомс. — Вы выступали от дороги.

Мистер Сэтлуайт жестом пригласил его сесть.

Сомс сел и взглянул на фигуру у камина. Гм! Длинные губы, длинные ресницы, длинный подбородок; человек, равный ему по калибру, культуре и честности! Хитрить с ним нечего.

— Глупейшее дело, — сказал он. — Как бы нам его уладить?

Мистер Сэтлуайт нахмурился.

— Это зависит от того, что вы имеете предложить, мистер Форсайт. Моей клиентке было нанесено серьезное оскорбление.

Сомс кисло улыбнулся.

— Она сама начала. И на что она ссылается? На частные

---

[1] Лондонско-Юго-Западная железнодорожная компания.

письма, которые моя дочь в порыве гнева написала своим друзьям. Я удивляюсь, что такая солидная фирма, как ваша...

Мистер Сэтлуайт улыбнулся.

— Не утруждайте себя комплиментами по адресу моей фирмы. Я также удивляюсь, что вы выступаете от имени вашей дочери. Вряд ли вы можете отнестись к делу беспристрастно. Или вы хотите сообщить, что она готова принести извинение?

— Мне кажется, это следует сделать не ей, а вашей клиентке, — сказал Сомс.

— Если вы стоите на такой точке зрения, то, пожалуй, не имеет смысла продолжать разговор.

Сомс пристально на него посмотрел и сказал:

— Как вы докажете, что она оскорблена? Она вращается в очень легкомысленном обществе.

Мистер Сэтлуайт улыбался по-прежнему.

— Я слышал, что она собирается выйти замуж за сэра Александра Макгауна, — сказал Сомс.

Мистер Сэтлуайт сжал губы.

— Право же, мистер Форсайт, если вы готовы принести извинение и уплатить приличную сумму, то мы сумеем сговориться. В противном случае...

— Вы как человек разумный, — перебил Сомс, — понимаете, что такого рода скандалы ничего, кроме неприятностей и расходов, за собой не влекут. Я готов заплатить тысячу фунтов, но об извинении не может быть и речи.

— На полторы тысячи мы бы пошли. Но необходимо извинение в письменной форме.

Сомс молчал, переживая всю несправедливость происходящего. Полторы тысячи! Чудовищно! И все-таки он бы заплатил, только бы избавить Флер от судебного процесса. Но унижение! На это она ни за что не пойдет, и хорошо сделает. Он встал.

— Слушайте, мистер Сэтлуайт, если вы доведете дело до суда, вам придется столкнуться с непредвиденными затруднениями. Но вся эта история столь неприятна, что я готов уплатить деньги, хотя очень сомневаюсь, чтобы по суду мне пришлось уплатить хотя бы один пенни. Что же касается извинения, то можно пойти на компромисс (и чего он улыбается?) — написать в таком роде: «Мы обе сожалеем, что дурно отзывались друг о друге», и пусть обе стороны подпишутся.

Мистер Сэтлуайт погладил подбородок.

— Я сообщу моей клиентке о вашем предложении. Я не

меньше вашего желаю уладить это дело, не потому, что боюсь за его исход («Ну еще бы!» — подумал Сомс), но потому, что в таких процессах, как вы говорите, назидательного мало.

Он протянул руку.

Сомс холодно пожал ее.

— Вы понимаете, что я совершенно объективен, — сказал он и вышел. «Возьмет», — думал он. Отдать этой мерзавке полторы тысячи фунтов только за то, что ее раз в жизни назвали, как она того заслуживает! И улики он собирал зря! На мгновение ему стало досадно, что он так любит Флер. Право, даже глупо. Потом сердце его дрогнуло от радости. Слава богу! Он все уладил.

Рождество было не за горами, поэтому Сомс не придавал значения тому, что Сэтлуайт ему не отвечает. Флер и Майкл уехали в Липпинг-Холл с девятым и одиннадцатым баронетами, а у Сомса и Аннет гостила Уинифрид с Кардиганами. Только шестого января от мистеров Сэтлуайта и Старка пришло письмо.

«Уважаемый сэр! Ваше предложение было передано нашей клиентке, которая уполномочила нас сообщить Вам, что она согласна принять сумму в полторы тысячи фунтов и извинение, подписанное Вашей клиенткой. Извинение должно быть написано по прилагаемому образцу.

Остаемся искренно вам преданные

Сэтлуайт и Старк».

Сомс взял образец и прочел:

«Я, миссис Майкл Монт, беру назад слова, сказанные мною о мисс Марджори Феррар в письмах моих от 4 октября прошлого года, написанных миссис Ральф Ппинррин и миссис Эдуард Молтиз, и приношу извинение в том, что они были написаны».

(*Подпись.*)

Сомс встал, резко отодвинув столик, за которым завтракал.

— Что с тобой, Сомс? — сказала Аннет. — Опять сломал вставную челюсть? Нельзя так неосторожно есть...

— Читай.

Аннет прочла.

— И ты хотел дать этой женщине полторы тысячи фунтов? Да ты с ума сошел, Сомс! Я бы ей и полторы тысячи пенсов не дала. Ты ей заплатишь, а она расскажет всем своим друзьям. Это все равно, что тысячу пятьсот раз просить прощения. Право, я удивляюсь, Сомс! Делец, умный человек! Неужели ты так плохо знаешь свет?

Сомс покраснел. Это было так по-французски и в то же время так верно по существу. Он подошел к окну. Французы — они не допускают компромиссов и знают цену деньгам.

— Как бы то ни было, а с этим покончено, — сказал он. — Флер не подпишет. А я возьму назад свое предложение.

— Надеюсь! Флер не глупа. А на суде она будет очень эффектна. Эта женщина пожалеет, что родилась на свет. Почему ты не приставишь к ней сыщика, который бы за ней следил? С такими особами церемониться нечего.

В минуту слабости Сомс рассказал Аннет о книге и пьесе. Он чувствовал потребность с кем-нибудь поделиться, а с Флер и Майклом нельзя было об этом говорить. Он даже дал ей «Шпанскую мушку», сказав:

— Читать не советую. Написано во французском стиле.

Аннет вернула книгу через два дня и заявила:

— Какой же это французский стиль? Это просто отвратительно! Вы, англичане, так грубы. Книга не остроумная, а просто грязная. Серьезная грязная книга — что может быть хуже? Ты слишком старомоден, Сомс. Почему ты говоришь, что это французский стиль?

Сомс и сам не знал, почему он это сказал.

— Во всяком случае, она издана не в Англии, — пробормотал он и вышел из комнаты, преследуемый, как жужжаньем, словами: «Брюссель, Брюссель, это Брюссель ты называешь...» Самая обидчивая нация эти французы!

Однако ее совет пригласить сыщика запал ему в голову.

К чему щепетильность, когда все зависит от того, чтобы напугать эту женщину? И, приехав в Лондон, он заглянул в некое учреждение, не к мистеру Полтиду, а в другое, и поручил там выяснить прошлое, настоящее и будущее Марджори Феррар.

Фирме «Сэтлуайт и Старк» он написал на бланке своей конторы короткий и решительный ответ:

«6 января 1925 г.

Уважаемые сэры,

Узнав из Вашего письма от 5-го с/м, что Ваша клиентка отклонила мое предложение, сделанное, как Вам известно, совершенно беспристрастно, беру его назад in toto[1].

Преданный Вам *Сомс Форсайт*».

---

[1] В целом *(лат)*. Юридический термин.

Они пожалеют! Наверняка пожалеют! И он вперил взор в слова in toto; почему-то они показались ему забавными. In toto! А теперь посмотрим «Прямодушного»!

Театр общества «Nec plus ultra» отличался неказистой внешней отделкой, гипсовой маской Конгрива[1] в вестибюле, своеобразным запахом и наличием просцениума. Оркестра не было. Перед поднятием занавеса три раза во что-то ударили. Рампы не было. Декорации были своеобразные. Сомс, не отрываясь, смотрел на них, пока в первом антракте разговор двух сидящих за ним людей не открыл ему глаза на их принцип:

— В декорациях самое важное то, что на них можно не смотреть. Это самый крайний театр в этом смысле.

— В Москве пошли еще дальше.

— Вряд ли. Кэрфью ездил туда. Вернулся в диком восторге от русских актеров.

— Он знает русский язык?

— Нет, это и не нужно. Все дело в тембре. По-моему, Кэрфью недурно справляется со своей задачей. Такую пьесу нельзя было бы ставить, если б можно было разобрать слова.

Сомс, который очень старался разобрать слова — за этим, собственно, он и шел сюда, — скосил глаза на говоривших. Они были молоды, бледны и продолжали разговор, нисколько не смутившись от его взгляда.

— Кэрфью молодец! Такая встряска нужна.

— Оливию играет Марджори Феррар.

— Не понимаю, зачем он выпускает эту дилетантку.

— Не забывай о сборах, мой милый, она привлекает публику. Тяжелый случай.

— Ей удалась только одна роль — немой девушки в русской пьесе. А говорит она ужасающе — все время следишь за смыслом слов. Совсем не окутывает тебя ритмом.

— Она красива.

— М-да.

Тут занавес поднялся. Так как в первом действии Марджори не появлялась, Сомс сделал усилие и не заснул, и он не спал все время, пока она была на сцене, — из чувства ли долга или потому, что говорила она «ужасающе»; всякую рискованную фразу, которую она произносила, он старательно отмечал. В общем, он отлично провел время и ушел отдохнувшим. В такси он мыслен-

---

[1] Английский драматург (1670—1729).

но репетировал роль сэра Джемса Фоскиссона на перекрестном допросе.

«Если не ошибаюсь, сударыня, вы играли Оливию из «Прямодушного» в постановке театрального общества «Nec plus ultra»? Правильно ли будет определить эту роль как роль скромной женщины?.. Совершенно верно. И вы произнесли вот эти слова (приводит «гривуазные» местечки). Вы как-нибудь истолковали их, сударыня?.. Вы, вероятно, не согласитесь, что они безнравственны?.. Нет? И не рассчитаны на то, чтобы оскорбить слух и пагубно повлиять на нравственность уважающей себя публики?.. Нет. Значит, ваше понятие о нравственности расходится с моим и, смею утверждать, с тем, которое сложилось у присяжных... Так. Сцена в темноте — вы не предложили режиссеру выпустить ее? Нет. Режиссером у вас, кажется, был мистер Кэрфью? А ваши отношения с этим джентльменом позволили бы вам внести такое предложение?.. Ага, теперь, сударыня, разрешите вам напомнить, что в течение всего тысяча девятьсот двадцать третьего года вы виделись с этим джентльменом почти каждый день... Ну, скажем, три-четыре раза в неделю. И вы тем не менее утверждаете, что ваши отношения не позволили бы вам поставить ему на вид, что порядочной молодой женщине нельзя играть в такой сцене?.. Вот как? Мнение присяжных об этом вашем ответе мы в свое время узнаем. Вы не актриса по профессии, не для заработка исполняете то, что вам предлагают? Нет. И у вас хватило смелости явиться сюда и требовать компенсации, потому что в частном письме кто-то упомянул, что «вы понятия не имеете о нравственности»?.. Да?..» И так далее, и так далее. О нет! Компенсация? Ни фартинга она не получит.

IX. VOLTE FACE[1]

Изощряясь в том, чтобы удержать при себе сэра Александра Макгауна и Фрэнсиса Уилмота, принимая приглашения в свет, часто играя в бридж в надежде покрыть ежедневные расходы, иногда урывая день для охоты и репетируя роль Оливии, Марджори Феррар почти забыла о предстоящем процессе, когда мистеры Сэтлуайт и Старк уведомили ее о предложении Сомса. Она пришла в восторг. Этими деньгами она расплатится с самыми

---

[1] Перемена фронта *(фр.)*.

настойчивыми кредиторами, вздохнет свободно и сможет пересмотреть перспективы на будущее.

Письмо было получено в пятницу перед Рождеством, когда она собиралась ехать к отцу в Ньюмаркет; она поспешно написала несколько слов, сообщая, что зайдет в контору в понедельник. Вечером она посоветовалась с отцом. Лорд Чарльз считал, что этот стряпчий во что бы то ни стало хочет пойти на мировую, раз он готов пожертвовать такой суммой, как полторы тысячи фунтов; поэтому ей нетрудно будет добиться извинения в письменной форме. Во всяком случае, торопиться не стоит, пусть они пребывают пока в неизвестности. В понедельник он думал показать ей своих лошадей. Вот почему она вернулась в Лондон только двадцать третьего, когда контора была уже закрыта. Почему-то ей не пришло в голову, что и адвокаты могут отдыхать на Рождество. В сочельник она опять уехала на десять дней и только четвертого января зашла в контору. Мистер Сэтлуайт все еще отдыхал на юге Франции, и принял ее мистер Старк. Он был не в курсе дела, но нашел совет лорда Чарльза разумным; можно принять полторы тысячи и настаивать на формальном извинении, а в случае отказа пойти на уступку. Марджори Феррар почуяла опасность, но согласилась.

Седьмого января она вернулась после дневного спектакля, усталая и возбужденная аплодисментами и похвалой Бэрти Кэрфью: «Прекрасно, дорогая!» Ей показалось, что Бэрти снова смотрит на нее, как смотрел в былые дни. Она принимала горячую ванну, когда горничная доложила о приходе Фрэнсиса Уилмота.

— Попросите его подождать, Фанни, я через двадцать минут выйду.

Волнуясь, словно предчувствуя кризис, она поспешно оделась, надушила шею и руки эссенцией из цветов апельсинового дерева, неслышно ступая, вошла в студию и остановилась. Молодой человек стоял спиной к двери в позе осла, который, свесив уши, терпеливо ждет, чтобы на его натруженную спину навьючили новый груз. Вдруг он сказал:

— Я больше не могу.

— Фрэнсис!

Он оглянулся.

— О Марджори! Я не слышал, как вы вошли! — И, взяв ее руки, он зарылся в них лицом.

Она пришла в замешательство. Казалось, так легко было бы

высвободить руки и подставить ему губы, если бы он был более современным, если бы его старомодная любовь не льстила ей, если бы, наконец, он внушал ей только страсть. Неужели ей суждено испытать простое идиллическое чувство — что-то совсем, совсем новое? Она подвела его к дивану, усадила рядом с собой, заглянула в глаза. Сладость весеннего утра, и они с Фрэнсисом как малые дети, и нет им дела до всего мира! Она поддалась очарованию невинности, хваталась за что-то новое, чудесное. Бедный мальчик! Какое наслаждение — дать ему наконец счастье, согласиться на брак, твердо намереваясь обещание исполнить! Когда? О, когда ему угодно — скоро, очень скоро; чем скорей, тем лучше! Почти не сознавая того, что разыгрывает роль молоденькой девушки, она наслаждалась его удивлением и радостью. Он весь горел, он был на седьмом небе — и ничего себе не позволил.

Целый час провели они вместе — какой час для воспоминаний! — раньше чем она вспомнила, что в половине девятого приглашена на обед. Она прижалась губами к его губам и закрыла глаза. И одна неотвязная мысль не давала покоя: не закрепить ли ей по-современному свои права на него? Ведь все, что он знает о ней, — ложь! Она видела, как затуманились его глаза, ощущала прикосновение горячих рук. Быстро встала.

— А теперь, любимый, беги!

Когда он убежал, она сняла платье и стала приглаживать волосы, в зеркале казавшиеся скорее золотыми, чем рыжими... Несколько конвертов на туалетном столике привлекли ее внимание. Счет, еще один и, наконец, письмо:

«Сударыня,

С сожалением извещаем Вас, что «Кэткот, Кингсон и Форсайт» отказываются принести в письменной форме извинение, каковое мы потребовали, и берут назад свое предложение in toto. Итак, нужно продолжать дело.

Впрочем, мы имеем все основания надеяться, что они пойдут на наше требование раньше, чем дело поступит в суд.

Готовые к услугам *Сэтлуайт и Старк»*.

Она уронила письмо и сидела тихо-тихо, рассматривая в зеркале жесткую морщинку у правого уголка рта и жесткую морщинку у левого...

Возвращаясь домой, Фрэнсис Уилмот думал о пароходных рейсах и каютах, о брачной церемонии и кольцах. Час назад он пребывал в отчаянии, теперь ему казалось, что одно он знал всегда: «Она слишком хороша, чтобы не отказать этому типу, которого она не любит». Он сделает ее королевой Южной Каролины! А если она не захочет там жить, он продаст старый дом, и они поселятся, где она пожелает, — в Венеции (он слышал, как она восторгалась Венецией), в Нью-Йорке, в Сицилии — с ней ему все равно где жить! Даже Лондон, овеянный сухим холодным ветром, перестал быть серым лабиринтом, где бродят тени, и превратился в прекрасный город, в котором можно купить кольца и билеты на пароход.

Ветер как ножом резал ему лицо, но Фрэнсис Уилмот ничего не замечал. Бедный Макгаун! Он ненавидел его, даже мысль о нем была ему ненавистна, и все-таки он его жалел — ведь его ждет такое разочарование!

И все дни, недели, месяцы, что он кружил вокруг пламени, обжигая слабеющие крылья, теперь казались этапом вполне естественного движения по пути к райскому блаженству. Двадцать четыре года — и ему и ей; а впереди целая вечность счастья! Он уже видел ее на веранде дома. Прогулки верхом! И старый «Форд» нужно заменить чем-нибудь получше. Негры будут обожать ее, такую величественную, такую белую... Скоро весна, гулять с ней среди азалий... А весной уже пахнет — нет, это запах ее духов остался у него на руках. Он вздрогнул и помчался дальше по безлюдной улице; восточный ветер гнул голые ветки деревьев, светили холодные звезды.

В вестибюле отеля ему подали визитную карточку.

— Мистер Уилмот, вас ждет какой-то джентльмен.

В гостиной, держа в руке цилиндр, сидел сэр Александр Макгаун. Он встал и, коренастый, мрачный, двинулся навстречу Фрэнсису Уилмоту.

— Я давно уже собирался к вам зайти, мистер Уилмот.

— В самом деле? Могу я вам предложить коктейль или рюмку хереса?

— Нет, благодарю. Вам известно о моей помолвке с мисс Феррар?

— Было известно, сэр.

При виде этой грозной красной физиономии с жесткой щеткой усов и горящими глазами он снова почувствовал ненависть; жалость растаяла.

— Вы знаете, что я протестую против ваших частых визитов.

У нас здесь не принято, чтобы джентльмен ухаживал за молодой леди, обрученной с другим.

— Об этом должна судить сама мисс Феррар, — невозмутимо ответил Фрэнсис Уилмот.

Лицо Макгауна побагровело.

— Если бы вы не были американцем, я бы уже давно посоветовал вам держаться подальше.

Фрэнсис Уилмот поклонился.

— Что же вы намерены делать? — спросил Макгаун.

— Разрешите мне воздержаться от ответа.

Макгаун весь подался вперед.

— Я вас предупредил, теперь будьте осторожны.

— Благодарю вас, приму к сведению, — мягко сказал Фрэнсис Уилмот.

Макгаун стоял, покачиваясь на месте. Не собирается ли он его ударить? Фрэнсис Уилмот засунул руки в карманы.

— Вы предупреждены, — сказал Макгаун и, повернувшись на каблуках, вышел.

— Спокойной ночи, — сказал Фрэнсис Уилмот вслед удаляющейся квадратной спине. Он сумел остаться мягким, вежливым, но как он ненавидел этого типа! Если бы не ликование, переполнявшее его сердце, дело могло бы кончиться хуже!

X. ФОТОГРАФИЧЕСКИЕ СНИМКИ

Сэр Лоренс предложил Майклу провести рождество в Липпинг-Холле и принять участие в охоте. В числе приглашенных были два политика-практика и один министр.

В курительной, куда удалялись мужчины, а иногда и женщины, гости, отдыхая в старых мягких кожаных креслах, перебрасывались словами, словно мячом, и никто не затрагивал таких опасных тем, как фоггартизм. Впрочем, бывали моменты, когда Майкл имел возможность постичь самую «сущность» политики и проникнуться уважением к ее практикам. Даже в эти праздничные дни они вставали рано, спать ложились поздно, писали письма, просматривали прошения, заглядывали в «синие книги». Оба были люди здоровые, ели с аппетитом, много пили и, казалось, никогда не уставали. Они часто брились, стреляли с увлечением, но плохо. Министр предпочитал играть в гольф с Флер.

Майкл понял их систему: нужно до отказа загрузить свой ум;

не оставлять себе времени на планы, чувства, фантазии. Действовать и отнюдь не ставить себе никакой цели.

Что касается фоггартизма, то, не в пример газете «Ивнинг сан», они не высмеивали его, а только задавали Майклу вопросы, которые он не раз задавал себе сам.

— Прекрасно, но как вы думаете провести это в жизнь? Ваш план не плох, но он бьет людей по карману. Сделать жизнь дороже — думать нечего, страна и так изнемогает. А ваш фоггартизм требует денег, денег и еще денег! Можете кричать до хрипоты, что через десять или двадцать лет вы им вернете впятеро больше, — никто не станет слушать; можете сказать: «Без этого мы все скатимся в пропасть», но это для нас не ново; многие думают, что мы уже в нее скатились, но не любят, когда об этом говорят. Другие, особенно промышленники, верят в то, во что хотят верить. Они терпеть не могут, когда кто-нибудь «прибедняется», будь то хоть с самой благой целью. Обещайте возрождение торговли, снижение налогов, высокую заработную плату или налог на капитал, и мы вам будем верить, пока не убедимся, что и вы бессильны. Но вы хотите сократить торговлю и повысить налоги ради лучшего будущего. Разве можно! В политике тасуют карты, а заниматься сложением и вычитанием не принято. Люди реагируют, только если выгода налицо или если грозит конкретная опасность, как во время войны. На сенсацию рассчитывать не приходится.

Короче говоря, они показали себя неглупыми, но законченными фаталистами.

После этих бесед профессия политика стала Майклу много яснее. Ему очень нравился министр; он держал себя скромно, был любезен, имел определенные идеи о работе своего министерства и старался проводить их в жизнь; если у него были и другие идеи, он их умело скрывал. Он явно восхищался Флер, умел слушать лучше, чем те двое, и к их словам добавил еще кое-что:

— Конечно, то, что мы сумеем сделать, может показаться ничтожным, и газеты поднимут крик; вот тут-то нам, пожалуй, удастся провести под шумок ряд серьезных мероприятий, которые публика заметит только тогда, когда будет поставлена перед свершившимся фактом.

— Плохо я что-то верю в помощь прессы, — сказал Майкл.

— Ну, знаете, другого рупора у нас нет. При поддержке самых громогласных газет вы даже свой фоггартизм могли бы протащить в жизнь. Что вам действительно мешает — это замедленный рост городов за последние полтора века, косные умы, для которых судьба Англии непреложно связана с промышленностью, и морские перевозки. И еще — неискоренимый оптимизм и страх перед неприятными темами. Многие искренне верят, что мы можем отстаивать старую политику и при этом еще благоденствовать. Я лично не разделяю этой точки зрения. Пожалуй, можно постепенно провести в жизнь то, что проповедует старый Фоггарт; пожалуй, нужда заставит прибегнуть даже к переселению детей, — но тогда это не будет называться фоггартизмом. Судьба изобретателя! Нет, его не прославят за то, что он первый изобрел способ борьбы. И знаете ли, — мрачно добавил министр, — когда его теория получит признание, будет, пожалуй, слишком поздно.

В этот день один газетный синдикат запросил о разрешении прислать интервьюера, и Майкл, назначив день и час, приготовился изложить свой символ веры. Но журналист оказался фотографом, и символ вылился в снимок: «Депутат от Мидбэкса разъясняет нашему корреспонденту принципы фоггартизма». Фотограф был человек проворный. Он снял семейную группу перед домом: «Справа налево: мистер Майкл Монт — член парламента, леди Монт, миссис Майкл Монт, сэр Лоренс Монт, баронет». Он снял Флер: «Миссис Майкл Монт с сыном Китом и собачкой Дэнди». Он снял крыло дома, построенное при Иакове I. Он снял министра с трубкой в зубах, «наслаждающегося рождественским отдыхом». Он снял уголок сада — «Старинное поместье». Потом он завтракал. После завтрака он снял всех гостей и хозяев: «В гостях у сэра Лоренса Монта, Липпинг-Холл»; министр сидел справа от леди Монт, жена министра — слева от сэра Лоренса. Этот снимок вышел бы удачнее, если бы Дэнди, которого случайно не включили в группу, не произвел внезапной атаки на штатив. Он снял Флер одну: «Миссис Майкл Монт, очаровательная хозяйка лондонского салона». Он слышал, что Майкл проводит интересный опыт, — нельзя ли снять фоггартизм в действии? Майкл усмехнулся и предупредил, что это связано с прогулкой.

Они направились к роще. В колонии жизнь протекала нормально: Боддик с двумя рабочими занимался постройкой инкубатора; Суэн курил папиросу и читал «Дэйли мэйл»; Бергфелд сидел, подперев голову руками, а миссис Бергфелд мыла посуду.

Фотограф сделал три снимка. Бергфелд начал трястись, и Майкл, заметив это, намекнул, что до поезда остается мало времени. Тогда фотограф сделал последний снимок: снял Майкла перед домиком, затем выпил две чашки чая и отправился восвояси.

Вечером, когда Майкл поднимался к себе в спальню, его окликнул дворецкий:

— Мистер Майкл, Боддик ожидает вас в кладовой. Кажется, что-то случилось, сэр.

— Да? — тупо сказал Майкл.

В кладовой, где Майкл в детстве провел много счастливых минут, стоял Боддик; по его бледному лицу струился пот, темные глаза блестели.

— Немец умер, сэр.

— Умер?

— Повесился. Жена в отчаянии. Я его вынул из петли, а Суэна послал в деревню.

— О господи! Повесился! Но почему?

— Очень он был странный эти последние три дня, а фотограф окончательно его доконал. Вы пойдете со мной, сэр?

Они взяли фонарь и отправились в путь. Дорогой Боддик рассказывал:

— Как только вы от нас сегодня ушли, он вдруг весь затрясся и стал говорить, что его выставляют на посмешище. Я ему посоветовал не валять дурака и снова приняться за работу, но когда я вернулся к чаю, он все еще трясся и говорил о своей чести и своих сбережениях; Суэн над ним издевался, а миссис Бергфелд сидела в углу, бледная как полотно. Я посоветовал Суэну заткнуть глотку, и Фриц понемножку успокоился. Миссис Бергфелд налила нам чаю, а потом я пошел кончать работу. Когда я вернулся к семи часам, они опять спорили, а миссис Бергфелд плакала навзрыд. «Что же вы, — говорю, — жену-то не пожалеете?» — «Генри Боддик, — ответил он, — против вас я ничего не имею, вы всегда были со мной вежливы, но этот Суэн — не Суэн, а свинья!» — и схватил со стола нож. Нож я у него отнял и стал его успокаивать. «Ах, — говорит он, — у вас нет самолюбия!» А Суэн посмотрел на него и скривил рот: «А вы-то какое право имеете говорить о самолюбии?» Я понял, что так он не успокоится, и увел Суэна в трактир. Вернулись мы часов в десять, и Суэн лег спать, а я пошел в кухню. Там сидела миссис Бергфелд. «А он лег спать?» — спрашиваю я. «Нет, — говорит она, — он вышел подышать воздухом. Ах, Генри Боддик, что мне с ним делать?» Мы с ней потолковали о нем; славная она женщина. Вдруг она говорит: «Генри Боддик, мне страшно. Почему он не возвращается?» Мы отправились на поиски, и как вы думаете, сэр, где мы его нашли? Знаете то большое дерево, которое мы собирались срубить? К дереву была приставлена лестница, на сук наброшена веревка. Светила луна. Он влез по лестнице, надел петлю на шею и спрыгнул. Так он и висел на шесть футов от земли. Я разбудил Суэна, и мы его вынули из петли, внесли в дом — ох и намучились! Бедная женщина, жаль ее, сэр, хотя я-то считаю, что оно и к лучшему, — не умел он приспособиться. Этот красавец с аппаратом дорого бы дал, чтобы снять то, что мы видели.

«Фоггартизм в действии! — горько подумал Майкл. — Первый урок окончен».

Домик уныло хмурился в тусклом свете луны, на холодном ветру. В комнате миссис Бергфелд стояла на коленях перед телом мужа; его лицо было накрыто платком. Майкл положил ей руку на плечо; она посмотрела на него безумными глазами и снова опустила голову. Он отвел Боддика в сторону.

— Не подпускайте к ней Суэна. Я с ним поговорю.

Когда явилась полиция и доктор, Майкл подозвал парикмахера, который при лунном свете походил на призрак и казался очень расстроенным.

— Вы можете переночевать у нас, Суэн.

— Хорошо, сэр. Я не хотел обижать беднягу, но он так задирал нос, а у меня тоже есть свои заботы. Будто уж он один был такой несчастный. Когда следствие будет закончено, я отсюда уеду. Если я не попаду на солнце, я и сам скоро сдохну.

Майкл почувствовал облегчение: теперь Боддик останется один.

Когда он наконец вернулся домой с Суэном, Флер спала. Он не стал будить ее, но долго лежал, стараясь согреться, и думал о великой преграде на пути ко всякому спасению — о человеческой личности. И, не в силах отогнать образ женщины, склонившейся над неподвижным, холодным телом, тянулся к теплу молодого тела на соседней кровати.

Фотографические снимки пришлись ко времени. Три дня не было ни одной газеты, которая не поместила бы статейки, озаглавленной: «Трагедия в Букингемширской усадьбе», «Самоубийство немецкого актера» или «Драма в Липпинг-Холле». Статейку оживлял снимок: «Справа налево: мистер Майкл Монт — депутат от Мидбэкса, Бергфелд — немецкий актер, который повесился, миссис Бергфелд».

«Ивнинг сан» поместила статью, скорее скорбную, чем гневную:

«Самоубийство немецкого актера в имении сэра Лоренса Монта Липпинг-Холле до известной степени гротескно и поучительно. Этот несчастный был одним из трех безработных, которых наметил для своих экспериментов молодой депутат от Мидбэкса, недавно обративший на себя внимание речью в защиту фоггартизма. Почему, проповедуя возвращение англичан «к земле», он остановил свой выбор на немце, остается неясным. Этот инцидент подчеркивает бесплодность всех дилетантских попыток разрешить проблему и изжить безработицу, пока мы все еще терпим в своей среде иностранцев, вырывающих кусок хлеба у наших соотечественников». В том же номере газеты была короткая передовица: «Иностранцы в Англии». Следствие собрало много народу. Было известно, что в домике жили трое мужчин и одна женщина, все ждали сенсационных разоблачений и были разочарованы, когда выяснилось, что любовный элемент ни при чем.

Флер с одиннадцатым баронетом вернулась в Лондон, а Майкл остался на похороны. Он шел на кладбище с Генри Боддиком, впереди шла миссис Бергфелд. Мелкий дождь моросил из туч, серых, как могильная плита; тисовые деревья стояли голые, темные. Майкл заказал большой венок и, когда его возложили на могилу, подумал: «Жертвоприношения! Сначала людей, потом агнцов, теперь вот цветы! И это прогресс?»

Нора Кэрфью согласилась принять миссис Бергфелд кухаркой в Бетнел-Грин, и Майкл отвез ее в Лондон на автомобиле. Во время этой поездки к нему вернулись мысли, забытые со времени войны. Человеческое сердце, одетое, застегнутое на все пуговицы обстановки, интересов, манер, условностей, расы и классов, остается тем же сердцем, если его обнажит горе, любовь, ненависть или смех. Но как редко оно обнажается! Какие все в жизни одетые! Оно, пожалуй, и лучше — нагота обязывает к огромному напряжению. Он вздохнул свободно, когда увидел Нору Кэрфью, услышал ее бодрые слова, обращенные к миссис Бергфелд:

— Входите, дорогая моя, и выпейте чаю!

Она была из тех, в ком сердечная нагота не вызывает ни стыда, ни напряжения.

Когда он приехал домой, Флер была в гостиной. Над пушистым мехом щеки ее горели, словно она только что вернулась с мороза.

— Выходила, детка?

— Да, я... — Она запнулась, посмотрела на него как-то странно и спросила: — Ну что, покончил с этим делом?

— Да, слава богу! Я отвез бедняжку к Норе Кэрфью.

Флер улыбнулась.

— А, Нора Кэрфью! Женщина, которая живет для других и забывает о себе, не так ли?

— Совершенно верно, — резко сказал Майкл.

— Новая женщина. Я делаюсь окончательно старомодной.

Майкл взял ее за подбородок.

— Что с тобой, Флер?

— Ничего.

— Нет, что-то случилось.

— Видишь ли, надоедает оставаться за бортом, словно я гожусь только для того, чтобы возиться с Китом и быть пикантной.

Майкл, обиженный и недоумевающий, опустил руку. Действительно, он не советовался с ней по поводу своих безработных; он был уверен, что она его высмеет, скажет: «К чему это?» И в самом деле, к чему это привело?

— Если тебя что-нибудь интересует, Флер, ты всегда можешь меня спросить.

— О, я не хочу совать нос в твои дела! У меня и своих дел достаточно. Ты пил чай?

— Но скажи, что случилось?

— Дорогой мой, ты уже спрашивал, а я тебе ответила: ничего.

— Ты меня не поцелуешь?

— Конечно, поцелую. Сейчас купают Кита. Не хочешь ли посмотреть?

Каждый укол причинял боль. Она переживала какой-то кризис, а он не знал, что ему делать. Разве ей не приятно, что он ею восхищается, тянется к ней? Чего ей нужно? Чтобы он признал, что она интересуется положением страны не меньше, чем он? Но так ли это?

— Ну, а я буду пить чай, — заявила она. — Эта новая женщина производит потрясающее впечатление?

Ревность? Нелепо! Он ответил спокойно:

— Я не совсем тебя понимаю.

Флер посмотрела на него очень ясными глазами.

— О господи! — сказал Майкл и вышел из комнаты.

У себя в кабинете он сел перед «Белой обезьяной». Эта стратегическая позиция помогала ему проникнуть в глубь его семейных отношений. Флер всегда должна быть первой, хочет играть главную роль. Люди, которых она коллекционирует, не смеют жить своей жизнью! Эта мучительная догадка его испугала. Нет, нет! Просто-напросто она привыкла держать во рту серебряную ложку и не может с ней расстаться. Она недовольна, что он интересуется не только ею. Вернее, недовольна собой, потому что не может разделять его интересы. В конце концов это только похвально. Она возмущена своим эгоцентризмом. Бедная девочка! «Надо последить за собой, — думал Майкл, — а то, чего доброго, изобразишь современный роман в трех частях». И он задумался о научном течении, которое утверждает, что по симптомам можно определить причину всякого явления. Он вспомнил, как в детстве гувернантка запирала его в комнате, — с тех пор он ненавидел всякое посягательство на свою свободу. Психоаналитик сказал бы, что причина в гувернантке. Это неверно — для другого мальчика это могло бы пройти бесследно. Причина в характере, который наметился раньше, чем появилась гувернантка. Он взял с письменного стола фотографию Флер. Он любит это лицо, никогда не разлюбит. Если у нее есть недостатки — что ж, а у него их разве мало? Все это комедия, нечего вносить в нее трагический элемент. И у Флер есть чувство юмора. Или нет? И Майкл всматривался в лицо на фотографии...

Но, подобно многим мужьям, он ставил диагноз, не зная фактов.

Флер смертельно скучала в Липпинг-Холле. Даже коллекционировать министра ей надоело. Она скрывала свою скуку от Майкла, но самопожертвование обходится не дешево. В Лондон она вернулась враждебно настроенная к общественной деятельности. В надежде, что одна-две новые шляпы поднимут ее настроение, она отправилась на Бонд-стрит. На углу Бэрлингтон-стрит какой-то молодой человек остановился, приподнял шляпу.

— Флер!

Уилфрид Дезерт! Какой худой, загорелый!

— Вы!

— Да. Я только что вернулся. Как Майкл?

— Хорошо. Только он член парламента.

— Ой-ой-ой! А вы?

— Как видите. Хорошо провели время?

— Да. Я здесь только проездом. Восток затягивает.

— Зайдете к нам?

— Вряд ли. Кто раз обжегся...

— Да, обгорели вы основательно!

— Ну, прощайте, Флер. Вы совсем не изменились. С Майклом я где-нибудь увижусь.

— Прощайте! — Она пошла дальше, не оглядываясь, а потом пожалела, что не знает, оглянулся ли он.

Она отказалась от Уилфрида ради Майкла, который... который об этом забыл! Право же, она слишком самоотверженна!

А в три часа ей подали записку.

— Посыльный ждет ответа, мэм.

Она вскрыла конверт со штампом «Отель «Космополис».

«Сударыня,

Просим прощения за причиняемое Вам беспокойство, но мы поставлены в затруднительное положение. Мистер Фрэнсис Уилмот, молодой американец, с начала октября проживающий в нашем отеле, заболел воспалением легких. Доктор считает его состояние очень серьезным. Учитывая это обстоятельство, мы сочли нужным осмотреть его вещи, чтобы иметь возможность поставить в известность его друзей. Но никаких указаний мы не нашли, за исключением Вашей визитной карточки. Осмеливаемся Вас просить, не можете ли Вы нам помочь в этом деле.

Готовый к услугам *(подпись заведующего)»*.

Флер всматривалась в неразборчивую подпись и думала горькие думы. Джон прислал к ней Фрэнсиса словно для того, чтобы известить о своем счастье; а ее враг этого вестника перехватил! Но почему же эта дрянь сама за ним не ухаживает? Ах, вздор! Бедный мальчик! Лежит больной в отеле! Один-одинешенек!

— Позовите такси, Кокер.

Приехав в отель, Флер назвала себя, и ее проводили в номер 209. Там сидела горничная. Доктор, сообщила она, вызвал сиделку, но та еще не пришла.

Фрэнсис с пылающим лицом лежал на спине, обложенный подушками; глаза его были закрыты.

— Давно он в таком состоянии?

— Я замечала, что ему нездоровится, мэм, но слег он только сегодня. Должно быть, запустил болезнь. Доктор говорит, придется обернуть его мокрыми простынями. Бедный джентльмен! Он без сознания.

Фрэнсис Уилмот что-то шептал, видимо, бредил.

— Принесите чаю с лимоном, жидкого и как можно горячее.

Когда горничная вышла, Флер подошла к нему и положила руку на его горячий лоб.

— Ну как, Фрэнсис? Что у вас болит?

Фрэнсис Уилмот перестал шептать, открыл глаза и посмотрел на нее.

— Если вы меня вылечите, — прошептал он, — я вас возненавижу. Я хочу умереть, скорей!

Лоб его жег ей ладонь. Он снова начал шептать. Этот бессмысленный шепот пугал ее, но она оставалась на своем посту, освежая его лоб то одной, то другой рукой, пока горничная не вернулась с кружкой чая.

— Сиделка пришла, мэм.

— Дайте кружку. Ну, Фрэнсис, пейте!

Зубы у него стучали, он сделал несколько глотков и опять закрыл глаза.

— О, как ему плохо, — прошептала горничная. — Такой хороший джентльмен!

— Вы не знаете, какая у него температура?

— Я слышала, доктор сказал — около ста пяти[1]. Вот сиделка.

Флер пошла ей навстречу и сказала:

— Это не совсем обычная история... видите ли, он хочет умереть. Я думаю, на него повлияла какая-нибудь любовная неудача. Помочь вам обернуть его?

Перед уходом она еще раз взглянула на Фрэнсиса. Ресницы у него были длинные и темные; он был похож на маленького мальчика.

Когда она вышла за дверь, горничная коснулась ее руки:

— Я нашла это письмо, мэм. Показать его доктору?

Флер прочла:

«Мой бедный мальчик!

Вчера мы были сумасшедшими. Ничего из этого не выйдет. Я — не из тех, что умирают от разбитого сердца, да и Вы не из этой породы, хотя сейчас, быть может, будете мне возражать. Возвращайтесь на Юг, к Вашему солнышку и к Вашим неграм, и забудьте обо мне. Я бы не выдержала. Я не могу быть бедной.

---

[1] По Фаренгейту; приблизительно 40,5 по Цельсию.

Придется мне взять моего шотландца и идти намеченным путем. Не стоит мечтать об идиллии, для которой не создана.

Ваша несчастная (в данный момент) *Марджори.*

Я это твердо решила. Больше ко мне не приходите — не нужно себя растравлять. *М.*».

— Так я и думала, — сказала Флер, — я и сиделке сказала. Спрячьте это письмо и верните, если он выздоровеет. А если не выздоровеет — сожгите. Завтра я зайду. — И, слабо улыбнувшись, она добавила: — Это не я написала.

— О, конечно, конечно, мэм... мисс... я и не думала! Бедный молодой джентльмен! Неужели нельзя ничем ему помочь?

— Не знаю. Думаю, что нельзя...

Все это Флер скрыла от Майкла и испытала приятное чувство мести. Не он один умалчивает о своих личных, то есть общественных, делах.

Когда он вышел, нетерпеливо бросив: «О господи!», она отошла к окну.

Странно было встретить Уилфрида! Сердце ее не дрогнуло, но досадно было не знать, сохранила ли она свою власть над ним. За окнами было так же темно, как в тот последний раз, что она его видела перед бегством на Восток, — лицо, прижатое к стеклу, которого она касалась рукой. «Кто раз обжегся...» Нет, она не хочет опять его мучить, не хочет подражать Марджори Феррар. Что, если бы Уилфрид не уехал на Восток, а заболел воспалением легких, как бедный Фрэнсис? Что бы она сделала? Дала бы ему умереть от тоски? И что делать теперь, когда она прочла это письмо? Рассказать обо всем Майклу? Нет, он считает ее легкомысленной, неответственной за свои поступки. Ну, что ж! Она его проучит. А как быть с сестрой Фрэнсиса, которая вышла замуж за Джона? Послать ей телеграмму? Но сиделка сказала, что на днях должен быть кризис. Невозможно приехать из Америки вовремя. Флер подошла к камину. Что представляет собой жена Джона? Тоже «новая женщина», вроде Норы Кэрфью, или просто веселящаяся американка? Но моды у них в Америке, наверно, те же, хоть и не исходят из Парижа. Энн Форсайт! Перед пылающим камином Флер передернулась, как от холода.

Она прошла к себе, сняла шляпу, вгляделась в свое изображение в зеркале. Лицо свежее, румяное, глаза ясные, лоб гладкий, волосы немножко примяты. Она взбила их и пошла через коридор в детскую.

Одиннадцатый баронет спал и во сне имел вид энергичный и решительный. Возле кроватки, уткнувшись носом в пол, лежал Дэнди; няня что-то шила у стола. Перед ней лежал иллюстрированный номер газеты; под одним из снимков была подпись: «Миссис Майкл Монт с сыном Китом и собачкой Дэнди».

— Как вам нравится, няня?

— Совсем не нравится, мэм; Кит вышел таким, точно он ничего не соображает, вытаращил глаза.

Флер взяла номер и заметила, что под ним лежит другая газета; увидела снимок: «Миссис Майкл Монт, очаровательная хозяйка лондонского салона, которая, по слухам, скоро должна выступить в качестве ответчицы в одном великосветском процессе». Выше был еще снимок: «Мисс Марджори Феррар, прелестная внучка маркиза Шропшир, невеста сэра Александра Макгауна, члена парламента».

Флер по одной положила газеты обратно на стол.

XI. ТЕНИ

На обед, о котором так неожиданно вспомнила Марджори Феррар, ее пригласил Макгаун. Когда она приехала в ресторан, он ждал в вестибюле.

— А где же все остальные, Алек?

— Больше никого не будет, — сказал Макгаун.

Марджори Феррар попятилась к выходу.

— Я не могу обедать здесь вдвоем с вами.

— Я пригласил Ппинрринов, но они заняты.

— Ну, так я пообедаю у себя в клубе.

— Ради бога, останьтесь, Марджори. Мы возьмем отдельный кабинет. Подождите меня здесь, сейчас я это устрою.

Пожав плечами, она прошла в гостиную. Какая-то молодая женщина — ее лицо показалось ей знакомым — вошла вслед за ней, посмотрела на нее и вышла. Марджори Феррар тупо уставилась на стену, оклеенную бледно-серыми обоями; ей все еще мерещилось восторженное лицо Фрэнсиса Уилмота.

— Готово! — сказал Макгаун. — Сюда наверх, третья дверь направо. Я сейчас приду.

Марджори Феррар участвовала в спектакле, бурно провела день и проголодалась. Сначала, во всяком случае, можно было пообедать, а затем уже приступить к неизбежному объяснению. Она пила шампанское, болтала и смотрела в горящие глаза своего поклонника. Эта красная физиономия, жесткие волосы, мощная фигура — какой контраст с бледным тонким лицом и стройной фигурой Фрэнсиса! Этот — мужчина, и очень милый, когда захочет. От него она могла получить все — за исключением того, что мог дать ей Фрэнсис. А нужно было сделать выбор — сохранить обоих, как она предполагала раньше, оказалось невозможным.

Когда-то она шла по острому гребню на Хелвеллине[1]; справа была пропасть, слева пропасть, а она шла и думала, в какую сторону упасть. Не упала. И теперь, вероятно, тоже не упадет; только бы не растеряться!

Подали кофе. Она сидела на диване и курила. Она была наедине со своим женихом; как будет он себя держать?

Он бросил сигару и сел рядом с ней. Настал момент, когда она должна была встать и объявить, что разрывает помолвку. Он обнял ее за талию, притянул к себе.

— Осторожнее! Это мое единственное приличное платье!

И вдруг она заметила в дверях какую-то фигуру. Раздался женский голос:

— О, простите... я думала...

Фигура исчезла.

Марджори Феррар встрепенулась.

— Вы видели эту женщину?

— Да, черт бы ее побрал!

— Она за мной следит.

— Что такое?

— Я ее не знаю, но ее лицо мне знакомо. Она внимательно на меня смотрела, пока я ждала внизу.

Макгаун бросился к двери, распахнул ее настежь. Никого! Он снова закрыл дверь.

— Черт возьми! Я бы этих людей... Слушайте, Марджори, завтра же я посылаю в газеты извещение о нашей помолвке!

Марджори Феррар, облокотившись на доску камина, смотрела в зеркало. «Какие бы то ни было моральные побуждения ей чужды!» Ну, так что ж? Ах, если бы только окончательно принять решение выйти за Фрэнсиса и удрать от кредиторов, адвокатов, Алека! Но злоба одержала верх. Какая наглость! Следить за ней! Нет! Она не желает, чтобы торжествовала эта маленькая выскочка и старик с тяжелым подбородком!

---

[1] Гора на северо-западе Англии.

Макгаун поднес ее руку к губам, и почему-то эта ласка ее растрогала.

— Ну, что ж! — сказала она. — Пожалуй, я согласна.

— Наконец-то!

— Неужели для вас это действительно счастье?

— Чтобы добиться вас, я пошел бы на что угодно.

— А после? Ну-с, раз наша помолвка будет всем известна, можно спуститься вниз и потанцевать.

Они танцевали около часа. Она не позволила ему проводить ее домой; в такси она плакала. Приехав домой, она тотчас же написала Фрэнсису и вышла, чтобы опустить письмо. Звезды были холодные, ветер холодный, ночь холодная! Опустив письмо в ящик, она засмеялась. Поиграли, как дети! Ну что ж, это было очень забавно! С этим покончено! «Танцуем дальше!»

Поразительно, какое впечатление производит маленькая заметка в газетах! Кредит, словно нефтяной фонтан, взвился к небесам. Теперь по почте приходили не счета от поставщиков, а предложения купить меха, цветы, перья, вышивки. Весь Лондон был к ее услугам. Чтобы скрыться от этой лавины циничных услуг, она заняла сто фунтов и бежала в Париж. Там каждый вечер ходила в театр, сделала себе новую прическу, заказала несколько платьев, обедала в ресторанах, известных очень немногим. На душе у нее было тяжело.

Через неделю она вернулась и сожгла весь ворох посланий. К счастью, все поздравительные письма кончались словами: «Конечно, вы не ответите». И она действительно не ответила. Погода стояла теплая; Марджори Феррар каталась верхом в Гайд-парке и собиралась ехать на охоту. Накануне отъезда ей подали анонимную записку.

«Фрэнсис Уилмот заболел воспалением легких в тяжелой форме. На выздоровление не надеются. Он лежит в отеле «Космополис».

У нее замерло сердце, колени подогнулись, рука, державшая записку, задрожала; но мысли были ясны. Она узнала почерк «выскочки». Написана ли эта записка по просьбе Фрэнсиса? Он ее зовет? Бедный мальчик! Неужели она должна идти к нему, если он умирает? Она так ненавидит смерть. Может быть, ее зовут, потому что она одна может спасти его? Что означает эта записка? Но Марджори не страдала нерешительностью. Через десять минут она сидела в такси, через двадцать — была в отеле. Протянув свою визитную карточку, она сказала:

— У вас остановился мистер Уилмот, мой родственник. Я только что узнала, что он тяжело болен. Могу ли я переговорить с сиделкой?

Заведующий взглянул на карточку, потом испытующе посмотрел в лицо Марджори Феррар, позвонил и сказал:

— Конечно, мэм. Послушайте, проводите эту леди в номер двести девять.

Бой проводил ее к лифту, а затем повел по ярко освещенному коридору, устланному бледно-серым ковром, мимо бесчисленных кремовых дверей. Марджори Феррар шла, опустив голову.

Бой безжалостно постучал в одну из дверей.

Дверь открылась. На пороге стояла Флер...

XII. ...СГУЩАЮТСЯ

Хотя, по мнению Сомса, Фрэнсис Уилмот мало походил на американца, но сейчас, как истый американец, он стремился сэкономить время.

Через два дня после первого визита Флер в его болезни наступил кризис, к которому он рвался, как жених к невесте. Но человеческая воля бессильна перед инстинктом жизни, и умереть ему не удалось. Флер вызвали по телефону; домой она вернулась, успокоенная словами доктора: «Теперь он выпутается, если нам удастся поднять его силы». Но в том-то и беда, что силы его падали, и ничем нельзя было сломить прогрессирующую апатию. Флер была серьезно встревожена. На четвертый день, когда она просидела у него больше часа, он открыл глаза.

— Что скажете, Фрэнсис?

— А все-таки я умру.

— Не говорите так, это не по-американски. Конечно, вы не умрете.

Он улыбнулся и закрыл глаза. Тогда она приняла решение.

На следующий день он был в том же состоянии, но Флер успокоилась. Посыльный вернулся с ответом, что мисс Феррар будет дома к четырем часам. Значит, сейчас она уже получила записку. Но придет ли она? Как плохо мы знаем людей, даже наших врагов!

Фрэнсис дремал, бледный и обессиленный, когда раздался

стук в дверь. Флер вышла в гостиную, закрыла за собой дверь и выглянула в коридор. Пришла!

Быть может, во встрече двух врагов было что-то драматичное, но ни та, ни другая этого не заметили. Для них встреча была только очень неприятной. Секунду они смотрели друг на друга. Потом Флер сказала:

— Он очень слаб. Пожалуйста, присядьте, я его предупрежу, что вы здесь.

Флер прошла в спальню и закрыла дверь.

Фрэнсис Уилмот не пошевельнулся, но широко открыл сразу посветлевшие глаза. Флер показалось, что только теперь она узнала его глаза: словно кто-то поднес спичку и зажег в них огонек.

— Вы догадываетесь, кто пришел?

— Да, — голос прозвучал внятно, но тихо. — Да; но если я и тогда был недостаточно для нее хорош, то уж теперь — тем более. Скажите ей, что с этой глупой историей я покончил. — Флер душили слезы. — Поблагодарите ее за то, что она пришла, — сказал Фрэнсис и снова закрыл глаза.

Флер вышла в гостиную. Марджори Феррар стояла у стены, держа в зубах незажженную папиросу.

— Он благодарит вас за то, что вы пришли, но видеть вас не хочет. Простите, что я вас вызвала.

Марджори Феррар вынула изо рта папиросу; Флер заметила, что губы у нее дрожат.

— Он выздоровеет?

— Не знаю. Теперь, пожалуй, да. Он говорит, что «покончил с этой глупой историей».

Марджори Феррар сжала губы и направилась к двери, потом неожиданно оглянулась и спросила:

— Не хотите помириться?

— Нет, — сказала Флер.

Последовало молчание; потом Марджори Феррар засмеялась и вышла.

Флер вернулась к Фрэнсису Уилмоту. Он спал. На следующий день он почувствовал себя крепче. Через три дня Флер перестала его навещать: он был на пути к полному выздоровлению. Кроме того, Флер обнаружила, что за ней неотступно следует какая-то тень, как овечка за девочкой из песенки. За ней следят! Как забавно! И какая досада, что нельзя рассказать Майклу: от него она по-прежнему все скрывала.

В день ее последнего визита к Фрэнсису Майкл вошел, когда она переодевалась к обеду, держа в руке номер какого-то журнала.

— Вот послушай-ка, — сказал он.

> В час, когда к божьей стекутся маслине
> Ослики Греции, Африки, Корсики,
> Если случайно проснется всесильный,
> Снова заснуть не дадут ему ослики.
>
> И, уложив их на райской соломе,
> Полуживых от трудов и усталости,
> Вспомнит всесильный, — и только он вспомнит,
> Сердце его переполнится жалости:
>
> «Ослики эти — мое же творение,
> Ослики Турции, Сирии, Крита!» —
> И средь маслин водрузит объявление:
> «Стойло блаженства для богом забытых»[1].

— Кто это написал? Похоже на Уилфрида.

— Правильно, — сказал Майкл, не глядя на нее. — Я встретил его во «Всякой всячине».

— Ну, как он?

— Молодцом.

— Ты его приглашал к нам?

— Нет. Он опять уезжает на Восток.

Что он, хочет ее поймать? Знает об их встрече? И она сказала:

— Я еду к папе, Майкл. Я получила от него два письма.

Майкл поднес к губам ее руку.

— Отлично, дорогая.

Флер покраснела; ее душили невысказанные слова. На следующий день она уехала с Китом и Дэнди. Вряд ли овечка последует за ней в «Шелтер».

Аннет с матерью уехала на месяц в Канны, и Сомс проводил зиму в одиночестве. Но зимы он не замечал, потому что через несколько недель дело должно было разбираться в суде. Освободившись от французского влияния, он снова стал склоняться в сторону компромисса. В настоящее время, когда была оглашена помолвка Марджори Феррар с Макгауном, дело принимало новый оборот. По-иному отнесется английский суд к легкомысленной молодой леди теперь, когда она обручена с членом парламента, богатым и титулованным. Теперь они, в сущности, имеют

---

[1] Перевод И. Романович.

дело с леди Макгаун, а Сомс знал, каким опасным может быть человек, собирающийся жениться. Оскорбить его невесту — все равно что подойти к бешеной собаке.

Он нахмурился, когда Флер рассказала ему про «овечку». Как он и боялся, им платили той же монетой. И нельзя было сказать ей: «Я же тебе говорил!» — потому что это была бы неправда. Вот почему он настаивал, чтобы она к нему приехала, но из деликатности не открыл ей причины. Насколько ему удалось выяснить, ничего подозрительного в ее поведении не было с тех пор, как она вернулась из Липпинг-Холла, если не считать этих визитов в отель «Космополис». Но и этого было достаточно. Кто поверит, что она навещала больного только из сострадания? С такими мотивами суд не считается! Сомс был ошеломлен, когда она ему сообщила, что Майкл об этом не знает. Почему?

— Мне не хотелось ему говорить.

— Не хотелось? Неужели ты не понимаешь, в какое положение ты себя поставила? Потихоньку от мужа бегаешь к молодому человеку!

— Да, папа; но он был очень болен.

— Возможно, — сказал Сомс, — но мало ли кто болен?

— А кроме того, он был по уши влюблен в нее.

— Как ты думаешь, он это подтвердит, если мы его вызовем как свидетеля?

Флер молчала, вспоминая лицо Фрэнсиса Уилмота.

— Не знаю, — ответила она наконец. — Как все это противно!

— Конечно, противно, — сказал Сомс. — Ты поссорилась с Майклом?

— Нет, не поссорилась. Но он от меня скрывает свои дела.

— Какие дела?

— Как же я могу знать, дорогой?

Сомс что-то проворчал.

— Он бы возражал против твоих визитов?

— Конечно, нет. Он был бы недоволен, если бы я не пошла. Ему нравится этот мальчик.

— В таком случае, — сказал Сомс, — либо тебе, либо ему, либо вам обоим придется солгать и сказать, что он знал. Я поеду в Лондон и переговорю с ним. Слава богу, мы можем доказать, что молодой человек действительно был болен. Если я наткнусь здесь на кого-нибудь, кто за тобой следит...

На следующий день он поехал в Лондон. В парламенте не заседали, и он пошел во «Всякую всячину». Он не любил этот клуб, прочно связанный в его представлении с его покойным кузеном молодым Джолионом, и сейчас же сказал Майклу:

— Куда нам пойти?

— Куда хотите, сэр.

— К вам домой, если у вас можно переночевать. Мне нужно с вами поговорить.

Майкл посмотрел на него искоса.

— Слушайте, — начал Сомс, когда они пообедали, — что случилось? Флер говорит, что вы скрываете от нее свои дела?

Майкл уставился на рюмку с портвейном.

— Видите ли, сэр, — проговорил он медленно, — конечно, я был бы рад держать ее в курсе всего, но не думаю, чтобы она этим действительно интересовалась. К общественной деятельности она относится равнодушно.

— Общественная деятельность! Я имел в виду личные ваши дела.

— Никаких личных дел у меня нет. А она думает, что есть?

Сомс прекратил допрос.

— Не знаю, она сказала «дела».

— Ну, можете ее разубедить.

— Гм! А результат тот, что она потихоньку от вас навещала этого молодого американца, который заболел воспалением легких в отеле «Космополис». Хорошо, что она не заразилась.

— Фрэнсиса Уилмота?

— Да, теперь он выздоровел. Но не в этом дело. За ней следили.

— О господи! — сказал Майкл.

— Вот именно. Видите, что значит не говорить с женой. Жены — странный народ; они этого не любят.

Майкл усмехнулся.

— Поставьте себя на мое место, сэр. Теперь я по профессии своей должен интересоваться положением страны; ну и втянулся, интересно. А Флер все это кажется вздором. Я ее понимаю; но, знаете, чем больше я втягиваюсь, тем больше боюсь, что ей будет скучно, тем больше молчу. У нее это вроде ревности.

Сомс потер подбородок. Оригинальная соперница — страна! Положение страны и его нередко тревожило, но делать из этого причину ссоры между мужем и женой — что-то пресно; он в свое время знавал не такие причины!

— Надо вам с этим покончить, — сказал он. — Это вульгарно.

Майкл встал.

— Вульгарно! Не знаю, сэр, но, мне кажется, то же самое мы наблюдали во время войны, когда мужья были вынуждены оставлять своих жен.

— Жены с этим мирились, — сказал Сомс. — Страна была в опасности.

— А сейчас она не в опасности?

Обладая врожденным недоверием к словесной игре, Сомс услышал в этих словах что-то неприличное. Конечно, Майкл — политический деятель; но обязанность его и ему подобных сохранять в стране порядок, а не сеять панику всякими глупыми разговорами.

— Поживите с мое и увидите, что при желании всегда можно найти повод волноваться. В сущности, все обстоит благополучно; фунт поднимается. А затем — неважно, что именно вы будете говорить Флер, но только бы что-нибудь говорили.

— Она не глупа, сэр, — сказал Майкл.

Сомс растерялся; этого он отрицать не мог и потому ответил:

— Ну, политические дела мало кого близко затрагивают. Конечно, женщина ими не заинтересуется.

— Очень многие женщины интересуются.

— Синие чулки.

— Нет, сэр, большей частью они носят чулки телесного цвета.

— А, эти! А что касается интереса к политике, повысьте пошлину на чулки и посмотрите, что из этого выйдет.

Майкл усмехнулся.

— Я это предложу, сэр.

— Вы очень ошибаетесь, — продолжал Сомс, — если считаете, что люди — мужчины и женщины — согласятся забыть о себе ради вашего фоггартизма.

— Это мне все говорят, сэр. Я не хочу, чтобы меня и дома окатывали холодной водой, потому и решил не надоедать Флер.

— Послушайтесь моего совета и займитесь чем-нибудь определенным — уличным движением, работой почты. Бросьте ваши пессимистические теории. Люди, которые говорят общими фразами, никогда не пользуются доверием. Во всяком случае, вам придется сказать, что вы знали о ее визитах в отель «Космополис».

— Конечно, сэр. Но неужели вы хотите, чтобы дело дошло до суда? Ведь этот процесс превратят в спектакль.

Сомс помолчал; он этого не хотел — а вдруг «они» все-таки это сделают?

— Не знаю, — ответил он наконец. — Этот тип — шотландец. Зачем вы его ударили по носу?

— Он первый дал мне по физиономии. Знаю, что мне представился прекрасный случай подставить другую щеку, но в тот момент я об этом не подумал.

— Должно быть, вы его обругали.

— Назвал грязной скотиной, больше ничего. Как вам известно, после моей речи он хотел меня опорочить.

Сомс находил, что этот молодой человек — его зять — слишком серьезно относится к своей особе.

— Ваша речь! Запомните одно: что бы вы ни говорили и что бы вы ни делали — все равно это ни к чему не приведет.

— В таком случае зачем же я заседаю в парламенте?

— Ну что ж! Не вы один. Государство — то же дерево: можно за ним ухаживать, но нельзя выкапывать его из земли, чтобы осмотреть корни.

На Майкла эта фраза произвела впечатление.

— В политике, — продолжал Сомс, — самое главное — сохранять присутствие духа и не делать больше того, что вы должны делать.

— А как определить, что именно необходимо?

— Здравый смысл подскажет.

Встав, он начал рассматривать Гойю.

— Вы хотите купить еще картину Гойи, сэр?

— Нет, теперь я бы вернулся к картинам английской школы.

— Патриотизм?

Сомс зорко посмотрел на него.

— Устраивать панику — отнюдь не значит быть патриотом, — сказал он. — И не забудьте, что иностранцы радуются, когда у нас неурядицы. Не годится во весь голос говорить о наших делах!

С грузом этой премудрости Майкл пошел спать. Он вспомнил, как после войны говорил: «Если будет еще война, ни за что не пойду». Теперь он знал, что непременно пошел бы опять. Значит, Старый Форсайт считает, что он суетится зря? Так ли это? И фоггартизм — чушь? Что же, послушаться, заняться уличным движением? И все нереально? А его любовь к Флер? Как хочется, чтобы сейчас она была здесь. А тут еще Уилфрид вернулся! Рисковать своим счастьем ради чего? Старая Англия, как и Старый

Форсайт, не признает теорий. Большие начинания — только реклама. Рекламирует? Он? Ужасно неприятная мысль. Он встал и подошел к окну. Туман! Туман все превращает в тени; и самая ничтожная тень — он сам, непрактичный политик, близко принимающий к сердцу свою деятельность. Раз! Два! Большой Бен! Сколько сердец заставил он вздрогнуть! Сколько снов нарушил своим мерным боем! Быть верхоглядом, как все, и предоставить стране спокойно сосать серебряную ложку!

ЧАСТЬ ТРЕТЬЯ

I. «ЗРЕЛИЩА»

В детстве Сомс очень любил цирк. С годами это прошло; теперь «зрелища» внушали ему чуть ли не отвращение. Юбилеи, парады, день лорд-мэра[1], выставки, состязания — всего этого он не любил. Его раздражала толпа людей с разинутыми ртами. Модные туалеты он считал признаком слабоумия, а коллективный восторг — громкой фальшью, которая оскорбляла его замкнутую натуру. Не будучи глубоким знатоком истории, он все же считал, что народы, увлекающиеся «зрелищами», стоят на грани вырождения. Правда, похороны королевы Виктории произвели на него впечатление — особое было чувство в тот день, — но с тех пор все шло хуже и хуже. Теперь все что угодно готовы превратить в «зрелище». Когда человек совершает убийство, все, кто читает газеты — в том числе и он сам, — так и набрасываются на подробности; а уж эти футбольные матчи, кавалькады — нарушают уличное движение, врываются в спокойные разговоры; публика просто помешалась на них!

Конечно, у «зрелищ» есть и хорошая сторона. Они отвлекают внимание масс. А показ насильственных действий — безусловно ценный политический прием. Трудно разевать рот от волнения и в то же время проливать кровь.

Чем чаще люди разевают рот, тем менее они расположены причинять вред другим и тем спокойнее может Сомс спать по ночам. Но все же погоня за сенсациями граничила, по его мне-

---

[1] 9 ноября — день, когда новый лорд-мэр Лондона приступает к своим обязанностям.

нию, с болезнью, и, насколько он мог судить, никто от этой болезни не был застрахован.

Проходили недели; слушалось одно дело за другим, и «зрелище», которое собирались сделать из его дочери, представлялось ему все более чудовищным. Он инстинктивно не доверял шотландцам — они были упрямы, а он не терпел в других этого свойства, столь присущего ему самому. Кроме того, шотландцы казались ему людьми несдержанными: то они слишком мрачны, то слишком веселы, вообще — сумасбродный народ! В середине марта — дело должно было разбираться через неделю — он сделал рискованный шаг и отправился в кулуары палаты общин. Об этой своей последней попытке он никому не сказал; ему казалось, что все — и Аннет, и Майкл, и даже Флер — сделали все возможное, чтобы примирение не состоялось.

Передав свою визитную карточку, он долго ждал в просторном вестибюле. Он не думал, что потеряет здесь столько времени. Некоторое утешение принесли ему статуи. Сэр Стэффорд Норткот — вот молодец; на обедах у старых Форсайтов в восьмидесятых годах разговоры о нем были так же обязательны, как седло барашка. Даже «этот Гладстон» казался вполне сносным теперь, когда его вылепили из гипса или из чего их там делают. Такой может не нравиться, но мимо него не пройдешь — не то что теперешние. Он пребывал в трансе перед лордом Грэнвилем, когда наконец раздался голос:

— Сэр Александр Макгаун.

Сомс увидел коренастого человека с красной физиономией, жесткими черными волосами и подстриженными усами; он спускался по лестнице, держа в руке его визитную карточку.

— Мистер Форсайт?

— Да. Нельзя ли пойти куда-нибудь, где меньше народу?

Шотландец кивнул и провел его по коридору в маленькую комнату.

— Что вам угодно?

Сомс погладил свою шляпу.

— Это дело, — начал он, — так же неприятно для вас, как и для меня.

— Так это вы осмелились назвать «предательницей» леди, с которой я обручен?

— Совершенно верно.

— Не понимаю, как у вас хватило наглости явиться сюда и говорить со мной.

Сомс закусил губу.

— Я слышал, как ваша невеста назвала мою дочь «выскочкой», будучи у нее в гостях. Вы хотите, чтобы эта нелепая история получила огласку?

— Вы глубоко ошибаетесь, думая, что вы с вашей дочерью можете безнаказанно называть «змеей», «предательницей» и «безнравственной особой» ту, которая будет моей женой. Извинение в письменной форме — с тем чтобы ее защитник огласил его на суде — вот ваш единственный шанс.

— Этого вы не получите. Другое дело, если обе стороны выразят сожаление. Что касается компенсации...

— К черту компенсацию! — резко перебил Макгаун, и Сомс невольно почувствовал к нему симпатию.

— В таком случае, — сказал он, — жалею ее и вас.

— На что вы, черт возьми, намекаете, сэр?

— Узнаете в конце следующей недели, если не измените своего решения. Если дело дойдет до суда, мы за себя постоим.

Шотландец побагровел так, что Сомс на секунду испугался, как бы его не хватил удар.

— Берегитесь! Держите язык за зубами на суде!

— В суде мы не обращаем внимания на грубиянов.

Макгаун сжал кулаки.

— Да, — сказал Сомс, — жаль, что я не молод. Прощайте!

Он прошел мимо Макгауна и вышел в коридор. Дорогу в этом «садке для кроликов» он запомнил и вскоре добрался до вестибюля. Ну что ж! Последняя попытка не удалась! Больше делать нечего, но этот заносчивый субъект и его красавица пожалеют, что родились на свет. На улице его окутал холодный туман. Гордость и запальчивость! Не желая признать себя виновными, люди готовы стать мишенью насмешек и издевательств толпы. Шотландец, защищая «честь» женщины, идет на то, чтобы перемывали ее грязное белье! Сомс остановился: в самом деле, стоит ли раскапывать ее прошлое? Если он этого не сделает, она может выиграть дело; а если он затронет вопрос о ее прошлом и все-таки проиграет дело — ему придется заплатить ей огромную сумму, быть может, тысячи. Необходимо принять какое-нибудь решение. Все время он успокаивал себя мыслью, что дело не дойдет до суда. Четыре часа! Пожалуй, еще не поздно заглянуть к сэру Джемсу Фоскиссону. Надо позвонить Николасу, пусть сейчас же устроит им свидание, и если Майкл дома, можно прихватить и его.

Майкл сидел в своем кабинете и с мрачным удовольствием рассматривал карикатуру на самого себя, нарисованную Обри

Грином и помещенную в газете для великосветских кругов. Он был изображен стоящим на одной ноге и вопиющим в пустыне, на горизонте всходила сардоническая улыбка. Изо рта у него, словно завитки табачного дыма, вырывалось слово «фоггартизм». Мистер Блайт в образе обезьяны, задрав голову, аплодировал ему передними лапами. Весь тон рисунка был беспощаден — он не язвил, он просто убивал на месте. Лицу Майкла было придано выражение полного удовольствия, какое бывает после сытного обеда, он словно упивался звуками собственного голоса. Даже друг, даже художник не понял, что пустыня напрашивается на шарж не меньше, чем пеликан! Карикатура ставила клеймо никчемности на все его замыслы. Она напомнила ему слова Флер: «А когда лейбористы уйдут, их сменят тори, и это время ты используешь для своих эксцентрических выходок». Вот реалистка! Она с самого начала поняла, что его ждет роль эксцентричного одиночки. Чертовски удачная карикатура! И никто не оценит ее лучше, чем сама жертва. Но почему никто не принимает фоггартизм всерьез? Почему? Потому что он скачет кузнечиком там, где все ходят шагом; люди, привыкшие ощупью пробираться в тумане, видят в новом учении только блуждающий огонек. Да, в награду за свои труды он остался в дураках! И тут явился Сомс.

— Я говорил с этим шотландцем, — сообщил он. — Он хочет довести дело до суда.

— О, неужели, сэр! Я думал, что вы этого не допустите.

— Он требует извинения в письменной форме. На это Флер не может согласиться: ведь не она виновата. Вы можете проехать со мной к сэру Джемсу Фоскиссону?

Они сели в такси и поехали в Темпль. Встретил их Николас Форсайт и за десять минут успел познакомить их со всеми слабыми сторонами дела.

— Кажется, ему доставляет удовольствие мысль о возможном поражении, — прошептал Майкл, когда Николас повел их к сэру Джемсу.

— Жалкий субъект, но добросовестный, — отозвался Сомс. — Фоскиссон должен сам заняться этим делом.

Подождав, пока Николас напомнил знаменитому адвокату обстоятельства дела, они очутились в присутствии человека с очень большой головой и седыми бакенбардами. Сомс внимательно следил за выступлениями великого адвоката с тех пор, как остановил на нем свой выбор, и с удовольствием отметил, что в делах, имеющих отношение к вопросам морали, он неизменно выходит победителем. При ближайшем рассмотрении бакенбарды придавали сэру Джемсу чрезвычайно респектабельный вид. Трудно было себе представить его лежащим в кровати, танцующим или играющим в азартные игры. Говорили, что, несмотря на обширную практику, он отличается добросовестностью. Больше половины фактов он успевал изучить до суда, остальные постигал на ходу, во время процесса, а в крайнем случае — умело скрывал свою неосведомленность. «Очень молодой» Николас, которому были известны все факты, не мог посоветовать, какого курса держаться. Сэр Джемс знал ровно столько, сколько считал нужным знать. Переводя взгляд с Сомса на Майкла, он сказал:

— Несомненно, что это одно из тех дел, которые как бы сами напрашиваются на мировую сделку.

— Вот именно, — сказал Сомс.

Тон, каким было сказано это слово, привлек внимание сэра Джемса.

— Вы уже делали шаги в этом направлении?

— Да, я испробовал все, вплоть до последнего средства.

— Простите, мистер Форсайт, но что вы считаете «последним средством»?

— Полторы тысячи фунтов, и обе стороны выражают сожаление. А они соглашаются на полторы тысячи, но требуют извинения в письменной форме.

Великий адвокат погладил подбородок.

— Вы им предлагали извинение в письменной форме без этих полутора тысяч?

— Нет.

— А я склонен вам это посоветовать. Макгаун очень богат. А словечки в письмах оскорбительные. Ваше мнение, мистер Монт?

— Она еще более резко отозвалась о моей жене.

Сэр Джемс посмотрел на Николаса.

— Позвольте, я забыл — как именно?

— «Выскочка» и «охотница за знаменитостями», — коротко сказал Майкл.

Сэр Джемс покачал головой.

— «Безнравственная», «змея», «предательница», «лишена очарования» — вы думаете, это слабее?

— Это не вызывает смеха, сэр. А в свете считаются только с насмешками.

Сэр Джемс улыбнулся.

— Присяжные — не великосветский салон, мистер Монт.

— Как бы там ни было, моя жена готова извиниться только в том случае, если и другая сторона выразит сожаление; и я нахожу, что она права.

Казалось, сэр Джемс Фоскиссон вздохнул свободнее.

— Теперь следует подумать, стоит ли использовать материал, представленный сыщиком, или нет? Если мы решим его использовать, то придется вызвать в качестве свидетелей швейцара и слуг... э-э... гм... мистера Кэрфью.

— Совершенно верно, — сказал Сомс. — Мы для того и собрались, чтобы решить этот вопрос.

Это прозвучало так, словно он сказал: «Объявляю конференцию открытой».

В течение пяти минут сэр Джемс молча просматривал донесение сыщика.

— Если это хотя бы частично подтвердится, — сказал он, — победа за нами.

Майкл отошел к окну. На деревьях уже появились крохотные почки; внизу на траве прихорашивались голуби. Донесся голос Сомса:

— Я забыл вам сказать, что они следят за моей дочерью. Конечно, ничего предосудительного она не делала, только навещала в отеле одного молодого американца, который опасно заболел.

— Навещала с моего согласия, — вставил Майкл, не отрываясь от окна.

— Можно будет его вызвать?

— Кажется, он сейчас в Борнмуте. Но он был влюблен в мисс Феррар.

Сэр Джемс повернулся к Сомсу.

— Если нельзя кончить дело миром, то лучше идти напролом. Думаю, что не следует ограничиваться вопросами о книгах, пьесе и клубах.

— Вы прочли эту сцену в «Прямодушном»? — осведомился Сомс. — И роман «Шпанская мушка»?

— Все это прекрасно, мистер Форсайт, но нельзя предвидеть, удовольствуются ли присяжные такого рода доказательствами.

Майкл отошел от окна.

— Меньше всего мне хотелось бы вторгаться в личную жизнь мисс Феррар, — сказал он. — Это отвратительно.

— Конечно. Но ведь вы хотите, чтобы я выиграл дело?

— Да, но не таким путем. Нельзя ли явиться в суд, ничего не говорить и уплатить деньги?

Сэр Джемс Фоскиссон улыбнулся и взглянул на Сомса; казалось, он хотел сказать: «Зачем, собственно, вы привели ко мне этого молодого человека?»

Но Сомс думал о другом.

— Слишком рискованно говорить об этом мистере Кэрфью. Если мы проиграем, это нам обойдется тысяч в двадцать. Кроме того, они, несомненно, притянут к допросу мою дочь, а этого я хочу избежать. Нельзя ли ограничиться походом на современную мораль?

Сэр Джемс Фоскиссон заерзал на стуле, и зрачки его сузились; он три раза чуть заметно кивнул.

— Когда разбирается дело? — спросил он «очень молодого» Николаса.

— Должно быть, в четверг на будущей неделе. Судья — Брэн.

— Отлично. Мы с вами увидимся в понедельник. Всего хорошего.

Он откинулся на спинку стула и застыл. Сомс и Майкл не осмелились его тревожить. Они молча вышли на улицу, «очень молодой» Николас остался поговорить с секретарем сэра Джемса. Дойдя до станции Темпль, Майкл сказал:

— Я зайду в редакцию «Аванпоста», сэр. Вы идете домой? Может быть, вы предупредите Флер?

Сомс кивнул. Ну конечно! Все неприятное приходится делать ему!

II. «НЕ НАМЕРЕН ДОПУСТИТЬ»

В редакции «Аванпоста» мистер Блайт только что закончил разговор с одним из тех великих дельцов, которые производят такое глубокое впечатлёние на всех, с кем ведут конфиденциальную беседу. Если сэр Томас Локкит и не держал в своих руках всю британскую промышленность, то, во всяком случае, все склонны были так думать — до того безапелляционно и холодно излагал он свою точку зрения. Он считал, что страна снова должна занять на мировом рынке то положение, какое занимала до войны. Все зависит от угля — препятствием является вопрос о семичасовом рабочем дне: но они, промышленники, «не намерены этого допустить». Надо во что бы то ни стало снизить себестоимость угля. Они не намерены допустить, чтобы Европа обходилась без английских товаров. Очень немногим были известны убеждения сэра Томаса Локкита, но эти немногие почитали себя счастливыми.

Однако мистер Блайт грыз ногти и отплевывался.

— Кто это был, с седыми усами? — осведомился Майкл.

— Локкит. Он «не намерен этого допустить».

— Да ну? — удивился Майкл.

— Совершенно ясно, Монт, что опасными людьми являются не политики, которые действуют во имя общего блага — иными словами, работают потихоньку, не спеша, — а именно эти крупные дельцы, преследующие свою личную выгоду. Уж они-то знают, чего хотят; и если дать им волю — они погубят страну.

— Что они затевают? — спросил Майкл.

— В данный момент — ничего, но в воздухе пахнет грозой. По Локкиту можно судить, сколь вредна сила воли. Он «не намерен допустить», чтобы кто-нибудь ему препятствовал. Он не прочь сломить рабочих и заставить их трудиться, как негров. Но это не пройдет, это вызовет гражданскую войну. В общем — скучно. Если опять вспыхнет борьба между промышленниками и рабочими, как нам тогда проводить фоггартизм?

— Я думал о положении страны, — сказал Майкл. — Как по-вашему, Блайт, не строим ли мы воздушные замки? Какой смысл убеждать человека, потерявшего одно легкое, что оно ему необходимо?

Мистер Блайт надул одну щеку.

— Да, — сказал он, — сто лет — от битвы при Ватерлоо до войны — страна жила спокойно; ее образ действий так устоялся, она так закоснела в своих привычках, что теперь все — и редакторы, и политики, и дельцы — способны мыслить только в плане индустриализации. За эти сто спокойных лет центр тяжести в стране переместился, и потребуется еще пятьдесят спокойных лет, чтобы она пришла в равновесие. Горе в том, что этих пятидесяти лет нам не видать. Какая ни на есть заваруха — война с Турцией или Россией, беспорядки в Индии, внутренние трения, не говоря уже о новом мировом пожаре, — и все наши планы летят к черту. Мы попали в беспокойную полосу истории и знаем это, вот и живем со дня на день.

— Ну и что же? — мрачно сказал Майкл, вспоминая разговоры с министром в Липпинг-Холле.

Мистер Блайт надул другую щеку.

— Молодой человек, не отступать! Фоггартизм сулит нам лучшее будущее, к нему мы и должны стремиться. Мы переросли все старые идеалы.

— Видели вы карикатуру Обри Грина?

— Видел.

— Ловко, не правда ли? В сущности, я пришел, чтобы сообщить вам, что это проклятое дело о диффамации будет разбираться через неделю.

Мистер Блайт подвигал ушами.

— Очень печально. Выиграете вы или проиграете — безразлично. Такие передряги вредят политической карьере. Но ведь до суда дело не дойдет?

— Мы бессильны что-либо изменить. Но наш защитник ограничится нападением на современную мораль.

— Нельзя нападать на то, что не существует.

— Вы хотите сказать, что не замечаете новой морали?

— Конечно. Попробуйте сформулируйте ее.

— «Не будь дураком, не будь скучным».

Мистер Блайт крякнул:

— В старину говорили: «Веди себя, как подобает джентльмену».

— Да, но теперь такого зверя не сыщешь.

— Кой-какие обломки сохранились: воспроизвели же неандертальского человека по одной половине черепа.

— Нельзя опираться на то, что считают смешным, Блайт.

— А, — сказал мистер Блайт, — ваше поколение, юный Монт, боится смешного и старается не отстать от века. Не так умно, как кажется.

Майкл усмехнулся.

— Знаю. Идемте в палату. Парсхэм проводит билль об электрификации. Может быть, услышим что-нибудь о безработице.

Расставшись с Блайтом в кулуарах, Майкл наткнулся в коридоре на своего отца. Рядом с сэром Лоренсом шел невысокий старик с аккуратно подстриженной седой бородкой.

— А, Майкл! Мы тебя искали. Маркиз, вот мой подающий надежды сын! Маркиз хочет, чтобы ты заинтересовался электрификацией.

Майкл снял шляпу.

— Не хотите ли пройти в читальню, сэр?

Он знал, что дед Марджори Феррар может быть ему полезен. Они уселись треугольником в дальнем углу комнаты, освещенной с таким расчетом, чтобы читающие не видели друг друга.

— Вы что-нибудь знаете об электричестве, мистер Монт? — спросил маркиз.

— Только то, сэр, что в этой комнате его маловато.

— Электричество необходимо всюду, мистер Монт. Я читал о вашем фоггартизме; очень возможно, что это политика будущего, но ничего нельзя сделать до тех пор, пока страна не электрифицирована. Я бы хотел, чтобы вы поддержали этот билль Парсхэма.

И старый пэр приложил все усилия, чтобы затуманить мозг Майкла.

— Понимаю, сэр, — сказал наконец Майкл. — Но этот билль приведет к увеличению числа безработных.

— Временно.

— Боюсь, что временных зол с меня хватит. Я убедился, что нелегко заинтересовать людей будущими благами. Мне кажется, они придают значение только настоящему.

Сэр Лоренс захихикал.

— Дайте ему время подумать, маркиз, и десяток брошюр. Знаешь ли, дорогой мой, пока твой фоггартизм обречен пребывать в стойле, тебе нужна вторая лошадь.

— Да, мне уже советовали заняться уличным движением или работой почты. Кстати, сэр, знаете — наше дело попало-таки в суд. Слушается на будущей неделе.

Сэр Лоренс поднял бровь.

— Да? Помните, маркиз, я вам говорил о вашей внучке и моей невестке? Я об этом и хотел с вами побеседовать.

— Кажется, речь шла о диффамации? — сказал старый пэр. — Моя тетка...

— Ах да! Очень интересный случай! — перебил сэр Лоренс. — Я читал о нем в мемуарах Бэтти Монтекур.

— В старину диффамация нередко бывала пикантна, — продолжал маркиз. — Ответчицу привлекли за следующие слова: «Кринолин скрывает ее кривобокость».

— Если можно что-нибудь сделать, чтобы предотвратить скандал, — пробормотал Майкл, — нужно действовать немедленно. Мы в тупике.

— Не можете ли вы вмешаться, сэр? — спросил сэр Лоренс.

У маркиза затряслась бородка.

— Я узнал из газет, что моя внучка выходит замуж за некоего Макгауна, члена палаты. Он сейчас здесь?

— Вероятно, — сказал Майкл. — Но я с ним поссорился. Пожалуй, сэр, лучше бы переговорить с ней.

Маркиз встал.

— Я ее приглашу к завтраку. Не люблю огласки. Ну-с, мистер Монт, надеюсь, что вы будете голосовать за этот билль и подумаете об электрификации страны. Мы хотим привлечь молодых людей. Пройду сейчас на скамью пэров[1]. Прощайте!

Он быстро засеменил прочь, а Майкл сказал отцу:

— Если он не намерен этого допустить, пусть бы и Флер пригласил к завтраку. Как-никак в ссоре затронуты две стороны.

III. СОМС ЕДЕТ ДОМОЙ

А в это время Сомс сидел с одной из «сторон» в ее гостиной. Она выслушала его молча, но вид у нее был угрюмый и недовольный. Разве он имел представление о том, какой она чувствовала себя одинокой и ничтожной? Разве он знал, что брошенный камень разбил ее представление о самой себе, что слово «выскочка» ранило ее душу? Он не мог понять, что эта травма отняла у нее веру в себя, надежду на успех, столь необходимые каждому из нас. Огорченный выражением ее лица, озабоченный деталями предстоящего «зрелища» и мучительно стараясь найти способ избавить ее от неприятностей, Сомс молчал как рыба.

— Ты будешь сидеть впереди, рядом со мной, — сказал он наконец. — Я бы посоветовал тебе одеться скромно. Ты хочешь, чтобы твоя мать тоже была там?

Флер пожала плечами.

— Да, — продолжал Сомс, — но если она захочет, пусть пойдет. Слава богу, Брэн не любит отпускать шуточки. Ты была когда-нибудь на суде?

— Нет.

— Самое главное — не волноваться и ни на что не обращать внимания. Все они будут сидеть за твоей спиной, кроме присяжных, а они не страшные. Если будешь смотреть на них — не улыбайся.

— А что, они к этому чувствительны, папа?

Сомс не реагировал на столь легкомысленную реплику.

---

[1] Места в первом ряду галереи в палате общин.

— Шляпу надень маленькую. Майкл пусть сядет слева от тебя. Вы уже покончили с этим... э-э... гм... умалчиванием?

— Да.

— И я бы этого не повторял. Он тебя очень любит.

Флер кивнула.

— Может быть, ты мне что-нибудь хочешь сказать? Ты знаешь, я ведь о тебе беспокоюсь.

Флер подошла и села на ручку его кресла; у него сразу отлегло от сердца.

— Право же, мне теперь все равно. Дело сделано. Надеюсь только, что ей не поздоровится.

Сомс лелеял ту же надежду, но был шокирован ее словами.

Вскоре после этого разговора он с ней расстался, сел в свой автомобиль и поехал домой, в Мейплдерхем. Был холодный вечер, и Сомс закрыл окна. Ни о чем не хотелось думать. Он провел утомительный день и лениво радовался запаху стефанотиса, которым, по распоряжению Аннет, душили автомобиль. Знакомая дорога не наводила на размышления, он только подивился, как много всегда на свете народу между шестью и семью часами вечера. Он задремал, проснулся, опять задремал. Что это, Слау? Здесь он учился, прежде чем поступил в Молборо, и с ним молодой Николас и Сент-Джон Хэймен, а позже — еще кое-кто из молодых Форсайтов. Почти шестьдесят лет прошло с тех пор! Он помнил первый день в школе — с иголочки новый мальчик в новом с иголочки цилиндрике; в ящике от игрушек — лакомства, которыми снабдила его мать; в ушах звучат ее слова: «Вот, Сомми, маленький, угостишь — и тебя будут любить». Он думал растянуть это угощение на несколько недель; но не успел он достать первый пряник, как его ящиком завладели и намекнули ему, что недурно было бы съесть все сразу. За двадцать две минуты двадцать два мальчика значительно прибавили в весе, а сам он, оделяя других, получил меньше двадцать третьей доли. Ему оставили только пачку печенья с тмином, а он совсем не любил тмина. Потом три других новичка назвали его дураком за то, что он все раздарил, а не сберег для них, и ему пришлось драться с ними по очереди. Популярность его длилась двадцать две минуты и кончилась раз и навсегда. С тех самых пор он был настроен против коммунизма.

Подскакивая на мягком сиденье машины, он остро вспомнил, как его кузен Сент-Джон Хэймен загнал его в куст терновника и не выпускал добрых две минуты. Злые создания эти мальчишки! Мысль о Майкле, стремящемся удалить их из Англии, вызвала в нем чувство благодарности. А впрочем... даже с мальчиками у него связаны кой-какие приятные воспоминания. Из своей коллекции бабочек он как-то продал одному мальчику двух сильно подпорченных «адмиралов» за шиллинг и три пенса. Снова стать мальчиком, а? И стрелять горохом в окна проходящего поезда; дома, на каникулах, пить черри-бренди; получить награду за то, что прочел наизусть двести строк из поэмы Вальтера Скотта лучше, чем Бэроуз Яблочный Пирог, а? Что сталось с Бэроузом, у которого в школе всегда было столько денег, что его отец обанкротился? Бэроуз Яблочный Пирог...

Улицы Слау остались позади. Теперь они ехали полями, и Сомс опустил раму, чтобы подышать воздухом. В окно ворвался запах травы и деревьев. Удалить из Англии мальчиков! Странное у них произношение в этих заморских краях! Впрочем, и здесь иногда такое услышишь! Вот в Слау за произношением следили, чуть что — мальчик получал по затылку. Он вспомнил, как его родители — Джемс и Эмили — в первый раз приехали его навестить, такие парадные — он с баками, она в кринолине; и противные мальчишки отпускали по их адресу обидные замечания. Вон их из Англии! Но в то время мальчикам некуда было уезжать. Он глубоко вдохнул запах травы. Говорят, Англия изменилась, стала хуже, чуть ли не гибнет. Вздор! Пахнет в ней по-прежнему! Вот в начале прошлого века Саймон, брат «Гордого Доссета», уехал мальчиком на Бермудские острова — и что же, дал он о себе знать? Не дал. Джон Форсайт и его мать — его, Сомса, неверная и все еще не совсем забытая жена — уехали в Штаты — дадут они еще о себе знать? Надо надеяться, что нет. Англия! Когда-нибудь, когда будет время и машина будет свободна, надо заглянуть на границу Дорсетшира и Девона, откуда вышли Форсайты. Там, насколько ему известно, ничего нет, и никто о его поездке не узнает; но интересно, какого цвета там земля, и, наверно, там есть кладбище, и еще... А, проезжаем Мейденхед! Испортили реку эти виллы, отели, граммофоны! Странно, что Флер никогда не любила реку: должно быть, находит ее слишком мокрой и медленной; сейчас все сухое, быстрое, как в Америке. Но где сыскать такую реку, как Темза? Нигде. Водоросли и чистая, зеленая вода, можно сидеть в лодке и глядеть на коров, на тополя, на те вот большие вязы. Спокойно и тихо, и никто не мешает, и можно думать о Констэбле, Мэйсоне, Уокере.

Тут последовал легкий толчок; автомобиль, наткнувшись на что-то, остановился. Этот Ригз вечно на что-нибудь натыкается! Сомс выглянул в окно. Шофер вылез и стал осматривать колеса.

— Что это? — спросил Сомс.

— Кажется, это была свинья, сэр.

— Где?

— Прикажете ехать дальше или пойти посмотреть?

Сомс огляделся по сторонам. Поблизости не было никакого жилья.

— Посмотрите.

Шофер исчез за автомобилем. Сомс сидел неподвижно.

Он никогда не разводил свиней. Говорят, свинья — чистоплотное животное. Люди не отдают должного свиньям. Было очень тихо. Ни одного автомобиля на дороге; в тишине слышно было, как ветер шелестит в кустах. Сомс заметил несколько звезд.

— Так и есть, свинья, сэр, она дышит.

— О! — сказал Сомс.

Если у кошки девять жизней, то сколько же у свиньи?

Он вспомнил единственную загадку, которую любил загадывать его отец: «Если полторы селёдки стоят три с половиной пенса, то ско́лько стоит рашпер?» Еще ребенком он понял, что ответить на это нельзя.

— Где она? — спросил он.

— В канаве, сэр.

Свинья была чьей-то собственностью, но раз она забилась в канаву, Сомс успеет доехать до дому раньше, чем пропажа свиньи будет обнаружена.

— Едем! — сказал он. — Нет! Подождите!

Он открыл дверцу и вышел на дорогу. Ведь все-таки свинья попала в беду.

— Покажите, где она.

Он направился к тому месту, где стоял шофер. В неглубокой канаве лежала какая-то темная масса и глухо всхрапывала, словно человек, заснувший в клубе.

— Мы только что проехали мимо коттеджей, — сказал шофер. — Должно быть, она оттуда.

Сомс посмотрел на свинью.

— Что-нибудь поломано?

— Нет, сэр. Крыло цело. Кажется, мы здорово ее двинули.

— Я спрашиваю про свинью.

Шофер тронул свинью кончиком башмака. Она завизжала, а Сомс вздрогнул. Какой бестолковый парень! Ведь могут услышать! Но как узнать, цела ли свинья, если не прикасаться к ней? Он подошел ближе, увидел, что свинья на него смотрит, и почувствовал сострадание. Что, если у нее сломана нога? Снова шофер ткнул ее башмаком. Свинья жалобно завизжала, с трудом поднялась и, хрюкая, рысцой побежала прочь. Сомс поспешил сесть в автомобиль.

— Поезжайте! — сказал он.

Свиньи! Ни о чем не думают, только о себе; да и хозяева их хороши — вечно ругают автомобили. И кто знает, может быть, они правы! Сомсу почудилось, что внизу у его ног блестят свиные глазки. Не завести ли ему свиней, теперь, когда он купил этот луг на другом берегу реки? Есть сало своих собственных свиней, коптить окорока! В конце концов это было бы неплохо. Чистые свиньи, прекрасно откормленные! И старик Фоггарт говорит, что Англия должна кормить самое себя и ни от кого не зависеть, если снова разразится война... Он потянул носом: пахнет печеным хлебом. Рэдинг — как быстро доехали! Хоть печенье в Англии свое! Поедать то, что производят другие страны, даже неприятно — точно из милости кормят! Есть в Англии и мясо, и пшеница; а что касается годного для еды картофеля, то его нигде, кроме как в Англии, не найти — ни в Италии, ни во Франции. Вот теперь хотят снова торговать с Россией. Эти большевики ненавидят Англию. Есть их хлеб и яйца, покупать их сало и кожи? Недостойно!

Автомобиль круто повернул, и Сомса швырнуло на подушки. Вечно этот Ригз гонит на поворотах! Деревенская церковь — старенькая, с коротким шпилем — вся обросла мхом; такую церковь увидишь только в Англии: могилы, полустертые надписи, тисы. И Сомс подумал: когда-нибудь и его похоронят. Быть может, здесь. Ничего вычурного не нужно. Простой камень, на камне только его имя: «Сомс Форсайт», — как та могила в Хайгете, на которой он тогда сидел. Незачем писать: «Здесь покоится», — конечно, покоится! Ставить ли крест? Должно быть, поставят, хочет он того или нет. Он бы предпочел лежать где-нибудь в сторонке, подальше от людей; а над могилой яблоня. Чем реже о нем будут вспоминать, тем лучше. Вот только Флер... а ей некогда будет думать о нем!

Автомобиль спустился с последнего невысокого холма к реке. Сквозь листву тополей мелькнула темная вода. Словно струилась, таясь, душа Англии. Автомобиль свернул в аллею и остановился у подъезда. Не стоит пока говорить Аннет, что дело передано в суд, — она не поймет его состояния, нет у нее нервов!

IV. ВОПРОСЫ И ОТВЕТЫ

Было решено, что Марджори Феррар венчается в первый день пасхального перерыва[1]; медовый месяц проводит в Лугано; приданое заказывает в ателье Клотильд; жить будет на Итон-сквер; на булавки будет получать две тысячи фунтов в год; кого она любит — решено не было. Получив по телефону приглашение позавтракать у лорда Шропшир, она удивилась. Что это ему вздумалось?

Однако на следующее утро в пять минут десятого она входила в покои предков, оставив дома нетронутыми почти всю пудру и грим. Быть может, дед неодобрительно относится к предстоящей свадьбе? Или же хочет подарить бабушкины кружева, которые годны только для музея?

Маркиз сидел перед электрическим камином и читал газету. Когда вошла Марджори, он зорко на нее посмотрел.

— Ну что, Марджори? Сядем к столу или ты предпочитаешь завтракать стоя? Вот каша, рыба, омлет. А-а, есть и грейпфруты — очень приятно! Ну-ка, разливай кофе!

— Что вам предложить, дедушка?

— Благодарю, я возьму всего понемножку. Итак, ты выходишь замуж. Хорошая партия?

— Да, говорят.

— Я слышал, он член парламента. Не можешь ли ты заинтересовать его этим биллем Парсхэма об электрификации?

— О да! Он сам увлекается электрификацией.

— Умный человек. Кажется, у него есть какие-то заводы? Они электрифицированы?

— Должно быть.

Маркиз снова на нее посмотрел.

— Ты понятия об этом не имеешь, — сказал он. — Но выглядишь ты прелестно. Что это за дело о диффамации?

Ах, вот оно что! Дед всегда все знает. Ничто от него не укроется.

[1] В заседаниях парламента.

— Вряд ли это вас заинтересует, дедушка.

— Ошибаешься. Мой отец и старый сэр Лоренс Монт были большими друзьями. Неужели ты хочешь перемывать белье на людях?

— Я не хочу.

— Но ведь ты истица?

— Да.

— На что же ты жалуешься?

— Они плохо обо мне отзывались.

— Кто?

— Флер Монт и ее отец.

— А, родственники этого чаеторговца. Что же они говорили?

— Что я понятия не имею о нравственности.

— А ты имеешь?

— Такое же, как и все.

— Что еще?

— Что я — змея.

— Вот это мне не нравится. Почему же они это сказали?

— Они слышали, как я назвала ее выскочкой. А она действительно выскочка.

Покончив с грейпфрутом, маркиз поставил ногу на стул, локоть на колено, оперся подбородком о ладонь и сказал:

— В наше время, Марджори, никакой божественной преграды между нашим сословием и другими нет; но все же мы — символ чего-то. Не следует об этом забывать.

Она сидела притихшая. Дедушку все уважают, даже ее отец, с которым он не разговаривает. Но чтобы тебя называли символом — нет, это уж слишком скучно! Легко говорить дедушке в его возрасте, когда у него нет никаких соблазнов! И потом, по воле хваленых английских законов, она-то ведь не носит титула. Правда, как дочь лорда Чарльза и леди Урсулы она не любит, чтобы ею распоряжались, но никогда она не хвасталась, всегда хотела, чтобы в ней видели просто дочь богемы. Да, в конце концов она действительно символ — символ всего нескучного, немещанского.

— Я пробовала помириться, дедушка, она не захотела. Налить вам кофе?

— Да, налей. Скажи мне, а ты счастлива?

Марджори Феррар передала ему чашку.

— Нет. А кто счастлив?

— Я слышал, ты будешь очень богата, — продолжал маркиз. — Богатство дает власть, а ее стоит использовать правильно, Марджори. Он — шотландец, не так ли? Он тебе нравится?

Снова он зорко на нее посмотрел.

— Иногда.

— Понимаю. У тебя волосы рыжие, будь осторожна. Где вы будете жить?

— На Итон-сквер. И в Шотландии у него есть имение.

— Электрифицируйте ваши кухни. Я у себя здесь электрифицировал. Это прекрасно действует на настроение кухарки, и кормят меня прилично. Но вернемся к вопросу о диффамации. Не можете ли вы обе выразить сожаление? Зачем набивать карманы адвокатов?

— Она не хочет извиниться первая, я тоже не хочу.

Маркиз допил кофе.

— В таком случае что же вам мешает договориться? Я не хочу огласки, Марджори. Каждый великосветский скандал забивает новый гвоздь в крышку нашего гроба.

— Если хотите, я поговорю с Алеком.

— Поговори. У него волосы рыжие?

— Нет, черные.

— А! Что подарить тебе на свадьбу? Кружева?

— Нет, дедушка, только не кружева! Никто их не носит.

Маркиз склонил голову набок и посмотрел на нее, словно хотел сказать: «Никак не могу отделаться от этих кружев».

— Может быть, подарить тебе угольную шахту? Со временем она будет приносить доход, если ее электрифицировать.

Марджори засмеялась.

— Я знаю, что у вас материальные затруднения, дедушка, но право же, шахта мне не нужна: это требует больших расходов. Дайте мне ваше благословение, вот и все.

— Может быть, мне заняться продажей благословений? — сказал маркиз. — Твой дядя Дэнджерфилд увлекся сельским хозяйством; он меня разоряет. Вот если бы он выращивал пшеницу с помощью электричества, тогда бы это могло окупиться. Ну, если ты уже позавтракала, ступай. Мне надо работать.

Марджори Феррар, которая только начала завтракать, встала и пожала ему руку. Славный старик, но всегда так спешит...

В тот вечер она была в театре, и Макгаун рассказал ей о визите Сомса. Марджори Феррар воспользовалась удобным случаем.

— О боже! Почему вы не покончили с этим делом, Алек? Неприятная история. И мой дед недоволен.

— Если они принесут извинение, — сказал Макгаун, — я завтра же прекращаю дело. Но извиниться они должны.

— А мне что делать? Я не намерена служить мишенью.

— Бывают случаи, Марджори, когда нельзя уступать. С начала до конца они вели себя возмутительно.

Она не удержалась и спросила:

— Как вы думаете, Алек, какая я на самом деле?

Макгаун погладил ее обнаженную руку.

— Я не думаю, я знаю.

— Ну?

— Вы отважная.

Забавное определение! Даже верное, но...

— Вы хотите сказать, что мне нравится дразнить людей и потому они считают меня не такой, какая я в действительности. Но допустим, — она смело посмотрела ему в глаза, — что они правы?

Макгаун сжал ее руку.

— Вы не такая, и я не допущу, чтобы о вас так говорили.

— Вы думаете, что процесс меня обелит?

— Я знаю цену сплетням и знаю, какие слухи о вас распускают. Люди, распускающие эти сплетни, получат хороший урок.

Марджори Феррар перевела взгляд на опущенный занавес, засмеялась и сказала:

— Мой друг, вы ужасно провинциальны.

— Я предпочитаю идти прямой дорогой.

— В Лондоне нет прямых дорог. Лучше обойти сторонкой, Алек, а то споткнетесь.

Макгаун ответил просто:

— Я верю в вас больше, чем вы в себя верите.

Смущенная и слегка растроганная, она была рада, что в эту минуту поднялся занавес.

После этого разговора ей уже не так хотелось покончить дело миром. Ей казалось, что процесс окончательно разрешит и вопрос о ее браке. Алек будет знать, что она собой представляет; по окончании процесса ей уже нечего будет скрывать, и она или не выйдет за него, или он возьмет ее такой, какая она есть. Будь что будет! И тем не менее вся эта история очень неприятна, в особенности те вопросы адвокатов, которые ей скоро предстоит выслушать. Например, ее спросят: какое впечатление произвели письма Флер на ее друзей и знакомых? Чтобы выиграть дело, необходимо этот пункт выяснить. Но что она может сказать? Одна чопорная графиня и одна миллионерша из Канады, которая вышла замуж за разорившегося баронета, пригласили ее погостить, а потом от приглашения отказались. Ей только сейчас пришло в голову сопоставить их отказ с этими письмами. Но больше никаких данных у нее нет; обычно люди не говорят вам в глаза, что они о вас слышали или думают. А защитник будет распространяться об оскорбленной невинности. О господи! А что если огласить на суде свой символ веры, и пусть они расхлебывают кашу? В чем ее символ веры? Не подводить друзей; не выдавать мужчин; не трусить; поступать не так, как все; всегда быть в движении; не быть скучной; не быть «мещанкой»! Ой, какая путаница! Только бы не растеряться!

V. ЗНАМЕНАТЕЛЬНЫЙ ДЕНЬ

В день суда Сомс проснулся в доме Уинифрид на Грин-стрит и сразу почувствовал какое-то болезненное нетерпение. Поскорей бы наступило «завтра»!

Встречи с «очень молодым» Николасом Форсайтом и сэром Джемсом Фоскиссоном возобновились, и было окончательно решено повести атаку на современные нравы. Фоскиссон был явно заинтересован — может быть, у него свои счеты с современными нравами; и если он покажет себя хотя бы в полсилы старика Бобстэя, который только что, восьмидесяти двух лет от роду, опубликовал свои мемуары, то эта рыжая кошка не выдержит и проговорится. Накануне Сомс отправился в суд посмотреть на судью Брэна и вынес благоприятное впечатление: ученый судья хотя и был моложе Сомса, но выглядел достаточно старомодным.

Почистив зубы и причесавшись, Сомс прошел в соседнюю комнату и предупредил Аннет, что она опоздает. В постели Аннет всегда выглядела очень молодой и хорошенькой, и, хотя ему это нравилось, но простить ей этого он не мог. Когда он умрет — так лет через пятнадцать, — ей не будет еще шестидесяти лет, и, пожалуй, она проживет после него годиков двадцать.

Добившись, наконец, того, что она проснулась и сказала: «Успеешь еще поскучать в суде, Сомс», он вернулся в свою комнату и подошел к окну. В воздухе пахло весной — даже обидно! Он принял ванну и тщательно выбрился; брился осторожно: не подобает являться в суд с порезанным подбородком! Затем заглянул к Аннет, чтобы посоветовать ей одеться поскромнее. На Аннет было розовое белье.

— Я бы на твоем месте надел черное платье.

Аннет посмотрела на него поверх ручного зеркала.

— Кого ты прикажешь мне соблазнить, Сомс?

— Конечно, эти люди явятся со своими друзьями; все, что бросается в глаза...

— Не беспокойся, я постараюсь выглядеть не моложе своей дочери.

Сомс вышел. Француженка! Но одеваться она умеет.

Позавтракав, он отправился к Флер. С Аннет остались Уинифрид и Имоджин — они тоже собирались в суд, точно в этом было что-нибудь веселое!

Элегантный, в цилиндре, он шел по Грин-парку, репетируя свои показания. Почки еще не налились — поздняя весна в этом году! И королевской семьи нет в городе. Он мельком взглянул на скульптуру перед Букингемским дворцом — мускулистые тела, большие звери — символ империи! Все теперь ругают и это, и памятник принцу Альберту, а ведь они связаны с эпохой мира и процветания, и ничего в них современного... Потом узким переулком, где пахло жареной рыбой, он пробрался на тихую Норт-стрит и долго смотрел на церковь Рэна[1], приютившуюся среди чистеньких небольших домов. Он никогда не заглядывал ни в одну церковь, кроме собора Св. Павла, но, созерцая их снаружи, обычно набирался бодрости. Постройки все крепкие, не кричащие, вид у них независимый. На Саут-сквер он свернул в несколько лучшем настроении. В холле его встретил Дэнди. Сомс не питал страсти к собакам, но солидный, толстый Дэнди нравился ему гораздо больше, чем тот китайский недоносок, которого Флер держала раньше. Дэнди — собака с характером властным и настойчивым; уж он-то не проболтался бы, если б его вызвали свидетелем! Подняв голову, Сомс увидел Майкла и Флер, спускавшихся по лестнице. Окинув беглым взглядом коричневый костюм Майкла и его галстук в крапинку, он впился глазами в лицо дочери. Бледна, но, слава богу, ни румян, ни пудры, и губы не подкрашены, ресницы не подведены. Прекрасно загримирована для своей роли! Синее платье выбрала с большим вкусом — вероятно, долго обдумывала. Желание подбодрить дочь заставило Сомса подавить беспокойство.

— Пахнет весной! — сказал он. — Ну что ж, едем?

---

[1] Английский архитектор (1632—1723).

Пока вызывали такси, он пытался рассеять ее тревогу.

— Вчера я пошел поглядеть на Брэна; он очень изменился за то время, что я с ним знаком. Я один из первых стал поручать ему дела.

— Это плохо, сэр, — сказал Майкл.

— Почему?

— Он побоится, как бы его не сочли благодарным.

Острит, как всегда!

— Славный народ наши судьи, — сказал Сомс.

— Не сомневаюсь, сэр. Как вы думаете, он когда-нибудь читает?

— Что вы хотите сказать? Что читает?

— Романы. Мы вот, в парламенте, не читаем.

— Романы читают только женщины, — сказал Сомс и пощупал платье Флер. — Материя тонкая; надень мех.

Пока Флер ходила за мехом, Сомс спросил Майкла:

— Как она спала?

— Лучше, чем я, сэр.

— Это хорошо. А вот и такси. Держитесь подальше от этого шотландца.

— Да ведь я его каждый день вижу в палате.

— Ах да, — сказал Сомс. — Я забыл. Кажется, там вы на такого рода вещи внимания не обращаете.

И, взяв под руку дочь, повел ее к автомобилю.

— Интересно, придет ли Блайт, — проговорил Майкл, когда они проезжали мимо редакции «Аванпоста».

Никто не ответил, и разговор иссяк.

Вид у здания суда был обычный, к подъезду спешили люди в черном и синем.

«Тараканы!» — сказал Майкл. В ответ на это сравнение Сомс толкнул его локтем; ему все это было так знакомо — гулкие залы, темные лестницы, душные коридоры.

Они приехали слишком рано и медленно поднимались по лестнице. В сущности, какой идиотизм! Вот они явились сюда — они и их противники, чтобы получить — что? Сомс удивлялся самому себе. Как он не настоял, чтобы Флер извинилась? Когда дело касалось других, вся судебная процедура казалась вполне естественной и разумной, но сейчас в это была замешана его дочь. Он быстро повел ее мимо клерков и свидетелей к дверям зала. Несколько слов вполголоса швейцару — и они вошли, сели. «Очень молодой» Николас был уже на месте, и Сомс устроился так, чтобы между ними оказался только сэр Джемс. Потом он окинул взглядом публику. Да, очевидно, все пронюхали! Он так и знал, ведь эта рыжая кошка у всех на виду. На задних скамьях сидели дамы, много дам; и публики все прибавлялось. Сомс резко повернулся: гуськом входили присяжные. Почему у них всегда такой простоватый вид? Сомс никогда не был присяжным. Он взглянул на Флер. Сидит рядом с ним, а о чем думает — неизвестно. А у Майкла очень уж торчат уши. Тут он заметил Аннет. Лучше бы она не пробиралась сюда вперед, не нужно обращать на себя внимания. Он посмотрел на нее, покачал головой и указал на задние скамьи. Ага, послушалась! Она, Уинифрид и Имоджин займут немало места: не худенькие. А все-таки остаются еще свободные места. Потом он вдруг увидел истицу, ее поверенного и Макгауна; вид у них очень самоуверенный, а эта наглая кошка улыбается! Стараясь не смотреть в ту сторону, Сомс все же видел, как они уселись шагах в десяти от него. А вот и адвокаты! Фоскиссон и Булфри вместе, чуть что не под руку. А через несколько минут они будут называть друг друга «уважаемый» и что есть силы топить один другого. Сомс задумался: не лучше ли было пригласить вместо Фоскиссона Булфри, некрасивого, широкоплечего, опытного, сухого. Сомс, Майкл и Флер сидели впереди; за ними Фоскиссон и его помощник. «Рыжая кошка» сидела между Сэтлуайтом и шотландцем, за ними Булфри с помощником. Теперь для полноты картины не хватало только судьи. А, вот и он! Сомс схватил Флер за локоть и заставил ее встать. Бум! Снова сели. У судьи Брэна одна щека как будто полнее другой; не болят ли у него зубы? Интересно, как это повлияет на ход дела?

Затем началась обычная «канитель»: сегодня будет слушаться такое-то дело, на будущей неделе такое-то и так далее. Наконец с этим покончили, и судья стал озираться по сторонам, словно осматривая поле битвы. Булфри встал:

— Если вы разрешите, милорд...

Он сделал обычное вступление, цветистыми фразами изобразил истицу... Внучка маркиза, обручена с членом парламента... быть может, с будущим премьером... вращается в самых блестящих кругах общества; женщина пылкая и смелая, пожалуй, слишком смелая... Вертихвостка!.. Потом обычное кисло-сладкое описание ответчицы... Богатая и тщеславная молодая леди. Какое нахальство!.. Присяжные должны помнить, что имеют дело с представителями ультрасовременного общества; однако и в этом обществе слова сохраняют свой первоначальный смысл!.. Гм... Дальше Булфри упомянул об инциденте в салоне Флер... конечно, преуменьшил его значение... А! Вот он намекает на него, Сомса... Человек богатый, влиятельный... Скажите, какая честь! А, он читает эти письма... сообщает, какое они произвели впечатление... конечно, старается приукрасить истицу!.. Истица вынуждена была принять меры... Вздор! «Сейчас я вызову свидетельницу, миссис Ральф Ппинррин».

— Как пишется эта фамилия, мистер Булфри?

— Два «п», два «и», два «н» и два «р», милорд.

— Понимаю.

Сомс посмотрел на особу, носившую такую фамилию. Хорошенькая женщина, несколько легкомысленная на вид. Он внимательно прислушивался к ее показаниям. Она довольно точно передала инцидент у Флер. Черсз два дня она получила письмо, порочащее истицу. Как друг, сочла своим долгом уведомить мисс Феррар. Может подтвердить, как светская женщина, что этот инцидент и эти письма причинили вред мисс Феррар. Ей приходилось беседовать об этом со знакомыми. Публичный скандал. Инцидент вызвал большое возбуждение. Показала полученное письмо миссис Молтиз, оказалось, что та тоже получила письмо. Инцидент служит темой для разговоров. Гм!

Булфри сел. Фоскиссон встал.

Сомс подобрался. Вот теперь посмотрим, как он поведет перекрестный допрос, — это важно. Ну что ж — неплохо. Ледяной взгляд устремлен в пространство, когда он задает вопрос, обращается на свидетеля, когда он ждет ответа; рот приоткрыт, словно готов проглотить ответ, языком проводит по нижней губе; одна рука скрыта за спиной, в складках мантии.

— Разрешите задать вопрос, миссис... э-э... Ппинррин? Инцидент, как выразился мой уважаемый коллега, произошел в домс миссис Монт, не так ли? И вы были приглашены в качестве друга? Совершенно верно. Вы ничего не имеете против миссис Монт? Нет. И вы сочли нужным, сударыня, показать это письмо истице и вашим знакомым — иными словами, постарались раздуть пустячный инцидент? — Взгляд на свидетельницу, ждет ответа.

— Если бы кто-нибудь из моих друзей получил оскорбительное для меня письмо — не сомневаюсь, они сообщили бы мне.

— Даже если бы ваш друг знал мотивы, которые привели к написанию письма, и был не только вашим другом, но и другом того, кто письмо написал?

— Да.

— А не объясняется ли ваш поступок тем, что слишком уж было заманчиво раздуть эту маленькую ссору? Не проще ли было бы разорвать письмо и никому ничего не говорить? Ведь ваше мнение о мисс Феррар измениться не могло, вы слишком хорошо ее знаете, не правда ли?

— Да-а.

— Прекрасно. Вы — друг ответчицы и истицы. Неужели вы не знали, что выражения, встречающиеся в письме, можно объяснить сплином и, во всяком случае, не следует придавать им значения?

— Ну нет!

— Как? Вы приняли их всерьез? Иными словами, вы нашли, что они справедливы?

— Конечно, нет.

— Могли бы они повредить мисс Феррар, если бы в них не было ни намека на правду?

— Думаю, что да.

— Но на вас, на ее друга, они повлиять не могли?

— Не могли.

— Они повлияли на тех, кто о них и не узнал бы, если бы вы не оповестили. В сущности, сударыня, вы наслаждались всей этой историей, не так ли?

— Наслаждалась? Нет.

— Вы считали своим долгом огласить это письмо? А разве не радостно исполнять свой долг?

Сомс удержался от улыбки.

Фоскиссон сел. Булфри встал.

— Очевидно, вы, миссис Ппинррин, подобно многим людям, менее счастливым, чем мой ученый друг, сознавали, что иногда бывает тягостно исполнять свой долг?

— Да.

— Благодарю вас. Миссис Эдуард Молтиз.

Пока допрашивали свидетельницу, молодую толстенькую брюнетку, Сомс пытался угадать, Флер или «рыжая кошка» произвела большее впечатление на тех из присяжных, которые, видимо, были неравнодушны к красоте. Он так и не пришел ни к какому выводу, когда поднялся сэр Джемс Фоскиссон.

— Скажите, пожалуйста, миссис Молтиз, какие выражения в письмах вы считаете наиболее обидными?

— Слово «предательница» в моем письме и «змея» в письме к миссис Ппинррин.

— Они более оскорбительны, чем другие?

— Да.

— Теперь я обращаюсь к вам за помощью, сударыня. Быть может, круг ваших знакомых несколько несходен с тем, в каком вращается истица?

— Да, пожалуй.

— Но они, так сказать, пересекаются?

— Да.

— Скажите, в каком кругу — в вашем или истицы — выражение «она не имеет представления о нравственности» считается более порочащим?

— Затрудняюсь ответить.

— Мне только хотелось знать ваше мнение. Как вы думаете, ваши знакомые столь же ультрасовременны, как и знакомые мисс Феррар?

— Пожалуй, нет.

— Всем известно, не правда ли, что люди ее круга свободны от всяких предрассудков и не признают условностей?

— Кажется, да.

— И все-таки ваши знакомые в достаточной мере современны, не «мещане»?

— Что такое, сэр Джемс?

— «Мещане», милорд, — очень распространенное выражение.

— Что оно означает?

— Старомодный, ретроград — вот что оно означает, милорд.

— Понимаю. Свидетельница, он спрашивает, не «мещанка» ли вы?

— Нет, милорд, надеюсь — нет.

— Вы надеетесь, что нет. Продолжайте, сэр Джемс.

— Не будучи мещанкой, вы, пожалуй, не взволновались бы, если бы вам кто-нибудь сказал: «Моя милая, вы не имеете представления о нравственности».

— Нет, не взволновалась бы, если бы это было сказано таким любезным тоном.

— Послушайте, миссис Молтиз, может ли это выражение,

каким бы тоном оно ни было сказано, опорочить вас или ваших друзей?

— Да.

— Могу ли я вывести отсюда заключение, что люди вашего круга имеют то же представление о нравственности, что и... ну, скажем, милорд?

— Как может свидетельница ответить на такой вопрос, сэр Джемс?

— Скажем иначе: бывают ли люди вашего круга шокированы, когда их друзья разводятся или уезжают вдвоем на недельку, скажем, в Париж или в какое-нибудь другое местечко?

— Шокированы? Разве поступок, которого ты сам не сделаешь, непременно должен шокировать?

— Значит, вы не бываете шокированы?

— Не знаю, что может меня шокировать.

— Это было бы старомодно, не так ли?

— Пожалуй.

— Но скажите мне, если таковы взгляды людей вашего круга, — а ведь помните, вы сказали, что он не столь современен, как круг истицы, — то может ли быть, что слова «она не имеет представления о нравственности» причинили какой-либо вред истице?

— Люди нашего круга — это еще не весь мир.

— Конечно. Я даже полагаю, что это очень небольшая часть мира. Но разве вы или истица считаетесь...

— Как ей знать, сэр Джемс, с чем считается истица?

— Разве вы лично считаетесь с тем, что думают люди, стоящие вне вашего круга?

Сомс одобрительно кивнул. Этот свое дело знает! Он взглянул на Флер и заметил, что она смотрит на свидетельницу и слегка улыбается.

— Я лично не обращаю особого внимания даже на мнение людей моего круга.

— У вас характер более независимый, чем у истицы?

— Думаю, что не менее.

— Ее независимый характер всем известен?

— Да.

— Благодарю вас, миссис Молтиз.

Фоскиссон сел. Булфри встал.

— Я вызываю истицу, милорд.

Сомс приготовился.

VI. ПОКАЗАНИЯ

Марджори Феррар, довольно спокойная и только слегка накрашенная, подошла к перилам. На следующий день газеты упомянут о том, что на ней была черная шляпа и черный костюм, отделанный мехом шиншиллы. Она поцеловала воздух около Библии, перевела дыхание и повернулась к мистеру Булфри.

В течение последних пяти дней она негодовала, замечая, что этот процесс совершенно лишил ее воли. Она сама его затеяла, а теперь инициатива от нее ушла. Она открыла старую истину, что если уж машина ссоры завертелась, то недостаточно нажать кнопку, чтобы остановить ее. Если ничего не выйдет — поделом Алеку и адвокатам!

Ровный голос мистера Булфри успокоил ее. Вопросы были знакомые, к ней возвращалась уверенность в себе, ее голос звучал четко, приятно. Она держалась свободно, чувствуя, что ее показания интересуют судью, присяжных, публику. Если б только не сидела здесь эта «выскочка» с каменным лицом! Когда наконец мистер Булфри сел, а сэр Джемс Фоскиссон встал, она едва не поддалась желанию напудрить нос. Однако она поборола это желание и сжала руками перила; впервые за это утро холодок пробежал у нее по спине. И что за манера — почему он на нее не смотрит?

— Вам когда-нибудь приходилось судиться, мисс Феррар?

— Нет.

— Вполне ли вы уясняете себе значение присяги?

— Вполне.

— Вы сообщили моему другу, мистеру Булфри, что не питали никакой вражды к миссис Монт. Будьте любезны взглянуть на эту заметку в «Ивнинг сан» от третьего октября. Это вы писали?

Марджори Феррар почувствовала себя так, словно из оранжереи выскочила на мороз. Так, значит, им все известно?

— Да, я.

— Она заканчивается так: «Предприимчивая молодая леди пользуется случаем создать свой «салон», спекулируя на любопытстве, порождаемом политическим авантюризмом». Вы имели в виду миссис Монт?

— Да.

— Не очень-то хорошо отзываться в таком тоне о друге, а?

— Не вижу ничего плохого.

— Иными словами, вы бы остались довольны, если бы это было сказано о вас?

— Будь я на ее месте, я бы этого ждала.

— Вы уклоняетесь от ответа. А вашему отцу приятно было бы прочесть такую заметку о вас?

— Мой отец не стал бы читать этого отдела.

— Значит, вы удивляетесь, что отец миссис Монт прочел? И вы часто помещаете такие незлобивые заметки о ваших друзьях?

— Не часто.

— Так, время от времени? И после этого они остаются вашими друзьями?

— Вращаясь в свете, трудно сказать, кто вам друг, а кто нет.

— Вполне с вами согласен, мисс Феррар. Отвечая на вопросы мистера Булфри, вы признали, что, находясь в гостях у миссис Монт, вы сделали два-три критических замечания — я цитирую ваши слова — по адресу хозяйки дома. Вы часто, бывая в гостях, презрительно отзываетесь о хозяйке дома?

— Нет, и во всяком случае я не думала, что кто-нибудь подслушивает.

— Понимаю: пока не попался, все обстоит благополучно, не так ли? Скажите, в октябре прошлого года, будучи в гостях у миссис Монт, вы в разговоре с мистером Филипом Куинси не назвали хозяйку дома «выскочкой»?

— Не помню, вряд ли.

— А вы подумайте. Вы слышали показания миссис Ппинррин и миссис Молтиз. Миссис Молтиз, если вы помните, сказала, что мистер Форсайт — отец миссис Монт — обратился к вам с такими словами: «Вы назвали мою дочь выскочкой, находясь у нее в гостях. Будьте добры удалиться; вы — предательница». Так было дело?

— Вероятно.

— Вы полагаете, что он выдумал слово «выскочка»?

— Я полагаю, что он ошибся.

— Не очень красивое слово — «выскочка», не правда ли? Но если вы этого не говорили, то почему он назвал вас предательницей?

— Я не знала, что он подслушивает. Не помню, что именно я говорила.

— Мистер Форсайт даст показания, и это освежит вашу память. Но, насколько мне известно, вы назвали ее выскочкой не один, а два раза?

— Я вам сказала, что не помню. Он не должен был слушать.

— Прекрасно. Значит, вы очень рады, что поместили эту заметку и говорили оскорбительные вещи о миссис Монт, находясь у нее в гостях?

Марджори Феррар до боли в ладонях сжала перила. Этот голос приводил ее в бешенство.

— И тем не менее, мисс Феррар, вы возмущаетесь, когда другие говорят неприятные вещи о вас. Кто посоветовал вам обратиться в суд?

— Сначала мой отец, потом мой жених.

— Сэр Александр Макгаун. Он вращается в вашем кругу?

— Нет, в парламентских кругах.

— Прекрасно. А ему известны те нормы поведения, какие приняты в вашем кругу?

— Между отдельными кружками нет резких границ.

— Благодарю за сообщение, мисс Феррар. Скажите мне, вы знаете, каково понятие друзей сэра Александра о морали и нормах поведения?

— Думаю, что разницы почти нет.

— Вы хотите сказать, мисс Феррар, что общественные деятели столь же легкомысленно относятся к нормам поведения и вопросам морали, как и вы?

— Почему вы предполагаете, сэр Джемс, что она относится легкомысленно?

— Что касается поведения, милорд, то из ее ответов явствует, как легкомысленно она относится — ну, скажем, к своим обязанностям по отношению к хозяйке дома. К вопросу о нравственности я сейчас перейду.

— Да, перейдите, а затем уже делайте выводы. Какое отношение к этому имеют общественные деятели?

— Я хочу сказать следующее, милорд: эта леди страшно возмущена словами, на которые имеет полное право обидеться общественный деятель или рядовой гражданин, но не она и не те, кто разделяет ее взгляды.

— В таком случае вы должны выяснить, каковы ее взгляды. Продолжайте!

Марджори Феррар, едва передохнув, опять взяла себя в руки. Ее взгляды!

— Скажите, мисс Феррар, общественные деятели более старомодны, чем вы?

— Быть может, они скажут — да.

— А вы думаете, что они лицемерят?

— Я вообще о них не думаю.

— Хотя за одного из них выходите замуж? Вы недовольны словами «представления не имеет о нравственности». Скажите, вы читали роман «Шпанская мушка»?

Он показал ей книгу.

— Кажется, читала.

— Как! Вы не знаете?

— Я ее просмотрела.

— Сняли сливки, да? Вы прочли достаточно, чтобы иметь о ней представление?

— Да.

— Вы согласны с той точкой зрения, какая выражена в этом письме в журнал: «С этой книгой врывается как бы свежая струя в затхлую атмосферу Англии, осуждающей все более или менее смелые произведения искусства». Вы с этим согласны?

— Да. Я ненавижу ханжество.

— «Это, несомненно, Литература». Написано с большой буквы. Как ваше мнение?

— Литература — да. Может быть, не первоклассная.

— Но издать эту книгу следовало?

— Не вижу оснований, почему не следует ее издавать.

— Вам известно, что она издана за границей?

— Да.

— Но ее следовало бы издать в Англии?

— Конечно, это — книга не для всех.

— Пожалуйста, не уклоняйтесь от ответа. Как, по-вашему, этот роман «Шпанская мушка» следовало издать в Англии или нет?.. Я вас не тороплю, мисс Феррар.

Ничто от него не ускользает! А ведь она только на секунду приостановилась, соображая, куда он клонит.

— Да. Я считаю, что искусство должно быть свободно.

— Вы не одобрили бы запрещения этой книги?

— Нет.

— Вы не одобрили бы запрещения любой книги, если бы оно было сделано из моральных соображений?

— Как я могу сказать, не зная книги? Ведь никто не обязан читать все, что пишут.

— И вы считаете, что вашу точку зрения разделяют общественные деятели и рядовые граждане?

— Нет, не считаю.

— Но люди вашего круга с вами согласны?

— Надеюсь, что да.

— Противоположная точка зрения была бы старомодной?

— Да, пожалуй.

— И люди, стоящие на ней, — люди отсталые?

— В области искусства — да.

— А! Я так и думал, что мы доберемся до этого слова. Вы, вероятно, не связываете искусства с жизнью?

— Нет.

— Не думаете, что оно может иметь какое-нибудь влияние на жизнь?

— Не должно иметь.

— Если автор проповедует крайнюю разнузданность, то не может ли его книга повлиять на читателей, в особенности на молодежь?

— На меня такая книга не повлияла бы, а за других я не ручаюсь.

— Вот это эмансипированность!

— Не понимаю, что вы хотите сказать.

— Ведь то, что вы говорите об отрыве искусства от жизни, — не более, как эффектная болтовня; разве вы этого не сознаете?

— Конечно, нет.

— Ну, скажем по-другому: могут ли люди с общепринятыми взглядами на мораль разделять ваше убеждение, что искусство не влияет на жизнь?

— Могут, если они культурны.

— Культурны! А вы сами верите в общепринятую мораль?

— Не знаю, что вы называете общепринятой моралью.

— Я вам объясню, мисс Феррар. Вот, например, одно из правил общепринятой морали: женщина не должна вступать в связь до брака и по выходе замуж не должна иметь любовников.

— А что вы скажете о мужчинах?

— Сейчас перейдем к мужчинам: мужчины не должны вступать в связь по крайней мере после заключения брака.

— Я бы не назвала это правило общепринятым.

Поддавшись желанию поиронизировать, Марджори Феррар поняла, что допустила ошибку. Судья повернулся к ней, заговорил:

— Я не совсем понял. Значит, вы стоите на той точке зрения, что женщина может вступать в связь и до и после брака?

— Я думаю, милорд, что общепринятая точка зрения такова. Во всяком случае, это практикуется.

— Я вас не спрашиваю, является ли такая точка зрения общепринятой; я спрашиваю, считаете ли вы это нравственным?

— Мне кажется, очень многие считают это вполне допустимым, но только вслух не говорят.

Она заметила, что присяжные задвигались; сэр Александр уронил шляпу; кто-то громко высморкался; лица Булфри ей не было видно. Она почувствовала, что кровь заливает ей щеки.

— Пожалуйста, отвечайте на мой вопрос. Вы считаете это допустимым?

— По-моему, это зависит от обстоятельств, от темперамента.

— Для себя вы бы это допустили?

— На такой вопрос я не могу ответить, милорд.

— Не хотите отвечать?

— Нет, я просто не знаю.

И чувствуя, что едва не ступила на хрупкий лед, она опять увидела лицо Булфри, появившееся из-за носового платка.

— Хорошо. Продолжайте, сэр Джемс!

— Итак, мисс Феррар, тех из нас, кто не допускает такого поведения, вы, по-видимому, считаете лицемерами?

— Ведь это нечестно!

— Честным я еще успею себя показать, мисс Феррар.

— Работаете по плану, так?

— Поверьте, сударыня, лучше вам оставить свои остроты при себе. Вы считаете, что такая книга, как «Шпанская мушка», не может причинить вред?

— Не должна.

— В том случае, если бы мы все были так же культурны в вопросах искусства, как вы... — Издевается, негодяй! — Но ведь мы не столь культурны?

— Нет.

— Значит, такая книга все же может принести вред. Но вас это не беспокоит. Я не собираюсь, милорд, читать выдержки из этой чрезвычайно неприятной книги. Вероятно, в связи с тем, что о ней дурно говорят, цена ее дошла до семи фунтов. Мне кажется, один этот факт может опровергнуть утверждение истицы, что так называемое «искусство» не влияет на жизнь. Не останавливаясь перед расходами, мы приобрели несколько экземпляров, и я попрошу присяжных во время перерыва просмотреть отмеченные места.

— У вас есть для меня экземпляр, сэр Джемс?

— Да, милорд.

— И для мистера Булфри?.. Если еще кто-нибудь засмеется, я прикажу очистить зал. Продолжайте, сэр Джемс.

— Вы знаете театральное общество «Nec plus ultra», мисс Феррар? Кажется, оно существует для того, чтобы ставить смелые пьесы?

— Пьесы — да; не знаю, что вы называете «смелыми».

— Например, русские пьесы; пьесы драматургов эпохи Реставрации?

— Да.

— И вы в них участвуете?

— Иногда.

— Не помните ли вы пьесы Уичерли «Прямодушный»? Ее ставили седьмого января. Вы играли роль Оливии?

— Да.

— Приятная роль?

— Очень хорошая роль.

— Я сказал «приятная».

— Мне не нравится это слово.

— Оно кажется вам слишком жеманным, мисс Феррар? Это роль скромной женщины?

— Нет.

— Не кажется ли вам, что эта роль чрезвычайно рискованная? Я имею в виду последнюю сцену в темноте.

— Насчет «чрезвычайно» — не знаю.

— Но вы охотно взялись за эту роль и сыграли ее — такие мелочи вас не смущают?

— Не вижу, что тут может смутить. Если б видела, не стала бы играть.

— Вы выступаете не ради денег?

— Нет, для удовольствия.

— Значит, вы можете отказаться от той роли, которая вам не нравится?

— Тогда мне не давали бы никаких ролей.

— Пожалуйста, не уклоняйтесь. Роль Оливии вы исполняли не ради денег, а ради удовольствия. И это удовольствие вы получили?

— Да, пожалуй.

— Боюсь, милорд, что мне придется попросить присяжных просмотреть эту сцену в темноте из пьесы «Прямодушный».

— Вы хотите сказать, сэр Джемс, что женщина, которая выступает в роли безнравственной особы, сама безнравственна, — ведь так можно погубить не одну безупречную репутацию.

— Нет, милорд. Я хочу сказать следующее: эта молодая леди столь заботится о своей репутации, что считает нужным обратиться в суд, потому что в частном письме о ней сказали, что «она не имеет представления о нравственности». И в то же время она читает и одобряет такие книги, как «Шпанская мушка», выступает в таких ролях, как роль Оливии в «Прямодушном», и вращается в кругу людей, которые, в сущности, не понимают слова «мораль» и смотрят на мораль, как мы смотрим на корь. Я хочу сказать, милорд, что заявление в письме ответчицы «она не имеет представления о нравственности» является скорее комплиментом.

— По-вашему, оно и задумано как комплимент?

— Нет, милорд, нет.

— Значит, вы хотите, чтобы присяжные прочли эту сцену. Ну-с, джентльмены, не удастся вам отдохнуть в перерыве. Продолжайте, сэр Джемс.

— Мой друг мистер Булфри подчеркивает тот факт, что вы, мисс Феррар, обручены с богатым и влиятельным членом парламента. Давно ли вы с ним обручены?

— Шесть месяцев.

— У вас, конечно, нет от него секретов?

— Зачем мне отвечать на этот вопрос?

— Зачем ей отвечать на этот вопрос, сэр Джемс?

— Охотно беру его назад, милорд.

Издевается, негодяй! Как будто у кого-нибудь нет секретов.

— Ваша помолвка была оглашена только в январе, не так ли?

— Да.

— Могу я вывести отсюда заключение, что до января вы еще не утвердились в своем решении?

— Пожалуйста.

— Скажите, мисс Феррар, начиная дело, вы заботились не только о своей репутации? Не потому ли вы подали в суд, что нуждались в деньгах?

Снова кровь прилила к ее щекам.

— Нет.

— Но в деньгах вы нуждались?

— Да.
— Очень?
— Не больше, чем обычно.
— Насколько я понимаю, у вас было много долгов и вас торопили с оплатой?
— Да, пожалуй.
— Я рад, что вы это подтвердили, мисс Феррар; иначе мне пришлось бы приводить доказательства. Значит, дело вы начали не для того, чтобы расплатиться с кредиторами?
— Нет.
— В начале января вы узнали, что вам вряд ли удастся получить какую-либо сумму, если дело не дойдет до суда?
— Мне сказали, что миссис Монт взяла назад предложение, сделанное раньше.
— А вы знаете, почему?
— Да, потому что миссис Монт не хотела дать в письменной форме извинение, на котором я настаивала.
— Совершенно верно. Можно ли считать совпадением, что немедленно вслед за этим вы решили выйти замуж за сэра Александра Макгауна?
— Совпадением?
— Я имею в виду оглашение вашей помолвки.
Негодяй!
— Это не имело никакого отношения к судебному процессу.
— В самом деле? Значит, вы, начав процесс, действительно беспокоились, как бы вас не сочли безнравственной?
— Я начала процесс главным образом потому, что меня назвали «змеей».
— Пожалуйста, отвечайте на мой вопрос.
— Беспокоилась не столько я, сколько мои друзья.
— Но ведь ваши друзья разделяют ваш взгляд на вопросы морали?
— Да, но не мой жених.
— Совершенно верно. Вы сказали, что он вращается не в вашем кругу. Но прочие ваши друзья? Ведь вы же не стыдитесь своих убеждений?
— Нет.
— Так зачем же стыдиться за других?
— Откуда мне знать об их убеждениях?
— Откуда ей знать, сэр Джеймс?
— Как угодно, милорд. Ну-с, мисс Феррар, вы, надеюсь, не

станете отрекаться от своих взглядов. Разрешите мне изложить вам квинтэссенцию вашего мировоззрения: вы верите, не правда ли, в необходимость полного выявления своего «я», сочли бы своим долгом, не правда ли, нарушить всякую условность — я не говорю закон, но всякую так называемую моральную условность, которая бы вас связывала?

— Я не говорила, что у меня есть мировоззрение.

— Пожалуйста, не увиливайте от ответа.

— Я не привыкла увиливать.

— Приятно это слышать. Вы считаете, что вы одна можете судить о своем поведении?

— Да.

— И не только вы стоите на этой точке зрения?

— Вероятно, нет.

— Такова точка зрения авангарда современного общества, не так ли? Авангарда, в рядах которого вы стоите и гордитесь этим? Вы принадлежите к этому кругу и делаете и думаете, что хотите, лишь бы формально соблюсти закон, так?

— Не всегда поступаешь согласно своим принципам.

— Правильно. Но даже если вы и не всегда поступаете соответственно, все же это принцип ваших друзей — не считаться с чужим мнением и условностями?

— Более или менее.

— И, вращаясь в этом кругу, вы осмеливаетесь утверждать, что слова «она не имеет представления о нравственности» дают вам право требовать компенсации?

Голос ее гневно зазвенел:

— О нравственности у меня есть представление. Быть может, оно не совпадает с вашим, но я, во всяком случае, не лицемерю.

Опять она заметила, как блеснули его глаза, и поняла, что вторично сделала промах.

— Моего представления о нравственности мы не будем касаться, мисс Феррар, а лучше поговорим о вашем. Вы сами сказали, что понятие нравственности зависит от темперамента, обстоятельств, среды?

Она молча кусала губы.

— Будьте добры отвечать.

Она наклонила голову.

— Да.

— Прекрасно! — Он замолчал, перебирая бумаги, и она отступила от перил.

Она вышла из себя и его вывела из себя, теперь одно — не растеряться! И в это мгновение, собираясь с мыслями, она воспринимала все: выражения, жесты, всю атмосферу — болезненное напряжение сотни застывших лиц; заметила единственную женщину среди присяжных; заметила, как судья, устремив взгляд куда-то в конец зала, сломал кончик гусиного пера. А там, пониже, недовольная гримаса мистера Сэтлуайта, огорченное лицо Майкла, маска Флер Монт с красными пятнами на щеках, стиснутые руки Алека, его глаза, устремленные на нее. Даже смешно, как все насторожились! Вот бы стать величиной с «Алису в стране чудес», взять их всех в руки и стасовать, как колоду карт, а то застыли и наслаждаются! Негодяй кончил возиться с бумагами, и она опять подвинулась к перилам.

— Мисс Феррар, милорд задал вам вопрос, на который вы не могли ответить. Я задам вам его в несколько упрощенной форме. Независимо от того, нравственно это или нет, — она увидела, как Майкл поднес руку к губам, — была ли у вас фактически связь с кем-нибудь?

И по тону его голоса, по выражению его лица она поняла, что он знает.

Теперь кругом было пусто — опереться не на что. Десять, двадцать, тридцать секунд — судья, присяжные, эта старая лисица — руку прячет под мантией, не смотрит на нее! Почему она не может бросить негодующее «Нет!», которое столько раз репетировала? А если он докажет? Грозил же он доказать, что она в долгах.

— Я вас не тороплю, мисс Феррар. Вы, конечно, знаете, что значит «связь»?

Негодяй! Не успев сказать «нет», она заметила, как Майкл наклонился вперед и прошептал: «Прекратите!». А «выскочка» смотрела на нее испытующе и презрительно, словно хотела сказать: «Послушаем, как она будет лгать!»

И она быстро ответила:

— Я считаю такой вопрос оскорбительным.

— Что вы, мисс Феррар! После того, что вы нам сообщили о ваших убеждениях...

— Ну, так я на него не отвечу.

В зале шепот, шорохи.

— Вы не хотите отвечать?

— Не хочу.

— Благодарю вас, мисс Феррар.

Сколько сарказма в тоне! Негодяй сел.

Марджори Феррар стояла с вызывающим видом, чувствуя, что почва ускользнула у нее из-под ног. Ну, теперь что? Ее адвокат сделал ей знак. Она спустилась с возвышения и прошла мимо противников на свое место рядом с женихом. Какой он красный, неподвижный! Она услышала голос судьи: «Объявляю перерыв, мистер Булфри», видела, как он встал и вышел, как поднялись присяжные. Шепот и шорохи в зале усилились. Зал гудел. Она встала. С ней говорил мистер Сэтлуайт.

VII. СЫТА ПО ГОРЛО

Марджори Феррар последовала за ним в комнату для свидетелей.

— Ну как?

— Очень печально, что вы отказались дать ответ, мисс Феррар. Боюсь, что это роковым образом подействует на мнение присяжных. Если можно пойти сейчас на мировую, советую вам это сделать.

— Мне все равно.

— В таком случае я сейчас же это устрою. Пойду поговорю с сэром Александром и мистером Булфри.

— Как мне отсюда выйти, чтобы никто не видел?

— Спуститесь по этой лестнице. В Линкольнс-Инн-Филдс вы найдете такси. Простите, я пойду.

Он корректно поклонился и вышел.

Марджори Феррар не взяла такси, а пошла пешком. В общем, она была довольна, даже если ее последний ответ был роковой ошибкой. Она ни в чем существенном не солгала, не смутилась перед сарказмом «негодяя», даже сумела отплатить ему его же монетой. Но Алек! Ну что ж, он настаивал на судебном процессе — может быть доволен! Купив газету, она зашла в ресторан и прочла описание самое себя, подкрепленное фотографией. Она с аппетитом позавтракала и пошла дальше по Пиккадилли. Вошла в Гайд-парк, села под распускающееся дерево и не спеша затянулась папиросой. На Роу почти никого не было. Кой-где на стульях сидели незнакомые люди. Тренерша обучала маленького мальчика верховой езде. Казалось, только голубь да стайка воробьев замечали ее присутствие. В воздухе пахло весной. Некоторое время Марджори наслаждалась мыслью, что никто в мире не знает, где она. Странно, как подумаешь — каждый день миллионы людей, покидая свои дома, конторы, магазины, пропадают, как камни, брошенные в пруд! Что, если исчезнуть совсем и вкусить жизнь инкогнито? Бэрти Кэрфью опять едет в Москву. Не возьмет ли он ее с собой — как секретаря и bonne amie[1]? Бэрти Кэрфью! Ведь она только делала вид, будто он ей надоел! Сейчас она подошла вплотную к мысли о будущем. Алек! Объяснение! И не только объяснение. У него остался список ее долгов; вместо свадебного подарка он хотел заплатить все ее долги. Но если не будет никакой свадьбы? Слава богу, у нее есть небольшая сумма наличными. Вчера выиграл заезд четырехлетка, заботливо взращенный в конюшне ее отца. Она ставила двадцать пять фунтов, и выдача была неплохая. Она встала и побрела дальше, полной грудью вдыхая вкусный ветер, не заботясь о том, что фигура ее не кажется мальчишеской, — в конце концов это уже не так модно, как было.

При выходе из парка она купила еще газету. Тут был полный отчет под заголовком: «Поход на современные нравы. Показания мисс Марджори Феррар». Смешно было читать эти слова в толпе людей, которые тоже их читали и понятия не имели, кто она такая. Добравшись до Рэн-стрит, она отперла дверь своей квартиры и сейчас же увидела шляпу. Он уже здесь! Она не спеша попудрилась и в студию вошла бледная, словно много пережила.

Макгаун сидел, сжав руками голову. Ей стало жаль его — слишком он сильный, слишком крепкий, слишком живой для такой позы! Он поднял голову.

— Ну что, Алек?

— Скажите мне правду, Марджори! Это пытка!

Она смутно позавидовала глубине его чувства, пусть неразумного после всех ее предупреждений. Но сказала насмешливо:

— Ну, кто же меня знает лучше — вы или я?

Глухо он повторил:

— Правду, Марджори, правду!

Но зачем ей было исповедоваться? Что ему до ее прошлого? У него есть право на ее будущее — и хватит. Старая история: мужчины требуют от женщин больше того, что сами могут им дать. Неравенство полов! Может быть, это имело смысл в прежнее время, когда женщины рожали детей, а мужчины нет; но теперь, когда женщины вполне разбираются в вопросах пола и

---

[1] Подругу *(фр.)*.

детей рожают только если хотят, да и то не всегда, — почему мужчины должны пользоваться большей свободой?

И она медленно проговорила:

— Если вы мне расскажете о ваших похождениях, я вам расскажу о своих.

— Ради бога, не смейтесь надо мной. За эти несколько часов я пережил адские муки.

Это было видно по его лицу, и она сочувственно сказала:

— Я говорила, что вы споткнетесь, Алек. Зачем вы настаивали, чтобы я подала в суд? Вышло по-вашему! А теперь вы недовольны.

— Так это правда?

— Да. И что же?

Он застонал и попятился до самой стены, словно боялся остаться без опоры.

— Кто он?

— О нет! Этого я вам не скажу. А сколько у вас было любовных интриг?

Он будто и не слышал. Ну конечно! Он знал, что она его не любит, а такие вещи важны, только когда любишь! Ну что ж, нужно принять его мучения, как дань!

— Со мной вы разделались, — сказала она хмуро, села и закурила папиросу.

Сцена! Как противно! И почему он не уходит? Почему стоит, словно глухонемой? Лучше бы он бесновался.

— Кто он? Тот американец?

Она невольно засмеялась.

— О нет! Бедный мальчик!

— Сколько времени это продолжалось?

— Около года.

— О боже! — Он бросился к двери.

Хоть бы уж открыл ее, хоть бы ушел! Но как можно так сильно чувствовать! Стоит у двери, лицо чуть ли не безумное. Мещанские страсти!

А потом он и правда открыл дверь и ушел.

Она растянулась на диване; не усталость охватила ее, не отчаяние, а скорее безразличие ко всему на свете. Как глупо, как старо! Почему он не свободный, не гибкий, как она, почему не может принять жизнь просто? Страсти, предрассудки, принципы, жалость — старомодно, как тесные платья, которые надевали на нее в детстве. Ну что же — скатертью дорожка! Подумать только — жить под одной крышей, спать в одной постели с человеком до того примитивным, что он способен свихнуться от ревности! С человеком, который принимает жизнь до того всерьез, что сам этого не сознает. Жизнь — папироса: выкуришь ее — и бросишь; или танец — длится, пока не кончилась музыка. Танцуем дальше!.. Да, но теперь нельзя позволить ему платить ее кредиторам, даже если он захочет. Раньше она могла бы заплатить ему своим телом, а теперь — нет. Ах, если бы кто-нибудь умер и оставил ей наследство! И она лежала неподвижно, прислушиваясь к уличному шуму: такси заворачивали за угол, собака лаяла на почтальона, хромой демобилизованный солдат пиликал, по обыкновению, на скрипке. Бедняга ждет от нее шиллинга! Нужно встать и бросить ему. Она подошла к окну, выходившему на улицу, и вдруг отшатнулась. У подъезда стоял Фрэнсис Уилмот. Как, еще одна сцена? Это уж слишком! Вот и звонок! Некогда сказать, что ее «нет дома». Что ж, пусть слетаются на ее прошлое, как пчелы на мед.

— Мистер Фрэнсис Уилмот.

Он стоял в дверях. Почти не изменился, только похудел немного.

— Ну, Фрэнсис, — сказала она, — я думала, что вы «покончили с этой глупой историей».

Фрэнсис Уилмот подошел и, не улыбаясь, взял ее руку.

— Завтра я уезжаю.

Уезжает! Ну, с этим она могла примириться. Сейчас он ей казался самым заурядным молодым человеком, бледным, темноволосым, слабым.

— Я прочел вечерние газеты и подумал, что, быть может, вы хотите меня видеть?

Что он, смеется над ней? Нет, лицо его было серьезно, в голосе не было горечи; и хотя он пристально смотрел на нее — решить, осталось ли у него к ней какое-нибудь чувство, она не могла.

— Вы считаете, что я перед вами в долгу? Я знаю, что нехорошо с вами поступила.

Он посмотрел на нее так, словно она его ударила.

— Ради бога, Фрэнсис, не говорите, что вы пришли из рыцарских побуждений. Это было бы слишком забавно.

— Я не совсем понимаю... Я думал, что, быть может, вы не хотели ответить на этот вопрос о любовной интриге... из-за меня.

Марджори Феррар истерически захохотала.

— Из-за вас! Нет, нет, дорогой мой!

Фрэнсис Уилмот отошел к двери и поклонился.

— Мне не следовало приходить.

Внезапно ее опять потянуло к этому необычному человеку, к его мягкости, его темным глазам.

— Во всяком случае, теперь я опять свободна, Фрэнсис.

Бесконечно тянулись секунды, потом он снова поклонился. Это был отказ.

— Ну, так уходите, — сказала она. — Уходите скорей! Я сыта по горло!

И она повернулась к нему спиной.

Когда она оглянулась, его уже не было, и это удивило ее. Он был новой разновидностью — или старой, как ископаемые! Он не знал элементарных основ жизни, был старомоден à faire rire[1]. И, снова растянувшись на диване, она задумалась. Нет, они ее не запугали. Завтра раут у Бэллы Мэгюсси, чествуют какого-то идиота. Все там будут, и она тоже.

VIII. МАРИОНЕТКИ

Когда Майкл, не спускавший глаз с сэра Джемса Фоскиссона, услышал ее слова: «На этот вопрос я не отвечу», он резко обернулся. Было точь-в-точь, как если бы она ответила: «Да». Судья смотрел на нее, все на нее смотрели. Неужели Булфри не придет ей на помощь? Нет! Он молча кивнул, предлагая ей вернуться на свое место. Майкл привстал, когда она проходила мимо. Ему было жаль Макгауна. Все вокруг него встали, а бедняга сидел неподвижно, красный как индюк.

Флер! Майкл взглянул на нее: слегка раскрасневшаяся, она сидела с опущенными глазами, сжав на коленях руки в перчатках. Быть может, ее обидел его тихий возглас «Прекратите!» или его полупоклон? Как было не посочувствовать «Гордости гедонистов» в такую минуту! Зал пустел. Нарядная публика — вот ее мать, и тетка, и кузина, и старик Форсайт — разговаривает с Фоскиссоном. Ага, кончил; повернулся.

— Мы можем идти.

Они прошли за ним по коридору, спустились по лестнице и вышли на свежий воздух.

---

[1] До смешного (*фр.*).

— У нас есть время перекусить, — сказал Сомс, — зайдем сюда.

Они вошли в ресторан.

— Три бифштекса, да поскорее! — распорядился Сомс и добавил, глядя на солонку: — Она себя погубила. Продолжать они не будут. Я сказал Фоскиссону, что он может пойти на мировую; обе стороны уплачивают судебные издержки. Это больше того, что они заслуживают.

— Он не должен был задавать этот вопрос, сэр.

Флер встрепенулась.

— Ну знаешь, Майкл...

— Ведь мы же условились, милая, что этого пункта он касаться не будет. Почему Булфри ей не помог, сэр?

— Он рад был поскорей ее усадить. Еще секунда — и судья сам задал бы ей тот же вопрос. Слава богу, полное фиаско!

— Значит, мы выиграли? — спросила Флер.

— Не сомневаюсь, — ответил Сомс.

— А я не уверен, — пробормотал Майкл.

— Говорю вам, все кончено; Булфри с радостью пойдет на мировую.

— Я не то хотел сказать, сэр.

— А что ты хотел сказать, Майкл? — язвительно спросила Флер.

— Думаю, что нам этого не простят, вот и все.

— Чего не простят?

— Ну, может быть, я ошибаюсь. Соусу хотите, сэр?

— Вустерский? Давайте. Это единственное место в Лондоне, где подают рассыпчатый картофель. Официант, три рюмки портвейна. Поскорей!

Через четверть часа они вернулись в суд.

— Подождите здесь, в вестибюле, — сказал Сомс. — Я пройду наверх и узнаю.

В этом гулком зале, где человек казался таким ничтожным пигмеем, Флер и Майкл сначала стояли молча. Потом он заговорил:

— Конечно, она не могла знать, что Фоскиссон не стал бы останавливаться на этом пункте. Но она должна была ждать такого вопроса. Соврала бы им в лицо — и дело с концом! Мне стало ее жаль.

— Ты, Майкл, готов пожалеть блоху, которая тебя укусила. Но почему нам этого не простят?

— Видишь ли, положение ее почти трагическое, а в обществе с этим считаются. И не забудь о ее помолвке!

— Ну, помолвка будет разорвана.

— Совершенно верно! И симпатии общества будут на ее стороне. А если не будет разорвана, так на его. Во всяком случае, не на нашей. И, знаешь ли, ведь она, в сущности, защищала то, во что мы все теперь верим.

— Не говори за других.

— Но мы же говорим, что все свободны?

— Да, но разве мы делаем то, что говорим?

— Нет, — сказал Майкл.

В эту минуту вернулся Сомс.

— Ну что, сэр?

— Как я и предполагал, Булфри пошел на мировую. Это моральная победа.

— О, неужели моральная, сэр?

— Но издержки большие, — сказал Сомс, глядя на Флер. — Твоя мать очень недовольна — у нее нет чувства меры. Ловко Фоскиссон вывел из себя эту женщину.

— Он и сам вышел из себя. По-моему, это говорит в его пользу.

— Ну, — сказал Сомс, — все кончено. Автомобиль забрала твоя мать. Поедем в такси.

Они ехали на Саут-сквер по тем же улицам, что утром, и так же молчали.

Немного позже, направляясь в палату, Майкл читал назидательные заголовки на рекламах газетных объединений.

«Великосветский процесс о диффамации».

«Внучка маркиза и адвокат».

«Сенсационные показания».

«Современные нравы!»

«Все кончено», так ли? А огласка? По мнению Майкла, все только начиналось. Нравственность! Что это такое, у кого она есть и что с ней делают? Как он сам ответил бы на эти вопросы? Кто может в наше время на них ответить? Не он, не Флер! Они оказались на стороне инквизиции, и какое теперь их положение? Ложное, даже гнусное! Он вошел в палату. Но при всем желании он не мог сосредоточиться на качестве продуктов питания и снова вышел. Почему-то его потянуло к отцу, и он быстро зашагал на Уайт-холл. Заглянул в «Клуб шутников», в «Аэроплан» и, наконец, в «Партенеум». В одной из тихих комнат клуба сэр Лоренс читал жизнеописание лорда Пальмерстона. Он оторвался от книги и посмотрел на сына.

— А, Майкл! Обижают они старого Пэма. Без затей был человек, работал как негр. Но здесь разговаривать неудобно, — он указал на одного из членов клуба, который, казалось, еще бодрствовал. — Не хочешь ли пройтись, а то как бы с ним удара не было. Книги здесь для отвода глаз, на самом деле это дортуар.

Они отправились в Грин-парк, и дорогой Майкл рассказал о событиях этого утра.

— Фоскиссон? — повторил сэр Лоренс. — Я его помню; славный был мальчишка, когда я кончал школу. Правота по долгу службы плохо влияет на характер: адвокаты, священники, полисмены — все от этого страдают. Судьи, епископы, инспектора полиции — те лучше, они страдали так долго, что уже привыкли к этому.

— Зал был битком набит, и газеты стараются, — мрачно сказал Майкл.

— Ну конечно, — и сэр Лоренс указал на водоем. — Эти птицы напоминают мне Китай, — сказал он. — Кстати, я вчера видел в «Аэроплане» твоего друга Дезерта. Он стал интереснее с тех пор, как променял поэзию на Восток. Всем нужно менять профессии. Я-то уж стар, но, откажись я вовремя от положения баронета, из меня вышел бы недурной акробат.

— А нам, членам палаты, что бы вы посоветовали? — улыбнулся Майкл.

— Профессию почтальона, мой милый. Совсем неплохо. Известное положение в обществе, большие сумки, собаки лают, никакой инициативы и разговоры на каждом пороге. Кстати, ты виделся с Дезертом?

— Я его видел.

Сэр Лоренс сощурился.

— Роковое не повторяется, — сказал он.

Майкл покраснел; он не думал, что его отец так наблюдателен. Сэр Лоренс помахал тростью.

— Твой Боддик уговорил кур нестись, — сказал он. — Поставляет нам отличные яйца.

Майкл оценил его такт. Но этот неожиданный, мимолетный намек на старый семейный кризис пробудил в нем опасение, которое долго сонной змеей пряталось в нем, — опасение, что назревает новый кризис, что он уж близко.

— Зайдите выпить чаю, сэр! У Кита сегодня утром болел животик. Как раскупается ваша последняя книга? Дэнби хорошо ее рекламирует?

— Нет, — сказал сэр Лоренс, — он молодец! Сделал все, чтобы ее зарезать.

— Я рад, что с ним покончил, — сказал Майкл. — Не дадите ли вы совет, сэр, как нам держать себя теперь, когда процесс кончился?

Сэр Лоренс смотрел на птицу с длинным красным клювом.

— Победителю следует быть осторожным, — сказал он наконец. — Моральные победы нередко вредят тем, кто их одерживает.

— Мне тоже так кажется, сэр. Уверяю вас, я к этой победе не стремился. Мой тесть говорит, что дело дошло до суда главным образом из-за моей драки с Макгауном.

Сэр Лоренс залился беззвучным смехом.

— Пошлина на предметы роскоши. От нее не ускользнешь. Нет, я к вам не пойду, Майкл, — у вас, наверно, сидит Старый Форсайт. Твоя мать знает прекрасное лекарство от боли в животике, когда-то ты только им и жил. Я протелефонирую из дому. До свидания!

Майкл посмотрел вслед его тонкой, проворной фигуре. Наверно, и у него есть свои заботы, но как он умеет их скрывать! Славный «Старый Барт»! И Майкл повернул к дому.

Сомс уже уходил.

— Она возбуждена, — сообщил он Майклу. — Это реакция. Дайте ей на ночь порошок Зейдлица. И будьте осторожны: я бы на вашем месте не стал говорить о политике.

Майкл вошел в гостиную. Флер стояла у открытого окна.

— А, вот и ты! — сказала она. — Кит выздоровел. Поведи меня сегодня вечером в кафе «Рояль», Майкл, а потом в театр, если идет что-нибудь забавное. Мне надоело быть серьезной. Да, знаешь, Фрэнсис Уилмот зайдет сегодня попрощаться. Я получила записку: он пишет, что совсем здоров.

Майкл встал рядом с ней у окна; почему-то пахло травой. Ветер тянул с юго-востока, и, косо падая поверх домов, луч солнца золотил землю, почки, ветви. Пел дрозд; за углом шарманщик играл «Риголетто». Плечом он чувствовал ее плечо, такое мягкое, губами нашел ее щеку, такую теплую, шелковистую...

Когда после обеда в кафе «Рояль» Фрэнсис Уилмот распрощался с ними, Флер сказала Майклу:

— Бедный Фрэнсис, как он изменился! Ему можно дать

тридцать лет. Я рада, что он едет домой, к своим неграм. А что это за вечнозеленые дубы? Ну, идем мы куда-нибудь?

Майкл накинул ей на плечи мех.

— Посмотрим «Не терпится»; говорят, публика хохочет до упаду.

Когда они вышли из театра, было тепло. По небу плыли красные и зеленые огни реклам: «Шины Шомбера — Быстрота и Безопасность». — «Молокин — Мечта Молодых Матерей». Прошли Трафальгар-сквер и залитую луной Уайт-холл.

— Ночь какая-то ненастоящая, — сказала Флер. — Марионетки!

Майкл обнял ее.

— Оставь! Вдруг тебя увидит кто-нибудь из членов парламента!

— Он мне позавидует. Какая ты красивая и настоящая!

— Нет. Марионетки не реальны.

— И не нужно.

— Реальное ты найдешь в Бетнел-Грин.

Майкл опустил руку.

— Вот нелепая мысль!

— У меня есть интуиция, Майкл.

— Разве я не могу восхищаться хорошей женщиной и любить тебя?

— Я никогда не буду «хорошей»: это мне не свойственно. Сквер сегодня красивый. Ну, открывай дверь кукольного дома!

В холле было темно. Майкл снял с нее пальто и опустился на колени. Он почувствовал, как ее пальцы коснулись его волос — реальные пальцы; и вся она была реальной, только душа ее от него ускользала. Душа?

— Марионетки! — прозвучал ее голос, ласкающий и насмешливый. — Пора спать!

IX. РАУТ У МИССИС МЭГЮССИ

Рауты бывают светские, политические, благотворительные и такие, какие устраивала миссис Мэгюсси. Англо-американка, баснословно богатая, безупречно вдовствующая, с широкими взглядами, она воплощала собой идеал хозяйки салона. Люди могли безнаказанно умирать, жениться, появляться на свет, лишь бы она рано или поздно могла свести их в своем доме. Если она приглашала какого-нибудь врача, то с тем, чтобы свести его с другим врачом; если шла в церковь, то с тем, чтобы заполучить каноника Форанта и свести его у себя за завтраком с преподобным Кимблом. На ее пригласительных билетах значилось «чествуем»; она никогда не приписывала «меня». Эгоизм был ей чужд. Изредка она устраивала настоящий раут, потому что изредка ей попадалась персона, с которой стоило свести всех — от поэтов до прелатов. Она была искренне убеждена, что каждому приятно почествовать известного человека; и это глубоко правильное убеждение обеспечивало ей успех. Оба ее мужа умерли, успев почествовать в своей жизни великое множество людей. Оба были известны и впервые чествовали друг друга в ее доме; третьего заводить она не собиралась: светское общество поредело, а кроме того, она была слишком занята — все время уходило на общественную деятельность. Упоминание о Бэлле Мэгюсси порой вызывало улыбки, но как было обойтись без человека, выполняющего функцию цемента? Если б не она, где было епископам заводить дружбу с танцовщицами или министрам черпать жизненные силы у драматургов? Только в ее салоне люди, раскапывающие древние цивилизации Белуджистана, могли встретить людей, пытающихся сровнять с землей новую цивилизацию Лондона. Только там светила двора сталкивались со звездами эстрады. Только там могло случиться, что русская балерина сидела за ужином рядом с доктором медицины сэром Уолтером Пэдл, удостоенным ученых степеней всех университетов мира; даже чемпион по крикету мог лелеять надежду пожать там руку великому экономисту-индусу, сэру Банерджи Бат Бабор. Короче говоря, дом миссис Мэгюсси был из тех, куда стремятся попасть все. И ее длинное лицо сморщилось от долгого служения великому делу. «Свести иль не свести?» — для нее этот вопрос был решен раз и навсегда.

На ее первом рауте в 1925 году «чествуемым» был великий итальянский скрипач Луиджи Спорца, который только что закончил свое изумительное кругосветное турне. На это турне он потратил времени вдвое меньше, чем кто-либо из его предшественников-музыкантов, а концертов дал вдвое больше. Такая поразительная выносливость была отмечена газетами всех стран; писали о том, как он загубил пять скрипок, как ему предложили стать президентом одной из южноамериканских республик, как он зафрахтовал целый пароход, чтобы поспеть на концерт в Северной Америке, как упал в обморок в Москве, сыграв концерты Бетховена и Брамса, чаконну Баха и семнадцать вещей на бис.

После этого года напряженных усилий он стал знаменитостью. В сущности, как художник он был известен немногим, но как атлета его знали все.

Майкл и Флер, поднявшись по лестнице, увидели джентльмена могучего сложения; гости по очереди пожимали ему руку и отходили, морщась от боли.

— Только Италия может породить таких людей, — сказал Майкл на ухо Флер. — Постарайся проскользнуть мимо. Он раздавит тебе руку.

Но Флер смело двинулась вперед.

«Не из таких», — подумал Майкл. Кто-кто, а его жена не упустит случая пожать руку знаменитости, пусть даже мозолистую. Ее оживленное лицо не дрогнуло, когда рука атлета сжала ее пальцы, а глаза — глаза усталого минотавра — с интересом оглядели ее стройную фигуру.

«Ну и бык», — подумал Майкл, высвободив свою руку и следуя за Флер по сияющему паркету. После тягостных вчерашних переживаний и вечернего кутежа он больше не заговаривал о своих опасениях; он даже не знал, поехала ли Флер на этот раут с целью проверить свою позицию или просто потому, что любила бывать на людях. И сколько людей! Как будто в громадной гостиной с колоннами собрались все, кого Майкл знал и кого не знал, члены парламента, поэты, музыканты, своей усмешкой словно говорившие: «Ну, я бы написал лучше» или: «Как можно исполнять такие вещи!», пэры, врачи, балерины, живописцы, лейбористские лидеры, спортсмены, адвокаты, критики, светские женщины и «деятельницы». Он видел, как впиваются во всю эту толпу зоркие глаза Флер под белыми веками, которые он целовал сегодня ночью. Он завидовал ей: жить в Лондоне и не интересоваться людьми — то же, что жить у моря и не купаться. Он знал, что вот сейчас она решает, с кем из знакомых поговорить, кого из незнакомых удостоить вниманием. «Вот ужас будет, если ее высмеют», — подумал он, и как только у нее завязался с кем-то разговор, он отступил к колонне. За его спиной раздался негромкий голос:

— Здравствуйте, юный Монт!

Мистер Блайт, прислонившись к той же колонне, пугливо выглядывал из зарослей бороды.

— Давайте держаться вместе, — сказал он, — очень уж тут людно.

— Вы были вчера в суде? — спросил Майкл.

— Нет, из газет узнал. Вам повезло.

— Меньше, чем ей.

— Гм! — сказал мистер Блайт. — Кстати, «Ивнинг сан» опять сделала против нас выпад. Они сравнивают нас с котенком, который играет своим хвостом. Пора вам выпускать второй заряд, Монт.

— Я думал поговорить по земельному вопросу.

— Отлично! Правительство скупает пшеницу и контролирует цены. Механизация земледелия. Отнюдь не раздувать аппарата.

— Блайт, — неожиданно сказал Майкл, — где вы родились?

— В Линкольншире.

— Значит, вы англичанин?

— Чистокровный, — ответил мистер Блайт.

— Я тоже; и старик Фоггарт, я посмотрел его родословную. Это хорошо, потому что нас, несомненно, будут обвинять в недостатке патриотизма.

— Уже обвиняют, — сказал мистер Блайт. — «Люди, которые дурно отзываются о своей родине... Птицы, пачкающие свое гнездо... Не успокоятся, пока не очернят Англию в глазах всего мира... Паникеры... Пессимисты...» Надеюсь, вы не обращаете внимания на всю эту болтовню?

— К сожалению, обращаю, — сказал Майкл. — Меня это задевает. Вопиющая несправедливость! Мне невыносима мысль, что Англия может попасть в беду.

Мистер Блайт вытаращил глаза.

— Она не попадет в беду, если мы сумеем ей помочь.

— Будь я уверен в себе, — сказал Майкл, — а то мне все хочется сжаться и спрятаться в собственный зуб.

— Поставьте коронку. Вам, Монт, нахальства не хватает. Кстати, о нахальстве: вот идет ваша вчерашняя противница — вам бы у нее поучиться.

Майкл увидел Марджори Феррар, которая только что обменялась рукопожатием со знаменитым итальянцем. На ней было очень открытое платье цвета морской воды; она высоко держала свою золотисто-рыжую голову. В нескольких шагах от Флер она остановилась и осмотрелась по сторонам. Видимо, она заняла эту позицию умышленно, как бы бросая вызов.

— Я пойду к Флер.

— И я с вами, — сказал мистер Блайт, и Майкл посмотрел на него с благодарностью.

И тут наступила интересная минута для всякого, кто не был так заинтересован, как Майкл. Длинный, пронырливый нос Общества дрогнул, потянул воздух и, как хобот дикого слона, почуявшего человека, стал извиваться туда и сюда, жадно ловя запах сенсации. Губы улыбались, тянулись к ушам; глаза перебегали с одной женщины на другую; лбы сосредоточенно хмурились, словно мыслительные аппараты под стрижеными, надушенными черепами затруднялись в выборе. Марджори Феррар стояла спокойная, улыбающаяся, а Флер разговаривала и вертела в руках цветок. Так, без объявления войны, начался бой, хотя враги делали вид, что не замечают друг друга. Правда, между ними стоял мистер Блайт; высокий и плотный, он служил хорошим заслоном. Но Майкл все видел и ждал, стиснув зубы. Нос не спеша изучал аромат; аппарат выбирал. Волны застыли — ни прилива, ни отлива. А потом медленно и неуклонно, как отлив, волны отхлынули от Флер и заплескались вокруг ее соперницы. Майкл болтал, мистер Блайт таращил глаза. Флер улыбалась, играла цветком. А там Марджори Феррар стояла, как королева среди придворных.

Было ли то восхищение, жалость или сочувствие? Или порицание Майклу и Флер? Или просто «Гордость гедонистов» всегда была более эффектна? Майкл видел, как бледнела Флер, как нервно теребила она цветок. А он не смел ее увести, она усмотрела бы в этом капитуляцию. Но лица, обращенные к ним, говорили яснее слов. Сэр Джемс Фоскиссон перестарался: своей праведностью он бросил тень на своих же клиентов. «Победа за откровенной грешницей, а не за теми, кто тащит ее на суд!» «И правильно! — подумал Майкл. — Почему этот субъект не послушался моего совета — заплатили бы, и дело с концом!»

И в эту минуту он заметил, что около знаменитого итальянца стоит, разглядывая свои пальцы, высокий молодой человек с зачесанными назад волосами. Бэрти Кэрфью! За его спиной, дожидаясь очереди «почествовать», не кто иной, как сам Макгаун. Право, шутки богов зашли слишком далеко. Высоко подняв голову, потирая изувеченные пальцы, Бэрти Кэрфью прошел мимо них к своей бывшей возлюбленной. Она поздоровалась с ним нарочито небрежно. Но пронырливый нос не дремал — вот и Макгаун! Как он изменился — мрачный, посеревший, злой! Вот кто мог потягаться с великим итальянцем. А тот тоже смешался с толпой придворных.

Напряженное молчание сразу прервалось, придворные, парами, кучками, отступили, и Макгаун остался вдвоем со своей невестой. Майкл повернулся к Флер.

— Едем.

В такси они оба молчали. На поле битвы Майкл болтал до изнеможения и теперь нуждался в передышке. Но он нашел ее руку; она не ответила на его пожатие. Козырь, который он пускал в ход в трудные минуты, — одиннадцатый баронет — последние три месяца что-то не помогал; Флер, по-видимому, не нравилось, когда Майкл прибегал к этому средству. Огорченный, недоумевающий, он прошел за ней в столовую. Какая она была красивая в этом зеленовато-сером платье, очень простом и гладком, с широким воланом. Она присела к узкому обеденному столу, он стал напротив, мучительно подыскивая убедительные слова. Его самого такой щелчок оставлял глубоко равнодушным, но она!..

Вдруг она сказала:

— И тебе все равно?

— Мне лично — конечно.

— Ну да, у тебя остается твой фоггартизм и Бетнел, Грин.

— Если ты огорчена, Флер, то мне совсем не все равно.

— *Если* я огорчена!

— Очень?

— К чему говорить, чтобы ты окончательно убедился, что я — выскочка?

— Никогда я этого не думал.

— Майкл!

— Что ты, в сущности, подразумеваешь под этим словом?

— Ты прекрасно знаешь.

— Я знаю, что ты любишь быть окруженной людьми, хочешь, чтобы они о тебе хорошо думали. Это не значит быть выскочкой.

— Да, ты очень добр, но тебе это не нравится.

— Я восхищаюсь тобой.

— Нет, ты хочешь меня, а восхищаешься ты Норой Кэрфью.

— Норой Кэрфью! Мне нет до нее дела; по мне, пусть она хоть завтра же умрет.

Он почувствовал, что она ему верит.

— Ну, если не ею, то ее идеалами, тем, что мне чуждо.

— Я восхищаюсь тобой, — горячо сказал Майкл, — восхищаюсь твоим умом, твоим чутьем, мужеством; и твоим отношением к Киту и к твоему отцу; и тем, как ты ко мне терпима.

— Нет, я тобой восхищаюсь больше, чем ты мной. Но, видишь ли, я не способна на самопожертвование.

— А Кит?

— Я люблю себя, вот и все.

Он потянулся через стол, взял ее руку.

— Больное воображение, родная.

— Ничего больного. Я вижу все слишком ясно.

Она откинула голову, ее круглая шея, белевшая под лампой, судорожно вздрагивала.

— Майкл, поедем в кругосветное путешествие!

— А как же Кит?

— Он еще слишком мал. Мама за ним присмотрит.

Если она идет на это, значит, все обдумано!

— Но твой отец?

— Право же, он совсем не стар, и у него остается Кит.

— Ну что ж! Парламентская сессия кончается в августе...

— Нет, едем сейчас.

— Подождем, осталось только пять месяцев. Мы еще успеем постранствовать.

Флер посмотрела ему в глаза.

— Я знала, что своим фоггартизмом ты дорожишь больше, чем мной.

— Будь же благоразумна, Флер!

— Пять месяцев выносить эту пытку? — Она прижала руки к груди. — Я уже полгода страдаю. Должно быть, ты не понимаешь, что у меня больше нет сил?

— Но, Флер, все это так...

— Да, это такая мелочь — потерпеть полное фиаско, не правда ли?

— Но, дитя мое...

— О, если ты не понимаешь...

— Я понимаю. Сегодня я был взбешен. Но самое разумное — показать им, что это тебя нимало не задевает. Не следует обращаться в бегство, Флер.

— Не то! — холодно сказала Флер. — Я не хочу вторично добиваться того же приза. Отлично, я останусь, и пусть надо мной смеются.

Майкл встал.

— Я знаю, что ты не придаешь моей работе ни малейшего

значения, но ты не права, и все равно я уже начал. О, не смотри на меня так, Флер! Это ужасно!

— Пожалуй, я могу поехать одна. Это будет даже интереснее.

— Ерунда! Конечно, одна ты не поедешь. Сейчас тебе все представляется в мрачном свете. Завтра настроение изменится.

— Завтра, завтра! Нет, Майкл, процесс омертвения начался, и ты можешь назначить день моих похорон.

Майкл всплеснул руками. Это не были пустые слова. Не следовало забывать, какое значение она придавала своей роли светской леди, как старалась пополнять свою коллекцию. Карточный домик рухнул. Какая жестокость! Но поможет ли ей кругосветное путешествие? Да! Инстинкт ее не обманывал. Он сам ездил вокруг света и знал, что ничто так не способствует переоценке ценностей, ничто так не помогает забыть и заставить забыть о себе. Липпинг-Холл, «Шелтер», какой-нибудь приморский курорт на пять месяцев, до конца сессии, — это все не то. Как-то ей нужно опять обрести уверенность в своих силах. Но может ли он уехать до окончания сессии? Фоггартизм, это чахлое растение, лишившись единственного своего садовника, погибнет на корню, если только есть у него корень! Как раз сейчас вокруг него началось движение — то один депутат заинтересуется, то другой. Проявляется и частная инициатива. А время идет — Большой Бен торопит: безработица растет, торговля свертывается, назревает протест рабочих, кое-кто теряет терпение! И как посмотрит Блайт на такое дезертирство?

— Подожди неделю, — пробормотал он. — Вопрос серьезный. Мне нужно подумать.

X. НОВАЯ СТРАНИЦА

Когда Макгаун подошел, у Марджори Феррар мелькнула мысль: «Знает ли он о Бэрти?» Окрыленная своей победой над «этой выскочкой», взволнованная встречей с бывшим любовником, она не вполне владела собой. В соседней комнате, где никого не было, она посмотрела ему в лицо.

— Ну, Алек, все по-старому. Мое прошлое так же темно, как было вчера. Мне очень жаль, что я его от вас скрывала. В сущности, я вам несколько раз говорила, но вы не хотели понять.

— Потому что это было свыше моих сил. Расскажите мне все, Марджори!

— Хочется посмаковать?

— Расскажите мне все, и я на вас женюсь.

Она покачала головой.

— Женитесь? О нет! Больше я себе не изменю. Это была нелепая помолвка. Я никогда не любила вас, Алек.

— Значит, вы любили этого... вы все еще...

— Алек, довольно!

Он схватился за голову и пошатнулся, и ей стало не на шутку жаль его.

— Право же, мне ужасно неприятно. Вы должны забыть меня, вот и все.

Она хотела уйти, но его страдальческий вид растрогал ее. Ей только сейчас стало ясно, до чего он опустошен. И она быстро проговорила:

— Замуж за вас я не выйду, но мне бы хотелось с вами рассчитаться, если я могу...

Он посмотрел на нее.

Ее всю передернуло от этого взгляда. Она пожала плечами и вышла. Люди прошлого века! Она сама виновата: не нужно было выходить за пределы очарованного круга, где никто не принимает жизнь всерьез.

Она прошла по сверкающему паркету под взглядами многих глаз, ловко миновала хозяйку дома и через несколько минут уже сидела в такси.

Она не могла заснуть. Даже если газеты не оповестят о разрыве помолвки, все равно — на нее обрушится лавина счетов. Пять тысяч фунтов! Она встала и просмотрела запись своих долгов. Дубликат находился у Алека. Быть может, он все-таки захочет уплатить? Ведь он сам все испортил, зачем он настоял на суде! Но тут ей вспомнились его глаза. Думать нечего! Она поежилась и снова забралась в постель. Может быть, завтра утром ее осенит какая-нибудь гениальная мысль. Но все гениальные мысли пришли ночью и не давали спать. Москва с Бэрти Кэрфью? Сцена? Америка и кино? Наконец она заснула и утром проснулась бледная и усталая. Вместе с другими письмами ей подали записку от маркиза Шропшира.

«Милая Марджори.

Если тебе нечего делать, загляни ко мне сегодня утром.

Шропшир».

Что бы это могло быть? Она посмотрела на себя в зеркало и решила, что нужно хоть немного подкраситься. В одиннадцать часов она была у маркиза. Ее провели в рабочий кабинет. Дед стоял без пиджака и рассматривал что-то в лупу.

— Садись, Марджори, — сказал он, — через минуту я буду свободен.

Сесть было негде, разве что на пол, и Марджори Феррар предпочла стоять.

— Я так и думал, — сказал маркиз. — Итальянцы ошиблись.

Он отложил лупу, пригладил седые волосы и взлохмаченную бородку. Потом двумя пальцами подкрутил кверху бровь и почесал за ухом.

— Ошиблись; никакой реакции нет.

Он повернулся к внучке и сощурился.

— Ты здесь еще не была. Садись на окно.

Она уселась спиной к свету на широкий подоконник, под которым скрывалась электрическая батарея.

— Итак, ты довела дело до суда, Марджори?

— Да, пришлось.

— А зачем?

Он стоял, слегка склонив голову набок, щеки у него были розовые, а взгляд очень зоркий. Она подумала: «Ну что ж... Я его внучка. Рискну».

— Простая честность, если хотите знать.

Маркиз выпятил губы, вникая в смысл ее слов.

— Я читал твои показания, если ты это имеешь в виду, — сказал он.

— Нет. Я хотела уяснить себе свое положение.

— И уяснила?

— О да.

— Ты все еще намерена выйти замуж?

Умный старик!

— Нет.

— Кто порвал? Он или ты?

— Он говорит, что женится на мне, если я ему все расскажу. Но я предпочитаю не рассказывать.

Маркиз сделал два шага, поставил ногу на ящик и принял свою любимую позу. Его красный шелковый галстук развевался, не стесненный булавкой; суконные брюки были сине-зеленые, рубашка зелено-синяя. Необычайно красочная фигура.

— А много есть о чем рассказать?

— Порядочно.

— Что ж, Марджори, ты помнишь, что я тебе говорил?

— Да, дедушка, но я не совсем согласна. Я лично отнюдь не хочу быть символом.

— Ну, значит, ты исключение; но от исключений-то весь вред и происходит.

— Если б еще люди допускали, что есть кто-то лучше их. Но сейчас так не бывает.

— Это, положим, неверно, — перебил маркиз. — А каково у тебя на душе?

Она улыбнулась.

— Подумать о своих грехах не вредно, дедушка.

— Новый вид развлечения, а? Итак, ты с ним порвала?

— Ну да.

— У тебя есть долги?

— Есть.

— Сколько?

Марджори Феррар колебалась. Убавить цифру или не стоит?

— Говори правду, Марджори.

— Ну, около пяти тысяч.

Старый пэр вытянул губы и меланхолически свистнул.

— Большая часть, конечно, связана с моей помолвкой.

— Я слышал, что на днях твой отец выиграл на скачках?

Старик все знает!

— Да, но, кажется, он уже все спустил.

— Очень возможно, — сказал маркиз. — Что же ты думаешь предпринять?

Подавив желание задать ему тот же вопрос, она сказала:

— Я подумывала о том, чтобы пойти на сцену.

— Пожалуй, тебе это подходит. Играть ты умеешь?

— Я не Дузе.

— Дузе? — Маркиз покачал головой. — Ристори — вот это игра! Дузе! Конечно, она была очень талантлива, но всегда одна и та же. Значит, выходить за него ты не хочешь? — Он пристально на нее посмотрел. — Пожалуй, ты права. У тебя записано, сколько ты кому должна?

Марджори Феррар стала рыться в сумочке.

— Вот список.

Она заметила, как он сморщил нос, но что ему не понравилось — запах духов или сумма, — она не знала.

— Твоя бабка, — сказал он, — тратила на свои платья одну пятую того, что ты тратишь. Теперь вы ходите полуголые, а стоит это дорого.

— Чем меньше материи, дедушка, тем лучше должен быть покрой.

— Ты отослала ему его подарки?

— Уже упакованы.

— Отошли все, ничего не оставляй, — сказал маркиз.

— Конечно.

— Чтобы выручить тебя, мне придется продать Гэйнсборо, — сказал он вдруг.

— Ох, нет!

Прекрасная картина кисти Гэйнсборо — портрет бабки маркиза, когда та была ребенком! Марджори Феррар протянула руку за списком. Не выпуская его, старик снял ногу с ящика, посмотрел на нее блестящими, проницательными старыми глазами.

— Я бы хотел знать, Марджори, можно ли заключить с тобой договор. Ты умеешь держать слово?

Она почувствовала, что краснеет.

— Думаю, что да. Зависит от того, какое я должна дать обещание. Но, право же, дедушка, я не хочу, чтобы вы продавали Гэйнсборо.

— К несчастью, — сказал маркиз, — у меня больше ничего нет. Должно быть, я сам виноват, что у меня такие расточительные дети. Других такая напасть миновала.

Она удержалась от улыбки.

— Времена сейчас трудные, — продолжал маркиз. — Имение стоит денег, шахты стоят денег, этот дом стоит денег. А где взять деньги? У меня вот есть одно изобретение, на котором можно бы разбогатеть, но никто им не интересуется.

Бедный дедушка, в его-то годы! Она вздохнула.

— Я не хотела надоедать вам, дедушка, я как-нибудь выпутаюсь.

Старый пэр прошелся по комнате. Марджори Феррар заметила, что на ногах у него красные домашние туфли без каблуков.

— Вернемся к нашей теме, Марджори. Если ты смотришь на жизнь как на веселое времяпрепровождение, как ты можешь что-нибудь обещать?

— Что я должна обещать, дедушка?

Маленький, слегка сгорбленный, он подошел и остановился перед ней.

— Волосы у тебя рыжие, и, пожалуй, из тебя выйдет толк. Ты действительно думаешь, что сумеешь зарабатывать деньги?

— Думаю, что сумею.

— Если я заплачу твоим кредиторам, можешь ли ты дать мне слово, что впредь всегда будешь платить наличными? Только не говори «да» с тем, чтобы сейчас же пойти и заказать себе кучу новых тряпок. Я требую от тебя слова леди, если ты понимаешь, что это такое.

Она встала.

— Вы, конечно, имеете право так говорить. Но я не хочу, чтобы вы продавали Гэйнсборо.

— Это тебя не касается. Быть может, я где-нибудь наскребу денег. Можешь ты это обещать?

— Да, обещаю.

— И сдержишь слово?

— Сдержу. Что еще, дедушка?

— Я бы тебя попросил больше не бросать тень на наше имя, но, пожалуй, это значило бы переводить часы назад. Дух времени против меня.

Она отвернулась к окну. Дух времени! Все это очень хорошо, но о чем он говорит? Бросать тень? Да нет же, она прославила родовое имя — вытащила его из затхлого сундука, повесила у всех на виду. Люди рот раскрывают, когда читают о ней. А раскрывают они рот, когда читают о дедушке? Но этого ему не понять. И она смиренно сказала:

— Я постараюсь. Мне хочется уехать в Америку.

Глаза старика блеснули.

— И ввести новую моду — брать в мужья американцев? Кажется, этого еще не делали. Выбери такого, который интересуется электричеством, и привези его сюда. У нас найдется дело для американца. Ну-с, этот список я у себя оставлю. Вот еще что, Марджори: мне восемьдесят лет, а тебе сколько, двадцать пять? Не будь такой стремительной, а то к пятидесяти годам тебе все наскучит; а люди, которым все наскучило, безнадежно скучны. Прощай!

Он протянул ей руку.

Свободна! Она глубоко вздохнула и, схватив его руку, поднесла к губам. Ой, он смотрит на свою руку. Неужели она запачкала ее губной помадой? И она выбежала из комнаты. Славный старик! Как мило, что он взял этот список! Сейчас она пойдет к Бэрти Кэрфью, и вместе они начнут новую страницу! Как он смотрел на нее вчера вечером!

XI. ЗА БОРТ

Майкл не пытался ни убеждать, ни спорить: вопрос был слишком серьезен. Может быть, мысли о Ките заставят Флер изменить решение или ее удержат какие-нибудь другие препятствия — хотя бы мысль об отце. Но ясно было, что рана, нанесенная ей, глубока. Флер отказалась от всех обязанностей, налагаемых светской жизнью, — в течение этой тяжелой недели она нигде не бывала и никого не приглашала. Она не дулась, но стала молчалива, апатична. И часто она очень серьезно посматривала на Майкла, и иногда во взгляде ее было что-то похожее на озлобление, словно она заранее знала, что он ей откажет.

Ему не с кем было посоветоваться: ведь всякому, кто не был рядом с Флер в течение всей этой томительной истории, ее настроение показалось бы непонятным, даже смешным. Он не мог ее выдать; не мог даже пойти к Блайту, пока не решится на что-нибудь. Ход его мыслей еще осложняло всегдашнее сомнение — так ли уж он нужен фоггартизму. Вот если бы возгордиться! Он даже не обольщал себя мыслью, что категорический отказ произведет на Флер впечатление; она считала, что его работа нужна, чтобы выдвинуть его в обществе, но никакой пользы стране не приносит. В вопросах политики она была по-обывательски цинична: реагировала только на то, что угрожало собственности или Киту. Майкл понимал весь комизм дилеммы: будущее Англии — или настоящее молодой женщины, получившей щелчок в светской гостиной! Но в конце концов только сэр Джемс Фоггарт и Блайт связывали фоггартизм с будущим Англии, а теперь, если он отправится в кругосветное путешествие, и эти двое утратят свою веру.

Неделя кончилась. Утром, так ни на что и не решившись, Майкл перешел реку по Вестминстерскому мосту и побрел по улицам Сэрри-Сайд. Он не знал этих мест, идти было интересно. Вспомнил, что тут жили когда-то Бикеты; Бикеты, которым не везло здесь, не повезло, как видно, и в Австралии. Нет конца этим гнусным улицам! Вот откуда выходят все Бикеты. Захватить их побольше, пораньше, захватить, пока они еще не стали Бикетами, еще годятся для работы на земле; дать им случай заработать, дать им воздух, солнце — дать им возможность проявить себя! Безобразные дома, безобразные лавки, безобразные трактиры! Нет, не годится. Нечего впутывать в дело красоту. В палате на красоту не реагируют. Там реагируют только на вполне понятные эмоции — «англосаксонская раса», «патриотизм», «империя», «моральная выдержка» — не отступать от штампов! Он постоял перед зданием школы, послушал монотонное гудение урока. Англичан с их мужеством, терпением, чувством юмора загнать в эти гнусные улицы!

Внезапно его потянуло за город. Мотоцикл! С тех пор как его избрали в парламент, он ни разу не пользовался этой машиной, грозившей растрясти все его достоинство. Но сейчас он решил извлечь мотоцикл и прокатиться: быть может, от тряски у него созреет решение!

Он вернулся домой и не застал Флер. Завтрак не был заказан. Майкл поел ветчины и в два часа отправился в путь.

С грохотом проскочил он Чизик, Слау, Мейденхед; переехал через реку и запыхтел к Рэдингу. У Кэвершема опять переехал мост и покатил на Пэнгборн. На береговой дорожке он прислонил мотоцикл к кустам и сел покурить. День был безветренный. Между стволами тополей виднелась серая гладь реки; на ивах уже появились сережки. Он сорвал ветку и прочистил ею трубку. Тряска пошла ему на пользу: мозг его стал работать. Война! Тогда он не знал колебаний; впрочем, тогда он не знал Флер. А теперь, решая этот вопрос: «ехать — не ехать», Майкл, казалось, провидел свою будущую семейную жизнь. Решение, которое он примет, повлияет, может быть, на следующие пятьдесят лет жизни. Взяться за плуг и по первому же требованию отступиться! Можно пахать в сумерках, криво; но лучше слабый свет, чем полный мрак, лучше кривая борозда, чем никакой. Он не знает пути лучше фоггартизма, он должен за него держаться! Будущее Англии! Где-то неподалеку захихикал дрозд. Вот именно! Но, как говорит Блайт, нужно привыкать к насмешкам. Конечно, если Флер хочет, чтобы он остался в парламенте, — а она хочет этого, — она поймет, что он не должен отступать от намеченной программы, как бы это ни забавляло дроздов. Она не захочет, чтобы он стал безличным флюгером. Ведь как-никак она его жена, с его карьерой связана и ее собственная.

Он смотрел на дым от своей трубки, на серые, нависшие облака, на белых коров за рекой, на рыболова. Он крутил сорванную ветку, любовался желтовато-серыми бархатными сережками. Ему стало наконец спокойнее, но было очень грустно. Что сделать для Флер? На этой реке — так близко отсюда — он ухаживал за ней. А теперь вот на какой риф наткнулись. Что ж, ей решать, затонет их лодка или нет. И вдруг ему захотелось поговорить со Старым Форсайтом...

Когда послышалось фырканье мотоцикла, Сомс как раз собирался повесить картину Фреда Уокера, которую он купил в магазине возле конторы «Сэтлуайт и Старк», тем отметив конец треволнений, связанных с процессом, и удовлетворив свою тоску по английской школе. Фред Уокер! Конечно, он устарел; сколько школ возникло после него и Мэйсона. Но они, как старые скрипки, сохраняют тон; они редки и всегда будут в цене. Сняв со стены Курбэ, раннего и еще незрелого, Сомс стоял без пиджака, держа в руке моток проволоки, когда вошел Майкл.

— Откуда вы появились? — удивился он.

— Я проезжал мимо, сэр, на моем старом мотоцикле. Вижу, вы сдержали слово насчет английской школы.

Сомс прикрепил проволоку к картине.

— Я не успокоюсь, — сказал он, — пока не приобрету Крома-старшего, лучшего из английских пейзажистов.

— Кажется, это большая редкость, сэр?

— Вот потому-то он мне и нужен.

Закручивая проволоку, Сомс не заметил улыбки Майкла, словно говорившей: «Потому-то вы и считаете его лучшим». Искоса поглядывая на него, Сомс вспомнил, как он появился здесь летом, в воскресенье, после того как в первый раз увидел Флер в галерее на Корк-стрит. Неужели с тех пор прошло только четыре года? Молодой человек оказался лучше, чем можно было ожидать; и сильно возмужал, остепенился; в общем, если сделать скидку на его воспитание и войну, симпатичный молодой человек. И вдруг он заметил, что Майкл тоже за ним следит. Должно быть, ему что-нибудь нужно — зря бы не приехал! Он старался вспомнить случай, чтобы кто-нибудь пришел к нему без дела, — и не вспомнил. Ну что ж, это естественно!

— Может быть, вам нужна какая-нибудь картина, чтобы повесить рядом с вашим Фрагонаром? Вон там в углу висит Шарден.

— Нет, нет, сэр. Вы и так были слишком щедры!

Щедр! Как можно быть щедрым к единственной дочери?

— Как Флер?

— Я хотел поговорить с вами о ней. Она себе места не находит.

Сомс посмотрел в окно. Весна запаздывает!

— Странно, раз процесс выигран.

— Вот в том-то и беда, сэр.

Сомс зорко посмотрел ему в лицо.

— Я вас не совсем понимаю.

— Нас сторонятся.

— Почему? Ведь вы выиграли дело?

— Да, но, видите ли, люди не прощают морального превосходства.

— Что это значит? Кто?..

Моральное превосходство — он сам его не выносил!

— Мы заражены добродетельным духом Фоскиссона. Я этого опасался. Флер болезненно реагирует на насмешки.

— Насмешки? Кто смеет?..

— Хорошо было нападать на современную мораль перед судьей и присяжными, но в обществе, где каждый гордится тем, что у него нет предрассудков, это почитается смешным.

— В обществе!

— Да, сэр. Но ведь живем-то мы в обществе. Мне все равно, к насмешкам я привык с тех пор, как начал проводить фоггартизм, но Флер совсем измучилась. И неудивительно — ведь общество для нее любимая игра.

— Это слабость с ее стороны, — сказал Сомс. Но он не на шутку встревожился. Сначала ее назвали «выскочкой», а теперь еще это!

— Тут этот немец повесился в Липпинг-Холле, — продолжал Майкл, — и мой фоггартизм, и эта стычка с Феррар — в общем, несладко. Вся эта неделя после суда была скверная. Флер настолько выбита из колеи, что хочет ехать со мной в кругосветное путешествие.

Если бы в эту минуту за окном над голубятней взорвалась бомба, Сомс не был бы так ошеломлен. Кругосветное путешествие!

Майкл продолжал:

— И она права. Действительно, для нее это наилучший исход, но я не имею возможности бросить работу до окончания сессии. Дело начато, и я должен довести его до конца. Я только сегодня окончательно решился. Я бы чувствовал себя дезертиром, и в конечном счете ни один из нас не извлек бы из этого пользы. Но Флер еще не знает.

Голубятня встала на место — Сомс понял, что Майкл не увезет ее бог знает на сколько времени.

— Кругосветное путешествие! — повторил он. — Почему не Альпы?

— Мне кажется, — продолжал Майкл тоном врача, ставящего диагноз, — ей нужно что-то из ряда вон выходящее. В двадцать три года объехать весь свет! А то она чувствует себя отщепенкой.

— Но как же она бросит малыша?

— Да, вот показатель, в каком она сейчас состоянии. Эх, если бы я мог поехать!

Сомс широко раскрыл глаза. Неужели же молодой человек рассчитывает на его помощь? Ехать вокруг света! Безумная затея!

— Я должен ее повидать, — сказал он. — Оставьте мотоцикл в гараже; мы поедем в автомобиле. Я буду готов через двадцать минут. Идите вниз, там пьют чай.

Оставшись наедине с Фредом Уокером — картину он все еще не повесил, Сомс окинул взглядом свои сокровища, и сердце у него заныло. Давно они ему так не нравились. Флер коллекционировала людей, а теперь у нее отняли ее коллекцию. Бедняжка! Конечно, занятие было нелепое — разве люди могут дать удовлетворение? Не отвезти ли ей Шардена? Хороший Шарден! Думетриус обставил его на цене, но не слишком. А Шарден долговечен — он еще обставит на нем Думетриуса. Но если это доставит ей удовольствие! Он снял картину, взял ее под мышку и пошел вниз.

В автомобиле они говорили только о характере одиннадцатого баронета да о прискорбной склонности полиции не разрешать быстрой езды по новой дороге, проложенной с целью ускорить движение.

На Саут-сквер приехали к шести часам. Флер еще не вернулась. Оба уселись и стали ждать. Дэнди спустился вниз в поисках незнакомых ног, но, не найдя таковых, тотчас же удалился. В доме было очень тихо. Майкл то и дело посматривал на часы.

— Как вы думаете, куда она пошла? — спросил наконец Сомс.

— Понятия не имею, сэр! Вот за что не люблю Лондон — люди в нем пропадают, как иголки.

Он зашагал по комнате. Сомс уже хотел было сказать: «Сядьте!» — как вдруг Майкл, подойдя к окну, воскликнул: «Вот она!» — и бросился к двери.

Сомс остался на месте. Шардена он прислонил к креслу. Как долго они там разговаривают! Минуты проходили, а их все не было. Наконец вошел Майкл. Вид у него был очень серьезный.

— Она у себя наверху, сэр. Боюсь, что это ее ужасно расстроило. Может быть, вы пойдете к ней?

Сомс взял своего Шардена.

— Куда идти? Кажется, первая дверь налево?

Он медленно поднялся по лестнице, тихонько постучал в дверь и, не дожидаясь ответа, вошел.

Флер, закрыв лицо руками, сидела у бюро. Лампа бросала яркий блик на ее волосы, которым теперь снова разрешалось расти на затылке. Казалось, она не слышала, как он вошел. Сомс не привык видеть людей и показывать себя в такие интимные минуты, и теперь он не знал, что делать. Какое он имеет право заставать ее врасплох? Быть может, выйти и постучать еще раз? Но он был слишком встревожен. И, подойдя к ней, он коснулся пальцем ее плеча и сказал:

— Устала, дитя мое?

Она оглянулась — лицо было странное, чужое. И Сомс произнес фразу, которую она так часто слышала в детстве:

— Посмотри, что я тебе принес!

Он поднял Шардена. Она мельком взглянула на картину, и это обидело Сомса. Ведь Шарден стоит несколько сот фунтов! Очень бледная, она скрестила руки на груди, словно запираясь на ключ. Он узнал этот симптом. Душевный кризис! Раньше Сомс смотрел на такие кризисы как на нечто экстравагантное, как на неуместный приступ аппендицита.

— Майкл говорит, — начал он, — что ты хочешь отправиться с ним в кругосветное путешествие.

— Но он не может. Значит, конец делу.

Если бы она сказала: «Да, а почему он не хочет?», Сомс принял бы сторону Майкла, но сейчас в нем проснулся дух противоречия. В самом деле, почему она не может получить то, что хочет? Он поставил своего Шардена на пол и сделал несколько шагов по мягкому ковру.

— Послушай, — сказал он, останавливаясь, — где ты это ощущаешь?

Флер засмеялась:

— В висках, в глазах, в ушах, в сердце.

— Как они смеют смотреть на тебя свысока? — проворчал Сомс и опять зашагал по ковру.

Как будто все эти теперешние нахалы, которых он волей-неволей встречал иногда у нее в доме, окружили его и скалят зубы, поднимают брови. Больше всего ему сейчас хотелось поставить их на место — жалкие людишки!

— Н-не знаю, могу ли я с тобой поехать, — сказал он и осекся.

О чем он говорит? Кто просил его ехать с ней? Она широко раскрыла глаза.

— Конечно, нет, папа.

— Конечно? Ну, это мы еще посмотрим!

— Со временем я привыкну к насмешкам.

— Незачем тебе привыкать, — проворчал Сомс. — Мне кажется, очень многие совершают кругосветное путешествие.

Флер порозовела.

— Да, но не ты, дорогой мой; ты будешь смертельно скучать. Я тебе очень благодарна, но, конечно, я этого не допущу. В твои-то годы!

— В мои годы? — сказал Сомс. — Я не так уж стар.

— Нет, папа, буду страдать молча, вот и все.

Сомс не ответил и опять прошелся по ковру. Страдать молча — еще чего!

— Я не допущу, — прорвался он. — Если люди не могут вести себя прилично, я им покажу.

Теперь она стояла раскрасневшаяся, приоткрыв рот, глубоко дыша. Такой она пришла к нему когда-то показаться перед первым выездом в свет.

— Поедем, — сказал он ворчливо. — Не спорь. Я решил.

Ее руки обвились вокруг его шеи; что-то мокрое прижалось к его носу. Какая нелепость!..

В тот вечер, отстегивая подтяжки, Сомс размышлял. Да неужели он отправляется в кругосветное путешествие? Абсурд! А Майкл был ошеломлен. Он присоединится к ним в августе, где бы они в то время ни находились. О господи! Быть может, в Китае? Фантастическая история! А Флер ластится, как котенок. Забавная песенка, слышанная им в детстве от священника, звучала у него в ушах:

Я вижу Иерусалим и Мадагаскар,
И Северную Америку и Южную...

Да. Вот оно как! Слава богу, все дела у него в порядке. Капиталы Тимоти и Уинифрид обеспечены. Но как они тут без него будут жить, сказать трудно. Что касается Аннет — вряд ли она будет скучать. Смущала его скорее долгая разлука со всем привычным пейзажем. Но, вероятно, утесы Дувра останутся на своем месте, и река по-прежнему будет течь мимо его лугов, когда он вернется, — если только вернется! В дороге можно подцепить что угодно — там и микробы, и насекомые, и змеи. Как уберечь от них Флер? А сколько диковинок ему придется обозревать! Уж можете быть уверены — Флер ничего не пропустит! Бродить с компанией туристов и разевать рот — нет, этого он не вынесет! Но ничего не поделаешь! Гм! Утешительно, что в августе к ним присоединится Майкл. А все-таки приятно, что все это время он будет с ней вдвоем. Впрочем, она захочет со всеми знакомиться. Ему придется быть любезным с каждым встречным. Заглянуть в Египет, потом в Индию, морем в Китай и Японию, а домой — через эту огромную, нескладную Америку. Страна господа бога — так, кажется, они ее называют. Еще хорошо, что о России Флер и не заикнулась, там, говорят, все пошло прахом. Коммунизм! Кто знает, что случится за это время в Англии! Сомсу казалось, что и Англия пойдет прахом, если он уедет. Ну что ж, ведь он уже сказал Флер, что едет с ней. А она расплакалась! Подумаешь!

Он открыл окно и, запахнувшись в теплый халат, который хранился здесь на случай его приездов, высунулся наружу. Словно видел он не Вестминстер-сквер, а свою реку и тополя, освещенные луной, — всю ту мирную красоту, которую он никогда не умел выразить словами, тот зеленый покой, который впитывал тридцать лет, но так и не пустил дальше подсознания. Не будет там привычных запахов, вздохов реки при ветре, плеска воды у запруды, звезд. Звезды, положим, есть и там, но не английские звезда. А трава? Травы там, наверно, нет. И фруктовые деревья не успеют зацвести до их отъезда. Ну, да что плакать над пролитым молоком! А кстати о молоке, — у этого парня на ферме, уж конечно, коровы перестанут доиться, глуповат он! Нужно предупредить Аннет. Женщины не желают понять, что корова не станет бесконечно давать молоко, если за ней не ухаживать. Вот будь у него такой надежный человек в «Шелтере», как старый Грэдмен в Сити! Да! У старого Грэдмена глаза на лоб вылезут, когда он узнает! Вот она, старая Англия, только вряд ли она долговечна. Странно будет вернуться и узнать, что старый

Грэдмен умер. Раз — два — три — одиннадцать! Эт-ти часы! Сколько раз они не давали ему спать. А все-таки хорошие часы. Он уедет, а Майкл будет заседать и слушать, как они бьют. Есть ли смысл в идеях, которые заставляют его заседать, или это одни разговоры? Как бы то ни было — он прав, нельзя бросать начатое дело. Но пять месяцев разлуки с молодой женой — какой риск! «Скоро молодость пройдет»[1]. Старик Шекспир знал людей! Ну, риск или не риск, а вопрос решен. Флер не глупа, у Майкла сердце доброе. И у Флер доброе сердце — кто посмеет сказать, что нет? Ей тяжело будет расстаться с беби. Сейчас она этого не сознает. И у Сомса шевельнулась надежда: может быть, она в конце концов откажется от своей затеи. Он и хотел этого и боялся. Странно! Привычки, уют, коллекция — все это он бросает за борт. Нелепо! И однако...

XII. ENVOJ[2]

Пять месяцев не видеть Флер!

Странное предложение Сомса действительно ошеломило Майкла. Но в конце концов сейчас они с Флер переживали кризис особенно серьезный, потому что он был вызван повседневной жизнью. Быть может, во время путешествия кругозор Флер расширится; быть может, она поймет, что мир — это не те пять тысяч передовых людей, из коих в лицо она знает человек пятьсот. Ведь она сама настояла на том, чтобы он вошел в парламент, и если его не выставят оттуда как неудачника, они вместе пойдут по гребню, с которого открывается широкий вид. В течение двух недель, предшествовавших отъезду, он страдал и улыбался. Он был благодарен ей за то, что она, по выражению ее отца, «ластится, как котенок». С начала осени она нервничала из-за этого проклятого процесса, и такая реакция казалась вполне естественной. Во всяком случае, она сочувствовала ему и не скупилась на поцелуи, а для Майкла это было великим утешением. Несколько раз он замечал, что она со слезами на глазах смотрит на одиннадцатого баронета; как-то утром он проснулся и увидел, что лицо ее заплакано. По его мнению, эти симптомы указывали на то, что она намерена вернуться. Но бывали минуты, когда все

---

[1] Конец песенки шута из «Двенадцатой ночи» Шекспира.

[2] Концовка баллады *(фр.)*.

мысли о будущем путались, как в бреду. Нелепо! Ведь она едет с отцом — этим воплощением осмотрительности и заботливости! Кто бы мог подумать, что Старый Форсайт способен сняться с места? Он тоже расставался с женой, но никак этого не проявлял. Впрочем, о чувствах Старого Форсайта никто ничего не мог сказать; сейчас все его внимание было сосредоточено на дочери, а говорил он главным образом о билетах и насекомых. Для себя и для Флер он купил по спасательной куртке. Майкл имел с ним только один серьезный разговор.

— Пожалуйста, — сказал Сомс, — присмотрите за моей женой, последите, чтобы она не испортила коров. У нее будет жить ее мать, но женщины такие чудные. С ребенком она справится отлично — вот увидите. Как у вас с деньгами?

— Хватит за глаза, сэр.

— Ну, если потребуется на дело, зайдите в Сити, к старому Грэдмену, вы его помните?

— Да, и боюсь, что он тоже меня помнит.

— Ничего, он верный старик. — И Майкл услышал вздох. — И еще: заглядывайте изредка на Грин-стрит. Моей сестре будет не по себе, когда я уеду. Время от времени я буду посылать сведения о Флер, ведь теперь изобретено это радио, а Флер будет беспокоиться о беби. Хинином я запасся. Флер сказала, что не страдает морской болезнью. Говорят, от нее лучше всего помогает шампанское. Между прочим, конечно, вам виднее, но я бы на вашем месте не слишком напирал на фоггартизм там в парламенте; они не любят, чтобы им надоедали. Встретимся мы с вами в Ванкувере, в конце августа. К тому времени ей надоест путешествовать. Сейчас она мечтает о Египте и Японии, но не знаю. Наверно, все время будем в дороге.

— Есть у вас парусиновые костюмы, сэр? Они вам понадобятся на Красном море; и я бы взял шлем.

— Шлем я купил, — ответил Сомс. — Тяжелая, громоздкая штука.

Он посмотрел на Майкла и неожиданно добавил:

— Я буду за ней следить, а вы, надеюсь, сами за собой последите.

Майкл его понял.

— Да, сэр. Я вам очень благодарен. Я думаю, для вас такое путешествие — подвиг.

— Нужно надеяться, что ей оно пойдет на пользу, а малыш не будет по ней скучать.

— Постараюсь, чтобы он не скучал.

Сомс, сидевший перед «Белой обезьяной», казалось, погрузился в транс; потом встрепенулся и сказал:

— Война нарушила равновесие. Должно быть, люди и теперь во что-нибудь верят, но я не знаю, что это такое.

Майкл заинтересовался.

— А можно вас спросить, сэр, во что вы сами верите?

— Верю в то, во что отцы наши верили. А теперь люди слишком многого ждут от жизни; им неинтересно просто жить.

«Неинтересно просто жить!» Эти слова показались Майклу знаменательными. Не вскрывали ли они сущность всех современных исканий?

Последняя ночь, последний поцелуй и тягостная поездка в автомобиле Сомса в порт. Майкл один их провожал. Хмурая пристань, серая река; возня с багажом, давка на катере. Мучительная процедура! Мучительная даже для Флер, как показалось Майклу. Последние бесконечные минуты на пароходе. Сомс, изучающий новую обстановку. Дурацкая улыбка, сводящая скулы; плоские шутки. И этот момент, когда Флер прижалась к нему и крепко его поцеловала.

— Прощай, Майкл! Мы расстаемся ненадолго.

— Прощай, дорогая! Береги себя. Я буду сообщать тебе все новости. Не беспокойся о Ките.

Зубы его стиснуты; у нее — он это видел — на глазах слезы.

И еще раз:

— Прощай!

— Прощай!

Опять на катере, серая полоса воды ширится, ширится между ним и бортом парохода, и высоко над поручнями лица, лица... Лицо Флер под светло-коричневой шляпкой; она машет рукой. А левее Старый Форсайт, один, — отошел в сторонку, чтобы не мешать им проститься, — длиннолицый, седоусый, неподвижный; нахохлился, одинокий, как птица, залетевшая в неведомые края и с тоской озирающаяся на покинутый берег. Они делались все меньше и меньше, расплылись, исчезли.

Возвращаясь в Вестминстер, Майкл курил одну папиросу за другой и снова перечитывал все ту же фразу в газете:

«Ограбление в Хайгете, грабитель скрылся».

Он отправился прямо в палату общин. В течение нескольких часов он сидел, слушая прения по какому-то биллю о просвещении и изредка понимая два-три слова. Какие у него шансы добиться чего-нибудь здесь, в этой палате, где люди по-прежнему мирно беседуют и спорят, словно Англия осталась Англией 1906 года, и где о нем, Майкле, сложилось такое мнение: «Симпатичный, но сумасбродный молодой человек!» Национальное единство, национальный подъем — как бы не так, кому это нужно! Ломиться в дверь, которую все считают нужным открыть, но в которую не пролезть никому. А между ним и оратором все ширилась серая полоса воды; лицо под светло-коричневой шляпой сливалось с лицом депутата Уошбэзона; между двух лейбористов вдруг возникло лицо Старого Форсайта над поручнями; и все лица сливались в сплошной туман над серой рекой, где носились чайки.

При выходе он увидел лицо более реальное — Макгаун! Ну и свиреп! Впрочем, неверно. Никому эта история не дала ничего хорошего. Multum ex parvo, parvum ex multo![1] Вот в чем комедия наших дней.

Он решил зайти домой взглянуть на Кита и послать Флер радиотелеграмму. По дороге он увидел четырех музыкантов, с остервенением игравших на разных инструментах. Все здоровые, крепкие, все обтрепанные. «О черт! — подумал Майкл, — этого я помню — он был в моей роте, во Франции!» Он подождал, пока тот перестал раздувать щеки. Ну конечно! И хороший был малый. Впрочем, все они были хорошими малыми, прямо чудеса творили! А теперь вот что с ними стало. И он чуть было их не покинул! У каждого свое лекарство, какое лучше — неизвестно, но держаться своего нужно. И если будущее темно и судьба скалит зубы — ну что ж, пусть ее скалит!

Как пусто в доме! Завтра Кит с собакой уедет в «Шелтер», и станет совсем пусто. Майкл бродил по комнатам и старался представить себе Флер. Нет, это слишком мучительно! Кабинет показался ему более приемлемым, и он решил там обосноваться.

Он направился в детскую и тихонько приоткрыл дверь. Белизна, кретон; Дэнди лежит на боку; горит электрический камин. По стенам развешаны гравюры — их выбирали осмотрительно, памятуя о том моменте, когда одиннадцатый баронет обратит на них внимание; гравюры все смешные, без нравоучений. Высокая блестящая решетка перед камином, на окнах веселые ситцевые занавески — хорошая комната!

Няня в синем платье стояла спиной к двери и не видела

---

[1] Многое из малого — малое из многого! (*лат.*)

Майкла. А за столом на высоком стульчике сидел одиннадцатый баронет. Хмурясь из-под темных каштановых волос, он сжимал ручонкой серебряную ложку и размахивал ею над стоящей перед ним чашкой.

Майкл услышал голос няни:

— Теперь, когда мама уехала, ты должен быть маленьким мужчиной, Кит, и научиться есть ложкой.

Затем Майкл увидел, как его отпрыск с размаху опустил ложку в чашку и расплескал молоко.

— Совсем не так нужно делать!

Одиннадцатый баронет повторил тот же номер и, весело улыбаясь, ждал похвалы.

— Шалун!

— А! — пискнул одиннадцатый баронет, щедро расплескивая молоко.

— Ах ты, баловник!

«Англия, моя Англия!», как сказал поэт», — подумал Майкл.

1926

ИНТЕРЛЮДИЯ

ВСТРЕЧИ

I

В Вашингтоне светило осеннее солнце, и все, кроме камня и вечнозеленых деревьев на кладбище Рок Крик, сверкало. Сомс Форсайт сидел перед статуей Сент-Годенса, подложив под себя пальто, и, прислонившись к мраморной спинке скамьи, наслаждался уединением и полоской солнечного света, игравшего между кипарисами.

С дочерью и зятем он уже был здесь накануне днем, и место ему понравилось. Помимо привлекательности всякого кладбища, статуя будила в нем чувство знатока. Купить ее было невозможно, но она, несомненно, была произведением искусства, из тех, что запоминаются. Он не помнил статуи, которая так сильно дала бы ему почувствовать себя дома. Эта большая зеленоватая бронзовая фигура сидящей женщины в тяжелых складках широкой одежды уводила его, казалось, в самую глубь собственной души. Вчера в присутствии Флер, Майкла и других, глазевших на нее вместе с ним, он воспринял не столько настроение ее, сколько техническое совершенство, но теперь, в одиночестве, можно было позволить себе роскошь предаться личным ощущениям. Ее называли «Нирваной» или «Памятником Адамсу», он не знал точно. Но, как бы там ни было, вот она перед ним, самое лучшее из виденного в Америке — то, что доставило ему наибольшее удовольствие, как ни много он видел воды в Ниагаре и небоскребов в Нью-Йорке. Три раза он пересаживался на полукруглой мраморной скамье, и каждый раз ощущение менялось. С того места, где он сидел теперь, казалось, что эта женщина уже перешла предел горя. Она сидела в застывшей позе смирения, которое глубже самой смерти. Замечательно! Есть же что-то в смерти!

Он вспомнил своего отца Джемса, через четверть часа после смерти выглядевшего так, словно... словно ему наконец сказали!

Лист клена упал ему на рукав, другой на колено. Он не смахнул их. Легко сидеть неподвижно перед этой статуей! Заставить бы Америку посидеть здесь раз в неделю!

Он встал, подошел к памятнику и осторожно потрогал складку зеленой бронзы, словно сомневаясь в возможности вечного небытия.

— У меня сестра в Далласе — еще совсем молоденькая, вышла там за служащего железной дороги. Да, Техас замечательный штат. Сестра только смеется, когда говорят, что там климат неважный.

Сомс отнял руку от бронзы и вернулся на свое место. В святилище входили двое — высокие, тонкие, немолодые. Дошли до середины и остановились. Потом один сказал: «Ну что ж», и они двинулись к другому выходу. Легкое дуновение ветерка пошевелило упавшие листья у подножия статуи. Сомс передвинулся на самый конец скамьи. Отсюда статуя снова была женщиной. Очень интересно! И он сидел неподвижно, в позе мыслителя, закрыв рукой нижнюю часть лица.

Сильно загорелый и по виду бесспорно здоровый, он привык считать себя измученным долгим путешествием, которое, опоясав земной шар, должно было закончиться послезавтра, с посадкой на «Адельфик». Трехдневное пребывание в Вашингтоне было последней каплей, и переносил его Сомс прекрасно. Город был приятный: в нем оказалось несколько красивых зданий и масса по-осеннему ярких деревьев, здесь не было нью-йоркской сутолоки, и во многих домах, по его мнению, даже можно было бы жить по-человечески. Конечно, город кишел американцами, но это уж было неизбежно. И Флер его радовала: она совсем успокоилась после этой неприятной истории с Феррар, была, по-видимому, в прекрасных отношениях с Майклом и с удовольствием ждала возвращения домой и встречи с ребенком. Сомс безмятежно предавался ощущению завершенности и покоя, чувству, что добродетель сама себе награда, и главное — мысли, что скоро он снова услышит запах английской травы и снова увидит реку, протекающую мимо его коров. Аннет — и та, возможно, будет рада его видеть: он купил ей в Нью-Йорке превосходный браслет с изумрудами. И завершением этой общей удовлетворенности явилась статуя «Нирваны».

— Вот мы и пришли, Энн

Английский голос, и двое молодых людей на дальнем конце — наверно, будут болтать! Он готовился встать, когда услышал голос девушки — американский голос, но мягкий и странно интимный.

— Джон, она изумительная. У меня прямо замирает вот тут.

По движению ее руки Сомс увидел, что именно там замирало и у него, когда он смотрел на статую.

— Вечный покой. Грустно от нее, Джон.

В ту минуту, когда молодой человек взял ее под руку, стало видно его лицо. С быстротой молнии половина лица Сомса опять скрылась за его рукой. Джон! Да, вот оно что! Джон Форсайт — никакого сомнения! И эта девочка — его жена, сестра, как он слышал, того молодого американца, Фрэнсиса Уилмота. Что за несчастье! Он прекрасно помнил лицо молодого человека, хотя видел его только в галерее на Корк-стрит, да после в кондитерской, да раз в тот невеселый день, когда ездил в Робин-Хилл просить свою разведенную первую жену позволить ее сыну жениться на его дочери. Никогда он так не радовался отказу. Никогда меньше не сомневался, что так нужно, а между тем боль, испытанная им, когда он сообщил об этом отказе Флер, осталась у него в памяти, как тлеющий уголь, красный и жгучий под пеплом лет. Надвинув шляпу на лоб и заслонившись рукой, он стал наблюдать.

Молодой человек стоял с непокрытой головой, словно поклоняясь статуе. Что-то форсайтское в нем есть, хотя слишком уж большая шевелюра. Говорили — поэт! Неплохое лицо, что называется обаятельное; глаза посажены глубоко, как у деда, старого Джолиона, и такого же цвета — темно-серые; более светлый тон волос — очевидно, от матери; но подбородок Форсайта. Сомс взглянул на его спутницу. Среднего роста, смугло-бледная, черные волосы, темные глаза; красивая посадка головы и хорошо держится — очень прямо. Что и говорить — мила! Но как мог этот мальчик увлечься ею после Флер? Все же у нее естественный вид для американки; чуть похожа на русалку, и что-то в ней есть интимное, домашнее.

Ничто в Америке не поразило Сомса так сильно, как отсутствие обособленности и чувства дома. Чтобы остаться в одиночестве, нужно выключить телефон и залезть в ванну — иначе непременно позвонят, как раз когда собираешься ложиться спать, и спросят, не вы ли мистер и миссис Ньюберг. И дома не отделены друг от друга и от улицы. В отелях все комнаты сообщаются, в вестибюле — неизбежная стая банкиров. А обеды — ничего в них домашнего; даже если обедаешь в гостях, всегда одно и то же: омары, индейка, спаржа, салат и сливочное мороженое; конечно, блюда все хорошие и в весе прибавляешь — но ничего домашнего.

Те двое разговаривали. Он вспомнил голос молодого человека.

— Это величайшее создание рук человеческих во всей Америке, Энн. У нас в Англии не найдешь ничего подобного. Прямо аппетит разыгрывается — придется поехать в Египет.

— Твоя мама согласилась бы с радостью, Джон; и я тоже.

— Пойдем посмотрим ее с другой стороны.

Сомс поспешно встал и вышел из ниши. Его не узнали, но он был взволнован. Нелепая, даже опасная встреча! Он проездил шесть месяцев, чтобы вернуть Флер душевное равновесие, и теперь, когда она успокоилась, он ни за что на свете не допустит, чтобы она снова разволновалась от встречи со своей первой любовью. Он слишком хорошо помнил, как его самого волновал вид Ирэн. Да, а ведь очень возможно, что Ирэн тоже здесь! Ну что же, Вашингтон — большой город. Опасность невелика! После обеда — поездка в Маунт-Вернон, а завтра рано утром отъезд. У ворот кладбища его ждало такси. Один из автомобилей, стоявших тут же, принадлежал, очевидно, этим молодым людям; и он искоса оглядел машины. Не возникло ли у него опасение или надежда увидеть в одной из них ту, которую когда-то, в другой жизни, он видел день за днем, ночь за ночью, которая вечно, казалось, ждала того, что он не мог ей дать. Нет! Только шоферы переговариваются. И, садясь в такси, он сказал:

— Отель «По́томак».

— Отель «Пото́мак»?

— Если вам так больше нравится.

Шофер ухмыльнулся и захлопнул дверцу. Дом раненых воинов! Ветераны-то, говорят, почти все умерли. Впрочем, и с последней войны их вернулось немало. А что для Америки пространство и деньги? Здесь столько их — не знают куда девать! Что ж, не важно, раз ему скоро уезжать. Ничего не важно. Он даже пригласил целую кучу американцев заехать посмотреть его коллекцию, если они будут в Англии. Все они были очень радушны, очень гостеприимны; он перевидал множество прекрасных картин, среди них несколько китайских. И столько высоких зданий; и воздух очень бодрящий. Жить он здесь не хотел бы, но ненадолго — почему же! Во всем так много жизни — неплохое возбуждающее средство!

«Не могу себе представить, как *она* здесь живет, — вздумалось ему вдруг. — В жизни не видал более «домашнего» человека». Машины катились мимо или рядами выстраивались на стоянках. Машины и газеты — вот Америка! И внезапная мысль встревожила его. Они здесь все печатают. Что, если в списке прибывших есть его имя?

Вернувшись в отель, он сейчас же прошел к киоску, где продавались газеты, зубная паста, конфеты, о которые ломаются зубы, вероятно, и новые зубы взамен сломанных. Список прибывших? Вот он: «Отель «Потомак»: м-р и м-с Макгунн; две мисс Эрик; м-р Х. Йелам Рут; м-р Семмз Форсит; м-р и м-с Мунт». Ну конечно, тут как тут! Только, к счастью, совсем не похоже: Форсит! Мунт! Никогда не напишут верно. «Семмз»! Неузнаваемо, надо надеяться. И, подойдя к окошечку конторы, он взял книгу приезжающих. Да! Он написал имена совершенно четко. И слава богу, иначе они по ошибке напечатали бы их правильно. А потом, перевернув страницу, он прочел: «М-р и м-с Джолион Форсайт». Здесь! В этом отеле! За день до них; да, и на самом верху страницы, с пометкой на несколько дней раньше: «М-с Ирэн Форсайт». Мысль его заработала с неимоверной быстротой. Надо взяться за дело сейчас же. Где Флер и Майкл? Галерею Фриэра они осмотрели вместе вчера — прелестная, между прочим, галерея, лучшей в жизни не видел. И были у памятника Линкольну, и у какой-то башни, на которую он отказался лезть. Сегодня утром они собирались в галерею Коркоран, на юбилейную выставку. Он знает, что это такое. Видел он в свое время юбилейные выставки в Англии! Модные художники всех эпох, а в результате — грусть и печаль. И он сказал клерку:

— Есть тут где-нибудь ресторан, где бы можно хорошо позавтракать?

— Конечно. У Филлера отлично готовят.

— Так вот, если придут моя дочь с мужем, будьте любезны передать им, что я буду ждать их у Филлера в час.

И, подойдя опять к киоску, он купил билеты в оперу, чтобы было куда уйти вечером, а через десять минут уже направлялся к галерее Коркоран. От Филлера они проедут прямо в Маунт-Вернон; пообедают перед спектаклем в каком-нибудь другом отеле и завтра первым поездом прочь отсюда — он не желает рисковать. Только бы поймать их в галерее!

Придя туда, он по привычке купил каталог и прошел наверх. Комнаты выходили в широкий коридор, и он начал с последней, где помещалась современная живопись. А вот и они перед картиной, изображающей заходящее солнце. Уверенный в них, но еще не уверенный в себе — Флер так проницательна, — Сомс взглянул на картины. Все современщина, подражание французским выдумкам, которые Думетриус еще полгода тому назад показывал ему в Лондоне. Как он и думал — все одно и то же; свободно могли бы все сойти за работу одного художника. Он увидел, как Флер дотронулась до руки Майкла и засмеялась. Какая она хорошенькая! Было бы слишком жаль опять ее расстроить. Он подошел к ним. Что? Это, оказывается, не заходящее солнце, а лицо мужчины? Да, в наше время никак не угадаешь.

И он сказал:

— Я решил зайти за вами. Мы завтракаем у Филлера — говорят, там лучше, чем у нас в отеле, а оттуда можем прямо поехать в Маунт-Вернон. А на вечер я взял билеты в оперу.

И, чувствуя на себе пристальный взгляд Флер, он стал разглядывать картину. Ему было очень не по себе.

— Что, более старые картины — лучше? — спросил он.

— Знаете, сэр, Флер как раз только что говорила: как можно еще заниматься живописью в наши дни?

— То есть почему это?

— Если пройдете всю выставку, скажете то же самое. Здесь ведь собраны картины за сто лет.

— Лучшие произведения никогда не попадают на такие выставки, — сказал Сомс, — берут, что могут достать. Райдер, Инис, Уистлер, Сарджент — у американцев есть великие мастера.

— Разумеется, — сказала Флер. — Но ты правда хочешь все осмотреть, папа? Я страшно проголодалась.

— Нет, — сказал Сомс. — После той статуи что-то не хочется. Пойдемте завтракать.

II

Маунт-Вернон! Расположен он был замечательно! Яркая раскраска листвы и поросший травою обрыв, а под ним широкий синий Потомак, даже по признанию Сомса более внушительный, чем Темза. А наверху низкий белый дом, спокойный и действительно уединенный, если не считать экскурсантов, почти английский и внушающий чувство, не испытанное им с самого отъезда из Англии. Понятно, почему этот Георг Вашингтон любил его. Сомс и сам мог бы привязаться к такому месту. Старый дом лорда Джона Рассела на холме в Ричмонде немножко напоминал его, если бы, конечно, не ширина реки и не это чувство, которое у него по крайней мере всегда являлось в Америке и Канаде, будто стараются заполнить страну и не могут — такое огромное пространство и, по-видимому, полный недостаток времени. Флер была в восторге, а Майкл заметил, что все это, «честное слово, знаменито!». Солнце пригревало Сомсу щеку, когда он в последний раз огляделся с широкого крыльца, прежде чем войти в самый дом. Это он запомнит — не вся Америка создалась в один день! Он вошел в дом и стал тихо пробираться по комнатам нижнего этажа. Правда, устроено все было на редкость хорошо. Одни только подлинные вещи полуторавековой давности, напомнившие Сомсу минуты, проведенные в антикварных лавках старых английских городков. Слишком много, конечно, «Георга Вашингтона»: кружка Георга Вашингтона, ножная ванна Георга Вашингтона, и его письмо к такому-то, и кружево с его воротника, и его шпага, и его карабин, и все, что принадлежало ему. Но это, положим, было неизбежно. Отделившись от толпы, отделившись даже от своей дочери, Сомс двигался, укрывшись, как плащом, своей коллекционерской привычкой молчаливой оценки; он так не любил смешивать свои суждения с глупостями ничего не понимающих людей. Он добрался до спальни на втором этаже, где Георг Вашингтон умер, и стал разглядывать ее через решетку, как вдруг уловил звуки, от которых кровь застыла у него в жилах. Те самые голоса, которые он слышал утром перед статуей Сент-Годенса, и вперемежку с ними голос Майкла! И Флер здесь? Беглый взгляд через плечо успокоил его. Нет! Они стояли втроем у парадной лестницы и обменивались замечаниями, обычными между чужими людьми, случайно интересующимися одним и тем же. Он слышал, как Майкл сказал: «Хороший вкус у них был в то время», а Джон Форсайт ответил: «Ведь все ручная работа».

Сомс бросился к задней лестнице, толкнул какую-то толстую даму, отпрянул, споткнулся и ринулся вниз. Если Флер не с Майклом, значит, она завладела хранителем музея. Увести ее, пока те трое не сошли вниз! Два молодых англичанина вряд ли представятся друг другу, а если и так, надо поскорее отвлечь Майкла. Но как увести Флер? Да, вот она — беседует с хранителем перед флейтой Георга Вашингтона, лежащей на клавикордах Георга Вашингтона в гостиной. И Сомсу стало тяжко. Возмутительно болеть, еще более возмутительно притворяться больным! А между тем — как же иначе? Не может он подойти к ней и сказать: «С меня довольно, едем домой». Судорожно глотая слюну, он приложил ко лбу руку и пошел к клавикордам.

— Флер, — начал он и сейчас же, чтобы не дать ей сбить себя, продолжал: — Мне что-то нездоровится. Придется пойти сесть в автомобиль.

Слова поразительные в устах такого сдержанного человека.

— Папа, что с тобой?

— Не знаю, — сказал Сомс, — голова кружится. Дай мне руку.

Право же, ужасно для него — вся эта история. Пока они шли к автомобилю, оставленному у ворот, ее заботливость так смущала его, что он готов был бросить свои уловки. Но он ухитрился проговорить:

— Слишком много двигался, должно быть; а может, еда виновата. Я посижу спокойно в автомобиле.

К его великой радости, она села рядом с ним, достала пузырек с нюхательными солями и послала шофера за Майклом. Сомс был тронут, хотя ему совсем не нравилось нюхать соли, которые оказались очень крепкими.

— Вот суматоха из-за пустяков, — проговорил он.

— Лучше поедем сейчас домой, милый, и ты ляжешь.

Через несколько минут прибежал Майкл. Он тоже, как показалось Сомсу, выразил непритворную тревогу, и машина тронулась. Сомс откинулся на спинку, Флер держала его руку; он плотно сжал губы, закрыл глаза и чувствовал себя, пожалуй, лучше, чем когда-либо. Не доезжая Александрии, он раскрыл рот, чтобы сказать, что испортил им поездку; нужно ехать домой через Арлингтон, и он подождет в автомобиле, а они осмотрят музей. Флер не хотела сначала, но он настоял. Зато когда они остановились перед этим вторым белым домом, тоже удачно расположенным над рекой, с ним чуть не случился припадок, пока он ждал их. Что если та же мысль придет в голову Джону Форсайту и он вдруг подкатит сюда? Он испытал острое чувство облегчения, когда они вышли из дома, говоря, что тут очень хорошо, но не сравнить с Маунт-Вернон: слишком массивные колонны у входа. Когда машина снова покатилась по багряному лесу, Сомс окончательно открыл глаза.

— Все прошло. Скорей всего печень шалила.

— Тебе бы выпить рюмку коньяку, папа. Можно достать по рецепту врача.

— Врача? Глупости. Пообедаем у себя в номере, и я достану у официанта. У них, наверно, найдется.

Обедать в номере! Это была счастливая мысль.

Добравшись к себе, он лег на диван, растроганный и довольный, потому что Флер поправляла ему подушки, затемнила лампу и поглядывала на него поверх книги, чтобы удостовериться, лучше ли ему. Он не помнил, чтобы когда-нибудь чувствовал так определенно, что она его любит. Он даже думал: «Не мешало бы болеть вот так изредка!» А дома, чуть только он жаловался, что ему плохо, Аннет сейчас же жаловалась, что ей еще хуже.

Совсем близко, в маленькой гостиной через площадку, играли на рояле.

— Тебе не мешает музыка, милый?

У Сомса мелькнула мысль: «Ирэн!» А если так и Флер пойдет просить, чтобы перестали играть, — вот тогда действительно заварится каша.

— Нет, не надо, даже приятно, — поспешил он сказать.

— Очень хорошее туше.

Туше Ирэн! Он помнил, как Джун когда-то восторгалась ее туше; помнил, как застал однажды Босини, слушавшего ее в маленькой гостиной на Монпелье-сквер, и его лицо, вечно выражавшее какую-то тревогу; помнил, как она всегда бросала играть, когда появлялся он сам, — из боязни ли помешать или считая, что он все равно не оценит? Он никогда не понимал. Никогда ничего не понимал! Он закрыл глаза и сейчас же увидел Ирэн в изумрудно-зеленом вечернем платье в передней дома на Парк-лейн, в день первого приема после их свадебного путешествия. Почему такие картины возникают, чуть закроешь глаза, — картины без всякого смысла? Ирэн расчесывает волосы — теперь, наверное, седые! Ему семьдесят лет, ей, значит, около шестидесяти двух. Как бежит время! Волосы цвета вишни — так называла их старая тетя Джули с некоторой гордостью, что нашла верное выражение, — и глаза такие бархатисто-темные! Ах, да разве во внешности дело? А впрочем, кто знает? Может быть, если бы он умел выражать свои чувства! Если б понимал музыку! Если б она не возбуждала его так! Может быть... о, к черту «может быть»! Разве угадаешь? И здесь, именно здесь. Путаная история. Неужели никогда не забыть?

Флер ушла укладывать вещи и одеваться. Принесли обед. Майкл рассказал, что встретил в Маунт-Вернон премилую молодую пару. «Англичанин. Сказал, что Маунт-Вернон вызывает у него тоску по родине».

— Как его фамилия, Майкл?

— Фамилия? Не спросил. А что?

— Так, не знаю. Думала, может, спросил.

У Сомса отлегло от сердца. Он видел, как она насторожилась. Малейший предлог, и ее чувство к сыну Ирэн вспыхнет снова. Это в крови!

— Брайт Марклэнд все болтает о будущем Америки, — сказал Майкл, — очень радужно настроен, потому что осталось так много фермеров и людей, работающих на земле. Впрочем, он болтает и о будущем Англии и тоже настроен очень радужно, хотя у нас на земле почти никто не работает.

— Кто это Брайт Марклэнд? — буркнул Сомс.

— Редактор одного нашего журнала, сэр. Непревзойденный пример оптимизма или умения поворачиваться, куда ветер дует.

— Я надеялся, — сказал Сомс вяло, — что, посмотрев новые страны, вы почувствуете, что старая еще на что-то годится.

Майкл рассмеялся.

— В этом нет надобности меня убеждать, сэр. Но я, видите ли, принадлежу к так называемому привилегированному классу, и вы, сколько я знаю, тоже.

Сомс поднял глаза. Этот молодой человек иронизирует!

— Ну-с, — сказал он, — а я буду рад вернуться. Вещи уложены?

Да, вещи были уложены. И скоро он вызвал им по телефону такси. Чтобы они не замешкались в вестибюле, он сам сошел вниз усадить их в машину. Совершилось это гладко и без помехи. И с глубоким вздохом облегчения он вошел в лифт и был доставлен назад в свой номер.

III

Он стоял у окна и смотрел на высокие дома, огни, автомобили, пробегающие далеко внизу, и чистое звездное небо. Теперь он и вправду устал; еще один такой день — и не нужно будет симулировать недомогание. Ведь на волоске висело, и не один раз, а несколько! Он жаждал дома и покоя. Быть под одной крышей с этой женщиной — как странно! Он не проводил ночи под одной крышей с нею с того страшного дня в ноябре 87-го года, когда он все бродил и бродил по Монпелье-сквер и вернулся к своей двери, чтобы столкнуться там с молодым Джолионом. Один любовник мертв, а другой уже на его пороге! В ту ночь она скрылась из его дома; и никогда с тех пор до самого этого дня они не ночевали под одной крышей. Опять эта музыка, тихая и дразнящая! Неужели играет она? Чтобы не слышать, он прошел в спальню и стал складывать вещи. Это заняло не много времени, так как у него был всего один чемодан. Что же, ложиться? Лечь и не спать? Он был выбит из колеи. Если это она сидит у рояля так близко от него... как-то она выглядит теперь? Семь раз — нет, восемь — видел он ее с того давно ушедшего ноябрьского вечера. Два раза в ее квартирке в Челси; потом у фонтана в Булонском лесу; в Робин-Хилле, когда явился с ультиматумом ей и молодому Джолиону; на похоронах королевы Виктории; на стадионе; снова в Робин-Хилле, когда ездил просить за Флер, и в галерее Гаупенор перед самым ее отъездом сюда. Каждую встречу он помнил во всех подробностях вплоть до прощального движения затянутой в перчатку руки тогда, в последний раз, до чуть заметной улыбки губ.

И Сомс почувствовал озноб. Слишком жарко в этих американских комнатах! Он опять перешел в гостиную; со стола было убрано, ему принесли вечернюю газету; ни к чему это. Здешние газеты не интересовали его. На таком расстоянии от прошлого — так далеко и так давно — что чувствовал он теперь по отношению к ней? Ненависть? Слишком сильно! Нельзя ненавидеть тех, кто так далеко. Да ненависти, собственно, и не было! Даже когда он впервые узнал о ее измене. Презрение? Нет. Она сделала ему слишком больно. Он сам не знал, что чувствовал. И он стал ходить взад и вперед и раза два остановился у двери и прислушался, как узник в темнице. Недостойно! И, подойдя к дивану, он растянулся на нем. Надо подумать о путешествии. Доволен ли он им? Сплошной вихрь предметов, и лиц, и воды. А между тем все шло по программе, кроме Китая, куда они и не заглянули, такое там сейчас положение. Сфинкс и Тадж-Махал, порт Ванкувер и Скалистые горы — они точно в чехарду играли у него в памяти; а теперь эти звуки; неужели она? Странно! В жизни человека бывает, видно, только одно по-настоящему знойное лето. Все, что случается после, — чуть греет; оно и лучше, может быть, а то котел бы взорвался. Чувства первых лет, когда он знал *ее*, — хотел бы он пережить их снова? Ни за что на свете! А впрочем... Сомс встал. Музыка все продолжалась; но когда она кончится, того, кто играет — будь то *она* или не *она*, — уже не увидишь. Почему не пройти мимо маленькой гостиной, просто пройти мимо и... заглянуть? Если *она*... ну что ж, красота ее, наверно, увяла — та красота, что так опустошила его. Он заметил, как стоял рояль: да, он сможет увидеть играющего в профиль. Он отворил дверь, музыка зазвучала громче; и он двинулся вперед.

Только комната Флер отделяла его теперь от маленькой открытой гостиной по ту сторону лестницы. В коридоре не было никого, даже мальчиков-посыльных. В конце концов, наверное, какая-нибудь американка; возможно, эта девочка, жена Джона. Но нет — было что-то... что-то в самом звуке! И, держа перед собой развернутую вечернюю газету, он пошел дальше. Три колонны отделяли гостиную от коридора, заменяя собою то, чего так недоставало Сомсу в Америке, — четвертую стену. У первой колонны он остановился. Около рояля стояла высокая лампа под оранжевым абажуром, и свет ее падал на ноты, на клавиши, на щеку и волосы игравшей. *Она*! Хоть он и предполагал, что она поседела, но вид этих волос, в которых не осталось ни одной нити прежнего золота, странно подействовал на него. Волнистые, мягкие, блестящие, они покрывали ее голову, как серебряный шлем. На ней был вечерний туалет, и он увидел, что ее шея, плечи и руки все еще округлы и прекрасны. Все ее тело слегка покачивалось в такт музыке. Платье ее было зеленовато-серое. Сомс стоял за колонной и смотрел, прикрыв лицо рукой — на случай, если она обернется. Он, собственно, ничего не чувствовал — лента памяти развернулась слишком быстро. От первой встречи с ней в борнмутской гостиной до последней встречи в галерее Гаупенор промелькнула вся жизнь со своим жаром, и холодом, и болью; долгая борьба чувств, долгое унижение духа, долгая, трудная страсть и долгие усилия приучить себя к отупению и равнодушию. Ему сейчас меньше всего хотелось заговорить с ней, но взгляд оторвать он не мог. Вдруг она кончила играть; наклонилась вперед, закрыла ноты и потянулась к лампе, чтобы потушить ее. Лицо ее осветилось, и, отступив назад, Сомс увидел его, все еще прекрасное, может быть, более прекрасное, слегка похудевшее, так что глаза казались даже темнее, чем прежде, больше, мягче под все еще темными бровями. И опять явилась мысль: «Вот сидит женщина, которую я никогда не знал!» И с какой-то досадой он отклонился назад, чтобы не видеть. Да, у нее было много недостатков, но самым большим всегда была и осталась ее проклятая таинственность. И, ступая бесшумно, как кошка, он вернулся к себе в номер.

Теперь он устал смертельно; он прошел в спальню и, поспешно раздевшись, лег в постель. Он всем сердцем желал быть на пароходе под английским флагом. «Я стар, — подумал он вдруг, — стар». Слишком молода для него эта Америка, полная энергии, спешащая к непонятным ему целям. Вот восточные страны — другое дело. А ведь ему в конце концов только семьдесят лет. Отец его дожил до девяноста, старый Джолион до восьмидесяти пяти, Тимоти до ста — и так все старые Форсайты. Они-то в семьдесят лет не играли в гольф; а между тем были моложе, уж конечно, моложе, чем он чувствовал себя сегодня. Вид этой женщины... Стар!

«Не стареть же я еду домой, — подумал он. — Если опять почувствую себя так, посоветуюсь с кем-нибудь». Существует какая-то обезьянья штука, которую впрыскивают. Это не для него. Обезьяны, скажите пожалуйста! Почему не свиньи, не тигры? Как-нибудь продержаться еще лет десять, пятнадцать. К тому времени выяснится, куда идет Англия. Провалится пресловутая система подоходного налога. Он будет знать, сколько сможет оставить Флер; увидит, как ее малыш подрастет и поступит в школу... только в какую? Итон? Нет, там учился молодой Джолион. Уинчестер, школа Монтов? Туда тоже нет, если только его послушаются. Можно в Хэрроу. Или в Молборо, где он сам учился. Может, он еще увидит Кита участником состязания в крикет. Еще пятнадцать лет, пока Кит сможет играть в крикет. Что же, есть чего ждать, есть для чего держаться. Если нет этого, чувствуешь себя стариком, а уж если почувствуешь себя стариком, то и будешь стариком, и скоро настанет конец. Как сохранилась эта женщина! Она!.. У него еще есть картины; приняться за них посерьезнее. Ах, эта галерея Фриэра! Завещать их государству, и имя твое будет жить — подумаешь, утешение! Она! Она не умрет никогда!

Полоска света на стене у самой двери.

— Спишь, папа?

Значит, Флер нс забыла зайти к нему!

— Ну, как ты, дорогой?

— Ничего, устал. Как опера?

— Так себе.

— Я просил разбудить нас в семь. Позавтракаем в поезде.

Она коснулась губами его лба. Если бы... если бы эта женщина... но никогда — ни разу, — никогда по собственной воле...

— Спокойной ночи, — сказал он. — Спи спокойно.

Полоска света на стене сузилась и исчезла. Ну, теперь ему захотелось спать. Но в этом доме — лица, лица! Прошлое — настоящее — у рояля — у его постели — проходит мимо, мимо — а там, за ними, большая женщина в одежде из бронзы, с закрытыми глазами, погруженная в вечное, глубокое, глу... И с постели раздался легкий храп.

ЛЕБЕДИНАЯ ПЕСНЯ

Из вещества того же, как и сон,
Мы сотканы. И жизнь на сон похожа.
И наша жизнь лишь сном окружена.

Шекспир, «Буря»

ЧАСТЬ ПЕРВАЯ

I. ЗАРОЖДЕНИЕ СТОЛОВОЙ

В современном обществе быстрая смена лиц и сенсаций создает своего рода провалы в памяти, и к весне 1926 года стычка между Флер Монт и Марджори Феррар была почти забыта. Флер, впрочем, и не поощряла мнемонических способностей общества, так как после своего кругосветного путешествия она заинтересовалась империей, а это так устарело, что таило в себе аромат и волнение новизны и в какой-то мере гарантировало от подозрений в личной заинтересованности.

В биметаллической гостиной сталкивались теперь жители колоний, американцы, студенты из Индии — люди, в которых никто нс усмотрел бы «львов» и которых Флер находила «очень интересными», особенно индийских студентов, таких гибких и загадочных, что она никак не могла разобрать, она ли «использует» их или они ее.

Поняв, что фоггартизму уготовлен весьма тернистый путь, она уже давно подыскивала Майклу новую тему для выступления в парламенте, и теперь, вооруженная своим знанием Индии, где провела шесть недель, она полагала, что нашла ее. Пусть Майкл ратует за свободный въезд индийцев в Кению. Из разговоров с индийскими студентами она усвоила, что невозможно следовать по какому-либо пути, не зная, куда он ведет. Эти молодые люди были, правда, непонятны и непрактичны, скрытны и склонны к созерцанию, но, во всяком случае, они, очевидно, считали, что отдельные молекулы организма значат меньше, чем весь организм, что они сами значат мсньше, чем Индия. Флер, казалось, натолкнулась на истинную веру — переживание для нее новое и увлекательное. Она сообщила об этом Майклу.

— Все это очень хорошо, — ответил он, — но наши индийские друзья во имя своей веры не провели четырех лет в окопах или в постоянном страхе, как бы не попасть туда. Иначе у них не было бы чувства, что все это так уж важно. И захотели бы, может быть, почувствовать, да нервы бы притупились. В этом-то и есть смысл войны для всех нас, европейцев, кто побывал на фронте.

— Вера от этого не менее интересна, — сухо сказала Флер.

— Знаешь ли, дорогая, проповедники громят нас за отсутствие убеждений, но можно ли сохранить веру в высшую силу, если она до того, черт возьми, взбалмошна, что миллионами гонит людей в мясорубку? Поверь мне, времена Виктории породили у огромного количества людей очень дешевую и легкую веру, и сейчас в точно таком же положении находятся наши друзья-индийцы — их Индия с места не сдвинулась со времени восстания[1], да и тогда возмущение было только на поверхности. Так что не стоит, пожалуй, принимать их всерьез.

— Я и не принимаю. Но мне нравится, как они верят в свое служение Индии.

И на его улыбку Флер нахмурилась, прочтя его мысль, что она только обогащает свою коллекцию.

Ее свекор, в свое время серьезно занимавшийся Востоком, удивленно вскинул брови, узнав об этих новых знакомствах.

— Мой самый старый друг — судья в Индии, — сказал он ей первого мая. — Он провел там сорок лет. Через два года после отъезда он писал мне, что начинает разбираться в характере индийцев. Через десять лет он писал, что совсем в нем разобрался. Вчера я получил от него письмо — пишет, что после сорока лет он ничего о них не знает. А они столько же знают о нас. Восток и Запад — разное кровообращение.

— И за сорок лет кровообращение вашего друга не изменилось?

— Ни на йоту, — ответил сэр Лоренс, — для этого нужно сорок поколений. Налейте мне, дорогая, еще чашечку вашего восхитительного турецкого кофе. Что говорит Майкл о генеральной стачке?

— Что правительство шагу не ступит, пока Совет тред-юнионов не возьмет назад свои требования.

— Вот видите ли! Если б не английское кровообращение, заварилась бы хорошая каша, как сказал бы Старый Форсайт.

— Майкл держит сторону горняков.

— Я тоже, моя милая. Горняки — милейший народ, но, к со-

[1] Восстание в индийской армии в 1857 году.

жалению, над ними проклятием тяготеют их вожди. То же можно сказать и о шахтовладельцах. Уж эти мне вожди! Чего они только не натворят, пока не сорвутся. С этим углем не оберешься забот: и грязь от него, и копоть, и до пожара недолго. Веселого мало. Ну, до свидания! Поцелуйте Кита да передайте Майклу — пусть глядит в оба.

Именно это Майкл и старался делать. Когда вспыхнула «Великая война», он, хотя по возрасту и мог уже пойти в армию, все же был слишком молод, чтобы уяснить себе, какой фатализм овладевает людьми с приближением критического момента. Теперь, перед «Великой стачкой», он осознал это совершенно ясно, так же как и то огромное значение, которое человек придает «спасению лица». Он подметил, что обе стороны выразили готовность всячески пойти друг другу навстречу, но, разумеется, без взаимных уступок; что лозунги: «Удлинить рабочий день, снизить заработную плату» и «Ни минутой дольше, ни на шиллинг меньше» любезно раскланивались и по мере приближения все больше отдалялись друг от друга. И теперь, едва скрывая нетерпение, свойственное его непоседливому характеру, Майкл следил, как осторожно нащупывали почву типичные трезвые британцы, которые одни только и могли уладить надвигающийся конфликт. Когда в тот памятный понедельник вдруг выяснилось, что спасать лицо приходится не только господам с лозунгами, но и самим типичным британцам, он понял, что все кончено; и, возвратившись в полночь из палаты общин, он взглянул на спящую жену. Разбудить Флер и сказать ей, что правительство «доигралось», или не стоит? К чему тревожить ее сон? И так скоро узнает. Да она и не примет этого всерьез. Он прошел в ванную, постоял у окна, глядя вниз на темную площадь. Генеральная стачка чуть не экспромтом. Неплохое испытание для британского характера. Британский характер? Майкл уже давно подозревал, что внешние проявления его обманчивы; что члены парламента, театральные завсегдатаи, вертлявые дамочки в платьицах, туго обтягивающих вертлявые фигурки, апоплексические генералы, восседающие в креслах, капризные, избалованные поэты, пасторы-проповедники, плакаты и превыше всего печать — не такие уж типичные выразители настроения нации. Если не будут выходить газеты, представится, наконец, возможность увидеть и почувствовать британский характер; в течение всей войны газеты мешали этому, по крайней мере в Англии. В окопах, конечно, было не то: там сантименты и ненависть, реклама и лунный свет были «табу»; и с мрачным юмором британец «держался» — великолепный и без прикрас, в грязи и крови, вони и грохоте и нескончаемом кошмаре бессмысленной бойни. «Теперь, — думалось ему, — вызывающий юмор британца, которому тем веселее, чем печальней окружающая картина, снова найдет себе богатую пищу». И, отвернувшись от окна, он разделся и пошел опять в спальню.

Флер не спала.

— Ну что, Майкл?

— Стачка объявлена.

— Какая тоска!

— Да, придется нам потрудиться.

— К чему же тогда было назначать комиссию и давать такую субсидию, если все равно не смогли этого избежать?

— Да ясно же, девочка, совершенно ни к чему.

— Почему они не могут прийти к соглашению?

— Потому что им нужно спасти лицо. Нет в мире побуждения сильнее.

— То есть как?

— Ну как же — из-за этого началась война; из-за этого теперь начинается стачка. Без этого, уж наверно, вся жизнь на земле прекратилась бы.

— Не говори глупостей.

Майкл поцеловал ее.

— Придется тебе чем-нибудь заняться, — сказала она сонно. — В палате не о чем будет говорить, пока это не кончится.

— Да, будем сидеть и глядеть друг на друга и время от времени изрекать слово «формула».

— Хорошо бы нам Муссолини.

— Ну нет. За таких потом расплачиваются. Вспомни Диаса и Мексику; или Наполеона и Францию; и даже Кромвеля и Англию.

— А Карл Второй, по-моему, был славный, — пролепетала Флер в подушку.

Майкл не сразу уснул, растревоженный поцелуем, поспал немного, опять проснулся. Спасать лицо! Никто и шагу не ступит ради этого. Почти час он лежал, силясь найти путь всеобщего спасения, потом заснул. Он проснулся в семь часов с таким ощущением, точно потерял массу времени. Под маской тревоги за родину и шумных поисков «формулы» действовало столько личных чувств, мотивов и предрассудков! Как и перед войной, было налицо страстное желание унизить и опозорить противника; каждому хотелось спасти свое лицо за счет чужого.

Сейчас же после завтрака он вышел из дому.

По Вестминстерскому мосту двигался поток машин и пешеходов: ни автобусов, ни трамваев не было, но катили грузовики, пустые и полные. Уже появились полисмены-добровольцы, и у всех был такой вид, точно они едут на пикник, все прятали свои чувства за каким-то вызывающим весельем. Майкл направился к Гайд-парку. За одну ночь успела возникнуть эта поразительная упорядоченная сутолока грузовиков, бидонов, палаток. Среди полной летаргии ума и воображения, которая и привела к национальному бедствию, какое яркое проявление административной энергии! «Говорят, мы плохие организаторы, — подумал Майкл. — Как бы не так! Только вот задним умом крепки».

Он пошел дальше, к одному из больших вокзалов. На площади были выставлены пикеты, но поезда уже ходили, обслуживаемые добровольцами. Он потолкался на вокзале, поговорил с ними. «Черт возьми, ведь их нужно будет кормить, — пришло ему в голову. — Столовую, что ли, устроить?» И он на всех парах пустился к дому. Флер еще не ушла.

— Хочешь помочь мне организовать на вокзале столовую для добровольцев? — Он прочел на ее лице вопрос: «А это выигрышный номер?» — и заторопился: — Работать придется вовсю, и всех, кого можно, привлечь на помощь. Думаю, для начала можно бы мобилизовать Нору Кэрфью и ее «банду» из Бетнел-Грин. Но главное — твоя сметка и умение обращаться с мужчинами.

Флер улыбнулась.

— Хорошо, — сказала она.

Они сели в автомобиль — подарок Сомса к возвращению из кругосветного путешествия — и пустились в путь; заезжали по дороге за всякими людьми, снова завозили их куда-то. В Бетнел-Грин они завербовали Нору Кэрфью и ее «банду»; и когда Флер впервые встретилась с той, в ком она когда-то готова была заподозрить чуть не соперницу, Майкл заметил, как через пять минут она пришла к заключению, что Нора Кэрфью слишком «хорошая», а потому не опасна. Он оставил их на Саут-сквер за обсуждением кулинарных вопросов, а сам отправился подавлять неизбежное противодействие бюрократов-чиновников. Это было то же, что перерезать проволочные заграждения в темную ночь перед атакой. Он перерезал их немало и поехал в палату. Она гудела несформулированными «формулами» и являла собой самое невеселое место из всех, где он в тот день побывал. Все толковали о том, что «конституция в опасности». Унылое лицо правительства совсем вытянулось, и говорили, что ничего нельзя предпринять, пока оно не будет спасено. Фразы «свобода печати» и «перед дулом револьвера» повторялись назойливо до тошноты. В кулуарах он налетел на мистера Блайта, погруженного в мрачное раздумье по поводу временной кончины его нежно любимого еженедельника, и потащил его к себе перекусить. Флер оказалась дома, она тоже зашла поесть. По мнению мистера Блайта, чтобы выйти из положения, нужно было составить группу правильно мыслящих людей.

— Совершенно верно, Блайт, но кто мыслит правильно «на сегодняшний день»?

— Все упирается в фоггартизм, — сказал мистер Блайт.

— Ах, — сказала Флер, — когда только вы оба о нем забудете! Никому это не интересно. Все равно что навязывать нашим современникам образ жизни Франциска Ассизского!

— Дорогая миссис Монт, поверьте, что если бы Франциск Ассизский так относился к своему учению, никто теперь и не знал бы о его существовании.

— Ну, а что, собственно, после него осталось? Все эти проповедники духовного усовершенствования сохранили только музейную ценность. Возьмите Толстого или даже Христа.

— А Флер, пожалуй, права, Блайт.

— Богохульство, — сказал мистер Блайт.

— Я не уверен, Блайт. Я последнее время все смотрю на мостовые и пришел к заключению, что они-то и препятствуют успеху фоггартизма. Понаблюдайте за уличными ребятами, и вы поймете всю привлекательность мостовой. Пока у ребенка есть мостовая, он с нее никуда не уйдет. И не забудьте, мостовая — это великое культурное влияние. У нас больше мостовых, и на них воспитывается больше детей, чем в любой другой стране, и мы самая культурная нация в мире. Стачка докажет это. Будет так мало кровопролития и так много добродушия, как нигде в мире еще не было и не может быть. А все мостовые.

— Ренегат! — сказал мистер Блайт.

— Знаете, — сказал Майкл, — ведь фоггартизм, как и всякая религия, это горькая истина, выраженная с предельной четкостью. Мы были слишком прямолинейны, Блайт. Кого мы обратили в свою веру?

— Никого, — сказал мистер Блайт. — Но если мы не можем убрать детей с мостовой — значит, фоггартизму конец.

Майкла передернуло, а Флер поспешно сказала:

— Не может быть конца тому, у чего не было начала. Майкл, поедем со мной посмотреть кухню — она в отчаянном состоянии. Как поступают с черными тараканами, когда их много?

— Зовут морильщика — это такой волшебник, он играет на дудочке, а они дохнут.

В дверях помещения, отведенного под столовую, они встретили Рут Лафонтен из «банды» Норы Кэрфью и вместе спустились в темную, с застоявшимися запахами кухню. Майкл чиркнул спичкой и нашел выключатель. О черт! Застигнутый ярким светом, черно-коричневый копошащийся рой покрывал пол, стены, столы. Охваченный отвращением, Майкл все же успел заметить три лица: гадливую гримаску Флер, раскрытый рот мистера Блайта, нервную улыбку черненькой Рут Лафонтен. Флер вцепилась ему в рукав.

— Какая гадость!

Потревоженные тараканы скрылись в щелях и затихли; там и сям какой-нибудь таракан, большой, отставший от других, казалось, наблюдал за ними.

— Подумать только! — воскликнула Флер. — Все эти годы тут готовили пищу! Брр!

— А в общем, — сказала Рут Лафонтен, дрожа и заикаясь, — к-клопы еще х-хуже.

Мистер Блайт усиленно сосал сигару. Флер прошептала:

— Что же делать, Майкл?

Она побледнела, вздрагивала, дышала часто и неровно; и Майкл уже думал: «Не годится, надо избавить ее от этого!», а она вдруг схватила швабру и ринулась к стене, где сидел большущий таракан. Через минуту работа кипела, они орудовали щетками и тряпками, распахивали настежь окна и двери.

II. У ТЕЛЕФОНА

Уинифрид Дарти не подали «Морнинг пост». Ей шел шестьдесят восьмой год, и она не слишком внимательно следила за ходом событий, которые привели к генеральной стачке: в газетах столько пишут, никогда не знаешь, чему верить; а теперь еще эти чиновники из тред-юнионов всюду суют свой нос — просто никакого терпения с ними нет. И в конце концов правительство всегда что-нибудь предпринимает. Тем не менее, следуя советам своего брата Сомса, она набила погреб углем, а шкафы — сухими продуктами, и часов в десять утра, на второй день забастовки, спокойно сидела у телефона.

— Это ты, Имоджин? Вы с Джеком заедете за мной вечером?

— Нет, мама, Джек ведь записался в добровольцы. Ему с пяти часов дежурить. Да и театры, говорят, будут закрыты... Пойдем в другой раз. «Такую милашку» еще не скоро снимут.

— Ну хорошо, милая. Но какая канитель — эта стачка! Как мальчики?

— Совсем молодцом. Оба хотят быть полисменами. Я им сделала нашивки. Как ты думаешь, в детском отделе у Хэрриджа есть игрушечные дубинки?

— Будут, конечно, если так пойдет дальше. Я сегодня туда собираюсь, подам им эту мысль. Вот будет забавно, правда? Тебе хватает угля?

— О да! Джек говорит, не нужно делать запасов. Он так патриотично настроен.

— Ну, до свидания, милая. Поцелуй от меня мальчиков.

Она только что начала обдумывать, с кем бы еще поговорить, как телефон зазвонил.

— Здесь живет мистер Вэл Дарти?

— Нет. А кто говорит?

— Моя фамилия Стэйнфорд. Я его старый приятель по университету. Не будете ли настолько любезны дать мне его адрес?

Стэйнфорд? Никаких ассоциаций.

— Говорит его мать. Моего сына нет в городе, но, вероятно, он скоро приедет. Передать ему что-нибудь?

— Да нет, благодарю вас. Мне нужно с ним повидаться. Я еще позвоню или попробую зайти. Благодарю вас.

Уинифрид положила трубку.

Стэйнфорд! Голос аристократический. Надо надеяться, что дело идет не о деньгах. Странно, как часто аристократизм связан с деньгами! Или, вернее, с отсутствием их. В прежние дни, еще на Парк-лейн, она видела столько прелестных молодых людей, которые потом либо обанкротились, либо развелись. Эмили — ее мать — никогда не могла устоять перед аристократизмом. Так вошел в их дом Монти, у него были такие изумительные жилеты и всегда гардения в петлице, и он столько мог рассказать о светских скандалах, — как же было не поддаться его обаянию? Ну да что там, теперь она об этом не жалеет. Без Монти не было бы у нее Вэла, и сыновей Имоджин, и Бенедикта (без пяти минут полковник!), хоть его она теперь никогда не видит, с тех пор как он поселился на Гернси[1] и разводит огурцы, подальше от подоходного налога. Пусть говорят что угодно, но неверно, что наше время более передовое, чем девяностые годы и начало века, когда подоходный налог не превышал шиллинга, да и это считалось много! А теперь люди только и знают, что бегают и разговаривают, чтобы никто не заметил, что они не такие светские и передовые, как раньше.

Опять зазвонил телефон. «Не отходите, вызывает Уонсдон».

— Хэлло! Это ты, мама?

— Ах, Вэл, вот приятно! Правда, нелепая забастовка?

— А, идиоты! Слушай, мы едем в Лондон.

— Да что ты, милый! А зачем? По-моему, вам будет гораздо спокойнее в деревне.

— Холли говорит, надо что-то делать. Знаешь, кто объявился вчера вечером? Ее братишка, Джон Форсайт. Жену и мать оставил в Париже; говорит, что пропустил войну, а это уж никак не может пропустить. Всю зиму путешествовал — Египет, Италия и все такое; по-видимому, с Америкой покончено. Говорит, что хочет на какую-нибудь грязную работу — будет кочегаром на паровозе. Сегодня к вечеру приедем в «Бристоль».

— О, но почему же не ко мне, милый, у меня всего много.

— Да видишь ли, тут Джон — думаю, что...

— Но он, кажется, симпатичный молодой человек?

— Дядя Сомс не у тебя сейчас?

— Нет, милый, он в Мейплдерхеме. Да, кстати, Вэл, тебе только что звонили, какой-то мистер Стэйнфорд.

— Стэйнфорд? Как, Обри Стэйнфорд? Я его с университета не видел.

— Сказал, что еще позвонит или зайдет, попробует застать тебя.

— А я с удовольствием повидаю Стэйнфорда. Так что же, мама, если ты можешь приютить нас... Только тогда уж и Джона. Они с Холли в большой дружбе после шести лет разлуки; я думаю, его почти никогда не будет дома.

— Хорошо, милый, пожалуйста. Как Холли?

— Отлично.

— А лошади?

---

[1] Остров при выходе из Ла-Манша в Атлантический океан.

— Ничего. У меня есть шикарный двухлеток, только мало объезженный; не хочу его пускать до гудвудских скачек, тогда уж он должен взять.

— Вот чудесно-то будет! Ну, так я вас жду, мой мальчик. Но ты не будешь рисковать, с твоей-то ногой?

— Нет, может быть, возьмусь править автобусом. Да это ненадолго. Правительство во всеоружии. Дело, конечно, серьезное. Но теперь-то они попались!

— Как я рада! Хорошо будет, когда это кончится. Весь сезон испорчен. И дяде Сомсу новая забота.

Неясный звук, потом опять голос Вэла:

— Это Холли — говорит, что она тоже хочет что-нибудь делать. Ты, может, спросишь Монта? Он знает столько народу. Ну, до свидания, скоро увидимся!

Не успела Уинифрид положить трубку и встать с высокого стула красного дерева, как снова раздался звонок.

— Миссис Дарти? Уинифрид, ты? Это Сомс. Что я тебе говорил?

— Да, очень неприятно, милый. Но Вэл говорит, что это скоро кончится.

— А он откуда знает?

— Он всегда все знает.

— Все? Гм! Я еду к Флер.

— Но зачем, Сомс? Я бы думала...

— Я должен быть на месте, на случай осложнений. Да и автомобилю нечего стоять здесь без дела, пусть лучше послужит. И Ригзу не мешает поработать добровольцем. Еще неизвестно, во что это выльется.

— О, ты думаешь...

— Думаю? Это не шутка. Вот что получается, когда начинают швыряться субсидиями.

— Но прошлым летом ты говорил мне...

— Ничего не могут предусмотреть. Ума, как у кошки! Аннет хочет поехать к матери во Францию. Я ее не удерживаю. Нечего ей здесь делать в такое время. Сегодня отвезу ее в Дувр на автомобиле, а завтра приеду в город.

— Как думаешь, Сомс, стоит продавать что-нибудь?

— Ни в коем случае.

— У всех появилось столько дела. Вэл хочет править автобусом. Ах да, Сомс, знаешь, приехал Джон Форсайт. Мать и жену оставил в Париже, а сам будет кочегаром.

Глухое ворчанье, потом:

— Зачем это ему нужно? Лучше бы не ездил в Англию.

— Д-да. Я думаю, Флер...

— Ты смотри, еще ей чего-нибудь не наговори.

— Да нет же, Сомс. Так я тебя увижу? До свидания.

Милый Сомс так всегда дрожит за Флер! Этот Джон Форсайт и она... да, конечно, но ведь когда это было! Детская любовь! И Уинифрид, улыбаясь, сидела неподвижно. А выходит, что стачка эта очень интересна, если только они не начнут бить стекла. С молоком, конечно, перебоев не будет, об этом правительство всегда заботится; а газеты — ну да ведь это роскошь! Хорошо, что приедет Вэл с Холли. Стачка — есть о чем поговорить. С самой войны не было ничего такого захватывающего. И, повинуясь смутной потребности тоже что-нибудь сделать, Уинифрид опять взялась за трубку.

— Дайте Вестминстер 0000... Это миссис Майкл Монт? Флер? Говорит тетя Уинифрид. Как поживаешь, милая?

Голос, раздавшийся в ответ, выговаривал слова быстро и четко, и это очень забавляло Уинифрид, которая сама в молодости особенно старалась растягивать слова, что помогало ей справляться и с ускоряющимся темпом жизни и с чувствами. Все молодые светские женщины говорили теперь, как Флер, словно считали прежний способ пользоваться английским языком слишком медлительным и скучным и пощипывали его, чтобы оживить.

— Очень хорошо, спасибо. Вы хотели меня о чем-нибудь попросить, тетя Уинифрид?

— Да, милая. Ко мне сегодня приедет Вэл с Холли, в связи с этой забастовкой. И Холли... я-то считаю, что это совершенно лишнее, — но она хочет *что-нибудь делать.* Она думала, может быть, Майкл знает...

— О, работы, конечно, масса! Мы наладили столовую для железнодорожников; может, она захочет принять участие?

— Ах, милая, вот было бы славно!

— Ну, не слишком, тетя Уинифрид, это дело нелегкое.

— Но ведь это ненадолго. Парламент обязательно что-нибудь предпримет. Как тебе должно быть удобно — ты все новости узнаешь из первых рук. Так Холли можно направить к тебе?

— Ну разумеется! Она нам очень пригодится. Ей по возрасту, я думаю, больше подойдет делать закупки, чем бегать и подавать. Мы с ней прекрасно поладим. Главное — подобрать людей, которые могут сработаться и не будут зря суетиться. Вы что-нибудь знаете о папе?

— Да, он завтра приедет к тебе.

— Ой, зачем?

— Говорит, что должен быть на месте на случай...

— Как глупо. Ну, ничего. Будет вторая машина.

— И еще третья — у Холли. Вэл хочет править автобусом и, знаешь, молодой... ну вот и все, милая. Поцелуй Кита. Смизер говорит, в парке молока можно купить сколько угодно. Она сегодня утром была на Парк-лейн, посмотрела, что делается. А правда, ведь все это увлекательно?

— В палате говорят, что подоходный налог повысят еще на шиллинг.

— Да что ты!

В эту минуту какой-то голос сказал: «Вам ответили?» И Уинифрид, положив трубку, опять осталась сидеть неподвижно. Парк-лейн! Там из окон старого дома — дома ее молодости — все было бы прекрасно видно, прямо штаб-квартира! Но как это огорчило бы милого старого папу! Джемс! Она так ясно помнила его в накинутом на плечи пледе, прилипшего носом к стеклу окна в надежде, что его старые серые глаза помогут ему в борьбе с несчастной привычкой окружающих ничего ему не рассказывать. У нее еще сохранилось его вино. А Уормсон, их старый дворецкий, и теперь еще содержит на Темзе у Маулсбриджа гостиницу «Зобастый голубь». К Рождеству он неизменно присылал ей головку сыра с напоминанием о точном количестве старого парклейнского портвейна, которое в него следует влить. Его последнее письмо кончалось так:

«Я часто вспоминаю хозяина и как он любил, бывало, сам спускаться в погреб. Что касается вин, мэм, то, боюсь, времена уже не те, что были. Передайте почтение мистеру Сомсу и всем. Эх, и много воды утекло с тех пор, как я поступил к Вам на Парк-лейн.

Ваш покорный слуга *Джордж Уормсон.*

P.S. Я выиграл несколько фунтов на том жеребенке, что вырастил мистер Вэл. Вы, будьте добры, передайте ему — они мне очень пригодились».

Вот они, старые слуги! А теперь у нее Смизер от Тимоти, а кухарка умерла так загадочно, или, по выражению Смизер, «от меланхолии, мэм, не иначе: уж очень мы скучали по мистеру Тимотти». Смизер в роли балласта — так, кажется, это называется на пароходах? Правда, она еще очень подвижная, если принять во внимание, что ей уже стукнуло шестьдесят, и корсет у нее скрипит просто невыносимо. В конце концов бедной старушке такая радость — опять быть в семье, думала Уинифрид, которая хоть и была на восемь лет ее старше, но, как истая представительница рода Форсайтов, смотрела на возраст других людей с пьедестала вечной молодости. А приятно, что есть в доме человек, который помнит Монти, каким он был в свои лучшие дни, — Монтегью Дарти, умершего так давно, что теперь его окружает сияние, желтое, как его лицо после бессонной ночи. Бедный, милый Монти! Неужто сорок семь лет, как она вышла за него замуж и переехала на Грин-стрит? Как хорошо служат эти стулья красного дерева с зеленой, затканной цветами обивкой. Вот делали мебель, когда и в помине еще не было семичасового рабочего дня и прочей ерунды! В то время люди думали о работе, а не о кино! И Уинифрид, которая никогда в жизни не думала о работе, потому что никогда не работала, вздохнула. Все очень хорошо, и если только удастся поскорее покончить с этой канителью, от предстоящего сезона можно ждать много интересного. У нее уже есть билеты почти на все спектакли. Рука ее соскользнула на сиденье стула. Да, за сорок семь лет жизни на Грин-стрит эти стулья перебивали только два раза, и сейчас у них еще вполне приличный вид. Правда, теперь на них никто никогда не садится, потому что у них прямые спинки и нет ручек; а в наше время все сидят развалившись и так неспокойно, что никакой стул не выдержит. Она встала, чтобы убедиться, насколько прилично то, на чем она сидела, и наклонила стул вперед. Последний раз их обивали в год смерти Монти, 1913-й, перед самой войной. Право же, этот серо-зеленый шелк оказался на редкость прочным!

III. ВОЗВРАЩЕНИЕ

Ощущения Джона Форсайта, когда он после пяти с половиной лет отсутствия высадился в Ньюхэйвене, куда прибыл с последним пароходом, были совсем особого порядка. Всю дорогу до Уонсдона, по холмам Сассекса, он проехал на автомобиле в каком-то восторженном сне. Англия! Какие чудесные меловые холмы, какая чудесная зелень! Как будто и не уезжал отсюда. Деревни, неожиданно возникающие на поворотах, старые мосты, овцы, буковые рощи! И кукушка — в первый раз за шесть лет.

В молодом человеке проснулся поэт, который последнее время что-то не подавал признаков жизни. Какая прелесть — родина! Энн влюбится в этот пейзаж! Во всем такая полная законченность. Когда прекратится генеральная стачка, она сможет приехать, и он ей все покажет. А пока пусть поживет в Париже с его матерью — и ей лучше, и он свободен взять любую работу, какая подвернется. Это место он помнит, и Чанктонбери-Ринг — там, на холме, — и свой путь пешком из Уординга. Очень хорошо помнит. Флер! Его зять, Фрэнсис Уилмот, когда вернулся из Англии, много рассказывал о Флер; она стала очень современна, и очаровательна, и у нее сын. Как глубоко можно любить — и как бесследно это проходит! Если вспомнить, что он пережил в этих краях, даже странно, хоть и приятно, что ему всего-навсего хочется увидеть Холли и Вэла.

Он сообщил им о своем приезде только телеграммой из Дьеппа; но они, наверно, здесь из-за лошадей. Он с удовольствием посмотрит скаковые конюшни Вэла и, может быть, покатается верхом по холмам, прежде чем взяться за работу. Вот если бы с ним была Энн, они могли бы покататься вместе. И Джон вспомнил первую поездку верхом с Энн в лесах Южной Каролины, ту поездку, которая ни ей, ни ему не прошла даром. Вот и приехали. Милый старый дом! А вот в дверях и сама Холли. И при виде сестры, тоненькой и темноволосой, в лиловом платье, Джона как ножом резнуло воспоминание об отце, о том страшном дне, когда он мертвый лежал в старом кресле в Робин-Хилле. Папа — такой хороший, такой неизменно добрый!

— Джон! Как я рада тебя видеть!

Ее поцелуй и раньше всегда приходился ему в бровь, она ничуть не изменилась. В конце концов сводная сестра лучше, чем настоящая. С настоящими сестрами нельзя не воевать, хоть немножко.

— Как жаль, что ты не смог привезти Энн и маму! Впрочем, может быть, оно и лучше, пока здесь все не обойдется. Ты все такой же, Джон, выглядишь совсем как англичанин, и рот у тебя как был — хороший и большой. Почему у американцев и у моряков такие маленькие рты?

— Наверно, из чувства долга. Как Вэл?

— О, Вэл молодцом! И улыбка у тебя не изменилась. Помнишь свою старую комнату?

— Еще бы. А ты как, Холли?

— Да ничего. Я стала писательницей, Джон.

— Это замечательно!

— Совсем нет. Тяжелая работа и никакого удовлетворения.

— Ну!

— Первая книга вообще была мертворожденная. Вроде «Африканской фермы»[1] — помнишь? — но без психологических финтифлюшек.

— Помню! Только я их всегда пропускал.

— Да, Джон, нелюбовь к финтифлюшкам у нас от папы. Он как-то сказал мне: «Мы скоро начнем называть всякую материю духом, или всякий дух материей, — одно из двух».

— Ну, это вряд ли, — сказал Джон, — человек любит все разбивать на категории. О, да я помню всякую мелочь в этой комнате. Как лошади? Можно взглянуть на них сегодня, а завтра покататься?

— Завтра встанем пораньше, посмотрим, как их объезжают. У нас сейчас только три двухлетки, но одна подает большие надежды.

— Отлично! А потом я поеду в город и постараюсь получить какую-нибудь работку погрязнее. Хорошо бы кочегаром на паровоз. Меня всегда интересовало, какие мысли и чувства бывают у кочегаров.

— Поедем все вместе. Мы можем остановиться у матери Вэла. Как же я рада, что вижу тебя, Джон. Обед через полчаса.

Минут пять Джон постоял у окна. Фруктовый сад в полном цвету, насаженный не с такой математической точностью, как его только что проданные персиковые деревья в Северной Каролине, был так же прекрасен, как в тот давно минувший вечер, когда он гонялся по нему за Флер. Вот в чем прелесть Англии — здесь все естественно. Как они тосковали по родине, он и его мать! Теперь он больше не уедет. Какое дивное море яблоневого цвета! Опять кукушка! Из-за одного этого стоило вернуться на родину. Он подыщет участок и будет разводить фрукты, на Западе — в Вустершире или Сомерсете, а может быть, и здесь где-нибудь, — в Уординге, помнится, разводят много маслин и еще чего-то. Он распаковал чемодан и стал одеваться. Вот тут, где он сидит сейчас, натягивая американские носки, сидел он в тот вечер, когда Флер показывала ему платье с картины Гойи. Кто бы поверил тогда, что через шесть лет ему будет нужна Энн, а не Флер, с ним рядом, на этой постели! Гонг к обеду! Он наскоро

---

[1] Роман Оливии Шрейнер (псевдоним Ральф Айрон). 1883 г.

пригладил волосы, светлые и непокорные, поправил галстук и побежал вниз.

Взгляды Вэла на стачку, взгляды Вэла на все на свете — скептические и узкие, как его лицо лошадника! Теперь-то этим бездельникам-лейбористам достанется; придется им удирать, пока целы. Как понравились Джону янки? Видел он «Броненосец»? Нет? Боже правый! Самый интересный спектакль в Америке! Правда, что в Кентукки трава синяя? Только издали? А! Что они еще собираются там отменить? Правда, что где-то в южных штатах есть город, где сожительство разрешается только на глазах городской охраны? В Англии парламент хочет провести налог на игру на скачках; почему бы не ввести тотализатор и не покончить с этим вопросом? Ему-то, впрочем, все равно, он больше не играет. И он взглянул на Холли. Джон тоже взглянул на ее поднятые брови и полуоткрытые губы — прелестное лицо, такая в нем ирония и терпимость. Она ведет Вэла на шелковом поводу.

Вэл не унимался. Хорошо, что Джон разделался с Америкой; если ему обязательно нужно заниматься сельским хозяйством вне Англии, почему не поселиться в Южной Африке, под бедным старым английским флагом; хотя с голландцами еще не покончено! Ух, и народ! Конечно, они живут там так давно, что стали настоящими поселенцами, не какие-нибудь авантюристы, неудачники, эмигранты на субсидии. Он их, негодяев, не любит, но народ крепкий, ничего не скажешь! Совсем остаться в Англии? И того лучше! Может, вместе будем разводить чистокровных скакунов?

Наступило неловкое молчание, потом Холли сказала лукаво:

— Джон находит, что это не очень-то почтенное занятие, Вэл.

— А почему?

— Излишняя роскошь.

— Чистокровные-то? А что без них станет с лошадьми?

— Очень соблазнительно, — сказал Джон, — я бы с удовольствием вошел в долю. Но в основном мне хочется заняться фруктами.

— Одобряю, сын мой. Можешь разводить яблоки, а мы будем лакомиться ими по воскресеньям.

— Видишь ли, Джон, — сказала Холли, — в Англии никто не верит в сельское хозяйство. Мы говорим о нем все больше, а делаем все меньше. Как по-твоему, Вэл, Джон изменился?

Кузены оглядели друг друга.

Немножко возмужал, но ничего американского.

Холли проговорила задумчиво:

— Почему всегда сразу узнаешь американца?

— Почему всегда сразу узнаешь англичанина? — сказал Джон.

— В нем есть какая-то настороженность. А впрочем, нет ничего труднее, как определить национальный тип. Но американца ни с кем не спутаешь.

— Вряд ли ты приняла бы Энн за американку.

— Расскажи, какая она, Джон.

— Нет, подожди, сама увидишь.

После обеда, когда Вэл отправился в последний обход конюшен, Джон спросил:

— Ты видала Флер, Холли?

— Не видела года полтора, кажется. Мне очень нравится ее муж — золотой человек. Ты счастливо отделался, Джон: она не для тебя, хоть и очаровательна; уж очень всегда хочет быть в центре внимания. Да ты это, вероятно, знал.

Джон посмотрел на нее и не ответил.

— Впрочем, — тихо добавила Холли, — когда влюблен, мало что знаешь.

Вечером он сидел у себя в комнате; по дому бродили призраки. Точно собрались в нем все воспоминания: о Флер, о Робин-Хилле — любимые в детстве деревья, сигары отца, цветы и игра матери; детская с игрушками, где до него росла Холли, где позднее он мучился над рифмами; вид из окна на конюшни и башенку с часами.

В открытое окно его комнаты тянуло сладкими запахами — такими родными — с холмов, мерцающих в лунном полусвете. Первая ночь на родине за две с лишним тысячи ночей. С продажей Робин-Хилла у него не осталось в Англии дома, кроме этого. Но они с Энн устроят себе собственное гнездо. Родина! На английском пароходе он готов был расцеловать стюардов и горничных только за то, что они говорили с английским акцентом. Он слушал его, как музыку. Для Энн теперь легче будет усвоить этот акцент, она очень восприимчива. Сам он американцев полюбил, но был рад, что Вэл не нашел в нем ничего американского. Прокричала сова. Какая тень падает от сарая, как знакомы ее мягкие очертания! Он лег в постель. Надо спать, если он намерен встать вовремя, чтобы посмотреть, как объезжают лошадей. Однажды ему уже случилось встать здесь очень рано — но с другой целью! Он скоро уснул; и чей-то образ — не то Энн, не то Флер — проносился в его сновидениях.

IV. СОМС ЕДЕТ В ЛОНДОН

В среду, посадив жену на пароход в Дувре, Сомс Форсайт поехал на автомобиле в Лондон. По дороге он решил сделать порядочный крюк и въехать в город по Хэммерсмитскому мосту, самому западному из всех более или менее подходящих. Он всегда чувствовал, что в периоды рабочих волнений есть тесная связь между Ист-Эндом и всякими неприятностями. И зная заранее, что, встреться ему грозная толпа пролетариев, никакие силы не заставят его отступить, он послушался другой стороны форсайтской натуры — решил предотвратить эту возможность. Таким-то образом случилось, что его автомобиль застрял на переезде у Хэммерсмитского вокзала — единственном месте, где в тот день произошли сколько-нибудь серьезные беспорядки. Собралось много людей, и они остановили движение, которого, по-видимому, не одобряли. Сомс наклонился вперед, чтобы сказать шоферу: «Лучше объехать, Ригз», потом откинулся на сиденье и стал ждать. День был погожий, машина ландолет открыта, он не мог не видеть, что «объехать» совершенно невозможно. И всегда этот Ригз где-нибудь застрянет! Сотни машин, набитых людьми, пытающимися выбраться из города; несколько почти пустых машин с людьми, пытающимися, как и он сам, пробраться мимо них в город; автобус, не то чтобы опрокинутый, но с выбитыми стеклами, загородивший половину дороги; и толпа людей с ничего не выражающими лицами, снующих взад и вперед перед горстью полисменов! Таковы были явления, с которыми, по мнению Сомса, власти могли бы справиться и получше.

До слуха его донеслись слова: «Вот буржуй проклятый!» И, оглянувшись, чтобы увидеть буржуя, о котором шла речь, он убедился, что это он сам. Несправедливые эпитеты! На нем скромное коричневое пальто и мягкая фетровая шляпа. У этого Ригза внешность как нельзя более пролетарская, а машина — самого обыкновенного синего цвета. Правда, он занимает ее один, а все другие полны народу; но как выйти из такого положения — неизвестно; разве что повезти с собой в Лондон людей, стремящихся уехать в обратном направлении. Поднять верх автомобиля было бы, конечно, слишком демонстративно, так что ничего не остается, как сидеть смирно и не обращать внимания. Сомс, от рождения усвоивший гримасу легкого презрения ко всей вселенной, был как нельзя более приспособлен для такого занятия. Он сидел, глядя на кончик собственного носа, а солнце светило ему в затылок, и толпа колыхалась взад-вперед вокруг полисменов. Насильственные действия, результатом которых явились выбитые окна автобуса, уже прекратились, и теперь люди вели себя вполне мирно, словно вышли поглазеть на принца Уэльского.

Всеми силами стараясь не раздражать толпу слишком явным вниманием, Сомс наблюдал. И пришел к заключению, что вид у людей равнодушный; ни в глазах, ни в жестах он не видел той напряженной деловитости, которая одна только и придает революционным выступлениям грозный характер. Почти всё молодежь, чуть не у каждого к нижней губе приклеилась папироса, — так смотрит толпа на упавшую лошадь.

Люди теперь так и родятся, зеваками. И это неплохо. Кино, дешевые папиросы и футбольные матчи — пока они существуют, настоящей революции не будет. А всего этого, по-видимому, с каждым годом прибавляется. И он только было решил, что будущее не так уж мрачно, когда к нему в автомобиль просунулась голова какой-то молодой женщины.

— Не могли бы вы подвезти меня в город?

Сомс, по привычке, посмотрел на часы. Стрелки, показывавшие семь часов, мало чем помогли ему. Довольно нарядно одетая женщина, с чуть вульгарной манерой говорить и напудренным носом. И долго этот Ригз будет скалить зубы? А между тем в «Бритиш Газет» он читал, что все так делают. Он ответил грубовато:

— Могу. Куда вам нужно попасть?

— О, хотя бы до Лестер-сквер добраться.

Этого еще недоставало!

Молодая женщина, казалось, почуяла его опасения.

— Видите ли, — сказала она, — мне надо еще поесть до спектакля.

Да она уже лезет в машину! Сомс чуть не вылез вон. Он сдержался, искоса оглядел ее; наверно, какая-нибудь актриса — молодая, лицо круглое и, конечно, накрашено, — чуть курносая, глаза серые, слегка навыкате; рот... гм, красивый рот, немножко вульгарный. И, разумеется, стриженая.

— Вот спасибо вам!

— Не стоит, — сказал Сомс; и машина тронулась.

— Вы думаете, это надолго — забастовка?

Сомс наклонился вперед.

— Поезжайте, Ригз, — сказал он, — этой даме нужно на... э-э... Ковентри-стрит, там остановитесь.

— Такая глупость вся эта история, — сказала дама. — Я бы ни за что не поспела вовремя. Вы видели наше обозрение «Такая милашка»?

— Нет.

— Очень, знаете ли, неплохо.

— Да?

— Впрочем, если это не кончится, придется закрывать лавочку.

— А.

Молодая женщина замолчала, сообразив, что ее спутник не отличается разговорчивостью.

Сомс переменил позу. Он так давно не разговаривал с посторонней молодой женщиной, что почти совсем забыл, как это делается. Поддерживать разговор ему не хотелось, а между тем он понимал, что она его гостья.

— Вам удобно? — неожиданно спросил он.

Она улыбнулась.

— Неужели нет? Машина чудесная!

— Мне она не нравится, — сказал Сомс.

Она раскрыла рот.

— Почему?

Сомс пожал плечами; он говорил, только чтобы сказать что-нибудь.

— По-моему, это даже интересно, правда? — сказала она. — «Держаться» вот так, как мы все сейчас.

Машина теперь шла полным ходом, и Сомс начал высчитывать, через сколько минут можно будет покончить с такими сопоставлениями.

Памятник Альберту, уже! Он почувствовал к нему своего рода нежность — такое счастливое неведение всего происходящего!

— Обязательно приходите посмотреть наше обозрение, — сказала дамочка.

Сомс собрался с духом и взглянул ей в лицо.

— Что вы там делаете? — спросил он.

— Пою и танцую.

— Вот как.

— У меня хорошая сцена в третьем акте, где мы все в ночных рубашонках.

Сомс чуть заметно улыбнулся.

— Таких, как Кэт Воген, теперь не увидишь, — сказал он.

— Кэт Воген? Кто она была?

— Кто была Кэт Воген? — повторил Сомс. — Самая блестящая балерина легкого жанра. В то время в танцах было изящество; это теперь вы только и знаете, что ногами дрыгать. Вы думаете, чем быстрее вы можете передвигать ноги, тем лучше танцуете. — И, сам смутившись своего выпада, который неминуемо должен был к чему-то привести, он отвел глаза.

— Вы не любите джаз? — осведомилась дамочка.

— Не люблю, — сказал Сомс.

— А знаете, я, пожалуй, тоже; кроме того, он выходит из моды.

Угол Гайд-парка, уже! И скорость добрых двадцать миль!

— Ой-ой-ой! Посмотрите на грузовики; замечательно, правда?

Сомс проворчал что-то утвердительное. Дамочка стала без всякого стеснения пудрить нос и подмазывать губы. «Что, если меня кто-нибудь увидит?» — подумал Сомс. А может, кто и видит, он этого никогда не узнает. Поднимая высокий воротник пальто, он сказал:

— Сквозит в этих автомобилях! Подвезти вас к ресторану Скотта?

— Ой, нет, если можно — к Лайонсу; я еле-еле успею перекусить. В восемь надо быть на сцене. Большое вам спасибо. Теперь если бы кто еще отвез меня домой! — Она вдруг повела глазами и добавила: — Не поймите превратно!

— Ну, что вы, — сказал Сомс не без тонкости. — Вот вы и приехали. Стойте, Ригз!

Машина остановилась, и дамочка протянула Сомсу руку.

— Прощайте, и большое спасибо!

— Прощайте, — сказал Сомс.

Улыбаясь и кивая, она сошла на тротуар.

— Поезжайте, Ригз, да поживее. Саут-сквер.

Машина тронулась. Сомс не оглядывался; в сознании его, как пузырь на поверхности воды, возникла мысль: «В прежнее время всякая женщина, которая выглядит и говорит, как эта, дала бы мне свой адрес». А она не дала! Он не мог решить, знаменует это прогресс или нет.

Не застав дома ни Флер, ни Майкла, он не стал переодеваться к обеду, а прошел в детскую. Его внук, которому шел теперь третий год, еще не спал и сказал:

— Хэлло!

— Хэлло!

Сомс извлек игрушечную трещотку. Последовало пять минут сосредоточенного и упоенного молчания, по временам нарушаемого гортанным звуком трещотки. Потом внук улегся поудобнее, уставился синими глазами на Сомса и сказал:

— Хэлло!

— Хэлло! — ответил Сомс.

— Спать! — сказал внук.

— Спать! — сказал Сомс, пятясь к двери, и чуть не споткнулся о серебристую собачку.

На том разговор закончился, и Сомс пошел вниз. Флер предупредила по телефону, чтобы он не ждал их к обеду.

Он сел перед картиной Гойи. Трудно было бы утверждать, что Сомс помнил чартистское движение 1848 года, потому что он родился в 55-м; но он знал, что в то время его дядя Суизин состоял в добровольческой полиции. С тех пор не было более серьезных внутренних беспорядков, чем эта генеральная стачка; и за супом Сомс все глубже и глубже вдумывался в ее возможные последствия. Большевизм на пороге, вот в чем беда! И еще — недостаток гибкости английского мышления. Если уголь был когда-то прибыльной статьей — воображают, что он навсегда останется прибыльным. Политические лидеры, руководство тред-юнионов, печать не видят на два дюйма дальше своего носа! Им еще в августе надо было начать что-то делать, а что они сделали? Составили доклад, на который никто и смотреть не хочет.

— Белого вина, сэр, или бордо?

— Все равно, что есть начатого.

В восьмидесятых, даже в девяностых годах с его отцом от таких слов случился бы удар: пить бордо из начатой бутылки в его глазах почти равнялось безбожию. Очередной симптом вырождения идеалов!

— А вы, Кокер, что скажете о забастовке?

Лысый слуга наклонил бутылку сотерна.

— Неосновательно задумано, сэр, если уж вы меня спрашиваете.

— Почему вы так думаете?

— А было бы основательно, сэр, Гайд-парк был бы закрыт для публики.

Вилка Сомса с куском камбалы повисла в воздухе.

— Очень возможно, что вы правы, — сказал он одобрительно.

— Суетятся они много, но так — все впустую. Пособие — вот это умно придумали, сэр. Хлеба и цирков, как говорит мистер Монт.

— Ха! Вы видели эту столовую, которую они устроили?

— Нет, сэр. Кажется, нынче вечером туда придет морильщик. Говорят, тараканов там видимо-невидимо.

— Брр!

— Да, сэр, насекомое отвратительное.

Пообедав, Сомс закурил вторую из двух полагавшихся ему в день сигар и надел наушники радио. Он, пока мог, противился этому изобретению — в такое время! «Говорит Лондон!» Да, а слушает вся Великобритания. Беспорядки в Глазго? Иначе и быть не может — там столько ирландцев! Требуются еще добровольцы в чрезвычайную полицию? Ну, их-то скоро будет достаточно. Нужно сказать этому Ригзу, чтобы записался. Вот и здесь без лакея вполне можно обойтись. Поезда! Поездов, по-видимому, пустили уже порядочно. Прослушав довольно внимательно речь министра внутренних дел, Сомс снял наушники и взял «Бритиш Газет». Впервые за всю жизнь он уделил некоторое время чтению этого малопочтенного листка и надеялся, что первый раз будет и последним. Бумага и печать из рук вон плохи. Все же надо считать достижением, что ее вообще удалось выпустить. Подбираются к свободе печати! Не так-то это легко, как казалось этим людишкам. Попробовали — и вот результат: печать, куда более решительно направленная против них, чем та, которую они прикрыли. Обожглись на этом деле! И без всякого толку, ведь влияние печати — устарелое понятие. Его убила война. Без доверия нет влияния. Что политические вожди, что печать — если им нельзя верить, они вообще не идут в счет! Может быть, эту истину когда-нибудь откроют заново. А пока что газеты — те же коктейли, только возбуждают аппетит и нервы. Как хочется спать. Хоть бы Флер не слишком поздно вернулась домой. Безумная затея — эта стачка! Из-за нее все взялись за совершенно непривычные дела, да еще в такой момент, когда промышленность только-только начинает — или делает вид, что начинает, — оживать. Но что поделаешь! В наше время становится год от года труднее придерживаться плана. Всегда что-нибудь помешает. Весь мир как будто живет со дня на день, и притом такими темпами! Сомс откинулся на спинку испанского стула, заслонил глаза от света, и сон волной подступил к его сознанию. Стачка стачкой, а волны перекатывались через него мягко, неотвратимо.

Защекотало, и над его рукой, сухощавой и темной, закачалась бахрома шали. Что такое? Он с усилием выбрался из чащи снов. Около него стояла Флер. Красивая, яркая, глаза сияют, говорит быстро, как будто возбужденно.

— Так ты приехал, папа!

Губы ее горячо и мягко коснулись его лба, а глаза — что с ней? Она точно помолодела, точно... как бы это выразить?

— Ты дома? — сказал он. — Кит становится разговорчив. Поела чего-нибудь?

— Да, да!

— Эта столовая...

Флер сбросила шаль.

— Мне там ужасно нравится.

Сомс с удивлением заметил, как часто дышит ее грудь, словно она только что бежала. И щеки у нее были очень розовые.

— Ты, надеюсь, ничего там не подцепила?

Флер засмеялась — очаровательный звук, и совершенно необоснованный.

— Какой ты смешной, папа! Я молю бога, чтобы забастовка тянулась подольше.

— Не говори глупостей, — сказал Сомс. — Где Майкл?

— Пошел спать. Он заезжал за мной из палаты. Говорит, ничего у них там не выходит.

— Который час?

— Первый час, милый. Ты, наверное, хорошо соснул.

— Просто дремал.

— Мы видели танк на набережной — шел на восток. Ужасно чудно они выглядят. Ты не слышал?

— Нет, — сказал Сомс.

— Ну, если услышишь — не тревожься. Майкл говорит, их направляют в порт.

— Очень рад. Значит, правительство серьезно взялось за дело. Но тебе пора спать. Ты переутомилась.

Она задумчиво смотрела на него, накинув на руку испанскую шаль, насвистывая какую-то мелодию.

— Спокойной ночи, — сказал он, — я тоже скоро пойду спать.

Она послала ему воздушный поцелуй, повернулась на каблучках и исчезла.

— Не нравится мне это, — пробормотал Сомс. — Сам не знаю почему, только не нравится.

Слишком молодо она выглядела. Или это стачка ударила ей в

голову? Он встал, чтобы нацедить в стакан содовой, — после сна остался неприятный вкус во рту.

Ум-дум-бом-ум-дум-бом-ум-дум-бом! И скрежет! Еще танк? Хотел бы он взглянуть на эту махину. При мысли, что они идут в порт, он чуть ли не возликовал. Раз они налицо, страна вне опасности. Он надел дорожное пальто и шляпу, вышел из дому, пересек пустую площадь и остановился на улице, с которой видна была набережная. Вот он идет! Как огромное допотопное чудище, в освещенной фонарями темноте рычит и хрюкает большущая сказочная черепаха, воплощение неотвратимой мощи. «Хороший им готовится сюрприз!» — подумал Сомс, когда танк прополз, скрежеща, и скрылся из виду. Он уже слышал, что идет следующий, но, вдруг решив, что хорошенького понемножку, повернул к дому. Роскошь, может быть, и излишняя, если вспомнить равнодушную толпу, окружавшую утром его автомобиль, — ни оружия, ни даже революционного задора в глазах!

«Неосновательно задумано!» А эти ползучие чудища! Может быть, правительству хочется сделать вид, что это не верно? Демонстрация мощи! Что-то возмутилось в душе Сомса. Это же Англия, черт возьми! Может, они и правы, но что-то не похоже. Чересчур... чересчур по-военному! Он отпер входную дверь. Ум-дум-ум-дум-дум! Что же, мало кто их увидит или услышит в такое позднее время. Вероятно, они попали сюда откуда-нибудь из деревни — не хотел бы он повстречаться с ними в лесу или на полях. Танки — папа, мама и деточка, как... как семья мастодонтов, а? Никакого чувства пропорции в таких вещах. И никакого чувства юмора. Он постоял на лестнице, послушал. Хоть бы они только не разбудили малыша!

V. ОПАСНОСТЬ

Когда Флер, оглядывая лица сидящих за ужином, увидела Джона Форсайта, в ее сердце что-то произошло, словно она зимой набрела на цветущий куст жимолости. Оправившись от легкого опьянения, она отошла подальше и вгляделась в Джона. Он сидел, словно не обращая внимания на еду, и на его потном лице, измазанном угольной пылью, была улыбка, свойственная человеку, поднявшемуся на гору или пробежавшему большое расстояние, усталая, милая и такая, будто он много и с толком поработал. Ресницы его — длинные и темные, какими она их помнила, — скрывали глаза и спорили с более светлыми волосами, взлохмаченными, несмотря на короткую стрижку.

Продолжая давать распоряжения Рут Лафонтен, Флер лихорадочно думала. Джон! Как с неба свалился в ее столовую — окрепший, более подобранный; подбородок решительнее, глаза сидят глубже, но страшно похож на Джона! Что же теперь делать? Если б только можно было выключить свет, подкрасться к нему сзади, наклониться и поцеловать в пятно над левым глазом! Ну а дальше что? Глупо! А что, если он сейчас очнется от своей мечтательной улыбки и увидит ее? Скорей всего он никогда больше не придет к ней в столовую. Она помнила, какая у него совесть. И она приняла мгновенное решение. Не сегодня! Холли будет знать, где он остановился. Время и место по ее выбору, если она, по зрелом размышлении, захочет играть с огнем. И, снабдив Рут Лафонтен инструкцией относительно булочек, она оглянулась через плечо на лицо Джона, рассеянно чему-то улыбающееся, и пошла в свою маленькую контору.

И начались зрелые размышления. Майкл, Кит, отец; устоявшийся порядок добродетельной и богатой жизни; душевное равновесие, которого она в последнее время достигла! Все в опасности из-за одной улыбки и запаха жимолости! Нет! Этот счет закрыт. Открыть его — значило бы снова искушать судьбу. И если искушать судьбу вполне современное занятие — она, может быть, и не современная женщина. Впрочем, неизвестно еще, в ее ли силах открыть этот счет? И ею овладело любопытство — захотелось увидеть его жену, которая заменила ее, Флер. В Англии она? Брюнетка, как ее брат Фрэнсис? Флер взяла список покупок, намеченных на завтра. Такая гибель дел! Идиотство и думать о таких вещах! Телефон! Он звонил целый день; с девяти часов утра она плясала под его дудку.

— Да?.. Говорит миссис Монт. Что? Но я ведь их заказала... О! Но должна же я давать им утром яичницу с ветчиной! Не могут они перед работой получать одно какао... Что? У компании нет средств?.. Ну, знаете! Хотите вы, чтобы дороги работали прилично, или нет? Зайти поговорить? Мне, право же, некогда. Да, да, пожалуйста, сделайте мне одолжение, скажите директору, что их просто необходимо кормить посытнее. У них такой усталый вид. Он поймет... Да... Спасибо большое! — она повесила трубку. Черт!

Кто-то засмеялся.

— Ой, это вы, Холли! Как всегда, экономят и тянут! Сегодня

это уже четвертый раз. Ну, мне все равно — я держу свою линию. Вот взгляните: это завтрашний список для Хэрриджа. Колоссальный, но что поделаешь. Купите все; риск беру на себя, хоть бы мне пришлось ехать туда и рыдать у его ног.

И за сочувственной иронией на лице Холли ей виделась улыбка Джона. Надо кормить его посытнее — да и не его одного! Не глядя на кузину, она сказала:

— Я видела здесь Джона. Откуда он взялся?

— Из Парижа. Пока живет с нами на Грин-стрит.

Флер с легким смешком выставила вперед подбородок.

— Забавно опять увидеть его, да еще такого чумазого! Его жена тоже здесь?

— Нет еще, — сказала Холли, — она осталась в Париже с его матерью.

— О, хорошо бы с ним как-нибудь повидаться!

— Он работает кочегаром на пригородных поездах — уходит в шесть, приходит после одиннадцати.

— Понятно! Я и думала — потом, если стачка когда-нибудь кончится.

Холли кивнула.

— Его жена хочет приехать помогать; что вы скажете, не взять ли ее в столовую?

— Если она подойдет.

— Джон говорит, что очень.

— Не вижу, собственно, к чему американке утруждать себя. Они хотят совсем поселиться в Англии?

— Да.

— О! Впрочем, мы оба переболели корью.

— Если заболеть вторично, взрослой, Флер, — корь опасна.

Флер засмеялась.

— Никакого риска! — И глаза ее, карие, ясные, веселые, встретились с глазами кузины, глубокими, серьезными, серыми.

— Майкл ждет вас в машине, — сказала Холли.

— Отлично. Вы можете побыть здесь, пока они кончат есть? Завтра с пяти утра дежурит Нора Кэрфью. Я буду здесь в девять, до того, как вы уедете к Хэрриджу. Если надумаете еще что-нибудь, прибавьте к списку, я уж как-нибудь заставлю их натянуть. Спокойной ночи, Холли!

— Спокойной ночи, родная.

Не жалость ли мелькнула в этих серых глазах? Жалость, скажите на милость!

— Привет Джону. Интересно, как ему нравится быть кочегаром. Нужно достать еще тазов для умывания.

Сидя рядом с Майклом, который вел машину, она снова будто видела в стекле улыбку Джона, и в темноте ее губы тянулись вперед, словно хотели достать эту улыбку. Корь — от нее бывает сыпь и поднимается температура... Как пусты улицы, ведь шоферы такси тоже бастуют. Майкл оглянулся на нее.

— Ну, как дела?

— Какое страшилище этот морильщик, Майкл. У него рябое лицо клином, и волнистые черные волосы, и глаза падшего ангела; но дело свое он знает.

— Посмотри-ка, вон танк; мне о них говорили. Они идут в порт. Похоже на провокацию. Хорошо еще, что нет газет, негде о них писать.

Флер рассмеялась.

— Папа, наверное, уже дома. Он приехал в город охранять меня. Если бы и вправду началась стрельба, интересно, что бы он сделал, — стал махать зонтиком?

— Инстинкт. Все равно что у тебя по отношению к Киту.

Флер не ответила. Позже, повидав отца, она поднялась наверх и остановилась у двери детской. Мелодия, так изумившая Сомса, прозвучала легкомысленно в пустом коридоре. «L'amour est enfant de Bohême; il n'a jamais, jamais connu de loi: si tu ne m'aimes pas, je t'aime, et si je t'aime, prends garde à toi!»[1]. Испания, и тоска ее свадебной поездки! «Голос, в ночи звенящий!» Закрыть ставни, заткнуть уши — не впускать его. Она вошла в спальню и зажгла все лампы. Никогда еще комната ей так не нравилась — много зеркал, зеленые и лиловые тона, поблескивающее серебро. Она стояла и смотрела на свое лицо, на щеках появилось по красному пятну. Зачем она не Нора Кэрфью — добросовестная, несложная, самоотверженная, которая завтра в половине шестого утра будет кормить Джона яичницей с ветчиной! Джон с умытым лицом! Она быстро разделась. Может ли сравниться с ней эта его жена? Кому из них присудил бы он золотое яблоко, если бы они с Энн вот так стояли рядом? И красные пятна на ее щеках гуще заалели. Переутомление — это ей знакомо! Заснуть не удастся! Но простыни были прохладные. Да, прежнее гладкое ирландское полотно куда приятнее, чем этот

---

[1] «Любовь свободна...» — начало хабанеры из оперы Ж. Бизе «Кармен».

новый шершавый французский материал. А, вот и Майкл входит, идет к ней. Что ж! Зачем быть с ним суровой — бедный Майкл! И когда он обнимал ее, она видела улыбку Джона.

Этот первый день работы на паровозе мог хоть кого заставить улыбаться.

Машинист, почти столь же юный, как и он, но в нормальное время — совладелец машиностроительного завода, просветил Джона по сложному вопросу: как добиться равномерного сгорания. «Хитрая работа и очень утомительная!» Их пассажиры вели себя хорошо. Один даже подошел поблагодарить их. Машинист подмигнул Джону. Было и несколько тревожных моментов. Поедая за ужином гороховый суп, Джон думал о них с удовольствием. Было замечательно, но плечи и руки у него разломило. «Вы их смажьте на ночь», — посоветовал машинист.

Какая-то молоденькая женщина предложила ему печеной картошки. У нее были необычайно ясные, темно-карие глаза, немножко похожие на глаза Энн, только у Энн они русалочьи. Он взял картофелину, поблагодарил и опять погрузился в мечты кочегара. Удивительно приятно преодолевать трудности, быть снова в Англии, что-то делать для Англии! Нужно пожить вдали от родины, чтобы понять это. Энн телеграфировала, что хочет приехать и быть с ним. Если он ответит «нет», она все равно приедет. В этом он успел убедиться за два года совместной жизни. Что же, она увидит Англию в самом лучшем свете. В Америке не знают по-настоящему, что такое Англия. Ее брат побывал только в Лондоне; в его рассказах проскальзывала горечь — верно, женщина, хотя ни слова о ней не было сказано. В изложении Фрэнсиса Уилмота пропуски в истории Англии объясняли все остальное. Но все порочат Англию, потому что она не выставляет своих чувств напоказ и не трубит о себе на каждом перекрестке.

— Масла?

— Спасибо большущее. Удивительно вкусная картошка.

— Как приятно слышать.

— Кто устроил эту столовую?

— Главным образом мистер и миссис Майкл Монт; он член парламента.

Джон уронил картофелину.

— Миссис Монт? Не может быть! Она моя троюродная сестра. Она здесь?

— Была здесь. Кажется, только что ушла.

Дальнозоркие глаза Джона обежали большую темноватую комнату. Флер! Невероятно!

— Пудинга с патокой?

— Нет, спасибо. Я сыт.

— Завтра в пять сорок пять будет кофе, чай или какао и яичница с ветчиной.

— Великолепно! По-моему, это замечательно.

— Да, пожалуй, в такое-то время.

— Большое спасибо. До свидания.

Джон отыскал свое пальто. В машине его ждали Вэл и Холли.

— Хэлло, юноша! Ну и вид у тебя!

— А вам какая работа досталась, Вэл?

— Грузовик — завтра начинаю.

— Чудно.

— Скачкам пока что крышка.

— Но не Англии.

— Англии? Ну нет! С чего это ты?

— Так говорят за границей.

— За границей! — проворчал Вэл. — Они скажут!

И воцарилось молчание на третьей скорости.

С порога своей комнаты Джон сказал сестре:

— Я слышал, столовую устроила Флер. Неужели она так постарела?

— У Флер очень умная головка, милый. Она тебя видела. Смотри, Джон, не заболей корью во второй раз!

Джон засмеялся.

— Тетя Уинифрид ждет Энн в пятницу, просила передать тебе.

— Чудесно. Очень мило с ее стороны.

— Ну, спокойной ночи, отдыхай. В ванной еще есть горячая вода.

Джон с упоением растянулся в ванне. Пробыв шестьдесят часов вдали от молодой жены, он уже с нетерпением ждал ее приезда. Так столовую устроила Флер! Светская молодая женщина с умной и уж наверное стриженой головкой — ему было очень любопытно увидеться с ней, но ничего больше. Корь во второй раз? Как бы не так! Он слишком много выстрадал и в первый. Кроме того, он очень уж поглощен радостью возвращения — результат долгой, заглушенной тоски по родине. Мать его тосковала по Европе; но он не почувствовал облегчения в Италии и во

Франции. Ему нужна была Англия. Что-то в говоре и походке людей, в запахе и внешнем виде всего окружающего; что-то добродушное, медлительное, насмешливое в самом воздухе после напряжения Америки, кричащей яркости Италии, прозрачности Парижа. Впервые за пять лет он не чувствовал, что нервы его обнажены. Даже то в его отечестве, что оскорбляло в нем эстета, действовало умиротворяюще. Пригороды Лондона, великое множество ужасающих домишек из кирпича и шифера, в постройке которых, как рассказывал ему отец, принимал участие его прадед, «Гордый Доссет» Форсайт; сотни новых домиков, правда, получше тех, но все же весьма далеких от совершенства; полное отсутствие симметрии и плана, уродливые здания вокзалов; вульгарные голоса, недостаток яркости, вкуса и достоинства в одежде людей — все, казалось, успокаивало, было порукой, что Англия всегда останется Англией.

Так эту столовую устроила Флер! Он ее увидит! А хочется ее увидеть! Очень!

VI. ТАБАКЕРКА

В соседней комнате Вэл говорил Холли:

— Ко мне сегодня заходил один человек, мы с ним в университете учились. Просил денег взаймы. Я как-то давал ему, когда и сам был небогат, но так и не получил обратно. Он страшно импонировал мне тогда — этакий красивый, томный субъект. Я считал его идеалом аристократа. А посмотрела бы ты на него теперь!

— Я видела — встретилась с ним, когда он выходил отсюда; еще подумала, кто бы это мог быть. В жизни не видала такого горько-презрительного выражения лица. Ты дал ему денег?

— Только пять фунтов.

— Ну, больше не давай.

— Будь покойна. Знаешь, что он сделал? Захватил с собой мамину табакерку Louis Quinze, а она стоит сотни две. Больше в комнате никого не было.

— Боже милостивый!

— Да, смело. В университете он у нас считался самым распутным, водил компанию с картежниками. Я о нем не слышал с тех пор, как уехал на бурскую войну.

— Мама, верно, очень огорчена, Вэл?

— Хочет подавать в суд — табакерка принадлежала ее отцу.

Но как можно — университетский товарищ! Да и все равно ведь не вернешь.

Холли перестала расчесывать волосы.

— А это, пожалуй, утешительно, — сказала она.

— Что именно?

— Да как же, все говорят, что уровень честности падает. Приятно обнаружить, что в нашем поколении есть люди, у которых ее и того меньше.

— Слабое утешение!

— Человеческая природа не меняется, Вэл. Я верю в молодое поколение. Мы их не понимаем, мы росли в такую спокойную пору.

— Возможно. Мой-то папаша был не слишком разборчив. Но что же мне теперь делать?

— Ты знаешь его адрес?

— Он сказал, что его можно найти через «Брюмель-Клуб», насколько мне помнится — учреждение не из почтенных. Дойти до такого откровенного воровства! Я не на шутку расстроен.

Он лежал на спине в постели, Холли смотрела на него. Поймав ее взгляд, он сказал:

— Если б не ты, старушка, я и сам бы, может, свихнулся.

— О нет, Вэл! Ты слишком любишь воздух и движение. Плохо кончают те, кто всю жизнь сидит в комнатах.

Вэл усмехнулся.

— А это не глупо. Если я и видел этого человека в движении, так только за карточным столом. На скачках играл, а сам лошади от ежа отличить не мог. Ну что же, придется маме с этим примириться, я ничего не могу сделать.

Холли подошла к его постели.

— Повернись, я тебя укрою получше.

Потом она легла сама; не спала — думала о человеке, который свихнулся, вспоминала презрение, написанное на его лице, изможденном, темном, правильном; преждевременно седеющие волосы, преждевременно поблекшие глаза и его костюм, словно чудом уцелевший, и изношенный, тщательно завязанный галстук бабочкой. Она чувствовала, что знает его: никаких нравственных устоев и глубоко внедрившееся презрение к тем, у кого они есть. Бедный Вэл! Его-то нравственные устои не так крепки, чтобы его можно было за них презирать. Хотя!.. При всех своих опасных мужских инстинктах Вэл был верным товарищем все эти годы. Если он не отличается философским складом ума и эстетическими вкусами, если в лошадях он смыслит больше, чем в поэзии, — что ж, хуже он от этого? Временами ей казалось, что даже лучше. Лошадь не меняет каждые пять лет своего вида и масти и не порочит своих предшественников. Лошадь — постоянная величина, держит вас на умеренных темпах, любит, чтобы ее гладили по носу, — о каком поэте можно сказать то же самое? Их роднит только одно — любовь к сахару. После выхода в свет своего романа Холли стала членом «Клуба 1930 года». Провела ее туда Флер; и теперь, наезжая в Лондон, она изучала в своем клубе современность. Современность — это быстрота и больше ничего. Те, кто ругает ее, пусть бы лучше ругали телефон, радио, аэропланы и закусочные на каждом углу. Под этой внешней оболочкой скорости современность стара. Женщины не так много надевали на себя, когда выходили первые романы Джейн Остин[1]. Панталоны — так утверждают историки — изобретены только в XIX веке. А современная манера говорить! После Южной Африки просто дух захватывает, до того она стремительна, но мысли примерно те же, какие бывали у нее самой в юности, только разрезанные на кусочки автомобилями и телефонными звонками. А современные увлечения! Ведут к тому же, к чему вели и при Георге Втором, только тянутся дольше из-за мотоцикла и завтрака стоя. А современная философия! Люди мыслят не менее философски, чем Мартин Талпер[2] или Айзак Уолтон[3]; только, в отличие от этих прославленных старцев, им некогда сформулировать свои мысли. Что же касается будущей жизни — современность живет надеждой, и притом не слишком твердой, как жило человечество с незапамятных времен. И, как подобает писательнице, Холли поспешила сделать вывод. «Вот, — подумала она, — только поскреби лучших представителей современной молодежи — и найдешь Чарльза Джемса Фокса[4] и Пердиту[5] в костюмах для гольфа». Ровный звук вернул ее мысли в обычное русло. Вэл спит! Какие у него и теперь еще длинные, темные ресницы, но рот открыт!

— Вэл, — сказала она еле слышно, — Вэл, не храпи, милый!..

---

[1] Английская писательница, автор старико-бытовых романов (1775—1817).

[2] Английский писатель, автор популярной в свое время «Философии в поговорках» (1810—1889).

[3] Английский мыслитель, прозаик и поэт (1593—1683).

[4] Английский политический деятель (1749—1806).

[5] Прозвище английской актрисы Мэри Робинзон, исполнявшей роль Пердиты в «Зимней сказке» Шекспира (1758—1800).

В табакерке можно ценить не столько эмаль, бриллиантики или эпоху, но и то, что она принадлежала вашему отцу. Уинифрид, хотя и достаточно показала себя собственницей, в течение стольких лет сохраняя Монтегью Дарти со всеми присущими ему качествами, не обладала, как ее брат Сомс, ни инстинктом коллекционера, ни тем вкусом к вещам, в котором Джордж Форсайт первый усмотрел «смесь ханжества и добродетели». Но чем больше время отдаляло ее отца Джемса — а с его смерти протекло уже четверть века, — тем глубже она чтила его память.

Как древний полководец или мыслитель, огражденный временем от соперников, год от году стяжает все большую славу, так и Джемс! Его нелюбовь к переменам, его предельная семейственность, его умение сберечь деньги для детей и вечная боязнь, что ему чего-нибудь не скажут, — с каждым годом, который он проводил под землей, сияли в глазах Уинифрид все более ярким ореолом. По мере того как она полнела и ее светские стремления угасали, прошлое разгоралось в целое созвездие сияющих воспоминаний. Исчезновение табакерки, столь ощутимо напоминавшей Джемса и Эмили, поколебало ее завидное душевное равновесие больше, чем любое другое событие за много лет. От мысли, что она поддалась голосу, аристократически звучавшему по телефону, ей делалось положительно не по себе. А ей ли, казалось бы, не знать, с ее богатым опытом общения с аристократией! Однако она была из тех женщин, которые, установив неприятный факт, делают все, чтобы как можно скорее его устранить; и, ничего не добившись от Вэла, который только сказал: «Ужасно жаль, мама, но что же поделаешь — не повезло!» — она призвала на помощь Сомса.

Сомса новость сразила. Он помнил, как Джемс на его глазах купил эту табакерку у Джобсона, заплатив десятую долю той суммы, которую можно бы получить за нее теперь. Все теряло свой смысл, если возможно было вот так вдруг лишиться вещи, стоимость которой без всяких усилий с их стороны неуклонно возрастала в течение сорока лет. И взявший ее был из очень хорошей семьи — так по крайней мере утверждал племянник! Была ли честность старых Форсайтов, в атмосфере которой Сомс был воспитан и вступил в жизнь, врожденной или благоприобретенной — впитанной с молоком матери или с доходами от банков, — об этом он никогда не задумывался. Она составляла часть их системы, так же как поговорка «Честность — лучшая политика» входила в систему частных банкирских контор, которые тогда процветали. Праздные мысли на тему о банках были вполне естественны для человека, помнившего отклики на крах конторы «Эндерстарт и Дарнет» и постепенное исчезновение маленьких банков с легендарными именами. Эти громадные теперешние объединения хороши для кредита и плохи для романистов: разъяренные вкладчики — интереснее не было чтения в его время! Такие большущие концерны не могут «лопнуть», как бы ни вели себя их клиенты; но способствуют ли они честности отдельных лиц — в этом Сомс не был уверен. Как бы то ни было, табакерка пропала, и если Уинифрид не примет мер, ее не вернуть. Какие именно меры она может принять, было ему еще не ясно; но он советует ей сейчас же поручить это дело кому-нибудь.

— Но кому, Сомс?

— На то есть Скотленд-Ярд, — ответил Сомс мрачно. — Толку от них вряд ли добьешься — суетятся, а больше ничего. Есть еще этот тип, которого я приглашал, когда мы судились с Феррар. Он очень дорого берет.

— Мне бы не так было жаль, — сказала Уинифрид, — если б она не принадлежала дорогому папе.

— Таких бандитов надо сажать в тюрьму, — проговорил Сомс.

— И подумать только, — сказала Уинифрид, — что Вэл и остановился-то у меня главным образом для того, чтобы увидеться с ним.

— Ах так? — сказал Сомс мрачно. — Ты вполне уверена, что табакерку взял этот субъект?

— Безусловно. Я достала ее всего за четверть часа до этого, хотела почистить. Когда он ушел, я сейчас же вернулась в комнату, чтобы убрать ее, а ее уже не было. Вэл выходил из комнаты.

Сомс на минуту задумался, потом отбросил подозрение насчет племянника, потому что Вэл, хоть и кровно связанный со своим папашей Монтегью Дарти да еще в придачу лошадник, все же был наполовину Форсайт.

— Ну, — сказал он, — так прислать к тебе этого человека? Зовут его Бекрофт; вид у него всегда такой, точно он слишком много бреется, но он не лишен здравого смысла. По-моему, ему надо связаться с клубом, в котором этот тип состоит членом.

— А вдруг он уже продал табакерку? — сказала Уинифрид.

— Вчера к концу дня? Сомневаюсь, но времени терять нельзя. Я сейчас же пройду к Бекрофту. Флер перестарается с этой своей столовой.

— Говорят, она отлично ее наладила. Такие молодцы все эти молоденькие женщины.

— Да уж быстры, что и говорить, — пробурчал Сомс, — но тише едешь, дальше будешь.

Услышав эту истину, которую в дни ее молодости готовы были без конца повторять старые Форсайты, Уинифрид заморгала своими очень уж светлыми ресницами.

— Это, знаешь ли, Сомс, всегда было скучновато. А теперь, если не действовать быстро, все так и ускользает.

Сомс взялся за шляпу.

— Вот табакерка твоя наверняка ускользнет, если мы будем зевать.

— Ну, спасибо, милый мальчик. Я все-таки надеюсь, что мы ее найдем. Милый папа так ею гордился, а когда он умер, она не стоила и половины против теперешней цены.

— И четверти не стоила, — сказал Сомс, и эта мысль продолжала сверлить его, когда он вышел на улицу. Что толку в благоразумии, когда первый встречный может явиться и прикарманить его плоды? Теперь над собственностью издеваются; но ведь собственность — доказательство благоразумия, в половине случаев — вопрос собственного достоинства. И он подумал о чувстве собственного достоинства, которое украл у него Босини в те далекие горестные дни. Ведь даже в браке проявляешь благоразумие, противопоставляешь себя другим. У человека есть «нюх на победителя», как тогда говорили; правда, он иногда подводит. Ирэн не была «победителем», о нет! Ах, он забыл спросить Уинифрид об этом Джоне Форсайте, который неожиданно опять появился на горизонте. Но сейчас важнее табакерка. Он слышал, что «Брюмель-Клуб» — это своего рода притон; там, верно, полно игроков и комиссионеров. Вот зло сегодняшнего дня — это да еще пособие по безработице. Работать? Нет, этого они не желают. Лучше продавать все, что придется, предпочтительно автомобили, и получать комиссионные. «Брюмель-Клуб»! Да, вот он, Сомс, помнил эти окна. Во всяком случае, делу не повредит, если он узнает, действительно ли этот субъект здесь числится. Он вошел и справился:

— Мистер Стэйнфорд член этого клуба?

— Да. Не знаю, здесь ли он. Эй, Боб, мистер Стэйнфорд не приходил?

— Только что пришел.

— О, — сказал Сомс слегка испуганно.

— К нему джентльмен, Боб.

Сомс почувствовал легкую тошноту.

— Пройдите сюда, сэр.

Сомс глубоко вздохнул, и ноги его двинулись вперед. В грязноватой и тесной нише у самого входа он увидел человека, который развалился в старом кресле и курил папиросу, вставленную в мундштук. В одной руке он держал маленькую красную книжку, в другой — карандашик, и держал он их так спокойно, словно собирался записать мнение, которое у него еще не сложилось. На нем был темный костюм в узкую полоску; он сидел, положив ногу на ногу, и Сомс заметил, что одна нога в старом, сношенном коричневом башмаке, начищенном наперекор всеразрушающему времени до умилительного блеска, медленно описывает круги.

— К вам джентльмен, сэр.

Теперь Сомс увидел лицо. Брови подняты, как стрелки, глаза почти совсем закрыты веками. Как и вся фигура, лицо это производило впечатление просто поразительной томности. Худое до предела, длинное, бледное, оно, казалось, все состояло из теней и легких горбинок. Нога застыла в воздухе, вся фигура застыла. У Сомса явилось курьезное ощущение, точно сидящий перед ним человек дразнит его своей безжизненностью. Не успев подумать, он начал:

— Мистер Стэйнфорд, не так ли? Не беспокойтесь, пожалуйста. Моя фамилия Форсайт. Вы вчера после обеда заходили в дом моей сестры на Грин-стрит.

Морщины вокруг маленького рта слегка дрогнули, затем послышались слова:

— Прошу садиться.

Теперь глаза открылись — когда-то, по-видимому, они были прекрасны. Они снова сузились, и Сомс невольно подумал, что их обладатель пережил все, кроме самого себя. Он поборол минутное сомнение и продолжал:

— Я хотел задать вам один вопрос. Во время вашего визита не заметили ли вы случайно на столе табакерку? Она... э-э... пропала, и мы хотели бы установить время ее исчезновения.

Человек в кресле улыбнулся, как мог бы улыбнуться бесплотный дух.

— Что-то не помню.

С мыслью: «Она у него» — Сомс продолжал:

— Очень жаль, вещь ценили как память. Ее, без сомнения, украли. Я хотел выяснить это дело. Если б вы ее заметили, мы могли бы точно установить время пропажи... на столике, как раз где вы сидели, синяя эмаль.

Худые плечи слегка поежились, словно им не нравилась попытка возложить на них ответственность.

— К сожалению, не могу вам помочь. Я ничего не заметил, кроме очень хорошего инкрустированного столика.

«В жизни не видел такого хладнокровия, — подумал Сомс. — Интересно, сейчас она у него в кармане?»

— Вещь эта — уникум, — произнес он медленно. — Для полиции трудностей не представится. Ну что ж, большое спасибо. Простите за беспокойство. Вы, кажется, учились с моим племянником? Всего хорошего.

— Всего хорошего.

С порога Сомс незаметно оглянулся. Фигура была совершенно неподвижна, ноги все так же скрещены, бледный лоб под гладкими седеющими волосами склонился над красной книжечкой. По виду ничего не скажешь! Но вещь у него, сомнений быть не может.

Он вышел на улицу и направился к Грин-парку, испытывая очень странное чувство. Тащить, что плохо лежит! Чтобы аристократ дошел до такого! История с Элдерсоном была не из приятных, но не так печальна, как эта. Побелевшие швы прекрасного костюма, поперечные трещины на когда-то превосходных штиблетах, выцветший, идеально завязанный галстук — все это свидетельствовало о том, что внешний вид поддерживается со дня на день, впроголодь. Это угнетало Сомса. До чего же томная фигура! А что в самом деле предпринять человеку, когда у него нет денег, а работать он не может, даже если это вопрос жизни? Устыдиться своего поступка он не способен, это ясно. Нужно еще раз поговорить с Уинифрид. И, повернувшись на месте, Сомс пошел обратно в направлении Грин-стрит. При выходе из парка, на другой стороне Пиккадилли, он увидел ту же томную фигуру. Она тоже направлялась в сторону Грин-стрит. Ого! Сомс пересек улицу и пошел следом. Ну и вид у этого человека! Шествует так, словно явился в этот мир из другой эпохи, из эпохи, когда выше всего ценился внешний вид. Он чувствовал, что «этот тип» скорее расстанется с жизнью, чем выкажет интерес к чему бы то ни было. Внешний вид! Возможно ли довести презрение к чувству до такого совершенства, чтобы забыть, что такое чувство? Возможно ли, что приподнятая бровь приобретает больше значения, чем все движения ума и сердца? Шагают поношенные павлиньи

перья, а павлина-то внутри и нет. Показать свои чувства — вот, может быть, единственное, чего этот человек устыдился бы. И сам немного дивясь своему таланту диагноста, Сомс не отставал от него, пока не очутился на Грин-стрит. О черт! Тот и правда шел к дому Уинифрид! «Преподнесу же я ему сюрприз», — подумал Сомс. И, прибавив шагу, он сказал, слегка задыхаясь, на самом пороге дома:

— А, мистер Стэйнфорд! Пришли вернуть табакерку?

Со вздохом, чуть-чуть опершись тростью на тротуар, фигура обернулась. Сомсу вдруг стало стыдно, точно он в темноте испугал ребенка. Неподвижное лицо с поднятыми бровями и опущенными веками было бледно до зелени, как у человека с больным сердцем; на губах пробивалась слабая улыбка. Добрых полминуты длилось молчание, потом бледные губы заговорили:

— А это смотря по тому, сколько?

Теперь Сомс окончательно задохнулся. Какая наглость!

А губы опять зашевелились:

— Можете получить за десять фунтов.

— Могу получить даром, — сказал Сомс, — стоит только позвать полисмена.

Опять улыбка.

— Этого вы не сделаете.

— Почему бы нет?

— Не принято.

— Не принято, — повторил Сомс. — Это еще почему?

В жизни не встречал ничего более бессовестного.

— Десять фунтов, — сказали губы. — Они мне очень нужны.

Сомс стоял, раскрыв глаза. Бесподобно! Человек смущен не больше, чем если бы он просил прикурить; ни один мускул не дрогнул в лице, которое, кажется, вот-вот перестанет жить. Большое искусство! Он понимал, что произносить тирады о нравственности нет никакого смысла. Оставалось либо дать десять фунтов, либо позвать полисмена. Он посмотрел в оба конца улицы.

— Нет. Ни одного не видно. Табакерка при мне. Десять фунтов.

Сомс попытался что-то сказать. Этот человек точно гипнотизировал его. И вдруг ему стало весело. Ведь нарочно не придумаешь такого положения!

— Ну, знаете ли, — сказал он, доставая две пятифунтовые бумажки, — такой наглости...

Тонкая рука достала пакетик, чуть оттопыривавший боковой карман.

— Премного благодарен. Получите. Всего лучшего!

Он пошел прочь. В движениях его была все та же неподражаемая томность; он не оглядывался. Сомс стоял, зажав в руке табакерку, смотрел ему вслед.

— Да, — сказал он вслух, — теперь таких не делают. — И нажал кнопку звонка.

VII. МАЙКЛ ТЕРЗАЕТСЯ

За те восемь дней, что длилась генеральная стачка, в несколько горячечном существовании Майкла отдыхом были только часы, проведенные в палате общин, столь поглощенной измышлениями, что бы такое предпринять, что она не предпринимала ничего. У него сложилось свое мнение, как уладить конфликт; но, поскольку оно сложилось только у него, результат этого никак не ощущался. Все же Майкл отмечал с глубоким удовлетворением, что день ото дня акции британского характера котируются все выше как в Англии, так и за границей, и с некоторой тревогой — что акции британских умственных способностей упали почти до нуля. Постоянная фраза мистера Блайта: «И о чем только эти... думают?» — неизменно встречала отклик у него в душе. О чем они в самом деле думают? Со своим тестем он имел на эту тему только один разговор.

Сомс взял яйцо и сказал:

— Ну, государственный бюджет провалился.

Майкл взял варенья и ответил:

— А когда вы были молоды, сэр, тогда тоже происходили такие вещи?

— Нет, — сказал Сомс, — тогда профсоюзного движения, собственно говоря, и не было.

— Многие говорят, что теперь ему конец. Что вы скажете о стачке как о средстве борьбы, сэр?

— Для самоубийства — идеально. Поразительно, как они раньше не додумались.

— Я, пожалуй, согласен, но что же тогда делать?

— Ну как же, — сказал Сомс, — ведь у них есть право голоса.

— Да, так всегда говорят. Но роль парламента, по-моему, все уменьшается: в стране сейчас есть какое-то направляющее чувство, которое и решает все вопросы раньше, чем мы успеваем добраться до них в парламенте. Возьмите хоть эту забастовку: мы здесь бессильны.

— Без правительства нельзя, — сказал Сомс.

— Без управления — безусловно. Но в парламенте мы только и делаем, что обсуждаем меры управления задним числом и без видимых результатов. Дело в том, что в наше время все слишком быстро меняется — не уследишь.

— Ну, вам виднее, — сказал Сомс. — Парламент всегда был говорильней.

И в полном неведении, что процитировал Карлейля — слишком экспансивный писатель, который в его представлении почему-то всегда ассоциировался с революцией, — он взглянул на картину Гойи и добавил:

— Мне все-таки не хотелось бы увидеть Англию без парламента. Слышали вы что-нибудь об этой рыжей молодой женщине?

— Марджори Феррар? Очень странно, как раз вчера я встретил ее на Уайтхолл. Сказала мне, что водит правительственную машину.

— Она с вами говорила?

— О да. Мы друзья.

— Гм, — сказал Сомс, — не понимаю нынешнего поколения. Она замужем?

— Нет.

— Этот Макгаун дешево отделался, хоть и зря — не заслужил. Флер не скучает без своих приемов?

Майкл не ответил. Он не знал. Они с Флер были в таких прекрасных отношениях, что мало были осведомлены о мыслях друг друга. И чувствуя, как его сверлят серые глаза тестя, он поспешил сказать:

— Флер молодцом, сэр.

Сомс кивнул.

— Не давайте ей переутомляться с этой столовой.

— Она работает с большим удовольствием — есть случай приложить свои способности.

— Да, — сказал Сомс, — голова у нее хорошая, когда она ее не теряет. — Он словно опять посоветовался с картиной Гойи, потом добавил:

— Между прочим, этот молодой Джон Форсайт опять здесь, мне говорили — живет пока на Грин-стрит, работает кочегаром или что-то в этом роде. Детское увлечение... но я думал, вам не мешает знать.

— О, — сказал Майкл, — спасибо. Я не знал.

— Она, вероятно, тоже не знает, — осторожно сказал Сомс, — я просил не говорить ей. Вы помните, в Америке, в Маунт-Вернон, когда мне стало плохо?

— Да, сэр. Отлично помню.

— Ну, так я не был болен. Просто я увидел, что этот молодой человек и его жена беседуют с вами на лестнице. Решил, что Флер лучше с ними не встречаться. Все это очень глупо, но никогда нельзя знать...

— Да, — сказал Майкл сухо, — никогда нельзя знать. Я помню, он мне очень понравился.

— Гм, — пробормотал Сомс, — сын своего отца, я полагаю.

И по выражению его лица Майкл решил, что преимущество это сомнительное.

Больше ничего не было сказано, так как Сомс всю жизнь считал, что говорить нужно только самое необходимое, а Майкл предпочитал не разбирать поведения Флер всерьез даже с ее отцом. Последнее время она казалась ему вполне довольной. После пяти с половиной лет брака он был уверен, что как человек он нравится Флер, что как мужчина он ей не неприятен и что неразумен тот, кто надеется на большее. Правда, она упорно отказывалась от второго издания Кита, но только потому, что не хотела еще раз выйти из строя на несколько месяцев. Чем больше у нее дела, тем она довольнее, — столовая, например, дала ей повод развернуться вовсю. Знай он, правда, что там кормится Джон Форсайт, Майкл встревожился бы; а так известие о приезде молодого человека в Англию не произвело на него большого впечатления. В те напряженные дни его внимание целиком поглощала Англия. Его бесконечно радовали все проявления патриотизма — студенты, работающие в порту, девушки за рулем автомобилей, продавцы и продавщицы, бодро шагающие пешком к месту работы, великое множество добровольческой полиции, общее стремление «продержаться». Даже бастующие были добродушны. Его заветные взгляды относительно Англии изо дня в день подтверждались в пику всем пессимистам. И он чувствовал, что нет сейчас столь неанглийского места, как палата общин, где людям ничего не оставалось, как строить грустные физиономии да обсуждать «создавшееся положение».

Известие о провале генеральной стачки застигло его, когда он только что отвез Флер в столовую и ехал домой. Шум и толкотня на улицах и слова «Стачка окончена», наскоро нацарапанные на всех углах, появились еще раньше, чем газетчики стали торопливо выкрикивать: «Конец стачки — официальные сообщения!» Майкл затормозил у тротуара и купил газету. Вот оно! С минуту он сидел не двигаясь, горло у него сдавило, как в тот день, когда узнали о перемирии. Исчез меч, занесенный над головой Англии! Иссяк источник радости для ее врагов! Люди шли и шли мимо него, у каждого была в руках газета, глаза глядели необычно. К этой новости относились почти так же трезво, как отнеслись к самой стачке. «Добрая старая Англия! Мы великий народ, когда есть с чем бороться», — думал он, медленно направляя машину к Трафальгар-сквер. Прислонившись к казенной ограде, стояла группа мужчин, без сомнения участвовавших в стачке. Он попытался прочесть что-нибудь у них на лицах. Радость, сожаление, стыд, обида, облегчение? Хоть убей, не разобрать. Они балагурили, перебрасывались шутками.

«Неудивительно, что мы — загадка для иностранцев, — подумал Майкл. — Самый непонятный народ в мире».

Держась края площади, он медленно проехал на Уайтхолл. Здесь можно было уловить легкие признаки волнения. Вокруг памятника неизвестному солдату и у поворота на Даунинг-стрит густо толпился народ; там и сям покрикивали «ура». Доброволец-полисмен переводил через улицу хромого; когда он повернул обратно, Майкл увидел его лицо. Ба, да это дядя Хилери! Младший брат его матери, Хилери Черрел, викарий прихода Св. Августина в «Лугах».

— Хэлло, Майкл!

— Вы в полиции, дядя Хилери? А ваш сан?

— Голубчик, разве ты из тех, которые считают, что для служителей церкви не существует мирских радостей? Ты не становишься ли консервативен, Майкл?

Майкл широко улыбнулся. Его непритворная любовь к дяде Хилери складывалась из восхищения перед его худощавым и длинным лицом, морщинистым и насмешливым; из детских воспоминаний о весельчаке-дядюшке; из догадки, что в Хилери Черреле пропадал полярный исследователь или еще какой-нибудь интереснейший искатель приключений.

— Кстати, Майкл, когда ты заглянешь к нам? У меня есть превосходный план, как прочистить «Луга».

— А, — сказал Майкл, — все упирается в перенаселение, даже стачка.

— Правильно, сын мой. Так вот, заходи поскорее. Вам, парламентским господам, нужно узнавать жизнь из первых рук. Вы там, в палате, страдаете от самоотравления. А теперь проезжайте, молодой человек, не задерживайте движение.

Майкл проехал, не переставая улыбаться. Милый дядя Хилери! Очеловечивание религии и жизнь, полная опасностей, — лазил на самые трудные горные вершины Европы — никакого самомнения и неподдельное чувство юмора. Лучший тип англичанина! Ему предлагали высокие посты, но он сумел от них отвертеться. Он был, что называется, непоседа и часто грешил отчаянной бестактностью; но все любили его, даже собственная жена. На минуту Майкл задумался о своей тете Мэй. Лет сорок, трое ребят и тысяча дел на каждый день; стриженая и веселая как птица. Приятная женщина тетя Мэй!

Поставив машину в гараж, он вспомнил, что не завтракал. Было три часа. Он выпил стакан хереса, закусывая печеньем, и пошел в палату общин. Палата гудела в ожидании официального заявления. Он откинулся на спинку скамьи, вытянул вперед ноги и стал терзаться праздными мыслями. Какие тут вершились когда-то дела! Запрещение работорговли и детского труда, закон о собственности замужней женщины, отмена хлебных законов! Но возможно ли такое и теперь? А если нет, то что это за жизнь? Он сказал как-то Флер, что нельзя два раза переменить призвание и остаться в живых. Но хочется ли ему остаться в живых? Если отпадает фоггартизм — а фоггартизм отпал не только потому, что никогда не начинался, — чем он, по существу, интересуется?

Уходя, оставить мир лучшим, чем ты застал его? Сидя здесь, он без труда усматривал в этом замысле некоторый недостаток четкости, даже если ограничить его Англией. Это была мечта палаты общин; но, захлебываясь в смене партий, она что-то медленно приближалась к ее осуществлению. Лучше наметить себе какой-то участок административной работы, крепко держаться его и чего-то добиться. Флер хочет, чтобы он занялся Кенией и индийцами. Опять что-то отвлеченное и не связанное непосредственно с Англией. Какой определенный вид работы всего нужнее Англии? Просвещение? Опять неясность! Как знать, в какое русло лучше всего направить просвещение? Вот, например, когда было введено всеобщее обучение за счет государства — казалось, что вопрос решен. Теперь говорят, что оно оказалось гибельным для самого государства. Эмиграция? Заманчиво, но не созидательно. Возрождение сельского хозяйства? Но сочетание того и другого сводилось к фоггартизму, а он успел усвоить, что только крайняя нужда убедит людей в закономерности его; можно говорить до хрипоты и все-таки не убедить никого, кроме самого себя.

Так что же?

«У меня есть превосходный план, как прочистить «Луга», — «Луга» были одним из самых скверных трущобных приходов Лондона. «Заняться трущобами, — подумал Майкл, — это хоть конкретно». Трущобы кричат о себе даже запахами. От них идет вонь, и дикость, и разложение. А между тем живущие там привязаны к ним; или, во всяком случае, предпочитают их другим, еще неизвестным трущобам. А трущобные жители такой славный народ! Жаль ими швыряться. Надо поговорить с дядей Хилери. В Англии еще столько энергии, такая уйма рыжих ребятишек! Но, подрастая, энергия покрывается копотью, как растения на заднем дворе. Перестройка трущоб, устранение дыма, мир в промышленности, эмиграция, сельское хозяйство и безопасность в воздухе. «Вот моя вера, — подумал Майкл. — И черт меня побери, если такая программа хоть для кого недостаточно обширна!»

Он повернулся к министерской скамье и вспомнил слова Хилери об этой палате. Неужели все они действительно в состоянии самоотравления — медленного и непрерывного проникновения яда в ткани? Все эти окружающие его господа воображают, что заняты делом. И он оглядел «господ». С большинством из них он был знаком и ко многим относился с большим уважением, но все скопом — что и говорить — они выглядели несколько растерянно. У его соседа справа передние зубы обнажились в улыбке утопленника. «Право же, — подумал Майкл, — прямо геройство, как это мы все день за днем сидим здесь и не засыпаем!»

VIII. ТАЙНА

У Флер не было оснований ликовать по поводу провала генеральной стачки. Не в ее характере было рассматривать такой вопрос с общенациональной точки зрения. Столовая вернула ей то общественное доверие, которое так жестоко поколебала история с Марджори Феррар; и быть по горло занятой вполне ей подходило. Нора Кэрфью, она сама, Майкл и его тетка — леди Элисон Черрел — завербовали первоклассный штат помощников всех возрастов, и по большей части из высшего общества. Они работали, выражаясь общепринятым языком, как негры. Их ничто не смущало, даже тараканы. Они вставали и ложились спать в любое время. Никогда не сердились и были неизменно веселы. Одним словом, трудились вдохновенно. Компания железной дороги не могла надивиться, как они преобразили внешний вид столовой и кухни. Сама Флер не покидала капитанского мостика. Она взяла на себя смазку учрежденческих колес, бесчисленные телефонные схватки с бюрократизмом и открытые бои с представителями правления. Она даже забралась в карман к отцу, чтобы пополнять возникающие нехватки. Добровольцев кормили до отвала, и — по вдохновенному совету Майкла — она подрывала стойкость пикетчиков, потихоньку угощая их кофе с ромом в самые разнообразные часы их утомительных бдений. Ее снабженческий автомобиль, вверенный Холли, пробирался взад и вперед через блокаду, словно у него и в мыслях не было магазина Хэрриджа, где закупались продукты.

— Надо все сделать, чтобы бастующие вздремнули на оба глаза, — говорил Майкл.

Сомневаться в успехе столовой не приходилось. Флер больше не видела Джона, но жила в том своеобразном смешении страха и надежды, которое знаменует собою истинный интерес к жизни. В пятницу Холли сообщила ей, что приехала жена Джона: нельзя ли привести ее завтра утром?

— Конечно! — сказала Флер. — Какая она?

— Очень мила, глаза, как у русалки; по крайней мере Джон так полагает. Но если русалка, то из самых симпатичных.

— М-м, — сказала Флер.

На следующий день она сверяла по телефону какой-то список, когда Холли привела Энн. Почти одного роста с Флер, прямая и тоненькая, волосы потемнее, цвет лица посмуглее и темные глаза (Флер стало ясно, что понимала Холли под словом «русалочьи»), носик чуть-чуть слишком смелый, острый подбородок и очень белые зубы — вот она, та, что заменила ее. Знает ли она, что они с Джоном...

И, протягивая ей свободную руку, Флер сказала:

— По-моему, вы как американка поступили очень благородно. Как поживает ваш брат Фрэнсис?

Рука, которую она пожала, была сухая, теплая, смуглая; в голосе, когда та заговорила, лишь чуточку слышалась Америка, словно Джон потрудился над ним.

— Вы были так добры к Фрэнсису. Он постоянно вас вспоминает. Если бы не вы...

— Это пустяки. Простите... Да-да?.. Нет! Если принцесса

приедет, передайте ей, не будет ли она так добра заехать, когда они обедают. Да, да, спасибо!.. Завтра? Конечно... Как доехали? Качало?

— Ужас! Хорошо, что Джона со мной не было. Отвратительно, когда мутит, правда?

— Меня никогда не мутит, — сказала Флер.

У этой девчонки есть Джон, и он заботится о ней, когда ее мутит! Красивая? Да. Загорелое лицо очень подвижно, похожа, пожалуй, на брата, но глаза такие манящие, куда более выразительные. Что-то есть в этих глазах, почему они такие странные и интересные? Ну да, самую малость косят! И держаться она умеет, какой-то особенный поворот шеи, прекрасная посадка головы. Одста, конечно, очаровательно. Взгляд Флер скользнул вниз, к икрам и щиколоткам. Не толстые, не кривые! Вот несчастье!

— Я так вам благодарна, что вы разрешили мне помочь.

— Ну что вы! Холли вас просветит. Вы возьмете ее в магазины, Холли?

Когда она ушла, опекаемая Холли, Флер прикусила губу. По бесхитростному взгляду жены Джона она догадалась, что Джон ей не сказал. До чего молода! Флер вдруг показалось, словно у нее самой и не было молодости. Ах, если бы у нее не отняли Джона! Прикушенная губа задрожала, и она поспешно склонилась над телефоном.

При всех новых встречах с Энн — три или четыре раза до того, как столовая закрылась, — Флер заставляла себя быть приветливой. Она инстинктом чувствовала, что сейчас не время отгораживаться от кого бы то ни было. Чем явилось для нее возвращение Джона, она еще не знала; но на этот раз, что бы она ни надумала, никто не посмеет вмешаться. Своим лицом и движениями она владеет теперь получше, чем когда они с Джоном были невинными младенцами. Ее охватила злая радость, когда Холли сказала: «Энн от вас в восторге, Флер!» Нет, Джон ничего не рассказал жене. Это на него и похоже, ведь тайна была не только его! Но долго ли эта девочка останется в неведении? В день закрытия столовой она сказала Холли:

— Жене Джона, вероятно, никто не говорил, что мы с ним были когда-то влюблены друг в друга?

Холли покачала головой.

— Тогда лучше и не нужно.

— Конечно, милая. Я позабочусь об этом. Славная, по-моему, девочка.

— Славная, — сказала Флер, — но неинтересная.

— Не забывайте, что она здесь в непривычной, чужой обстановке. В общем, американцы рано или поздно оказываются интересными.

— В собственных глазах, — сказала Флер и увидела, что Холли улыбнулась. Поняв, что немного выдала себя, она тоже улыбнулась.

— Что же, лишь бы они ладили. Так и есть, наверное?

— Голубчик, я почти не видела Джона, но, судя по всему, они в прекрасных отношениях. Теперь они собираются к нам в Уонсдон погостить.

— Чудно! Ну, вот и конец нашей столовой. Попудрим носики и поедем домой; папа ждет меня в автомобиле. Может быть, подвезти вас?

— Нет, спасибо; пойду пешком.

— Как? По-прежнему избегаете? Забавно, как живучи такие антипатии!

— Да, у Форсайтов, — проговорила Холли. — Мы, знаете, скрываем свои чувства. Чувства гибнут, когда швыряешься ими на ветер.

— А, — сказала Флер. — Ну, да хранит вас бог, как говорится, и привет Джону. Я пригласила бы их к завтраку, но ведь вы уезжаете в Уонсдон?

— Послезавтра.

В круглом зеркальце Флер увидала, что маска на ее лице стала совсем непроницаемой, и повернулась к двери.

— Возможно, что я забегу к тете Уинифрид, если улучу минутку. До свидания.

Спускаясь по лестнице, она думала: «Так это ветер убивает чувства!»

В машине Сомс разглядывал спину Ригза. Шофер был худ как жердь.

— Ну, кончила? — спросил он ее.

— Да, дорогой.

— Давно пора. На кого стала похожа!

— Разве ты находишь, что я похудела, папа?

— Нет, — сказал Сомс, — нет. Ты пошла в мать. Но нельзя так переутомляться. Хочешь подышать воздухом? В парк, Ригз!

По дороге в это тихое пристанище он задумчиво сказал:

— Я помню время, когда твоя бабушка каталась здесь каждый день, с точностью часового механизма. Тогда знали, что такое привычка. Хочешь остановиться посмотреть на этот памятник, о котором столько кричат?

— Я его видела, папа.

— Я тоже, — сказал Сомс. — Бьет на дешевый эффект. Вот статуя Сент-Годенса в Вашингтоне — это другое дело!

И он искоса посмотрел на дочь. Хорошо еще, что она не знает, как он уберег ее там от этого Джона Форсайта! Теперь-то она уж наверно узнала, что он в Лондоне, у ее тетки. А стачка кончилась, на железных дорогах восстанавливается нормальное движение, и он окажется без дела. Но, может быть, он уедет в Париж? Его мать, по-видимому, все еще там. У Сомса чуть не вырвался вопрос, но удержал инстинкт — всесильный, только когда дело касалось Флер. Если она и видела молодого человека, то не скажет ему об этом. Вид у нее немного таинственный, или это ему только чудится?

Нет! Он не мог разгадать ее мысли. Это, может, и лучше. Кто решится открыть свои мысли людям? Тайники, изгибы, излишества мыслей. Только в просеянном, профильтрованном виде можно выставить мысль напоказ. И Сомс опять искоса поглядел на дочь.

А она и правда была погружена в мысли, которые его сильно встревожили бы. Как повидать Джона с глазу на глаз до его отъезда в Уонсдон? Можно, конечно, просто зайти на Грин-стрит — и, вероятно, не увидеть его. Можно пригласить его к себе позавтракать, но тогда не обойтись без его жены и своего мужа. Увидеть его одного можно только случайно. И Флер стала строить планы. Когда она совсем было сообразила, что случайность в том и состоит, что ее невозможно спланировать, план вдруг возник. Она пойдет на Грин-стрит в девять часов утра — поговорить с Холли относительно счетов по столовой. После таких утомительных дней Холли и Энн, наверное, будут пить кофе в постели. Вэл уехал в Уонсдон. Тетя Уинифрид всегда встает поздно! Есть шанс застать Джона одного. И она повернулась к Сомсу.

— Какой ты милый, папа, что повез меня проветриться; ужасно приятно.

— Хочешь, выйдем посмотреть на уток? У лебедей в Мейплдерхеме в этом году опять птенцы.

Лебеди! Как ясно она помнит шесть маленьких «миноносцев», плывших за старыми лебедями по зеленоватой воде, в лето ее любви шесть лет назад! Спускаясь по траве к Серпентайну, она ощутила сладостное волнение. Но никто, никто не узнает о том, что с ней творится. Что бы ни случилось — а скорее всего вообще ничего не случится, — теперь-то она спасет свое лицо. Нет в мире сильней побуждения, как говорит Майкл.

— Твой дедушка водил меня сюда, когда я был мальчишкой, — прозвучал около нее голос отца. Он не добавил: «А я водил сюда ту мою жену в первое время после свадьбы». Ирэн! Она любила деревья и воду. Она любила все красивое. И она не любила его.

— Итонские курточки! Шестьдесят лет прошло, больше. Кто бы тогда подумал?

— Кто бы что подумал, папа? Что итонские курточки все еще будут носить?

— Этот, как его... Теннисон, кажется: «Старый порядок меняется, новому место дает». Не могу себе представить тебя в стоячих воротничках и юбках до полу, не говоря о турнюрах. В то время не жалели материи на платья, но знали мы о женщинах ровно столько же, сколько и теперь, — то есть почти ничего.

— Ну, не знаю. По-твоему, человеческие страсти те же, что были, папа?

Сомс задумчиво потер подбородок. Почему она это спросила? Когда-то он сказал ей, что настоящая страсть бывала только в прошлом, а она ответила, что сама ее переживает. И в памяти у него мгновенно возникла картина, как в теплице Мейплдерхема, во влажной жаре, отдающей землей и геранью, он толкнул ногой трубу водяного отопления. Может, Флер и была права тогда: от человеческой природы не уйдешь.

— Страсти! — сказал он. — Что ж, и сейчас иногда читаешь, что люди травятся газом. В прежнее время они обычно топились. Пойдем выпьем чаю, вон там есть какой-то павильон.

Когда они уселись и голуби весело принялись клевать его пирожное, он окинул дочь долгим взглядом. Она сидела, положив ногу на ногу — красивые ноги! И фигурой — от талии и выше — как-то отличалась от всех других молодых женщин, которых ему приходилось видеть. Она сидела не согнувшись, а чуть выгнув спину, отчего появлялась решительность в посадке головы. Она опять коротко остриглась — эта мода оказалась, против ожидания, живучей; но, надо признать, шея у нее на редкость белая и круглая. Лицо широкое, с твердым округлым подбородком; очень мало пудры, и губы не подкрашены, белые веки с темными ресницами, ясные светло-карие глаза, небольшой прямой нос, и широкий низкий лоб, и каштановые завитки над ушами; и рот, напрашивающийся на поцелуи, — право же, ему есть чем гордиться!

— Я полагаю, — сказал он, — ты рада, что опять можешь уделять больше времени Киту? Он плутишка! Подумай, что он попросил у меня вчера, — молоток!

— Да, он постоянно все крушит. Я стараюсь шлепать его как можно реже, но иногда без этого не обойтись — кроме меня, никому не разрешается. Мама приучила его к этому, пока нас не было, так что теперь он считает, что это в порядке вещей.

— Дети — чудны́е создания, — сказал Сомс. — В моем детстве с нами так не носились.

— Прости меня, папа, но, по-моему, больше всех с ним носишься ты.

— Что? — сказал Сомс. — Я?

— Ты исполняешь все его прихоти. Ты дал ему молоток?

— У меня его не было — к чему мне носить с собой молотки?

Флер рассмеялась.

— Нет, но ты относишься к нему совершенно серьезно. Майкл относится к нему иронически.

— Малыш не лишен чувства юмора.

— К счастью. А меня ты не баловал, папа?

Сомс уставился на голубя.

— Трудно сказать, — ответил он. — Ты чувствуешь себя избалованной?

— Когда я чего-нибудь хочу — конечно.

Это он знал; но если она не хочет невозможного...

— И если я этого не получаю, со мной не шути.

— Это кто говорит?

— Никто это не говорит, я сама знаю...

Хм! Чего же она сейчас хочет? Спросить? И, делая вид, что смахивает с пиджака крошки, он взглянул на нее исподлобья. Лицо ее, глаза, которые на мгновение остались незащищенными, заволокла какая-то глубокая... как бы это сказать? Тайна! Вот оно что!

IX. СЛУЧАЙНАЯ ВСТРЕЧА

Зажав в руке счета по столовой, Флер на мгновение задержалась у подъезда, между двумя лавровыми деревьями в кадках. Большой Бен показывает без четверти девять. Пешком через Грин-парк она пройдет минут двадцать. Кофе она выпила в постели, чтобы избежать вопросов, — а папа, конечно, тут как тут — приклеился носом к окну столовой. Флер помахала счетами, и он отшатнулся от окна, как будто она его стегнула. Папа бесконечно добр, но напрасно он все время стирает с нее пыль — она не фарфоровая безделушка!

Она шла быстрым шагом. Никаких ощущений, связанных с жимолостью, у нее сегодня не было, ум работал четко и живо. Если Джон вернулся в Англию окончательно, нужно добиться его. Чем скорее, тем лучше, без канители! На куртинах перед Букингемским дворцом только что расцвела герань, ярко-пунцовая; Флер стало жарко. Не нужно спешить, а то придешь вся потная. Деревья одевались по-летнему; в Грин-парке тянуло ветерком, и на солнце пахло травой и листьями. Много лет так хорошо не пахло весной. Флер неудержимо потянуло за город. Трава, и вода, и деревья — среди них протекли ее встречи с Джоном, один час в этом самом парке, перед тем как он повез ее в Робин-Хилл! Робин-Хилл продали какому-то пэру. Ну и пусть наслаждается; она-то знает историю этого злосчастного дома — он точно корабль, над которым тяготеет проклятие! Дом сгубил ее отца, и отца Джона, и еще, кажется, его деда, не говоря уже о ней самой. Второй раз ее так легко не сломаешь! И, выйдя на Пиккадилли, Флер мысленно посмеялась над своей детской наивностью. В окнах клуба, обязанного своим названием — «Айсиум» — Джорджу Форсайту, не было видно ни одного из его соратников, обычно созерцавших изменчивые настроения улицы, потягивая из стакана или чашки и обволакивая свои мнения клубами дыма. Флер очень смутно помнила его, своего старого родственника Джорджа Форсайта, который часто сиживал здесь, мясистый и язвительный, за выпуклыми стеклами окна. Джордж, бывший владелец «Белой обезьяны», что висит теперь наверху, у Майкла в кабинете. И дядя Монтегью Дарти, которого она видела всего один раз и хорошо запомнила, потому что он ущипнул ее за мягкое место и сказал: «Ну-ка, из чего делают маленьких девочек?» Узнав вскоре после этого, что он сломал себе шею, она захлопала в ладоши — препротивный был человек, толстолицый, темноусый, пахнувший духами и сигарами. На последнем повороте она запыхалась. На окнах дома тетки в ящиках цвела герань, фуксии еще не распустились. Не в ее ли бывшей комнате теперь поселили их? И, отняв руку от сердца, она позвонила.

— А, Смизер! Встал уже кто-нибудь?

— Пока только мистер Джон встал, мисс Флер.

И зачем так колотится сердце? Идиотство — когда не чувствуешь никакого волнения.

— Хватит и его, Смизер. Где он?

— Пьет кофе, мисс Флер.

— Хорошо, доложите. Я и сама не откажусь от второй чашки.

Она стала еле слышно склонять скрипящую фамилию, которая плыла впереди нее в столовую: «Смизер, Смизера, Смизеру, Смизером». Глупо!

— Миссис Майкл Монт, мистер Джон. Заварить вам свежего кофе, мисс Флер?

— Нет, спасибо, Смизер. — Скрипнул корсет, дверь закрылась.

Джон встал.

— Флер!

— Ну, Джон?

Ей удалось пожать ему руку и не покраснеть, хотя его щеки, теперь уже не измазанные, залил густой румянец.

— Хорошо я тебя кормила?

— Замечательно. Как поживаешь, Флер? Не слишком устала?

— Ничуть. Как тебе понравилось быть кочегаром?

— Хорошо! Машинист у меня был молодчина. Энн будет жалеть — она еще отлеживается.

— Она очень помогла нам. Почти шесть лет прошло, Джон; ты мало изменился.

— Ты тоже.

— О, я-то? До ужаса.

— Ну, мне это не видно. Ты завтракала?

— Да. Садись и продолжай есть. Я зашла к Холли, надо поговорить о счетах. Она тоже не вставала?

— Кажется.

— Сейчас пройду к ней. Как тебе живется в Англии, Джон?

— Чудесно. Больше не уеду. Энн согласна.

— Где думаешь поселиться?

— Где-нибудь поближе к Вэлу и Холли, если найдем участок; буду заниматься хозяйством.

— Все увлекаешься хозяйством?

— Больше чем когда-либо.

— Как поэзия?

— Что-то заглохла.

Флер напомнила:

— «Голос, в ночи звенящий, в сонном и старом испанском городе, потемневшем в свете бледнеющих звезд».

— Боже мой! Ты это помнишь?

— Да.

Взгляд у него был такой же прямой, как прежде, ресницы такие же темные.

— Хочешь познакомиться с Майклом, Джон, и посмотреть моего младенца?

— Очень.

— Когда вы уезжаете в Уонсдон?

— Завтра или послезавтра.

— Так, может быть, завтра вы оба придете к завтраку?

— С удовольствием.

— В половине второго. И Холли, и тетя Уинифрид. Твоя мама еще в Париже?

— Да. Она думает там и остаться.

— Видишь, Джон, все улаживается, правда?

— Правда.

— Налить тебе еще кофе? Тетя Уинифрид гордится своим кофе.

— Флер, у тебя прекрасный вид.

— Благодарю. Ты в Робин-Хилле побывал?

— Нет еще. Там теперь обосновался какой-то вельможа.

— Как твоей... как Энн, здесь интересно показалось?

— Впечатление колоссальное. Говорит, мы благородная нация. Ты когда-нибудь это находила?

— Абсолютно — нет; относительно — может быть.

— Тут так хорошо пахнет.

— Нюх поэта. Помнишь нашу прогулку в Уонсдоне?

— Я все помню, Флер.

— Вот это честно. Я тоже. Мне не так-то скоро удалось запомнить, что я забыла. Ты сколько времени помнил?

— Наверно, еще дольше.

— Ну, Майкл — лучший из всех мужчин.

— Энн — лучшая из женщин.

— Как удачно, правда? Сколько ей лет?

— Двадцать один.

— Как раз тебе подходит. Даже если б нас не разлучили, я всегда была слишком стара для тебя. Ой, какие мы были глупые, правда?

— Не нахожу. Это было так естественно, так красиво.

— Ты по-прежнему идеалист. Хочешь варенья? Оксфордское.

— Да. Только в Оксфорде и умеют варить варенье.

— Джон, у тебя волосы лежат совсем как раньше. Ты мои заметил?

— Все старался.

— Тебе не нравится?

— Раньше, пожалуй, было лучше; хотя...

— Ты хочешь сказать, что мне не к лицу отставать от моды. Очень тонко! Что она стриженая, ты, по-видимому, одобряешь.

— Энн стрижка к лицу.

— Ее брат много тебе рассказывал обо мне?

— Он говорил, что у тебя прелестный дом, что ты ухаживала за ним, как ангел.

— Не как ангел, а как светская молодая женщина. Это пока еще не одно и то же.

— Энн была так благодарна. Она тебе говорила?

— Да. Но по секрету скажу тебе, что мы, кажется, отправили Фрэнсиса домой циником. Цинизм у нас в моде. Ты заметил его во мне?

— По-моему, ты его напускаешь на себя.

— Ну, что ты? Я его отбрасываю, когда говорю с тобой. Ты всегда был невинным младенцем. Не улыбайся — был! Поэтому тебе и удалось от меня отделаться. Ну, не думала я, что мы еще увидимся.

— И я не думал. Жаль, что Энн еще не встала.

— Ты не говорил ей обо мне.

— Почему ты знаешь?

— По тому, как она смотрит на меня.

— К чему было говорить ей?

— Совершенно не к чему. Что прошло... А забавно все-таки с тобой встретиться. Ну, руку. Пойду к Холли.

Их руки встретились над его тарелкой с вареньем.

— Теперь мы не дети, Джон. Так до завтра. Мой дом тебе понравится. A rivederci![1]

Поднимаясь по лестнице, она упорно ни о чем не думала.

— Можно войти, Холли?

— Флер! Милая!

На фоне подушки смуглело тонкое лицо, такое милое и умное. Флер подумалось, что нет человека, от которого труднее скрыть свои мысли, чем от Холли.

— Вот счета, — сказала она. — В десять мне предстоит разговор с этим ослом-чиновником. Это вы заказали столько окороков?

---

[1] До свидания (*ит.*).

Тонкая смуглая рука взяла счета, и на лбу между большими серыми глазами появилась морщинка.

— Девять? Нет... да. Правильно. Вы видели Джона?

— Да. Единственная ранняя птица. Приходите все к нам завтра к завтраку.

— А вы думаете, что это будет разумно, Флер?

— Я думаю, что это будет приятно.

Она встретила пытливый взгляд серых глаз твердо и с тайной злостью. Никто не посмеет прочесть у нее в мыслях, никто не посмеет вмешаться!

— Ну отлично, значит, ждем вас всех в час тридцать. А теперь мне надо бежать.

И она побежала, но так как ни с каким «ослом-чиновником» ей встретиться не предстояло, она вернулась в Грин-парк и села на скамейку.

Так вот какой Джон теперь! Ужасно похож на Джона — тогда! Глаза глубже, подбородок упрямей — вот, собственно, и вся разница. Он все еще сияет, он все еще верит во что-то. Он все еще восхищается ею. Д-да!

В листьях над ее головой зашумел ветерок. День выдался на редкость теплый — первый по-настоящему теплый день с самой Пасхи! Что им дать на завтрак? Как поступить с папой? Он не должен здесь оставаться! Одно дело в совершенстве владеть собой; в совершенстве владеть собственным отцом куда труднее. На ее короткую юбку лег узор из листьев, солнце грело ей колени; она положила ногу на ногу и откинулась на спинку скамьи. Первый наряд Евы — узор из листьев... «Разумно?» — сказала Холли. Как знать?.. Омары? Нет, что-нибудь английское. Блинчики непременно. Чтобы отделаться от папы, нужно напроситься к нему в Мейплдерхем, вместе с Китом, на послезавтра; тогда он уедет, чтобы все для них приготовить. Мама еще не вернулась из Франции. Эти уедут в Уонсдон. Делать в городе нечего. Солнце пригревает затылок — хорошо! Пахнет травой... жимолостью! Ой-ой-ой!

X. ПОСЛЕ ЗАВТРАКА

Что из всех человеческих отправлений самое многозначительное — это принятие пищи, подтвердит всякий, кто участвует в этих регулярных пытках. Невозможность выйти из-за стола превращает еду в самый страшный вид человеческой деятельности в обществе, члены которого настолько культурны, что способны проглатывать не только пищу, но и собственные чувства.

Такое представление, во всяком случае, сложилось у Флер во время этого завтрака. Испанский стиль ее комнаты напоминал ей, что не с Джоном она провела в Испании свой медовый месяц. Один курьез произошел еще до завтрака. Увидев Майкла, Джон воскликнул:

— Хэлло! Вот это интересно! Флер тоже была в тот день в Маунт-Вернон?

Это что такое? От нее что-то скрыли?

Тогда Майкл сказал:

— Помнишь, Флер? Молодой англичанин, которого я встретил в Маунт-Вернон?

— «Корабли, проходящие ночью», — сказала Флер.

Маунт-Вернон! Так это они там встретились! А она нет!

— Маунт-Вернон — прелестное место, но вам нужно показать Ричмонд, Энн. Можно бы поехать после завтрака. Тетя Уинифрид, вы, наверно, целый век не были в Ричмонде. На обратном пути можно заглянуть в Робин-Хилл, Джон.

— Твой старый дом, Джон? О, поедемте!

В эту минуту она ненавидела оживленное лицо Энн, на которое смотрел Джон.

— А вельможа? — сказал он.

— О, — быстро вставила Флер, — он в Монте-Карло. Я только вчера прочла. А ты, Майкл, поедешь?

— Боюсь, что не смогу. У меня заседание комитета. Да и в автомобиле места только на пять человек.

— Ах, как было бы замечательно! Уж эта американская восторженность!

Утешением прозвучал невозмутимый голос Уинифрид, изрекший, что это будет приятная поездка, — в парке, вероятно, расцвели каштаны.

Правда, что у Майкла заседание? Флер часто знала, где он бывает, обычно знала более или менее, что он думает, но сейчас она была как-то не уверена. Накануне вечером, сообщая ему об этом приглашении к завтраку, она позаботилась сгладить впечатление более страстным, чем обычно, поцелуем — нечего ему забивать себе голову всякими глупостями относительно Джона. И еще, когда она сказала отцу: «Можно нам с Китом приехать к тебе послезавтра? Но ты, пожалуй, захочешь попасть туда днем раньше, раз мамы нет дома», как внимательно она вслушивалась в тон его ответа.

— Хм! Х-хорошо! Я поеду завтра утром.

Он что-нибудь почуял? Майкл что-нибудь почуял? Она повернулась к Джону.

— Ну, Джон, что ты скажешь про мой дом?

— Он очень похож на тебя.

— Это комплимент?

— Дому? Конечно.

— Значит, Фрэнсис не преувеличил?

— Нисколько.

— Ты еще не видел Кита. Сейчас позовем его. Кокер, попросите, пожалуйста, няню привести Кита, если он не спит... Ему в июле будет три года; уже ходит на большие прогулки. До чего мы постарели!

Появление Кита и его серебристой собаки вызвало звук вроде воркования, спешно, впрочем, заглушенного, так как три из женщин были Форсайты, а Форсайты не воркуют. Он стоял в синем костюмчике, чем-то напоминая маленького голландца, и, слегка хмурясь из-под светлых волос, оглядывал всю компанию.

— Подойди сюда, сын мой. Вот это — Джон, твой троюродный дядя.

Кит шагнул вперед.

— А рошадку привести?

— Лошадку, Кит. Нет, не надо. Дай ручку.

Ручонка потянулась кверху. Рука Джона потянулась вниз.

— У тебя ногти грязные.

Она увидела, что Джон вспыхнул, услышала слова Энн: «Ну не прелесть ли!» — и сказала:

— Кит, не дерзи. У тебя были бы такие же, если бы ты поработал кочегаром.

— Да, дружок, я их мою, мою, никак не отмою дочиста.

— Почему?

— Въелось в кожу.

— Покажи.

— Кит, поздоровайся с бабушкой Уинифрид.

— Нет.

— Милый мальчик! — сказала Уинифрид. — Ужасно скучно здороваться. Правда, Кит?

— Ну, теперь уходи; станешь вежливым мальчиком — тогда возвращайся.

— Хорошо.

Когда он скрылся, сопровождаемый серебристой собакой, все рассмеялись; Флер сказала тихонько:

— Вот дрянцо — бедный Джон! — И сквозь ресницы поймала на себе благодарный взгляд Джона.

В этот погожий день середины мая с Ричмонд-Хилла во всей красе открывался широкий вид на море зелени, привлекавший сюда с незапамятных времен, или, вернее, с времен Георга IV, столько Форсайтов в ландо и фаэтонах, в наемных каретах и автомобилях. Далеко внизу поблескивали излучины реки; только листва дубов отливала весенним золотом, остальная зелень уже потемнела, хоть и не было еще в ней июльской тяжести и синевы. До странности мало построек было видно среди полей и деревьев; в двенадцати милях от Лондона — и такие скудные признаки присутствия человека. Дух старой Англии, казалось, отгонял нетерпеливых застройщиков от этого места, освященного восторженными восклицаниями четырех поколений.

Из пяти человек, стоящих на высокой террасе, Уинифрид лучше других сумела выразить словами этот охраняющий дух. Она сказала:

— Какой красивый вид!

Вид, вид! А все-таки вид теперь понимали иначе, чем раньше, когда старый Джолион лазил по Альпам с квадратным ранцем коричневой кожи, который до сих пор служил его внуку; или когда Суизин, правя парой серых и важно поворачивая шею к сидящей рядом с ним даме, указывал хлыстом на реку и цедил: «Недурной видик!» Или когда Джемс, подобрав под подбородок длинные колени в какой-нибудь гондоле, недоверчиво поглядывал на каналы в Венеции и бормотал: «Никогда мне не говорили, что вода такого цвета». Или когда Николас, прогуливаясь для моциона в Мэтлоке, заявлял, что нет в Англии более красивого ущелья. Да, вид стал не тем, чем был. Все началось с Джорджа Форсайта и Монтегью Дарти, которые, поворачиваясь к виду спиной, с веселым любопытством разглядывали привезенных на пикник молоденьких хористок; а теперь молодежь и вовсе обходится без этого слова и просто восклицает: «Черт!» — или что-нибудь в том же роде.

Но Энн, как истая американка, конечно, всплеснула руками и стала ахать:

— Ну какая прелесть, Джон! Как романтично!

Потом был парк, где Уинифрид, как заведенная, нараспев восторгалась каштанами и где каждая тропинка, и поляна с папоротником, и упавшее дерево наводили Джона или Холли на воспоминания о какой-нибудь поездке верхом.

— Посмотри, Энн, вот тут я мальчишкой соскочил на полном ходу с лошади, когда потерял стремя и разозлился, что меня подкидывает.

Или:

— Посмотри, Джон! По этой просеке мы с Вэлом скакали наперегонки. О! А вот упавшее дерево, мы через него прыгали. Все на старом месте.

И Энн добросовестно восхищалась при виде оленей и травы, столь не похожих на их американские разновидности.

Сердцу Флер парк не говорил ничего.

— Джон, — сказала она вдруг, — как ты думаешь попасть в Робин-Хилл?

— Скажу дворецкому, что хочу показать моей жене, где я провел детство; и дам ему парочку веских оснований. В дом идти мне не хочется, мебель вся новая, все не то.

— Нельзя ли пройти снизу, через рощу? — И глаза ее добавили: «Как тогда».

— Рискуем встретить кого-нибудь, и нас выставят.

«Парочка веских оснований» дала им доступ в имение с верхнего шоссе; владельцы находились в отъезде.

Шедевр Босини купался в своих самых теплых тонах. Шторы были спущены, так как солнце ударяло с фасада, где качелей у старого дуба теперь не было. В розарии Ирэн, который сменил папоротники старого Джолиона, завязывались бутоны, но распустилась только одна роза.

— «О роза, испанская гостья!»

У Флер сжалось сердце. Что подумал Джон, что вспомнил, говоря эти слова, нахмурив лоб? Вот здесь она сидела, между его отцом и его матерью, и думала, что когда-нибудь они с Джоном будут здесь жить; вместе будут смотреть, как цветут розы, как осыпаются листья старого дуба, вместе говорить своим гостям: «Посмотрите! Вон Эпсомский ипподром. Видите, за теми вон тополями!»

А теперь ей нельзя даже идти с ним рядом, он, как гид, все показывает этой девчонке, своей жене! Вместо этого она шла рядом с теткой. Уинифрид была чрезвычайно заинтригована. Она еще никогда не видела этого дома, который Сомс выстроил трудами Босини, который Ирэн разорила «этой своей несчастной историей», дом, где умерли старый дядя Джолион и кузен Джолион и где, точно в насмешку, жила Ирэн и родила этого молодого человека Джона, очень, кстати сказать, симпатичного!

Дом, занимающий такое большое место в форсайтских анналах. Он очень аристократичен и теперь принадлежит пэру Англии; и раз уж он ушел из владения семьи — это, пожалуй, не плохо. В фруктовом саду она сказала Флер:

— Твой дедушка однажды приезжал сюда посмотреть, как идет постройка. Я помню, он тогда сказал: «Недешево станет содержать такой дом». И он, наверно, был прав. Но все-таки жаль, что его продали. Все Ирэн, конечно. Она никогда не ценила семью. Вот если бы... — но она удержалась и не сказала: «Вы с Джоном поженились».

— Ну к чему Джону такое имение, тетя, и так близко от Лондона? Он поэт.

— Да, — проговорила Уинифрид не очень быстро, потому что в ее молодости быстрота была не в моде, — стекла, пожалуй, слишком много.

И они пошли вниз по лугу.

Роща! Вот и она, на том конце поля. И Флер задержалась, постояла около упавшего дерева, подождала, пока смогла сказать:

— Слышишь, Джон? Кукушка!

Крик кукушки и синие колокольчики под лиственницами! Рядом с ней неподвижно замер Джон. Да, и весна замерла. Опять кукушка, еще, еще!

— Вот тут мы набрели на твою маму, Джон, и кончилось наше счастье. О Джон!

Неужели такой короткий звук мог так много значить, столько сказать, так поразить? Его лицо! Она сейчас же вскочила на упавшее дерево.

— Не верь в привидения, милый!

И Джон вздрогнул и посмотрел на нее.

Она положила руки ему на плечи и соскочила на землю. Они пошли дальше по колокольчикам. И вслед им закуковала кукушка.

— Повторяется эта птица, — сказала Флер.

XI. БЛУЖДАНИЯ

Инстинкт в отношении к дочери, ставший уже привычной защитной окраской, под которой Сомс укрывался от козней судьбы, еще накануне, когда Флер ушла из дому, пока он пил кофе, подсказал ему, что она что-то замышляет. Когда она с улицы помахала ему в окно бумагами, вид у нее был неестественный или, во всяком случае, такой, точно она что-то от него скрыла. Как не вполне искренний оттенок голоса дает собаке почуять, что от нее сейчас уйдут, так Сомс почуял неладное в слишком показном жесте этой руки с бумагами. Поэтому он допил кофе быстрее, чем полагалось бы человеку, с детства привязанному к варенью, и отправился на Грин-стрит. Поскольку там остановился этот молодой человек Джон, именно в этом фешенебельном квартале следовало искать причин всякого беспокойства. А кроме того, если было еще в мире место, где Сомс мог отвести душу, то это была гостиная его сестры Уинифрид, комната, в которую он сам в 1879 году так прочно внедрил личность Людовика XV, что, несмотря на джаз и на стремление Уинифрид идти в ногу с более строгой модой, неисправимое легкомыслие этого монарха все еще давало себя чувствовать.

Сомс сделал порядочный крюк, заглянул по пути в «Клуб знатоков» и пришел на Грин-стрит, когда Флер уже ушла. Первое же замечание Смизер усилило тревогу, которая выгнала его из дому.

— Мистер Сомс! Ах, какая жалость! Мисс Флер только что ушла. И никто еще не вставал, только мистер Джон.

— О, — сказал Сомс, — она его видела?

— Да, сэр. Он в столовой; может, пройдете?

Сомс покачал головой.

— Сколько времени они еще здесь пробудут, Смизер?

— Я как раз слышала, как миссис Вэл говорила, что они все уезжают в Уонсдон послезавтра. Мы останемся опять совсем одни; может, надумаете погостить у нас, мистер Сомс?

Сомс опять покачал головой.

— Я очень занят, — сказал он.

— И красавица же стала мисс Флер; такая она была сегодня румяная!

Сомс издал какой-то нечленораздельный звук. Новость пришлась ему не по душе, но он не мог сказать это вслух, когда перед ним был не человек, а целое учреждение. Трудно было установить, что известно Смизер. В свое время она проскрипела себе дорогу почти ко всем домашним тайнам, начиная с той поры, когда его собственные семейные дела снабжали дом Тимоти более чем достаточным материалом для сплетен. Да, а теперь не его ли семейные дела, да еще в двух изданиях, продолжают поставлять сырье? В эту минуту для него было что-то зловещее в том, что сын узурпатора Джолиона находится здесь, в этом доме, наиболее близко напоминающем прежнее средоточие Форсайтов, дом Тимоти на Бэйсуотер-роуд. Какая превратность во всем! И вторично издав тот же нечленораздельный звук, он сказал:

— Кстати, этот мистер Стэйнфорд, вероятно, не заходил сюда больше?

— Как же, мистер Сомс, вчера заходил к мистеру Вэлу, но мистер Вэл уже уехал.

— Ах вот как? — Сомс сделал круглые глаза. — Что он на этот раз утащил?

— О, я была не так глупа, чтобы впустить его.

— Вы не дали ему загородный адрес мистера Вэла?

— О нет, сэр, он знал его.

— Ого!

— Доложить, что вы здесь, мистер Сомс? Миссис теперь уж, верно, почти оделась.

— Нет, не беспокойте ее.

— Вот обидно, сэр; она всегда так радуется вашему приходу.

Старуха Смизер фамильярничает! Добрая душа! Теперь таких слуг не осталось. И, притронувшись рукой к шляпе, Сомс проговорил:

— Ну, до свидания, Смизер, передайте ей привет! — и ушел.

«Так, — подумал он, — Флер с ним виделась!» Все начнется сначала. Он так и знал. И очень медленно, слегка надвинув шляпу на глаза, он направился к углу Гайд-парка. Это был для него сугубо критический момент: предстояло укрепиться в одном из двух одинаково опасных решений. С обычной склонностью забегать вперед во всех вопросах, угрожающих основным устоям жизни, — склонностью, унаследованной от его отца Джемса, — Сомс уже видел в мыслях исковерканное будущее дочери, с которым было неразрывно связано и его собственное.

«Такая она была сегодня румяная!» Когда она махала ему этими бумагами, она была бледна, слишком бледна! Дурацкий случай! И еще во время утреннего завтрака! Самое худшее время дня — самое интимное! Как прирожденный реалист, он уже опасался всего, что кроется в идее первого завтрака. Те, кто завтракают вместе, обычно и спят вместе. Начнет теперь выдумывать. И притом они уже не дети! Ну, все зависит от того, каковы их чувства, если они у них еще сохранились. А кто это знает? Кто, скажите на милость, может это знать? Он машинально зашагал вокруг памятника артиллерии. Этот большой белый монумент он еще ни разу не рассмотрел как следует, да и не испытывал к тому особого желания. Сейчас он показался ему очень жизненным и подходил к его настроению — не увиливал от правды; ничего напыщенного в этом орудии — короткая тявкающая игрушка; и эти темные мужские фигуры в стальных шлемах, исхудалые и стойкие! Ни признака красивости в этом памятнике, никаких ангелов с крыльями, ни Георгиев-Победоносцев, ни драконов, ни вздыбленных коней, ни лат, ни султанов. Вот он громоздится, как большая белая жаба, на жизни народа. Гром, обращенный в бетон. Никаких иллюзий! Невредно посматривать на него эдак раз в день, чтобы не забыть, чего не надо делать. «Вот бы ткнуть в него носом всех этих кронпринцев и бравых вояк, — подумал он, — с их — как это? — «славными, веселыми войнами». И, перейдя на солнечную сторону улицы, он вошел в парк и направился к Найтсбриджу.

Но как же Флер? Что ему делать — взять быка за рога или молчать и ждать? Одно из двух. Теперь он шел быстро, в лице и походке появилась сосредоточенность, словно он прислушивался к собственным мыслям, чтобы принять окончательное решение. Он вышел из парка и, окинув невидящим взором две-три лавки, где в свое время сделал не одну покупку, выгодную когда для него, а когда и для торговца, стал пробираться мимо Тэттерсола[1]. Долговечное учреждение: здесь, кажется, и сейчас торгуют лошадьми. Сам он никогда лошадьми не увлекался, но нельзя было прожить несколько лет на Монпелье-сквер и не знать в лицо завсегдатаев Тэттерсола. Здание, вероятно, скоро снесут, как сносят все, что несовременно, и воздвигнут на его месте гараж или кино!

Что, если поговорить с Майклом? Нет! Более чем бесполезно. Впрочем, о Флер и этом мальчике он ни с кем не мог говорить — за этим тянулась слишком длинная повесть, и эта повесть была о нем самом. Монпелье-сквер! Он добрел до него — умышленно или нет, он сам не знал. Все было по-старому, только сильно приглажено с тех пор, как он был здесь последний раз, вскоре после войны. На постройках и отделке зданий немало заработали в последнее время, ни о чем другом нельзя этого сказать. Он пошел по правой стороне узкого сквера, где изведал когда-то столько трагических треволнений. Вот и дом, почти такой же, как был, чуть менее опрятный, чуть более разукрашен-

---

[1] Самый большой конный двор в Лондоне.

ный. Зачем он женился на этой женщине? Почему так добивался этого? Что и говорить — она всячески старалась его отдалить. Но боже, как он хотел ее! Он до сих пор это помнит. И вначале... вначале он думал, и, может быть, она думала... но кто знает, он никогда не знал. А потом медленно — или скоро? — конец! Страшная история! Он стоял у решетки сквера и смотрел на дверь, в которую когда-то входил, словно из ее зеленой краски и медной дощечки с номером надеялся почерпнуть вдохновение, узнать, как задушить в своей дочери любовь к сыну своей жены, — да, задушить, прежде чем любовь разрастется и сама ее задушит.

И как в те далекие дни и ночи, возвращаясь домой, он тщетно искал вдохновенного способа пробудить любовь, так теперь вдохновение не подсказывало ему, как убить любовь. И он сердито повернул к выходу из сквера.

Собственно говоря, беспокоиться решительно не о чем: Майкл, как-никак, хороший человек: и ее брак, насколько он понимает, далеко не из несчастных. Что до юного Джона, он, надо полагать, женился по любви, других оснований для женитьбы не было; по имеющимся у него сведениям, эта девушка и ее брат — музейные редкости: двое американцев почти без средств. А между тем оставалось недосягаемое, и он не мог забыть, как Флер всегда его добивалась. Желание иметь то, чего у нее еще не было, всегда было самой характерной ее чертой. И как забыть тот час, шесть лет назад, забыть ее фигурку, скомканную и вдавившуюся в диван в темной комнате в тот вечер, когда он вернулся из Робин-Хилла и привез ей ответ. Мысленно проглядывая всю ее последующую жизнь, Сомс остро и тревожно ощутил, что она будто топталась все время на месте, что все ее разнообразные интересы, вплоть до Кита, были для нее не более чем суррогатом. Как вся ее эпоха, она передвигала ноги, но никуда не могла прийти, потому что не знала, куда ей хочется прийти. И все-таки за последнее время, после путешествия вокруг света, он как будто улавливал в ее поведении что-то более спокойное и устойчивое, словно она нашла какую-то линию и налаживает отношения хотя бы с собственной, раз заведенной жизнью. Взять, например, эту столовую — как хорошо она с ней справилась. И, обратив лицо к дому, Сомс вспомнил поляну недалеко от Мейплдерхема, где какой-то болван развел костер и сжег заросли дрока и где теперь, сквозь обугленные их остатки, нахально пробивалась свежая, зеленая трава. Как подумаешь — и во всем такая же картина! Война выжгла все и всех, но вот растения и люди понемногу пускают новые ростки, точно опять почувствовали, что, может быть, и стоит еще пожить. Ну конечно, даже к нему вернулось прежнее желание знатока приобретать хорошие вещи! Все зависит от того, что видишь впереди, и от того, можно ли есть и пить и не ждать, что завтра умрешь. Этот план Дауэса, и локарнская затея, и провал генеральной стачки — может быть, теперь и наступит опять долгая полоса мира, как при Виктории, и откроются какие-то возможности. Ему семьдесят один год, но всегда можно сослаться на Тимоти, который дожил до ста — неподвижная звезда на меняющемся небосводе. А Флер — ей только двадцать пять, она может пережить наш век, если она, то есть, вернее, век, вовремя усмирит свои незаконные страсти, свои беспорядочные стремления, все эти глупые, ни к чему не ведущие метания. Если все устроится, еще возможно, что это будет золотой век или хотя бы платиновый. Даже он, чего доброго, доживет до подоходного налога в полкроны. «Нет, — думал он, путая дочь с веком, — нельзя ей ставить на карту свою репутацию. Это недальновидно». И, разогревшись от ходьбы, он решил, что не будет говорить с ней и подождет — положится на здравый смысл, в котором у нее, слава богу, нет недостатка. «Держать ухо востро и ни с кем не говорить, — подумал он, — словами только напортишь».

Он опять дошел до памятника артиллерии и еще раз обошел вокруг него. Нет! Неудачная вещь, думалось ему теперь, — слишком натуральная и тяжеловесная. Может эта белая махина способствовать повышению акций? В конце концов лучше было дать что-нибудь с крыльями. Что-нибудь такое, от чего людям хотелось бы покупать акции или поступать в услужение; что помогло бы принять жизнь, а не напоминало бы все время, что один раз их уже взорвали на воздух и, наверно, опять взорвут. Он где-то читал, что эти молодчики из артиллерии любят свои орудия и хотят, чтобы им о них напоминали. Но кто, кроме них, любит их орудия и жаждет напоминания? Не молодчики из артиллерии будут каждый день смотреть на эту штуку перед больницей Сент-Джордж, а самые обыкновенные Том, Дик, Гарри, Питер, Глэдис, Джон и Марджори. «Ошибка, — думал Сомс, — и грубейшая. Что-нибудь успокаивающее, статуя Вулкана или воин на коне — вот что здесь требуется». И, вспомнив Георга III на коне, он мрачно усмехнулся. Думай не думай — памятник стоит и будет стоять. Но скульпторам давно пора вернуться к нимфам и дельфинам и прочим атрибутам налаженной жизни.

Когда за завтраком Флер высказала предположение, что ему потребуется день в Мейплдерхеме до того, как приедет она с Китом, он опять почувствовал, что за этим что-то кроется; но, радуясь ее приезду, промолчал и не упомянул про свой визит на Грин-стрит.

— Погода как будто установилась, — сказал он. — Тебе нужно на солнце после этой столовой. Все толкуют об ультрафиолетовых лучах. Прежде удовлетворялись просто солнцем. Скоро доктора откопают что-нибудь экстрарозовое. Уж сидели бы спокойно!

— Милый, это их развлекает.

— Заново открывают то, что прекрасно знали наши бабушки, и называют по-новому! Вот, например, теперь нельзя ничего назвать питательным, потому что выдумали слово «витамин». Да твой дед всю жизнь ел по апельсину в день, потому что в начале прошлого века ему предписал это его старый доктор. Витамины! Ты смотри, как бы Кит не стал привередлив в еде. Хорошо еще, что ему не скоро в школу. Уж это школьное питание!

— Тебя так плохо кормили, папа?

— Плохо! Я вообще не знаю, как мы выросли. Основная еда у нас занимала двадцать минут, а через десять минут мы уже играли в футбол. Но в те времена никто не думал о пищеварении.

— Может быть, поэтому и стоит подумать о нем теперь?

— В хорошем пищеварении весь секрет жизни, — сказал Сомс.

Он посмотрел на дочь. Слава богу, она-то не тощая. Насколько ему известно, пищеварение у нее превосходное. Пусть воображает, что влюблена или не влюблена, но пока ее пищеварение не напоминает о себе, ничего не страшно.

— Главное — побольше ходить в наш век автомобилей, — сказал он.

— Да, — сказала Флер, — я сегодня хорошо прошлась.

Не вызов ли она ему бросает поверх яблочной шарлотки? Если и так, он не поддастся.

— Я тоже, — сказал он, — где только не был. Вот теперь поиграем в гольф.

Она поглядела на него, а потом сказала странную вещь:

— Да, вероятно, я уж достаточно стара для гольфа.

Ну что она хотела этим сказать?

XII. ЛИЧНЫЕ ПЕРЕЖИВАНИЯ

В день званого завтрака и поездки в Робин-Хилл у Майкла действительно было заседание комитета, но, кроме того, у него были личные переживания, в которых он хотел разобраться. Есть люди, которые, раз обнаружив, что счастье их под угрозой, уже не могут судить без предубеждения о том, кто нарушил их покой. Майкл был не таков. Молодой англичанин, встреченный им в доме старого американца Георга Вашингтона, понравился ему не только потому, что он был англичанин; и теперь, когда он сидел за столом рядом с Флер — ее троюродный брат и первая любовь, — Майкл не мог переменить свое мнение. У молодого человека было симпатичное лицо — красивее, чем у него самого, — хорошие волосы, энергичный подбородок, прямой взгляд и скромные манеры; не было смысла закрывать глаза на все это. Свобода торговли в вопросах любви, принятая среди порядочных людей, исключала возможность даже мысленного применения более жестких норм протекционизма. К счастью, молодой человек женат на этой милой тоненькой девочке с глазами — по выражению миссис Вэл, — как у самой невинной русалки. Поэтому личные переживания Майкла касались больше Флер, чем Джона. Но нелегко было прочесть выражение ее лица, проследить извилины ее мыслей, добраться до ее сердца; и может быть, причиной всему этому Джон Форсайт? Он вспомнил, как сводная сестра этого мальчика, Джун Форсайт, стареющая, но вечно подвижная маленькая женщина, выпалила ему в лицо на Корк-стрит, что Флер должна была выйти замуж за ее маленького братца — он тогда впервые услышал об этом. Как болезненно поразило его открытие, что он играет всего только вторую скрипку в жизни любимой! Он вспомнил также кое-какие осторожные и предостерегающие намеки Старого Форсайта. В устах этого образца скрытности и подавленных чувств они произвели на Майкла глубокое и прочное впечатление, еще усиленное неудачами его собственных попыток добраться до тайников сердца Флер. Он шел в комитет, но ум его был не целиком занят общественными вопросами. Какой причине, расстроившей этот юный роман, был он обязан своим счастьем? Это не было внезапное отвращение, или болезнь, или денежные затруднения; и не родство — ведь миссис Вэл Дарти, по-видимому, вышла за троюродного брата со всеобщего согласия. Нужно помнить, что Майкл остался в полном неведении относительно семейной тайны Сомса. Те из Форсайтов, с которыми он был знаком, не любили говорить о семейных делах и ни словом о ней не обмолвились. А Флер никогда не говорила о своей первой любви, а о том, почему из нее ничего не вышло, — и подавно. И все же какая-то причина есть; и, не зная ее, нечего пытаться понять теперешние чувства Флер.

Его комитет заседал в связи с деятельностью министерства здравоохранения по регулированию рождаемости; и пока кругом доказывали, почему для других предосудительно то, что он сам постоянно делает, его осенила мысль: что, если пойти к Джун Форсайт и спросить ее? Найти ее можно по телефонной книге — имя редкое, не спутаешь.

— А вы что скажете, Монт?

— Что же, сэр, если нельзя вывозить детей в колонии или так или иначе форсировать эмиграцию, ничего не остается, как регулировать рождаемость. Мы, представители высших и средних классов, это и делаем и закрываем глаза на моральную сторону вопроса, если она существует; и я, право, не вижу, как мы можем делать упор на моральной стороне в отношении тех, у кого нет и четвертой части наших оснований обзаводиться целой кучей детей.

— Мой милый Монт, — ухмыляясь, сказал председатель, — не кажется ли вам, что вы расшатываете основу всех привилегий?

— Очень возможно, — сказал Майкл, ухмыляясь в ответ. — Я, конечно, считаю, что эмиграция детей куда лучше; но в этом, кажется, никто со мной не согласен.

Все хорошо знали, что эмиграция детей — конек «юного Монта», и без особого восторга ожидали минуты, когда он его оседлает. И так как никто лучше Майкла не отдавал себе отчета в том, что он чудак, поскольку считает невозможным в политике положение, когда и волки сыты, и овцы целы, он больше не стал говорить. Предчувствуя, что они еще долго будут ходить вокруг да около и все-таки ни к чему не придут, он вскоре извинился и вышел.

Он нашел нужный адрес: «Мисс Джун Форсайт, Тополевый Дом, Чизик», и сел в хэммерсмитский автобус.

Как быстро все возвращается к нормальному состоянию! Невероятно трудно расшатать такой огромный, сложный и эластичный механизм, как жизнь нации. Автобус катил, покачиваясь, среди других бесчисленных машин и сонмищ пешеходов, и Майклу стало ясно, как крепки два основных устоя современного общества — всеобщая потребность есть, пить и двигаться и то обстоятельство, что столько народу умеет управлять автомобилем. «Революция? — подумал он. — Никогда еще она не имела так мало шансов. Машин ей не одолеть».

Разыскать «Тополевый Дом» оказалось нелегко, а найдя его, Майкл увидел небольшой особняк с большим ателье окнами на север. Он стоял за двумя тополями, высокий, узкий, белый, как привидение. Дверь отворила какая-то иностранка. Да, мисс Форсайт в ателье, с мистером Блэйдом. Майкл послал свою карточку и остался ждать на сквозняке, чувствуя себя до крайности неловко, так как, добравшись наконец до места, он ломал себе голову, зачем он здесь. Как узнать то, что ему нужно, не показав вида, что он за этим и явился, было выше его понимания; ведь такого рода сведений можно добиться, только задавая вопросы в упор.

Его пригласили пройти наверх, и по дороге он стал репетировать свою первую ложь. Он вошел в ателье — большая комната с обтянутыми зеленым полотном стенами, висящие и составленные на полу холсты, обычное возвышение для натуры, затемненный верхний свет и полдюжины кошек — и услышал легкое движение. Воздушная маленькая женщина в свободном зеленом одеянии, с короткими седыми волосами встала с низкой скамеечки и шла к нему навстречу.

— Здравствуйте. Вы, конечно, знаете Харолда Блэйда?

Молодой человек, у ног которого она только что сидела, встал перед Майклом — квадратный, хмурый, смуглолицый, с тяжелым взглядом.

— Вы, наверное, знаете его прекрасные рафаэлитские работы.

— О да! — сказал Майкл, думая в то же время: «О нет!»

Молодой человек свирепо изрек:

— Он в жизни обо мне не слышал.

— Нет, в самом деле, — промямлил Майкл. — Но скажите мне, почему рафаэлитские? Меня всегда это интересовало.

— Почему! — воскликнула Джун. — Потому что он единственный человек, вернувший нам ценности прошлого; он заново открыл их.

— Простите, я мало что смыслю в вопросах искусства — мне казалось, на то у нас есть академики!

— Академики! — воскликнула Джун так страстно, что Майкл вздрогнул. — Ну, если вы еще верите в них...

— Да нет же, — сказал Майкл.

— Харолд — единственный рафаэлит; конечно, ему подражают, но он будет и последним. Так всегда бывает. Великие художники создают школы, но их школы очень немногого стоят.

Майкл с новым интересом взглянул на «первого и последнего рафаэлита». Лицо ему не понравилось, но в нем, как в лице припадочного, была какая-то сила.

— Разрешите посмотреть? Интересно, мой тесть знаком с вашими работами? Он большой коллекционер и вечно в поисках картин.

— Сомс! — сказала Джун, и Майкл опять вздрогнул. — Он начнет коллекционировать Харолда, когда нас никого в живых не будет. Вот, посмотрите!

Майкл отвернулся от рафаэлита, пожимавшего плотными плечами. Перед ним был, несомненно, портрет Джун. Большое сходство, гладкая манера письма, зеленые и серебристые тона, и вокруг головы — намек на сияние.

— Предельная чистота линий и красок! И вы думаете, это повесили бы в Академии?

«По-моему, как раз это и повесили бы», — подумал Майкл, стараясь выражением лица не выдать своего мнения.

— Мне нравится этот намек на сияние, — проговорил он.

Рафаэлит разразился резким, коротким смешком.

— Я пойду погуляю, — сказал он. — К ужину вернусь. До свидания.

— До свидания, — сказал Майкл не без облегчения.

— Конечно, — сказала Джун, когда они остались одни, — он единственный, кто мог бы написать портрет Флер. Он прекрасно уловил бы ее современный стиль. Может быть, она захочет. Вы знаете, все против него, ему так трудно бороться.

— Я спрошу ее. Но скажите, почему все против него?

— Потому что он прошел через все эти пустые новаторские увлечения и вернулся к чистой форме и цвету. Его считают ренегатом и обзывают академиком. Так бывает со всеми, у кого хватает мужества восстать против моды и творить, как подсказывает собственный гений. Я уже в точности знаю, что он сделает из Флер. Для него это была бы большая удача, потому что он очень горд, а ведь заказ исходил бы от Сомса. И для нее, конечно, прекрасно. Ей бы надо ухватиться за это, через десять лет он будет знаменит.

Майкл сомневался, что Флер за это «ухватится» или что Сомс даст заказ, и ответил осторожно:

— Я позондирую ее. Кстати, у нас сегодня завтракала ваша сестра Холли и ваш младший брат с женой.

— О! — сказала Джун. — Я еще не видела Джона, — и прибавила, глядя на Майкла честными синими глазами: — Зачем вы пришли ко мне?

Перед этим вызывающим взглядом вся дипломатия Майкла пошла насмарку.

— Откровенно говоря, — сказал он, — я хотел узнать у вас, почему Флер разошлась с вашим братом.

— Садитесь, — сказала Джун и, подперев рукой острый подбородок, посмотрела на него, переводя взгляд из стороны в сторону, как кошка.

— Я рада, что вы прямо спросили. Терпеть не могу, когда говорят обиняком. Разве вы не слышали про его мать? Ведь она была первой женой Сомса.

— О! — сказал Майкл.

— Ирэн, — и Майкл почувствовал, как при звуке этого имени в Джун шевельнулось что-то глубокое и первобытное. — Очень красивая. Они не ладили. Она ушла от него, а через много лет вышла за моего отца, а Сомс с ней развелся. То есть Сомс развелся с ней, а потом она вышла за моего отца. У них родился Джон. А потом, когда Джон и Флер влюбились друг в друга, Ирэн и мой отец были страшно огорчены, и Сомс тоже — по крайней мере я так полагаю.

— А потом? — спросил Майкл, когда она замолчала.

— Детям все рассказали; и тут как раз умер мой отец, Джон пожертвовал собой и увез мать в Америку, а Флер вышла замуж за вас.

Так вот оно что! Несмотря на краткость и отрывочность ее рассказа, он чувствовал, как много здесь кроется трагических переживаний. Бедные ребятки!

— Я всегда об этом жалела, — неожиданно сказала Джун. — Ирэн должна была бы пойти на это. Только... только они не были бы счастливы. Флер большая эгоистка. Вероятно, Ирэн поняла это.

Майкл попробовал возмутиться.

— Да, — сказала Джун, — вы хороший человек, я знаю, вы слишком хороши для нее.

— Неправда, — резко сказал Майкл.

— Нет, правда. Она не плохая, но очень эгоистична.

— Не забывайте, пожалуйста...

— Сядьте! Не обижайтесь на мои слова. Я просто, знаете ли, говорю правду. Конечно, все это было очень тяжело. Сомс и мой отец были двоюродные братья. А дети были отчаянно влюблены.

И снова от ее фигурки на Майкла повеяло глубоким и первобытным чувством, и в нем самом проснулось что-то глубокое и первобытное.

— Грустно! — сказал он.

— Не знаю, — быстро подхватила Джун, — не знаю; может быть, все вышло к лучшему. Ведь вы счастливы?

Как под дулом револьвера, он встал навытяжку и отрапортовал:

— Я-то да, но она?

Серебристо-зеленая фигурка выпрямилась. Джун схватила его за руку и сжала ее. В этом движении была ужасающая искренность, и Майкла это тронуло. Ведь он видел ее до сих пор всего два раза!

— Как бы там ни было, Джон женат. Какая у него жена?

— Внешность прелестная, кажется — очень милая.

— Американка, — глубокомысленно изрекла Джун. — А Флер наполовину француженка. Я рада, что у вас есть сын.

Майкл в жизни не встречал человека, чьи слова, сказанные без всякого умысла, вселяли бы в него такую тревогу. Почему она рада, что у него сын? Потому что это страховка... от чего?

— Ну, — пробормотал он, — очень рад, что я наконец узнал, в чем дело.

— Напрасно вам раньше не сказали; впрочем, вы и сейчас ничего не знаете. Нельзя понять, что такое семейные распри и чувства, если сам их не пережил. Я-то понимаю, хоть и сердилась из-за этих детей. Видите ли, в давние времена я сама держала сторону Ирэн против Сомса. Я хотела, чтобы она еще в самом начале ушла от него. Ей прескверно жилось, он был такой... такой слизняк, когда дело шло о его драгоценных правах; и гордости настоящей в нем не было. Подумать только, навязываться женщине, которая вас не хочет!

— Да, — повторил Майкл, — подумать только!

— В восьмидесятых и девяностых годах люди не понимали, до чего это противно. Хорошо, хоть теперь поняли.

— Поняли? — протянул Майкл. — Ну, не знаю!

— Конечно, поняли.

Майкл не решился возражать.

— Теперь в этом отношении куда лучше, чем было, нет того глупого мещанства. Странно, что Флер вам всего этого не рассказала.

— Никогда ни словом не упомянула.

— О!

Это прозвучало удручающе, так же как и все ее более пространные реплики. Она явно думала то же, что думал он сам: Флер была задета слишком глубоко, чтобы говорить об этом. Он даже не был уверен, знает ли Флер, что до него дошла ее история с Джоном.

И, вдруг почувствовав, что с него довольно удручающих реплик, он поднялся.

— Большое спасибо, что сказали мне. А теперь простите, мне пора.

— Я зайду поговорить с Флер относительно портрета. Нельзя упускать такой случай для Харолда. Нужно же ему получать заказы.

— Разумеется! — сказал Майкл. Он надеялся, что Флер лучше его сумеет отказаться.

— Ну, до свидания!

Дойдя до двери, он оглянулся, и у него сжалось сердце: одна в этой громадной комнате, она казалась такой воздушной, такой маленькой! Серебристые волосы, напряженное личико, которому выражение восторженности, хоть и направленной не по адресу, все еще придавало молодой вид. Он что-то получил от нее, а ей ничего не оставил; и разбередил в ней какое-то давнишнее личное переживание, какое-то чувство, не менее, может быть, более сильное, чем его собственное.

До чего она, верно, одинока! Он помахал ей рукой.

Флер была уже дома, когда он пришел. И Майкл вдруг сообразил, что единственное объяснение его визита к Джун Форсайт — это она и Джон!

«Нужно написать этой маленькой женщине, попросить, чтобы не рассказывала», — подумал он. Не годится, чтобы Флер узнала, что он рылся в ее прошлом.

— Хорошо покатались? — спросил он.

— Очень. Энн напоминает мне Фрэнсиса, только глаза другие.

— Да, они оба мне понравились тогда в Маунт-Вернон. Странная была встреча, правда?

— Когда папа захворал?

Он почувствовал, что она знает, что встречу от нее скрыли. Если б можно было поговорить с ней по душам, если б она доверилась ему!

Но она сказала только:

— Скучно мне без столовой, Майкл.

XIII. В ОЖИДАНИИ ФЛЕР

Сказать, что Сомс больше любил свой дом у реки, когда его жены там не было, значило бы слишком примитивно сформулировать далеко не простое уравнение. Он был доволен, что женат на красивой женщине и отличной хозяйке, право же, неповинной в том, что она француженка и на двадцать пять лет моложе его. Но верно и то, что он гораздо лучше видел ее хорошие стороны, когда ее с ним не было. Он знал, что, не переставая подсмеиваться над ним на свой французский лад, она все же научилась до известной степени уважать его привычки и то положение, которое сама занимала как его жена. Привязанность? Нет, привязанности к нему у нее, вероятно, не было, но она дорожила своим домом, своей партией в бридж, своим положением в округе и хлопотами по дому и саду. Она была как кошка. А с деньгами обращалась великолепно — тратила их меньше и с большим толком, чем кто бы то ни было. Кроме того, она не становилась моложе, так что он перестал серьезно опасаться, что ее дружеские отношения с кем-нибудь зайдут слишком далеко и он об этом узнает. Шесть лет назад эта история с Проспером Профоном, чуть было не кончившаяся скандалом, научила ее осмотрительности.

Ему, собственно, было совершенно незачем уезжать из Лондона за день до приезда Флер; все колесики его хозяйства были раз навсегда смазаны и вертелись безотказно. Он завел за рекой коров и молочное хозяйство и теперь со своих пятнадцати акров получал все, кроме муки, рыбы и мяса, которое вообще потреблял умеренно. Пятнадцать акров представляли собой если не «земельную собственность», то, во всяком случае, изобилие всяких продуктов. Владение его было типичным образцом многих и многих резиденций безземельных богачей.

У Сомса был хороший вкус, у Аннет, пожалуй, того лучше, особенно в отношении еды; так что трудно было найти дом, где кормили бы вкуснее.

В этот ясный, теплый день, когда цвел боярышник, листья еще только распускались и река вновь училась улыбаться по-летнему, кругом было не на шутку красиво. И Сомс прогуливался по зеленому газону и размышлял: почему это садовники вечно бродят с места на место? Все английские садовники, которых он мог припомнить, только и делали, что вот-вот собирались работать. Поэтому, очевидно, так часто и нанимают садовников-шотландцев. К нему подошла собака Флер; она порядком постарела и целыми днями охотилась на воображаемых блох. Относительно настоящих блох Сомс был очень щепетилен, и животное мыли так часто, что кожа у него стала совсем тонкая. Это был золотисто-рыжий пойнтер, такой редкой масти, что его постоянно принимали за помесь.

Прошел старший садовник с мотыгой в руке.

— Здравствуйте, сэр!

— Здравствуйте, — ответил Сомс. — Ну, стачка кончилась!

— Да, сэр. Давно пора. Занимались бы лучше своим делом.

— Правильно. Как спаржа?

— Вот хочу вскопать третью грядку, да рабочих рук не найдешь.

Сомс вгляделся в лицо садовника, узкое, немного скошенное набок.

— Что? — сказал он. — Это когда у нас чуть не полтора миллиона безработных?

— И что они все делают — в толк не возьму, — сказал садовник.

— По большей части ходят по улицам и играют на разных инструментах.

— Совершенно верно, сэр, у меня сестра в Лондоне, она то же говорила. Я мог бы взять мальчишку, да как ему доверишь работу?

— А почему бы вам самому не заняться?

— Да тем, верно, и кончится; только, знаете ли, сад запускать не хотелось бы. — И он смущенно повертел в руках мотыгу.

— К чему вам эта штука? Тут сорной травы днем с огнем не сыщешь.

Садовник улыбнулся.

— Не поверите, сэр, — сказал он, — чуть отвернулся, а она уж тут как тут.

— Завтра приезжает миссис Монт, — сказал Сомс. — Надо в комнаты цветов получше.

— Очень мало их цветет сейчас, сэр.

— У вас когда ни спросишь, всегда мало. Не поленитесь, так что-нибудь найдете.

— Слушаю, сэр, — сказал садовник и пошел прочь.

«Куда он пошел? — подумал Сомс. — В жизни не видел такого человека. Впрочем, все они одинаковы». Когда-нибудь, по-видимому, они все же работают; может быть, рано утром? Разве что уж очень рано. Как бы там ни было, платить им приходится немало! И, заметив, что собака наклонила голову набок, он сказал:

— Гулять?

Они вместе пошли через калитку, прочь от реки. Птицы пели на разные голоса, не умолкали кукушки.

Они дошли до поляны, где на Пасху, в исключительно ясный день, кто-то устроил пожар. Отсюда была видна река, извивавшаяся среди тополей и ветел. Картина напоминала речной пейзаж Добиньи, который Сомс видел в частной галерее одного американца, — прекрасный пейзаж, лучшее из того, что он знал в этом жанре. Он заметил, как из трубы его кухни поднимается к небу дым, и порадовался ему больше, чем радовался бы дыму из любой другой трубы. Он сильно скучал о нем в прошлом году — в эти месяцы почти беспрерывной жары, когда он колесил по всему свету с Флер, переезжая из одного чужого города в другой. Помешался этот Майкл на эмиграции! Как сторонник империи. Сомс в теории признавал ее преимущества; но на практике всякое место за пределами Англии казалось ему либо слишком глухим, либо слишком шумным. Англичанин имеет право на дым из своей собственной кухонной трубы. Вот, например, Ганг — какой несуразно громадный по сравнению с этой серебристой извилистой лентой! Ему понравилась и река Св. Лаврентия, и Гудзон, и По́томак, как он упорно продолжал его называть, но если сравнить — все они вспоминаются как беспорядочные водные пространства. И народ там беспорядочный. Иначе и быть не может в таких больших государствах. Сомс двинулся с поляны вниз, через узкую полоску леса, где раздавался возбужденный гомон грачей. Он мало что знал о птичьих повадках: был неспособен отвлечься от самого себя настолько, чтобы серьезно заняться существами, не имеющими к нему прямого отношения. Но он решил, что скорей всего тема их шумной сходки — еда: падает курс червяков или наблюдается инфляция, они и суетятся, как французы вокруг своего несчастного франка. Выйдя из леса, он очутился неподалеку от шлюза, у домика сторожа. И тут, среди запаха дыма, ниткой вьющегося из низкой скромной трубы, и плеска воды в заводи, и переклички дроздов и кукушек, собственнический инстинкт Сомса на время замолк. Он раскрыл складную трость, сел на нее и стал смотреть на зеленую тину, затянувшую стены пустого шлюза. Хитрая штука — шлюзы! Почему нельзя заключить в шлюзы человеческие чувства — запрудить их до поры до времени, а потом пустить, строго контролируя, по главному руслу жизни, не давая растекаться по заводям и даром пропадать на порогах? Эти несколько абстрактные размышления были прерваны собакой Флер, лизнувшей его повисшую в воздухе руку. До чего животные стали нынче похожи на людей — вечно хотят, чтобы на них обращали внимание; не далее как сегодня он заметил, как черная кошка Аннет смотрела в гипсовое лицо неапольской Психеи и тихо мяукала — наверно, просилась на колени.

Из домика вышла дочка сторожа и стала снимать с веревки белье. Женщины в деревне только и делают, кажется, что вешают на веревки белье, а потом опять снимают! Сомс глядел на нее — ловкие руки, ловкие движения, ловко сидит на ней платье из голубого ситца; лицо как с картины Ботичелли — сколько в Англии таких лиц! У нее, конечно, есть поклонник, а может быть, и два, и они гуляют в этом лесу и сидят на сырой траве и все такое прочее и, чего доброго, воображают, что счастливы; или она влезает на велосипед позади него и носится по дорогам, задрав юбки до колен. И зовут ее, наверное, Глэдис, или Дорис, или как-нибудь в этом роде. Она увидела его и улыбнулась. Губы у нее были полные, улыбка ее красила. Сомс приподнял шляпу.

— Хороший вечер, — сказал он.

— Да, сэр.

Очень почтительна!

— Вода еще не сошла.

— Да, сэр.

А хорошенькая девушка! Что, если б он был сторожем при шлюзе, а Флер дочкой сторожа, вешала бы белье на веревку и говорила бы: «Да, сэр»? Что ж, а быть сторожем при шлюзе, пожалуй, еще лучшее из занятий, доступных бедным, — следить, как поднимается и спадает вода, жить в этом живописном домике и не знать никаких забот, кроме... кроме заботы о дочери! И он чуть не спросил у девушки: «Вы хорошая дочь?» Возможно ли в наше время такое — чтобы дочь думала сначала о вас, а потом о себе?

— Кукушки-то! — сказал он глубокомысленно.

— Да, сэр.

Теперь она снимала с веревки несколько откровенную принадлежность туалета, и Сомс опустил глаза, чтобы не смущать девушку; впрочем, она не выказывала ни малейшего смущения. Вероятно, в наше время смутить девушку вообще невозможно. И он встал и сложил трость.

— Ну, полагаю, погода продержится.

— Да, сэр.

— Всего хорошего.

— Всего хорошего, сэр.

В сопровождении собаки он двинулся к дому. Скромница, воды не замутит; но так ли она разговаривает со своим кавалером? Унизительно быть старым! В такой вечер нужно быть опять молодым и гулять в лесу с такой вот девушкой; и все, что было в нем от фавна, на мгновение навострило уши, облизнулось и с легким чувством стыда, пожав плечами, свернулось клубочком и затихло.

Сомс, которого природа не поскупилась наделить свойствами фавна, всегда отличался тем, что старательно замалчивал это обстоятельство. Как и вся его семья, кроме кузена Джорджа и дяди Суизина, он был скрытен в вопросах пола; Форсайты, как правило, не касались этих тем и не любили слушать, когда их касались другие. Заслышав зов пола, они внешне никак этого не показывали. Не пуританство, а известная присущая им щепетильность запрещала касаться этой темы; они и сами не знали, откуда она у них.

Пообедав в одиночестве, он закурил сигару и опять вышел из дому. Для мая месяца было совсем тепло, и света еще хватало, чтобы разглядеть коров на заречном лугу. Скоро они соберутся на ночлег у той вон колючей изгороди. А вот и лебеди плывут спать на остров, а за ними их серые лебедята. Благородные птицы!

Река белела; тьма словно задержалась в ветвях деревьев, перед тем как расплыться по земле и улететь в небо, где только что высохли последние капли заката. Очень тихо и чуть таинственно — сумерки! Только скворцы все верещат — противные создания; да и как требовать чувства собственного достоинства от существа с таким коротким хвостом! Пролетали ласточки, закусывая на ночь мошками и первыми мотыльками; и тополя были так неподвижны — словно перешептывались, — что Сомс поднял руку посмотреть, есть ли ветер. Ни дуновения! А потом сразу — ни реющих ласточек, ни скворцов; белесая дымка над рекой, на небе! В доме зажглись огни. Близко прогудел ночной жук. Пала роса. Сомс почувствовал ее — пора домой! И только он повернул к дому — тьма сгладила деревья, небо, реку. И Сомс подумал: «Уж только бы без этой таинственности, когда она приедет. Не желаю, чтобы меня тревожили!» Она и малыш; могло бы быть так хорошо, если б не нависла мрачная тень этой давнишней любовной трагедии, которая корнями цеплялась за прошлое, а в будущем таила горькие плоды...

Он хорошо выспался, а на следующее утро ни за что не мог приняться, все устраивал то, что уже было устроено. Несколько раз он останавливался как вкопанный среди этого занятия, слушая, не едет ли автомобиль, и напоминал себе, что не надо тревожиться и ни о чем не надо спрашивать. Она, конечно, опять виделась вчера с этим Джоном, но спрашивать нельзя.

Сомс поднялся в картинную галерею и снял с крюка небольшую картину Ватто, которой Флер как-то при нем восхищалась. Он снес ее вниз и поставил на мольберте у нее в спальне — молодой человек в широком лиловом камзоле с кружевными брыжами играет на тамбурине перед дамой в синем, с обнаженной грудью; а рядом ягненок. Прелестная вещица! Пусть заберет ее, когда поедет в город, и повесит у себя в гостиной, рядом с картинами Фрагонара и Шардена. Он подошел к белоснежной кровати и понюхал постельное белье. Должно бы пахнуть сильнее. Эта женщина, миссис Эджер, экономка, забыла положить саше; он так и знал — что-нибудь да упустят! Он подошел к шкафчику, достал с полки четыре пакетика, перевязанных узкими лиловыми лентами, и положил их в постель. Потом двинулся в ванную. Понравятся ли ей эти соли — последнее открытие Аннет; он-то считает, что они слишком пахучие. В остальном все как будто в порядке: мыло Роже и Галле, спуск в исправности. Ох, уж эти новые приспособления — вечно портятся; что можно выдумать лучше прежней цепочки! Какие перемены в способах умываться произошли на его глазах! Он, правда, не мог помнить дней, когда ванн не было; но отлично помнил, как его отец постоянно повторял: «Меня в детстве никогда не мыли в ванне. Первую ванну я поставил сам, как только завел собственный дом, — в тысяча восемьсот сороковом году; люди смотреть приходили. Говорят, теперь доктора против ванн, — не знаю». Джемс двадцать пять лет как умер, и доктора с тех пор не раз меняли мнения. Верно одно: ванна доставляет людям удовольствие, так не все ли равно, что говорят доктора. Кит любит купаться — не все дети любят. Сомс вышел из ванной, постоял, посмотрел на цветы, которые принес садовник; среди них выделялись три ранних розы. Розы были forte[1] садовника, или, вернее, его слабостью — ему больше ни до чего не было дела. Это самое худшее сейчас в людях — они специализируются до того, что теряют всякое понятие относительности, хоть это, как он слышал, и самая молодая теория... Он взял розу и глубоко вдохнул ее запах. Сколько теперь разных сортов — счет потеряешь! В его молодости их было наперечет: «La France», «Maréchal Niel» и «Gloire de Dijon» — вот, пожалуй, и все; о них теперь забыли. И Сомс даже устал от этой мысли об изменчивости цветов и изобретательности человека. Уж очень много всего на свете!

А она все не едет! У этого Ригза — он оставил ей автомобиль, а сам приехал поездом, — конечно, лопнула шина; всегда у него лопается шина, когда не надо. Следующие полчаса Сомс не находил себе места и так загляделся на что-то в картинной галерее на самом верхнем этаже дома, что не слышал, как подъехал автомобиль. Голос Флер пробудил его от дум о ней.

— А-а! — сказал он в пролет лестницы. — Ты откуда явилась? Я уже целый час тебя жду.

— Да, милый, пришлось кое-что купить по дороге. Как здесь чудесно! Кит в саду.

— А, — сказал Сомс, спускаясь. — Ну, как ты вчера отдох... — он сошел с последней ступеньки и осекся.

Она подставила ему лицо для поцелуя, а глаза ее глядели мимо. Сомс приложился губами к ее щеке. Словно ее нет здесь, где-то витает. И, слегка чмокнув ее в мягкую щеку, он подумал: «Она не думает обо мне — и зачем? Она молодая!»

ЧАСТЬ ВТОРАЯ

I. СЫН ГОЛУБКИ

Трудно сказать, лежит ли мел в основе характера всех вообще англичан, но присутствие его в организме наших жокеев и тренеров — факт неопровержимый. Живут они по большей части среди меловых холмов Южной Англии, пьют много воды, имеют

[1] Сильная сторона; специальность *(ит.)*.

дело с лошадиными суставами, и известковый элемент стал для них чуть ли не профессиональным признаком; они часто отличаются костлявыми носами и подбородками.

Подбородок Гринуотера, отставного жокея, ведавшего конюшней Вэла Дарти, выступал вперед так, словно все долгие годы участия в скачках он использовал его, чтобы помочь усилиям своих коней и привлечь внимание судьи. Его тонкий с горбинкой нос украшал собой маску из темно-коричневой кожи и костей, узкие карие глаза горели ровным огоньком, гладкие черные волосы были зачесаны назад; росту он был пяти футов и семи дюймов, и за долгие сезоны, в течение которых он боялся есть, аскетическое выражение легло на его лицо поверх природной живости того порядка, какая наблюдается, скажем, у трясогузки. Он был женат, имел двух детей и относился к семье с молчаливой нежностью человека, тридцать пять лет прожившего в непосредственном общении с лошадьми. В свободное время он играл на флейте. Во всей Англии не было более надежного человека.

Вэл, заполучивший его в 1921 году, когда тот только что вышел в отставку, считал, что в людях Гринуотер разбирается еще лучше, чем в лошадях, ибо верит только тому, что видит в них, а видит не слишком много. Сейчас явилась особенная необходимость никому не доверять, так как в конюшне рос двухлетний жеребенок Рондавель, сын Кафира и Голубки, от которого ждали так много, что говорить о нем вообще не полагалось. Тем более удивился Вэл, когда в понедельник на Аскотской неделе[1] его тренер заметил:

— Мистер Дарти, тут сегодня какой-то сукин сын смотрел лошадей на галопе.

— Еще недоставало!

— Кто-то проболтался. Раз начинают следить за такой маленькой конюшней — значит, дело неладно. Послушайте моего совета — пошлите Рондавеля в Аскот и пускайте его в четверг, пусть попробует свои силы, а понюхать ипподрома ему не вредно. Потом дадим ему отдохнуть, а к Гудвуду[2] опять подтянем.

Зная мнение своего тренера, что в Англии в наше время скаковая лошадь, так же как и человек, не любит слишком долгих приготовлений, Вэл ответил:

---

[1] Неделя скачек в Аскоте, близ Уиндзора, — середина июня.

[2] Гудвудские скачки — июль.

— Боитесь переработать его?

— Сейчас он в полном порядке, ничего не скажешь. Сегодня утром я велел Синнету попробовать его, так он ушел от остальных, как от стоячих. Поскачет как миленький; жаль, что вас не было.

— Ого! — сказал Вэл, отпирая дверь стойла. — Ну, красавец?

Сын Голубки повернул голову и оглядел хозяина блестящим глазом философа. Темно-серый, с одним белым чулком и белой звездой на лбу, он весь лоснился после утреннего туалета. Чудо, а не конь! Прямые ноги и хорошая мускулатура — результат повторения кровей Сент-Саймона в дальних поколениях его родословной. Редкие плечи для езды под гору. Не «картинка», как говорится, — линии недостаточно плавны, — но масса стиля. Умен, как человек, резв, как гончая. Вэл оглянулся на серьезное лицо тренера.

— Хорошо, Гринуотер. Я скажу хозяйке — поедем всем домом. С кем из жокеев вы сумеете сговориться в такой короткий срок?

— С Лэмом.

— А, — ухмыльнулся Вэл, — да вы, я вижу, уже все подготовили.

Только по дороге к дому он додумался наконец до возможного ответа на вопрос: «Кто мог узнать?» Через три дня после окончания генеральной скачки, еще до приезда Холли и Джона с женой, он сидел как-то над счетами, докуривая вторую трубку, когда горничная доложила:

— К вам джентльмен, сэр.

— Как фамилия?

— Стэйнфорд, сэр.

Едва не сказав: «И вы оставили его одного в холле!» — Вэл поспешил туда сам.

Его старый университетский товарищ разглядывал висящую над камином медаль.

— Хэлло! — сказал Вэл.

Невозмутимый посетитель обернулся.

Менее потертый, чем на Грин-стрит, словно он обрел новые возможности жить в долг, но те же морщинки на лице, то же презрительное спокойствие.

— А, Дарти! — сказал он. — Джо Лайтсон, букмекер, рассказал мне, что у тебя здесь есть конюшня. Я и решил заглянуть по дороге в Брайтон. Как поживает твой жеребенок от Голубки?

— Ничего, — сказал Вэл.

— Когда думаешь пускать его? Может, хочешь, я буду у тебя посредником? Я бы справился куда лучше профессионалов.

Нет, он прямо-таки великолепен в своей наглости!

— Премного благодарен; но я почти не играю.

— Да неужели? Знаешь, Дарти, я не собирался опять надоедать тебе, но если б ты мог ссудить меня двадцатью пятью фунтами, они бы мне очень пригодились.

— Прости, но таких сумм я здесь не держу.

— Может быть, чек...

Чек — ну нет, извините!

— Нет, — твердо сказал Вэл. — Выпить хочешь?

— Премного благодарен.

Наливая рюмки у буфета в столовой и одним глазом поглядывая на неподвижную фигуру гостя, Вэл принял решение.

— Послушай, Стэйнфорд, — начал он, но тут мужество ему изменило. — Как ты попал сюда?

— Автомобилем из Хоршэма. Да, кстати. У меня с собой ни пенни, платить шоферу нечем.

Вэла передернуло. Было во всем этом что-то бесконечно жалкое.

— Вот, — сказал он, — возьми, если хочешь, пятерку, но на большее, пожалуйста, не рассчитывай. — И он вдруг разразился: — Знаешь, я ведь не забыл, как в Оксфорде я раз дал тебе взаймы все свои деньги, когда мне и самому до черта туго приходилось, а ты их так и не вернул, хотя в том же триместре получил немало.

Изящные пальцы сомкнулись над банкнотом; тонкие губы приоткрылись в горькой улыбке.

— Оксфорд! Другая жизнь. Ну, Дарти, до свидания, пора двигаться; и спасибо. Желаю тебе удачного сезона.

Руки он не протянул. Вэл смотрел ему в спину, узкую и томную, пока она не скрылась за дверью.

Да! Вспомнив это, он понял. Стэйнфорд, очевидно, подслушал в деревне какие-то сплетни — уж, конечно, там не молчат об его конюшнях. В конце концов не так важно — Холли все равно не даст ему играть. Но не мешает Гринуотеру получше присматривать за этим жеребенком. В мире скачек достаточно честных людей, но сколько мерзавцев примазывается со стороны! Почему это лошади так притягивают к себе мерзавцев? Ведь красивее нет на земле создания! Но с красотой всегда так — какие мерзавцы увиваются около хорошеньких женщин! Ну, надо рассказать Холли. Остановиться можно, как всегда, в гостинице Уормсона, на реке; оттуда всего пятнадцать миль до ипподрома...

«Зобастый голубь» стоял немного отступя от Темзы, на Беркширском берегу, в старомодном цветнике, полном роз, левкоев, маков, гвоздики, флоксов и резеды. В теплый июньский день аромат из сада и от цветущего под окнами шиповника струился в старый кирпичный дом, выкрашенный в бледно-желтый цвет. Служба на Парк-лейн, в доме Джемса Форсайта, в последний период царствования Виктории, подкрепленная последующим браком с горничной Эмили — Фифин, дала Уормсону возможность так досконально изучить, что к чему, что ни одна гостиница на реке не представлялась более заманчивой для тех, чьи вкусы устояли перед современностью. Идеально чистое белье, двуспальные кровати, в которые даже летом клали медные грелки, сидр из яблок собственного сада, выдержанный в бочках от рома, — поистине отдых для всех чувств. Стены украшали гравюры «Модный брак», «Карьера повесы»[1], «Скачки в ночных сорочках», «Охота на лисицу» и большие групповые портреты знаменитых государственных деятелей времен Виктории, имена которых значились на объяснительной таблице. Гостиница могла похвастаться как санитарным состоянием, так и портвейном. В каждой спальне лежали душистые саше, кофе пили из старинной оловянной посуды, салфетки меняли после каждой еды. И плохо приходилось здесь паукам, уховерткам и неподходящим постояльцам. Уормсон, независимый по натуре, один из тех людей, которые расцветают, когда становятся хозяевами гостиниц, с красным лицом, обрамленным небольшими седыми баками, проникал во все поры дома, как теплое, но не жгучее солнце.

Энн Форсайт нашла, что все это восхитительно. За всю свою короткую жизнь, прожитую в большой стране, она еще никогда не встречала такого самодовольного уюта — покойная гладь реки, пение птиц, запах цветов, наивная беседка в саду, небо то синее, то белое от проплывающих облаков, толстый, ласковый сеттер, и чувство, что завтра, и завтра, и завтра будет нескончаемо похоже на вчера.

— Просто поэма, Джон!

— Слегка комическая. Когда есть комический элемент, не чувствуешь скуки.

---

[1] Серии гравюр знаменитого художника-сатирика XVIII века Хогарта.

— Здесь я бы никогда не соскучилась.

— У нас, в Англии, Энн, трагедия не в ходу.

— Почему?

— Как тебе сказать, трагедия — это крайность; а мы не любим крайностей. Трагедия суха, а в Англии сыро.

Она стояла, облокотившись на стену, в нижнем конце сада; чуть повернув подбородок, опирающийся на ладонь, она оглянулась на него.

— Отец Флер Монт живет на реке, да? Это далеко отсюда?

— Мейплдерхем? Миль десять, кажется.

— Интересно, увидим ли мы ее на скачках? По-моему, она очаровательна.

— Да, — сказал Джон.

— Как это ты не влюбился в нее, Джон?

— Мы же были чуть не детьми, когда я с ней познакомился.

— Она в тебя влюбилась, по-моему.

— Почему ты думаешь?

— По тому, как она смотрит на тебя. Она не любит мистера Монта; просто хорошо к нему относится.

— О! — сказал Джон.

С тех пор как в роще Робин-Хилла Флер таким странным голосом сказала «Джон!», он испытал разнообразные ощущения. В нем было и желание схватить ее — такую, какой она стояла, покачиваясь, на упавшем дереве, положив руки ему на плечи, — и унести с собой прямо в прошлое. В нем было и отвращение перед этим желанием. В нем было и чувство, что можно отойти в сторону и сложить песенку про них обоих, и еще что-то, что говорило: «Выбрось всю эту дурь из головы и принимайся за дело!» Признаться, он запутался. Выходит, что прошлое не умирает, как он думал, а продолжает жить наряду с настоящим, а порой, может быть, превращается в будущее. Можно ли жить ради того, чего нет? В душе его царило смятение, лихорадочные сквознячки пронизывали его. Все это тяжело лежало у него на совести, ибо если что было у Джона, так это совесть.

— Когда мы заживем своим домом, — сказал он, — заведем у себя все эти старомодные цветы. Ничего нет лучше их.

— Ах да, Джон, пожалуйста, поселимся своим домом. Но ты уверен, что тебе хочется? Тебя не тянет путешествовать и писать стихи?

— Это не работа. Да и стихи мои недостаточно хороши. Тут надо настроение Гатераса Дж. Хопкинса:

Презреньем отделенный от людей,
Живу один и в песнях одинок.

— Напрасно ты скромничаешь, Джон.

— Это не скромность, Энн; это чувство юмора.

— Нельзя ли нам выкупаться до обеда? Вот было бы хорошо.

— Не знаю, какие тут порядки.

— А мы сначала выкупаемся, а потом спросим.

— Хорошо. Беги переоденься. Я попробую открыть эту калитку.

Плеснула рыба, длинное белое облако задело верхушки тополей за рекой. В точно такой вечер, шесть лет назад, он шел по берегу с Флер, простился с ней, подождал, пока она не оглянулась, не помахала ему рукой. Он и сейчас ее видел, полную того особого изящества, благодаря которому все ее движения надолго сохранялись в памяти. А теперь вот — Энн! А Энн в воде неотразима!..

Небо над «Зобастым голубем» темнело; в гаражах затихли машины; все лодки стояли на причале; только вода не стояла да ветер вел тихие разговоры в камышах и листьях. В доме царил уют. Лежа на спине, чуть похрапывали Уормсон и Фифин. У Холли на тумбочке горела лампа, и при свете ее она читала «Худшее в мире путешествие», а рядом с ней Вэлу снилось, что он хочет погладить лошадиную морду, а она под его рукой становится короткая, как у леопарда. И спала Энн, уткнувшись лицом в плечо Джону, а Джон широко раскрытыми глазами смотрел на щели в ставнях, через которые пробивался лунный свет.

А в своем стойле в Аскоте сын Голубки, впервые покинувший родные края, размышлял о превратностях лошадиной жизни, открывал и закрывал глаза и бесшумно дышал в пахнущую соломой тьму — на черную кошку, которую он захватил с собой, чтобы не было скучно.

II. СОМС НА СКАЧКАХ

По мнению Уинифрид Дарти, аскотский дебют жеребенка, взращенного в конюшнях ее сына, был достаточным поводом для сбора тех членов ее семьи, которые, по врожденному благоразумию, могли безопасно посещать скачки; но она была потрясена, когда услышала по телефону от Флер: «И папа едет; он никогда не бывал на скачках, особенного нетерпения не выказывает».

— О, — сказала она, — хороших мест теперь не достать — поздно. Ну ничего, Джек о нем позаботится. А Майкл?

— Майкл не сможет поехать, он погряз в трущобах; новый лозунг — «Шире мостовые»!

— Он такой славный, — сказала Уинифрид. — Поедем пораньше, милая, чтоб успеть позавтракать до скачек. Хорошо бы на автомобиле.

— Папина машина в городе, мы за вами заедем.

— Чудесно, — сказала Уинифрид. — У папы есть серый цилиндр? Нет? О, но это необходимо; они в этом году в моде. Ты не говори ему ничего, но купи непременно. Его номер семь с четвертью; и знаешь, милая, скажи там, чтоб цилиндр погрели и сдавили с боков, а то они всегда слишком круглые для его головы. Денег лишних пускай не берет: Джек будет ставить за всех.

Флер сомневалась, что ее отец вообще захочет ставить; он просто выразил желание посмотреть, что это за штука.

— Так смешно, когда он говорит о скачках, — сказала Уинифрид, — совсем как твой дедушка.

Для Джемса, правда, это было не так уж смешно — ему три раза пришлось уплатить скаковые долги за Монтегью Дарти.

Сомс и Уинифрид заняли задние сиденья, Флер с Имоджин — передние, а Джек Кардиган уселся рядом с Ригзом. Чтобы избежать большого движения, они выбрали кружную дорогу через Хэрроу и въехали в город как раз в тот момент, когда на дороге стало особенно тесно. Сомс, который держал свой серый цилиндр на коленях, надел его и сказал:

— Опять этот Ригз!

— О нет, дядя, — сказала Имоджин, — это Джек виноват. Когда ему нужно ехать через Итон, он всегда норовит сначала проехать через Хэрроу.

— О! А! — сказал Сомс. — Он там учился. Надо бы записать Кита.

— Вот славно! — сказала Имоджин. — Наши мальчики как раз кончат, когда он поступит. Как вам идет этот цилиндр, дядя!

Сомс опять снял его.

— Никчемный предмет, — сказал он. — Не понимаю, с чего это Флер вздумала мне его купить.

— Дорогой мой, — сказала Уинифрид, — тебе его хватит на много лет. Джек носит свой с самой войны. Главное — уберечь его от моли от сезона до сезона. Какая масса автомобилей! По-моему, все-таки удивительно, что в наше время у стольких есть на это деньги.

При виде этих денег, утекающих из Лондона, Сомс испытывал бы больше удовольствия, если бы не задумывался, откуда, черт возьми, они берутся. Добыча угля прекратилась, фабрики закрываются по всей стране — и эта выставка денег и мод хоть и действует успокоительно, но все же как-то неприлична.

Со своего места около шофера Джек Кардиган начал объяснять какое-то приспособление, называемое «Тото». Выходило, что это машина, которая сама ставит за вас деньги. Забавный малый этот Джек Кардиган — сделал себе из спорта профессию. Такой мог уродиться только в Англии! И, нагнувшись вперед, Сомс сказал Флер:

— Тебе там не дует?

Она почти всю дорогу молчала, и он знал, почему: вероятнее всего, на скачках будет Джон Форсайт. В Мейплдерхеме ему два раза попались на глаза письма, адресованные ей: «Миссис Вэл Дарти, Уонсдон, Сассекс».

Он заметил, что эти две недели она была то слишком суетлива, то очень уж тиха. Раз, когда он заговорил с ней о будущем Кита, она сказала: «Знаешь, папа, по-моему, не стоит и придумывать, он все равно сделает по-своему; теперь с родителями не считаются. Вот хоть я, посмотри!»

И он посмотрел на нее и не стал возражать.

Он все еще был занят созерцанием ее затылка, когда они въехали в какую-то ограду и ему волей-неволей пришлось вынести свой цилиндр на суд публики. Ну и толпа! Здесь, на дальней стороне ипподрома, тесными рядами стояли люди, которые, насколько он мог понять, вообще ничего не увидят и будут так или иначе мокнуть до самого вечера. И это называется удовольствием! Он следом за своими стал пересекать ипподром против главной трибуны. Так вот они, букмекеры! Смешные людишки! На каждом написано его имя, чтобы не спутали, — это и не лишнее: ему они все казались одинаковыми, с толстыми шеями и красными лицами либо с длинными шеями и тощими лицами, по одному того и другого сорта от каждой фирмы — как пары клоунов в цирке. Изредка среди наступившего затишья один из них испускал громкий вой и устремлял в пространство голодный взгляд. Смешные людишки! Они прошли перед королевскими ложами, куда букмекеры, по-видимому, не допускались. Замелькали серые цилиндры. Здесь, он слышал, бывает много красивых женщин. Он только что начал их высматривать, когда Уинифрид сжала его локоть.

— Смотри, Сомс, королевская семья!

Чтобы не глазеть на эти нарядные коляски, на которые и так все глазели, Сомс отвел взгляд и увидел, что они с Уинифрид остались одни.

— Куда же девались остальные? — спросил он.

— Вероятно, пошли в паддок.

— Зачем?

— Посмотреть лошадей, милый.

Сомс и забыл о лошадях.

— Какой смысл в наше время разъезжать в экипажах? — пробормотал он.

— По-моему, это так интересно — разъезжать в экипаже. Хочешь, мы тоже пойдем в паддок? — сказала Уинифрид.

Сомс, который отнюдь не намерен был терять из виду свою дочь, последовал за Уинифрид к тому, что она называла паддоком.

Был один из тех дней, когда никак не скажешь, пойдет дождь или нет, поэтому женские туалеты разочаровали Сомса: он не увидел ничего, что сравнилось бы с его дочерью, и только что собрался сделать какое-то пренебрежительное замечание, как услышал позади себя голос:

— Посмотри-ка, Джон! Вон Флер Монт!

Сомс наступил на ногу Уинифрид и замер. В двух шагах от него, и тоже в сером цилиндре, шел этот мальчик между своей женой и сестрой. На Сомса нахлынули воспоминания: как двадцать семь лет назад он пил чай в Робин-Хилле у своего кузена Джолиона, отца этого юноши, и как вошли Холли и Вэл и сели и глядели на него, точно на странную, неведомую птицу. Вот они прошли все трое в кольцо людей, непонятно что разглядывающих. А вот, совсем близко от них, и другая тройка — Джек Кардиган, Имоджин и Флер.

— Дорогой мой, — сказала Уинифрид, — ты стоишь на моей ноге.

— Я нечаянно, — пробурчал Сомс. — Пойдем на другую сторону, там свободнее.

Публика смотрела, как проводят лошадей; но Сомс, выглядывая из-за плеча Уинифрид, интересовался только своей дочерью. Она еще не увидела молодого человека, но явно высматривает его — взгляд ее почти не задерживается на лошадях; это, впрочем, и неудивительно — все они, как одна, лоснящиеся и гибкие, смирные, как ягнята; около каждой вертится по мальчишке. А! Его точно ножом полоснуло — Флер внезапно ожила; и так же внезапно затаила свое возвращение к жизни даже от самой себя. Как она стоит — тихо-тихо, и не сводит глаз с этого молодого человека, поглощенного разговором с женой.

— Это вот фаворит, Сомс. Мне Джек говорил. Как ты его находишь?

— Не вижу ничего особенного — голова и четыре ноги.

Уинифрид засмеялась. Сомс такой забавный!

— Джек уходит; знаешь, милый, если мы думаем ставить, пожалуй, пойдем обратно. Я уже выбрала, на какую.

— Я ничего не выбрал, — сказал Сомс. — Просто слабоумные какие-то; они и лошадей-то одну от другой не отличают!

— О, ты еще не знаешь, — сказала Уинифрид, — вот Джек тебе...

— Нет, благодарю.

Он видел, как Флер двинулась с места и подошла к той группе. Но, верный своему решению не показывать вида, хмуро побрел назад, к главной трибуне. Какой невероятный шум они подняли теперь там, у дорожки! И как тесно стало на этой громадной трибуне! На самом верху ее он приметил кучку отчаянно жестикулирующих сумасшедших — верно, какая-нибудь сигнализация. Вдруг за оградой, внизу, стрелой пронеслось что-то яркое. Лошади — одна, две, три... десять, а то и больше, на каждой номер; и на шеях у них, как обезьяны, сидят яркие человечки. Пронеслись — и, наверно, сейчас пронесутся обратно; и уйма денег перейдет из рук в руки. А потом все начнется сначала, и деньги вернутся на свое место. И какая им от этого радость — непонятно! Есть, кажется, люди — тысячи людей, — которые проводят в этом всю жизнь; видно, много в стране свободных денег и времени. Как это Тимоти говорил: «Консоли идут в гору». Так нет, не пошли; напротив того, даже упали на один пункт, и еще упадут, если горняки не прекратят забастовку. Над ухом у него раздался голос Джека Кардигана:

— Вы на какую будете ставить, дядя Сомс?

— Я почем знаю?

— Надо поставить, а то неинтересно.

— Поставьте что-нибудь за Флер и не приставайте ко мне. Мне поздно начинать, — и он раскрыл складную трость и уселся на нее. — Будет дождь, — прибавил он мрачно. Он остался один; Уинифрид с Имоджин следом за Флер прошли вдоль ограды к

Холли и ее компании... Флер и этот юноша стояли рядом. И он вспомнил, что когда Босини не отходил от Ирэн, он, как и теперь, не подавал вида, безнадежно надеясь, что сможет пройти по водам, если не будет смотреть в глубину. А воды предательски разверзлись и поглотили его; и неужели, неужели теперь опять? Губы его дрогнули, и он протянул вперед руку. На нее упали мелкие капли дождя.

«Пошли!»

Слава богу, гам прекратился. Забавный переход от такого шума к полной тишине. Вообще забавное зрелище — точно взрослые дети! Кто-то пронзительно вскрикнул во весь голос, где-то засмеялись, потом на трибунах начал нарастать шум; вокруг Сомса люди вытягивали шеи. «Фаворит возьмет!» — «Ну нет!» Еще громче; топот — промелькнуло яркое пятно. И Сомс подумал: «Ну, конец!» Может, и все в жизни так. Тишина — гам — что-то мелькнуло — тишина. Вся жизнь — скачки, зрелище, только смотреть некому! Риск и расплата! И он провел рукой сначала по одной плоской щеке, потом по другой. Расплата! Все равно, кому расплачиваться, лишь бы не Флер. Но в том-то и дело — есть долги, которые не поручишь платить другому! О чем только думала природа, когда создавала человеческое сердце!

Время тянулось, а он так и не видел Флер. Словно она заподозрила его намерение следить за ней. В «Золотом кубке»[1] скакала «лучшая лошадь века», и говорили, что этот заезд никак нельзя пропустить. Сомса опять потащили к лужайке, где проводили лошадей.

— Вот эта? — спросил он, указывая на высокую кобылу, которую он по двум белым бабкам сумел отличить от других. Никто ему не ответил, и он обнаружил, что три человека оттеснили его от Уинифрид и Кардиганов и с некоторым любопытством на него посматривают.

— Вот она! — сказал один из них.

Сомс повернул голову. А, так вот она какая, лучшая лошадь века! Вон та гнедая; той же масти, как те, что ходили парой у них в запряжке, когда он еще жил на Парк-лейн. У его отца всегда были гнедые, потому что у старого Джолиона были караковые, у Николаса — вороные, у Суизина — серые, а у Роджера... он уже забыл, какие были у Роджера, — что-то слегка эксцентричное — верно, пегие! Иногда они говорили о лошадях, или, вернее,

[1] Заезд на 2,5 мили (4 км).

о том, сколько заплатили за них. Суизин был когда-то судьей на скачках — так он по крайней мере утверждал. Сомс никогда этому не верил, он вообще никогда не верил Суизину. Но он прекрасно помнил, как на Роу лошадь однажды понесла Джорджа и сбросила его на клумбу — каким образом, никто так и не смог объяснить. Совсем в духе Джорджа, с его страстью ко всяким нелепым выходкам! Сам он никогда не интересовался лошадьми. Ирэн, та очень любила ездить верхом — похоже на нее! После того как она вышла за него замуж, ей больше не пришлось покататься... Послышался голос:

— Ну, что вы о ней скажете, дядя Сомс?

Вэл со своей дурацкой улыбкой, и Джек Кардиган, и еще какой-то тощий темнолицый мужчина с длинным носом и подбородком. Сомс осторожно сказал:

— Лошадь не плоха.

Пусть не воображают, что им удастся поймать его!

— Как думаешь, Вэл, выдержит он? Заезд нелегкий.

— Не беспокойся, выдержит.

— Тягаться-то не с кем, — сказал тощий.

— А француз, Гринуотер?

— Не классная лошадь, капитан Кардиган. И эта не так уж хороша, как о ней кричат, но сегодня она не может проиграть.

— Ну, будем надеяться, что она побьет француза; не все же кубки им увозить из Англии.

В душе Сомса что-то откликнулось. Раз это будет против француза, надо помочь по мере сил.

— Поставьте-ка мне на него пять фунтов, — неожиданно обратился он к Джеку Кардигану.

— Вот это дело, дядя Сомс! Шансы у них примерно равны. Посмотрите, какая у нее голова и перед, грудь какая широкая. Круп, пожалуй, хуже, но все-таки лошадь замечательная.

— Который из них француз? — спросил Сомс. — Этот? О! А! Нет, не нравится. Этот заезд я посмотрю.

Джек Кардиган ухватил его повыше локтя — пальцы у него были как железные.

— Марш со мной, — сказал он.

Сомса повели, затащили выше, чем прежде, дали бинокль Имоджин — его же подарок — и оставили одного. Он изумился, обнаружив, как ясно и далеко видит. Какая уйма автомобилей и какая уйма народа! «Национальное времяпрепровождение» — так, кажется, это называют. Вот проходят лошади, каждую ведет в поводу человек. Что и говорить, красивые создания! Английская лошадь против французской лошади — в этом есть какой-то смысл. Он порадовался, что Аннет еще не вернулась из Франции, иначе она была бы здесь с ним. Теперь они идут легким галопом. Сомс добросовестно постарался отличить одну от другой, но если не считать номеров, они все были до черта похожи. «Нет, — решил он, — буду смотреть только на этих двух и еще на ту вот — высокую», — он выбрал ее за кличку — Понс Асинорум. Он не без труда заучил цвета камзолов трех нужных жокеев и навел бинокль на группу лошадей у старта. Однако, как только они пошли, все спуталось, он видел только, что одна лошадь идет впереди других. Стоило ли стараться заучивать цвета! Он смотрел, как они скачут — все вперед, и вперед, и вперед, — и волновался, потому что ничего не мог разобрать, а окружающие, по-видимому, прекрасно во всем разбирались. Вот они выходят на прямую. «Фаворит ведет!» — «Смотрите на француза!» Теперь Сомс мог различить знакомые цвета. Впереди те две! Рука его дрогнула, и он уронил бинокль. Вот они идут — почти голова в голову! О черт, неужели не он — не Англия? Нет! Да! Да нет же! Без всякого поощрения с его стороны сердце его колотилось до боли. «Глупо, — подумал он. — Француз! Нет, фаворит выигрывает! Выигрывает!» Почти напротив него лошадь вырвалась вперед. Вот молодчина! Ура! Да здравствует Англия! Сомс едва успел прикрыть рот рукой, слова так и просились наружу. Кто-то заговорил с ним. Он не обратил внимания. И бережно уложив в футляр бинокль Имоджин, он снял свой серый цилиндр и заглянул в него. Там ничего не оказалось, кроме темного пятна на рыжеватой полоске кожи в том месте, где она промокла от пота.

III. ДВУХЛЕТКИ

Тем временем в паддоке, в той его части, где было меньше народу, готовили к скачкам двухлеток.

— Джон, пойдем посмотрим, как седлают Рондавеля, — сказала Флер.

И рассмеялась, когда он оглянулся.

— Нет, Энн при тебе весь день и всю ночь. Разок можно пойти и со мной.

В дальнем углу паддока, высоко подняв благородную голову, стоял сын Голубки; ему осторожно вкладывали мундштук, а Гринуотер собственноручно прилаживал на нем седло.

— Никому на свете не живется лучше, чем скаковой лошади, — говорил Джон. — Посмотри, какие у нее глаза — умные, ясные, живые. У ломовых лошадей такой разочарованный, многострадальный вид, у этих — никогда. Они любят свое дело, это поддерживает их настроение.

— Не читай проповедей, Джон! Ты так и думал, что мы здесь встретимся?

— Да.

— И все-таки приехал. Какая храбрость!

— Тебе непременно хочется говорить в таком тоне?

— А в каком же? Ты заметил, Джон, скаковые лошади, когда стоят, никогда не сгибают колен; оно и понятно, они молодые. Между прочим, есть одно обстоятельство, которое должно бы умерить твои восторги. Они всегда подчиняются чужой воле.

— А кто от этого свободен?

Какое у него жесткое, упрямое лицо!

— Посмотрим, как его поведут.

Они подошли к Вэлу, тот хмуро сказал:

— Ставить будете?

— Ты как, Джон?

— Да, десять фунтов.

— Ну и я так. Двадцать фунтов за нас двоих, Вэл.

Вэл вздохнул.

— Посмотрите вы на него! Видали вы когда-нибудь более независимого двухлетка? Помяните мое слово, он далеко пойдет. А мне не разрешают ставить больше двадцати пяти фунтов! Черт!

Он отошел от них и заговорил с Гринуотером.

— Более независимого, — сказала Флер. — Несовременная черта — правда, Джон?

— Не знаю, если посмотреть поглубже...

— О, ты слишком долго прожил в глуши. Вот и Фрэнсис был на редкость цельный; Энн, вероятно, такая же. Напрасно ты не отведал Нью-Йорка — стоило бы, судя по их литературе.

— Я не сужу по книгам; по-моему, между литературой и жизнью нет ничего общего.

— Будем надеяться, что ты прав. Откуда бы посмотреть этот заезд?

— Встанем вон там, у ограды. Меня интересует финиш. Я что-то не вижу Энн.

Флер крепко сжала губы, чтобы не сказать: «А ну ее к черту!»

— Ждать некогда, у ограды не останется места.

Они протиснулись к ограде, почти против самого выигрышного столба, и стояли молча — как враги, думалось Флер.

— Вот они!

Мимо них пронеслись двухлетки, так быстро и так близко, что разглядеть их толком не было возможности.

— Рондавель хорошо идет, — сказал Джон, — и этот вот, гнедой, мне нравится.

Флер лениво проводила их глазами, она слишком остро чувствовала, что она одна с ним — совсем одна, отгороженная чужими людьми от взглядов знакомых. Она напрягла все силы, чтобы успеть насладиться этим мимолетным уединением. Она просунула руку ему под локоть и заставила себя проговорить:

— Я даже нервничаю, Джон. Он просто обязан прийти первым.

Понял он, что, когда он стал наводить бинокль, ее рука осталась висеть в воздухе?

— Отсюда ничего не разберешь. — Потом он опять прижал к себе локтем ее руку. Понял он? Что он понял?

— Пошли!!

Флер прижалась теснее.

Тишина — гам — выкрикивают одно имя, другое! Но для Флер ничего не существовало — она прижималась к Джону. Лошади пронеслись обратно, мелькнуло яркое пятно. Но она ничего не видела, глаза ее были закрыты.

— Шут его дери, — услышала она его голос, — выиграл!

— О Джон!

— Интересно, что мы получим.

Флер посмотрела на него, на ее бледных щеках выступило по красному пятну, глаза глядели очень ясно.

— Получим! Ты правда хотел это сказать, Джон?

И хотя он двинулся следом за ней к паддоку, по его недоумевающему взгляду она поняла, что он не хотел это сказать.

Вся компания, кроме Сомса, была в сборе. Джек Кардиган объяснял, что выдача была несообразно низкая, так как на Рондавеля почти никто не ставил, — кто-то что-то пронюхал; он, по-видимому, находил, что это заслуживает всяческого порицания.

— Надеюсь, дядя Сомс не увлекся свыше меры, — сказал он. — Его с «Золотого кубка» никто не видел. Вот здорово будет, если окажется, что он взял да ахнул пятьсот фунтов!

Флер недовольно сказала:

— Папа, вероятно, устал и ждет в машине. Нам, тетя, тоже пора бы двигаться, чтобы не попасть в самый разъезд.

Она повернулась к Энн.

— Когда увидимся?

Энн взглянула на Джона, он буркнул:

— О, как-нибудь увидимся.

— Да, мы тогда сговоримся. До свидания, милая! До свидания, Джон! Поздравь от меня Вэла, — и, кивнув им на прощание, Флер первая двинулась к выходу. Ярость, кипевшая в ее сердце, никак не проявилась: нельзя было дать заметить отцу, что с ней происходит что-то необычное.

Сомс действительно ждал в автомобиле. Столь противное его принципам волнение от «Золотого кубка» заставило его присесть на трибуне. Там он и просидел два следующих заезда, лениво наблюдая, как волнуется внизу толпа и как лошади быстро скачут в один конец и еще быстрее возвращаются. Отсюда, в милом его сердцу уединении, он мог если не с восторгом, то хотя бы с интересом спокойно разглядывать поразительно новую для него картину. Национальное времяпрепровождение — он знал, что сейчас каждый норовит на что-нибудь ставить. На одного человека, хоть изредка посещающего скачки, очевидно, приходится двадцать, которые на них ни разу не были, но все же как-то научились проигрывать деньги. Нельзя купить газету или зайти в парикмахерскую, без того чтобы не услышать о скачках. В Лондоне и на Юге, в Центральных графствах и на Севере все этим увлекаются, просаживают на лошадей шиллинги, доллары и соверены. Большинство этих людей, наверно, в жизни не видали скаковой лошади, а может, и вообще никакой лошади; скачки — это, видно, своего рода религия, а теперь, когда их не сегодня-завтра обложат налогом, — даже государственная религия. Какой-то врожденный дух противоречия заставил Сомса слегка содрогнуться. Конечно, эти надрывающиеся обыватели, там, внизу, под смешными шляпами и зонтиками, были ему глубоко безразличны, но мысль, что теперь им обеспечена санкция царствия небесного или хотя бы его суррогата — современного государства, — сильно его встревожила. Точно Англия и в самом деле повернулась лицом к фактам. Опасный симптом! Теперь, чего доброго, закон распространится и на проституцию! Обложить налогом так называемые пороки — все равно что признать их частью человеческой природы. И хотя Сомс, как истый Форсайт, давно знал, что так оно и есть, но признать это открыто было бы чересчур по-французски. Допустить, что человеческая природа несовершенна, — это какое-то пораженчество; стоит только пойти по этой дорожке — неизвестно, где остановишься. Однако, по всему видно, налог даст порядочный доход — а доходы ох как нужны; и он не знал, на чем остановиться. Сам бы он этого не сделал, но не ополчаться же за это на правительство! К тому же правительство, как и он сам, по-видимому, поняло, что всякий азарт — самое мощное противоядие от революции; пока человек может заключать пари, у него остается шанс приобрести что-то задаром, а стремление к этому и есть та движущая сила, которая скрывается за всякой попыткой перевернуть мир вверх ногами. Кроме того, надо идти в ногу с веком, будь то вперед или назад — что, впрочем, почти одно и то же. Главное — не вдаваться в крайности.

В эти размеренные мысли внезапно вторглись совершенно неразмеренные чувства. Там, внизу, к ограде направлялись Флер и этот молодой человек. Из-под полей своего серого цилиндра он с болью глядел на них, вынужденный признать, что это самая красивая пара на всем ипподроме. У ограды они остановились — молча; и Сомс, который в минуты волнения сам становился молчаливее, чем когда-либо, воспринял это как дурной знак. Неужели и вправду дело неладно и страсть притаилась в своем неподвижном коконе, чтобы вылететь из него на краткий час легкокрылой бабочкой? Что кроется за их молчанием? Вот пошли лошади. Этот серый, говорят, принадлежит его племяннику? И к чему только он держит лошадей! Когда Флер сказала, что едет на скачки, он знал, что из этого получится. Теперь он жалел, что поехал. Впрочем, нет! Лучше узнать все, что можно. В плотной толпе у ограды он мог различить только серый цилиндр молодого человека и черную с белым шляпу дочери. На минуту его внимание отвлекли лошади: почему и не посмотреть, как обгонят лошадь Вэла? Говорят, он многого ждет от нее — лишняя причина для Сомса не ждать от нее ничего хорошего. Вот они скачут, все сбились в кучу. Сколько их, черт возьми! И этот серый — удобный цвет, не спутаешь! Э, да он выигрывает! Выиграл!

— Гм, — сказал он вслух, — это лошадь моего племянника.

Ответа не последовало, и он стал надеяться, что никто не слышал. И опять взгляд его обратился на тех двоих у ограды. Да, вот они уходят молча, Флер впереди. Может быть... может быть, они уже не ладят, как прежде? Надо надеяться на лучшее. Но боже, как он устал! Пойти подождать их в автомобиле.

Там он и сидел в полумраке, когда они явились, громко болтая о всяких пустяках, — глупый вид у людей, когда они выигрывают деньги. А они, оказывается, все выиграли!

— А вы не ставили на него, дядя Сомс?

— Я думал о другом, — сказал Сомс, глядя на дочь.

— Мы уж подозревали, не вы ли нам подстроили такую безобразно маленькую выдачу.

— Как? — угрюмо сказал Сомс. — Вы что же, решили, что я ставил против него?

Джек Кардиган откинул назад голову и расхохотался.

— Ничего не вижу смешного, — буркнул Сомс.

— Я тоже, Джек, — сказала Флер. — Откуда папе знать что-нибудь о скачках?

— Простите меня, сэр, я сейчас вам все объясню.

— Боже упаси, — сказал Сомс.

— Нет, но тут что-то неладно. Помните вы этого Стэйнфорда, который стибрил у мамы табакерку?

— Помню.

— Так он, оказывается, был у Вэла в Уонсдоне, и Вэл думает, не пришло ли ему в голову, что Рондавель незаурядный конь? В прошлый понедельник какой-то тип околачивался там, когда его пробовали на галопе. Поэтому они и выпустили жеребенка сегодня, а не стали ждать до Гудвудских скачек. И все-таки опоздали, кто-то нас перехитрил. Мы получили только вчетверо.

Для Сомса все это было китайской грамотой, он понял только, что этот томный негодяй Стэйнфорд каким-то образом опять явился причиной встречи Флер с Джоном; ведь он знал от Уинифрид, что во время стачки Вэл и его компания остановились на Грин-стрит специально, чтобы повидаться со Стэйнфордом. Он горько раскаивался, что не подозвал тогда полисмена и не отправил этого типа в тюрьму.

Из-за коварства «этого Ригза» им не скоро удалось выбраться из гущи машин, и на Саут-сквер они попали только в семь часов. Их встретили новостью, что у Кита жар. С ним сейчас мистер Монт. Флер бросилась в детскую. Смыв с себя грязь за целый день, Сомс уселся в гостиной и стал тревожно ждать их доклада. У Флер в детстве бывал жар, и нередко он приводил к чему-нибудь. Если жар Кита не приведет ни к чему серьезному, он может пойти ей на пользу — привяжет ее мысли к дому. Сомс откинулся на спинку кресла перед картиной Фрагонара — изящная вещица, но бездушная, как все произведения этой эпохи! Зачем Флер изменила стиль этой комнаты с китайского на французский? Очевидно, разнообразия ради. Нынешняя молодежь ни к чему не привязывается надолго: какой-то микроб в крови «безработных богачей» и «безработных бедняков» и вообще, по-видимому, у всех на свете. Никто не желает оставаться на месте, даже после смерти, судя по всем этим спиритическим сеансам. Почему люди не могут спокойно заниматься своим делом, хотя бы лежать в могиле! Они так жадно хотят жить, что жизни и не получается. Солнечный луч, дымный от пыли, косо упал на стену перед ним; красиво это — солнечный луч, но какая масса пыли, даже в такой вылизанной комнате! И подумать, что от какого-то микроба, который меньше, чем одна из этих пылинок, у ребенка может подняться температура! Сомс всей душой надеялся, что у Кита нет ничего заразного. И он стал мысленно перебирать все детские болезни — свинка, корь, ветряная оспа, коклюш. Флер их все перенесла, но скарлатины избежала. И Сомс стал беспокоиться. Не мог ведь Кит подхватить скарлатину, он слишком мал. Но няньки такие небрежные — как знать? И он вдруг затосковал по Аннет. Что она делает во Франции столько времени? Она незаменима, когда кто-нибудь болеет, у нее есть отличные рецепты. Надо отдать справедливость французам — доктора у них толковые, когда дадут себе труд вникнуть в дело. Снадобье, которое они прописали ему в Довиле от прострела, замечательно помогло. А после визита этот маленький доктор сказал: «Завтра зайду пообедать!» — так по крайней мере ему послышалось. Потом выяснилось, что он хотел сказать: «Завтра зайду проведать». Не говорят ни на одном языке, кроме своего дурацкого французского, и еще делают обиженное лицо, когда вы сами не можете на нем объясняться.

Сомса долго продержали без известий; наконец пришел Майкл.

— Ну?

— Что ж, сэр, очень смахивает на корь.

— Гм! И где только он мог ее подцепить?

— Няня просто ума не приложит, но Кит страшно общительный. Стоит ему завидеть другого ребенка, как он бежит к нему.

— Это плохо, — сказал Сомс. — У вас тут рядом трущобы.

— Да, — сказал Майкл, — справа трущобы, слева трущобы, прямо трущобы — куда пойдешь?

Сомс сделал большие глаза.

— Хорошо еще, что не подлежит регистрации, — сказал он.

— Что, трущобы?

— Нет, корь. — Если он чего боялся, так это болезни, подлежащей регистрации: явятся представители власти, будут всюду совать свой нос, еще, чего доброго, заставят сделать дезинфекцию.

— Как себя чувствует мальчуган?

— Преисполнен жалости к самому себе.

— По-моему, — сказал Сомс, — блохи не так уж безвредны, как о них говорят. Эта его собака могла подцепить коревую блоху. Как это доктора до сих пор не обратили внимания на блох?

— Как это они еще не обратили внимания на трущобы, — сказал Майкл, — от них и блохи.

Сомс опять сделал большие глаза. Теперь его зять, как видно, помешался на трущобах! Очень беспокойно, когда в нем начинает проявляться общественный дух. Может быть, он сам бывает в этих местах и принес на себе блоху или еще какую-нибудь заразу.

— За доктором послали?

— Да, ждем с минуты на минуту.

— Толковый или шарлатан, как все?

— Тот же, которого мы приглашали к Флер.

— О! А! Помню — слишком много мнит о себе, но не глуп. Уж эти доктора!

В изящной комнате воцарилось молчание: они ждали звонка; и Сомс размышлял. Рассказать Майклу о том, что сегодня случилось? Он открыл было рот, но из него не вылетело ни звука. Уж сколько раз Майкл поражал его своими взглядами. И он все смотрел на зятя, а тот глядел в окно. Занятное у него лицо, некрасивое, но приятное, эти острые уши, и брови, разбегающиеся вверх, — не думает вечно о себе, как все красивые молодые люди. Красивые мужчины всегда эгоисты — верно, избалованы. Хотел бы он знать, о чем задумался этот молодой человек.

— Вот он! — сказал Майкл, вскакивая с места.

Сомс опять остался один. На сколько времени, он не знал, — он был утомлен и вздремнул, несмотря на тревогу. Звук открывающейся двери разбудил его, и он успел принять озабоченный вид прежде, чем Флер заговорила.

— Почти наверно корь, папа.

— О, — протянул Сомс. — Как насчет ухода?

— Няня и я, конечно.

— Значит, тебе нельзя будет выходить?

«А ты разве не рад этому?» — словно сказало ее лицо. Как она читает у него в мыслях! Видит бог, он не рад ничему, что огорчает ее, а между тем...

— Бедный малыш, — сказал он уклончиво. — Нужно вызвать твою мать. Постараюсь найти что-нибудь, чтобы развлечь его.

— Не стоит, папа, у него слишком сильный жар, у бедняжки. Обед подан, я буду обедать наверху.

Сомс встал и подошел к ней.

— Ты не тревожься, — сказал он. — У всех детей...

Флер подняла руку.

— Не подходи близко, папа. Нет, я не тревожусь.

— Поцелуй его от меня, — сказал Сомс. — Впрочем, ему все равно.

Флер взглянула на него. Губы ее чуть-чуть улыбнулись. Веки мигнули два раза. Потом она повернулась и вышла, и Сомс подумал: «Она — вот бедняжка! Я ничем не могу помочь!»

О ней, а не о внуке были все его мысли.

IV. В «ЛУГАХ»

В «Лугах» Св. Августина когда-то, без сомнения, росли цветы, и по воскресеньям туда приезжали горожане погулять и нарвать душистый букет. Теперь же, если там еще и можно было увидеть цветы, то разве только в алтаре церкви преподобного Хилери или у миссис Хилери на обеденном столе. Остальная часть многочисленного населения знала об этих редкостных творениях природы только понаслышке да изредка, завидев их в корзинах, восклицала: «Эх, хороши цветочки!» В день Аскотских скачек, когда Майкл, верный своему обещанию, явился навестить дядю, его спешно повели смотреть, как двадцать маленьких «августинцев» отправляют в открытом грузовике провести две недели среди цветов в их естественном состоянии. В толпе ребят стояла его тетя Мэй — женщина высокого роста, стриженая, с рыжеватыми седеющими волосами и с тем слегка восторженным выражением, с которым обычно слушают музыку. Улыбка у нее была очень добрая, и все любили ее за эту улыбку и за манеру удивленно вздергивать тонкие брови, словно недоумевая: «Ну что же дальше?» В самом начале века Хилери нашел ее в доме приходского священника в Хэнтингдоншире, и двадцати лет она вышла за него замуж. С тех пор она не знала свободного часа. Два ее сына и дочь уже поступили в школу, так что во время учебного года семью ее составляли всего только несколько сот августинцев. Хилери случалось говорить: «Не налюбуюсь на Мэй. Теперь, когда она остриглась, у нее оказалось столько свободного времени, что мы думаем заняться разведением морских свинок. Если бы она еще позволила мне не бриться, мы бы действительно успели кое-что сделать». Увидев Майкла, она улыбнулась ему и вздернула брови.

— Молодое поколение Лондона, — вполголоса сообщила она, — отбывает в Ледерхед. Правда, милые?

Майкла и в самом деле удивил здоровый и опрятный вид двадцати юных августинцев. Судя по улицам, с которых их собрали, и по матерям, которые пришли их проводить, семьи, очевидно, приложили немало усилий, чтобы снарядить их в дорогу. Он стоял и приветливо улыбался, пока ребят выводили на раскаленный тротуар под восхищенными взорами матерей и сестер. Ими набили грузовик, открытый только сзади, и четыре молодые воспитательницы втиснулись в него следом за ними.

— «Двадцать четыре цыпленка в этот пирог запекли», — вспомнил Майкл детскую песенку. Тетка его рассмеялась.

— Да, бедняжки, и жарко им будет! Но правда, они славные? — Она понизила голос. — А знаешь, что они скажут через две недели, когда вернутся? «Да, да, спасибо, было очень хорошо, только малость скучно. Нам больше нравится на улицах». Каждый год та же история.

— А зачем их тогда возить, тетя Мэй?

— Они поправляются физически; вид у них крепкий, но на самом деле они не могут похвастаться здоровьем. А потом так ужасно, что они никогда не видят природы. Конечно, Майкл, мы выросли в деревне и не можем понять, что представляют для детей лондонские улицы — без пяти минут рай, знаешь ли.

Грузовик тронулся, вслед ему махали платками, выкрикивали напутствия.

— Матери любят, когда увозят ребят, — сказала тетя Мэй, — это льстит их самолюбию. Ну так, что тебе еще показать? Улицу, которую мы только что купили и собираемся потрошить и фаршировать заново? Хилери, верно, там с архитектором.

— Кому принадлежала улица? — спросил Майкл.

— Владелец жил на Капри. Вряд ли он когда и видел ее. На днях он умер, и мы получили ее за сравнительно небольшие деньги, если принять во внимание близость к центру. Земельные участки стоят недешево.

— Вы заплатили за нее?

— О нет! — Она вздернула брови. — Отсрочили чек до второго пришествия.

— Боже правый!

— Никак нельзя было упустить эту улицу. Мы внесли аванс, остальную сумму надо достать к сентябрю.

— Сколько? — спросил Майкл.

— Тридцать две тысячи.

Майкл ахнул.

— Ничего, милый, достанем. Хилери в этом отношении молодец. Вот и пришли.

Это была изогнутая улица, на которой, по мере того как они медленно шли вперед, каждый дом казался Майклу более ветхим, чем предыдущий. Закопченные, с обвалившейся штукатуркой, сломанными решетками и разбитыми окнами, словно брошенные на произвол судьбы, как наполовину выгоревший корабль, они поражали взгляд и сердце своей заброшенностью.

— Что за люди тут живут, тетя Мэй?

— Всякие — по три-четыре семьи в каждом доме. Торговцы с Ковент-Гардена, разносчики, фабричные работницы — мало ли кто. Прозаических насекомых изобилие, Майкл. Работницы трогательные — хранят свои платья в бумажных пакетах. Многие очень недурно одеваются. Иначе, впрочем, их бы уволили, бедных.

— Но неужели у людей еще может быть желание здесь жить?

Брови тетки задумчиво сдвинулись.

— Тут, милый, не в желании дело. Просто экономические соображения. Где еще они могли бы жить так дешево? И даже больше: куда им вообще идти, если их выселят? Тут неподалеку власти недавно снесли целую улицу и построили громадный многоквартирный дом для рабочих; но тем, кто раньше жил на этой улице, квартирная плата оказалась не по карману, и они попросту рассосались по другим трущобам. А кроме того, им, знаешь ли, не по вкусу эти дома-казармы, и я их понимаю. Им хочется иметь целый домик, а если нельзя — целый этаж в невысоком доме. Или хотя бы комнату. Это свойство английского характера, и оно не изменится, пока мы не научимся лучше проектировать рабочие жилища. Англичане любят нижние этажи, наверно, потому, что привыкли. А, вот и Хилери!

Хилери Черрел, в темно-серой куртке, с расстегнутым отложным воротничком и без шляпы, стоял в подъезде одного из домов и беседовал с каким-то худощавым мужчиной, узкое лицо которого очень понравилось Майклу.

— А, Майкл, ну что ты скажешь о Слэнт-стрит, мой милый?

Все эти дома до единого мы выпотрошим и вычистим так, что будет любо-дорого смотреть.

— Сколько времени они останутся чистыми, дядя Хилери?

— О, в этом отношении беспокоиться не приходится, — сказал Хилери, — у нас уже есть некоторый опыт. Предоставь им только эту возможность, люди с радостью будут поддерживать у себя чистоту. Они и так чудеса творят. Иди посмотри, только не прикасайся к стенам. Ты, Мэй, останься, поговори с Джемсом. Здесь живет ирландка; у нас их немного. Можно войти, миссис Корриган?

— Неужели же нельзя? Рада видеть ваше преподобие, хоть не больно у меня сегодня прибрано.

Плотная женщина с черными седеющими волосами, засучив по локоть рукава на мощных руках, оторвалась от какого-то дела, которым была занята в комнате, до невероятия заставленной и грязной. На большой постели спали, по-видимому, трое, и еще кто-то на койке; еда, очевидно, приготовлялась в небольшом закопченном камине, над которым хранились на полке трофеи памятных событий за целую жизнь. На веревке сушилось белье. На заплатанных, закоптелых стенах не было ни одной картины.

— Мой племянник Майкл Монт, миссис Корриган; он член парламента.

Ирландка подбоченилась.

— Неужто?

Бесконечное снисхождение, с которым это было сказано, поразило Майкла в самое сердце.

— А верно мы слышали, будто ваше преподобие купили всю улицу? А что вы с ней будете делать? Уж не выселять ли нас надумали?

— Ни в коем случае, миссис Корриган.

— Ну, я так и знала. Я им говорила: «Скорей всего хочет почистить у нас внутри, а на улицу в жизни не выставит».

— Когда подойдет очередь этого дома, миссис Корриган, — а ждать, я думаю, не очень долго, — мы подыщем вам хорошее помещение, вы там поживете, а потом вернетесь к новым стенам, полам и потолкам, и будет у вас хорошая плита, и стирать будет удобно, и клопов не останется.

— Эх, вот это бы я посмотрела!

— Скоро увидите. Вот взгляни, Майкл, если я тут проткну пальцем обои, что только оттуда не полезет! Нельзя вам пробивать дырки в стенах, миссис Корриган.

— Что правда, то правда, — ответила миссис Корриган. — Как начал Корриган в прошлый раз вколачивать гвоздь, так что было! Там их не оберешься.

— Ну, миссис Корриган, рад видеть вас в добром здоровье. Всего хорошего, да скажите мужу, если его ослу нужен отдых, у нас в садике всегда найдется место. За хмелем в этом году поедете?

— А как же, — ответила миссис Корриган. — Всего вам хорошего, ваше преподобие; всего хорошего, сэр!

На голой обшарпанной площадке Хилери Черрел сказал:

— Соль земли, Майкл. Но подумай, каково жить в такой атмосфере! Хорошо еще, что они все лишены чувства обоняния.

Майкл засмеялся, глубоко вдыхая несколько менее спертый воздух.

— Сколько, по вашим подсчетам, надо времени, чтобы обновить эту улицу, дядя Хилери?

— Года три.

— А как вы думаете достать деньги?

— Выиграю, выпрошу, украду. Вот здесь живут три работницы с фабрики «Петтер и Поплин». Их, конечно, нет дома. Чистенько, правда? Бумажные пакеты оценил?

— Послушайте, дядя, вы бы осудили девушку, которая пошла бы на что угодно, лишь бы не жить в таком доме?

— Нет, — сказал преподобный Хилери, — как перед богом говорю, не осудил бы.

— Вот за это я вас и люблю, дядя Хилери. Вы заставляете меня опять уверовать в церковь.

— Милый ты мой! — сказал Хилери. — Реформация — ничто по сравнению с тем, что творится последнее время в церковных делах. То ли еще увидишь! Я, впрочем, держусь того мнения, что в небольших дозах отделение церкви от государства было бы нам совсем не вредно. Пойдем к нам завтракать и поговорим о плане перестройки трущоб. И Джемса прихватим.

— Вот видишь ли, — продолжал он, когда они уселись вокруг обеденного стола в столовой его домика, — есть, я уверен, немало людей, которые с удовольствием вложили бы небольшую часть своего состояния под два с половиной процента, рассчитывая со временем получать четыре, будь у них уверенность, что тем самым они обеспечивают ликвидацию трущоб. Мы проделали кой-какие опыты и нашли, что вполне можем привести эти развалины в жилой вид, почти не повышая квартирной платы, и при этом выплачивать два с половиной процента нашим кредиторам. Если это возможно здесь, то возможно и во всех других районах, где частные общества по перестройке трущоб стали бы, как и мы, следовать тому принципу, что жителей трущоб никуда переселять не следует. Но нужны, разумеется, деньги — основной фонд перестройки трущоб — двухпроцентные облигации с купонами, подлежащие погашению через двадцать лет: из этого фонда общества по мере надобности брали бы средства для скупки и обновления трущобных участков.

— А как вы думаете погашать облигации через двадцать лет?

— О, так же, как и правительство, — выпуском новых.

— Однако, — сказал Майкл, — местные власти обладают большими полномочиями, у них больше шансов собрать эти деньги.

Хилери покачал головой.

— Полномочия — да; но власти медлительны, Майкл, — по сравнению с ними улитка кажется скороходом. Кроме того, они как раз занимаются переселением, так как взимают слишком высокую квартирную плату. Да это и не в английском духе, голубчик. Не любим мы почему-то быть обязанными властям и нести перед ними ответственность. А для муниципалитетов остается достаточно работы в трущобах, они и делают много полезного, но без помощи им с этим делом не сладить. Тут нужно человеческое отношение, нужно чувство юмора и вера, а это уж вопрос частной инициативы в каждом городе, где есть трущобы.

— А кто вам даст этот основной фонд? — спросил Майкл, поглядывая на брови тети Мэй, которые уже начали подергиваться.

— А вот, — подмигивая, сказал Хилери, — тут-то можно начать разговор о тебе. Я, собственно, затем и пригласил тебя сегодня.

— Вот так так! — сказал Майкл, чуть не подскочив над тарелкой с кашей.

— Совершенно верно, — сказал Хилери. — Но разве ты бы не мог устроить, чтобы объединенная комиссия от обеих палат выпустила воззвание? Основываясь на проделанной нами работе, Джемс сможет дать тебе точные цифры. Пусть сами посмотрят, что тут творится. Ведь не может быть, Майкл, чтобы не нашлось десяти справедливых людей, которые дадут подбить себя на такое дело.

— Десять апостолов, — слабо ввернул Майкл.

— Пусть так, но Христа, собственно, незачем вмешивать в это дело, тут нет ничего абстрактного или сентиментального; ты бы мог к ним подъехать с любой стороны. Например, старый сэр Тимоти Фэнфилд с восторгом повоевал бы с трущобными домовладельцами. Дальше: мы ведь электрифицировали все кухни и собираемся продолжать в том же духе — значит, есть приманка и для старика Шропшира. Да и нет надобности создавать комиссию только из членов обеих палат — в нее согласился бы войти сэр Томас Морсел, да, я думаю, и любой из известных врачей; можно бы завербовать парочку банкиров с примесью квакерской крови; и всюду найдется достаточно отставных генерал-губернаторов не у дел. Да если бы тебе еще удалось залучить в председатели члена королевской фамилии — дело было бы в шляпе.

— Бедный Майкл! — сказал ласковый голос тети Мэй. — Дай ты ему доесть кашу, Хилери!

Но Майкл не собирался браться за ложку: он видел, что здесь заваривается каша другого рода.

— Основной капитал для перестройки трущоб, — продолжал Хилери, — обслуживающий все общества по перестройке трущоб, существующие и проектируемые, если только они следуют принципу не переселять теперешних жильцов. Понимаешь, какой это создаст нам престиж в глазах жильцов? Мы пускаем их по верному пути и, уж конечно, будем следить, чтобы они опять не запустили своих жилищ.

— И вы думаете, это в ваших силах? — сказал Майкл.

— А ты наслушался разговоров, что в ваннах хранят уголь и овощи и все такое? Поверь мне, Майкл, все это преувеличено. Во всяком случае, у нас, частных работников, большое преимущество перед властями. Им приходится править — мы пытаемся руководить.

— Подогреть тебе кашу, милый? — предложила тетя Мэй.

Майкл отказался. Он понял, что тут и без подогревания жарко будет. Опять крестовый поход! В дяде Хилери, он всегда это знал, сохранилась кровь крестоносцев — во времена великих походов его предки именовались Керуаль, а теперь имя перешло в Чаруэл, а произносилось Черрел, согласно здравому английскому обычаю доставлять неприятности иностранцам.

— Я не для того хочу завербовать тебя, Майкл, чтобы ты сделал себе на этом карьеру, ведь ты как-никак аристократ.

— Спасибо на добром слове, — отозвался Майкл.

— Нет. Мне кажется, тебе просто нужно что-то делать, чтобы оправдать свое положение.

— Вы совершенно правы, — смиренно сказал Майкл, — вопрос только в том, это ли нужно делать.

— Безусловно, это, — сказал Хилери, размахивая ложечкой для соли, на которой был выгравирован герб Чаруэлов. — А что же иначе?

— Вы никогда не слышали о фоггартизме, дядя Хилери?

— Нет; что это такое?

— Не может быть! — сказал Майкл. — Нет, вы правда ничего о нем не слышали?

— Фоггартизм? К фанатизму отношения не имеет?

— Нет, — твердо сказал Майкл. — Вы здесь, конечно, погрязли в нищете и пороках, но все-таки это уж слишком. Вы-то, тетя Мэй, знаете, что это такое?

Брови тети Мэй опять напряженно сдвинулись.

— Кажется, припоминаю, — сказала она, — кто-то по-моему, говорил, что это галиматья!

Майкл простонал:

— А вы, мистер Джемс?

— Насколько я помню, это что-то связанное с валютой?

— Вот полюбуйтесь, — сказал Майкл, — три интеллигентных, общественно настроенных человека никогда не слышали о фоггартизме, а я больше года только о нем и слышу.

— Ну что ж, — сказал Хилери, — а ты слышал о моем плане перестройки трущоб?

— Нет, конечно.

— По-моему, — сказала тетя Мэй, — вы сейчас покурите, а я приготовлю кофе. Я вспомнила, Майкл: это твоя мама говорила, что не дождется, когда ты бросишь им заниматься. Я только забыла название. Это насчет того, что городских детей надо отнимать у родителей.

— Отчасти и это, — сказал удрученный Майкл.

— Не надо забывать, милый, что чем беднее люди, тем больше они держатся за своих детей.

— Весь смысл и радость их жизни, — вставил Хилери.

— А чем беднее дети, тем больше они держатся за свои мостовые, как я тебе уж говорила.

Майкл сунул руки в карманы.

— Никуда я не гожусь, — сказал он безнадежным тоном. — Нашли с кем связываться, дядя Хилери.

Хилери и его жена очень быстро встали и оба положили руку ему на плечо.

— Голубчик! — сказала тетя Мэй.

— Да что с тобой? — сказал Хилери. — Возьми папироску.

— Ничего, — сказал Майкл ухмыляясь, — это полезно.

Папироска ли была полезна, или что другое, но он послушался и прикурил у Хилери.

— Тетя Мэй, какое самое жалостное на свете зрелище, не считая, конечно, пары, танцующей чарльстон?

— Самое жалостное зрелище? — задумчиво повторила тетя Мэй. — О, пожалуй, богач, слушающий плохой граммофон.

— Неверно, — сказал Майкл. — Самое жалостное зрелище на свете — это политический деятель, уверенный в своей правоте. Вот он перед вами!

— Мэй, не зевай! Закипела твоя машинка. Мэй делает прекрасный кофе, Майкл, лучшее средство от плохого настроения. Выпей чашку, а потом мы с Джемсом покажем тебе дома, которые мы уже обновили. Джемс, пойдем-ка со мной на минутку.

— Упорство его вызывает восторги, — вполголоса продекламировал Майкл, когда они исчезли.

— Не только восторги, милый, но и страх.

— И все-таки из всех людей, которых я знаю, я бы больше всего хотел быть дядей Хилери.

— Он и правда милый, — сказала тетя Мэй. — Кофе налить?

— Во что он, собственно, верит, тетя Мэй?

— О, на это у него почти не остается времени.

— Да, по этой линии церковь еще может на что-то надеяться. Все остальное — только попытки переплюнуть математику, как теория Эйнштейна. Правоверная религия была придумана для монастырей, а монастырей больше нет.

— Религия, — задумчиво протянула тетя Мэй, — в свое время сожгла много хороших людей, и не только в монастырях.

— Совершенно верно, когда религия вышла за монастырские стены, она превратилась в самую непримиримую политику, потом стала кастовым признаком, а теперь это кроссворд. Когда их разгадываешь, в чувствах нет ни малейшей необходимости.

Тетя Мэй улыбнулась.

— У тебя ужасные формулировки, милый.

— У нас в палате, тетя Мэй, мы только формулировками и занимаемся, от них всякая движущая сила гибнет. Но вернемся к трущобам: вы правда советуете мне попробовать?

— Если хочешь жить спокойно — нет.

— Пожалуй, что и не хочу. После войны хотел, а теперь нет.

Но, видите ли, я попробовал насаждать фоггартизм, а ни один здравомыслящий человек на него и смотреть не хочет. Не могу я опять браться за безнадежное дело. Как вы думаете, есть шансы получить поддержку общества?

— Шансы минимальные, голубчик.

— А вы на моем месте взялись бы?

— Я, голубчик, пристрастна — Хилери так этого хочется; но и помимо этого мне думается, что ни в одном другом деле я не потерпела бы поражения с такой радостью. То есть это не совсем точно; просто нет ничего важнее, как создать для городского населения приличные жилищные условия.

— Вроде как перейти в лагерь противника, — пробормотал Майкл. — Мы не должны связывать свое будущее с городами.

— Оно все равно с ними связано, что бы ни делать. «Лучше синицу в руки», и такая большая синица, Майкл! А, вот и Хилери!

Хилери и архитектор потащили Майкла в «Луга». Моросил дождь, и этот лишенный цветов квартал выглядел более безрадостным, чем когда-либо. По дороге Хилери прославлял добродетели своих прихожан. Они пьют, но куда меньше, чем было бы естественно в данных обстоятельствах; они грязные, но он, живя в их условиях, был бы грязнее. Они не ходят в церковь — но кто, скажите, ждет от них иного? Они так мало бьют своих жен, что об этом и говорить не стоит; они очень добры и очень неразумны по отношению к своим детям. Они обладают чудотворным умением прожить, не имея прожиточного минимума. Они помогают друг другу гораздо лучше, чем те, у кого есть на это средства; никогда не пользуются сберегательной кассой, так как сберегать им нечего; и не заботятся о завтрашнем дне, который может оказаться хуже сегодняшнего. Учреждений они гнушаются. Уровень их нравственности вполне нормальный для людей, живущих в такой тесноте. Философского мышления у них хоть отбавляй, религиозности, собственно, никакой. Их развлечения — это кино, улица, дешевые папиросы, бары и воскресные газеты. Они любят попеть, не прочь потанцевать, если представится случай. У них свои понятия о честности, требующие особого изучения. Несчастные? Да, пожалуй, и нет, раз они махнули рукой на всякое будущее, в этой ли жизни, или в иной, — реалисты они до кончиков своих заросших ногтей. Англичане? Да, почти все, и по преимуществу уроженцы Лондона. Кое-кто в молодости пришел из деревни и, конечно, не вернется туда в старости.

— Ты их полюбил бы, Майкл: их нельзя не полюбить, если узнаешь поближе. А теперь, голубчик, до свидания, и обдумай все это. На вас, молодежь, только и надеяться Англии. Всего тебе хорошего!

И слова эти еще звучали у Майкла в ушах, когда он вернулся домой и узнал, что его сынишка заболел корью.

V. КОРЬ

Диагноз болезни Кита скоро подтвердился, и Флер перешла на положение затворницы.

Развлечения, которые Сомс старался найти для внука, прибывали почти каждый день. У одного были уши кролика и морда собаки, у другого хвост мула легко отделялся от туловища льва, третье издавало звук, похожий на жужжанье роя пчел; четвертое умещалось в жилетном кармане, но при желании растягивалось на целый фут. Все утра в городе Сомс проводил в добывании этих сокровищ, а также самых лучших мандаринов, винограда «мускат» и меда, качество которого оправдывало бы этикетку. Он жил на Грин-стрит, куда в ответ на умело составленную телеграмму о болезни мальчика явилась и Аннет. Сомс, который еще не целиком ушел в духовную жизнь, искренне ей обрадовался. Но после одной ночи он почувствовал, что может уступить ее Флер. Для нее будет облегчением знать, что мать с ней рядом. Может быть, к тому времени, когда кончится ее затворничество, этот молодой человек окажется вне ее поля зрения. Такая серьезная домашняя забота может даже заставить ее забыть о нем. Сомс был недостаточно философом, чтобы до конца понять томление своей дочери. В глазах человека, родившегося в 1855 году, любовь была чисто личным чувством, или если не была таковым, то должна была быть. Ему и в голову не приходило, что в тоске Флер по Джону могла проявиться ее жажда жизни, всей жизни и только жизни; что Джон олицетворял собой ее первое серьезное поражение в борьбе за совершенную полноту — поражение, за которое, может быть, еще не поздно было расквитаться. Душа современной молодежи, пресыщенная и сложная, была для Сомса книгой если не за семью печатями, то с еще не разрезанными страницами. «Желать невозможного» стало принципом, когда для него всякие принципы уже утеряли свое значение. Сознание, что есть предел человеческой жизни и счастью, было у него в крови, и его собственный опыт лишний раз убеждал его в этом.

Он, правда, не определял жизнь как «наилучшее использование скверной ситуации», но, хотя был твердо убежден, что когда у вас есть почти все, то нужно добиваться остального, он все же считал, что нечего выходить из себя, если это не удается. Яд поизносившейся религиозности, который до конца жизни заставлял истинно неверующих старых Форсайтов повторять положенные молитвы в смутной надежде, что после смерти они что-то за это получат, — этот яд до сих пор оказывал свое сдерживающее действие в организме их ненабожного отпрыска Сомса; так что, хоть он и был в общем уверен, что ничего не получит после смерти, но все же не считал, что получит все до смерти. Он сильно отстал от взглядов нового века, в число которых отнюдь не входила покорность судьбе, от века, который либо верил, опираясь на спиритизм, что есть немало шансов получить кое-что и после смерти, либо считал, что, так как умираешь раз и навсегда, надо постараться получить все, пока жив. Покорность судьбе! Сомс, разумеется, стал бы отрицать, что верит в такие вещи; и уж конечно, он считал, что для дочери его все недостаточно хорошо! А вместе с тем в глубине души он чувствовал, что предел есть, а Флер этого чувства не знала, — и этой небольшой разницей, вызванной несходством двух эпох, и объяснялось, почему он не мог уследить за ее метаниями.

Даже в детской, огорченная и встревоженная тоскливым бредом лихорадящего сынишки, Флер продолжала метаться. Когда она сидела у кроватки, а он метался и лепетал и жаловался, что ему жарко, дух ее тоже метался, роптал и жаловался. По распоряжению доктора она каждый день, приняв ванну и переодевшись, гуляла в течение часа одна; если не считать этого, она была совершенно отрезана от мира, только уход за Китом немного утолял боль в ее сердце. Майкл был к ней бесконечно внимателен и ласков; и в ее манере держаться ничто не выдавало желания, чтобы на месте его был другой. Она твердо придерживалась своей программы не дать ни о чем догадаться, но для нее было большим облегчением не видеть на себе полный заботы пытливый взгляд отца. Она никому не писала, но получила от Джона коротенькое сочувственное письмо.

«Уонсдон, 22 июня.

Милая Флер! Мы с большим огорчением узнали о болезни Кита. Ты, должно быть, очень переволновалась. Бедный малыш! От всей души надеемся, что самое неприятное уже позади. У меня в памяти корь осталась как два отвратительных дня, а потом масса чего-то вкусного и мягкого. Но он, наверно, еще слишком мал и понимает только, что ему очень не по себе.

Рондавелю скачки, говорят, пошли на пользу. Приятно, что мы побывали там вместе.

До свидания, Флер, желаю тебе всего лучшего.

Любящий тебя друг *Джон*».

Она сохранила это письмо, как хранила когда-то его прежние письма, но не носила с собой, как те, на слове «друг» появился мутный кружок, подозрительно похожий на слезу; кроме того, Майкл мог застать ее в любой стадии туалета. И она убрала письмо в шкатулку с драгоценностями, ключ от которой хранился только у нее.

Эти дни она много читала вслух Киту и еще больше сама, так как чувствовала, что за последнее время отстала от новейших течений в литературе; и развлечение она находила не столько в персонажах, слишком полных жизни, чтобы быть живыми, сколько в попытке угнаться за современностью. Так много было души в этих персонажах, и такой замысловатой души, что она никак не могла сосредоточиться на них, чтобы понять, почему же они не живые. Майкл приносил ей книгу за книгой и сообщал: «Говорят, умно написано», или: «Вот последняя вещь Нэйзинга», или: «Опять наш старый приятель Кэлвин — не так солено, как та его книга, но все-таки здорово». И она сидела и держала их на коленях и постепенно начинала чувствовать, что знает достаточно, чтобы при случае сказать: «О да, «Мегеры» я читала, очень напоминает Пруста», или «Любовь-хамелеон»? Да, это сильнее, чем ее «Зеленые пещеры», но все-таки не то, что «Обнаженные души», или: «Непременно прочтите «Карусель», дорогая, там такой изумительно непонятный конец».

Порой она беседовала с Аннет, но сдержанно, как подобает дочери с матерью после известного возраста; беседы их, собственно, сводились к выяснению проблем, так или иначе касающихся туалетов. Будущее, по словам Аннет, было полно тайны. Короче или длиннее юбки будут носить осенью? Если короче, то ее лично это не коснется; для Флер это, конечно, имеет значение, но сама она дошла до предела — выше колен юбку она *не* наденет. Что касается фасона шляп, то и тут ничего нельзя сказать определенно. Самая элегантная кокотка Парижа, по слухам, ратует за большие поля, но против нее орудуют темные силы — автомобильная езда и мадам де Мишель-Анж, «qui est toute pour la vieille cloche»[1]. Флер интересовало, слышала ли она что-нибудь новое относительно стрижки. Аннет, которая еще не остриглась, хотя голова ее уже давно трепетала на плахе, призналась, что она désespérée[2]. Все теперь зависит от беретов. Если они привьются, женщины будут продолжать стричься; если нет — возможно, что волосы опять войдут в моду. Во всяком случае, модным оттенком будет чистое золото; «et cela est impossible. Ton père aurait une apoplexie»[3]. Так или иначе, Аннет опасалась, что осуждена до конца дней своих носить длинные волосы. Может быть, добрый бог поставит ей за это хорошую отметку.

— Если тебе хочется остричься, мама, я бы не стала смущаться. Папа просто консерватор — он сам не знает, что ему нравится, пусть испытает новое ощущение.

Аннет скорчила гримасу.

— Ma chère, je n'en sais rien[4]. Твой отец на все способен.

Человек, «способный на все», ежедневно приходил на полчаса, сидел перед картиной Фрагонара, выпытывая новости у Майкла или Аннет, потом неожиданно изрекал: «Ну, привет Флер, рад слышать, что малышу получше!» Или: «Боли у него, наверно, от газов. А все-таки лучше пригласили бы опять этого, как его... Привет Флер». И в холле он останавливался на минутку около саркофага, прислушивался. Потом, поправив шляпу, бормотал что-то вроде: «Ничего не поделаешь!» или «Мало она бывает на воздухе», — и уходил.

А Флер с облегчением, которого она сама стыдилась, смотрела из окна детской, как он удаляется угрюмой, размеренной походкой. Бедный, старый папа! Не его вина, что сейчас он олицетворяет в ее глазах угрюмую, размеренную поступь семейной добродетели. Да, надежда Сомса, что вынужденное сидение дома исцелит ее, что-то не оправдывалась. После первых тревожных дней, когда у Кита еще держалась высокая температура, Флер испытала как раз обратное. Ее чувство к Джону, в котором был теперь элемент страсти, незнакомой ей до замужества, росло, как всегда растут такие чувства, когда ум не занят, а тело лишено воздуха и движения. Оно расцветало, как пересаженный в теплицу цветок. Мысль, что ее обобрали, не давала ей покоя. Неужели

[1] Которая никак не желает отказаться от шляп без полей (*фр.*).

[2] Совсем сбилась с толку (*фр.*).

[3] А это будет невыполнимо; твоего отца хватил бы удар (*фр.*).

[4] Ну, не знаю, милая (*фр.*).

им с Джоном никогда не вкусить золотого яблока? Неужели оно так и будет висеть, недосягаемое, среди темной глянцевитой листвы, совсем не похожей на листву яблони? Она достала свой старый ящик с акварельными красками — давно она не извлекала его на свет — и изобразила фантастическое дерево с большими золотыми плодами.

За этим занятием застал ее Майкл.

— А здóрово, — сказал он. — Ты напрасно забросила акварель, старушка.

Флер ответила напряженно, словно прислушиваясь к тому, что крылось за его словами:

— Просто от нечего делать.

— А какие это фрукты?

Флер рассмеялась.

— Вот в том-то и суть! Но это, Майкл, душа, а не тело фруктового дерева.

— Как я не сообразил, — устыдился Майкл. — Во всяком случае, можно мне повесить его в кабинете, когда будет готово? Сделано с большим чувством.

В душе Флер шевельнулась благодарность.

— Сделать надпись «Несъедобный плод»?

— Ни в коем случае, он такой сочный и вкусный на вид; только есть его пришлось бы над миской, как манго.

Флер опять засмеялась.

— Как тогда на пароходе, — сказала она и подставила щеку наклонившемуся над ней Майклу. Пусть хоть он не догадывается о ее чувствах.

И правда, французская кровь в ней никогда не остывала в близости с тем, кто будил нежность, но не любовь; а пряная горечь, которой была окрашена кровь почти всех Форсайтов, помогала ей видеть забавную сторону ее положения. Она по-прежнему была далеко не несчастной женой хорошего товарища и прекрасного человека, который, что бы она ни сделала, сам никогда не поступит низко или невеликодушно. Брезгливое отвращение к нелюбимым мужьям, о котором она читала в старинных романах и которым, она знала, так грешила первая жена ее отца, казалось ей порядочной нелепостью. Совместительство было в моде; духовная верность, логически распространяющаяся на движения тела, была чем-то от каменного века или, во всяком случае, от века Виктории и мещанства. Следуя по этому пути, никогда не достигнешь полноты жизни. А между тем откровенное язычество, воспеваемое некоторыми мастерами французской и английской литературы, тоже претило Флер своей неумолимо логичной привычкой во всем доходить до конца. Для этого в ее крови не хватало яда, Флер отнюдь не была одержима манией пола; до сих пор она почти и не сталкивалась с этим мучительным вопросом. Но теперь в ее чувстве к Джону было не только прежнее, но и новое; и целые дни проходили в планах: как бы, снова вырвавшись на свободу, увидеть его, и услышать его голос, и прижаться к нему, как прижималась она к нему у ограды ипподрома, когда мимо них стрелой проносились лошади.

VI. ФОРМИРОВАНИЕ КОМИТЕТА

Майкл между тем был не так ослеплен, как она думала, потому что, когда двое живут вместе и один из них еще влюблен, он чутьем улавливает всякую перемену, как газель чует засуху. Еще были неприятно свежи воспоминания об этом завтраке и о визите к Джун. Он старался найти утешение в общественной жизни — великом болеутоляющем средстве от жизни личной — и решил не жалеть сил для осуществления планов дяди Хилери по перестройке трущоб. Подобрав необходимую литературу и сознавая, что общественные группы действуют по принципу центрифуги, он стал обдумывать, с кого начать свой поход. Какую фигуру видного общественного деятеля поставить ему в центре комитета? Сэр Тимоти Фэнфилд и маркиз Шропшир очень пригодятся в свое время, но, хотя они достаточно известны своими причудами, не им пробить дорогу к широкой публике. Необходима известная доля магнетизма. Им не обладал ни один из банкиров, которых он мог припомнить, уж конечно, ни один юрист или представитель духовенства, а всякому военному, который пустился бы в реформы, было обеспечено презрение общества до тех пор, пока его реформы не претворятся в жизнь, то есть фактически до самой смерти. Хорошо бы адмирала, но до них не добраться. На отставных премьер-министров слишком большой спрос, к тому же им идет во вред принадлежность к той или иной партии; а литературные кумиры либо слишком стары, либо слишком заняты собой, либо ленивы, либо очень уж неустойчивы в своих взглядах. Остаются врачи, дельцы, генерал-губернаторы, герцоги и владельцы газет. Вот тут-то Майкл решил обратиться за советом к своему отцу.

Сэр Лоренс, который во время болезни Кита тоже почти каждый день заходил на Саут-сквер, вставил в глаз монокль и добрых две минуты молчал.

— Что ты понимаешь под магнетизмом, Майкл? Лучи заходящего или восходящего солнца?

— По возможности и то и другое, папа.

— Трудно, — сказал сэр Лоренс, — трудно. Верно одно — умный человек для вас слишком большая роскошь.

— То есть как?

— Слишком тяжко пришлось публике от умных людей, а в Англии, Майкл, ум не так уж и ценят. Характер, мой милый, характер!

Майкл застонал.

— Знаю, знаю, — сказал сэр Лоренс, — вы, молодежь, считаете, что это понятие устарелое. — И вдруг он так вздернул свободную бровь, что монокль упал на стол. — Эврика! Уилфрид Бентуорт! Как раз подходит — «последний из помещиков возглавляет трущобную реформу» — вот это здорово, как теперь говорят.

— Старик Бентуорт? — нерешительно повторил Майкл.

— Он не старше меня — шестьдесят восемь, и не имеет никакого касательства к политике.

— Но ведь он глуп?

— Ну, заговорило молодое поколение! Грубоват и смахивает на лакея с усами, но глуп — нет. Три раза отказывался от звания пэра. Подумай, какое впечатление это произведет на публику!

— Уилфрид Бентуорт? Никогда бы я не вспомнил о нем и всегда думал, что он честный человек и больше никто, — удивлялся Майкл.

— Но он и правда честный!

— Да, но он всегда сам об этом говорит.

— Это верно, — сказал сэр Лоренс, — но нельзя же совсем без недостатков. У него двадцать тысяч акров, он увлекается вопросом откорма скота. Состоит членом правления железной дороги, почетный председатель крикетного клуба в своем графстве, попечитель крупной больницы. Его все знают. Члены королевского дома приезжают к нему охотиться, родословную ведет еще от саксов и больше чем кто бы то ни было в наше время приближается к типу Джона Буля. Во всякой другой стране его участие погубило бы любой проект, но в Англии... Да, если тебе удастся его залучить, дело твое наполовину сделано.

Майкл с веселой усмешкой взглянул на своего родителя. Вполне ли Барт понимает современную Англию? Он наспех окинул мысленным взором разные области общественной жизни. А ведь — честное слово — понимает!

— Как к нему подъехать, папа? А сами вы не хотели бы войти в комитет? Вы с ним знакомы, мы могли бы отправиться вместе.

— Если тебе правда этого хочется, — в тоне сэра Лоренса прозвучала грустная нотка, — я согласен. Пора мне опять заняться делом.

— Чудесно! Я начинаю понимать ваше мнение о Бентуорте. Вне всяких подозрений: богат настолько, что выиграть ему на этом деле нечего, и недостаточно умсн, чтобы обмануть кого-нибудь, если б и захотел.

Сэр Лоренс кивнул.

— Еще прибавь его внешность: это колоссально много значит в глазах народа, который махнул рукой на сельское хозяйство. Нам все еще мила мысль о говядине. Этим объясняется немало случаев подбора наших вождей за последнее время. Народ, который оторвался от корня и плывет по течению, сам не зная куда, ищет в своих вождях грубости, говядины, грога или хотя бы портвейна. В этом есть что-то умилительное, Майкл. Что у нас сегодня — четверг? Помнится, в этот день у Бентуорта заседание правления. Что ж, будем ковать железо, пока горячо? Мы почти наверно поймаем его в клубе.

— Отлично! — сказал Майкл, и они отправились.

— Этот клуб, собственно, объединяет путешественников, — говорил сэр Лоренс, поднимаясь по ступеням «Бэртон-Клуба», — а Бентуорт, кажется, на милю не отъезжал от Англии. Видишь, в каком он почете. Впрочем, я несправедлив. Сейчас вспомнил — он в бурскую войну командовал отрядом кавалерии. Что, «помещик» в клубе, Смайлмен?

— Да, сэр Лоренс, только что пришел.

«Последний из помещиков» действительно оказался у телеграфной ленты. Его румяное лицо с подстриженными белыми усами и жесткими белыми бачками словно говорило, что не он пришел за новостями, а они явились к нему. Казалось, пусть обесценивается валюта и падают правительства, пусть вспыхивают войны и проваливаются стачки, но не согнется плотная фигура, не дрогнут спокойные голубые глаза под приподнятыми у наружных концов бровями. Большая лысина, коротко подстриженные остатки волос, выбрит как никто; а усы, доходящие как раз до углов губ, придавали необычайную твердость добродушному выражению обветренной физиономии.

Переводя взгляд с него на своего отца — тонкого, быстрого, верткого, смуглого, полного причуд, как болото бекасов, — Майкл смутился. Да, Уилфриду Бентуорту вряд ли свойственны причуды! «И как ему удалось не впутаться в политику — ума не приложу!» — думал Майкл.

— Бентуорт, это мой сын, государственный деятель в пеленках. Мы пришли просить вас возглавить безнадежное предприятие. Не улыбайтесь! Вам не отвертеться, как говорят в наш просвещенный век. Мы намерены прикрыть вами прорыв.

— А? Что? Садитесь. Вы о чем?

— Дело идет о трущобах; «не поймите превратно», как сказала дама. Начинай, Майкл.

Майкл начал. Он развил тезисы Хилери, привел ряд цифр, разукрасил их всеми живописными подробностями, какие смог припомнить, и все время чувствовал себя мухой, которая нападает на быка и с интересом следит за его хвостом.

— И когда в стенку вбивают гвоздь, сэр, — закончил он, — оттуда так и ползет.

— Боже милостивый, — сказал вдруг «помещик», — боже милостивый!

— Насчет «милости» приходится усомниться, — ввернул сэр Лоренс.

«Помещик» уставился на него.

— Богохульник вы эдакий, — сказал он. — Я незнаком с Черрелом; говорят, он выжил из ума.

— Нет, я не сказал бы, — мягко возразил сэр Лоренс, — он просто оригинален, как почти все представители древних фамилий.

Образчик старой Англии, сидевший напротив него, подмигнул.

— Вы ведь знаете, — продолжал сэр Лоренс, — род Черрелов был уже стар, когда этот пройдоха-адвокат, первый Монт, положил нам начало при Иакове Первом.

— О, — сказал «помещик», — так это ему вы обязаны жизнью? Не знал.

— Вы никогда не занимались трущобами, сэр? — спросил Майкл, чувствуя, что нельзя их пускать в странствия по лабиринтам родословных.

— Что? Нет. Надо бы, наверно. Бедняги!

— Тут важна не столько гуманитарная сторона, — нашелся Майкл, — сколько ухудшение породы.

— М-м, — сказал «помещик», — а вы что-нибудь понимаете в улучшении породы?

Майкл покачал головой.

— Ну, так поверьте мне, тут почти все дело в наследственности. Население трущоб можно откормить, но переделать его характер невозможно.

— Не думаю, что у них такой уж плохой характер, — сказал Майкл, — детишки почти все светловолосые, а это, по всей вероятности, значит, что в них сохранились англосаксонские черты.

Он заметил, как его отец подмигнул. «Ай да дипломат!» — казалось, говорил он.

— Кого вы имеете в виду для комитета? — неожиданно спросил «помещик».

— Моего отца, — сказал Майкл. — Думали еще о маркизе Шропшир.

— Да из него песок сыплется!

— Но он еще молодцом, — сказал сэр Лоренс. — У него хватит резвости электрифицировать весь мир.

— Еще кто?

— Сэр Тимоти Фэнфилд...

— Ох и бесцеремонный старикашка! Да?

— Сэр Томас Морсел...

— Гм!

Майкл поспешил добавить:

— Или какой-нибудь другой представитель медицинского мира, о ком вы лучшего мнения, сэр.

— Нет таких. Вы это уверены — насчет клопов?

— Безусловно!

— Что ж, надо мне повидать Черрела. Он, говорят, способен даже осла убедить расстаться с задней ногой.

— Хилери хороший человек, — вставил сэр Лоренс, — правда, хороший.

— Итак, Монт, если он придется мне по вкусу, я согласен. Не люблю паразитов.

— Серьезное национальное начинание, сэр, — начал Майкл, — и никто...

«Помещик» покачал головой.

— Не заблуждайтесь, — сказал он. — Может, соберете несколько фунтов, может, отделаетесь от нескольких клопов; но национальные начинания — этого у нас не существует...

— Крепкий старик, — сказал сэр Лоренс, спускаясь по ступеням клуба. — Ни разу в жизни не выказал энтузиазма. Из него выйдет превосходный председатель. По-моему, ты убедил его, Майкл. Ты хорошо сыграл на клопах. Теперь можно поговорить с маркизом. К Бентуорту и герцог пошел бы на службу. Они знают, что он более древнего рода, чем они сами, и что-то в нем есть еще.

— Да, но что?

— Как тебе сказать, он не думает о себе; неизменно спокоен, и ему в высшей степени наплевать на все и на всех.

— Не может быть, что только в этом дело.

— Ну, скажу еще. Дело в том, что он мыслит, как мыслит Англия, а не так, как ей мыслится, что она мыслит.

— Ого! — сказал Майкл. — Ну и диагноз! Пообедаем, сэр?

— Да, зайдем в «Партенеум». Когда меня принимали в члены, я думал, что и заходить сюда не буду, а вот, знаешь ли, провожу тут довольно много времени. Во всем Лондоне не найти места, которое больше напоминало бы Восток. Йог не нашел бы к чему придраться. Я прихожу сюда и сижу в трансе, пока не наступит время уходить. Ни звука, никто не подойдет. Нет низменного, материального комфорта. Преобладающий цвет — цвет Ганга. И непостижимой мудрости здесь больше, чем где бы то ни было на Западе. Не будем заказывать ничего экстренного. Клубный обед готовится с расчетом умерить всякие восторги. Завтрак получить нельзя, если член клуба приводит гостя. Где-то ведь нужно положить предел гостеприимству.

— Теперь, — начал он снова, когда они умерили свои восторги, — можно пойти к маркизу. Я не встречался с ним после этой истории с Марджори Феррар. Будем надеяться, что у него нет подагры...

На Керзон-стрит им сказали, что маркиз пообедал и прошел в кабинет.

— Если он уснул, не будите, — сказал сэр Лоренс.

— Его светлость никогда не спит, сэр Лоренс.

Маркиз писал что-то, когда они вошли; он отложил перо и выглянул из-за письменного стола.

— А, Монт, — сказал он, — очень рад! — Потом осекся: — Надеюсь, не по поводу моей внучки?

— Совсем нет, маркиз. Нам просто нужна ваша помощь в общественном начинании в пользу бедных. Дело идет о трущобах.

Маркиз покачал головой.

— Не люблю вмешиваться в дела бедных: чем беднее люди, тем больше надо считаться с их чувствами.

— Мы совершенно с вами согласны, сэр; но позвольте моему сыну объяснить, в чем дело.

— Так, садитесь. — Маркиз встал, поставил ногу на стул и, опершись локтем о колено, склонил голову набок.

Во второй раз за этот день Майкл пустился в объяснения.

— Бентуорт? — сказал маркиз. — У него шортгорны[1] не плохи; крепкий старик, но отстал от века.

— Поэтому мы и приглашаем вас, маркиз.

— Дорогой мой Монт, я стар.

— Мы пришли к вам именно потому, что вы так молоды.

— Честно говоря, сэр, — сказал Майкл, — мы думали, что вам захочется вступить в инициативный комитет, потому что, по плану моего дяди, предусмотрена электрификация кухонь; нам нужен человек, авторитетный в этом деле, который смог бы продвигать его.

— А, — сказал маркиз, — Хилери Черрел — я как-то слышал его проповедь в соборе Святого Павла. Очень занимательно! А как относятся к электрификации обитатели трущоб?

— Пока ее нет — разумеется, никак; но когда дело будет сделано, они сумеют ее оценить.

— Гм, — сказал маркиз. — На своего дядюшку вы, надо полагать, возлагаете большие надежды?

— О да, — подхватил Майкл, — а на электрификацию тем более.

Маркиз кивнул.

— С этого и надо начинать. Я подумаю. Горе в том, что у меня нет денег; а я не люблю взывать к другим, когда сам не могу оказать сколько-нибудь существенного содействия.

Отец с сыном переглянулись. Отговорка была уважительная, и они ее не предусмотрели.

— Вряд ли вы слышали, — продолжал маркиз, — чтобы кто-нибудь хотел купить кружева point de Venise[2], настоящие? Или, — прибавил он, — у меня есть картина Морланда...

— Морланд? — воскликнул Майкл. — Мой тесть как раз недавно говорил, что ему нужен Морланд.

---

[1] Порода крупного рогатого скота.

[2] Венецианские *(фр.)*.

— А помещение у него хорошее? — печально спросил маркиз. — Это белый пони.

— О да, сэр; он серьезный коллекционер.

— И можно надеяться, что со временем картина перейдет государству?

— Есть все основания так полагать.

— Ну что же, может быть, он зайдет посмотреть? Картина еще ни разу не переходила из рук в руки. Если он даст мне рыночную цену, какая бы она ни была, это может разрешить нашу задачу.

— Вы очень добры.

— Нисколько, — сказал маркиз. — Я верю в электричество и ненавижу дым. Кажется, его фамилия Форсайт? Тут был процесс — моя внучка. Но это дело прошлое. Я полагаю, вы теперь помирились?

— Да, сэр. Я ее видел недели две назад, и мы очень хорошо поболтали.

— У вас, современной молодежи, память короткая, — сказал маркиз, — новое поколение как будто уж и войну забыло. Вот не знаю, хорошо ли это. Вы как думаете, Монт?

— «Tout casse, tout passe...»[1], маркиз.

— О, я не жалуюсь, — сказал маркиз, — скорее наоборот. Кстати, вам в этот комитет нужно бы человека новой формации, с большими деньгами.

— А у вас есть такой на примете?

— Мой сосед, некий Монтросс — полагаю, что настоящая фамилия его короче, — он мог бы вам пригодиться. Нажил миллионы на резиновых подвязках. Знает секрет, как заставить их служить ровно столько, сколько нужно. Он иногда с тоской на меня поглядывает — я, видите ли, их не ношу. Может быть, если вы сошлетесь на меня... У него есть жена и еще нет титула. Полагаю, он не отказался бы поработать на пользу общества.

— Как будто и правда человек подходящий, — сказал сэр Лоренс. — Как вы думаете, можно рискнуть теперь же?

— Попробуйте, — сказал маркиз, — попробуйте. Я слышал, он много сидит дома. Не стоит останавливаться на полдороге; если нам действительно предстоит электрифицировать не одну и не две кухни, на это потребуются колоссальные суммы. Человек,

---

[1] Все проходит (*фр.*).

который оказал бы в этом существенное содействие, заслуживает титула больше, чем многие другие.

— Вполне с вами согласен, — сказал сэр Лоренс, — истинная услуга обществу. Титулом, полагаю, соблазнять его не следует?

Маркиз покачал головой, опиравшейся о ладонь.

— По нашим временам — нет, — сказал он. — Только назовите имена его коллег. На интерес его к самому делу рассчитывать не приходится.

— Ну, не знаю, как благодарить вас. Мы дадим вам знать, примет ли Уилфрид Бентуорт пост председателя, и вообще будем держать вас в курсе дела.

Маркиз снял ногу со стула и слегка поклонился в сторону Майкла.

— Приятно, когда молодых политических деятелей интересует будущее Англии, ведь никакая политика не избавит ее от будущего. А кстати, вы свою кухню электрифицировали?

— Мы с женой думали об этом, сэр.

— Тут не думать надо, — сказал маркиз, — а делать.

— Сделаем непременно.

— Надо действовать, пока не кончилась стачка, — сказал маркиз. — Не знаю, есть ли что короче, чем память общества.

— Фью! — сказал сэр Лоренс у подъезда соседнего дома. — Да он все молодеет. Ну, будем считать, что фамилия здешнего владельца была раньше Мосс. А если так, спрашивается: хватит ли у нас ума на это дело?

И они не слишком уверенным взглядом окинули особняк, перед которым стояли.

— Самое лучшее идти напрямик, — сказал Майкл. — Поговорить о трущобах, назвать людей, которых мы надеемся завербовать, а остальное предоставить ему.

— По-моему, — сказал сэр Лоренс, — лучше сказать «завербовали», а не «надеемся завербовать».

— Стоит вам назвать имена, папа, как он поймет, что нам нужны его деньги.

— Это он и так поймет, мой милый.

— А деньги у него есть, это верно?

— Фирма Монтросс! Они изготовляют не только резиновые подвязки.

— Я думаю, лучше всего совершенно открыто бить на его великодушие. Вы ведь знаете, они очень великодушный народ.

— Нечего нам тут стоять, Майкл, и обсуждать, из чего соткана душа иудейского племени. Ну-ка, звони!

Майкл позвонил.

— Мистер Монтросс дома? Благодарю вас. Передайте ему, пожалуйста, эти карточки и спросите, можно ли нам зайти к нему ненадолго?

Комната, в которую их ввели, была, очевидно, особо предназначена для подобных посещений: в ней не было ничего такого, что можно с легкостью унести; стулья были удобные, картины и бюсты ценные, но большие.

Сэр Лоренс разглядывал один из бюстов, а Майкл — картину, когда дверь открылась и послышался голос:

— К вашим услугам, джентльмены.

Мистер Монтросс был невысок ростом и немного напоминал худого моржа, который был когда-то брюнетом, но теперь поседел; у него был нос с легкой горбинкой, грустные карие глаза и густые нависшие седеющие усы и брови.

— Нас направил к вам ваш сосед, сэр, маркиз Шропшир, — сразу начал Майкл. — Мы хотим образовать комитет, который обратился бы с воззванием для сбора средств на перестройку трущоб, — и он в третий раз пустился излагать подробности дела.

— А почему вы обратились именно ко мне, джентльмены? — спросил мистер Монтросс, когда он кончил.

Майкл на секунду запнулся.

— Потому что вы богаты, сэр, — сказал он просто.

— Это хорошо! — сказал мистер Монтросс. — Видите ли, я сам вышел из трущоб, мистер Монт, — так, кажется? — да, мистер Монт, я вышел оттуда и хорошо знаком с этими людьми. Я думал, не поэтому ли вы ко мне обратились.

— Прекрасно, сэр, — сказал Майкл, — но мы, конечно, и понятия не имели.

— Так вот, это люди без будущего.

— Это-то мы и хотим изменить, сэр.

— Если вырвать их из трущоб и пересадить в другую страну, тогда может быть; но если оставить их на их улицах... — мистер Монтросс покачал головой. — Я ведь знаю этих людей, мистер Монт; если б они думали о будущем, то не могли бы жить. А если не думать о будущем — выходит, что его и нет.

— А как же вы сами? — сказал сэр Лоренс.

Мистер Монтросс перевел взгляд с Майкла на визитные карточки, которые держал в руке, потом поднял свои грустные глаза.

— Сэр Лоренс Монт, не так ли? Я еврей, это другое дело. Еврей всегда выйдет в люди, если он настоящий еврей. Почему польским и русским евреям не так легко выйти в люди — это у них на лицах написано, слишком в них много славянской или монгольской крови. Чистокровный еврей, как я, всегда выбьется.

Сэр Лоренс и Майкл переглянулись, словно хотели сказать: «Какой славный!»

— Я рос бедным мальчиком в скверной трущобе, — продолжал мистер Монтросс, перехватив их взгляд, — а теперь я... да, миллионер; но достиг я этого не тем, что швырял деньги на ветер. Я люблю помогать людям, которые и сами о себе заботятся.

— Так, значит, — со вздохом сказал Майкл, — вас никак не прельщает наш план, сэр?

— Я посоветуюсь с женой, — тоже со вздохом ответил мистер Монтросс. — Всего лучшего, джентльмены, я извещу вас письмом.

Уже темнело, когда оба Монта медленно двинулись к Маунт-стрит.

— Ну? — сказал Майкл.

Сэр Лоренс подмигнул.

— Честный человек, — сказал он. — Наше счастье, что у него есть жена.

— То есть?

— Будущая баронесса Монтросс уговорит его. Иначе ему незачем было бы с ней советоваться. Итого четверо, а сэр Тимоти — дело верное: владельцы трущобных домов его bêtes noires[1]. Не хватает еще троих. Епископа всегда можно подыскать, только вот забыл, какой из них сейчас в моде; известный врач нам непременно нужен, и хорошо бы какого-нибудь банкира, а впрочем, может быть, обойдемся и твоим дядей, Лайонелом Черрелом, — он досконально изучил в судах темные стороны финансовых операций; и для Элисон мы нашли бы работу. А теперь, мой милый, спокойной ночи! Давно я так не уставал.

На углу они расстались, и Майкл направился к Вестминстеру. Он прошел вдоль стрельчатой решетки парка за Букингем-

---

[1] Объект ненависти (*фр.*).

ским дворцом и мимо конюшен в направлении Виктория-стрит. Тут везде были премиленькие трущобы, хотя за последнее время, он слышал, за них взялись городские власти. Он шел кварталом, где за них взялись так основательно, что снесли целую кучу ветхих домов. Майкл смотрел на остатки стен, расцвеченных, как мозаикой, несодранными обоями. Что сталось с племенем, которое выгнали из этих развалин? Куда понесли они свои трагические жизни, из которых они умеют делать такую веселую комедию? Он добрался до широкого потока Виктория-стрит, пересек ее и, выбрав путь, которого, как ему было известно, следовало избегать, скоро очутился там, где покрытые коркой времени старухи дышали воздухом, сидя на ступеньках, и узкие переулки уводили в неисследованные глубины. Майкл исследовал их мысленно, но не на деле. Он задержался на углу одного из переулков, стараясь представить себе, каково тут жить. Это ему не удалось, и он быстро зашагал дальше и повернул к себе на Саут-сквер, к своему жилищу — такому безупречно чистому, с лавровыми деревьями в кадках, под датской крышей. И ему стало больно от чувства, знакомого людям, которым не безразлично их собственное счастье.

«Флер сказала бы, — думал он, уставившись на саркофаг, так как и он утомился, — сказала бы, что раз у этих людей нет эстетического чувства и нет традиций, ради которых стоило бы мыться, то они по крайней мере так же счастливы, как мы. Она сказала бы, что они извлекают столько же удовольствия из своей полуголодной жизни, сколько мы из ванн, джаза, поэзии и коктейлей. И в общем она права. Но признать это — какая капитуляция! Если это действительно так, то куда мы все идем? Если жизнь с клопами и мухами — все равно что жизнь без клопов и без мух, к чему тогда «порошок Китинга»[1]и все другие мечтания поэтов? «Новый Иерусалим» Блэйка[2], конечно, возник на основе «Китинга», а в основе «Китинга» лежит нежная кожа. Значит, совсем не цинично утверждать, что цивилизация не для толстокожих. Может, у людей есть и души, но кожа у них есть несомненно, и прогресс реален, только если думать о нем, исходя из этого!»

Так думал Майкл, свесив ноги с саркофага; и, размышляя о коже Флер, такой чистой и гладкой, он пошел наверх.

---

[1] Распространенный порошок от клопов.

[2] Уильям Блэйк (1757—1827) — английский поэт-мистик.

Она только что приняла вечернюю ванну и стояла у окна своей спальни. Думала. О чем? О луне над сквером?

— Бедная узница, — сказал он, обнимая ее.

— Как странно шумит город по вечерам, Майкл. И, как подумаешь, — этот шум производят семь миллионов отдельных людей; и у каждого своя дорога.

— А между тем все мы идем в одну сторону.

— Никуда мы не идем, — сказала Флер. — Просто быстро двигаемся.

— Какое-то направление все же есть, девочка.

— Да, конечно, — перемена.

— К лучшему или к худшему; но и это уже направление.

— Может быть, мы все идем к пропасти, а потом — ух!

— Как гадаринские свиньи?[1]

— Ну, а если и так?

— Я согласен, — сказал удрученный Майкл, — все мы висим на волоске; но ведь есть еще здравый смысл.

— Здравый смысл — когда есть страсть?

Майкл разжал руки.

— Я думал, ты всегда стоишь за здравый смысл. Страсть? Страсть к обладанию? Или страсть к знанию?

— И то и другое, — сказала Флер. — Такое уж теперь время, а я дитя своего времени. Ты вот нет, Майкл.

— Ты уверена? — сказал Майкл, отпуская ее. — Но если тебе хочется знать или иметь что-нибудь определенное, Флер, лучше скажи мне.

После минутного молчания она просунула руку ему под локоть и прижалась губами к его уху.

— Только луну с неба, милый. Пойдем спать.

VII. ДВА ВИЗИТА

В тот самый день, когда Флер освободилась от обязанностей сиделки, к ней явилась совершенно неожиданная посетительница. Флер, правда, сохранила о ней смутное воспоминание, неразрывно связанное со днем своей свадьбы, но никак не предполагала снова с ней увидеться. Услышав слова лакея: «Мисс Джун

[1] По евангельской легенде — свиньи в стране Гадара, которые бросились с обрыва в море после того, как Христос, исцелив бесноватых, вселил бесов в свиней.

Форсайт, мэм» — и обнаружив ее перед картиной Фрагонара, она как будто пережила легкое землетрясение.

При ее появлении серебристая фигурка обернулась и протянула руку в нитяной перчатке.

— Неглубокая живопись, — сказала она, указывая на картину подбородком, — но комната ваша мне нравится. Прекрасно подошла бы для картин Харолда Блэйда. Вы знаете его работы?

Флер покачала головой.

— О, а я думала, всякий... — маленькая женщина запнулась, словно увидала край пропасти.

— Что же вы не сядете? — сказала Флер. — У вас по-прежнему галерея около Корк-стрит?

— О нет, там место было никудышное. Продала за половину той цены, которую заплатил за нее отец.

— А что сталось с этим польским американцем — Борис Струмо... дальше не помню, — в котором вы приняли такое участие?

— Ах, он? Он погиб безвозвратно. Женился и работает только для заработка. Получает большие деньги за картины, а пишет гадость. Так, значит, Джон с женой... — она опять запнулась, и Флер попробовала заглянуть в ту пропасть, над которой Джун занесла было ногу.

— Да, — сказала она, твердо глядя в бегающие глаза Джун. — Джон, по-видимому, совсем расстался с Америкой. Не могу себе представить, как с этим примирится его жена.

— А, — сказала Джун, — Холли говорила мне, что и вы побывали в Америке. Вы там виделись с Джоном?

— Почти.

— Как вам понравилась Америка?

— Очень бодрит.

Джун потянула носом.

— Там картины покупают? То есть как вы думаете, у Харолда Блэйда были бы шансы продать там свои работы?

— Не зная его работ...

— Ну, конечно, я забыла; так странно, что вы их не знаете.

Она наклонилась к Флер, и глаза ее засияли.

— Мне так хочется, чтобы он написал ваш портрет, — получилось бы изумительное произведение. Ваш отец непременно должен это устроить. При вашем положении в обществе, Флер, да еще после прошлогоднего процесса, — Флер едва заметно передернуло, — бедный Харолд сразу мог бы создать себе имя.

Он гениален, — добавила Джун, нахмуря лоб, — обязательно приходите посмотреть его работы.

— Я с удовольствием, — сказала Флер. — Вы уже видели Джона?

— Нет. Жду их в пятницу. Надеюсь, что она мне понравится. Мне обычно все иностранцы нравятся, кроме американцев и французов; то есть, конечно, бывают исключения.

— Ну разумеется, — сказала Флер. — Когда вы бываете дома?

— Харолд уходит каждый день от пяти до семи — ведь он работает у меня в студии. Лучше я вам покажу его картины, когда его не будет; он такой обидчивый, как всякий истинный гений. Я еще хочу, чтобы он написал портрет жены Джона. Женщины ему особенно удаются.

— В таком случае, может быть, лучше сначала Джону познакомиться с ним и с его работами?

Джун уставилась было на нее, потом быстро перевела взгляд на картину Фрагонара.

— Когда мне ждать вашего отца? — спросила она.

— Может быть, я лучше сама зайду сначала?

— Сомсу обычно нравится не то, что хорошо, — задумчиво произнесла Джун. — Но если *вы* ему скажете, что хотите позировать, он, конечно... он вас вечно балует.

Флер улыбнулась.

— Так я зайду. Скорее на будущей неделе. — И мысленно добавила: «А скорей всего в пятницу».

Джун собралась уходить.

— Мне нравится ваш дом и ваш муж. Где он?

— Майкл? Наверно, в трущобах. Он сейчас увлечен проектом их перестройки.

— Вот молодец. Можно взглянуть на вашего сына?

— Простите, у него только что кончилась корь.

Джун вздохнула.

— Много времени прошло с тех пор, как я болела корью. Отлично помню, как болел Джон. Я тогда привезла ему книжки с приключениями, — она вдруг взглянула на Флер. — Вам его жена нравится? По-моему, глупо так рано жениться. Я все говорю Харолду, чтоб не женился, — с браком кончается все интересное. — Ее бегающий взгляд добавил: «Или начинается, а я этого не испытала». И вдруг она протянула Флер обе руки.

— Ну, приходите. Не знаю, понравятся ли ему ваши волосы!

Флер улыбнулась.

— Боюсь, что не смогу их отрастить для его удовольствия. А вот и папа идет! — Она видела, как Сомс прошел мимо окна.

— Без большой нужды я бы не стала с ним встречаться, — сказала Джун.

— Думаю, что это и его позиция. Если вы просто выйдете, он не обратит внимания.

— О! — сказала Джун и вышла.

Флер из окна смотрела, как она удаляется, словно ей некогда касаться земли.

Через минуту вошел Сомс.

— Что здесь понадобилось этой женщине? — спросил он. — Она как буревестник.

— Ничего особенного, милый. У нее новый художник, которого она пытается рекламировать.

— Опять какой-нибудь «несчастненький». Всю жизнь она ими славилась, с тех самых пор... — Он запнулся, чуть не произнеся имя Босини. — Только тогда и ходит, когда ей что-нибудь нужно. А что получила?

— Не больше, чем я, милый.

Сомс замолчал, смутно сознавая, что и сам не без греха. И правда, к чему куда-нибудь ходить, если не затем, чтобы получить что-нибудь? Это один из основных жизненных принципов.

— Я ходил взглянуть на эту картину Морланда, — сказал он, — несомненно, оригинал... Я, собственно, купил ее, — и он погрузился в задумчивость...

Узнав от Майкла, что у маркиза Шропшир продается Морланд, он сразу же сказал:

— А я и не собирался его покупать.

— Я так понял, сэр. Вы на днях что-то об этом говорили. Белый пони.

— Ну конечно, — сказал Сомс. — Сколько он за него просит?

— Кажется, рыночную цену.

— Такой не существует. Оригинал?

— Он говорит, что картина никогда не переходила из рук в руки.

Сомс задумался вслух:

— Маркиз Шропшир, кажется, дед той рыжей особы?

— Да, но совсем ручной. Он говорил, что хотел бы показать его вам.

— Верю, — сказал Сомс и замолк...

— Где этот Морланд? — спросил он через несколько дней.

— В доме маркиза, сэр, на Керзон-стрит.

— О! А! Ну что ж, надо посмотреть.

После завтрака на Грин-стрит, где он жил до сих пор, Сомс прошел на Керзон-стрит и дал лакею карточку, на которой написал карандашом: «Мой зять Майкл Монт говорил, что вы хотели показать мне вашего Морланда».

Лакей вернулся и распахнул одну из дверей со словами:

— Пожалуйте сюда, сэр. Морланд висит над буфетом.

В громадной столовой, где даже громоздкая мебель казалась маленькой, Морланд совсем пропадал между двумя натюрмортами голландского происхождения и соответствующих размеров. Композиция картины была проста — белая лошадь в конюшне, голубь подбирает зерно, мальчик ест яблоко, сидя на опрокинутой корзине. С первого же взгляда Сомс убедился, что перед ним оригинал и даже не реставрированный — общий тон был достаточно темный. Сомс стоял спиной к свету и внимательно разглядывал картину. На Морланда сейчас не такой большой спрос, как раньше; с другой стороны, картины его своеобразны и удобного размера. Если в галерее не так много места и хочется, чтоб этот период был представлен, Морланд, пожалуй, выгоднее всего после Констэбля — хорошего Крома-старшего дьявольски трудно найти. А Морланд — всегда Морланд, как Милле — всегда Милле, и ничем иным не станет. Как все коллекционеры периода экспериментов, Сомс снова и снова убеждался, что покупать следует не только то, что сейчас ценно, но то, что останется ценным. Те из современных художников, думал он, которые пишут современные вещи, будут похоронены и забыты еще раньше, чем сам он сойдет в могилу; да и не мог он найти в них ничего хорошего, сколько ни старался. Те из современных художников, которые пишут старомодные вещи, а к ним принадлежит большая часть академиков, — те, конечно, осмотрительнее; но кто скажет, сохранятся ли их имена? Нет. Безопасно одно — покупать мертвых, и притом таких мертвых, которым суждено жить. А так как Сомс не был одинок в своих выводах, то тем самым большинству из живых художников была обеспечена безвременная кончина. И действительно, они уже поговаривали о том, что картин сейчас не продать ни за какие деньги.

Он разглядывал картину, сложив пальцы наподобие трубки, когда послышался легкий шум; и, обернувшись, он увидел низенького старика в диагоналевом костюме, который точно так же разглядывал его самого.

Сомс опустил руку и, твердо решив не говорить «ваша светлость» или что бы там ни полагалось, сказал:

— Я смотрел на хвост — неплохо написан.

Маркиз тоже опустил руку и взглянул на визитную карточку, которую держал в другой.

— Мистер Форсайт? Да. Мой дед купил ее у самого художника. Сзади есть надпись. Мне не хочется с ним расставаться, но время сейчас трудное. Хотите посмотреть его с обратной стороны?

— Да, — сказал Сомс, — я всегда смотрю на обратную сторону.

— Иногда это лучшее, что есть в картине, — проговорил маркиз, с трудом снимая Морланда.

Сомс улыбнулся уголком рта; он не желал, чтобы у этого старика создалось ложное впечатление, будто он подлизывается.

— А сказывается наследственность, мистер Форсайт, — продолжал тот, нагнув голову набок, — когда приходится продавать фамильные ценности.

— Я могу и не смотреть с той стороны, — сказал Сомс, — сразу видно, что это оригинал.

— Так вот, если желаете приобрести его, мы можем сговориться просто как джентльмен с джентльменом. Вы, я слышал, в курсе всех цен.

Сомс нагнул голову и посмотрел на обратную сторону картины. Слова старика были до того обезоруживающие, что он никак не мог решить, надо ли ему разоружаться.

«Джордж Морланд — лорду Джорджу Феррару, — прочел он. — Стоимость 80 фунтов — получена. 1797».

— Титул он получил позднее, — сказал маркиз. — Хорошо, что он уплатил Морланду, — великие повесы были наши предки, мистер Форсайт; то было время великих повес!

От лестной мысли, что «Гордый Доссет» был великий повеса, Сомс слегка оттаял.

— И Морланд был великий повеса, — сказал он. — Но в то время были настоящие художники, можно было не бояться покупать картины. Теперь не то.

— Ну не скажите, не скажите, — возразил маркиз, — еще есть чего ждать от электрификации искусства. Все мы захвачены движением, мистер Форсайт.

— Да, — мрачно подтвердил Сомс, — но долго на такой скорости не удержаться — это неестественно. Скоро мы опять остановимся.

— Вот не знаю. Все же нужно идти в ногу с веком, не правда ли?

— Скорость — это еще не беда, — сказал Сомс, сам на себя удивляясь, — если только она приведет куда-нибудь.

Маркиз прислонил картину к буфету, поставил ногу на стул и оперся локтем о колено.

— Ваш зять говорил вам, зачем мне нужны деньги? Он задумал электрифицировать кухни в трущобах. Как-никак, мистер Форсайт, мы все же чище и гуманнее, чем были наши деды. Сколько же, вы думаете, стоит эта картина?

— Можно узнать мнение Думетриуса.

— Этого, с Хэймаркета? Разве он лучше осведомлен, чем вы?

— Не сказал бы, — честно признался Сомс. — Но если бы вы упомянули, что картиной интересуюсь я, он за пять гиней оценил бы ее и, возможно, сам предложил бы купить ее у вас.

— Мне не так уж интересно, чтобы знали, что я продаю картины.

— Ну, — сказал Сомс, — я не хочу, чтобы вы выручили меньше, чем могли бы. Но если бы я поручил Думетриусу достать мне Морланда, больше пятисот фунтов я бы не дал. Предлагаю вам шестьсот.

Маркиз вздернул голову.

— Не слишком ли щедро? Скажем лучше — пятьсот пятьдесят?

Сомс покачал головой.

— Не будем торговаться, — сказал он. — Шестьсот. Чек можете получить теперь же, и я заберу картину. Будет висеть у меня в галерее, в Мейплдерхеме.

Маркиз снял ногу со стула и вздохнул.

— Право же, я очень вам обязан. Приятно думать, что она попадет в хорошую обстановку.

— Когда бы вам ни вздумалось приехать посмотреть на нее...

Сомс осекся. Старик одной ногой в могиле, другой в палате лордов (что, впрочем, почти одно и то же) — да разве ему захочется ехать!

— Это было бы прелестно, — сказал маркиз, глядя по сторонам, как того и ждал Сомс. — У вас там есть своя электростанция?

— Есть. — И Сомс достал чековую книжку. — Будьте добры сказать, чтобы вызвали такси. Если вы немного сдвинете натюрморты, ничего не будет заметно.

Прислушиваясь к отзвуку этих малоубедительных слов, они

произвели обмен ценностями, и Сомс, забрав Морланда, в такси вернулся на Грин-стрит. Дорогой он подумал, не надул ли его маркиз, предложив сговориться как джентльмен с джентльменом. Приятный в своем роде старик, но вертляв, как птица, и так зорко поглядывает, сложив пальцы трубкой...

И теперь, в гостиной у дочери, он сказал:

— Что я слышу, Майкл занялся электрификацией кухонь в трущобах?

Флер улыбнулась; иронический оттенок ее улыбки не понравился Сомсу.

— Майкл по уши увяз.

— В долгах?

— О нет, увлекается трущобами, как раньше — фоггартизмом. Я почти не вижу его.

Сомс мысленно ахнул. Ко всем его мыслям о ней примешивался теперь Джон Форсайт. Правда ли ее огорчает, что Майкл поглощен общественной жизнью, или она притворяется и видит в этом только предлог, чтоб жить своей личной жизнью?

— О трущобах, конечно, пора подумать, — сказал он. — И ему нужно чем-нибудь заняться.

Флер пожала плечами.

— Майкл не от мира сего.

— Этого я не знаю, — сказал Сомс, — но он довольно-таки... э-э... доверчив.

— О тебе этого нельзя сказать, папа, правда? Мне ты ни капельки не доверяешь.

— Не доверяю! — растерялся Сомс. — Почему?

— Почему!

С горя Сомс воззрился на Фрагонара. Ох, хитра! Догадалась!

— Джун, верно, хочет, чтоб я купил какую-нибудь картину, — сказал он.

— Она хочет, чтобы ты заказал мой портрет.

— Вот что? Как фамилия ее «несчастненького»?

— Кажется, Блэйд.

— Никогда не слышал.

— Ну, так, наверно, услышишь.

— Да, — пробормотал Сомс, — она как пиявка. Это в крови.

— В крови Форсайтов? Значит, и ты и я такие, милый?

Сомс отвел взгляд от картины и в упор посмотрел в глаза дочери.

— Да, и ты и я.

— Вот хорошо-то, — сказала Флер.

VIII. ЗАБАВНАЯ ВСТРЕЧА

Сомс был недалек от истины, когда усомнился, действительно ли очередное увлечение Майкла так уж огорчает Флер. Она совсем не была огорчена. Трущобы отвлекали внимание Майкла от нее самой, не давали ему заняться регулированием рождаемости, до которого, казалось ей, страна еще не вполне доросла, и имели все шансы на популярность, чего не хватало фоггартизму. Трущобы были тут же, под самым носом; а на то, что под самым носом, может обратить внимание даже парламент. Вопрос касался городов, а следовательно — затрагивал шесть седьмых всех избирателей. Фоггартизм, ориентирующийся на земледелие, необходимое для пополнения жизненных сил и для производства продуктов питания как в Англии, так и в колониях, касался всего населения, но интересовал только одну седьмую часть избирателей. А Флер, будучи реалисткой до мозга костей, уже давно убедилась, что главная забота политических деятелей — это чтобы их избирали и переизбирали. Избиратели — это магнит первой величины, они бессознательно направляют в ту или иную сторону все политические суждения и планы, а если это не так, то напрасно, — не они ли являются пробным камнем всякой демократии? С другой стороны, комитет, который формировал Майкл, должен был, казалось, дать лучшую из всех доступных ей возможностей продвижения в обществе.

— Если им нужно где-нибудь собираться, — сказала она, — почему не у нас?

— Чудесно! — ответил Майкл. — Близко и от палаты, и от клубов. Вот спасибо, старушка!

Флер честно добавила:

— О, я буду очень рада. Можете начинать, как только я увезу Кита на море. Нора Кэрфью сдает мне на три недели свою дачку в Лоринге.

Она не добавила: «А оттуда всего пять миль до Уонсдона».

В пятницу утром она позвонила Джун:

— Я в понедельник уезжаю на море; я могла бы зайти сегодня, но вы, кажется, говорили, что придет Джон. Верно? Потому что в таком случае...

— Он придет в половине пятого, но ему нужно на обратный поезд в шесть двадцать.

— И жена его будет?

— Нет. Он хотел только посмотреть работы Харолда.

— А! Ну так я лучше зайду в воскресенье.

— Да, в воскресенье будет удобно, и Харолд вас увидит. Он никогда не выходит по воскресеньям — не выносит воскресного вида улиц.

Флер положила трубку и взяла со стола расписание. Да, есть такой поезд! Вот будет совпадение, если она поедет им же, чтобы осмотреть дачу Норы Кэрфью. Даже Джун не успеет проболтаться о их разговоре по телефону.

За завтраком она не сказала Майклу о своей поездке — вдруг ему вздумается тоже поехать или хотя бы проводить ее. Она знала, что днем он будет в палате, так не проще ли оставить ему записку, что она поехала проверить, успеют ли прибрать дачу к понедельнику. И после завтрака она нагнулась и поцеловала его в лоб без малейшего сознания измены. Будет только справедливо, если она увидит Джона после этих унылых недель. Когда бы она ни увидала Джона, которого у нее украли, это будет только справедливо. И ближе к вечеру, когда она стала складывать в саквояж вещи, нужные ей для ночевки, два красных пятна горели у нее на щеках, мысли блуждали. Она выпила чаю, оставила записку с адресом отеля в Нетлфолде и рано поехала на вокзал Виктория. Дав на чай проводнику, чтобы обеспечить себе пустое купе, она оставила чемоданчик на своем месте у окна, а сама заняла позицию возле книжного киоска, недалеко от выхода на платформу. И пока она там стояла, разглядывая новинки, порожденные воображением, все помыслы ее были направлены на мир реальный. После притворного, призрачного существования ей предстояло полтора часа настоящей жизни. Кто осудит ее, если она сворует их у воровки-судьбы? А если кто и осудит, ей все равно. Стрелка вокзальных часов подвигалась вперед, а Флер перелистывала один роман за другим, в каждом находила молодых женщин в затруднительных положениях, и в голове ее бродили смутные аналогии с ее собственным положением. Осталось три минуты! Неужели он не придет? Эта несчастная Джун могла уговорить его остаться ночевать! Наконец она в отчаянии схватила книжку под названием «Скрипка obbligato», которое во всяком случае сулило нечто передовое, и заплатила за нее. И тут, получая сдачу, она увидела Джона. Она повернулась и быстро пошла на платформу, зная, что он идет еще быстрее. Она дала ему первому заметить ее.

— Флер!

— Джон! Куда ты едешь?

— В Уонсдон.

— О, а я в Нетлфолд, присмотреть моему младенцу дачу в Лоринге. Вот мой чемоданчик — сюда, живо! Поехали!

Дверь захлопнулась, и она протянула ему обе руки.

— Правда, необыкновенно и забавно?

Джон сжал ее руки, потом сразу выпустил.

— Я был у Джун. Она все такая же, дай бог ей здоровья!

— Да, она заходила ко мне на днях; хочет, чтобы я позировала ее очередному любимцу.

— Сто́ит. Я сказал, что закажу ему портрет Энн.

— Правда? Он даже ее достоин изобразить?

И сейчас же пожалела: не с этого она думала начать!

А впрочем, надо же начать с чего-нибудь, надо же как-то занять губы, чтобы не дать им коснуться его глаз, его волос, *его* губ! И она заговорила: корь Кита, комитет Майкла, «Скрипка obbligato» и последователи Пруста; лошади Вэла, стихи Джона, запах Англии, который так важен поэту, — какая-то отчаянная мешанина из чего угодно, из всего на свете.

— Понимаешь, Джон, мне нужно выговориться, я месяц была в заключении.

И все это время она чувствовала, что даром теряет минуты, которые могла бы провести без слов, сердце к сердцу с ним, если правда, что сердце доходит до середины тела. И все время духовным хоботком искала, нащупывала мед и шафран его души. Найдет ли она что-нибудь, или весь запас бережется для этой несчастной американки, которая ждет его дома и к которой он — увы! — возвращается? Но Джон не подавал ей знака. То был не прежний, непосредственный Джон, он научился скрытности. По непонятному капризу памяти она вдруг вспомнила, как ее совсем маленькой девочкой привезли в дом Тимоти на Бэйсуотер-роуд и как старая тетя Эстер — неподвижная фигура в черных кружевах и стеклярусе, — сидя в кресле времен Виктории, тихим тягучим голосом говорила ее отцу: «О да, милый, твой дядя Джолион, до того как жениться, был очень увлечен нашей близкой подругой, Элис Рид; но у нее была чахотка, и он, конечно, понял, что не может на ней жениться, — это было бы неосмотрительно, из-за детей. А потом она умерла, и он женился на Эдит Мур». Странно, как это засело в то время в сознании десятилетней девочки! И она вгляделась в Джона. Старый Джолион, как его звали в семье, был его дедом. В альбоме у Холли она видела его портрет — голова куполом, белые усы, глаза, вдвинутые глубоко под брови, как у Джона. «Это было бы неосмотрительно!» Вот он, век Виктории! Может быть, и Джон от века Виктории? Ей подумалось, что она никогда не узнает, что такое Джон. И она сразу стала осторожней. Один лишний или преждевременный шаг — и она снова упустит его, и теперь уже навсегда! Нет, он не современен! Кто его знает, может быть, в «состав» его входит что-нибудь абсолютное, а не относительное, а абсолютное всегда смущало, почти пугало Флер. Но недаром она шесть лет тянула лямку светской жизни — она умела быстро приспособиться к новой роли. Она заговорила спокойнее, стала даже растягивать слова. В глазах пропал огонь и появилась усмешка. Какого мнения Джон о воспитании мальчиков — ведь не успеешь оглянуться, у него и свой будет? Ей самой было больно от этих слов, и, произнося их, она старалась прочесть что-нибудь на его лице. Но оно ничего ей не сказало.

— Кита мы записали в Уинчестер. Ты веришь в классическое образование, Джон? Или считаешь, что эти школы устарели?

— Именно. И это не плохо.

— То есть?

— Туда бы я и отдал своего сына.

— Понимаю, — сказала Флер. — Знаешь, Джон, ты и правда изменился. По-моему, шесть лет назад ты бы этого не сказал.

— Возможно. Живя вдали от Англии, начинаешь верить в искусственные преграды. Нельзя давать идеям носиться в пустом пространстве. В Англии их сдерживают, в этом и есть ее прелесть.

— До идей мне нет дела, — сказала Флер, — но глупость я не люблю. Классические школы...

— Да нет же, уверяю тебя. Кой-какие свойства они, конечно, губят, но это к лучшему.

Флер наклонилась вперед и сказала лукаво:

— Ты, кажется, стал моралистом, мой милый?

Джон сердито ответил:

— Да нет, ничего особенного!

— Помнишь нашу прогулку вдоль реки?

— Я уже говорил тебе — я все помню.

Флер едва не прижала руку к сердцу, которое вдруг подскочило.

— Мы чуть не поссорились тогда, потому что я сказала, что ненавижу людей за их тупую жестокость и желаю им свариться в собственном соку.

— Да, а я сказал, что мне жаль их. Ну и что же?

— Сдерживать себя глупо, — сказала Флер и сейчас же добавила: — Потому я и против классических школ. Там сдержанности учат.

— В светской жизни она может пригодиться, Флер. — И в глазах его мелькнула веселая искорка.

Флер прикусила губу. Ну ничего! Но она заставит его пожалеть об этих словах; и его раскаяние даст ей в руки хороший козырь.

— Я отлично знаю, что я выскочка, — сказала она, — меня во всеуслышание так назвали.

— Что?

— Ну да; был даже процесс по этому поводу.

— Кто посмел?..

— О дорогой мой, это дела давно минувшие. Но ты же не мог не знать — Фрэнсис Уилмот, наверно...

Джон в ужасе отшатнулся.

— Флер, не могла же ты подумать, что я...

— Ну конечно. Почему бы нет?

И правда, козырь! Джон схватил ее за руку.

— Флер, скажи, что ты не думаешь, что я нарочно...

Флер пожала плечами.

— Мой милый, ты слишком долго жил среди дикарей. Мы тут каждый день колем друг друга насмерть, и хоть бы что.

Он выпустил ее руку, и она взглянула на него из-под опущенных век.

— Я пошутила, Джон. Дикарей иногда не вредно подразнить. Parlons d'autre chose[1]. Присмотрел ты себе место, где хозяйничать?

— Почти.

— Где?

— Около четырех миль от Уонсдона, на южной стороне холмов, ферма Грин-Хилл. Есть фрукты — несколько теплиц — и клочок пахотной земли.

— Так это, должно быть, недалеко оттуда, куда я повезу Кита, — на море, и только в пяти милях от Уонсдона. Нет, Джон, не пугайся. Мы пробудем там не больше трех недель.

— Пугаться? Напротив, я очень рад. Мы к тебе приедем. На Гудвудских скачках мы все равно встретимся.

---

[1] Поговорим о чем-нибудь другом *(фр.)*.

— Я все думала... — Флер замолчала и украдкой взглянула на него. — Ведь можем мы быть просто друзьями, правда?

Не поднимая головы, Джон ответил:

— Надеюсь.

Прояснись его лицо, прозвучи его голос искренне — как поиному, насколько спокойнее билось бы ее сердце!

— Значит, все в порядке, — сказала она тихо. — Я с самого Аскота хотела сказать тебе это. Так оно и есть, так и будет; что-либо другое было бы глупо, правда? Век романтики миновал.

— Гм!

— Что ты хочешь выразить этим малоприятным звуком?

— Я считаю совершенно лишним рассуждать о том, что один век такой, другой — этакий. Человеческие чувства все равно не меняются.

— Ты в этом уверен? Такая жизнь, какую ведем мы, влияет на них. Ничто в мире не стоит дороже одной-двух пролитых слез, Джон. Это мне теперь ясно. Но я и забыла — ты ненавидишь цинизм. Расскажи мне про Энн. Ей еще не разонравилась Англия?

— Напротив. Она, видишь ли, чистая южанка, а Юг еще не стал современным, то есть, во всяком случае, в какой-то своей части. Больше всего ей нравится здесь трава, птицы и деревни. Она совсем не скучает по родине. И, конечно, увлечена верховой ездой.

— И английский язык она, вероятно, быстро усваивает?

В ответ на его удивленный взгляд лицо ее приняло самое невинное выражение.

— Мне хотелось бы, чтобы ты полюбила ее, — сказал он серьезно.

— О, так, без сомнения, и будет, когда я узнаю ее поближе.

Но в сердце ее поднялась волна жгучего презрения. Что она такое, по его мнению? Полюбить ее! Женщину, которую он обнимает, которая будет матерью его детей. Полюбить! И она заговорила о красотах Бокс-Хилла. Весь остаток пути до Пулборо, где Джон вышел, она была осторожна, как кошка, говорила легким дружеским тоном, глядела ясными, невинными глазами и почти не дрогнула, прощаясь:

— Итак, *au revoir* в Гудвуде, если не раньше. Забавная все-таки получилась встреча!

Но по пути в гостиницу, проезжая в станционном экипаже сквозь пропахший устрицами туман, она крепко сжала губы, и глаза ее под нахмуренными бровями были влажны.

IX. А ДЖОН!..

А Джон, которому предстояло пройти пешком пять с лишним миль, пустился в путь, и в ушах его, отбивая такт, звучала старая английская песня:

> Как счастлив мог бы я быть с любой,
> Когда б не мешала другая!

Вот до чего он запутался, непреднамеренно, просто следуя порывам своей честной натуры. Флер его первая любовь, Энн — вторая. Но Энн его жена, а Флер — замужем за другим. Мужчина не может быть влюблен одновременно в двух женщин; напрашивался вывод, что он не влюблен ни в ту, ни в другую. Откуда же тогда эти странные ощущения в его крови? Или то, что говорят, неверно? Французское или староанглийское разрешение вопроса не пришло ему в голову. Он женат на Энн, он любит Энн, она прелесть! Вот и все. Почему же тогда, шагая по траве вдоль дороги, он думал почти исключительно о Флер? Какой бы ни представлялась она циничной, или непосредственной, или просто милой, она ввела его в заблуждение не больше, чем в душе того хотела. Он знал, что у нее сохранилось к нему прежнее чувство, знал и то, что сохранилось и его чувство к ней или хотя бы какая-то доля его. Но ведь он любит и другую женщину. Джон был не глупее других мужчин и не больше их обманывал себя. Как и многие мужчины до него, он решил не закрывать глаза на факты и делать то, что считает правильным, — или, вернее, не делать того, что считает неправильным. Что именно неправильно, в этом он тоже не сомневался. Его беда была проще: он владел своими мыслями и чувствами ничуть не лучше, чем любой мужчина. В конце концов не его вина, что когда-то он безраздельно любил Флер или что она безраздельно любила его; и не его вина, что он любит свою родину и устал жить вдали от нее.

Не его вина, что он полюбил снова и женился на той, которую полюбил. И не его, казалось бы, вина, что вид, и голос, и аромат, и близость Флер пробудили в нем что-то от прежнего чувства. И все же такая двойственность претила ему, и он шел, то ускоряя, то замедляя шаг, а солнце двигалось по небу и пригревало ему затылок, который после солнечного удара в Гренаде навсегда остался чувствительным. Раз он постоял, прислонившись к изгороди. Он еще не так давно вернулся в Англию, чтобы оставаться равнодушным к ее красоте в такой дивный день. Он часто останавливался и прислонялся к какой-нибудь изгороди и вообще, как говорил Вэл, спал наяву.

Подошел уже первый день матча между Итоном и Хэрроу[1], которого никогда в свое время не пропускал его отец, но сенокос только что кончился, и в воздухе еще стоял запах сена. К югу перед ним растянулись холмы, освещенные по северным склонам. Под деревьями, у самой изгороди, стояли, медленно помахивая хвостами, рыжие сассекские коровы. Вдали на склонах тоже пасся скот. Покой окутал землю. Под косыми лучами солнца хлеб на ближнем поле отливал неземными оттенками — не то зеленью, не то золотом. И среди мирной красоты вечера Джон остро почувствовал разрушительную силу любви — чувства до того сладкого, тревожного и захватывающего, что оно отнимает у природы и краски, и покой, а жертвы его отравляют жизнь окружающим и сами ни на что не годны. Работать — и созерцать природу во всех ее образах! Почему он не может уйти от женщин? Почему, как в анекдоте, который рассказывала Холли, где бедную девушку пришло проводить на вокзал все ее семейство, — почему он не может уехать и сказать: «Слава тебе господи, с этим добром я разделался!»

Кусали мошки, и он пошел дальше. Рассказать Энн, что он ехал с Флер? Умолчать об этом — значило бы подчеркнуть значение этой встречи; но рассказывать почему-то не хотелось. И тут он набрел на Энн: она сидела на заборе, без шляпы, засунув руки в карманы джемпера, очень прямая и гибкая.

— Помоги мне слезть, Джон!

Он помог и не сразу выпустил ее. И сейчас же сказал:

— Угадай, с кем я ехал в поезде? С Флер Монт. Мы встретились на вокзале. Она на будущей неделе привезет сынишку в Лоринг, чтобы подправить его.

— О, как жаль!

— Почему?

— Потому что я люблю тебя, Джон. — Она вздернула подбородок, и теперь ее прямой точеный носик казался совсем тупым.

— Не понимаю... — начал Джон.

— Другая женщина, Джон. Я еще в Аскоте заметила... Наверно, я старомодна, Джон.

— Это ничего, я тоже.

---

[1] 9 июля.

Глаза ее, не до конца укрощенные американской цивилизацией, обратились на него, и она взяла его под руку.

— У Рондавеля пропал аппетит. Гринуотер очень расстроен. А я никак не усвою английское произношение, а очень хочу. Я теперь англичанка и по закону, и по происхождению, французского только и есть, что одна прабабка. Если у нас будут дети, они будут англичане, и жить мы будем в Англии. Ты окончательно решил купить ферму Грин-Хилл?

— Да, и теперь уж возьмусь за дело серьезно. Два раза играл в игрушки, довольно с меня.

— Разве в Северной Каролине ты играл?

— Не совсем. Но теперь другое дело; там это было не так важно. Что такое в конце концов персики? А здесь вопрос серьезный. Я намерен наживать деньги.

— Чудно! — сказала Энн. — Но я никак не ожидала, что ты это скажешь.

— Прибыль — единственный критерий. Буду разводить помидоры, лук, спаржу и маслины; из пахотной земли выжму все, что можно, и, если смогу, еще прикуплю.

— Джон! Сколько энергии! — И она схватила его за подбородок.

— Ладно, ладно, — свирепо сказал Джон. — Вот посмотришь, шучу я или нет.

— А дом ты предоставишь мне? Я так чудесно все устрою!

— Идет.

— Так поцелуй меня.

Полуоткрыв губы, она смотрела ему в глаза чуть косящим взглядом, придававшим ее глазам их особую манящую прелесть, и он подумал: «Все очень просто. То, другое, — нелепость! Иначе и быть не может!» Он поцеловал ее в лоб и в губы, но и тут, казалось, видел, как дрогнула Флер, прощаясь с ним, слышал ее слова: «А забавная все-таки получилась встреча!»

— Зайдем посмотреть Рондавеля, — сказал он.

Когда они вошли в конюшню, серый жеребенок стоял у дальней стены стойла и вяло разглядывал морковку, которую протягивал ему Гринуотер.

— Никуда не годится! — через плечо бросил им тренер. — Не быть ему в Гудвуде. Заболел жеребенок.

Как это Флер сказала: «Au revoir в Гудвуде, если не раньше!»

— Может, у него просто голова болит, Гринуотер? — сказала Энн.

— Нет, мэм, у него жар. Ну, да ничего, еще успеет взять приз в Ньюмаркете[1].

Джон погладил жеребенка по ляжке.

— Эх ты, бедняга! Вот чудеса! На ощупь чувствуешь, что он не в порядке.

— Это всегда так, — сказал Гринуотер. — Но с чего бы? Во всей округе, насколько я знаю, нет ни одной больной лошади. Самое капризное существо на свете — лошадь! К Аскотским скачкам его не тренировали — взял да и пришел первым. Теперь готовили его к Гудвуду — а он расклеился. Мистер Дарти хочет, чтобы я дал ему какого-то южноафриканского снадобья, а я о нем и не слышал.

— У них там лошади очень много болеют, — сказал Джон.

— Вот видите, — продолжал тренер, протягивая руку к ушам жеребенка, — совсем невеселый! Много бы я дал, чтобы знать, с чего он захворал.

Джон и Энн ушли, а он остался стоять около унылого жеребенка, вытянув вперед темное ястребиное лицо, словно стараясь разгадать ощущения своего любимца.

В тот вечер Джон поднялся к себе, совершенно одурелый от взглядов Вэла на коммунизм, лейбористскую партию и личные свойства сына Голубки да еще целой диссертации на тему о болезнях лошадей в Южной Африке. Он вошел в полутемную спальню. У окна стояла белая фигура; при его приближении она обернулась и бросилась ему на шею.

— Джон, только не разлюби меня!

— С чего бы?

— Ведь ты мужчина. А потом — верность теперь не в моде.

— Брось! — мягко сказал Джон. — Настолько же в моде, как и во всякое другое время.

— Я рада, что мы не едем в Гудвуд. Я боюсь ее. Она такая умная.

— Флер?

— Конечно, ты был в нее влюблен, Джон, я это чувствую; лучше бы ты сказал мне.

Джон облокотился на окно рядом с ней.

— Почему? — сказал он устало.

Она не ответила. Они стояли рядом в теплой тишине ночи, мотыльки задевали их крыльями, крик ночной птицы прорезал

---

[1] Октябрьские скачки.

молчание, да изредка было слышно, как в конюшне переступает с ноги на ногу лошадь. Вдруг Энн протянула вперед руку.

— Вот там — где-то — она не спит и хочет тебя. Нехорошо мне, Джон!

— Не расстраивай себя, родная!

— Но мне, право же, нехорошо, Джон.

Прижалась к нему, как ребенок, щекой к щеке, темный завиток щекотал ему шею. И вдруг обернулась, отчаянно ища губами его губы.

— Люби меня!

Но когда она уснула, Джон еще долго лежал с открытыми глазами. В окно прокрался лунный свет, и в комнату вошел призрак — призрак в костюме с картины Гойи, кружился, придерживая руками широкое платье, манил глазами, а губы словно шептали: «И меня! И меня!»

И, приподнявшись на локте, он решительно посмотрел на темную головку на подушке. Нет! Ничего, кроме нее, нет — не должно быть — в этой комнате. Только не уходить от действительности!

X. НЕПРИЯТНОСТИ

На следующий день, в понедельник, за завтраком Вэл сказал Холли:

Вот послушай-ка!

«Дорогой Дарти!

Я, кажется, могу оказать тебе услугу. У меня имеются кой-какие сведения относительно твоего жеребенка от Голубки и вообще о твоей конюшне, и стоят они гораздо больше, чем те пятьдесят фунтов, которые ты, я надеюсь, согласишься мне за них заплатить. Думаешь ли ты приехать в город на этой неделе? Если да, нельзя ли нам встретиться у Брамеля? Или, если хочешь, я могу прийти на Грин-стрит. Дело важное.

Искренне тебе преданный *Обри Стэйнфорд»*.

— Опять этот человек!

— Не обращай внимания, Вэл!

— Ну, не знаю, — мрачно протянул Вэл. — Какая-то шайка что-то слишком заинтересовалась этим жеребенком. Гринуотер волнуется. Я уж лучше постараюсь выяснить, в чем тут дело.

— Так посоветуйся сначала с дядей. Он еще не уехал от твоей мамы.

Вэл скорчил гримасу.

— Да, — сказала Холли, — но от него ты узнаешь, что можно делать и чего нельзя. Против таких людей не стоит действовать в одиночку.

— Ну ладно. Пари держу, что тут дело нечисто. Кто-то еще в Аскоте знал о Рондавеле.

Он поехал в Лондон утренним поездом и к завтраку был уже у матери. Она и Аннет завтракали в гостях, но Сомс был дома и не слишком радушно пожал ему руку.

— Этот молодой человек с женой все еще у вас?

— Да, — сказал Вэл.

— Что он, никогда не соберется чем-нибудь заняться?

Узнав, что Джон как раз собирается заняться делом, он проворчал:

— Сельское хозяйство? В Англии? Это еще зачем ему понадобилось? Только швырять деньги на ветер. Лучше ехал бы обратно в Америку или еще в какую новую страну. Почему бы ему не попробовать Южной Африки? Там его сводный брат умер.

— Он больше не уедет из Англии, дядя Сомс, — по-видимому, проникся нежной любовью к родине.

Сомс пожевал молча.

— Дилетанты все эти молодые Форсайты, — сказал он. — Сколько у него годовых?

— Столько же, сколько у Холли и ее сводной сестры, — около двух тысяч, пока жива его мать.

Сомс заглянул в рюмку и извлек из нее микроскопический кусочек пробки. Его мать! Он слышал, что она опять в Париже. Она-то имеет теперь по меньшей мере три тысячи годовых. Он помнил время, когда у нее не было ничего, кроме несчастных пятидесяти фунтов в год, но оказалось, что и этого было слишком много, — не они ли навели ее на мысль о самостоятельности? Опять в Париже! Булонский лес, зеленая Ниобея, исходящая слезами, — он хорошо ее помнил, — и сцена, которая произошла тогда между ними...

— А ты зачем приехал в город?

— Вот, дядя Сомс.

Сомс укрепил на носу очки, которые совсем недавно начал надевать для чтения, прочел письмо и вернул его племяннику.

— Видал я в свое время нахалов, но этот тип!..

— Как вы мне советуете поступить?

— Брось письмо в корзину, забудь о нем.

Вэл покачал головой.

— Стэйнфорд как-то заезжал ко мне в Уонсдон. Я ничего ему не сказал; но вы помните, что в Аскоте мы смогли получить только вчетверо, а ведь это был первый дебют Рондавеля. А теперь, перед самым Гудвудом, жеребенок заболел; что-то тут кроется.

— Так что же ты намерен делать?

— Я думал повидаться с ним, и, может быть, вы бы не отказались присутствовать при нашем разговоре, чтобы не дать мне свалять дурака.

— Это, пожалуй, не глупо. Такого беззастенчивого мерзавца, как этот, мне еще не приходилось встречать.

— Чистокровный аристократ, дядя Сомс, порода сказывается.

— Гм, — буркнул Сомс. — Ну что же, пригласи его сюда, если уж непременно хочешь с ним говорить, но сначала вынеси из комнаты все ценное и скажи Смизер, пусть уберет зонты.

В то утро он проводил Флер и внука на взморье и скучал, особенно после того, как, проводив их, посмотрел карту Сассекса и обнаружил, что Флер будет жить в двух шагах от Уонсдона и от этого молодого человека, который теперь не выходил у него из головы, о чем бы он ни думал. Возможность взять реванш с «этого мерзавца» Стэйнфорда сулила какое-то развлечение. Как только посланный ушел, он пододвинул стул к окну, откуда видна была улица. Про зонты он так и не сказал ничего — решил, что это будет недостойно, — но сосчитал их. День был теплый, шел дождь, и в открытое окно столовой с Грин-стрит струился влажный воздух, чуть отдающий запахами кухни.

— Идет, — сказал он вдруг. — Экая томная фигура!

Вэл пересек комнату и стал за его стулом. Сомс заерзал на своем месте. Этот тип и его племянник вместе учились — кто их знает, может быть, у них есть и еще какие-нибудь общие пороки.

— Ого, — сказал Вэл вполголоса, — вид у него и правда больной.

На «томной фигуре» был тот же темный костюм и шляпа, в которых Сомс видел его в первый раз; та же небрежная элегантность; поднятая бровь и полузакрытые глаза по-прежнему излучали презрение на горькие складки в углах рта. И ни с чем не сравнимое выражение обреченного, которому только и осталось, что презирать всякое чувство, как и в тот раз, пробудило в Сомсе крошечную искру жалости.

— Надо предложить ему выпить, — сказал он.

Вэл двинулся к буфету.

Раздался звонок, голоса в передней; потом появилась Смизер, красная, запыхавшаяся, с виноватым лицом.

— Вы примете этого джентльмена, сэр, который унес сами знаете что, сэр?

— Проведите его сюда, Смизер.

Вэл повернул к двери, Сомс остался сидеть.

«Темная фигура» появилась в дверях, кивнула Вэлу и подняла брови в сторону Сомса. Тот сказал:

— Здравствуйте, мистер Стэйнфорд.

— Мистер Форсайт, если не ошибаюсь?

— Коньяку или виски, Стэйнфорд?

— Спасибо, коньяку.

— Давай покурим. Ты хотел меня видеть. Мистер Форсайт — мой дядя и мой поверенный.

Сомс заметил, как Стэйнфорд улыбнулся, словно говоря: «Да ну? Вот удивительные люди!» Он закурил предложенную сигару, и воцарилось молчание.

— Ну? — не выдержал Вэл.

— Очень сожалею, Дарти, что твой жеребенок от Голубки расклеился.

— А откуда это тебе известно?

— Вот именно. Но прежде чем я тебе это сообщу, будь добр дать мне пятьдесят фунтов и обещание, что мое имя не будет упомянуто.

Сомс и Вэл остолбенели. Наконец Вэл сказал:

— А какая у меня гарантия, что твои сведения стоят пятьдесят фунтов или хотя бы пять?

— О, что я знаю, что твой жеребенок болен.

Как ни мало был Сомс знаком с миром скачек, он все же понял силу этого аргумента.

— Ты хочешь сказать, что знаешь, где моя конюшня протекает?

Стэйнфорд кивнул.

— В университете мы были друзьями, — сказал Вэл. — Чего ты ожидал бы от меня, если бы я располагал такими же сведениями о твоей конюшне?

— Дорогой Дарти, величины несоизмеримые. Ты богат, я — нет.

Избитые фразы вертелись на языке у Сомса. Он проглотил их. Что толку разговаривать с таким типом!

— Пятьдесят фунтов — большие деньги, — сказал Вэл. — Твои сведения действительно ценны?

— Да, клянусь честью.

Сомс громко фыркнул.

— Если я куплю у тебя эту течь, — продолжал Вэл, — можешь ты гарантировать, что она не обнаружится в другом месте?

— Мало вероятия, чтобы у тебя в конюшне оказались две трубы с течью.

— Мне и в одну не верится.

— Одна-то есть.

Сомс увидел, как его племянник подошел к столу и стал отсчитывать банковые билеты.

— Сначала скажи мне, что ты знаешь, и я заплачу тебе, если найду, что твои сведения правдоподобны. Имя твое упомянуто не будет.

Сомс увидел, как томные брови поднялись.

— Я доверчивый человек, Дарти, не то что ты. Дай расчет конюху по фамилии Синнет — вот где твоя конюшня протекает.

— Синнет? — сказал Вэл. — Мой лучший конюх! Чем ты можешь доказать?

Стэйнфорд извлек грязный листок почтовой бумаги и протянул его Вэлу. Тот прочел вслух:

— «Серый жеребенок болен, все в порядке — в Гудвуде ему не быть». Все в порядке? — повторил он. — Так, значит, он это подстроил?

Стэйнфорд пожал плечами.

— Можешь ты мне дать эту записку? — спросил Вэл.

— Если ты пообещаешь не показывать ему.

Вэл кивнул и взял записку.

— Ты знаешь его почерк? — спросил Сомс. — Очень это все подозрительно.

— Нет еще, — сказал Вэл и, к ужасу Сомса, положил в протянутую руку пачку банкнот. Сомс ясно расслышал легкий вздох облегчения. Вэл вдруг сказал:

— Ты с ним сговорился в тот день, когда заезжал ко мне?

Стэйнфорд чуть заметно улыбнулся, еще раз пожал плечами и повернул к двери.

— До свидания, Дарти, — сказал он.

Сомс раскрыл рот. Так реванш окончен! Он ушел!

— Послушай, — сказал он. — Не выпускай же его! Это чудовищно!

— Ой, до чего смешно, — сказал вдруг Вэл и захохотал. — Ой, до чего смешно!

— Смешно, — проворчал Сомс. — Куда идет мир, не понимаю.

— Не горюйте, дядя Сомс. На пятьдесят фунтов он меня обчистил, но за такое не жаль и заплатить. Синнет, мой лучший конюх!

Сомс все ворчал.

— Совратить твоего работника и тебя же заставить платить за это! Дальше идти некуда!

— В том-то и прелесть, дядя Сомс. Ну, поеду домой и выгоню этого мошенника.

— Я бы на твоем месте не постеснялся сказать ему, откуда мне все известно.

— Ну, не знаю. Ведь Стэйнфорд еле на ногах держится. Я не моралист, но думается мне, что свое слово я сдержу.

Сомс помолчал, потом искоса взглянул на племянника.

— Делай как знаешь. Но не мешало бы его засадить.

С этими словами он прошел в переднюю и пересчитал зонты. Все были целы, он взял один из них и вышел на улицу. Его тянуло на воздух. Если не считать истории с Элдерсоном, он сталкивался с явной бесчестностью не часто и только у представителей низших классов. Можно оправдать какого-нибудь бродягу, или даже клерка, или домашнюю прислугу. У них много соблазнов и никаких традиций. Но чего ждать от жизни, если даже на аристократа нельзя положиться в таком простом вопросе, как честность! Каждый день приходится читать о преступлениях, и можно с уверенностью сказать, что на одно дело, которое доходит до суда, десятки остаются нераскрытыми. А если прибавить все темные дела, что творятся в Сити, все сделки на комиссиях, подкуп полиции, торговлю титулами — с этим, впрочем, как будто покончено, — все мошенничества с подрядами... Прямо волосы дыбом встают!

Можно издеваться над прежним временем, и, конечно, наше время таит больше соблазнов, но что-то простое и честное ушло из жизни безвозвратно. Люди добиваются своего всеми правдами и неправдами, не желают больше ждать, когда удача сама придет к ним в руки. Все так спешат нажиться или прожиться! Деньги — во что бы то ни стало! Каких только не продают теперь шарлатанских средств, каких только книг не печатают, махнув рукой на правду и на приличия. А рекламы! Боже милостивый!

Эти мрачные размышления завели его в Вестминстер. Можно, пожалуй, зайти на Саут-сквер узнать, сообщила ли Флер по телефону, как доехала.

В холле на саркофаге лежало восемь шляп разных цветов и фасонов. Что тут еще творится? Из столовой доносился шум голосов, потом загудело — кто-то произносил речь. У Майкла какое-то собрание, а в доме только что была корь!

— Что у вас тут творится? — спросил он Кокера.

— Кажется, что-то насчет трущоб, сэр; мистер Монт говорил, они собираются их обновлять.

— Положите мою шляпу отдельно, — сказал Сомс. — От миссис Монт было что-нибудь?

— Она звонила, сэр. Доехали хорошо. Собаку, кажется, тошнило дорогой. Упрямый пес.

— Ну, — сказал Сомс, — я пока посижу в кабинете.

Войдя в кабинет, он заметил на письменном столе акварель: серебристый фон, дерево с большими темно-зелеными листьями и шаровидными золотыми плодами — сделано по-любительски, но что-то есть. В нижнем углу надпись рукой его дочери:

«Золотое яблоко. Ф. М. 1926».

Он и понятия не имел, что она так хорошо владеет акварелью! Вот умница! И он прислонил рисунок так, чтобы получше рассмотреть его. Яблоко? Что-то не похоже. Совершенно несъедобные плоды и сияют, точно фонари. Запретный плод! Такой Ева могла дать Адаму. Может быть, это символ? Воплощение ее тайных мыслей? И, глядя на рисунок, он погрузился в мрачное раздумье, из которого его вывел звук открывающейся двери. Вошел Майкл.

— Здравствуйте, сэр!

— Здравствуйте, — ответил Сомс. — Это что за штука?

XI. ВЗЯЛИСЬ ЗА ТРУЩОБЫ

Живя в эпоху, когда почти все подчинено комитетам, Майкл мог с уверенностью сказать, чему подчиняются сами комитеты. Нельзя собрать комитет непосредственно после обеда, ибо тогда члены комитета будут спать; или непосредственно перед обедом, ибо тогда они будут раздражительны. Нужно дать членам комитета свободно поговорить о чем вздумается, пока они не устанут слушать друг друга. Но должен быть кто-нибудь, предпочтительно председатель, кто бы мало говорил, побольше думал и, уж конечно, не спал бы, когда наступит подходящий момент, чтобы предложить среднюю линию действия, которую измученные члены обычно и принимают.

Залучив епископа и сэра Годфри Бедвина — специалиста-туберкулезника и получив отказ от своего дяди Лайонела Черрела, который сразу сообразил, что его жену леди Элисон хотят втянуть в работу, Майкл созвал первое собрание у себя в три часа, в день отъезда Флер на взморье. Явился Хилери и молоденькая девушка в роли секретарши. Началось с неожиданностей. Члены комитета в полном составе расселись вокруг испанского стола и стали беседовать. Майклу было ясно, что и епископ, и сэр Тимоти Фэнфилд метят на роль председателя, и он под столом легонько толкнул отца, опасаясь, как бы первый из них не выдвинул кандидатуру второго — в надежде, что тот выдвинет кандидатуру первого. Сэр Лоренс шепнул ему:

— Голубчик, это моя нога.

— Я знаю, — шепнул Майкл в ответ, — не начать ли?

Сэр Лоренс выронил монокль и сказал:

— Правильно! Джентльмены, я предлагаю избрать председателем Уилфрида Бентуорта. Как вы, маркиз, поддерживаете?

Маркиз кивнул.

Удар был принят благосклонно, и «помещик» проследовал на председательское место. Он начал так:

— Я буду краток. Вам всем известно столько же, сколько и мне, то есть почти ничего. Идея принадлежит мистеру Хилери Черрелу, его я и попрошу познакомить нас с нею. Трущобы плодят инвалидов, к тому же они кишат паразитами, и я со своей стороны готов сделать все, что в моих силах, чтобы искоренить это зло. Мистер Черрел, предоставляю вам слово.

Хилери не заставил себя просить; он горячо, остроумно и обстоятельно изложил свои взгляды, особенно напирая на человеческий подход к проблеме, которой, как он сказал, «до сих пор занимались только муниципальные власти, синие книги[1] и всякие ханжи». Речь его произвела впечатление — все заговорили наперебой. «Помещик», который сидел, подняв голову, крепко сдвинув пятки, расставив колени и прижав локти к бокам, изрек:

— К делу! Курить можно, Монт? — И, отказавшись от пред-

---

[1] Парламентские или правительственные отчеты.

ложенных Майклом сигар и папирос, набил трубку и несколько минут курил молча.

— Значит, — сказал он вдруг, — мы все считаем, что первая наша задача — это создать фонд.

Так как никто еще этого мнения не высказывал, все сейчас же согласились.

— В таком случае надо приступить к делу и составить текст воззвания. — И он добавил, указывая трубкой на сэра Лоренса: — Вы ловко владеете пером, Монт; вот вы, и епископ, и Черрел — пройдите, пожалуйста, в другую комнату и набросайте нам проект. В выражениях не стесняйтесь, но никакой слезливости.

Когда выделенная тройка удалилась, разговор завязался снова. Майкл слышал, что «помещик» и сэр Годфри Бедвин говорят о преимуществах клеевой краски, а маркиз обсуждает с мистером Монтроссом электрификацию его кухни. Сэр Тимоти Фэнфилд уставился на картину Гойи. Ему было лет семьдесят, он был высок и худ, имел тонкий нос крючком, смуглое лицо и большие белые усы; служил когда-то в гвардии и теперь был в отставке.

Слегка опасаясь его мнения о Гойе, Майкл поспешил сказать:

— Вот, сэр Тимоти, горняки-то все бастуют.

— Да, расстрелять их надо. Люблю рабочего человека, а вот вождей расстрелял бы немедля.

— А как насчет шахтовладельцев? — осведомился Майкл.

— Их вождей тоже расстрелял бы. Никогда у нас не будет мира в промышленности, пока мы не расстреляем кого-нибудь. Жаль, мы во время войны мало людей перестреляли. Пацифистов, коммунистов, спекулянтов — я бы их всех поставил к стенке!

— Как я рад, что вы состоите в нашем комитете, сэр, — тихонько сказал Майкл, — нам нужен человек с решительными взглядами.

— А! — сказал сэр Тимоти и заговорил тише, указывая подбородком на другой конец стола: — Между нами говоря, слишком он либерален, наш «помещик». Этих мерзавцев надо брать за горло. Я знал одного субъекта — сам владелец половины трущобного квартала, а имел наглость просить меня пожертвовать денег на миссионеров в Китае. Я ему сказал, что его расстрелять надо. Вот нахал! Ну, ему это не понравилось.

— Да что вы! — сказал Майкл.

В эту минуту девушка дернула его за рукав — пора начинать записывать?

Майкл решил, что рано.

Сэр Тимоти опять уставился на картину.

— Фамильный портрет? — спросил он.

— Нет, — ответил Майкл, — это Гойя.

— Скажите на милость! Гой — это по-еврейски христианин. Так это что же, христианка?

— Нет, сэр. Фамилия испанского художника.

— Понятия не имел, что у них есть художники, кроме Мурильо и Веласкеса; ну, таких, как эти, теперь не бывает. Новых художников, знаете ли, четвертовать бы надо. Вот еще... — и он опять понизил голос, — епископ! Тоже! Вечно они гнут свою линию — то против регулирования рождаемости, то всякие миссии. Рост неимущего населения надо пресекать в корне. Так или иначе — не давать им рожать детей; да расстрелять парочку домовладельцев — действовать с обоих концов сразу. Но вот увидите — побоятся! Вы знаете что-нибудь о муравьях?

— Только то, что они трудолюбивы, — сказал Майкл.

— Я их изучаю. Приезжайте ко мне в Хэмпшир, я вам покажу мои диапозитивы. Самое интересное насекомое на свете. — Он опять понизил голос. — Это кто там беседует со старым маркизом? Что? Этот резинщик? Кажется, еврей? А *он* зачем сюда втерся? Неправильно составлен этот комитет, мистер Монт. Шропшир премилый старичок, но... — сэр Тимоти постучал себя по лбу, — вконец помешался на электричестве. И доктор у вас есть. Поют они сладко, да толку мало. Вам нужен комитет, который бы не стеснялся с этими мерзавцами. Чаю? Не пью. Повесить бы того негодяя, который изобрел чай.

В эту минуту в комнату вернулась редакционная комиссия. Майкл облегченно вздохнул и встал с места.

— Хэлло! — сказал «помещик». — Ну, вы времени не теряли.

Выражение скромного достоинства, промелькнувшее на лицах редакционной комиссии, не обмануло Майкла. Он знал, что Хилери еще дома заготовил проект воззвания. Бумагу вручили председателю, и он, надев роговые очки, стал читать ее вслух так, точно это был список гончих или программа скачек. Майкл невольно почувствовал, что в этом есть и хорошая сторона, — «помещик» и выразительное чтение никак не совмещались в его сознании. Кончив читать, «помещик» сказал:

— Теперь мы можем обсудить один параграф за другим. Но

время идет, господа. Я лично считаю, что тут сказано все, что нужно. Ваше мнение, Шропшир?

Маркиз наклонился вперед и посучил бородку.

— Проект превосходный, одно замечание: мало подчеркнуто значение электрификации кухонь. Вот и сэр Годфри скажет. Нельзя требовать, чтобы эти бедные люди жили чисто, пока мы не избавим их от дыма, вони и мух.

— Ну что же, Шропшир, сформулируйте, и можно будет добавить.

Маркиз стал писать. Майкл увидел, что сэр Тимоти крутит усы.

— Я недоволен! — разразился он вдруг. — Надо написать так, чтобы у этих домовладельцев глаза на лоб полезли. На то мы и собрались, чтобы прищемить им хвосты. Слишком мягко выражаетесь.

— М-м! — сказал «помещик». — Что же вы предлагаете, Фэнфилд?

Сэр Тимоти прочел по заметкам на манжете:

— «Мы твердо убеждены, что всякого, кто владеет домами в трущобах, нужно расстрелять». Эти господа...

— Не пойдет, — сказал «помещик».

— Почему?

— Дома в трущобах принадлежат всяким почтенным лицам — вдовам, синдикатам, герцогам; да мало ли кому! Нельзя называть их господами и предлагать их расстреливать. Не годится.

Слово взял епископ:

— Не лучше ли выразить это следующим образом: «Нижеподписавшиеся глубоко сожалеют, что лица, владеющие домами в трущобах, так мало сознают свою ответственность перед обществом».

— Боже ты мой! — вырвалось у сэра Тимоти.

— Полагаю, что можно завернуть и покрепче, — сказал сэр Лоренс, — но нам бы сюда нужно юриста, чтобы в точности знать, как далеко мы можем зайти.

Майкл обратился к председателю:

— У меня есть юрист, сэр, здесь, в доме, — мой тесть. Я видел, он только что пришел. Полагаю, что он не откажется.

— Старый Форсайт! — сказал сэр Лоренс. — Как раз то, что нужно. Его бы надо к нам в комитет, Бентуорт. Он дока по части дел об оскорблении личности.

— А, — сказал маркиз, — мистер Форсайт! Умная голова, безусловно.

— Так давайте включим его, — сказал «помещик», — юрист всегда пригодится.

Майкл вышел.

Не найдя Сомса перед Фрагонаром, он поднялся к себе в кабинет и был встречен вопросом тестя:

— Это что за штука?

— Правда, хорошо, сэр? Это работа Флер — много чувства.

— Да, — проворчал Сомс, — на мой взгляд, даже слишком.

— Вы, наверно, заметили шляпы в передней. Мой комитет по перестройке трущоб как раз составляет воззвание, и они были бы страшно благодарны вам, сэр, если бы вы зашли к нам и как юрист просмотрели бы кое-какие упоминания о домовладельцах. Они, видите ли, боятся, как бы не написать лишнего. И еще, если вы не будете возражать, они с радостью включили бы вас в число членов.

— Так и включили бы? — сказал Сомс. — А кто это *они*?

Майкл назвал имена.

Сомс повел носом.

— Ух, сколько титулов! А это не опрометчивая затея?

— О нет, сэр. Одно то, что мы приглашаем вас, доказывает обратное. А кроме того, Уилфрид Бентуорт, наш председатель, три раза отказывался от титула.

— Ну, не знаю, — сказал Сомс. — Пойду посмотрю на них.

— Вы очень добры. Я думаю, что вид их вас вполне успокоит. — И он повел Сомса вниз.

— Совершенно не в моем духе, — сказал Сомс, переступая порог. Его приветствовали молчаливыми кивками и поклонами. У него сложилось впечатление, что до его прихода они все время пререкались.

— Мистер... мистер Форсайт, — сказал один из них, по-видимому, Бентуорт. — Мы просим вас как юриста войти в наш комитет и указать нам... э-э... линию, сдержать наших бретеров, таких вот, как Фэнфилд, вы меня понимаете... — И он взглянул поверх черепаховых очков на сэра Тимоти. — Вот ознакомьтесь, будьте добры!

Он передал бумагу Сомсу, который тем временем уселся на стул, пододвинутый ему девушкой-секретаршей. Сомс стал читать.

«Полагая, что есть обстоятельства, оправдывающие владение

недвижимым имуществом в трущобах, мы все же глубоко сожалеем о том явном равнодушии, с которым большинство владельцев относится к этому великому национальному злу. Активное сотрудничество домовладельцев помогло бы нам осуществить многое, что сейчас неосуществимо. Мы не хотим вызывать у кого бы то ни было чувство омерзения к ним, но мы стремимся к тому, чтобы они поняли, что должны посильно помочь стереть с нашей цивилизации это позорное пятно».

Сомс прочел текст еще раз, придерживая двумя пальцами кончик носа, потом сказал:

— «Мы не хотим вызывать у кого бы то ни было чувство омерзения». Не хотите, так не надо; зачем же об этом говорить? Слово «омерзение»... Гм!

— Совершенно верно, — сказал председатель. — Вот видите, как ценно ваше участие, мистер Форсайт.

— Совсем нет, — сказал Сомс, глядя по сторонам. — Я еще не решил вступить в члены.

— Послушайте-ка, сэр! — И Сомс увидел, что к нему наклоняется человек, похожий на генерала из детской книжки. — Вы что же, считаете, что нельзя употребить такое мягкое слово, как «омерзение», когда мы отлично знаем, что их расстрелять надо?

Сомс вяло улыбнулся; чего-чего, а милитаризма он терпеть не мог.

— Можете употреблять его, если вам так хочется, — сказал он, — только ни я, ни какой другой здравомыслящий человек тогда в комитете не останется.

При этих словах по крайней мере четыре члена комитета заговорили сразу. Разве он сказал что-нибудь слишком резкое?

— Итак, эти слова мы снимем, — сказал председатель. — Теперь, Шропшир, давайте ваш параграф о кухнях. Это важно.

Маркиз начал читать; Сомс поглядывал на него почти благосклонно. Они хорошо поладили в деле с Морландом. Параграф возражений не вызвал и был принят.

— Итак, как будто все. И мне пора.

— Минутку, господин председатель. — Сомс увидел, что эти слова исходят из-под моржовых усов. — Я знаю этих людей лучше, чем кто-либо из вас. Я сам начал жизнь в трущобах и хочу вам кое-что сказать. Предположим, вы соберете денег, предположим, вы обновите несколько улиц, но обновите ли вы этих людей? Нет, джентльмены, не обновите.

— Их детей, мистер Монтросс, детей, — сказал человек, в котором Сомс узнал одного из тех, кто венчал его дочь с Майклом.

— Я не против воззвания, мистер Черрел, но я сам вышел из низов, и я не мечтатель и вижу, какая нам предстоит задача. Я вложу в это дело деньги, джентльмены, но я хочу предупредить вас, что делаю это с открытыми глазами.

Сомс увидел, что глаза эти, карие и грустные, устремлены на него, и ему захотелось сказать: «Не сомневаюсь!» Но, взглянув на сэра Лоренса, он убедился, что и Старый Монт думает то же, и крепче сжал губы.

— Прекрасно, — сказал председатель. — Так как же, мистер Форсайт, вы с нами?

Сомс оглядел сидящих за столом.

— Я ознакомлюсь с делом, — сказал он, — и дам вам ответ.

В ту же минуту члены комитета встали и направились к своим шляпам, а он остался один с маркизом перед картиной Гойи.

— Кажется, Гойя, мистер Форсайт, и хороший. Что, я ошибаюсь или он действительно принадлежал когда-то Берлингфорду?

— Да, — сказал изумленный Сомс. — Я купил его в тысяча девятьсот десятом году, когда лорд Берлингфорд распродавал свои картины.

— Я так и думал. Бедный Берлингфорд! И устроил же он тогда скандал в палате лордов. Но они с тех пор ничего другого и не делали. Как это все было по-английски!

— Очень уж они медлительны, — пробормотал Сомс, у которого о политических событиях сохранились самые смутные воспоминания.

— Может, это и к лучшему, — сказал маркиз. — Есть когда раскаяться.

— Если желаете, я могу показать вам тут еще несколько картин, — сказал Сомс.

— Покажите, — сказал маркиз; и Сомс повел его через холл, который к тому времени очистился от шляп.

— Ватто, Фрагонар, Патер, Шарден, — говорил Сомс.

Маркиз, слегка нагнув голову набок, переводил взгляд с одной картины на другую.

— Очаровательно! — сказал он. — Какой был восхитительный и никчемный век! Что ни говорите, только французы умеют показать порок в привлекательном свете, да еще, может быть, японцы — до того как их испортили. Скажите, мистер Форсайт, можете вы назвать хоть одного англичанина, которому это удалось бы?

Сомс никогда не задумывался над этим вопросом и не был уверен, желательно ли это для англичанина; он не знал, что ответить, но маркиз заговорил сам:

— А между тем французы самый семейственный народ.

— Моя жена француженка, — сказал Сомс, глядя на кончик своего носа.

— Да что вы! — сказал маркиз. — Как приятно!

Сомс опять собирался ответить, но маркиз продолжал:

— Как они выезжают на пикники по воскресеньям — всей семьей, с хлебом и сыром, с колбасой, с вином! Поистине замечательный народ!

— Мне больше нравятся англичане, — заявил Сомс. — Не так, может быть, живописны, но... — Он замолчал, не перечислив добродетелей своей нации.

— Основатель моего рода, мистер Форсайт, был, несомненно, француз, даже не нормандец. Есть легенда, что его наняли к Вильгельму Руфусу[1], когда тот стал седеть, и велели поддерживать рыжий цвет его волос. По-видимому, это ему удалось, так как впоследствии его наделили земельными угодьями. С тех пор у нас в семье повелись рыжие. Моя внучка... — он птичьим глазком поглядел на Сомса, — впрочем, они, помнится, были не в ладах с вашей дочерью.

— Да, — свирепо подтвердил Сомс, — были не в ладах.

— Теперь, я слышал, помирились.

— Не думаю, — сказал Сомс, — но это дело прошлое.

Сейчас, осаждаемый новыми страхами, он почти готов был пожалеть об этом.

— Ну, мистер Сомс, вы мне доставили истинное удовольствие тем, что показали картины. Ваш зять говорил мне, что хочет электрифицировать свою кухню. Поверьте, ничто так не способствует хорошему пищеварению, как кухарка, которая никогда не горячится. Не забудьте передать это миссис Форсайт!

— Передам, — сказал Сомс, — но французы консервативный народ.

---

[1] В и л ь г е л ь м Р у ф у с II (Рыжий) — английский король (1087—1100).

— Прискорбно, но верно, — согласился маркиз, протягивая руку. — Всего вам лучшего!

— Всего лучшего! — сказал Сомс и остался стоять у окна, глядя вслед быстрой фигурке старика в серо-зеленом костюме с таким ощущением, словно он сам слегка подвергся электрификации.

XII. ДИВНАЯ НОЧЬ

В Лоринге у волнореза сидела Флер. Мало что так раздражало ее, как море. Она его не чувствовала. Море, о котором говорят, что оно вечно меняется, угнетало ее своим однообразием — синее, мокрое, неотвязное. И хотя она сидела лицом к нему, мысленно она от него отворачивалась. Она прожила здесь неделю и не видала Джона. Они знали, где она, но навестила ее только Холли; и верное чутье подсказало Флер причину — должно быть, Энн поняла. А теперь она знала от Холли, что и Гудвуда ждать нечего. Не везло ни в чем, и все существо ее возмущалось. Она пребывала в грустном состоянии полной неопределенности. Знай она в точности, чего хочет, она могла бы с собой сладить; но она не знала. Даже о Ките уже не нужно было особенно заботиться: он совсем окреп и целые дни возился в песке с ведром и лопаткой.

«Больше не могу, — подумала она, — поеду в город. Майкл мне обрадуется».

Она позавтракала пораньше и поехала; в поезде читала мемуары, автор которых с успехом погубил репутацию ряда умерших лиц. Книга была модная и развлекла ее больше, чем она ожидала, судя по заглавию; и по мере того как все меньше ощущался в воздухе запах устриц, настроение ее поднималось. В сумочке у нее были письма от отца и от Майкла, она достала их, чтобы перечитать.

«Радость моя!

(Так начиналось письмо Майкла. Да, наверно, она еще и сейчас его радость.)

Я здоров, «чего и вам с Китом желаю». Но скучаю без тебя ужасно, как всегда, и думаю в скором времени к тебе заявиться, если только ты не заявишься первая. Не знаю, видела ли ты в понедельник в газетах наше воззвание. Облигации уже понемножку расходятся. Комитет на прощание раскошелился. Морж выложил пять тысяч, маркиз прислал чек на шестьсот, который ему дал за Морланда твой отец, сам он и Барт дали по двести пятьдесят. «Помещик» дал пятьсот, Бедвин и сэр Тимоти по сотне, а епископ дал двадцать и свое благословение. Так что для начала у нас шесть тысяч восемьсот двадцать с одного комитета — не так уж скверно. Думаю, что дело пойдет. Воззвание отпечатано и рассылается всем, кто когда-нибудь на что-нибудь жертвует; среди прочих средств пропаганды мы имеем обещание «Полифема» показать фильм о трущобах, если мы сумеем его выпустить. Дядя Хилери настроен радужно. Забавно было наблюдать за твоим отцом — он долго думал, а потом побывал-таки в «Лугах». Вернулся, говорит — не знает; квартал весь разваливается, пятьсот фунтов на каждый дом — и то будет мало. Я в тот вечер напустил на него дядюшку, и он совсем растаял под влиянием Хилери. Но на следующее утро был сильно сердит, говорил, что, раз он подписал воззвание, его имя появится в газетах, а это будто бы может повредить ему: «Подумают, что я с ума спятил». Но в общем в комитет он вступил и со временем привыкнет. Компания, надо сказать, неважная; по-моему, их только и связывает, что мысль о клопах. Сегодня опять было собрание. Блайт зол не на шутку, говорит, что я изменил ему и фоггартизму. Конечно, это неправда, но надо же, черт возьми, заниматься чем-нибудь настоящим!

Крепко целую тебя и Кита. *Майкл.*

Рисунок твой окантован и висит у меня над письменным столом, очень хорошо получилось. Отец твой прямо поразился. *М.*»

Над письменным столом — «Золотое яблоко»! Вот ирония! Бедный Майкл — если б он знал!

Письмо отца было короткое, как и все его письма:

«Дорогая моя дочь!

Твоя мать уехала домой, а я пока остался на Грин-стрит в связи с этой затеей Майкла. Право, не знаю, стоящее ли это дело; о трущобах болтают много вздора. Все же я нахожу, что его дядя Хилери приятный человек, хоть и священник, и среди членов комитета есть неплохие имена. Там посмотрим.

Я не знал, что ты еще работаешь акварелью. Рисунок сделан очень недурно, хотя тема мне не ясна. Для яблок фрукты слишком мягкие и яркие. Ну, тебе лучше знать, что ты хотела изобразить. Я был рад услышать, что Кит хорошо поправился и что морской воздух идет тебе на пользу.

Любящий тебя отец *С. Ф.*».

Знать, что хотела изобразить! Только бы знать! И только бы не знал отец! Вот какие мысли не давали ей покоя, и она разорвала письмо и через окно разметала его по графству Сэрри. Он следил за ней, как рысь, как любовник; а ей сейчас не хотелось, чтобы за ней следили.

Багажа у нее не было, и с вокзала она в такси поехала в Чизик. Джун хоть будет знать что-нибудь об этих двоих: все ли еще они в Уонсдоне, вообще где они.

Как ясно она помнила особнячок Джун с того единственного раза, что была в нем, когда они с Джоном...

Джун была в холле, собиралась уходить.

— О, это вы! — сказала она. — Вы так и не пришли тогда в воскресенье!

— Да, слишком много дел набралось перед отъездом.

— Сейчас здесь живут Джон и Энн. Харолд пишет с нее прелестный портрет. Вещь получается исключительная. Она, по-моему, милая малютка (насколько помнила Флер, «она» была на несколько дюймов выше самой Джун) и хорошенькая. Сейчас мне нужно пойти купить ему кое-что необходимое, но я через четверть часа вернусь. Если хотите, подождите меня в столовой, а потом вместе пойдем наверх, и я покажу ему вас. Он единственный человек, который сейчас работает по-настоящему.

— Хорошо, что хоть один есть, — сказала Флер.

— Вот репродукции с его картин, — и Джун раскрыла большой альбом, лежавший на маленьком обеденном столе. — Какая прелесть, правда? И все его работы такие. Вы посмотрите, а я сейчас вернусь.

И, слегка тронув Флер за плечо, она умчалась.

Флер не стала просматривать альбом, она посмотрела в окно, окинула взглядом комнату. Как она помнила ее — и это вот круглое зеркало, старинное, тусклое, в которое она смотрелась семь лет назад, поджидая Джона, и бурную сцену, происшедшую тогда между ними в этой комнате, слишком тесной для бурь! Джон живет здесь! Сердце ее громко билось. Она опять поглядела на себя в тусклое зеркало. Ведь она хороша, не хуже, чем была тогда! Даже лучше! Черты лица определились, нет прежней девичьей расплывчатости. Как бы дать ему знать, что она здесь? Как бы повидать его одного хоть минутку? Сейчас вернется эта восторженная слепая дурочка (как Флер мысленно окрестила Джун). И быстрый ум принял быстрое решение: если Джон здесь, она найдет его! Она поправила волосы на висках, жемчуг на шее, провела по носу пуховкой почти без пудры, вышла в холл и прислушалась. Ни звука! И она стала медленно подниматься по лестнице. Он может быть в своей комнате или в ателье — больше укрыться некуда. На первой площадке справа — спальня, слева — спальня, прямо — ванная; двери открыты. Пусто! И в сердце у нее тоже пусто. Наверху помещалось только ателье. Если Джон там, то там же и художник, и эта девчонка, его жена. Стоит ли? Она пошла было вниз, потом вернулась. Да! Стоит! Медленно, очень тихо она пошла дальше. Дверь в ателье открыта, слышно быстрое, знакомое шарканье ног художника перед мольбертом. На минуту она закрыла глаза, потом опять пошла. На площадке у открытой двери остановилась. Дальше идти было незачем: в комнате, прямо против нее, висело широкое зеркало, и в нем, оставаясь невидимой, она увидала: в углу низкого дивана сидел Джон с незакуренной трубкой в руке и глядел в пространство. На возвышении стояла его жена; она была в белом платье, в руках держала лилию на длинном стебле, цветок доставал ей почти до подбородка. О, какая хорошенькая и смуглая, глаза темные, лицо в рамке темных волос. Но лицо Джона! Что выражает оно? Мысли ушли глубоко под маску, как глубоко под брови ушли глаза. Ей вспомнилось — так иногда смотрят львята: ничего не видят вблизи, а вдали видят... что? Глаза Энн — как это Холли про них сказала: «Как у самой славной русалки» — скользнули по его лицу, и тотчас же его взгляд оторвался от пространства и улыбнулся в ответ. Тогда Флер повернулась, быстро спустилась по лестнице и выбежала на улицу. Дождаться Джун — выслушивать ее панегирики, — знакомиться с художником, сдерживать себя при этой девчонке? Нет! Забравшись на империал автобуса, она увидела, как из-за угла выскользнула Джун, и злобно порадовалась ее разочарованию: когда тебе сделали больно, хочется причинить боль другому. Автобус повез ее прочь, по Кингз-роуд, через Хэммерсмит, потеющий под послеобеденным солнцем, прочь в большой город, с его миллионами жизней и интересов, неприступный, равнодушный, как судьба.

Она сошла у Кенсингтонского сада. Может быть, если нагуляться до боли в ногах, перестанет болеть сердце. И она пошла быстро, не глядя на цветы и нянюшек, на почтенных старичков и старушек. Но ноги у нее были крепкие, и она слишком быстро дошла до угла Гайд-парка — к великой, впрочем, радости одного из старичков, который все время старался не отставать от нее, потому что в его возрасте возбуждение было ему полезно. Она пересекла улицу, вошла в Грин-парк и замедлила шаг. И на ходу презирала себя. Презирала! Она, считавшая, что сердце — это так vieux jeu; постигшая, казалось бы, искусство сдерживать или обгонять свои чувства!

Она добралась до дому, а дома было пусто — Майкла нет. Прошла наверх, велела подать себе турецкого кофе, залезла в теплую ванну и лежала, куря папиросы. Это принесло ей некоторое облегчение. Все ее друзья пользовались этим средством. Вдоволь насладившись, она надела халатик и пошла в кабинет Майкла. Вот и ее «Золотое яблоко» — очень мило окантовано. Сейчас плод казался ей особенно несъедобным. Как улыбался глазами Джон в ответ на улыбку этой женщины! Подбирать объедки! И пробовать не хочется. Зелено яблоко, зелено! Даже белая обезьяна отказалась бы от таких фруктов. И несколько минут она стояла, глядя в упор в глаза обезьяне на китайской картине — почти что человечьи глаза, и все-таки не человечьи, потому что смотрело ими создание, понятия не имевшее о логике. Современный художник не мог бы изобразить такие глаза. У китайского живописца, работавшего столько лет назад, была и логика, и чувство традиции. Он увидел беспокойство зверя под более острым углом, чем то доступно людям теперь, и запечатлел его навеки.

А Флер, прелестная в ярко-зеленом халатике, прикусила уголок губы и пошла в свою комнату — одеваться. Она выбрала самое красивое платье. Если заветное желание ее невыполнимо, если нельзя получить то, от чего она стала бы и спокойна и логична, пусть будет хотя бы удовольствие, быстрота, развлечение — хватать их обеими руками, пить жадным ртом! И она уселась перед зеркалом с намерением всячески себя приукрасить. Сделала маникюр, получше уложила волосы, надушила брови; губы не подкрасила и едва заметно напудрила лицо, а шею, потемневшую от приморского солнца, — побольше.

Там и застал ее Майкл — шедевр современного искусства, такое совершенство, что притронуться страшно.

— Флер! — сказал он, и только; но слова были бы излишни.

— Я считаю, что заслужила свободный вечер. Одевайся поскорей, Майкл, и пойдем пообедаем, где позабавнее, а потом в театр и в клуб. Тебе ведь сегодня не нужно идти в палату?

Он думал пойти туда, но было что-то в ее голосе, что удержало бы его и от более важных дел.

Вдыхая ее аромат, он сказал:

— Дивно! Я только что из трущоб. Сию секунду, родная! — И умчался.

Пока длилась секунда, она думала о нем и о том, какой он хороший. И, думая о нем, видела глаза, и волосы, и улыбку Джона.

Место «позабавнее» был ресторанчик, полный актеров. Со многими Флер и Майкл были знакомы, и перед тем как разойтись по театрам, они подходили и говорили: «Вот приятная встреча!» — и, что самое странное, их лица и впрямь это выражали. Но такая уж публика — актеры! У них лица что угодно выразят. И все повторяли: «Постановку нашу видели? Непременно сходите, гадость ужасная!» или «Замечательная пьеса!» А потом, приметив через плечо других знакомых, восклицали: «А! Вот приятная встреча!» Их нельзя было упрекнуть в скучной логичности. Флер выпила коктейль и два бокала шампанского. Когда они вышли, щеки ее слегка горели. «Такая милашка» уже полчаса как началась, когда они до нее добрались, но это значения не имело — из того, что они увидели, они поняли не больше, чем могли бы понять из пропущенного первого акта. Театр был переполнен, в публике говорили, что «пьеса продержится много лет». В ней была песенка, которую распевал весь город, танцовщик, ноги которого могли складываться под самым острым углом, — и ни капли логики. Майкл и Флер вышли, напевая все ту же песенку, взяли такси и поехали в танцевальный клуб, где состояли членами не столько потому, что когда-либо там бывали, сколько следуя моде. Клуб был для избранных, среди членов числился и один министр, вступивший в него из чувства долга. В момент их прихода танцевали чарльстон, семь пар в разных углах комнаты пошатывались на расслабленных коленях.

— Ой-ой-ой, — сказал Майкл. — Ну, дальше в пустоту идти некуда! Что тут интересного?

— Пустота, милый! Мы живем в пустое время — разве ты не знал?

— И нет предела?

— Предел, — сказала Флер, — это то, чего нельзя преступить; а пустоту можно совершенствовать до бесконечности.

Сами по себе слова ничего не значили — цинизм как-никак был в моде, но от тона их Майкл содрогнулся: в тоне прозвучала личная нотка. Неужели она находит, что жизнь ее так уж пуста? Почему бы?

— Говорят, — сказала Флер, — скоро будут танцевать новый

американский танец, называется «Белый луч», он еще менее содержателен.

— Не может быть, — сказал Майкл, — этого образчика врожденного идиотизма не превзойти. Посмотри-ка вон на ту пару!

Пара, о которой шла речь, покачиваясь, двигалась к ним, выгнув колени так, точно в них провалились их души; в глазах, устремленных на Флер и Майкла, было не больше выражения, чем в четырех стеклянных шариках. От талии вниз они излучали странную серьезность, а выше казались просто мертвыми. Музыка кончилась, каждая из семи пар остановилась и стала хлопать в ладоши, не поднимая рук, точно боясь нарушить достигнутую выше талии пустоту.

— Неправда, — сказал вдруг Майкл.

— Что?

— Что это характерно для нашего века — ни красоты, ни веселья, ни искусства, ни даже изюминки — делай глупое лицо и дрожи коленками.

— Потому что ты сам не умеешь.

— А ты что, умеешь?

— Ну конечно, — сказала Флер, — нельзя же отставать.

— Только ради всего святого, чтобы я тебя не видел.

В этот момент все семь пар перестали хлопать в ладоши, оркестр заиграл мелодию, под которую коленки не сгибались. Флер с Майклом пошли танцевать. Протанцевали два фокстрота и вальс, потом ушли.

— В конце концов, — говорила Флер в такси, — в танцах забываешься. В этом была вся прелесть столовой. Найди мне опять работу, Майкл; Кита я смогу привезти через неделю.

— Хочешь вместе со мной секретарствовать по нашему фонду перестройки трущоб? Ты была бы незаменима для устройства балов, базаров, утренников.

— Ну что ж! А их стоит перестраивать?

— По-моему, да. Ты не знаешь Хилери. Надо пригласить их с тетей Мэй к завтраку. После этого сама решишь.

Он просунул руку под ее обнаженный локоть и прибавил:

— Флер, я тебе еще не очень надоел, а?

Тон его голоса, просительный, тревожный, тронул ее, и она прижала его руку локтем.

— Ты мне никогда не надоешь, Майкл.

— Ты хочешь сказать, что никогда у тебя не будет ко мне такого определенного чувства?

Именно это она и хотела сказать и потому поспешила возразить:

— Нет, мой хороший, я хочу сказать, что понимаю, когда у меня есть что-нибудь или даже кто-нибудь стоящий.

Майкл вздохнул, взял ее руку и поднес к губам.

— Если б не быть такой сложной! — воскликнула Флер. — Счастье твое, что ты — цельная натура. Это величайшее благо. Только, пожалуйста, Майкл, никогда не становись серьезным. Это было бы просто бедствие.

— Да, в конце концов все — комедия.

— Будем надеяться, — сказала Флер, и такси остановилось. — Какая дивная ночь!

Расплатившись с шофером, Майкл взглянул на освещенную фигуру Флер в открытых дверях. Дивная ночь! Да — для него.

XIII. «ВЕЧНО»

В следующий понедельник, узнав от Майкла, что наутро Флер с Китом приезжают домой, Сомс сказал:

— Я давно хотел познакомиться с этой частью света. Нынче к вечеру поеду туда на автомобиле и завтра привезу их. Флер ничего не говорите. Я извещу ее из Нетлфолда. Там, я слышал, есть отель.

— И очень неплохой, — сказал Майкл. — Но он, наверно, будет переполнен — ведь завтра начало скачек.

— Я предупрежу по телефону. Для меня номер найдется.

Он позвонил, и номер для него нашелся — кто-то другой его не получил. Выехал он часов в пять, узнав от Ригза, что ехать предстоит два с половиной часа. С утра погода была типично английская, но к тому времени, как они достигли Доркинга, прояснилось, стало приятно. В течение многих лет Сомс почти не заглядывал в ту часть Англии, которая лежала за прямой линией, соединяющей его имение на реке с центром Лондона; и так как в этот день он был менее обычного озабочен, то мог даже заняться более или менее объективными наблюдениями. Местность, конечно, пестрая и бугристая, неисправимо зеленая и совсем не похожа на Индию, Канаду или Японию. Говорят, меньше чем полторы тысячи лет тому назад здесь были чащи, вереск, болота. Что тут будет еще через полторы тысячи лет? Опять чащи, вереск, болота или сплошной громадный пригород — как знать? Где-то он читал, что люди будут жить под землей, а по воскресеньям вылезать на поверхность и дышать воздухом, летая на собственных аэропланах. Что-то не верится. Англичане не смогут прожить без открытых окон и хорошего сквозняка, и, по его мнению, играть в мяч под землей всегда будет душно, а в воздухе — невозможно. Те, что пишут пророческие статьи и книги, всегда забывают, что у людей есть страсти. Он пари готов держать, что и в 3400 году страстью англичанина будет: играть в гольф, ругать погоду, сидеть на сквозняках и изменять текст молитвенников.

И тут он вспомнил, что старый Грэдмен сильно постарел; надо подыскивать ему заместителя. По управлению имуществом семьи делать, в сущности, нечего — нужна только абсолютная честность. А где ее найдешь? Если она и существует, установить это можно только путем длительных экспериментов. К тому же человек должен быть молодой — сам он вряд ли долго протянет. И, подъезжая к Биллингсхерсту со скоростью сорока миль в час, он вспомнил, как старый Грэдмен вез его со скоростью шести миль с вокзала Пэддингтон на Парк-лейн; ехали в наемной карете, в ногах была постелена мокрая солома, и было это лет шестьдесят назад, когда сам старый Грэдмен был двадцатилетним юнцом, пытался отрастить баки и целые дни писал круглым канцелярским почерком. Столб, на нем дощечка: «Пять Дубов»; ни одного дуба не видно! Ну и гонит этот Ригз! Не сегодня-завтра опрокинет машину — сам жалеть будет. Но велеть ему ехать тише как будто и недостойно, в автомобиле нет ни одной женщины; и Сомс сидел неподвижно, лицо его выражало легкое презрение — своего рода страховка от собственных ощущений. Через Пулборо, зигзагами вниз, по мостику, через речку, в совсем незнакомую местность. Непривычный вид — справа и слева плоские луга, зимой тут, конечно, будет болото; на лугах — темно-рыжий скот, и черный с белым, и розово-пегий; а дальше к югу — высокие холмы необычного голубовато-зеленого оттенка, будто внутри они белые; выходы мела то тут, то там; и наверно, на холмах есть овцы — он всегда почтительно отзывался о южноанглийской баранине. Очень хорошее освещение, все серебрится, красивая в общем местность, здесь чувствуешь, будто тело становится легче, и голова не такая тяжелая. Так вот где обосновался его племянник и этот молодой человек, Джон Форсайт. Ну что ж, бывает хуже — очень своеобразно; точно такой местности он как будто не видел. И нехотя, из присущего его натуре чувства справедливости, Сомс одобрил их выбор. Как этот Ригз бьет машину на подъеме, а подъем трудный; мелькают разработки мела и разработки гравия, поросшие травой холмы и полоски леса в низинах, сторожка у ворот парка, потом большой буковый лес. Очень красиво, очень тихо; живого — только деревья, развесистые деревья, очень тенистые, очень зеленые. Дальше какая-то большущая церковь и нагромождение высоких стен и башен — по-видимому, замок Эрендл, мрачный, тяжелый; чем дальше от него отъедешь, тем, наверно, красивее он выглядит; потом опять через реку, и опять в гору, и дальше во весь дух в Нетлфолд, и вот отель, и впереди — море!

Сомс вышел из машины.

— Когда обедают?

— Уже начали, сэр.

— Одеваться полагается?

— Да, сэр. Сегодня бал-маскарад, сэр, по случаю скачек.

— Тоже затея! Оставьте мне столик; я сейчас приду.

Когда-то он вычитал в старинном романе, что отличительный признак джентльмена — умение одеться к обеду в десять минут, и притом самому завязать себе галстук. Он это твердо запомнил. Через двенадцать минут он сидел за столом. Уже кончали обедать, одеты все были как обычно. Сомс ел не спеша, поглядывая в окно на сад и расстилавшееся за ним море. Он не питал неприязни к морю — не то что Флер; недаром он семь лет прожил в Брайтоне и каждый день ездил на работу в Лондон. То было время, когда его покинула первая жена и он старался забыть свой позор. Странно, почему это позор всегда достается в удел тому, кто обижен? Людей восхищает безнравственность, сколько бы они ни утверждали обратное. Покинутый муж, покинутая жена вызывают пренебрежение. Что это — остаток дикости в человеческой природе или просто реакция против официальной нравственности судей, духовенства и так далее? Нравственность иногда уважают, но официальную нравственность — нет! Он читал это во взглядах людей после своего несчастья; убедился в этом во время процесса против Марджори Феррар. Выходит, что люди прибегают к защите закона, но втайне недолюбливают его, так как он обязывает. Та же история и с налогами: без них не обойтись, но когда есть возможность не заплатить — отчего же?

После обеда он сидел в почти пустом салоне, курил сигару и просматривал иллюстрированные журналы: дамы с детьми или собаками, разодетые дамы в невероятных позах, раздетые дамы в еще более невероятных позах; титулованные мужчины, мужчины на аэропланах, государственные мужи в неприятных ситуациях, скаковые лошади; большие дома и люди, выстроившиеся перед ними в ряд, и тут же напечатанные имена их, и прочие признаки царства небесного на земле. Остальные гости, верно, «расфуфыривались» для бала (как сказал бы Майкл); подумать только — в их возрасте, и рядиться! Но дураков на свете много — это он давно знал! Флер удивится, когда он нагрянет к ней завтра утром. Скоро она приедет к нему на Темзу — сейчас там самое лучшее время, — и, может быть, ему удастся уговорить ее поехать с ним в автомобиле куда-нибудь на Запад и отвлечь ее мысли от этой части Англии и этого молодого человека. Он часто сам себе обещал поездку на родину старых Форсайтов; только вряд ли Флер заинтересует такая примитивная картина, как владения бедных фермеров. Журнал выпал у него из рук, и он загляделся в широкое окно на засыпающие цветы. Немного уж, верно, лет ему осталось прожить. Говорят, теперь живут дольше, чем раньше, но как прожить дольше старых Форсайтов, он, право, не знал. В среднем десятеро их прожили по восемьдесят семь лет — чудовищный возраст! А между тем как будто и странно будет умереть через пятнадцать лет, когда, вот как сейчас, цветут цветы и внук так хорошо подрастает. В старости начинаешь страдать от чувства, что недостаточно всем насладился. Вот, например, коровы, и грачи, и хорошие запахи. Почему это, когда стареешь, так близка и нужна становится природа? Впрочем, Флер она, вероятно, никогда не будет нужна — ей нужны люди; хотя это у нее, может быть, и пройдет, когда она раз навсегда убедится, как мало в них интересного. Сумерки окутали сад и раздумья Сомса. На набережной было людно, играл оркестр. Оркестр играл и за его спиной, где-то в отеле. Наверно, танцуют! Пойти посмотреть — а потом спать. Во время кругосветного путешествия с Флер он часто высовывал нос на палубу и смотрел, как танцуют; странное это занятие в наше время: шимми, чарльстон — так, кажется, — ужас! Он вспомнил танцкласс, где маленьким мальчиком его обучали польке, мазурке, манерам и гимнастике. И бледная улыбка поползла у него по щекам. Мисс Ширс, маленькая старушка, обучавшая его и Уинифрид, — да она умерла бы на месте, доведись ей дожить до современных танцев! Старые танцы теперь презирают; он, по правде говоря, и сам их раньше презирал, но по сравнению с теперешними — ходить взад и вперед и дрожать в коленях — это все-таки были танцы. Взять хоть шотландский матлот, где надо было вертеться и подвывать, или старый галоп под песню «Джон Пиль молодец» — забористые были танцы, приходилось менять воротничок. Теперь воротничков не меняют — знай себе прохлаждаются. Странный способ наслаждаться жизнью в эпоху, когда только об этом и кричат. Он вспомнил, как еще до первого брака забрел как-то случайно в один из старых танцевальных клубов «Атеней» и видел, как Джордж Форсайт и его приятели кружат своих дам в вальсе так, что у тех ноги пола не касаются. В то время девушки в этих клубах все были профессиональные ночные бабочки. Сейчас, говорят, совсем не так. Но верно одно: люди притворяются — притворяются прожигателями жизни и все такое, а жить не живут; все только думают, как бы пожить.

Музыка джаза смолкла, потом опять зазвучала, он встал. Взглянуть одним глазом — и спать.

Зал был расположен где-то в стороне. Сомс пошел коридором. В конце его вихрем кружились звуки и краски. Танцевали «расфуфыренные» на совесть мефистофели, испанки, итальянские крестьяне, пьеро. Ошалелый взгляд с трудом охватывал расхаживающую, вертящуюся толпу; ошалелый слух решил, что мелодия пытается изобразить вальс. Он вспомнил, что вальс идет на счет три, вспомнил, как танцевали вальс в прежнее время, слишком ясно вспомнил бал у Роджера и Ирэн, свою жену, вальсирующую в объятиях Босини; до сих пор он не забыл выражения ее лица, и как волновалась ее грудь, и запах гардений, приколотых к ее платью, и лицо этого человека, когда она поднимала на него свои темные глаза, и как ничего для них не существовало, кроме их преступного счастья; вспомнил балкон, на который он бежал от этого зрелища, и полисмена внизу, на красной дорожке, постеленной через тротуар.

— «Вечно» — хороший вальс! — сказал кто-то у него за спиной. И правда неплохой, такой нежный. Из-за плеча крупной дамы, пытающейся, по-видимому, изобразить из себя фею, он опять стал разглядывать танцующих. Что это? Вот там! Флер! Флер в своем костюме с картины Гойи! Виноградного цвета платье — La Vendimia, сбор винограда, — разлетается от колен, лицо почти касается лица шейха. Флер! И этот шейх, этот мавр в широком белом одеянии! Чтобы не застонать, Сомс закашлялся. Эта пара! Так близко, и словно ничего для них не существует. Как Ирэн с Босини, так она с этим Джоном! Они миновали его и не заметили за внушительной фигурой. Сомс старался не потерять их в движущейся, снующей толпе. Вот они опять близко, глаза ее почти закрыты, он еле узнал их; а над легкой косынкой, прикрывающей ее плечи, — глаза Джона, глубокие, напряженные! А жена его где? И в то же мгновение Сомс увидел ее — она тоже танцевала, но все оглядывалась на них — русалка в чем-то длинном, зеленом, с удивленными ревнивыми глазами. И понятно, когда у нее перед носом плывет юбка Флер, волнуется ее грудь, излучают томление глаза! «Вечно!» Неужели никогда не кончится эта проклятая мелодия, не кончат танцевать эти двое, которые с каждым тактом словно все теснее прижимаются друг к другу! И из боязни быть замеченным Сомс повернул прочь и стал медленно подниматься к себе в номер. Взглянул одним глазом. Довольно!

Оркестр на набережной перестал играть, публика расходилась, огни гасли. За окном шумело — должно быть, подходил прилив. Сомс тронул рукой крахмальную сорочку, там, где болело; и замер на месте. «Вечно!» Страх перед неисчислимыми последствиями заливал его сознание, как рокочущий морской прилив. Дочь отверженная; внука у него отняли; память о прошлом отравлена; надежды пошли прахом! «Вечно!» Как бы не так! Не допустит он! Никогда! И мрачное самообладание, которое только два или три раза в жизни изменяло ему, и всегда с плачевным результатом, опять изменило ему на мгновение, так что всякий, кто вошел бы сейчас в полутемный голый номер отеля, счел бы его за безумного. Припадок прошел. Что толку лезть на стену! Еще хуже: только заболеешь, а ему нужны все его силы. Для чего? Чтобы сидеть смирно, ничего не делать; чтобы ждать, что будет. Венера! Не прикасаться к богине — злобной, ревнивой, с пустыми темными глазами! Он прикоснулся к ней в прошлом, и она ответила ударом. Не прикасаться! Владеть наболевшим, тревожным сердцем! И просто ждать, что будет!

ЧАСТЬ ТРЕТЬЯ

I. СОМС ДАЕТ СОВЕТЫ

Вернувшись в Нетлфолд после своей вылазки в Лондон, Флер продолжала изнывать у «соленой морской волны». Ни Джон, ни жена его так и не приехали ее проведать. Никаких сомнений: на нее наклеили ярлычок «яд». Два раза ходила она гулять к ферме Грин-Хилл в надежде, что повторится «забавная встреча». Видела там уютный старый дом и солидные дворовые постройки; сбоку их защищал склон холма, впереди открывался широкий вид на море. Тихий, удобный, гостеприимный уголок вызвал в ней враждебное чувство. *Ей* тут никогда не быть хозяйкой; значит, и дом этот ей враг, одна из тех сил, что борются против нее. Пока жизнь Джона не устроена, ей есть на что надеяться. Как только он осядет на этом мирном клочке земли, им прочно завладеет его жена, и он уйдет у нее из рук, на этот раз окончательно — уже два раза обжегся! Но как ни болело ее сердце, она все еще не понимала ясно, чего же в конце концов она добивается. Пока не нужно было ничего решать, казалось возможным многое, что в глубине души она считала невозможным. Даже потеря имени и чести не рисовалась ей как последняя степень безумия... Вновь пережить Испанию с Джоном! При этой мысли руки ее сжимались, раскрывались губы. Странствовать вдвоем, а тем временем изменчивое, снисходительное общество наших дней все забудет, а может, и простит! Любой вид общения с ним — от корректной платонической дружбы до полной потери себя; от преступной и тайной связи до спокойных открытых свиданий, пусть коротких, только не слишком редко. Волнение в крови подсказывало ей, что все возможно, если и не вполне вероятно, лишь бы теперь не потерять его навсегда.

Среди этих лихорадочных метаний точкой опоры явилось письмо от тети Уинифрид:

«...Из письма Вэла я узнала, что в Гудвуд они не поедут, — их прелестный двухлеток не в форме. Так обидно! Самые интересные скачки за весь год. Пишет, что они очень заняты переговорами о ферме, которую думает купить этот Джон Форсайт. Вэл с Холли радуются, что они будут жить так близко, но боюсь, как бы американочка не заскучала. Холли пишет, что они собираются на веселый маскарад в Нетлфолдский отель. Энн будет русалкой — ей пойдет, у нее такие прямые ножки; Холли будет madame Vigée le Brun, а Вэл говорит, что оденется «жучком» или совсем не поедет. От всей души надеюсь, что он не сделает себе красный нос. У Джона Форсайта есть костюм араба, который он вывез из Египта».

«... А у меня, — подумала Флер, — есть платье, в котором я приходила в его комнату в Уонсдоне». Как жалела она теперь, что не вышла из этой комнаты его женой, — после этого ничто не могло бы разлучить их. Но они тогда были такими невинными младенцами!

Дело в том, что она сейчас же решила тоже поехать на этот маскарад. Она приехала первая и злорадно наблюдала за лицами Джона и Энн, когда встретила их у входа в зал. Ее виноградное платье! Она увидела, что Джон его помнит, и поскорее стала расхваливать костюм Энн: «Самая настоящая русалка!» А что касается Джона — ему для полного сходства не хватает еще одной-двух жен! Вплоть до этого вальса она вела себя безукоризненно; и потом тоже старалась казаться безукоризненной всем, кроме Джона. Для него одного она затаила (так она по крайней мере надеялась) и близость, и ласку, и томление взгляда; но за эти несколько минут она дала ему ясно почувствовать, что любит его.

— Вечно! — только и сказала она, когда они наконец остановились.

И после этого танца Флер ускользнула домой: духу не хватило смотреть, как он будет танцевать со своей русалкой. Вся дрожа, пробралась она к себе, упала на кровать, разрыдалась беззвучно. И в путаных видениях мелькало и мучило загорелое лицо, и глаза, и ноги русалки. Наконец она затихла. Хоть несколько минут она владела им, сердцем к сердцу. Все лучше, чем ничего!

Встала она поздно, бледная и как будто успокоившаяся. В десять часов неожиданное появление автомобиля Сомса заставило ее окончательно укрыться под маской. Она встретила его словами преувеличенной благодарности, которой совершенно не чувствовала.

— Папа! Вот чудесно! Откуда ты?

— Из Нетлфолда. Я там ночевал.

— В отеле?

— Да.

— Подумай, я сама вчера вечером была там на балу.

— О, — сказал Сомс, — на маскараде? Мне о нем говорили. Весело было?

— Так себе; я рано уехала. Если б я знала, что ты там! Что же ты не предупредил, что приедешь за нами?

— Мне просто вздумалось, что для мальчика так будет лучше, чем ехать поездом.

И Флер так и не поняла, что́ он видел и видел ли вообще что-нибудь.

К счастью, всю дорогу в город Кит болтал без умолку, а Сомс дремал, сильно утомленный целой ночью тревог, колебаний и бессонницы. Вид дома на Саут-сквер, такого спокойно изысканного, горячая радость Майкла и ответные излияния Флер верну-

ли ему некоторую долю душевного равновесия. Что ни говори, а несчастные семьи не так выглядят; это много значило для определения будущего, заглянуть в которое он уже не находил в себе сил.

После завтрака он пошел в кабинет Майкла поговорить о перестройке трущоб. Во время разговора, сидя перед акварелью Флер, Сомс вновь открыл истину, что отдельные люди интереснее, чем собрание их, именуемое государством. Не благополучие нации владело его мыслями, а творец этих загадочных фруктов. Как помешать ей отведать их?

— Да, сэр. Ведь правда, совсем не плохо? Хорошо, если бы Флер серьезно взялась за акварель.

Сомс вздрогнул.

— Хорошо, если б она хоть за что-нибудь взялась серьезно, чтоб голова у нее была занята.

Майкл взглянул на него. «Как собака, когда хочет понять», — подумал Сомс. Вдруг он увидел, что молодой человек провел языком по губам.

— Вы, кажется, хотите мне что-то сказать, сэр? Я помню, что вы мне говорили несколько недель тому назад. Это на ту же тему?

— Да, — ответил Сомс, следя за его глазами. — Не принимайте слишком близко к сердцу, но у меня есть основания полагать, что она так и не отделалась от своего прежнего чувства. Не знаю, много ли вам известно об этом детском увлечении.

— Да как будто все.

Опять он увидел, как Майкл облизнул себе губы.

— О! От нее?

— Нет. Флер ни слова не говорила. От мисс Джун Форсайт.

— Эта женщина! Она-то уж, конечно, все выложила. Но Флер вас любит.

— Привыкла.

Это слово озадачило Сомса: даже трогательно!

— Ну-с, — сказал он, — я и вида не подал. Может быть, вас интересует, почему мне так кажется?

— Нет, сэр.

Сомс взглянул на него и быстро отвел глаза. Да, горькая минута для мужа его дочери! Стоит ли нарочно приближать критический момент, когда чувство, смутное, но глубокое, подсказывает, что пройти через него так или иначе придется? Сам он умеет ждать, а вот сумеет ли этот представитель молодого поколения, такой легкомысленный, рассеянный? Впрочем, он джентльмен. Хоть в это Сомс уверовал твердо. И тем утешался, глядя на «Белую обезьяну» на стене, которая уж никак не могла претендовать на это звание.

— Ничего не поделаешь, — пробормотал он, — подождем...

— И не «увидим», сэр! Только не это. Я могу ждать и не видеть или уж выяснить все начистоту.

— Нет, — веско произнес Сомс, — не выясняйте. Я мог ошибиться. Все говорит против этого. Она же понимает, что ей выгодно.

— Не надо! — воскликнул Майкл и встал.

— Ну, ну, — тихо сказал Сомс, — я вас расстроил. Все зависит от вашей выдержки.

У Майкла вырвался невеселый смешок.

— Вы второй раз вокруг света не поедете, сэр. Может быть, теперь лучше поехать мне, и притом одному?

Сомс посмотрел на него.

— Нельзя так, — сказал он. — Она к вам сильно привязана; просто она мечется, а может, и этого нет. Будьте мужчиной, сохраняйте спокойствие. — Теперь он обращался к спине молодого человека, это оказалось легче. — Она, знаете ли, всегда была избалованным ребенком; мало ли чего избалованные дети не заберут себе в голову, но значения это не имеет. Не могли бы вы заинтересовать ее этими трущобами?

Майкл обернулся.

— Как далеко это зашло?

— Ну вот! — сказал Сомс. — Никуда не зашло, насколько я знаю. Просто я случайно видел вчера, как она танцевала с ним в этом отеле, и обратил внимание на ее... ее лицо.

Слово «глаза» показалось ему слишком сильным.

— А потом не забудьте, — поспешил он добавить, — у него есть жена, симпатичная маленькая женщина; и он, я слышал, собирается осесть на своей ферме. Это займет все его время. Может, увезти мне Флер на август и сентябрь в Шотландию? Стачка стачкой, но все же можно найти куда поехать.

— Нет, сэр, к чему оттягивать беду? Так или иначе — надо кончать.

Сомс ответил не сразу.

— Никогда не следует забегать вперед, — сказал он наконец. — Вы, молодежь, всегда торопитесь. Можно такого наделать, что потом не распутаешь. Если б еще что-нибудь новое, — продолжал он робко, — а то на минуту воскресла несчастная старая история; и опять умрет, как и в первый раз, если не вмешиваться. Пусть побольше двигается, да постарайтесь занять ее ум.

На лице молодого человека появилось странное выражение. «И вы, сэр, на опыте убедились в действенности этих средств?» — словно говорило оно. Эта Джун еще, чего доброго, разболтала и его прошлое!

— Обещайте мне все-таки никому ничего не говорить о нашей беседе и не делать ничего опрометчивого.

Майкл покачал головой.

— Обещать ничего не могу, смотря как пойдет дальше; но совет ваш я запомню, сэр.

Этим Сомсу и пришлось удовлетвориться.

Повинуясь рожденному любовью инстинкту, который руководил им во всем, что касалось Флер, он на следующий день простился с нею чуть ли не равнодушно и уехал в Мейплдерхем. Он подробно рассказал Аннет обо всем, кроме самого главного: сказать ей все ему и в голову не пришло.

В эти последние дни июля в его имении было чем насладиться: он, как приехал, отправился в лодке на рыбную ловлю. И, созерцая свою удочку и скользящую, зеленую от отражений воду, почувствовал, что отдыхает. Камыши, водяные лилии, стрекозы, коровы на его собственном лугу, неумолчное воркование лесных голубей, их всегдашнее «так ту телку, Дэвид», вдали жужжание косилки садовника; плеснет водяная крыса, удлиняются тени тополей и ветел, стелется запах травы и светлых цветов прибрежной бузины, медленно проплывают белые речные облака — тихо, очень тихо... И что-то от покоя природы снизошло в его душу, так что исчезновение поплавка резким рывком вернуло его к действительности.

«Верно, что-нибудь несъедобное», — подумал он, вытаскивая удочку.

II. ЗАНЯТИЕ ДЛЯ УМА

Все на свете комедия? Так ли? Майкл и сам не знал. Говоря Сомсу, что он не может ждать и видеть, он выразил вполне естественное отвращение. Следить, шпионить, рассчитывать — невозможно! Пойти к Флер и попросить ее честно рассказать ему о своих чувствах — вот что ему хотелось бы сделать. Но он не мог не знать, как глубоко и тревожно любит ее его тесть и как он умен; к тому же его собственное чувство было слишком сильно, чтобы подвергнуть опасности то, что в одинаковой мере составляло счастье Старого Форсайта и его собственное. Старик показал себя таким молодцом, когда вытащил сам себя с корнем и повез Флер вокруг света, что заслуживал всяческого уважения. Итак, оставалось ждать и не пытаться видеть — самая трудная роль, наименее активная. «Постарайтесь занять ее ум!» Легко сказать! Вспоминая собственные ощущения перед свадьбой, он плохо представлял себе, как это можно сделать. К тому же ум Флер было особенно трудно занять чем-нибудь, не ею самой выбранным. Трущобы? Нет! По своему сугубо трезвому складу она уклонялась от социальных проблем, считая их бесполезными и отвлеченными. С конкретной задачей вроде столовой, где можно было блеснуть, она справилась бы превосходно; но никогда она не станет работать, не видя близкой цели и без блеска! Он представлял себе, как ее ясные глаза глядят на трущобы так же, как глядели на фоггартизм и на его эксперимент с безработными. Можно познакомить ее с Хилери и тетей Мэй, но толку из этого не выйдет.

Ночь принесла с собой первый острый вопрос. Какими же будут их отношения, если чувства ее и правда заняты другим? Ждать и не видеть означало продолжение женатой жизни. Он подозревал, что Сомс это и хотел посоветовать. Подхлестываемый желанием, уязвленный и оглушенный ревностью, которую нужно было скрывать, и не желая обидеть Флер, он ждал знака, чувствуя, что она должна понять, почему он ждет. Знак был подан, и он обрадовался, но это его не убедило. Хотя...

Проснулся он в гораздо лучшем настроении. За завтраком он спросил ее, чем она хочет заняться, раз она теперь дома и сезон кончился. Интересует ли ее вообще затея с трущобами, ведь работы там сколько угодно; и Хилери с Мэй должны ей понравиться.

— Ну что ж! Лишь бы какое-нибудь полезное дело, Майкл!

Он поехал с ней в «Луга». Результат превзошел его ожидания.

Дело в том, что его дядя и тетка были человеческими зданиями, подобных которым Флер еще не видывала, — крепко построенные, сцементированные традицией, но широко открытые солнцу и воздуху, увенчанные крышей из хорошего вкуса и пробитые окнами юмора. Майкл, хоть и родной им по складу, не обладал ни их уравновешенностью, ни деятельной уверенностью. Флер сразу поняла, что эта пара живет в большем единении, чем кто-либо из известных ей людей, словно за двадцать лет совместной жизни они сковали себе одно орудие, чтобы с помощью его открыть нечто новое — способ прожить не только для себя. Они были не глупы, но умные разговоры в их присутствии казались лишними, оторванными от жизни. Они — особенно Хилери — очень много знали о цветах, типографском деле, архитектуре, горах, сточных трубах, электричестве, ценах на продукты, итальянских городах; умели лечить собак, играть на разных инструментах, оказывать первую и даже вторую помощь, занимать детей и смешить стариков. На любую тему — от религии до нравственности — они говорили свободно и с той терпимостью, которая дается опытом чужих страданий и забвением своих собственных. Умная Флер отдала им должное. Хорошие люди, но не скучные — очень странно! Отдавая им должное, она и сама невольно им подражала. Их позиция в жизни была выше ее собственной — это она признала и готова была хотя бы на словах показать свое восхищение. Но слова невысоко ценились в «Лугах». Руки, ноги, ум и сердце — вот что требовалось в первую очередь. Все же, чтобы занять свой ум, она согласилась взять предложенную ей работу. И тут начались неприятности. Работа была не по ней и не сулила карьеры. Все ее старания поставить себя на место миссис Корриган или маленьких Топмарш были напрасны. Работницы от «Петтер и Поплин», хранившие свои платья в бумажных пакетах, раздражали ее и своим говором, и своим молчанием. Каждый новый тип на один день казался ей занятным, потом просто не нравился. Все же она очень старалась — и для себя, и чтобы обмануть Майкла. Так прошло больше недели, а потом ее осенила мысль.

— Знаешь, Майкл, я чувствую, что мне было бы настолько интереснее самой устроить в деревне что-нибудь вроде дома отдыха, куда могли бы приезжать девушки подышать воздухом и вообще.

Майклу, помнившему ее работу по столовой, мысль показалась блестящей. Флер она скорее казалась удачным выходом из положения, как сказал бы ее отец. Ее расчетливый ум учел все возможности — она может уезжать туда без всяких помех и придирок, и никто не будет знать, как она проводит время. Для отношений с Джоном нужна была какая-то база под убедительной вывеской. Она сейчас же начала учиться водить машину — ведь дом отдыха нужно устроить не слишком близко от Джона, чтобы не возбудить подозрений. Она попросила отца финансировать предприятие. Сначала неуверенно, потом почти с радостью Сомс согласился. Если он будет оплачивать аренду и налог, остальное она доложит из своего кармана. Такая политика лучше всяких других доводов помогла ей убедить его в искренности своих намерений: он наотрез отказывался верить, что люди могут интересоваться чем-нибудь, что не стоит им денег. Внимательно изучав карту, она остановила свой выбор на окрестностях Доркинга. Бокс-Хилл славился воздухом и красивыми окрестностями и был на расстоянии часа быстрой езды от Уонсдона. В три недели она нашла и обставила дешевый нежилой дом — у самого шоссе, в обращенном к Лондону конце Бокс-Хилла; при доме был хороший сад и конюшня, которую ничего не стоило превратить в гараж. Флер закончила свое шоферское образование и подыскала мужа с женой, которым можно было бы безнаказанно поручить роль сторожей. Она много советовалась с Майклом и Черрелами. Как кошка старательно скрывает от всех в доме место, где она собирается произвести на свет котят, так Флер скрывала свои сложные планы за этими приготовлениями. К концу августа «Дом отдыха прихода «Луга», как его окрестили, был открыт.

Все это время Флер пробавлялась самыми скудными сведениями о Джоне. Узнала из письма Холли, что переговоры о ферме Грин-Хилл затягиваются из-за цены, хотя Джон все определеннее склоняется к покупке; что Энн с каждым днем все больше становится англичанкой и сельской жительницей; Рондавель опять в форме и должен выиграть в Донкастере — Вэл уже заключил на него рискованное пари на дерби будущего года.

Флер ответила письмом, составленным с таким расчетом, чтобы произвести впечатление, что сейчас ее не интересует ничего на свете, кроме ее работы. Они все должны к ней приехать и убедиться, что ее «Дом отдыха» превзошел столовую. Все «такие милые», все «страшно интересно». Она хотела дать им почувствовать, что не боится за себя, что мысли о Джоне не волнуют ее и что у нее есть серьезный интерес в жизни. Майкл, не свободный от наивности, присущей хорошему характеру, все больше поддавался обману. Ему казалось, что ум ее действительно занят, а тело и вовсе, раз она почти каждый день приезжает из Доркинга, а конец недели проводит с ним вместе либо в Мейплдерхеме, где жил Кит с дедом и бабушкой, либо в Липпинг-Холле, где с ней всегда носились. Когда в тихую погоду он катал ее в лодке, к нему возвращалось чувство безопасности. У Старого Форсайта просто разыгралось воображение; старик, и правда, что твоя наседка, когда дело касается Флер, — квохчет и встречает разъяренным взглядом каждого, кто подходит близко!

Парламент был распущен, и вся работа Майкла теперь ограничивалась трущобами. Эти дни на реке, навсегда связанной для него с порой сватовства, были самыми счастливыми с начала стачки — стачки, которая в уменьшенном масштабе все тянулась, так утомительно, что о ней перестали говорить, благо погода стояла теплая.

А Сомс? Спокойная приветливость дочери и его успокоила. Он поглядывал на Майкла и помалкивал, сообразуясь с лучшими английскими традициями и собственным достоинством. Он сам напомнил, что опекаемый Джун «несчастненький» должен был писать портрет Флер. Он чувствовал, что это еще больше займет ее ум. Впрочем, ему бы следовало сначала познакомиться с работами художника, хотя это, очевидно, связано с визитом к Джун.

— Если бы ее не было дома, — сказал он Флер, — я бы, пожалуй, заглянул в его ателье.

— Так устроить это, папа?

— Как-нибудь потактичнее, — сказал Сомс, — а то она еще взбеленится.

И вот, приехав к нему в следующую субботу, Флер сказала:

— Хочешь, милый, поедем вместе в понедельник и зайдем туда. Рафаэлит будет дома, а Джун не будет. Она жаждет видеть тебя не больше, чем ты ее.

— Гм, — сказал Сомс, — она всегда отличалась откровенностью.

Они поехали в город в его машине. Составив себе мнение, Сомс должен был вернуться, а Флер ехать дальше, домой. Рафаэлит встретил их наверху лестницы. Сомс решил, что он похож на матадора (хотя он в жизни ни одного не видел): короткие баки, широкое бледное лицо, на котором было написано: «Если вы воображаете, что способны оценить мою работу, так вы ошибаетесь». А у Сомса на лице было написано: «Если вы воображаете, что мне так уж интересно оценить вашу работу, так вы ошиблись вдвойне». И, оставив его с Флер, он стал смотреть по сторонам. Признаться, впечатление у него сложилось благоприятное. Судя по картинам, художник совершенно отмахнулся от современности. Поверхность гладкая, перспектива соблюдена, краски богатые. Он уловил новую нотку, или, вернее, воскресшую старую. Талант у этого малого бесспорно есть; долговечен ли он, этого по нашим временам не скажешь, но картины его более приемлемы для общежития, чем все, что он видел за последнее время. Дойдя до портрета Джун, он постоял, нагнув голову набок, потом сказал с бледной улыбкой:

— Хорошо уловили сходство. — Ему приятна была мысль, что Джун, вероятно, не заметила того, что заметил он. Но когда взгляд его упал на портрет Энн, его лицо потемнело, и он быстро взглянул на Флер, а та сказала:

— Да, папа? Как ты это находишь?

У Сомса мелькнула мысль: «Не потому ли она согласна позировать, что хочет встречаться с *ним*?»

— Готов? — спросил он.

Рафаэлит ответил:

— Да. Завтра отправляю.

Лицо Сомса опять посветлело. Значит, не страшно!

— Очень хорошая работа! — проговорил он. — Лилия сделана превосходно, — и перешел к наброску с женщины, которая открыла им дверь.

— Вполне можно узнать! Совсем не плохо.

Такими сдержанными замечаниями он давал понять, что хотя в общем одобряет, но несуразную цену платить не намерен. Улучив момент, когда Флер не могла их услышать, он сказал:

— Так вы хотите писать портрет моей дочери? Ваша цена?

— Сто пятьдесят.

— Многовато по нынешним временам — вы человек молодой. Впрочем, лишь бы было хорошо сделано.

Рафаэлит отвесил иронический поклон.

— Да, — сказал Сомс. — Конечно, вы думаете, что все ваши вещи — шедевры. В жизни не встречал художника, который держался бы другого мнения. Не заставляйте ее подолгу позировать, у нее много дела. Значит, решено. До свидания. Не провожайте.

Выходя, он сказал Флер:

— Ну, я сговорился. Можешь начинать, когда хочешь. Он работает лучше, чем можно бы предположить по его виду. Строгий, я бы сказал, мужчина.

— Художнику нужно быть строгим, папа, а то подумают, что он заискивает.

— Возможно, — сказал Сомс. — Теперь я поеду домой, раз ты не хочешь, чтобы я тебя подвез. До свидания! Береги себя и не переутомляйся, — и, подставив ей щеку для поцелуя, он сел в автомобиль. Флер пошла на восток, к остановке автобуса, а машина его двинулась к западу, и он не видел, как дочь остановилась, дала ему отъехать и повернула обратно к дому Джун.

III. ТЕРПЕНИЕ

Точно так же, как в нашем старом-престаром мире невозможно разобраться в происхождении людей и явлений, так же темны и причины человеческих поступков; и психолог, пытающийся свести их к какому-нибудь одному мотиву, похож на Сомса, полагавшего, что дочь его хочет позировать художнику, чтобы увидеть свое изображение в раме на стене. Он знал, что рано или поздно — и чаще всего рано — все вешают свое изображение на стену. Но Флер, отнюдь, впрочем, не возражавшей против стены и рамы, руководили куда более сложные побуждения. Эта сложность и заставила ее вернуться к Джун. Та просидела все время у себя в спальне, чтобы не встретить своего родича, и теперь была радостно возбуждена.

— Цена, конечно, невысокая, — сказала она, — по-настоящему Харолд должен бы получать за портреты ничуть не меньше, чем Том или Липпен. Но все-таки для него так важно иметь какую-то работу, пока он еще не может занять подобающее ему положение. Зачем вы вернулись?

— Отчасти чтобы повидать вас, — сказала Флер, — а отчасти потому, что мы забыли условиться насчет нового сеанса. Я думаю, мне всего удобнее будет приходить в три часа.

— Да, — протянула Джун неуверенно, не потому, что она сомневалась, а потому, что не сама предложила. — Думаю, что Харолду это подойдет. Не правда ли, его работы изумительны?

— Мне особенно понравился портрет Энн. Его, кажется, завтра забирают?

— Да, Джон за ним приедет.

Флер поспешно взглянула в тусклое зеркало, чтобы убедиться, что лицо ее ничего не выражает.

— Как, по-вашему, в чем мне позировать?

Джун всю ее окинула взглядом.

— О, он, наверное, придумает для вас что-нибудь необычное.

— Да, но какого цвета? В чем-нибудь надо же прийти.

— Пойдемте спросим его.

Рафаэлит стоял перед портретом Энн. Он оглянулся на них,

только что не говоря: «О боже! Эти женщины!» — и хмуро кивнул, когда ему предложили начинать сеансы в три часа.

— В чем ей приходить? — спросила Джун.

Рафаэлит воззрился на Флер, будто определяя, где у нее кончаются ребра и начинаются кости бедра.

— Серебро и золото, — изрек он наконец.

Джун всплеснула руками.

— Ну не чудо ли? Он сразу вас понял. Ваша золотая с серебром комната. Харолд, как вы угадали?

— У меня есть старый маскарадный костюм, — сказала Флер, — серебряный с золотом и с бубенчиками, только я его не надевала с тех пор, как вышла замуж.

— Маскарадный! — воскликнула Джун. — Как раз подходит. Если он красивый. Ведь бывают очень безобразные.

— О, он красивый и очаровательно звенит.

— Этого он не сможет передать, — сказала Джун. Потом добавила мечтательно: — Но вы могли бы дать намек на это, Харолд, — как Леонардо.

— Леонардо!

— О, конечно! Я знаю, он не...

Рафаэлит перебил ее.

— Губы не мажьте, — сказал он Флер.

— Не буду, — покорно согласилась Флер. — Джун, до чего мне нравится портрет Энн! Вы не подумали, что теперь она непременно захочет иметь портрет Джона?

— Конечно, я его уговорю завтра, когда он приедет.

— Он ведь собирается фермерствовать — этим отговорится. Мужчины терпеть не могут позировать.

— Это все чепуха, — сказала Джун. — В старину даже очень любили. Сейчас и начинать, пока он не устроился. Прекрасная получится пара.

За спиной рафаэлита Флер прикусила губу.

— И пусть надевает рубашку с отложным воротничком. Голубую — правда, Харолд? — подойдет к его волосам.

— Розовую, в зеленую крапинку, — пробормотал рафаэлит. Джун кивнула.

— Джон придет к завтраку, так что к вашему приходу его уже здесь не будет.

— Вот и отлично. Au revoir!..

Она протянула рафаэлиту руку, что, казалось, его удивило.

— До свидания, Джун!

Джун неожиданно подошла к ней и поцеловала ее в подбородок. Лицо ее в эту минуту было мягкое и розовое, и глаза мягкие; а губы теплые, словно вся она была пропитана теплом.

Уходя, Флер думала: «Может, надо было попросить ее не говорить Джону, что я буду приходить?» Но, конечно, Джун, теплая, восторженная, не скажет Джону ничего такого, что могло бы пойти во вред ее рафаэлиту. Она стояла, изучая местность вокруг «Тополей». В эту тихую заводь можно было попасть только одной дорогой: она ныряла сюда и выходила обратно. Вот здесь ее не будет видно из окон, и она увидит Джона, когда он будет уходить после завтрака, в какую бы сторону он ни пошел. Но ему придется взять такси, ведь будет картина. Ей стало горько от мысли, что она, его первая любовь, теперь должна идти на уловки, чтобы увидеться с ним. Но иначе его никогда не увидишь! Ах, какая она была дурочка в Уонсдоне в те далекие дни, когда их комнаты были рядом. Один шаг — и никакая сила не могла бы отнять у нее Джона: ни его мать, ни старинная распря, ни ее отец — ничто! И не стояли тогда между ними ни его, ни ее обеты, ни Майкл, ни Кит, ни девочка с глазами русалки; ничего не было, только юность и чистота. И ей пришло в голову, что юность и чистота слишком высоко ценятся.

Она так и не додумалась до способа увидеть его, не выдав преднамеренного плана. Придется еще немножко потерпеть. Пусть только Джон попадет художнику в лапы, и возможностей найдется много.

В три часа она явилась с костюмом и прошла в комнату Джун переодеться.

— В самый раз, — сказала Джун. — Прелесть, как оригинально. Харолд прямо влюбится.

— Не знаю, — сказала Флер. Пока что темперамент рафаэлита казался ей не очень-то влюбчивым. Они прошли в ателье, ни разу не упомянув о Джоне.

Портрета Энн не было. И как только Джун вышла принести «как раз то, что нужно» для фона, Флер сказала:

— Ну? Будете вы писать портрет моего кузена Джона?

Рафаэлит кивнул.

— Он не хотел, она его заставила.

— Когда начинаете?

— Завтра, — сказал рафаэлит. — Он будет приходить по утрам, одну неделю. Что в неделю сделаешь?

— Если у него только неделя, ему бы лучше поселиться здесь.

— Не хочет без жены, а жена простужена.

— О, — сказала Флер, и мысль ее быстро заработала. — Так тогда ему, вероятно, удобнее позировать днем? Я могу приходить утром; даже лучше — чувствуешь себя свежее. Джун могла бы известить его по телефону.

Рафаэлит пробурчал что-то, что могло быть истолковано как согласие. Уходя, она сказала Джун:

— Я хочу приходить к десяти утра, тогда день у меня освобождается для моего дома отдыха в Доркинге. Вы не могли бы устроить, чтобы Джон приезжал днем? Ему было бы удобнее. Только не говорите ему, что я здесь бываю, за одну неделю мой портрет вряд ли станет узнаваемым.

— О, — сказала Джун, — вот это неверно. Харолд всегда с самого начала дает сходство; но он, конечно, будет ставить холст лицом к стене, он всегда так делает, пока работает над картиной.

— Хорошо! Он уже сегодня кое-что сделал. Так если вы беретесь позвонить Джону, я приеду завтра в десять.

И она терпела еще целый день. А через два дня кивнула на холст, прислоненный лицом к стене, и спросила:

— Ну, как ведет себя мой кузен?

— Плохо, — сказал рафаэлит. — Ему не интересно. Наверно, ум не тем занят.

— Он ведь, знаете, поэт, — сказала Флер.

Рафаэлит взглянул на нее глазами припадочного.

— Поэт! Голова у него неправильной формы — челюсть длинна, и глаза сидят слишком глубоко.

— А зато какие волосы! Вы разве не находите, что он приятная натура?

— Приятная! — повторил Рафаэлит. — Я все пишу, будь оно красиво или страшно как смертный грех. Возьмите рафаэлевского папу[1] — видали вы когда-нибудь лучший портрет или более уродливого человека? Уродство неприятно, но оно существует.

— Понятно, — сказала Флер.

— Я всегда говорю понятные вещи. Единственно, что сейчас истинно ново, — это трюизмы. Поэтому мое творчество значительно и кажется новым. Люди так далеко отошли от понятного, что только понятное их и ошарашивает. Советую вам над этим подумать.

— В этом много правды, — сказала Флер.

---

[1] Портрет папы Юлия Второго.

— Конечно, — сказал рафаэлит, — трюизм нужно выразить сильно и ясно. Если вы на это не способны, лучше ходить и ныть да ломаться по гостиным, как делают гагаисты. Трагикомический они народ — стараются доказать, что коктейль лучше старого бренди. Я вчера встретил человека, который сказал мне, что четыре года писал стихотворение в двадцать две строки, которые никто не может понять. Это ли не трагикомедия? Но он себе на нем составит имя, и о нем будут говорить, пока кто-нибудь в пять лет не напишет двадцать три строки еще более заумные... Голову выше... Молчаливый тип ваш кузен.

— Молчание — большой талант, — сказала Флер.

Рафаэлит ухмыльнулся.

— Вы, верно, думаете, что я им не одарен. Но вы ошибаетесь, сударыня. Я недавно две недели прожил, не открывая рта, кроме как для еды, а если говорил, так «да» или «нет». *Она* даже испугалась.

— Неважно вы с ней обращаетесь, — сказала Флер.

— Неважно. Ей моя душа нужна. Самая гадкая черта в женщинах — о присутствующих, конечно, не говорят — мало им своей души.

— Может, у них и нет ее, — сказала Флер.

— Магометанская точка зрения — что ж, не так уж глупо. Женщине вечно нужна душа мужчины, ребенка, собаки. Мужчины довольствуются телом.

— Меня больше интересует ваша теория трюизмов, мистер Блэйд.

— Вторая теория не по зубам? А? Попал в точку? Плечо немножко поверните. Нет, влево... Так ведь это тоже трюизм, что женщине вечно нужна чья-то душа, — только люди об этом забыли. Вот хоть Сикстинская мадонна! У младенца своя душа, а мадонна парит над душой младенца. Тем и хороша картина, помимо линий и красок. Она утверждает великий трюизм; но его уже никто не видит. Вернее, никто из профессионалов — у них ум за разум зашел.

— Какой же трюизм вы собираетесь утвердить в моем портрете?

— А вы не беспокойтесь, — сказал рафаэлит. — Какой-нибудь да окажется, когда будет готово, хотя, пока я работаю, я и сам не знаю, какой именно. Темперамент не скроешь. Хотите отдохнуть?

— Ужасно. Какой трюизм вы воплотили в портрете жены моего кузена?

— Мама родная! — сказал рафаэлит. — Ну и допрос!

— Ведь вы не сделали для нее исключения? Какой-нибудь трюизм да есть?

— Во всяком случае, что нужно, я передал. Она не настоящая американка.

— То есть как?

— Какие-нибудь предки другие — может быть, ирландцы или бретонцы. И на русалку похожа.

— Она, кажется, росла где-то в глуши, — сухо сказала Флер.

Рафаэлит поглядел на нее.

— Не нравится вам эта леди?

— Нравится, конечно, но вы разве не замечали, что живописные люди обычно скучны? А мой кузен — какой будет его трюизм?

— Совесть, — сказал рафаэлит. — Этот молодой человек далеко пойдет по пути праведному. Он не спокоен.

Резкое движение встряхнуло все бубенчики на костюме Флер.

— Какое страшное пророчество! Ну, будем продолжать?

IV. РАЗГОВОР В АВТОМОБИЛЕ

И еще один день Флер терпела; потом после утреннего сеанса забыла в ателье сумочку. Она заехала за ней в тот же день, попозже. Джон еще не ушел. Он только что кончил позировать и стоял, потягиваясь и зевая.

— Еще разок, Джон! Я каждое утро жалею, что у меня не твой рот. Мистер Блэйд, я забыла здесь сумочку; в ней у меня чековая книжка, она мне сегодня понадобится в Доркинге. Кстати, завтра я, вероятно, на полчаса опоздаю. Ты знал, Джон, что мы с тобой товарищи по несчастью? Мы будто в прятки играли. Как дела? Я слышала, Энн простужена. Передай, что я очень ей сочувствую. Как подвигается портрет? Можно взглянуть одним глазком, мистер Блэйд, мне интересно, выявляется ли трюизм? О! Будет замечательно! Я уже вижу линию.

— Да ну? — сказал рафаэлит. — А я нет.

— Вот моя несчастная сумочка. Если ты кончил, Джон, могу подвезти тебя до Доркинга; там попадешь на более ранний поезд. Поедем, повеселишь меня дорогой. Я так давно тебя не видела!

На Хэммерсмитском мосту к Флер вернулось самообладание, которого внешне она и не теряла. Она легко болтала на легкие темы, давая Джону время привыкнуть к ее близости.

— Я езжу туда каждый день к вечеру, делаю там, что нужно, а рано утром возвращаюсь в город. Так что до Доркинга я всегда могу тебя довезти. Почему бы нам не видеться изредка? Мы же друзья, Джон?

— Наши встречи не особенно-то способствуют счастью, Флер.

— Милый мой, что такое счастье? Если можно без вреда наполнить свою жизнь, почему не делать этого?

— Без вреда?

— Рафаэлит считает, что у тебя жуткая совесть, Джон.

— Рафаэлит нахал.

— Да, но умный нахал. Ты и правда изменился, у тебя раньше не было этой морщинки между глазами, и челюсть стала очень уж мощная. Послушай, Джон, милый, будь мне другом, как говорится, и давай больше ни о чем не думать... Всегда с удовольствием проезжаю Уимблдонский луг — за него еще не взялись. Ты купил эту ферму?

— Почти.

— Хочешь, поедем через Робин-Хилл? Посмотрим на него сквозь деревья. Может, вдохновишься, напишешь поэму.

— Никогда больше не буду писать стихов. С этим покончено.

— Глупости, Джон. Тебя только нужно расшевелить. Правда, я хорошо веду машину? Ведь я только месяц как выучилась.

— Ты все хорошо делаешь, Флер.

— Говоришь, точно тебе это не нравится. Ты знаешь, что мы никогда с тобой не танцевали до этого вечера в Нетлфолде? Доведется ли еще когда-нибудь потанцевать?

— Вероятно, нет.

— Джон-оптимист! Ага, улыбнулся! Смотри-ка, церковь! Тебя тут крестили?

— Меня вообще не крестили.

— Ах да. Ведь это был период, когда к таким вещам относились серьезно. Меня, кажется, два раза мучили — и в католическую веру, и в англиканскую. Вот я и получилась не такая религиозная, как ты, Джон.

— Я? Я не религиозен.

— А по-моему, да. Во всяком случае, у тебя есть моральные устои.

— В самом деле?

— Джон, ты мне напоминаешь вывески на владениях американцев: «Стой. — Гляди. — Берегись. — Не входи!» Ты, наверно, считаешь меня ужасно легкомысленной.

— Нет, Флер. Куда там! Ты имеешь понятие о прямой, соединяющей две точки.

— Что ты хочешь этим сказать?

— Ты знаешь, чего хочешь.

— Это тебе рафаэлит сообщил?

— Нет, он только подтвердил мою мысль.

— Ах, вот как? Не в меру болтлив этот молодой человек. Он развивал тебе свою теорию, что женщине нужна чужая душа, а мужчина довольствуется телом?

— Развивал.

— Он прав?

— Обидно с ним соглашаться, но, пожалуй, отчасти и прав.

— Ну, так я тебе скажу, что теперь есть сколько угодно женщин, которые держат свою душу при себе и довольствуются чужими телами.

— Ты из их числа, Флер?

— Может быть, еще что спросишь? Вон Робин-Хилл!

Источник песен и сказаний о Форсайтах стоял среди деревьев, серый и важный; заходящее солнце косо освещало фасад, зеленые шторы были еще спущены.

Джон вздохнул.

— Хорошо мне здесь жилось.

— Пока не явилась я и не испортила все.

— Нет, это кощунство.

Флер дотронулась до его плеча.

— Ужасно мило с твоей стороны, Джон, голубчик. Ты всегда был милый, и я всегда буду любить тебя — совершенно невинно. Роща хороша. Гениальная мысль осенила бога — создать лиственницы.

— Да. Холли говорит, что дедушка больше всего любил здесь рощу.

— Старый Джолион — тот, который не женился на своей возлюбленной, потому что у нее была чахотка?

— Этого я никогда не слышал. Но он был чудесный старик, мои родители его страшно любили.

— Я видела его карточки. Пожалуйста, не отрасти себе такого подбородка, Джон. У всех Форсайтов они такие. Подбородка Джун я просто боюсь.

— Джун редкий человек.

— Ой, Джон, до чего ты благороден!

— Это плохо?

— Просто придает всему невероятную серьезность в мире, который того не стоит. Нет, Лонгфелло можешь не цитировать. Ты, когда вернешься, скажешь Энн, что ехал со мной?

— А почему бы нет?

— Я и так доставляю ей неприятности, правда? Можешь не отвечать, Джон. Но, по-моему, это нехорошо с ее стороны. Мне так мало нужно, и твоя позиция так надежна.

— Надежна? — Флер показалось, будто он прикусил это слово, и минуту она была счастлива.

— Сейчас ты похож на львенка. У львят есть совесть? Рафаэлиту будет над чем поработать. И все-таки мне думается, не такая у тебя совесть, чтобы сказать Энн. Зачем ее расстраивать, если у нее природная склонность ко всяким волнениям? — По молчанию, бывшему ей ответом, она поняла, что сделала ошибку. На этот раз осечка, как говорят в детективных романах.

И через Эпсом и Ледерхед они проехали молча.

— Ты все так же любишь Англию, Джон?

— Больше.

— Что и говорить — страна замечательная.

— Ни за что не применил бы к ней это слово — великая и прекрасная страна.

— Майкл говорит, что ее душа — трава.

— Да, и если у меня будет ферма, я до этой души доберусь.

— Не могу вообразить тебя настоящим фермером.

— Ты, верно, вообще не можешь вообразить меня чем-нибудь настоящим. Дилетант!

— Не говори гадостей. Просто у тебя, по-моему, слишком тонкая организация для фермера.

— Нет. Я хочу работать на земле — и буду.

— Это у тебя, наверно, атавизм, Джон. Первые Форсайты были фермерами. Мой отец хочет свезти меня посмотреть, где они жили.

— Ты ухватилась за эту мысль?

— Я не сентиментальна; ты разве это не понял? Интересно, ты хоть что-нибудь во мне понял? — И, склонившись над рулем, сказала тихо: — Ах, почему мы должны разговаривать в таком тоне!

— Я говорил, что ничего не выйдет.

— Нет, Джон, изредка я должна тебя видеть. Это не страшно. Время от времени я хочу и буду с тобой встречаться. Это мое право.

Слезы выступили у нее на глазах и медленно покатились по щекам. Джон дотронулся до ее руки.

— Флер! Не надо!

— Теперь я тебя высажу в Норт-Доркинге, и ты как раз поспеешь на пять сорок шесть. Вот мой дом. В следующий раз я тебе его непременно покажу. Я стараюсь быть умницей, Джон; и ты должен мне помочь... Ну, вот и приехали! До свидания, Джон, голубчик, и не расстраивай из-за меня Энн, умоляю!

Жесткое рукопожатие, и он ушел. Флер повернула прочь от станции и медленно поехала назад по дороге.

Она поставила машину в гараж и вошла в «Дом отдыха». Еще не кончилось время летних отпусков, и там отдыхали семь молодых женщин, умучившихся на службе у Петтера, Поплина и им подобных.

Они сидели за ужином, и до слуха Флер доносилось веселое жужжанье. У этих девушек ничего нет, а у нее есть все, кроме того единственного, что ей больше всего нужно. Прислушиваясь к их говору и смеху, она на минуту устыдилась. Нет, она бы с ними не поменялась, а между тем ей казалось, что без этой одной вещи и жить нельзя. И пока она обходила дом, расставляла цветы, отдавала распоряжения на завтра, осматривала спальни, снизу долетал смех, веселый и безудержный, и будто дразнил ее.

V. ОПЯТЬ РАЗГОВОР В АВТОМОБИЛЕ

Джон был не столь высокого мнения о себе, чтобы спокойно дать любить себя одновременно двум хорошеньким и милым молодым женщинам. Из Пулборо, где он теперь каждый день оставлял машину Вэла, он поехал домой с печалью в сердце и путаницей в мыслях. Его шесть свиданий с Флер, с тех пор как он вернулся в Англию, шли по линии какого-то мучительного crescendo[1]. Танцуя с ней, он понял ее состояние, но все еще не подозревал, что она сознательно его преследует, а собственные его чувства не становились ему яснее, сколько бы он ни копался у себя в сердце. Сказать ли Энн о сегодняшней встрече? Много раз

[1] Нарастание (*ит.*).

тихо и мягко она давала ему понять, что боится Флер. К чему множить ее страхи, когда на то нет реальных оснований? Идея портрета принадлежит не ему, и только в течение ближайших дней он может еще встретиться с Флер. После этого они будут видаться два-три раза в год. «Не говори Энн, умоляю». Ну как после этого сказать? Ведь должен же он в какой-то мере уважать желания Флер. Она не по своей воле отказалась от него; не полюбила Майкла, как он полюбил Энн. Он так ничего и не придумал, пока ехал в Уонсдон. Когда-то мать сказала ему: «Никогда не лги, Джон, лицо тебя все равно выдаст». И теперь, хоть он и не сказал Энн, ее глаза, всюду следовавшие за ним, заметили, что он что-то от нее скрывает. Простуда ее вылилась в бронхит, так что она еще не выходила из своей комнаты, и безделье плохо действовало ей на нервы. Сейчас же после обеда Джон опять пошел наверх и стал ей читать вслух. Он читал «Худшее в мире путешествие», а она лежала на боку, подперев рукой лицо, и смотрела на него. Дым топящегося камина, запах ароматических лекарств, монотонное гудение собственного голоса, повествующего о похождениях яйца пингвина, — все усыпляло его, и наконец книга выпала у него из рук.

— Поспи, Джон, ты устал.

Джон откинулся на стуле, но не уснул. Он твердо знал, что у этой девочки, его жены, есть выдержка. Она умела молчать, когда ей было больно. Наблюдая за ней, он видел: она поняла, что находится в опасности, и теперь — так ему казалось — выжидала. Энн всегда знала, чего хочет. Ей присуща была настойчивость, не усложненная, как у Флер, современными веяниями; и решимость у нее была. Юные годы на родине, в Южной Каролине, она прожила просто и самостоятельно; и, не в пример большинству американских девушек, не слишком весело. Ее больно поразило, что не она была его первой любовью и что его первая любовь до сих пор его любит: это он знал. Она с самого начала не скрыла, что тревожится, но теперь, по-видимому, заняла выжидательную позицию. И еще Джон не мог не знать, что, несмотря на два года брака, она и теперь сильно в него влюблена. Он слышал, что девушки-американки редко знают человека, за которого выходят замуж, но порой ему казалось, что Энн знает его лучше, чем он сам. Если так, что она знает? Что он такое? Он хочет с пользой прожить свою жизнь; он хочет быть честным и добрым. Но, может, он все только хочет? Может, он обманщик? Не то, чем она его считает? Мысли были душные и тяжелые, как воздух в комнате. Что толку думать! Лучше и правда поспать! Он проснулся со словами:

— Хэлло! Я храпел?

— Нет, но вздрагивал во сне, как собака.

Джон встал и подошел к окну.

— Мне что-то снилось. Хороший вечер. Лучшее время года — сентябрь, если погода ясная.

— Да, я люблю осень. Твоя мама скоро приедет?

— Не раньше, чем мы устроимся. Она, по-моему, считает, что нам без нее лучше.

— Маме всегда, наверно, кажется, что она de trop[1], когда на самом деле этого нет.

— Лучше так, чем наоборот.

— Да. Не знаю, смогла бы я тоже так?

Джон обернулся. Она сидела в постели, смотрела прямо перед собой, хмурилась. Он подошел и поцеловал ее.

— Не раскрывайся, родная! — И натянул одеяло.

Она откинулась на подушку, смотрела на него — и опять он спросил себя, что она видит...

На следующий день Джун встретила его словами:

— Так Флер была здесь вчера и подвезла тебя? Я ей сегодня сказала свое мнение на этот счет.

— Какое же мнение? — спросил Джон.

— Что нельзя начинать все снова-здорово. Она избалована, ей нельзя доверять.

Он сердито повел глазами.

— Оставь, пожалуйста, Флер в покое.

— Я всегда всех оставляю в покое, — сказала Джун, — но я у себя дома и должна была сказать, что думаю.

— Тогда мне лучше прекратить сеансы.

— Нет, Джон, не глупи. Сеансов прекращать нельзя ни тебе, ни ей. Харолд вконец расстроится.

— А ну его, Харолда!

Джун взяла его за отворот пиджака.

— Я совсем не то хотела сказать. Портреты получатся изумительные. Я только хотела сказать, что вам не надо здесь встречаться.

— Ты сказала это Флер?

— Да.

---

[1] Лишняя (*фр.*).

Джон рассмеялся, и смех его прозвучал жестко.

— Мы не дети, Джун.

— Ты Энн сказал?

— Нет.

— Вот видишь!

— Что?

Лицо у него стало упрямое и злое.

— Ты очень похож на своего отца и деда, Джон, — они терпеть не могли, когда им что-нибудь говорили.

— А ты?

— Если нужно, отчего же.

— Так вот, прошу тебя, не вмешивайся.

Щеки Джун залились румянцем, из глаз брызнули слезы; она смигнула их, встряхнулась и холодно сказала:

— Я никогда не вмешиваюсь.

— Правда?

Она еще гуще порозовела и вдруг погладила его по рукаву. Это тронуло Джона, он улыбнулся.

Весь сеанс он был не спокоен, а рафаэлит писал, и Джун входила и выходила, и лицо ее то хмурилось, то тосковало. Он думал, как поступить, если Флер опять за ним заедет. Но Флер не заехала, и он отправился домой один. Следующий день был воскресенье, и он не приезжал в город; но в понедельник, выходя от Джун после сеанса, он увидел, что автомобиль Флер стоит у подъезда.

— Сегодня я уж тебе покажу мой дом. Вероятно, Джун с тобой говорила, но я раскаявшаяся грешница, Джон. Полезай! — И Джон полез.

День был серый, ни освещение, ни обстановка не располагали к проявлению чувств, и «раскаявшаяся грешница» играла свою роль превосходно. Ни одно слово не выходило за пределы дружеской беседы. Она болтала об Америке, ее языке, ее книгах. Джон утверждал, что Америка неумеренна в своих ограничениях и в своем бунте против ограничений.

— Одним словом, — сказала Флер, — Америка молода.

— Да; но, насколько я понимаю, она с каждым днем молодеет.

— Мне Америка понравилась.

— О, мне так очень понравилась. А как выгодно я там продал мой фруктовый сад!

— Странно, что ты вернулся, Джон. Ведь ты такой... старомодный.

— В чем?

— Ну хотя бы в вопросах пола — я, хоть убей, не смогла бы обсуждать их с тобой.

— А с другими можешь?

— О, почти со всеми. Ну, что ты хмуришься? Тебе нелегко пришлось бы в Лондоне или, скажем, в Нью-Йорке.

— Ненавижу, когда без нужды болтают на эти темы, — сердито сказал Джон. — Только французы понимают то, что связано с полом. Нельзя говорить об этом так, как говорят здесь или в Америке; это слишком реальный фактор.

Флер украдкой на него взглянула.

— Так оставим эту скользкую тему. Я даже не знаю, смогла ли бы я говорить с тобой об искусстве.

— Ты видала статую Сент-Годенса в Вашингтоне?

— Да, но это для нас vieux jeu.

— Ах так? — проворчал Джон. — Чего же нужно людям?

— Ты знаешь так же хорошо, как и я.

— То есть — чтобы было непонятно?

— Если хочешь! Главное, что искусство теперь только тема для разговора; а о том, что каждому с первого взгляда понятно, не стоит и говорить — значит, это не искусство.

— По-моему, это глупо.

— Возможно. Но так забавнее.

— Раз ты сама это сознаешь, что же тут для тебя забавного?

— Опять скользкая тема! Попробуем еще! Пари держу, что тебе не по вкусу последние дамские моды.

— Почему? Вполне рациональная мода.

— Ого! Неужели на чем-то сошлись?

— Конечно, вы все были бы лучше без шляп. Голову мыть вам ведь теперь несложно.

— О, не отнимай у нас шляпы, Джон! Что останется от нашего стоицизма? Если бы нам не нужно было искать шляп, которые нам к лицу, жить стало бы слишком легко.

— Но они вам не к лицу.

— Согласна, голубчик; но я лучше тебя знаю женскую натуру. Надо же младенцу точить обо что-то зубки.

— Флер, ты слишком умна, чтобы жить в Лондоне.

— Мой милый мальчик, современная женщина нигде не живет. Она парит в собственном эфире.

— Но иногда все же спускается на землю.

Флер ответила не сразу, потом взглянула на него.

— Да, Джон, иногда спускается на землю. — И взгляд ее словно опять сказал: «Ах, почему мы должны разговаривать в таком тоне!»

Она показала ему дом так, чтобы у него создалось впечатление, будто она считается с удобствами других. Даже ее мимолетные разговоры с отдыхающими носили этот характер. Уходя, Джон чувствовал, как у него покалывает ладонь, и думал: «Ей нравится представляться легкомысленной, но в душе...» Всю дорогу домой он видел Сассекс как в тумане, вспоминая, как улыбались ему ее ясные глаза, как смешно дрогнули ее губы, когда она сказала: «До свидания, мой хороший!» Как знать, может быть, она того и добивалась?

Холли выехала встретить его в наемном автомобиле.

— Очень обидно, Джон, Вэл забрал машину. Он завтра не сможет отвезти тебя в город и привезти, как обещал. Пришлось поехать сегодня. А если он кончит свои дела в Лондоне, то в среду прямо проедет в Ньюмаркет. Случилась очень неприятная вещь. Старый товарищ по университету подделал его подпись на стофунтовом чеке, а Вэл ему оказал не одну услугу.

— Причина уважительная, — сказал Джон. — Что же он думает предпринять?

— Еще сам не знает, но он уже третий раз делает Вэлу гадость.

— А вы вполне уверены?

— В банке описали его наружность — точь-в-точь сходится. Он, очевидно, думает, что Вэл все стерпит. Но дальше так невозможно.

— Я думаю!

— Да, мой милый, но что делать? Подать в суд на старого товарища? У Вэла странное чувство, что он сам только случайно не свихнулся.

Джон опешил. Если человек не свихнулся — это случайность?

— Был этот тип на войне? — спросил он.

— Вряд ли. По всему видно, человек он никудышный. Я както видела его — вконец развинченный, самодовольный.

— Серьезная неприятность для Вэла, — сказал Джон.

— Он хочет посоветоваться со своим дядей, отцом Флер. Кстати, ты за последнее время видел Флер?

— Да. Сегодня видел. Она довезла меня до Доркинга и показала мне свой дом.

От взгляда его не ускользнуло выражение лица Холли: тень раздумья, легшая между бровями.

— Мне что, нельзя с ней видеться? — сказал он резко.

— Только тебе об этом судить, милый.

Джон не ответил, но как только увидел Энн, рассказал ей. Ни лицо ее, ни голос не дрогнули, она спросила только, как поживает Флер и как ему понравился дом. В эту ночь, когда она, казалось, уснула, он лежал без сна, снедаемый сомнениями. Так если человек не свихнулся — это случайность, да?

VI. СОМСА ОСЕНЯЮТ ГЕНИАЛЬНЫЕ МЫСЛИ

Первое, что Сомс спросил племянника, встретившись с ним на Грин-стрит, было:

— Как он мог вообще достать чек? У тебя чековые книжки где попало валяются?

— Боюсь, что так, дядя Сомс, особенно в деревне.

— Гм, — сказал Сомс, — тогда поделом тебе. А твоя подпись?

— Он написал мне из Брайтона, спрашивая, когда можно со мной повидаться.

— Нужно было, чтобы ответ подписала твоя жена.

Вэл застонал:

— Не думал же я, что он пойдет на подделку.

— Раз дошел до такого, на что угодно пойдет. Когда ты отказал ему, он, вероятно, все-таки приехал из Брайтона?

— Да; только меня не было дома.

— Ну конечно; и он стянул бланк. Что ж, если хочешь задержать его, подавай в суд. Получит три года.

— Это убьет его, — сказал Вэл, — на что он похож!

— Еще, может, наоборот — поправится. Он когда-нибудь сидел в тюрьме?

— Насколько мне известно — нет.

— Гм!

За этой глубокомысленной репликой последовало молчание.

— Не могу я подавать в суд, — заговорил вдруг Вэл, — старый товарищ! Конечно, господь уберег и все такое, а ведь не так трудно скатиться по этой дорожке.

Сомс уставился на него.

— Да, — сказал он, — тебе, полагаю, было бы нетрудно. Твой отец вечно попадал во всякие истории.

Вэл нахмурился. Ему сразу вспомнился вечер в «Пандемониуме», когда он, в компании с другим товарищем, видел своего отца пьяным.

— Но, так или иначе, — сказал он, — надо что-то сделать, чтобы это не повторилось. Не выгляди он таким дохлым, можно бы просто вздуть его.

Сомс покачал головой.

— Оскорбление действием, к тому же его, вероятно, уже нет в Англии.

— Нет, я по пути сюда справился в его клубе — он в городе.

— Ты его видел?

— Нет, я хотел сначала повидать вас.

Невольно польщенный, Сомс иронически заметил:

— Может быть, у него есть, как говорится, другое, лучшее «я»?

— Честное слово, дядя Сомс, это гениальная мысль!

Сомс покачал головой.

— Впрочем, по лицу этого не скажешь.

— Не знаю, — сказал Вэл, — он как-никак из хорошей семьи.

— Это сейчас ничего не значит. А кстати, пока я не забыл: помнишь ты этого молодого человека, Баттерфилда, в связи с элдерсоновским скандалом? Нет, конечно, не помнишь. Так вот, я хочу взять его из издательства, где он работает, и поставить под начало старого Грэдмена, чтобы он ознакомился с делами по управлению имуществом твоей матери и других членов нашей семьи. Старый Грэдмен тянет из последних, и этот человек сможет со временем сменить его — работа постоянная, и получать будет больше, чем теперь Я могу на него положиться, а это, по нашим временам, важно. Я хотел, чтобы ты знал об этом.

— Тоже гениальная мысль, дядя Сомс. Но вернемся к первой: вы могли бы повидать Стэйнфорда и выяснить это дело?

— Почему именно я должен этим заниматься?

— Ваш авторитет не сравнить с моим.

— Гм! Как посмотришь, всегда неприятные дела достаются мне. Но, пожалуй, и правда лучше мне с ним поговорить, чем тебе.

Вэл широко улыбнулся.

— Я вздохну свободнее, если вы за это возьметесь.

— А я нет, — сказал Сомс. — Надо полагать, кассир в банке не напутал?

— Кто спутает Стэйнфорда с другим?

— Никто, — сказал Сомс. — Итак, если ты не хочешь подавать в суд, предоставь это дело мне.

Вэл ушел, а он задумался. Вот он до сих пор держит в руках дела всей семьи; интересно, что они будут делать, когда его не станет. Этот Баттерфилд, может, и гениальная мысль, но как знать, — впрочем, он ему необычайно предан, глаза у него, как у собаки! Надо заняться этим теперь же, пока старый Грэдмен не свалился. И нужно подарить старому Грэдмену какую-нибудь серебряную вещь, именную, пока он еще в состоянии оценить ее; а то обычно такие подарки получают, когда умрут или успеют выжить из ума. И еще: Баттерфилд знаком с Майклом — а значит, внимательно отнесется к делам Флер. Но как же быть с этим проклятым Стэйнфордом? Как взяться за это дело? Лучше попробовать пригласить его сюда, чем идти к нему в клуб. Раз у него хватило наглости остаться в Англии после такого бессовестного поступка, значит, хватит наглости прийти и сюда — посмотреть, нельзя ли еще что сорвать. И Сомс, кисло улыбаясь, пошел к телефону.

— Мистер Стэйнфорд в клубе? Попросите его зайти на Грин-стрит, к мистеру Форсайту.

Убедившись, что в комнате нет ни одной ценной безделушки, он уселся в столовой и вызвал Смизер.

— Я жду этого мистера Стэйнфорда, Смизер. Если я позвоню, пока он будет здесь, бегите на улицу и зовите полисмена. — И добавил, заметив выражение ее лица: — Может быть, ничего и не случится, но как знать.

— Опасности нет, мистер Сомс?

— Ну разумеется, Смизер. Просто я могу найти нужным, чтобы его арестовали.

— Вы думаете, он опять что-нибудь унесет, сэр?

Сомс улыбнулся и движением руки указал, что все прибрано.

— Скорее всего он и не придет, а если придет, проводите его сюда.

Когда Смизер вышла, он уселся против часов — голландской работы, и такие тяжелые, что унести их невозможно; их «откопал» в свое время Джемс, они звонили каждые четверть часа, а на циферблате были луна и звезды. Теперь, перед третьей встречей, Сомс уже не так бодрился; два раза этот тип сумел выпутаться и, поскольку Вэл не хочет обращаться в суд, выпутается, очевидно, и в третий. И все же было что-то притягательное в перспективе сразиться с этим «пропащим» и что-то в самом человеке, заставлявшее воспринимать его чуть ли не в романтическом плане. Словно в образе этого томного мошенника еще раз явились ему излюбленный лозунг времен его молодости «скрывать всякое чувство» и вся светскость, присущая дому на Парк-лейн с легкой руки его матери Эмили. И, наверно, этот тип не явится!

— Мистер Стэйнфорд, сэр.

Когда Смизер, вся красная от волнения, удалилась, Сомс не сразу нашелся, с чего начать; лицо у Стэйнфорда было как пергаментное, точно он вышел из могилы. Наконец Сомс сказал:

— Я хотел поговорить с вами об одном чеке. Кто-то под подпись моего племянника.

Брови поднялись, веки легли на глаза.

— Да. В суд Дарти не обратится.

Сомсу стало тошно.

— Вы так уверены, — сказал он, — а вот мой племянник еще не решил, как поступить.

— Мы вместе учились, мистер Форсайт.

— И вы на этом спекулируете? Есть, знаете ли, предел, мистер Стэйнфорд. А подделка была умелая для новичка.

В лице что-то дрогнуло; и Сомс извлек из кармана подделанный чек. Ну конечно, недостаточно защищен, даже не перечеркнут. Теперь на чеках Вэла придется ставить штамп: «Обращения не имеет; платите такому-то». Но как припугнуть этого типа?

— Я пригласил сюда агента сыскной полиции, — сказал он, — он войдет, как только я позвоню. Так продолжаться не может. Раз вы этого не понимаете... — И он сделал шаг к звонку.

На бледных губах возникла еле заметная горькая улыбка.

— Вы, мистер Форсайт, смею предположить, никогда не бывали в нужде?

— Нет, — брезгливо ответил Сомс.

— А я не выхожу из нее. Это очень утомительно.

— В таком случае, — сказал Сомс, — тюрьма вам покажется отдыхом. — Но уже произнося эти слова, он счел их лишними и, пожалуй, грубыми. Перед ним был вообще не человек, а тень, томная, скорбная тень. Все равно что терроризировать привидение!

— Послушайте, — сказал он, — дайте мне слово джентльмена оставить в покое моего племянника и всю нашу семью, тогда я не буду звонить.

— Очень хорошо, даю вам слово; верить или нет — ваше дело.

— Так, значит, на том и покончим, — сказал Сомс. — Но это последний раз. Доказательство я сохраню.

— Жить нужно, мистер Форсайт.

— Не согласен, — сказал Сомс.

«Тень» издала неопределенный звук — скорее всего смех, — и Сомс опять остался один. Он быстро прошел к двери посмотреть, как тот выйдет на улицу. Жить? Нужно? Разве такому не лучше умереть? Разве большинству людей не лучше умереть? И, поразившись такой несуразной мысли, он прошел в гостиную. Сорок пять лет, как он обставил ее, и вот сейчас она, как и раньше, полна маркетри. На камине стоял небольшой старый дагерротип в глубокой эмалевой рамке — портрет его деда, «Гордого Доссета», чуть тронутый розовым на щеках. Сомс остановился перед ним. Подбородок основателя клана Форсайтов удобно покоился между широко расставленными углами старомодного воротничка. Глаза с толстыми нижними веками — светлые, умные, чуть насмешливые; бакенбарды седые; рот, судя по портрету, может проглотить немало; старинный фрак тонкого сукна; руки делового человека. Кряжистый старик, сильный, самобытный. Чуть не сто лет этому портрету. Приятно видеть признаки сильного характера после этого томного, пообносившегося экземпляра! Хорошо бы посмотреть на места, где родился и рос этот старик, перед тем как в конце восемнадцатого века всплыть на поверхность и основать род Форсайтов. Надо взять Ригза и съездить, а если Флер не поедет, еще, может, и лучше! Ей было бы скучно! Корни для молодежи ничего не значат. Да, нужно съездить посмотреть на корни Форсайтов, пока погода не испортилась. Но сначала надо устроить старого Грэдмена. Приятно будет повидать старика после такого переживания, он никогда не уходит из конторы раньше половины шестого. И, водворив дагерротип на место, Сомс поехал на такси в Полтри и по пути размышлял. Трудно стало вести дела, когда вас вечно подстерегают субъекты вроде Элдерсона или этого Стэйнфорда. Вот так же и страна — не успеет выбраться из одной заварухи, как попадает в другую; стачка горняков кончится с зимними холодами, но тогда всплывет еще что-нибудь — война или другие беспорядки. И еще Флер... у нее большое состояние. Неужели он сделал ошибку, дав ей такую самостоятельность? Нет, мысль связать ее при помощи денег всегда ему претила. Как бы она ни поступала — она его единственный ребенок; можно сказать, его единственная любовь. Если ее не удержит от падения любовь к сыну и к нему, не говоря уже о муже, неужели поможет угроза лишить ее наследства? Как бы там ни было, дело с ней обстоит как будто лучше; возможно, что он ошибся.

Сити разгружался от дневной жизни. Служащие разбегались во все стороны, как кролики; хоть бы они утром вот так сбегались, а то стали нынче отлынивать от работы. Начинают в десять, а не в девять, как прежде; кончают в пять, а не в шесть. Положим, есть телефоны и еще всякие усовершенствования, и работы, возможно, выполняется не меньше; не пьют столько пива и хереса, как бывало, и не съедают столько бифштексов. Измельчала порода, как сравнишь с этим стариком, чей портрет он только что рассматривал, — торопливый пошел народ, узколобый; выражение лица нервное, тревожное — точно они вложили свой капитал в жизнь и оказалось, что акции-то падают. И ни одного сюртука не увидишь, ни одного цилиндра. Покрепче надвинув свой собственный, Сомс оставил такси у знакомого тупичка в Полтри и вошел в контору «Кэткот, Кингсон и Форсайт».

Старый Грэдмен только что стянул рабочий пиджак со своей широкой согнутой спины.

— А, мистер Сомс, а я как раз собрался уходить. Разрешите, я сейчас надену сюртук.

Сюртук, судя по покрою, изготовления девятьсот первого года.

— Я теперь ухожу в половине шестого. Работы обычно не так уж много. Люблю соснуть до ужина. Рад вас видеть; вы нас совсем забыли.

— Да, — сказал Сомс, — я редко захожу. Но я вот думал... Случись что-нибудь с вами, или со мною, или с обоими, дела живо запутаются, Грэдмен.

— О-о, не хочется и думать об этом!

— А нужно; мы с вами не молоды.

— Ну, я-то не мальчишка, но вы, мистер Сомс, — разве это старость?

— Семьдесят один.

— Да, да! А кажется, только на днях я отвозил вас в школу в Слау. Я помню то время лучше, чем вчерашний день.

— Я тоже, Грэдмен; и это признак старости. Помните вы

этого молодого человека, который заходил сюда сообщить мне об Элдерсоне?

— А, да. Славный молодой человек. Баттермилк или что-то в этом роде.

— Баттерфилд. Так вот, я решил дать его вам в помощники и хочу, чтобы вы ввели его в курс всех дел.

Старый клерк стоял тихо-тихо; лицо его, в рамке седых волос и бороды, ничего не выражало. Сомс заторопился:

— Это только на всякий случай. Когда-нибудь вам захочется уйти на покой...

Тяжелым жестом Грэдмен поднял руку.

— Моя надежда — умереть на посту, — сказал он.

— Ну, как хотите, Грэдмен. Вы, как и раньше, всем ведайте; но у нас будет на кого положиться, если вы захвораете, либо захотите отдохнуть, либо еще что.

— Лучше бы не надо, мистер Сомс. Молодой человек, у нас в конторе...

— Хороший человек, Грэдмен. К тому же он кое-чем обязан мне и моему зятю. Он вам не помешает. Знаете, ведь никто не вечен.

Лицо старика странно сморщилось, голос скрипел больше обычного.

— Словно бы и рано вперед загадывать. Я вполне справляюсь с работой, мистер Сомс.

— О, я вас понимаю, — сказал Сомс, — я и сам это чувствую, но время никого не ждет, и надо подумать о будущем.

Из-под седых усов вырвался вздох.

— Что ж, мистер Сомс, раз вы решили, говорить больше нечего; но я недоволен.

— Пойдемте, я подвезу вас до станции.

— Спасибо, я лучше пройдусь, подышу воздухом. Вот только запру.

Сомс понял, что запирать надо не только ящики, но и чувства, и вышел.

Преданный старик! Проехать сразу же к Полкинфорду, выбрать что-нибудь ему в подарок.

В громадном магазине, так тесно уставленном серебром и золотом, что являлось сомнение, была ли здесь когда продана хоть одна вещь, Сомс огляделся. Надо подыскать что-нибудь стоящее — ничего вычурного, кричащего. Пунша старик, верно, не пьет — сектант! Может, подойдут эти два верблюда? Серебряные, с позолотой, у каждого по два горба, и из них торчат свечи. И между горбами выгравировать — «Джозефу Грэдмену от благодарной семьи Форсайтов». Грэдмен живет где-то около Зоологического сада. Гм! Верблюды? Нет! Лучше чашу. Если он не пьет пунша, может насыпать в нее розовых лепестков или ставить цветы.

— Мне нужна чаша, — сказал он, — очень хорошая.

— Сию минуту, сэр, у нас как раз есть то, что вам нужно.

Всегда у них есть как раз то, что вам нужно!

— Вот взгляните, сэр, литого серебра — очень строгий рисунок.

— Строгий! — сказал Сомс. — Я бы даром ее не взял.

— Совершенно верно, сэр, это, может быть, не совсем то, что вам нужно. Ну, а вот эта небольшая, но изящная чаша?

— Нет, нет, что-нибудь простое и устойчивое, чтобы вмещала около галлона.

— Мистер Бэнкуэйт, подите-ка сюда. Этому джентльмену нужна старинная чаша.

— Сию минуту, сэр, у нас как раз есть то, что вам нужно.

Сомс издал неясное ворчанье.

— На старинные чаши спрос небольшой; но у нас есть одна, антикварная, из дома Роксборо.

— С гербом? — сказал Сомс. — Не годится. Мне нужно новую или, во всяком случае, без герба.

— А тогда вот эта вам подойдет, сэр.

— О боже! — сказал Сомс и указал кончиком зонта в противоположную сторону. — Вот это что такое?

Приказчик сделал огорченное лицо и достал вещь с застекленной полки.

На выпуклой, стянутой кверху ножке покоилась вместительная серебряная чаша. Сомс постучал по ней пальцем.

— Чистого серебра, сэр, и, как видите, очень гладкие края; форма достаточно скромная, внутри позолота лучшего качества. Я бы сказал, как раз то, что вам нужно.

— Неплохо. Сколько стоит?

Приказчик склонился над кабалистическим знаком.

— Тридцать пять фунтов, сэр.

— Вполне достаточно, — сказал Сомс. Понравится ли подарок старому Грэдмену, он не знал, но вещь не безвкусная, престиж семьи не пострадает. — Так я ее беру, — сказал он. — Выгравируйте на ней эти слова, — он написал их. — Пошлите по этому адресу, а счет мне; и, пожалуйста, поскорее.

— Будет исполнено, сэр. Не интересуют ли вас эти бокалы? Очень оригинальные.

— Больше ничего! — сказал Сомс. — До свидания! — Он дал приказчику свою карточку, окинул магазин холодным взглядом и вышел. Одной заботой меньше!

Под брызгами сентябрьского солнца он шел по Пиккадилли на запад, в Грин-парк. Эти мягкие осенние дни хорошо на него действовали. Ему не стало жарко, и холодно не было.

И платаны, чуть начинавшие желтеть, радовали его — хорошие деревья, стройные. Шагая по траве лужаек, Сомс даже ощущал умиление. Звук быстрых, нагонявших его шагов вторгся в его сознание. Голос сказал:

— А, Форсайт! Вы на собрание к Майклу? Пойдемте вместе!

Старый Монт, как всегда самоуверенный, болтливый! Вот и сейчас пошел трещать!

— Как вы смотрите на все эти перемены в Лондоне, Форсайт? Помните, широкие панталоны и кринолины — расцвет Лича[1] — старый Пэм[2] на коне?

— Это все поверхностное, — сказал Сомс.

— Поверхностное? Иногда и мне так кажется. Но есть и существенная разница — разница между романами Остин и Троллопа и современными писателями. Приходов не осталось. Классы? Да, но грань между ними проводит человек, а не бог, как во времена Троллопа.

Сомс фыркнул. Вечно он так странно выражается!

— Если дальше пойдем такими темпами, скоро вообще никакой грани не будет, — сказал он.

— А вы, пожалуй, не правы, Форсайт. Я бы не удивился возвращению лошади.

— При чем тут лошадь? — пробурчал Сомс.

— Ждать нам остается только царства небесного на земле, — продолжал сэр Лоренс, помахивая тросточкой. — Тогда у нас опять начнется расцвет личности. А царство небесное уже почти наступило.

— Совершенно вас не понимаю, — сказал Сомс.

---

[1] Английский карикатурист, сотрудник журнала «Панч» (1817—1864).

[2] Пальмерстон (1784—1865).

— Обучение бесплатное; женщины имеют право голоса; даже у рабочего есть — или скоро будет — автомобиль; трущобы обречены на гибель — благодаря вам, Форсайт; развлечения и новости проникают под каждую крышу; либеральная партия сдана в архив; свобода торговли стала величиной переменной; спорт доступен в любых количествах; догматам дали по шее; генеральной стачке тоже; бойскаутов что ни день, то больше; платья удобные; и волосы короткие — это все признаки царства небесного.

— Но при чем тут все-таки лошадь?

— Символ, дорогой мой Форсайт! Лошадь нельзя подвести ни под стандарт, ни под социализм. Начинается реакция против единообразия. Еще немножко царства небесного — и мы опять начнем заниматься своей душой и ездить цугом.

— Что это за шум? — сказал Сомс. — Будто кто-то взывает о помощи.

Сэр Лоренс вздернул бровь.

— Это пылесос в Букингемском дворце. В них много человеческого.

Сомс глухо заворчал — не умеет этот человек быть серьезным! Ну-ну, скоро, может быть, придется. Если Флер... Но не хотелось думать об этом «если».

— Что меня восхищает в англичанах, — вдруг заговорил сэр Лоренс, — это их эволюционизм. Они подаются вперед и назад, и снова вперед. Иностранцы считают их безнадежными консерваторами, но у них есть своя логика — это великая вещь, Форсайт. Как вы думаете поступить с вашими картинами, когда соберетесь на тот свет? Завещаете их государству?

— Смотря по тому, как оно со мной обойдется. Если они еще повысят налог на наследство, я изменю завещание.

— По принципу наших предков, а? Либо добровольная служба, либо никакой! Молодцы были наши предки.

— Насчет ваших не знаю, — сказал Сомс, — мои были просто фермеры. Я завтра еду взглянуть на них, — добавил он с вызовом.

— Чудесно! Надеюсь, вы застанете их дома.

— Мы опоздали, — сказал Сомс, заглядывая в окно столовой, из которого выглядывали члены комитета. — Половина седьмого! Ну и забавный народ!

— Мы всегда забавный народ, — сказал сэр Лоренс, входя за ним в дверь, — только не в собственных глазах. Это первая из жизненных основ, Форсайт.

VII. ЗАВТРА

Флер встретила их в холле. Оставив Джона в Доркинге, она с недозволенной скоростью прикатила обратно в Лондон, чтобы создать впечатление, что мысли ее заняты исключительно благоустройством трущоб. «Помещик» уехал стрелять куропаток, и председательствовал епископ. Флер прошла к буфету и стала разливать чай, пока Майкл читал протокол предыдущего собрания. Епископ, сэр Годфри Бедвин, мистер Монтросс, ее свекор и сама она пили китайский чай; сэр Тимоти — виски с содовой; Майкл — ничего; маркиз, Хилери и ее отец — цейлонский чай; и каждый утверждал, что остальные портят себе пищеварение. Отец постоянно говорил ей, что она пьет китайский чай только потому, что он в моде: нравиться он ей, конечно, не может. Наливая каждому положенный напиток, она пыталась представить себе, что бы они подумали, если б знали, чем, кроме чая, заняты ее мысли. Завтра у Джона последний сеанс, и она делает решительный шаг! Два месяца — с тех пор как они танцевали с ним в Нетлфолде — она терпела, завтра это кончится. Завтра в этот час она потребует своего. Она знала, что для всякого контракта нужны две стороны, но это ее не смущало. Она верила верой красивой, влюбленной женщины. Ее воля исполнится, но никто не должен узнать об этом. И, передавая чашки, она улыбалась неведению этих умных старых людей. Они не узнают, никто не узнает; уж конечно, не этот молодой человек, который прошлой ночью обнимал ее! И, думая о том, кому это еще только предстояло, она села у камина с чашкой чая и блокнотом, а сердце у нее колотилось, и полузакрытые глаза видели лицо Джона, обернувшееся к ней с порога вокзала. Свершение! Она, как Иаков, семь лет выслуживала свою любовь — семь долгих, долгих лет! И пока она сидела, слушая нудное гудение епископа и сэра Годфри, бессвязные восклицания сэра Тимоти, редкие, сдержанные замечания отца, — ясное, четкое, упрямое сознание, которым наделила ее французская кровь, было занято усовершенствованием механизма тайной жизни, которую они начнут завтра, вкусив запретного плода. Тайная жизнь — безопасная жизнь, если отбросить трусливые колебания, щепетильность и угрызения совести! Она так была в этом уверена, словно раз десять жила тайной жизнью. Она сама все устроит. У Джона не будет никаких забот. И никто не узнает!

— Флер, запиши это, пожалуйста.

— Хорошо.

И карандаш забегал по блокноту: «Спросить Майкла, что нужно было записать».

— Миссис Монт!

— Да, сэр Тимоти?

— Вы бы нам не устроили такой... ну как это называется?

— Утренник?

— Нет, нет! Ну, базар, что ли.

— С удовольствием.

Чем больше базаров она для них устроит, тем безупречнее ее репутация, тем больше свободы, и тем вернее она заслужит свою тайную жизнь и сможет ею наслаждаться и смеяться над ними.

Заговорил Хилери. А он что подумал бы, если бы знал?

— По-моему, Флер, нам и утренник необходим. Публика такая добрая, всегда заплатит гинею, чтобы пойти туда, куда ее в другое время даром не затащишь. Вы как полагаете, епископ?

— Утренник — ну конечно!

— Утренники — какая гадость!

— А мы подберем хорошую пьесу, мистер Форсайт, что-нибудь чуть старомодное — одну из вещей Л.С.Д. Составило бы нам рекламу. Ваше мнение, лорд Шропшир?

— Моя внучка Марджори могла бы вам помочь — и ей пошло бы на пользу.

— Гм! Если *она* этим займется, старомодно не будет.

И Флер увидела, что, говоря это, отец посмотрел на нее. Если б он только знал, как мало это ее теперь трогает; до чего мелкими кажутся ей тогдашние чувства.

— Мистер Монтросс, у вас есть на примете театр?

— Достать смогу, мистер Черрел.

— Отлично! Так поручим это дело вам с лордом Шропшир и моему племяннику. Флер, расскажите нам, как у вас дела в доме отдыха?

— Очень хорошо, дядя Хилери. Переполнено. Девушки такие милые.

— Распущенная, верно, публика?

— О нет, сэр Тимоти, они ведут себя примерно.

Если б мог этот усатый старик прочесть в мыслях у «примерной» леди, которая их опекает!

— Ну, значит, так. Мы как будто кончили, сэр, вы разрешите? У меня свидание с одним американцем насчет муравьев.

Мало мы, по-моему, встряхнули этих домовладельцев. Спокойной ночи!

Флер сделала Майклу знак остаться и пошла провожать сэра Тимоти.

— Который ваш зонтик, сэр Тимоти?

— Не знаю; вот этот как будто лучше других. Если будете устраивать базар, миссис Монт, хорошо бы вам продать на нем епископа. Терпеть не могу, когда люди мямлят, да еще на месте председателя.

Флер улыбнулась, он галантно приподнял шляпу. Все они были с ней галантны, и это ей льстило. Но если б они узнали?! Темнеют деревья сквера, только что зажгли фонари. Хорошо еще, что такая погода — сухая, теплая. Она стояла в дверях, глубоко дыша. Завтра в это время она будет неверной женой! Ну что ж, не больше, чем всегда была в тайных мечтах.

«Хорошо, что Кит в «Шелтере», — подумала она. Он-то никогда не узнает, никто не узнает! Никаких перемен ни в чем — только в ней и в Джоне. Сила жизни прорвется незаметным ручейком и потечет — куда? Не все ли равно?

— Мой милый Монт, с материальной точки зрения честность никогда не была лучшей политикой. Это мнение типично для времен Виктории. Удивительно в то время умели находить квадратуру круга.

— Согласен, маркиз, согласен; они лучше, чем кто-либо другой, умели думать, что хотели. В тучные годы это удается.

Эта пара в холле, за ее спиной, — старые, высохшие! Не переставая улыбаться, она обернулась.

— Дорогая миссис Монт, здесь свежо! Вы не простудитесь?

— Нет, благодарю вас, сэр, мне тепло.

— Вот славно-то!

— Разрешите подвезти вас, милорд?

— Благодарствуйте, мистер Монтросс. Все мечтаю о собственном автомобиле. Вам с нами по дороге, Монт? Мистер Монтросс, вы знаете эту песенку: «Мы в дом к Алисе все зайдем»? Мой мальчик-молочник ею прямо увлечен. Я все думаю, что это за Алиса? Подозрительная, по-моему, особа. Спокойной ночи, миссис Монт. У вас прелестный дом!

— Спокойной ночи, сэр!

Его рука, рука «моржа»; рука свекра.

— Кит здоров, Флер?

— Цветет.

— Спокойной ночи, милая!

Милая — мать его внука! «Завтра, завтра, завтра!» Дряхлый груз укрыт пледом, дверца захлопнулась — какая мягкая, бесшумная машина. Опять голоса.

— Привести вам такси, дядя Хилери?

— Нет, спасибо, Майкл, мы с епископом пройдемся.

— Я дойду с вами до угла. Идемте, сэр Годфри? До свидания, родная. Твой отец остался обедать. Я вернусь от Блайта часов в десять.

И вышли звери из ковчега по четыре!

— Не стой здесь, озябнешь! — Голос отца! Единственный, с кем ей страшно встретиться глазами. Нельзя снимать маску.

— Ну, папа, что сегодня делал? Пойдем в гостиную, скоро обедать.

— Как твой портрет? Не преувеличивает этот молодчик? Нужно бы мне зайти посмотреть.

— Подожди еще, папа. Он очень обидчивый.

— Все они такие. Я думал завтра поехать на Запад, поглядеть, откуда вышли Форсайты. Тебе вряд ли удалось бы вырваться и поехать со мной?

Флер слушала, не выдавая чувства облегчения.

— На сколько ты уезжаешь, папа?

— Вернусь на третий день. Туда меньше двухсот миль.

— Боюсь, что мой художник расстроится.

— Я и не думал, что это тебя соблазнит. Блеска ни малейшего. А я уже давно собирался. И погода стоит хорошая.

— Я уверена, что будет страшно интересно, милый; ты мне все потом расскажи. Но с этими сеансами и с домом отдыха я сейчас очень связана.

— Так я буду ждать тебя в воскресенье. Твоя мать уехала в гости, только и знают, что играть в бридж; пробудет там до понедельника. Ты ведь знаешь, я всегда хочу тебя видеть, — добавил он просто.

И чтобы уйти от его взгляда, она встала.

— Сейчас, папа, я только сбегаю наверх переодеться. После этих собраний комитета я всегда чувствую, что нужно помыться. Не знаю почему.

— Пустая трата времени, — сказал Сомс. — Трущобы всегда будут. А все-таки занятие вам обоим.

— Да, Майкл наслаждается.

— Вот старый дурак этот сэр Тимоти! — И Сомс подошел к

Фрагонару. — Ту картину Морланда я повесил. Маркиз — приятный старик. Я тебе, кажется, говорил, что оставлю свои картины государству? Тебе они не нужны. Когда-нибудь переедешь жить в этот Липпинг-Холл. Там картины не ко двору. Предки, да оленьи рога, да лошади — вот там что. Да.

Тайная жизнь и Липпинг-Холл? Пусть еще долго, долго этого не будет!

— О, папа, Барт никогда не умрет!

— Н-да! Что и говорить, живуч. Ну, беги к себе!

Смывая пудру и пудрясь опять, Флер думала: «Милый папа! Какое счастье! Он будет далеко».

Теперь, когда она окончательно решилась, было сравнительно легко обманывать и спокойно улыбаться свеженапудренным лицом над тарелками челсийского фарфора.

— Где ты думаешь повесить свой портрет, когда он будет готов? — заговорил Сомс.

— О, ведь он твой, милый.

— Мой? Ну конечно; но ты его повесь у себя. Майкл захочет.

Майкл — в неведении! Эта мысль ее больно кольнула. Что же, она будет с ним по-прежнему ласкова. К чему старомодная щепетильность?

— Спасибо, милый. Думаю, что он захочет повесить его в гостиной. Как раз подойдет: серебро и золото — мой маскарадный костюм.

— Помню, — сказал Сомс, — что-то с колокольчиками.

— Эта часть картины, по-моему, очень хорошо вышла.

— Что? А лицо ему разве не удалось?

— Не знаю, мне как-то не очень нравится.

И правда, в тот день, после сеанса, она стала сомневаться.

В лице появилось что-то жадное, словно рафаэлит почуял, как в ней крепнет решение.

— Если плохо выйдет, я не возьму, — сказал Сомс.

Флер улыбнулась. У рафаэлита найдется, что сказать на это.

— О, я уверена, что будет хорошо. Собственным портретом никто, наверно, не бывает доволен.

— Не знаю, — сказал Сомс, — не пробовал.

— А следовало бы, милый.

— Пустая трата времени! Он отослал портрет этой молодой женщины?

Флер не сморгнула.

— Жены Джона Форсайта? О да, уже давно.

Она ждала, что он скажет: «Ты с ними виделась это время?» — но он промолчал. И это смутило ее больше, чем смутил бы вопрос.

— Ко мне сегодня заходил твой кузен Вэл.

У Флер замерло сердце. Неужели говорили о ней?

— Его подпись подделали.

Какое счастье!

— Есть люди, абсолютно лишенные нравственных устоев, — продолжал Сомс. Она невольно вздернула белые плечи, но он не заметил. — Самая обыкновенная честность — куда она девалась, не знаю.

— Я сегодня слышала, папа, как лорд Шропшир говорил, что «честность — лучшая политика» — это просто пережиток викторианства.

— Хоть он и старше меня на десять лет, не понимаю, с чего он это взял. Все теперь вывернуто наизнанку.

— Но если это лучшая *политика*, так особой добродетелью это никогда и не было, так ведь?

Сомс резко взглянул на ее улыбающееся лицо.

— Почему?

— Ой, не знаю! Куропатки из Липпинг-Холла, папа.

Сомс потянул носом.

— Мало повисели. Ножки куропатки должны быть куда сочней.

— Да, я говорила кухарке, но у нее свой взгляд на вещи.

— А в хлебном соусе должно быть чуть побольше лука. Викторианство, подумаешь! Он, верно, и меня назвал бы викторианцем!

— А разве это не так, папа? Ты сорок шесть лет при ней прожил.

— Прожил двадцать пять без нее и еще проживу.

— Долго, долго проживешь, — мягко сказала Флер.

— Ну, это вряд ли.

— Нет, непременно! Но я рада, что ты не считаешь себя викторианцем. Я их не люблю: слишком много на себя надевали.

— Не скажи.

— Во всяком случае, завтра ты будешь в царствовании Георга.

— Да, — сказал Сомс. — Там, говорят, есть кладбище. Кстати, я купил место на нашем кладбище, в углу. Чего еще искать лучшего? Твоя мать, верно, захочет, чтобы ее отвезли хоронить во Францию.

— Кокер, налейте мистеру Форсайту хереса.

Сомс не спеша понюхал.

— Это еще из вин твоего деда. Он дожил до девяноста лет.

Если они с Джоном доживут до девяноста лет, так никто и не узнает?.. В десять часов, коснувшись губами его носа, она ушла к себе.

— Я устала, папа, а тебе завтра предстоит длинный день. Спокойной ночи, милый!

Счастье, что завтра он будет в царствовании Георга!

VIII. ЗАПРЕТНЫЙ ПЛОД

Неожиданно затормозив машину на дороге между фермой Гейджа и рощей в Робин-Хилле, Флер сказала:

— Джон, милый, мне пришла фантазия. Давай выйдем и погуляем здесь. Вельможа в Шотландии. — Джон не двинулся, и она прибавила: — Мы теперь долго с тобой не увидимся, раз твой портрет готов.

Тогда Джон вышел, и она отворила калитку, за которой начиналась тропинка. В роще они постояли, прислушиваясь, не заметил ли кто их незаконного вторжения. Ясный сентябрьский день быстро меркнул. Последний сеанс затянулся, было поздно, и среди берез и лиственниц рощи сгущались сумерки. Флер ласково взяла его под руку.

— Слушай! Правда, тихо? Как будто и не прошло семи лет, Джон. А тебе хотелось бы? Опять были бы невинными младенцами?

Он ответил сердито:

— К чему вспоминать — все случается так, как нужно.

— Птицы ложатся спать. Тут совы водились?

— Да, скоро, наверно, услышим их.

— Как пахнет хорошо!

— Деревья и коровники!

— Ваниль и тмин, как говорят поэты. А коровники близко?

— Да.

— Тогда не стоит идти дальше.

— Вот упавшее дерево, — сказал Джон. — Можно сесть подождать, пока закричит сова.

Они сели рядом на старое дерево.

— Росы нет, — сказала Флер. — Скоро погода испортится. Люблю, когда веет засухой.

— Люблю, когда пахнет дождем.

— Мы с тобой никогда не любили одно и то же, Джон. А между тем — мы любили друг друга. — Она плечом почувствовала, как он вздрогнул.

— Вот и часы бьют! Уж поздно, Флер! Слышишь? Сова!

Крик раздался неожиданно близко, из-за тонких ветвей. Флер встала.

— Попробуем ее отыскать.

Она двинулась прочь от упавшего дерева.

— Ну, где ты? Побродим немножко, Джон.

Джон поднялся и побрел рядом с ней между лиственниц.

— Кажется, сюда — верно? Как быстро стемнело. Смотри — березы еще белеют. Люблю березы, — она положила ладонь на бледный ствол. — Какой он гладкий, Джон, словно кожа, — и, наклонившись вперед, приникла к стволу щекой. — Вот потрогай мою щеку, а потом кору. Правда, не отличишь, если бы не тепло?

Джон поднял руку. Она повернулась и коснулась ее губами.

— Джон, поцелуй меня один раз.

— Ты ведь знаешь, я не могу поцеловать тебя «один раз», Флер.

— Тогда целуй меня без конца, Джон.

— Нет, нет, нет!

— Все случается так, как нужно, — это ты сказал.

— Флер, не надо! Я не вынесу.

Она засмеялась — нежно, еле слышно.

— И не нужно. Я семь лет этого ждала. Нет! Не закрывай лицо. Смотри на меня! Я все беру на себя. Женщина тебя соблазнила. Но, Джон, ты всегда был мой. Ну вот, так лучше. Теперь я вижу твои глаза. Бедный Джон! Поцелуй меня! — В долгом поцелуе она словно лишилась чувств; не знала даже, открыты его глаза или закрыты, как у нее.

И опять прокричала сова.

Джон оторвался от ее губ. Он дрожал в ее объятиях, как испуганная лошадь.

Она прижалась губами к его уху, шептала:

— Ничего, Джон, ничего. — Услышала, как у него захватило дыхание, и ее теплые губы продолжали шептать: — Обними меня, Джон, обними меня!

Теперь не оставалось ни проблеска света; между темных перистых веток глядели звезды, и далеко внизу, там, где начинался подъем, дрожало и подбиралось к ним сквозь деревья неверное мерцание всходящей луны. Легкий шорох нарушил безмолвие, стих, раздался снова. Ближе, ближе Флер прижималась к нему.

— Не здесь, Флер, не здесь. Я не могу... не хочу...

— Нет, Джон, здесь, сейчас. Ты ведь мой.

Когда они снова сидели на упавшем дереве, сквозь деревья светила луна.

Джон сжимал руками виски, и ей не были видны его глаза.

— Никто никогда не узнает, Джон.

Он уронил руки и посмотрел ей в лицо.

— Я должен ей сказать.

— Джон!

— Должен!

— Не можешь, пока я не позволю. А я не позволяю.

— Что мы сделали? О Флер, что же мы сделали?

— Так суждено было. Когда я тебя увижу, Джон?

Он вскочил на ноги.

— Никогда, если только она не узнает. Никогда, Флер, никогда! Я не могу продолжать тайком!

В мгновение и Флер была на ногах. Они стояли, положив руки друг другу на плечи, точно в борьбе. Потом Джон вырвался и как безумный ринулся назад в рощу.

Она стояла дрожа, не решаясь позвать. Стояла ошеломленная, ждала, что он вернется к ней, но он не шел.

Вдруг она застонала и опустилась на колени; и опять застонала. Он должен услышать и вернуться! Не мог, не мог он уйти от нее в такую минуту!

— Джон!

Ни звука. Она встала с колен, стояла, вглядываясь в побелевший сумрак. Прокричала сова; и Флер с ужасом увидела, что луна зацепилась за верхушки деревьев, следит за ней как живая. Задохнувшись рыданьем, она заплакала тихо, как обиженный ребенок. Стояла, слушала изо всех сил. Ни шороха, ни шагов, ни крика совы — ни звука, только далеко и тихо проезжают по лондонской дороге машины. Что он, пошел к автомобилю или прячется от нее в этой роще, жуткой, полной теней?

— Джон! Джон!

Не отвечает! Она побежала к калитке. Вот машина — пуста!

Она села и склонилась над рулем, чувствуя, что вся онемела. Что это значит? Что же, она проиграла в самый час победы? Не мог, не мог он оставить ее здесь! Машинально зажгла она фары. Прошли двое пешком, проехал велосипедист. А Флер так и сидела онемев. И это — свершение? Свершение, о котором она мечтала? Несколько мгновений торопливой, исступленной страсти — и это? К обиде и растерянности примешивался стыд, что в такую минуту он мог убежать от нее, и страх, что, добившись его, она его потеряла!

Наконец она пустила машину и тоскливо поехала вперед, посматривая на дорогу, безнадежно надеясь догнать Джона. Ехала очень медленно и, только добравшись до поворота на Доркинг, окончательно потеряла надежду. Как она вела машину остальную часть пути, она и сама не знала. Жизнь словно разом ее покинула.

IX. ПОХМЕЛЬЕ

Джон, ринувшись назад в рощу, повернул налево, миновал пруд и, выйдя на опушку, полем побежал в гору, к дому, как будто он все еще там жил. Дом высился над террасой и газонами — неосвещенный, призрачный в лунном сиянии. За кустом рододендронов, где маленьким мальчиком Джон играл в прятки или с луком и стрелами охотился на жука-оленя, он опустился на землю, так как ноги вдруг отказались его держать, и сжал пылающие щеки горячими кулаками. Он давно уже знал и не знал, мечтал и боялся мечтать об этом! Подавляюще, внезапно, неотступно! «Так суждено было!» — сказала она. Ее можно всячески оправдать; но где оправдание для него? Он не находил его среди этих озаренных луной рододендронов. А между тем дело сделано! Чей он теперь? Он встал и, словно ища ответа, поглядел на дом, где родился, рос и играл. Побеленный луной, без огней, дом казался призраком, хранил какую-то тайну. «А я не позволяю тебе сказать!.. Когда мы опять увидимся?» Значит, она хочет тайного любовника? Невозможно! Единственный абсолютно невозможный выход. Он будет принадлежать или одной, или другой, но не обеим. Все его существо разрывалось, но это решение было твердо. Он пошел, пригибаясь, позади кустов рододендрона, тянувшихся вдоль нижнего края лужайки, добрался до стены владения, через которую так часто перелезал в детстве, и, подтянувшись на руках, соскочил на верхнее шоссе. Никто его не заметил, и он поспешил прочь. Он глухо, смятенно жаждал попасть домой, в Уонсдон, — хотя что он будет делать, когда попадет туда, он и сам не знал. Он повернул на Кингстон.

Два часа в наемном автомобиле Джон напряженно думал. Как бы он теперь ни поступил, он изменит либо одной, либо другой. И, еще не овладев собой после пережитых страстных мгновений, он никак не мог разобраться в себе, а между тем — нужно!

В Уонсдон он попал в одиннадцать часов и, отпустив машину на шоссе, пошел к дому. Все легли спать, решив, очевидно, что будет еще один сеанс и он остался ночевать у Джун. Он увидел, что в комнате, служившей им с Энн спальней, горит свет, и впервые ощутил всю тяжесть стыда за содеянное. У него не хватило духу окликнуть ее, и он бесшумно двинулся в обход дома, ища, где бы войти. Наконец он заметил открытое окно в одной из запасных комнат второго этажа, принес садовую лестницу, взобрался по ней и очутился в комнате. Этот поступок, достойный заправского вора, отчасти вернул ему самообладание. Он спустился в холл, вышел из дому, отнес лестницу на место, опять вошел и бесшумно пробрался наверх. Но, дойдя до спальни, замер. Щель под дверью не светилась. Энн, видно, легла. И вдруг он понял, что не смеет войти. Ощутить себя Иудой, целуя ее?! Он снял ботинки, взял их в руки и опять пошел вниз, в столовую. Он с часу дня не ел, только выпил чашку чая, и теперь достал печенья и вина. Настроение изменилось. Ни один мужчина не устоял бы против поцелуев Флер в залитой луною роще — ни один! Так неужели нужно одну из них больно обидеть? Почему не сделать, как хочет Флер, — не сохранить тайну? Оставаясь ее тайным любовником, он не обидит Флер. Скрыв от Энн, он не обидит Энн. Он ходил взад-вперед по комнате, как леопард в клетке. И все, что было в нем честного и разумного, возмущалось. Разве можно остаться мужем двух женщин, если одна из них знает? Разве Флер это выдержит? А ложь, увертки! А Майкл Монт — хороший, порядочный человек! Он и так причинил ему достаточно зла. Нет! Так или иначе — но честно! Он остановился у камина, облокотился о каменную доску. Как тихо! Только тикают старые часы, принадлежавшие еще его деду, — тикают, и проходит время, которое все исцеляет, которому так мало дела до земных треволнений; тикают, и идут люди и события к своим назначенным пределам. Прямо перед ним на камине стоял портрет его деда, старого Джолиона, — самая последняя фотография, запечатлевшая старое лицо с огромным лбом, белые усы, впалые щеки, глубоко запавшие строгие глаза и мощный подбородок. Джон долго смотрел на него. «Наметь себе путь и не отступай!» — словно говорил глубокий ответный взгляд... Он прошел к письменному столу и сел писать:

«Прости, что я сегодня убежал, но, право же, так было лучше. Мне нужно было подумать. Я подумал. Пока я уверен только в одном. Продолжать тайком — невозможно. О сегодняшнем я, конечно, не скажу ни слова, если ты мне не позволишь. Но, Флер, если я не смогу все рассказать, значит — конец. Ведь и ты не хотела бы другого, правда? Ответь, пожалуйста, на адрес почтового отделения в Нетлфолде.

Джон».

Он запечатал письмо, надписал адрес Флер в Доркинге и, натянув ботинки, тихо вышел опустить его. Вернувшись, он почувствовал такую усталость, что заснул в кресле, закутавшись в старое пальто. В щелях занавесок резвился лунный свет, тикали старые часы, но Джон спал без сновидений.

Он проснулся, когда светало, прокрался в ванную, бесшумно выкупался и побрился и вылез в окно, чтобы не оставлять парадную дверь незапертой. Пошел вверх по лощине, мимо заброшенной каменоломни, на холмы, как шел с Флер семь лет назад. До получения ее ответа он не знал, что делать, и боялся встретить взгляд Энн, пока не улеглось его смятение. Он шел к Чанктонбери-Рингу. Короткая трава была заткана обильной росой. Солнце только что взошло, и бесконечно прекрасно было вокруг, безлюдно и тихо. Красота терзала его. Он всей душой полюбил холмы, в них было особое обаяние, подобного которому он не находил нигде. Неужели ему теперь предстоит их покинуть, снова покинуть Англию, покинуть все и прилепиться к Флер? Если она заявит на него права, если решит предать их союз гласности, тогда, наверно, так и будет. И Джон шел в таком смятении, какого раньше и вообразить не мог. От Ринга он свернул в сторону, чтобы не набрести на утреннюю тренировку лошадей. И эта первая увертка поставила его перед необходимостью немедленно принять решение. Что ему делать, пока не придет ответ от Флер? Письмо ее попадет в Нетлфолд не раньше вечера или даже следующего утра. С тяжелым сердцем он решил вернуться домой к завтраку и сказать, что опоздал на поезд и ночью пробрался в дом, как вор, чтобы не тревожить их.

Этот день, когда он мучился и неустанно следил за собой,

был одним из самых несчастных дней в его жизни; и он не мог отделаться от чувства, что Энн читает его мысли. Словно они провели этот день, украдкой наблюдая друг за другом, — невыносимо! Часа в четыре он попросил лошадь, чтобы съездить на ферму Грин-Хилл, и сказал, что вернется поздно. Он поехал в Нетлфолд и зашел на почту. Его ждала телеграмма:

«Нужно увидеться. Буду на ферме Грин-Хилл завтра в полдень.

Не обмани. *Ф.*»

Джон разорвал телеграмму и поехал обратно. Еще восемнадцать часов тоски и напряжения! Есть ли что в мире хуже неизвестности? Он ехал медленно, чтобы меньше времени пробыть дома, страшился ночи. У придорожной гостиницы остановился, закусил и поехал дальше, через ферму Грин-Хилл, чтобы хоть формально оправдать свои слова. Домой он приехал около десяти, когда луна уже стояла высоко в небе.

— Чудесная ночь, — сказал он, входя в гостиную.

— Луна прямо изумительна, — ответила Холли.

Энн, сидевшая у камина, даже не подняла голову. «Знает, — подумал Джон, — что-то знает». Через несколько минут она сказала, что хочет спать, и встала. Джон остался поболтать с Холли. Вэл из Лондона проехал в Ньюмаркет, его ждали не раньше пятницы. Они сидели по обе стороны горящего камина. И, глядя в лицо сестры, прелестное и задумчивое, Джон почувствовал искушение. Она такая умная и отзывчивая. Рассказать ей все, и стало бы легче. Но удержало приказание Флер — тайна была не его.

— Ну, Джон, с фермой все в порядке?

— Получил еще кой-какие цифры. Сегодня ими займусь.

— Уж скорей бы это решалось, чтобы нам знать, что вы будете здесь близко. Страшно будет обидно, если это сорвется.

— Да; но на этот раз надо действовать наверняка.

— Энн спит и видит, как бы там жить. Она мало говорит, но это ничего не значит. Такой чудесный старый уголок.

— Мне лучшего и не нужно, только пусть будет выгодно.

— Ты поэтому и тянешь, Джон?

— А почему бы еще?

— Мне казалось... может, ты в душе боишься опять прочно осесть? Но ведь ты глава семьи, Джон, тебе нужно осесть.

— Глава семьи!

— Да, единственный сын единственного сына старшего сына — и так до самого первого Джолиона.

— Хорош глава! — горько вымолвил Джон.

— Да, хорошая голова, — и Холли быстро встала, наклонилась и поцеловала его в макушку.

— Спокойной ночи! Не засиживайся! Энн что-то невеселая.

Джон погасил лампу и остался сидеть, сгорбившись, в кресле у камина. Глава семьи! Достойно он ведет себя! А если... Ха! Вот это и правда будет весело! Что сказал бы на это старик, чей портрет он разглядывал вчера вечером? Ох, какая путаница! Ведь в глубине души он знал, что Энн ему больше товарищ, что с ней, а не с Флер он может жить и работать и обрести себя. Безумие, мимолетное безумие нахлынуло на него из прошлого, — прошлое и ее воля, стремящаяся забрать и держать его! Он встал и раздвинул занавески. Там, между двумя вязами, светила луна, загадочная и всесильная, и в свете ее все словно уплывало вверх, на гребень холмов. Красота какая, тишина! Он распахнул стеклянную дверь и вышел; как темная жидкость, разлитая по побелевшей траве, резная тень вяза почти доходила до его ног. Наверху светилось окно их комнаты. Довольно трусить, надо идти. Он не был с ней вдвоем с тех пор, как... Если бы только знать наверное, как поступить. И тут он понял, что ошибся, поддавшись внезапному желанию убежать от Флер, надо было остаться и тут же все выяснить. А между тем кто в его положении мог бы поступить разумно и здраво? Он сделал шаг назад к двери и замер на месте. Между лунным светом и отсветом камина стояла Энн. Тоненькая, в плотно запахнутом легком халатике, она искала его глазами. Джон закрыл дверь и задернул занавеску.

— Прости, родная, не простудись, меня лунный свет выманил.

Она проскользнула к дальнему концу камина и стояла, не сводя с него глаз.

— Джон, у меня будет ребенок.

— Что!..

— Да. В прошлом месяце я тебе не сказала, потому что не была уверена.

— Энн!

Она подняла руку.

— Подожди минутку!

Джон стиснул спинку стула, он знал, что она сейчас скажет.

— Что-то произошло между тобой и Флер.

Затаив дыхание, Джон смотрел ей в глаза: темные, испуганные, немигающие, они отвечали на его взгляд.

— Все произошло, да?

Джон опустил голову.

— Вчера? Не объясняй, не оправдывай ни себя, ни ее. Только — что же теперь будет?

Не поднимая головы, Джон ответил:

— Это зависит от тебя.

— От меня?

— После того, что ты только что сказала. Ах, Энн, почему ты не сказала мне раньше?

— Да, я опоздала.

Он понял, что она хотела сказать, — она приберегала это как средство защиты. И, чувствуя, что ему нет прощенья, он сказал:

— Прости меня, Энн, прости!

— О Джон, я не знаю.

— Клянусь, что больше ее не увижу.

Теперь он поднял глаза и увидел, что она опустилась на колени перед огнем, тянется к нему рукой, словно озябла. Он упал на колени с нею рядом.

— По-моему, — сказал он, — любовь самое жестокое, что есть на свете.

— Да.

Она закрыла лицо рукой; и бесконечно долго, казалось, он стоял на коленях, ожидая движения, знака, слова. Наконец она опустила руку.

— Ничего. Прошло. Только подожди целовать меня.

X. ГОРЬКОЕ ЯБЛОКО

Утром, за повседневными делами, Флер ожила. Стоя под лучами солнца среди мальв и подсолнухов сада при «Доме отдыха», она с лихорадочной энергией переживала прошлое и будущее. Понятно, что Джон растерялся. Она взяла его с бою. Он старинного склада, болезненно-честный; он не может легко смотреть на вещи. Но раз уж он согрешил против совести, он поймет, что случившееся важнее всего, что может еще случиться. Важен только первый шаг! Они всегда принадлежали друг другу. Ее совесть не мучает; что же ему страдать, когда его смятение уляжется? Может, и лучше, что он убежал от нее, он сам увидит безвыходность своего положения. Пережитое волнение ничуть не поколебало ее планов. Джон теперь завоеван, он не выдаст их тайны, если не получит на то ее разрешения. Ему ничего не остается, как пойти на единственно возможное — на тайную связь. Измена налицо; а один раз или много — не все ли равно? Но взамен за потерю самоуважения она даст ему всю свою любовь, все силы своего ума. Она выведет его в люди. Несмотря на эту американскую малышку, он должен добиться успеха в своем хозяйстве, стать видным человеком в графстве, а может, и во всей стране. Она будет сама осмотрительность ради него и себя, ради Майкла, и Кита, и отца.

С большим букетом осенних цветов, за которые цеплялась пчела, она вернулась в дом, чтобы поставить их в воду. На столе в передней жена сторожа приготовила кучу пакетиков с порошком от моли, которой много развелось в доме, пустовавшем целый год. Флер стала рассовывать их по ящикам.

Со второй почтой пришло письмо Джона.

Она прочла его, и два красных пятна запылали у нее на щеках. Он написал это раньше, чем уснул, это все его смятение! Но надо увидеться с ним сейчас же — сейчас же! Она вывела из гаража машину, поехала в деревню, где ее не знали, и отправила Джону телеграмму в Нетлфолд до востребования. Какой ужас, что надо ждать до завтра! Но она знала, что он заедет на почту только вечером или даже на следующее утро.

Никогда еще так не тянулось время. Теперь ее опять одолевали сомнения. Неужели она переоценила свои силы, слишком положилась на свою мгновенную победу, одержанную в минуту забытья, недооценила твердость решений Джона? Она вспомнила, как в те далекие дни ей не удалось переломить его решения отказаться от нее. И, не в силах сидеть на месте, она одна поднялась на Бокс-Хилл и там среди тисов и зарослей брусники бродила до изнеможения, пока солнце не склонилось к западу. В бледнеющем свете лесное безлюдье стало ей в тягость, у нее не было настоящей любви к природе, да и плохой природа утешитель, когда на сердце тревожно. Приятно было очутиться в доме, послушать болтовню девушек за ужином. Интереса это не представляло, но хоть не наводило уныния, как простор и тени за окнами. Она вдруг вспомнила, что пропустила сеанс и не дала о себе знать. Рафаэлит, верно, злится; может быть, он надел ее костюм на манекен и пишет с него звук серебряных бубенчиков... Бубенчики! Майкл! Бедный Майкл! Но стоит ли жалеть его, когда он годами владел ею, хотя она в душе принадлежала другому? Спать она легла рано. Хоть бы проспать подольше, а потом сразу ехать! Что это за сила играет сердцами, рвет их на части, бросает трепетные — велит им ждать и болеть, и болеть и ждать! Интересно, приходилось ли благонравной викторианской мисс, о которой теперь опять так много кричат, — приходилось ли ей переживать то, что пережила она с тех пор, как в первый раз перед этой нелепой Юноной — или Венерой? — в галерее на Корк-стрит увидела посланного ей судьбой? Викторианская мисс с ее устоями! Допустим — о, безусловно! — что у нее, Флер Монт, устоев нет; а все-таки она не изливалась всем и каждому. Не противилась, не буянила. Разве не заслужила она немножко счастья? Пусть немножко, больше она и не требует. Все проходит, сердца изнашиваются! Но прижиматься сердцем к желанному сердцу, как вчера, а потом сразу потерять его? Быть не может. Заснула она не скоро, и луна — свидетель ее победы — заглядывала в щели занавесок, нагоняла сны.

Она проснулась, лежала и думала повышенно интенсивно, как всегда бывает рано утром. Люди осудят ее, если узнают; а возможно ли, собственно, устроить так, чтобы не узнали? Что если Джон так и не согласится на тайную связь? Что же тогда? Готова она бросить все и идти за ним? Для нее это было бы страшнее, чем для других. Это остракизм. Ведь за всем этим непрестанно маячила все та же преграда семейной распри: ее отец и его мать, и неприемлемость для них союза между ней и Джоном. И все, что было в ней светского, содрогнулось и отпрянуло перед суровой действительностью. Деньги? Денег у них будет достаточно. Но положение, друзья, поклонники — как добиться всего этого вновь? А Кит? Его она потеряет. Монты возьмут его себе. Она села в постели, с потрясающей ясностью видя во мраке истину, никогда раньше не являвшуюся ей в таком неприкрытом виде, что всякая победа требует жертв. Потом она возмутилась. Нет, Джон поймет, Джон образумится! Тайком они изведают, должны изведать счастье или хотя бы не изголодаться свыше меры. Он будет не целиком с нею, она не целиком с ним, но каждый будет знать, что другое — только притворство. Но будет ли он только притворяться? Всем ли существом он тянется к ней? Разве не так же сильно тянется он к жене? До ужаса ясно вставало перед ней лицо Энн, странный, такой красивый разрез темных живых глаз. Нет! Не нужно о ней думать! От этого слабеешь, труднее будет отвоевать Джона. Лениво потянулась, просыпаясь, заря; чирикнула птица; в комнату вполз рассвет. Флер легла на спину, снова покорившись тупой боли ожидания. Встала неотдохнувшая. Утро ясное, сухое, только роса на траве! В десять можно выезжать. В движении ждать будет легче, как бы медленно ни пришлось ехать. Она дала нужные распоряжения на день, вывела машину и пустилась в путь. Сверялась с часами, чтобы приехать ровно в полдень. Листья желтели, осень наступала ранняя. Так ли она одета? Понравится ли ему мягкий тон ее платья цвета перезрелых яблок? Красное красивее, но красный цвет привлекает внимание. А сегодня привлекать внимание нельзя. Последнюю милю она еле тащилась и наконец остановила машину на обсаженной деревьями дороге, там, где кончался фруктовый сад фермы Грин-Хилл и начинались поля. Очень внимательно изучила свое лицо в маленьком зеркальце из сумочки. Где это она читала, что зеркало отражает лицо в самом невыгодном свете? Счастье, если это так. Она вспомнила, что Джон как-то говорил, что терпеть не может губную помаду; и, не подкрасив губ, убрала зеркальце и вышла из машины. Она медленно двинулась к воротам. Отсюда шла широкая дорога, отделявшая дом от сеновала и других надворных построек, расположенных за ним по склону холма. Они вытянулись в ряд на мягком осеннем солнце — внушительные, сухие, заброшенные; ни скота не видно, ни одной курицы. Даже для непосвященной Флер было ясно, что нелегкая работа ждет того, кто возьмется за эту ферму. Сколько раз она слышала от Майкла, что в теперешней Англии нет дела более достойного мужчины, чем сельское хозяйство! Она позволит Джону купить эту ферму, пусть хоть на этот счет его несчастная совесть будет спокойна. Она вошла в ворота и остановилась перед старым домом, смотрела на острые крыши, на красные листья дикого винограда. Когда она проезжала последнюю деревню, било двенадцать. Не может быть, чтобы он обманул ее! Пять минут ожидания показались пятью часами. Потом с быстро бьющимся сердцем она подошла к двери и позвонила. Звонок отозвался где-то далеко в пустом доме. Шаги, женские шаги!

— Что угодно, мэм?

— Я должна была в двенадцать часов встретиться здесь с мистером Форсайтом по поводу фермы.

— Ах да, мэм. Мистер Форсайт заезжал рано утром. Он очень сожалел, что должен уехать. Оставил вам письмо.

— Он больше не приедет?

— Нет, мэм, он очень сожалел, но сегодня приехать не сможет.

— Благодарю вас.

Флер вернулась к воротам. Стояла, вертела в руках конверт. Потом сломала печать и прочла:

«Вчера вечером Энн сама сказала мне, что знает о случившемся. И еще сказала, что ждет ребенка. Я обещал ей больше с тобой не видеться. Прости и забудь меня, как я должен забыть тебя.

Джон».

Медленно, словно не сознавая, что делает, она разорвала бумагу и конверт на мелкие кусочки и засунула их глубоко в изгородь. Потом медленно, словно ничего не видя, прошла к автомобилю и села. Сидела, окаменев, возле фруктового сада; солнце грело затылок, пахло упавшими, гниющими яблоками. Четыре месяца, с тех пор как она увидела в столовой усталую улыбку Джона, все ее помыслы были о нем. И это конец! О, скорее уехать, уехать отсюда!

Она пустила машину и, выбравшись на шоссе, дала полный ход. Если она сломает себе шею — тем лучше! Но судьба, опекающая пьяных и пропащих, хранила ее, расчищала ей путь. И шеи она не сломала. Больше двух часов Флер мчалась, сама не зная куда. В три явилось первое здравое ощущение — страшно захотелось курить, выпить чаю. Она перекусила в гостинице и повернула машину к Доркингу. Теперь она убавила скорость и домой попала в пятом часу. Почти шесть часов за рулем! И первое, что она увидела перед «Домом отдыха», был автомобиль ее отца. Он! А ему что нужно? Почему не оставит её в покое? Она готова была опять пустить машину, но в эту минуту он появился в дверях дома и стал смотреть на дорогу. Что-то ищущсе в этом взгляде тронуло ее, она вышла из машины и пошла к нему.

XI. «БОЛЬШОЙ ФОРСАЙТ»

Наутро после заседания комитета по перестройке трущоб Сомс рано пустился в путь. Он решил переночевать «где-нибудь там», на другой день посмотреть корни Форсайтов и проделать часть обратной дороги; а еще через день вернуться в Лондон и попытаться увезти Флер к себе в Мейплдерхем на весь конец недели. Часов в шесть он прибыл в приморскую харчевню в десяти милях от местожительства предков, съел неважный обед, выкурил привезенную с собой сигару и лег спать, для верности застелив кровать пледом из верблюжьей шерсти.

Он все обдумал и запасся военной картой большого масштаба. Свои исследования он собирался начать с осмотра церкви, руководясь, как единственной вехой, воспоминанием, что когда-то здесь побывал его отец Джемс и, вернувшись, говорил, что видел церковь над морем и что, «вероятно, есть приходские записи и все такое, но времени прошло много, и он не знает».

После раннего завтрака он велел Ригзу ехать к церкви. Она стояла у самого моря, как и сказал Джемс, и была открыта. Сомс вошел. Старая серая церковка, смешные скамьи, запах сырости. Вряд ли будут на стенах дощечки с его фамилией. Дощечек не оказалось, и он вышел на кладбище, и там, среди могильных плит, его охватило чувство нереальности — все скрыто под землей, могильным плитам больше ста лет, ни одной надписи не прочесть. Он уже собрался уходить, как вдруг споткнулся. Неодобрительно вперив глаза в плоский камень, он увидел на его выветренной, замшелой поверхности заглавное *Ф*. Минуту постоял, вглядываясь, потом что-то дрогнуло в нем, и он опустился на колени. Два слова — первое, несомненно, начинается на *Д*, и есть в нем *л* и *н*; во втором — то самое заглавное *Ф*, а в середине что-то вроде *с*, и у последней буквы хвостик, как у *т*. Дата? Э, дату можно прочесть! 1777. Он тихонько поскреб первое имя и откопал букву *о*. Четыре буквы из слова «Джолион», три — из слова «Форсайт». Почти не оставалось сомнений, что он споткнулся о своего прапрадеда! Если старик дожил до обычного возраста Форсайтов, значит, он родился в начале восемнадцатого века. Глаза Сомса жестким серым взглядом буравили камень, словно пытаясь добраться до глубоко зарытых костей, давно уже, вероятно, чистых, как палочки. Потом он поднялся с колен и отряхнул с них пыль. Теперь у него есть дата. И, полный непонятной бодрости, он вышел с кладбища и подозрительным взглядом окинул Ригза. Не видел ли тот, как он стоял на коленях? Но шофер сидел, как всегда, повернувшись спиной ко всему на свете, покуривая неизменную папиросу. Сомс сел в машину.

— Теперь мне нужен дом священника, или как его там.

— Хорошо, сэр.

Всегда он отвечает «Хорошо, сэр», а сам понятия не имеет, куда ехать.

— Вы бы лучше спросили дорогу, — сказал он, когда машина двинулась по изрытому колеями проселку. Этот тип скорей в

Лондон вернется, чем спросит. Спрашивать, впрочем, было некого. Полное безлюдье прихода, где покоились его корни, поражало Сомса. Кругом были холмы и простор, большие поля, налево в овраге — лес, и почва, видно, неважная — не красная, и не белая, и не то чтобы бурая; вот море — то было синее, а скалы, насколько он мог разглядеть, — полосатые. Дорога свернула вправо, мимо кузницы.

— Эй, — сказал Сомс, — остановитесь-ка!

Он сам вышел спросить дорогу. Ригз все равно перепутал бы.

Кузнец бил молотом по колесу, и Сомс подождал, пока он заметит его присутствие.

— Где дом священника?

— Прямо по дороге, третий дом направо.

— Благодарю вас, — сказал Сомс и, подозрительно оглядев кузнеца, добавил: — Что, фамилия Форсайт здесь еще известна?

— Что такое?

— Вы когда-нибудь слышали фамилию Форсайт?

— Фарсит? Нет.

Сомс испытал смешанное чувство разочарования и облегчения и вернулся на свое место. Вдруг бы он сказал: «Ну да, это моя фамилия!»

Быть кузнецом — почтенная профессия, но он чувствовал, что в его семье она не обязательна. Машина двинулась.

Дом священника задыхался в зарослях ползучих растений. Священник, наверно, тоже задохнулся! Сомс потянул ржавый звонок и стал ждать. Дверь отворила краснощекая девушка. Все было просто, по-деревенски.

— Мне нужно видеть священника, — сказал Сомс. — Он дома?

— Да, сэр. Как о вас сказать?

Но в эту минуту в дверях появился жидкий мужчина в жиденьком костюме и с жидкой бородкой.

— Это ко мне, Мэри?

— Да, — сказал Сомс, — вот моя карточка.

Наверно, думалось ему, можно расспросить о своем происхождении в каких-то особых, изысканных фразах; но они не подвернулись, и он сказал просто:

— Мои предки жили в этих местах несколько поколений назад. Мне хотелось поглядеть эти края и кой о чем расспросить вас.

— Форсайт? — сказал священник, глядя на карточку. — Имя мне незнакомо, но, полагаю, что-нибудь найдем.

Одежда на нем была старая, поношенная, и Сомсу подумалось, что глаза его обрадовались бы, если б умели. «Чует деньги, — подумал он, — бедняга!»

— Зайдите, пожалуйста, — сказал священник. — У меня есть кой-какие записи и старая десятинная карта[1]. Можно посмотреть. Церковные книги ведутся с тысяча пятьсот восьмидесятого года. Я мог бы проглядеть их для вас.

— Не знаю, стоит ли, — сказал Сомс и прошел за ним в комнату, неописуемо унылую.

— Присядьте, — сказал священник, — я сейчас достану карту. Форсайт? Теперь я как будто вспоминаю.

Любезен до крайности и, наверно, не прочь заработать!

— Я был возле церкви, — сказал Сомс. — Она очень близко от моря.

— Да; в кафедре, говорят, в прежнее время прятали контрабандную водку.

— Я нашел на кладбище дату — тысяча семьсот семьдесят семь; могилы сильно запущены.

— Да, — сказал священник, роясь в шкафу, — это все морской воздух виноват. Вот карта, о которой я говорил. — Он принес большую потемневшую карту, разложил ее на столе, а углы придавил жестянкой с табаком, чернильницей, книгой проповедей и плеткой. Плетка была слишком легкая, и карта, медленно свертываясь, удалялась от Сомса.

— Иногда, — сказал священник, водворяя угол на место и глазами ища, чем бы придавить его, — из этих старых карт можно извлечь много полезного.

— Я подержу, — сказал Сомс, наклоняясь над картой. — К вам, верно, приезжает много американцев в поисках предков?

— Нет, не много, — сказал священник, и брошенный им искоса взгляд не понравился Сомсу. — Я помню двоих. А, вот, — и палец его опустился на карту, — мне так и казалось, что имя знакомое, — оно запоминается. Смотрите! На этом участке, у самого моря, пометка — «Большой Форсайт».

Снова что-то дрогнуло в Сомсе.

— Какого размера участок?

---

[1] Карта, по которой взимали десятину (церковную подать), составляющую десятую часть дохода или урожая.

— Двадцать четыре акра. Вот тут, я помню, были развалины дома. Камни взяли во время войны на устройство тира. «Большой Форсайт» — подумайте, как интересно!

— Мне было бы интереснее, если бы камни остались на месте, — сказал Сомс.

— Там есть отметка — старый крест, об него всегда скотина чешется. У самой изгороди, на правой стороне оврага.

— Туда можно подъехать на машине?

— О да, в объезд оврага. Желаете, я проеду с вами?

— Нет, благодарю, — сказал Сомс. Мысль обследовать свои корни при свидетелях не улыбалась ему. — Но если вы будете так добры, что пороетесь пока в записях, я бы заехал после завтрака узнать результаты. Мой прадед, Джолион Форсайт, умер в Стэдмуте. Под камнем, который я нашел, лежит Джолион Форсайт, похоронен в тысяча семьсот семьдесят седьмом году — по-видимому, мой прапрадед. Вам, вероятно, удастся отыскать дату его рождения и, может быть, рождения его отца — порода была долговечная. К имени Джолион они, по-видимому, питали особую слабость.

— Я сейчас же возьмусь за дело. Это займет несколько часов. Сколько вы полагаете за труд?

— Пять гиней? — рискнул Сомс.

— О, это щедро. Я очень тщательно просмотрю записи. Теперь пойдемте, я объясню вам, как проехать. — Он пошел вперед, и Сомса кольнуло: джентльмен, а брюки сзади лоснятся.

— Поедете этой дорогой до разветвления, свернете влево мимо почты и дальше, в объезд оврага, все время забирая влево, увидите ферму «Верхний Луг». Дальше — до спуска; на правой руке есть ворота — войдите и окажетесь на верхнем конце того поля; впереди увидите море. Я так рад, что мог кое-что найти. Может, на обратном пути позавтракаете у нас?

— Благодарю вас, — сказал Сомс, — вы очень добры, но я захватил завтрак с собой. — И сейчас же устыдился своей мысли: «Что же, он думает, что я скроюсь, не заплатив?» Он приподнял шляпу и сел в машину, держа наготове зонт, чтобы тыкать им в спину Ригза, если тот по привычке свернет не в ту сторону.

Он сидел довольный, время от времени тихонько пуская в ход зонтик. Так! В дни крестин и похорон они перебирались через овраг. Двадцать четыре акра — участок порядочный. «Большой Форсайт»! Наверно, были и «Маленькие Форсайты».

Упомянутая священником ферма оказалась беспорядочным скоплением старых построек, свиней и домашней птицы.

— Поезжайте дальше, пока не начнется спуск, — сказал он Ригзу, — да не спешите, справа будут ворота.

Ригз, по своему обыкновению, гнал, а дорога уже шла под гору.

— Стойте! Вот они! — Машина остановилась на довольно неудобном повороте.

— Проскочили! — сказал Сомс и вышел. — Подождите здесь! Я, возможно, задержусь.

Он снял пальто, перекинул его через руку и, пройдя обратно по дороге, вошел через ворота на луг. Спустившись влево, к изгороди, он пошел вдоль нее и скоро увидел море, спокойное в пронизанном солнцем тумане, и дымок парохода вдали. С моря дул ветер, свежий, крепкий, соленый. Ветер предков! Сомс глубоко потянул в себя воздух, смакуя его, как старое вино. У него слегка закружилась голова от этой свежести, насыщенной озоном или йодом — или как это теперь называют? А потом пониже, шагах в ста, он заметил камень над углублением возле изгороди, и опять что-то в нем дрогнуло. Он оглянулся. Да! С дороги его не видно, никто не подглядит его чувства! И, дойдя до камня, он заглянул в углубление, отделявшее его от изгороди. Дальше поле спускалось к самой воде, а из оврага к камню вело смутное подобие бывшей дороги. Значит, дом был в этом углублении, здесь они жили, старые Форсайты, из поколения в поколение, просоленные этим воздухом; и не было вблизи другого дома, ничего не было — только травяной простор, и море, да чайки на той скале, да разбивающиеся об нее волны. Здесь они жили, пахали землю, наживали ревматизм и ходили через овраг в церковь и, может быть, промышляли даровой водкой. Он осмотрел камень — стоячий, с перекладиной наверху — верно, кусок от сарая — никакой надписи. Спустился в углубление и зонтом стал ковырять землю... Остатки дома, сказал священник, увезли во время войны. Только двенадцать лет прошло, а ни следа не найти! Заросло травой, даже не разобрать, где были стены. Он продвинулся к изгороди. Хорошо подчистили, что и говорить, только трава да поросль папоротника и молодых кустов дрока — эти всегда цепляются за покинутые пепелища. И, постелив пальто, Сомс сел, прислонившись к камню, и задумался. Сами ли его предки построили этот дом здесь, на отлете, первыми ли осели на этом клочке овеянной ветром земли? И что-то в нем шевельнулось, точно он таил в себе долю соленой независимости этого безлюдного уголка. Старый Джолион, и его отец, и другие его дяди — неудивительно, что они были независимые, когда в крови у них жил этот воздух, это безлюдье; и крепкие, просоленные, неспособные сдаться, уступить, умереть. На мгновение он даже самого себя как будто понял. Юг, и пейзаж южный, без всякой эдакой северной суровости, но вольный и соленый, и пустынный с восхода до заката, из года в год, как та пустынная скала с чайками, — навсегда, навеки. И, глубоко вдыхая воздух, он подумал: «Нечего и удивляться, что старый Тимоти дожил до ста лет!» Долго просидел он, погруженный в своего рода тоску по родине; очень не хотелось уходить. Никогда в жизни, казалось, не дышал он таким воздухом. То была еще старая Англия, когда они жили в этих краях, — Англия, где ездили на лошадях и почти не знали дыма, жгли торф и дрова, и жены никогда не бросали мужей — потому, наверно, что не смели. Тихая Англия ткачей и земледельцев, где миром для человека был его приход, и стоило зазеваться, как угодишь в церковные старосты. Вот хоть его дед, зачатый и рожденный сто пятьдесят шесть лет назад на лучшей в доме кровати, в каких-нибудь двадцати шагах от места, где он сидит. Как все с тех пор изменилось! К лучшему? Почем знать? А вот эта трава, и скала, и море, и воздух, и чайки, и старая церковь за оврагом — все осталось, как было. Если бы этот участок продавался, он, пожалуй, не прочь был бы купить его, как музейную редкость. Но кто захочет сидеть здесь спокойно? Затеют гольф или еще что. И, вовремя поймав себя на грани чувствительности, Сомс опустил руку и пощупал траву. Но сырости не было, и он согрешил бы против совести, заподозрив, что схватит здесь ревматизм; он еще долго сидел, подставив щеку солнцу, устремив взгляд на море. Вдали проплывали в обе стороны пароходы; контрабандисты перевелись, и за водку платят бешеные деньги! В старину здесь росли без газет, без всякой связи с внешним миром и, наверно, не задумывались над понятием государства и прочими сложными вещами. Знал человек свою церковь и Библию и ближайший рынок, и с июня до июня работал, ел, и спал, и дышал воздухом, и пил сидр, и обнимал жену, и смотрел, как подрастают дети. А что же, не плохо! Прибавилось ли в наши дни к этому что-нибудь истинно ценное? «Перемены — это все внешнее, — думал Сомс, — корни те же, что были. От этого не уйдешь, сколько ни старайся». Прогресс, культура — к чему они? Порождают прихоти, увлечения — например, страсть к собиранию картин. Вряд ли здешние старики чем-нибудь увлекались, разве что пчелами. Увлечения? Только для этого — только чтобы дать людям возможность увлекаться? Надо сказать, картины доставили ему много приятных часов; без прогресса этого не было бы. Нет, он скорей всего так и жил бы здесь, стриг овец и ходил за плугом, а у дочки его были бы толстые щиколотки и одна новая шляпа. Может, и лучше, что нельзя остановить ход времени. Да, и пора, пожалуй, возвращаться на дорогу, пока этот тип не пришел искать его. И Сомс встал и опять спустился в углубление. На этот раз у самой изгороди он заметил какой-то предмет — очень старый башмак, такой старый, что почти утерял всякое подобие башмака. Бледная улыбка искривила губы Сомса. Он словно услышал, как кудахчет покойный кузен Джордж с кислым, чисто форсайтским юмором: «Башмак предков! Эй, слуги мои верные, поднимайте мосты, закрывайте решетки!» Да, в семье над ним посмеялись бы, узнав, что он ездил смотреть на их корни. Не стоит об этом рассказывать. И вдруг он подошел к башмаку и, поддев его кончиком зонта за носок, брезгливо швырнул через изгородь. Башмак осквернял безлюдье, то чувство, которое он испытал, впитывая этот воздух. И медленно-медленно, чтобы не вспотеть перед тем, как сесть в машину, он двинулся вверх к дороге. Но у ворот остановился как вкопанный. Что случилось? К задку его машины были привязаны цугом две большие мохнатые лошади, а рядом с ними стояли трое мужчин, из которых один Ригз, и две собаки, из которых одна хромая. Сомс мигом сообразил, что во всем виноват «этот тип». Попробовал дать задний ход в гору, с которой и съезжать-то не надо было, и так засадил машину, что не мог ее сдвинуть. Вечно он что-нибудь натворит! Однако в эту минуту Ригз сел на место и взялся за руль, а один из фермеров щелкнул кнутом. «Хоп!» Мохнатые лошади тронули. Сомса поразило что-то в их сильном, неспешном движении. Прогресс! Пришлось идти за лошадьми, чтобы тащить прогресс из канавы!

— Хорошая лошадь, — сказал он, указывая на самую большую.

— Ага. Мы и зовем ее Лев — здорово тянет. Хоп!

Машина выбралась на ровное место, и лошадей отвязали. Сомс подошел к фермеру, который говорил «хоп».

— Вы с ближайшей фермы?

— Да.

— Это ваше поле?

— Арендованное.

— Как вы его зовете?

— Зовем? Большое поле.

— На десятинной карте оно помечено «Большой Форсайт». Вам эта фамилия знакома?

— Форсит? Их никого не осталось. Моя бабка была Форсит.

— В самом деле, — сказал Сомс, и опять в нем что-то дрогнуло.

— Ага, — сказал фермер.

Сомс взял себя в руки.

— А ваша как фамилия, разрешите спросить?

— Бир.

Сомс долго глядел на него, потом достал бумажник.

— Разрешите, — сказал он, — за лошадей и за труды. — И он протянул фунтовую бумажку.

Фермер покачал головой.

— Не надо. Какой там труд. Нам не впервой на эту гору машины втаскивать.

— Не могу же я даром принять услугу, — сказал Сомс, — уж пожалуйста!

— Ну что же, — сказал фермер, — очень благодарен, — и взял деньги. — Хоп!

Лошади налегке двинулись вперед, люди и собаки пошли следом. Сомс сел в машину, развернул пакет с сандвичами и стал закусывать.

— Поезжайте опять к дому священника, да потише. — И за едой дивился, почему его так взволновало открытие, что кровь его предков течет в жилах этого деревенского парня по фамилии Бир.

К домику священника они попали в два часа, тот вышел к нему с полным ртом.

— Записей нашлось много, мистер Форсайт; это имя попадается с самого начала книги. Составить полный список удастся не так-то скоро. Этот Джолион родился, по-видимому, в тысяча семьсот десятом году, сын Джолиона и Мэри; в тысяча семьсот пятьдесят седьмом году не заплатил десятинную подать. Был еще Джолион, рождения тысяча шестьсот восьмидесятого года — очевидно, его отец, — тот с тысяча семьсот пятнадцатого года был церковным старостой; прозывали его «Фермер с Большого Луга», женился на Бир.

Сомс задумчиво взглянул на него и полез за бумажником.

— Бир? Вот и фермер тут один так же назвался. Говорит, что

его бабка была Форсайт и что после нее их здесь не осталось. Может, вы заодно пришлете мне записи семьи Бир, все вместе за семь гиней?

— О, вполне достаточно и шести.

— Нет, пусть будет семь. Моя карточка у вас есть. Камень я видел. Местность здоровая, отовсюду далеко. — Он выложил на стол семь гиней и опять уловил радость в глазах священника. — А теперь мне пора домой в Лондон. До свидания!

— До свидания, мистер Форсайт. Непременно пришлю вам все, что сумею найти.

Сомс пожал ему руку и вышел — с уверенностью, что корни его будут выкорчеваны добросовестно. Как-никак священник.

— Поезжайте, — сказал он Ригзу. — Успеем сделать больше половины обратного пути.

И, откинувшись на спинку машины, порядком усталый, он дал волю мыслям. «Большой Форсайт!» Что ж, хорошо, что он собрался сюда съездить.

XII. ДОЛГАЯ ДОРОГА

Сомс переночевал в Уинчестере, о котором часто слышал, хотя никогда там не бывал. Здесь учились Монты, поэтому он не хотел, чтобы сюда отдали Кита. Лучше бы в Молборо, где он сам учился, или в Хэрроу — в одну из школ, которые участвуют в состязаниях на стадионе Лорда; но только не Итон, где учился молодой Джолион. А впрочем, не дожить ему до тех времен, когда Кит будет играть в крикет; так что оно, пожалуй, и безразлично.

«Город старый, — решил он. — К тому же соборы — вещь стоящая». И после завтрака он направился к собору. У алтаря было оживление — по-видимому, шла спевка хора. Он вошел, неслышно ступая в башмаках на резиновой подошве, надетых на случай сырости, и присел на кончик скамьи. Задрав подбородок, он рассматривал своды и витражи. Темновато здесь, но разукрашено богато, как рождественский пудинг. В этих старинных зданиях испытываешь особенное чувство. Вот и в соборе Св. Павла всегда так бывает. Хоть в чем-то нужно найти логичность стремлений. До известного предела: дальше начинается непонятное. Вот стоит эдакая громада, в своем роде совершенство; а потом землетрясение или налет цеппелинов — и все идет прахом! Как подумаешь — нет постоянства ни в чем, даже в лучших образцах красоты и человеческого гения. То же и в природе! Цветет земля, как сад, а глядь — наступает ледниковый период. Логика есть, но каждый раз новая. Поэтому-то ему и казалось очень мало вероятным, что он будет жить после смерти. Он где-то читал — только не в «Таймсе», — что жизнь есть одухотворенная форма и что когда форма нарушена, она уже не одухотворена. Смерть нарушает форму — на том, очевидно, все и кончается... Одно верно — не любят люди умирать: всячески стараются обойти смерть, пускаются на лесть, на уловки. Дурачье! И Сомс опустил подбородок. Впереди, в алтаре, зажгли свечи, еле заметные при свете дня. Скоро их погасят. Вот и опять — все и вся рано или поздно погаснет. И нечего пытаться отрицать это. На днях он читал, и тоже не в «Таймсе», что конец света наступит в 1928 году, когда Земля окажется между Луной и Солнцем, что якобы это было предсказано во времена пирамид, — вообще какая-то научная ерунда. А если и правда — ему не жалко. Особенно удачным это предприятие никогда не было, а если одним махом с ним покончить, то ничего и не останется. Смерть чем плоха? Уходишь, а то, что любил, остается. Да стоит только жизни прекратиться, как она снова возникнет в каком-нибудь другом образе. Потому, наверно, ее и называют «...и жизнь бесконечная. Аминь». А, запели! Иногда он жалел, что не наделен музыкальным слухом. Но он и так понял, что поют хорошо. Голоса мальчиков! Псалмы, и слова он помнит. Забавно! Пятьдесят лет, как он перестал ходить в церковь, а помнит, точно это вчера было. «Ты послал источники в долины: между горами текут воды». «Поят всех полевых зверей; дикие ослы утоляют жажду свою». «При них обитают птицы небесные; из среды ветвей издают голос». Певчие бросали друг другу стих за стихом, точно мяч. Звучит живо, и язык хороший, крепкий. «Это море великое и пространное, там пресмыкающиеся, которым нет числа, животные малые с большими». «Там плавают корабли, там этот Левиафан, которого ты сотворил играть в нем». Левиафан! Помнится, ему нравилось это слово. «Выходит человек на дело свое и на работу свою до вечера». Да, выходит, конечно, но занимается ли делом, работой — это в наши дни еще вопрос. «Буду петь господу во всю жизнь мою, буду петь богу моему доколе есмь». Так ли? Сомнительно что-то. «Благослови, душа моя, господа!» Пение смолкло, и Сомс опять поднял подбородок. Он сидел тихо-тихо, не думая, словно растворившись в сумраке высоких сводов. Он испытывал новое, отнюдь не тягостное ощущение. Точно сидишь в украшенной драгоценными камнями, надушенной шкатулке. Пусть мир снаружи гудит, и ревет, и смердит — пошлый, режущий слух, показной и ребячливый, дешевый и гадкий — сплошной джаз и жаргон — сюда не доходят ни звуки его, ни краски, ни запахи. Эту объемистую шкатулку построили за много веков до того, как началась индустриализация мира; она ничего общего не имеет с современностью. Здесь говорят и поют на классическом английском языке; чуть пахнет стариной и ладаном; и все вокруг красиво. Он отдыхал, словно обрел наконец убежище.

Прошел церковный служитель, с любопытством взглянул на него, точно поднятый подбородок был ему в диковинку; за спиной у Сомса слабо зазвенели его ключи. Сомс чихнул, потянулся за шляпой и встал. Ему совсем не улыбалось ходить следом за этим человеком и за полкроны осматривать то, чего он не желал видеть. И с коротким: «Нет, благодарю вас, в другой раз» — он прошел мимо служителя на улицу.

— Напрасно вы не зашли, — сказал он Ригзу, — тут раньше короновали английских королей. Теперь в Лондон.

Верх машины был откинут, солнце ярко светило, ехали быстро, и только на новой дороге, срезавшей путь прямо на Чизик, Сомсу явилась идея, и он сказал:

— Остановитесь у того дома с тополями, куда вы нас возили на днях.

Еще не настало время завтрака; по всей вероятности, Флер позирует, так почему не забрать ее прямо к себе на конец недели? Платья у нее в «Шелтере» есть. Несколько лишних часов проведет на свежем воздухе. Однако иностранка, которая вышла на звонок, сообщила ему, что леди не приезжала позировать ни вчера, ни сегодня.

— О, — сказал Сомс, — это почему?

— Никто не знал, сэр. Она не прислала письмо. Мистер Блэйд очень сердитый.

Сомс пожевал губами.

— Ваша хозяйка дома?

— Да, сэр.

— Так узнайте, пожалуйста, может ли она принять меня. Мистер Сомс Форсайт.

— Будьте добры в столовой подождать, сэр.

В тесной комнатке Сомс ждал и терзался. Флер сказала, что не может с ним поехать из-за сеансов; а сама не позировала. Что же она, заболела?

От беспокойного созерцания тополей за окном его оторвали слова:

— А, это вы! Хорошо, что приехали.

Такая сердечная встреча еще усилила его беспокойство, и он сказал, протягивая руку:

— Здравствуйте, Джун. Я заехал за Флер. Когда она была здесь в последний раз?

— Во вторник утром. И еще я видела ее в окно во вторник к вечеру, в ее машине. — Сомс заметил, что глаза ее бегают, и знал, что сейчас она скажет что-нибудь неприятное. Так и случилось. — Она забрала с собой Джона.

Чувствуя, что у него спирает дыхание, Сомс воскликнул:

— Как! Вашего брата? А он что здесь делал?

— Позировал, разумеется.

— Позировал! Чего ради... — Он сдержался и не сказал: «ему понадобилось позировать!», а уставился на густо покрасневшую кузину.

— Я ей говорила, чтобы она с ним здесь не встречалась. И Джону говорила.

— Так она и раньше это делала?

— Да, два раза. Она, знаете, так избалована.

— А! — Реальность нависшей опасности обезоружила его. Говорить резкости перед лицом катастрофы казалось излишней роскошью.

— Где она?

— Во вторник утром она сказала, что едет в Доркинг.

— И забрала его? — повторил Сомс.

Джун кивнула.

— Да, после его сеанса. Его портрет готов. Если вы думаете, что я больше вас хочу, чтобы они...

— Никто в здравом уме не захотел бы, чтобы они... — холодно сказал Сомс. — Но зачем вы устроили ему сеансы, пока она здесь бывала?

Джун покраснела еще гуще.

— Вы-то не знаете, как трудно приходится настоящим художникам. Я не могла не заботиться о Харолде. Не залучи я Джона до его отъезда на ферму...

— Ферма! — сказал Сомс. — Почем вы знаете, может быть, они... — Но он опять сдержался. — Я ждал чего-то в этом роде с тех самых пор, как узнал, что он вернулся. Ну, я сейчас поеду в Доркинг. Вам известно, где его мать?

— В Париже.

А-а, но теперь ему не придется просить эту женщину отдать своего сына его дочери! Нет, скорее придется просить ее отнять его.

— До свидания, — сказал он.

— Сомс, — заговорила вдруг Джун, — не давайте Флер... это все она...

— Не желаю слышать о ней ничего дурного.

Джун прижала стиснутые ручки к плоской груди.

— Люблю вас за это, — сказала она, — и простите...

— Ничего, ничего, — буркнул Сомс.

— До свидания, — сказала Джун. — Дайте руку!

Сомс протянул руку, она судорожно ее сжала, потом разом выпустила.

— В Доркинг, — сказал он Ригзу, садясь в машину.

Лицо Флер, каким он видел его на балу в Нетлфолде и каким никогда не видел раньше, неотступно преследовало его, пока он ехал по Хэммерсмитскому мосту. Ох и своевольное создание! Вдруг — вдруг она на все решилась? Вдруг случилось самое страшное? Боже правый! Что же нужно, что же можно тогда предпринять? Какая расчетливая, цепкая страсть ею владела, как она скрывала ее ото всех, от него... или пыталась скрыть! Было в этом что-то страшное и что-то близкое ему, всколыхнувшее память о том, как сам он преследовал мать этого юноши, — память о страсти, которая не хотела, не могла отпустить; которая взяла свое и, взяв, потерпела крушение. Он часто думал, что Флер нелогична, что, как все теперешние «ветрогонки», она просто мечется без цели и направления. И как насмешку воспринял он теперь открытие, что она, когда знает, чего хочет, способна на такое же упорство, как он сам и его поколение.

Нельзя, видно, судить по наружности! Под спокойной поверхностью страсти те же, что были, и когда они просыпаются и душат, та же знойная тишина застывает в пронизанных ветром пространствах...

Ригз свернул на Кингстон! Скоро они проедут Робин-Хилл. Как изменились эти края с того дня, когда он привез сюда Босини выбирать место для постройки! Сорок лет, не больше — но сколько перемен! Plus ça change, — сказала бы Аннет, — plus c'est la même chose!»[1] Любовь и ненависть — они-то не кончаются!

---

[1] Чем больше все меняется, тем больше остается неизменным *(фр.)*.

Пульс жизни продолжает биться за шумом автомобильных колес, за музыкой джаз-бандов. Что это, судьба бьет в барабан или просто бьется человеческое сердце? Бог знает! Бог? Удобное слово. Что понимают под ним? Он не знает, никогда не узнает. Утром в соборе ему показалось было... а потом — этот служитель! Вот мелькнули тополя, и башня с часами, и крыша дома, который он построил и в котором так и не жил. Знай он заранее, какой поток автомобилей день за днем будет течь в четверти мили от дома, он не стал бы его строить и, может быть, не было бы всей этой трагедии. А впрочем — не все ли равно, что делать? Так или иначе, жизнь возьмет тебя за шиворот и швырнет, куда ей вздумается. Он нагнулся вперед и тронул шофера за плечо.

— Вы какой дорогой едете?

— Через Ишер, сэр, а потом налево.

— Ну хорошо, — сказал Сомс, — как знаете.

Время завтрака прошло, но он не был голоден. Он не проголодается, пока не узнает худшего. А вот Ригз, наверно, другое дело.

— Вы где-нибудь остановитесь, — сказал он, — да перекусите и выкурите папиросу.

— Хорошо, сэр.

Остановился он скоро. Сомс остался сидеть в машине, лениво разглядывая вывеску «Красный лев». Красные Львы, Ангелы и Белые Кони — ничто их не берет. Чего доброго, в Англии скоро попытаются ввести сухой закон, но этот номер не пройдет — экстравагантная выдумка! Нельзя заставить людей повзрослеть, обращаясь с ними, как с детьми: они и так слишком ребячливы. Взять хоть стачку горняков, которая все тянется и тянется, чистое ребячество, всем во вред, а пользы никому! Дурачье! Размышлять о глупости своих сограждан было отдыхом для Сомса пред лицом будущего, грозившего катастрофой. Ибо разве не катастрофа, что в таком состоянии Флер катает этого молодого человека в своем автомобиле? Чего мешкает этот Ригз? Он вышел из машины и стал ходить взад и вперед. Впрочем, и доехав до места, он вряд ли что сможет сделать. Сколько ни люби человека, как ни тревожься о нем — ты бессилен: может быть, тем бессильнее, чем сильнее любовь. Но мнение свое он должен высказать, если только представится случай. Нельзя дать ей скатиться в пропасть и не протянуть руку. Солнце светило ему прямо в лицо, он поднял голову, прищурившись, словно благодарный за тепло. Близкий конец света, конечно, вздор, но лучше бы уж он настал, пока его самого горе не свело в могилу. Ему были до отвращения ясны размеры надвинувшегося несчастья. Если Флер сбежит, у него не останется ничего на свете: ведь Кита заберут Монты. Придется доживать жизнь среди картин и коров, теперь абсолютно не нужных. «Не допущу, — подумал он, — если еще не поздно, не допущу». Да, но как помешать? И, ясно видя никчемность своего решения, он пошел назад к машине. Ригз был на месте, курил папиросу.

— Едем, — сказал Сомс, — поживее!

Он приехал в три часа и узнал, что Флер уехала на машине в десять. Уже то, что она здесь ночевала, было огромным облегчением. И он сейчас же стал звонить по междугородному телефону. Тревога вспыхнула снова. Дома ее не было; у Джун тоже. Где же она, если не с этим молодым человеком? Но она ничего не взяла с собой — это он установил, и это придало ему сил выпить чаю и ждать. Он уже в четвертый раз вышел на дорогу, когда наконец увидел, что она идет к нему.

Выражение ее лица — голодное, жесткое, лихорадочное — произвело на Сомса смешанное впечатление; сердце его заныло и тут же подпрыгнуло от радости. Не торжествующую страсть выражало это лицо! Оно было трагически несчастно, иссушено, искажено. Словно все черты обострились с тех пор, как он в последний раз ее видел. И, повинуясь инстинкту, он ничего не сказал и подставил ей лицо для поцелуя. Губы ее были сухие и жесткие.

— Так ты приехал, — сказала она.

— Да, и хочу, чтобы ты поехала со мною прямо в «Шелтер», как только выпьешь чаю; Ригз уберет твою машину.

Она пожала плечами и прошла мимо него в дом. Ему показалось, что ей все равно, что он в ней видит, что думает о ней. Это было так не свойственно ей, что он растерялся. Что же она, попыталась и обожглась? Это было бы слишком хорошо. Он стал рыться в памяти, вызвал ее образ, каким видел его шесть лет назад, когда привез ей весть о поражении. Да! Но в то время она была так молода, такое круглое у нее было лицо — не похожее на это жесткое, заострившееся, опаленное лицо, от которого ему делалось страшно. Увезти ее к Киту, увезти поскорее! И, послушный инстинкту, выручавшему его, лишь когда дело шло о Флер, он вызвал Ригза, велел ему поднять верх машины и подавать.

Флер была наверху, в своей комнате. Спустя несколько времени Сомс послал сказать ей, что машина ждет. Скоро она пришла. Она густо напудрила лицо и накрасила губы; и опять Сомса ужаснула эта белая маска, и сжатая красная полоска губ, и живые, измученные глаза. И опять он ничего не сказал и достал карту.

— Заедет он куда не надо, если не сидеть с ним рядом. Дорога путаная, — и он сел к шоферу.

Он знал, что она не может говорить, а смотреть на ее лицо у него не было сил. Они покатили. Бесконечно долгим показался ему путь. Только раз или два он оглянулся на нее; она сидела как мертвая: белая и неподвижная. И два чувства — облегчение и жалость — продолжали бороться в его сердце. Ясно, что это конец, — она сделала ход и проиграла! Как, где, когда? Этого ему никогда не узнать — но проиграла! Бедняжка! Не виновата она, что любила этого мальчика, не могла забыть его — не более виновата, чем был он сам, когда любил его мать. Не вина, а громадное несчастье! Словно сжатыми накрашенными губами бледной женщины, сидящей позади него на подушках машины, пела свою предсмертную лебединую песню страсть, рожденная сорок шесть лет назад от роковой встречи в борнмутской гостиной и перешедшая к дочери с его кровью.

«Благослови, душа моя, господа!» Гм! Легко сказать! Они ехали по мосту в Стэйнсе; теперь Ригз не собьется. Когда они приедут домой, как вдохнуть жизнь в ее лицо? Слава богу, что мать ее в отъезде! Конечно, поможет Кит. И, может быть, ее старая собака. И все же, как ни утомили его три долгих последних дня, Сомс с ужасом ждал минуты, когда машина остановится. Для нее, может быть, лучше было бы ехать и ехать. Да и для всех, пожалуй. Уйти от чего-то, что с самой войны преследовало неотступно, — ехать все дальше! Когда желанное не дается в руки и не отпускает — ехать и ехать, чтобы заглушить боль. Покорность судьбе — как и живопись — утраченное искусство; так думалось Сомсу, когда они проезжали кладбище, где со временем он предполагал покоиться.

Близок дом, а что он ей скажет, приехав? Слова бесполезны. Он высунул голову и глубоко потянул в себя воздух. Он всегда находил, что здесь, у реки, пахнет лучше, чем в других местах, — смолистей деревья, сочней трава. Не то, конечно, что воздух на поле «Большой Форсайт», но ближе к земле, уютнее. Конек крыши и тополя, потянуло дымом, слетаются на ночлег голуби — приехали! И, глубоко вздохнув, он вышел из машины.

— Ты переутомилась, — сказал он, открывая дверцу. — Хочешь сразу лечь, когда повидаешь Кита? Обед я пришлю тебе в твою комнату.

— Спасибо, папа. Мне немножко супу. Я, кажется, простудилась.

Сомс задумчиво посмотрел на нее и покачал головой, потом коснулся пальцем ее белой щеки и отвернулся.

Он пошел во двор и отвязал ее старую собаку. Может, ей нужно побегать, прежде чем идти в дом; и он пошел с ней к реке. Солнце зашло, но еще не стемнело, и, пока собака носилась в кустах, он стоял и смотрел на воду. Проплыли на свой островок лебеди. Лебедята подросли, стали почти совсем белые — как призраки в сумерках, изящные создания и тихие. Он часто подумывал завести одного-двух павлинов, они придают саду законченность, но от них много шума; он не мог забыть, как однажды рано утром на Монпелье-сквер слышал их страстные крики из Гайд-парка.

Нет, лебеди лучше; так же красивы и не поют. Эта собака погубит его земляничное дерево!

— Идем к хозяйке, — сказал он и повернул к освещенному дому. Он поднялся в картинную галерею. На столе его ждали газеты и письма. Полчаса он просидел над ними. В жизни он не рвал бумаг с таким удовольствием. Потом прозвучал гонг, и он пошел вниз, готовый провести вечер в одиночестве.

XIII. ПОЖАРЫ

Но Флер обедать пришла. И для Сомса начался самый смутный вечер в его жизни. В сердце его жила великая радость и великое сострадание, то и другое нужно было скрывать. Теперь он жалел, что не видел портрета Флер, — была бы тема для разговора. Он робко заикнулся о ее доме в Доркинге.

— Полезное учреждение, — сказал он, — эти девушки...

— Я всегда чувствую, что они меня ненавидят. И неудивительно. У них ничего нет, а у меня все.

Смех ее больно резнул Сомса.

Она почти не прикасалась к еде. Но он боялся спросить, мерила ли она температуру. Она еще, чего доброго, опять засмеется. Вместо этого он стал рассказывать, как разыскал у моря участок, откуда вышли Форсайты, и как он был в Уинчестерском соборе; он говорил и говорил, а сам думал: «Она ни слова не слышала».

Его тревожила и угнетала мысль, что она пойдет спать, снедаемая скрытым огнем, до которого он не мог добраться. Вид у нее был такой, словно... словно она могла наложить на себя руки! Надо надеяться, что у нее нет веронала или чего-нибудь в этом роде. И он не переставал гадать, что же произошло. Если б у нее еще оставались сомнения, надежды, она металась бы, не находила себе места, но, конечно, не выглядела бы так, как сейчас! Нет, это поражение. Но что было? И неужели все кончено и он навсегда свободен от гнетущей тревоги последних месяцев? Он взглядом допрашивал ее, но лицо, отражавшее, несмотря на слой пудры, ее взвинченное состояние, было театральное и чужое. Жестокое, безнадежное выражение ее разрывало ему сердце. Хоть бы она заплакала и все рассказала! Но он понимал, что ее приход к обеду и видимость нормального разговора с ним означали: «*Ничего* не случилось!» И он сжал губы. Любовь нема — словами ее не выразишь! Чем глубже его чувство, тем труднее ему говорить. Как это люди изливают свои чувства и тем облегчают себе душу — он никогда не мог понять!

Обед кое-как дотянулся до конца. Флер бросала отрывочные фразы, опять звенел ее смех, от которого ему было больно, потом они пошли в гостиную.

— Жарко сегодня, — сказала она и открыла дверь на балкон. Вдали, из-за прибрежных кустов, всходила луна; по воде бежала светящаяся дорожка.

— Да, тепло, — сказал Сомс, — но если ты простужена, лучше не выходи.

Он взял ее под руку и ввел в комнату. Страшно было пустить ее бродить так близко от воды.

Она подошла к роялю.

— Можно побренчать, папа?

— Пожалуйста. У твоей матери есть тут какие-то французские романсы.

Пусть делает что хочет, лишь бы исчезло с ее лица это выражение. Но музыка волнует, а французские песни все о любви! Только бы не попалась ей та, что вечно напевает Аннет:

> Auprès de ma blonde il fait bon — fait bon — fait bon,
> Auprès de ma blonde il fait bon dormir.

Волосы этого мальчика! Давно, когда он стоял рядом с матерью. Вот у кого были волосы! Такие светлые, и темные глаза. И на мгновение ему почудилось, что не Флер, а Ирэн сидит у рояля. Музыка! Прямо загадка, как можно ценить музыку настолько, насколько ценила ее Ирэн. Да! Больше людей, больше денег ценила! А его музыка никогда не волновала, не понимал он ее! Так неудачно! Вот она у рояля, какой он помнит ее в маленькой гостиной на Монпелье-сквер; какою видел в последний раз в вашингтонском отеле. Такой она и останется, наверно, до самой смерти, и все еще будет красива. Музыка!

Он встрепенулся.

Высокий, резкий голосок Флер долетел до него сквозь дым сигары. Грустно! Она храбро сопротивляется. С желанием, чтобы она сдалась, боролся страх. Он не знал, что предпринять, если это случится.

Она замолчала, не допев романса, и закрыла рояль. Лицо у нее было чуть ли не старое — такой она будет в сорок лет. Потом она прошла и села по другую сторону камина. Она была в красном, и это было неприятно, усиливало чувство, что она горит под своей напудренной маской. Она сидела очень тихо, делая вид, что читает. А он держал в руках «Таймс» и старался не замечать ее. Неужели ничем нельзя отвлечь ее внимание? А картины? Кто ей больше всего нравится, спросил он, Констебль, Стивенс, Коро, Домье?

— Коллекцию я оставлю государству, — сказал он. — Но штуки четыре ты отбери себе; и копия с «Vendimia» Гойи, конечно, тоже твоя. — Потом вспомнил, что платье с «Vendimia» было на ней на балу в Нетлфолде, и заспешил: — Вкусы теперь новые, может, государство и откажется от картин; тогда уж не знаю. Вероятно, сможешь сбыть их Думетриусу, он и так на большинстве их хорошо заработал. Если выберешь подходящий момент, без стачек и всего такого, распродажа может дать порядочную сумму. Я вложил в них добрых семьдесят тысяч — выручить можно не меньше ста.

Она как будто и слушала, но он не знал наверно.

— Мое мнение, — продолжал он из последних сил, — что через десять лет от современной живописи ничего не останется — нельзя же до бесконечности фокусничать. К тому времени им надоест экспериментировать, если только опять не будет войны.

— Не в войне дело.

— То есть как это — не в войне? Война внесла в жизнь уродство, всех научила торопиться. Ты не помнишь, как было до войны.

Она пожала плечами.

— Правда, — продолжал Сомс, — началось это раньше. Я помню первые лондонские выставки постимпрессионистов и кубистов. После войны все просто взбесились, хотят того, до чего не могут дотянуться.

Он осекся. В точности, как и она!

— Я, пожалуй, пойду спать, папа.

— Да, да, — сказал Сомс, — и прими аспирин. Не надо шутить с простудой.

Простуда! Это еще было бы полбеды. Сам он опять подошел к открытой двери, стоял, смотрел на луну. Из помещения прислуги неслись звуки граммофона. Любят они заводить эту кошачью музыку, а то еще громкоговоритель включат! Он никак не мог решить, что хуже.

Он дошел до края террасы и протянул вперед руку.

Ни капли росы! Сухо, замечательная погода! За рекой завыла собака. Есть, верно, люди, которые сказали бы, что это не к добру! Чем больше он узнает людей, тем неразумнее они кажутся: либо гонятся за сенсацией, либо вообще ничего не видят и не слышат. Сад хорош в лунном свете: красивый и призрачный. Бордюр из подсолнухов и осенних маргариток, и поздние розы на круглых клумбах, и низкая стена старого кирпича — с таким трудом он раздобыл его! — даже газон — в лунном свете все было похоже на декорации. Только тополя нарушали театральный эффект, темные и четкие, освещенные сзади луной. Сомс сошел в сад. Белый дом, увитый ползучими растениями, тоже стоял призрачный, точно припудренный; в спальне Флер был свет. Тридцать два года он здесь прожил. Он привязался к этому месту, особенно с тех пор, как купил заречную землю, так что никто не мог там построиться и подглядывать за ним. Подглядывание, физическое и моральное, — от этого он как будто уберегся в жизни.

Он докурил сигару и бросил окурок на землю. Ему хотелось дождаться, когда свет в ее окне погаснет, — знать, что она уснула, как в те дни, когда она девочкой уходила спать с зубной болью. Но он был очень утомлен. Автомобильная езда плохо действует на печень. Надо идти домой и запирать двери. В конце концов, он ничего не в силах изменить тем, что останется в саду, он вообще не в силах ничего изменить. Старые не могут помочь молодым — да и никто никому не может помочь — по крайней мере там, где замешано сердце. Чу́дная вещь — сердце! И подумать, что у всех оно есть. Это должно бы служить утешением, а вот не служит. Не утешало его, когда он дни и ночи страдал из-за матери этого мальчика, что она тоже страдала! И что проку Флер от того, что страдает сейчас этот молодой человек — и, наверно, жена его тоже! И Сомс запер балконную дверь и пошел наверх. Он постоял у ее двери, но ничего не было слышно; он разделся, взял «Жизнь художников» Вазари и, сидя в постели, стал читать. Чтобы уснуть, ему всегда хватало двух страниц этой книги, и обычно это были все те же две страницы — он так хорошо знал книгу, что никогда не помнил, на чем остановился.

Скоро он проснулся, сам не зная отчего, и лежал, прислушиваясь. В доме будто происходило какое-то движение. Но если он встанет и пойдет смотреть, опять начнутся терзания, а этого не хотелось. Кроме того, заглянув к Флер, он, чего доброго, разбудит ее. Он повернулся в постели, задремал, но опять проснулся, лежал и думал лениво: «Плохо я сплю — надо больше двигаться». Сквозь щели занавесок пробивалась луна. И вдруг ноздри его дрогнули. Как будто потянуло гарью. Он сел, понюхал. Ну да! Что там, короткое замыкание или горит соломенная крыша голубятни? Он встал, надел халат и туфли и подошел к окну.

Из верхнего окна струился красноватый свет. Боже великий! Его картинная галерея! Он побежал к лестнице на третий этаж. Неясный звук, запах гари, теперь уже несомненный, — он едва устоял на ногах. Взбежал по лестнице, дернул дверь. Силы небесные! Дальний конец галереи, в левом крыле дома, был охвачен пламенем. Красные язычки лизали деревянную обшивку стен; занавески на дальнем окне уже обуглились и почернели, от корзины для бумаг, стоявшей возле письменного стола, остались одни угли! На паркете он заметил пепел папиросы. Кто-то здесь курил. Он стоял растерянный и вдруг услышал потрескивание пламени. Бросился вниз, распахнул дверь в комнату Флер. Она спала, лежала на кровати, совсем одетая! Одетая! Так это... Неужели она? Она открыла глаза, посмотрела на него, ничего не понимая.

— Вставай! — сказал он. — В картинной галерее пожар. Сейчас же убери Кита и прислугу! Пошли за Ригзом! Позвони в Рэдинг, вызови пожарных — живо! Смотри, чтобы в доме никого не осталось!

Он подождал, пока она вскочила, побежал назад к лестнице и схватил огнетушитель; потащил его наверх — тяжелая, громоздкая штука! Он смутно знал, что нужно ударить его крышкой об пол и обрызгивать пламя. От двери он заметил, что огонь сильно распространился. О боже! Загорелся Фред Уокер и обе картины Давида Кокса! Огонь добрался до плинтуса, который шел вдоль всей галереи, отделяя верхний ряд картин от нижнего; да, и верхний плинтус тоже горит! Констебль! Секунду он колебался. Спешить к нему, спасти хоть одну картину? Может быть, огнетушитель не действует! Он бросил его и, пробежав через всю галерею, схватил Констебля как раз в ту минуту, когда пламя по стене доползло до него. Пока он срывал картину с крюка, горячее дыхание обожгло ему лицо; он отбежал, распахнул окно, приходившееся против двери, и поставил картину на подоконник. Потом опять схватил огнетушитель и с силой ударил его об пол. Брызнула струя жидкости, он поднял ее выше и направил струю на огонь. Теперь комната была полна дыма, у него кружилась голова. Жидкость оказалась хорошей, и он с радостью увидел, что пламени она не по сердцу. Оно заметно сдавало. Но Уокер погиб — а-а, и Коксы тоже! Он отогнал огонь к стене с окнами, но тут струя кончилась, и он заметил, что горит деревянная обшивка дальше того места, где он начал обрызгивать. Горел и письменный стол со всеми бумагами. Что же теперь, бежать вниз, через весь дом, за вторым огнетушителем? Где этот Ригз пропадает?! Альфред Стивенс! Нет, шалишь! Не допустит он, чтобы погиб его Стивенс, или Гоген, или Коро!

И в Сомса словно демон вселился. Его вкус, труды, деньги, гордость — все пойдет прахом? Так нет же! И сквозь дым он опять бросился к дальней стене. Он срывал Стивенса, а пламя лизало ему рукав; прислоняя картину к косяку окна, рядом с Констеблем, он ясно различил запах горелой материи.

Язык пламени прошелся по Добиньи, со звоном вылетело стекло — теперь картина не защищена, и пламя по ней так и ползает, так и вспыхивает! Он бросился обратно, ухватил картину Гогена — голая таитянка. Она не желала слезать со стены; он взялся за проволоку, но отпустил — проволока раскалилась докрасна; вцепился в раму, дернул — и, оторвав картину, сам упал на спину. Но любимый Гоген спасен! Он и его поставил к остальным и побежал к той из картин Коро, к которой ближе всех подобралось пламя. Серебристый прохладный пейзаж обжег ему руки, но и его удалось спасти! Теперь Моне! Пожарные раньше чем через двадцать минут не приедут. Если этот Ригз сейчас не придет... Надо растянуть внизу одеяло, и он стал бы бросать картины из окна. И тут у него вырвался стон. Горел второй Коро. Бедный! Сорвав со стены Моне, он поспешил к лестнице. По ней бежали к нему две перепуганные горничные, наскоро накинувшие пальто поверх ночных рубашек.

— Ну-ка! — крикнул он. — Возьмите эту картину и не теряйте голову. Мисс Флер и мальчик вышли?

— Да, сэр.

— Пожарных вызвали?

— Да, сэр.

— Принесите мне огнетушитель, а сами растяните одеяло вот там, под окном, и держите крепко, я буду сбрасывать картины. Да не сходите с ума — никакой опасности нет! Где Ригз?

Он вернулся в галерею. О-о! Гибнет маленькая любимая картина Дега! И с яростью в сердце Сомс опять ринулся к стене и вцепился в другого Гогена. Пестрая штука — единственная, кажется, покупка, на которой ему удалось обставить Думетриуса. Словно из благодарности, картина легко далась ему в обожженные, дрожащие руки. Он отнес ее на окно и постоял, задохнувшись, переводя дыхание. Пока можно дышать здесь, на сквозняке между открытым окном и дверью, надо продолжать снимать их со стены.

Сбросить их вниз недолго. Бонингтон и Тернер — не стал бы Тернер так любить закаты, если б знал, что за штука пожар. Каждый раз, подходя к стене, Сомс чувствовал, что еще один рейс — и легкие не выдержат. А нужно!

— Папа!

Флер с огнетушителем!

— Ступай вниз! Уходи! — закричал он. — Слышишь? Уходи из дома! Скажи, пусть растянут одеяло, да смотри, чтобы держали покрепче.

— Папа! Позволь мне! Я не могу!

— Уходи! — снова крикнул Сомс, толкая ее к лестнице. Он подождал, пока она спустилась, потом ударил крышку огнетушителя об пол и опять стал обрызгивать пламя. Потушил бюро и обрушился на дальнюю стену. Огнетушитель был страшно тяжелый, и когда он, пустой, выпал у него из рук, Сомсу застлало глаза. Но опять он немного сбил огонь. Только бы продержаться!

А потом он увидел, что погиб Гарпиньи — такая красота! Эта бессмысленная потеря придала ему сил. И, снова кинувшись к стене — на этот раз к длинной, — он стал снимать картины одну за другой. Но огонь опять подползал, упорный, как пламя ада. До Сислея и Пикассо не дотянуться, они висели высоко в углу, он не решался лезть в самый огонь, ведь если поскользнуться, упасть — кончено! Эти пропали, но Домье он спасет! Любимая, пожалуй, самая любимая картина. Есть! Задыхаясь, жадно впивая воздух, он увидел в окно, что внизу четыре горничные растянули одеяло и держат его за углы.

— Крепче держите! — крикнул он и сбросил Домье. Проследил, как он падал. Какое варварское обращение с картиной! Одеяло провисло под тяжестью, но выдержало.

— Крепче! — закричал он. — Ловите! — И таитянка Гогена полетела следом. Одну за другой он сбрасывал картины с подоконника, и одну за другой их вынимали из одеяла и складывали на траве. Сбросив последнюю, он оглянулся, чтоб оценить положение. Пламя уже захватило пол и быстро продвигалось по обшивке стен.

Правую стену успеют спасти пожарные. Левая погибла, но почти все картины он успел снять. Непосредственная опасность угрожает длинной стене; надо браться за нее. Он подбежал как только мог ближе к углу и схватил Морланда. Руки обжигало, но он снял его — белого пони, ставшего ему в шестьсот фунтов. Он обещал ему хорошее жилище! Он столкнул его с окна и видел, как картина с размаху упала на одеяло.

— Ну и ну!

За ним в дверях этот Ригз — наконец-то! — в рубахе и брюках, с двумя огнетушителями и открытым ртом.

— Закройте рот, — прохрипел он, — и поливайте вот эту стену!

Он смотрел на струю и на отступавшее перед нею пламя. Как он ненавидит эти неотвязные красные языки! Ага! Теперь присмирели!

— Давайте другой! Спасайте Курбе! Живо!

Опять ударила струя, и пламя отступило. Сомс кинулся к Курбе. Стекла и в помине нет, но картина еще цела. Он сорвал ее с гвоздя.

— Огнетушители, черт их дери, все вышли, сэр, — донесся до него голос Ригза.

— Идите сюда, — позвал он. — Снимайте картины с этой стены и выбрасывайте из окна, по одной — да не промахнитесь! — в одеяло. Поворачивайтесь!

Он и сам поворачивался, видя, как оробевшее было пламя опять разгорается. Они вдвоем бегали, задыхаясь, к стене, срывали картины, бежали опять к окну и опять к стене — а пламя все приближалось.

— Вон ту, верхнюю, — сказал Сомс. — Обязательно! Возьмите стул. Живо! Нет, лучше я сам. Поднимите меня, не достану!

Вознесшись в крепких руках Ригза, Сомс достал свой экземпляр Якоба Мариса, купленный в тот самый день, когда весь мир охватило пожаром. «Убийство эрцгерцога!» — он и сейчас помнил эти выкрики. Ясный день; солнце светит в окно кеба, и он едет с веселым сердцем, держит покупку на коленях. И вот она теперь летит из окна! Ах, разве можно так обращаться с картинами!

— Идем! — прохрипел он.

— Лучше уходить, сэр! Здесь жарко становится.

— Нет, — сказал Сомс. — Идем!

Еще три картины спасены!

— Если вы не уйдете, сэр, я вас на руках снесу — вы и так слишком долго тут пробыли.

— Ерунда, — хрипел Сомс. — Идем!

— Ура! Пожарные!

Сомс замер. Оглушительно стучало в сердце и в легких, но он различил и другой звук. Ригз схватил его за плечо.

— Идемте, сэр. Когда они начнут работать, тут такое будет...

Сомс указал пальцем сквозь дым.

— Вот еще эту, — прошептал он. — Помогите мне. Она тяжелая.

Копия с «Vendimia» стояла на мольберте. Шатаясь, Сомс направился к ней. То приподнимая, то волоча по полу, он дотащил до окна испанского двойника Флер.

— Подымайте!

Они подняли ее, установили на окне.

— Эй там, уходите! — раздался голос от двери.

— Бросайте! — прохрипел Сомс, но чьи-то руки схватили его и, почти задохнувшегося, потащили к двери, снесли по лестнице, вынесли на воздух.

Он очнулся в кресле на террасе. Мелькали каски пожарных, шипела вода. Легкие болели, нестерпимо щипало глаза, руки были в ожогах, но, несмотря на боль, его клонило ко сну, как спьяну, а в душе жило чувство победы.

Трава, деревья, холодная река под луной! Какой кошмар он пережил там, среди картин, — бедные картины! Но он их спас! Пепел от папиросы! Корзина у стола! Флер! Причина ясна. Надо же было ему навести ее на мысль о картинах именно в этот вечер, когда она сама не знала, что делает. Вот несчастье! Не нужно говорить ей, а может... может, она знает? Впрочем, потрясение — потрясение могло пойти ей на пользу. А погибший Дега! Гарпиньи! Он закрыл глаза, прислушиваясь к шипению воды. Хорошо! Приятный звук! Остальное они спасут. Могло быть хуже. Что-то холодное ткнулось в его руку. Морда собаки. Напрасно ее выпустили. И вдруг Сомсу показалось, что он опять должен распорядиться. Нальют они зря воды! Он с трудом встал на ноги. Теперь зрение прояснилось. Флер? А, вот она, стоит совсем одна — слишком близко к дому! А в саду что творится — пожарные — машины — прислуга, этот Ригз — кишка протянута к реке — в воде недостатка нет! Дурачье! Он так и знал! Ну да, поливают нетронутую стену. Льют через оба окна. Это же лишнее! Только правое окно, правое! Он, спотыкаясь, пошел к пожарному.

— Не ту стену, не ту! Та не горит. Испортите мне картины! Цельте правее! — Пожарный переменил положение руки, и Сомс увидел, как струя ударила в правый угол окна. «Vendimia»! Его сокровище! Сдвинутая потоком воды, она клонилась вперед. А Флер! Боже правый! Стоит под самым окном, подняла голову. Не может не видеть — и не уходит! В сознании пронеслось, что она ищет смерти.

— Падает! — закричал он. — Берегись! Берегись! — И, словно она на его глазах готовилась броситься под автомобиль, он ринулся вперед, толкнул ее протянутыми руками и упал.

Картина сбила его с ног.

XIV. ТИШИНА

Старый Грэдмен, сидя в Полтри над неизменной бараньей котлетой, взял первый выпуск вечерней газеты, которую ему принесли вместе с едой, и прочел:

ПОЖАР В КАРТИННОЙ ГАЛЕРЕЕ

Известный знаток живописи получил серьезные увечья.

Вчера вечером от неизвестной причины произошел пожар в картинной галерее дома мистера Сомса Форсайта в Мейплдерхеме. Прибывшая из Рэдинга пожарная часть ликвидировала огонь, и большинство ценных картин уцелело.

Мистер Форсайт до самого прибытия пожарных боролся с огнем и спас целый ряд картин, сбрасывая их из окна галереи на одеяло, которое держали на весу стоящие под окном. К несчастью, уже после прибытия пожарных его ударила по голове рама картины, упавшей из окна галереи, которая помещается на третьем этаже, и он потерял сознание. Принимая во внимание его возраст и непосильное переутомление во время пожара, трудно верить, что он сможет поправиться. Больше пострадавших нет, и на другие части дома огонь не распространился.

Старый Грэдмен положил вилку и провел салфеткой по лбу, на котором выступила испарина. Бросил салфетку на стол, отодвинул тарелку и опять взял газету. Конечно, не всему надо верить, но заметка была составлена необычайно деловито; и, выронив газету, он всплеснул руками.

«Мистер Сомс, — подумал он, — мистер Сомс!» Его две жены, дочь, внук, вся семья, он сам! Старик встал, хватаясь за край стола. Такой несчастный случай! Мистер Сомс! Да ведь он молодой человек, относительно, конечно. Но может, они что-нибудь перепутали? Он машинально пошел к телефону. С трудом отыскал номер — в глазах стоял туман.

— Это дом миссис Дарти? Говорит Грэдмен. Это правда, мэм?.. Но ведь надежда есть? Ай-ай-ай! Спасая жизнь мисс Флер? Да что вы! Вы туда едете? Я думаю, и мне лучше поехать. Все в полном порядке, но вдруг ему что-нибудь понадобится, если он очнется... Ай, батюшки!.. Да, конечно... Жестокий удар, жестокий!

Он повесил трубку и стоял неподвижно. Кто же теперь будет вести дела? По сравнению с мистером Сомсом никто в семье ничего в них не смыслит, никто не помнит прежнее время, не понимает толку в недвижимом имуществе. Нет, котлеты ему больше не хочется — это ясно! Мисс Флер! Спасая ей жизнь? Вот дела-то! Он всегда любил ее больше всех. Каково-то ей теперь? Он помнил ее девочкой; и на свадьбе у нее был. Подумать только! Теперь будет богатой женщиной. Он взялся за шляпу. Надо сначала зайти домой, кое-что захватить — может быть, придется пробыть там несколько дней! Но добрых три минуты он еще простоял на месте — коренастая фигура с лицом мопса, обрамленным круглой седой бородой, — укреплялся в сознании горя. Если б погиб Английский банк, ему и то не было бы тяжелее. Право же.

Когда с полным чемоданом платья и бумаг он прибыл в наемном экипаже в «Шелтер», было около шести часов. В холле его встретил этот молодой человек, Майкл Монт, который, помнится, всегда шутил на серьезные темы, — только бы он и теперь не начал!

— А, мистер Грэдмен! Вот хорошо, что приехали! Нет! Думают, что в сознание он вряд ли придет: удар был страшно сильный. Но если он очнется, то непременно захочет вас видеть, даже если не сможет говорить. Комната ваша готова. Чаю хотите?

Да, от чашки чая он не откажется, не откажется!

— Мисс Флер?

Молодой человек покачал головой, глаза у него были печальные.

— Он спас ей жизнь.

Грэдмен кивнул головой.

— Слышал. Ох, подумать, что ему... Отец его дожил до девяноста лет, а мистер Сомс всегда берег себя. Ай-ай-ай!

Он с удовольствием выпил чашку чая, потом увидел, что в дверях кто-то стоит — сама мисс Флер. Ой, какое лицо! Она подошла и взяла его за руку. И невольно старый Грэдмен поднял другую руку и задержал ее руку в своих.

— Голубушка моя, — сказал он, — как я вам сочувствую! Я вас маленькой помню.

Она ответила только: «Да, мистер Грэдмен», и это показалось ему странным. Она провела его в приготовленную для него комнату и там оставила. Ему еще не доводилось бывать в такой красивой спальне — цветы, и пахнет приятно, и отдельная ванная — это уж даже лишнее. И подумать, что через две комнаты лежит мистер Сомс — все равно что покойник!

— Еле дышит, — сказала она, проходя перед его дверью. — Оперировать боятся. С ним моя мать.

Ну и лицо у нее — такое белое, такое жалкое! Бедненькая! Он стоял у открытого окна. Тепло, очень тепло для конца сентября. Хороший воздух пахнет травой. Там, внизу, вероятно, река! Тихо — и подумать... Слезы скрыли от него реку; он смигнул их. Только на днях они говорили, как бы чего не случилось, а вот и случилось, только не с ним, а с самим мистером Сомсом. Пути господни! Ай-ай-ай! Подумать только! Он очень богатый человек. Богаче своего отца. Какие-то птицы на воде — гуси или лебеди, не разберешь... Да! Лебеди! Да сколько! Плывут себе рядком. Не видел лебедя с тех пор, как в год после войны возил миссис Грэдмен в парк Голдерс-Хилл. И говорят — никакой надежды! Ужасный случай — вот так вдруг, и помолиться не успеешь.

Хорошо, что завещание такое простое. Ежегодно столько-то для миссис Форсайт, а остальное дочери, а после нее — ее детям поровну. Пока только один ребенок, но, без сомнения, будут и еще, при таких-то деньгах. Ох, и уйма же денег у всей семьи, если подсчитать, а все-таки из нынешнего поколения мистер Сомс — единственный богач. Все разделено, а молодежь что-то не наживает. Придется следить за имуществом в оба, а то еще вздумают изымать капитал, а этого мистер Сомс не одобрил бы! Пережить мистера Сомса! И что-то неподкупно преданное, что скрывалось за лицом мопса и плотной фигурой, то, что в течение двух поколений служило и никогда не ждало награды, так взволновало старого Грэдмена, что он опустился на стул у окна и сказал:

— Я совсем расстроился!

Он все еще сидел, подперев рукой голову, и за окном уже стемнело, когда в дверь постучал этот молодой человек со словами:

— Мистер Грэдмен, обедать придете в столовую или предпочитаете здесь?

— Лучше здесь, если вас не затруднит. Мне бы холодного мяса да каких-нибудь солений и стакан портера, если найдется.

Молодой человек подошел ближе.

— Для вас ужасное горе, мистер Грэдмен, вы так давно его знали. Его нелегко было узнать, но чувствовалось, что...

Что-то в Грэдмене прорвалось, и он заговорил:

— А-а, я помню его с детства — возил его в школу, учил составлять контракты — ни одного темного дела за ним не знаю; очень сдержанный был мистер Сомс, но никто лучше его не умел поместить капитал — разве что его дядюшка Николас. У него были свои неприятности, но он о них никогда не говорил; хороший сын, хороший брат, хороший отец — это, молодой человек, и вы знаете.

— О да! И очень добр был ко мне.

— В церковь ходить, правда, не любил, но честный был как стеклышко. Откровенностью не отличался; может, иногда суховат был, зато положиться на него можно было. Жаль мне вашу жену, молодой человек, очень жаль. Как это случилось?

— Она стояла под окном, когда картина упала, по-видимому, не заметила. Он оттолкнул ее, и удар достался ему.

— Ну, вы подумайте!

— Да. Она никак не придет в себя.

В полумраке Грэдмен взглянул в лицо молодому человеку.

— Вы не убивайтесь, — сказал он. — Она обойдется. С кем не случалось. Родных, вероятно, известили? Вот только что, мистер Майкл, его первая жена, миссис Ирэн, та, что вышла потом за мистера Джолиона; она, говорят, еще жива; может, ей захотелось бы передать ему, на случай, если он очнется, что прошлое забыто и все такое.

— Не знаю, мистер Грэдмен, не знаю.

— «И остави нам долги наши, яко же и мы оставляем...» Он очень был к ней привязан когда-то.

— Да, я слышал, но есть вещи, которые... Впрочем, миссис Дарти знает ее адрес, можно у нее спросить. Она ведь здесь.

— Я это обдумаю. Я помню свадьбу миссис Ирэн — очень она была бледная; а какая красавица!

— Да, говорят.

— Теперешняя-то — француженка, — наверно, не скрывает своих чувств. Хотя — если он без сознания... — В лице молодого человека ему почудилось что-то странное, и он добавил: — Я мало о ней знаю. Боюсь, не очень ему везло с женами.

— Некоторым, знаете ли, не везет, мистер Грэдмен. Думаю, это потому, что люди слишком много видят друг друга.

— Всяко бывает, — сказал Грэдмен. — Вот у нас с миссис Грэдмен за пятьдесят два года ни одной размолвки не было, а это, как говорится, срок немалый. Ну, не буду вас задерживать, идите к мисс Флер. Надо ее подбодрять. Так мне холодного мяса с огурчиком. Если я понадоблюсь, дайте мне знать — днем ли, ночью, все равно. А если миссис Дарти захочет меня видеть, я к ее услугам.

Разговор успокоил его. Этот молодой человек симпатичнее, чем ему казалось. Он почувствовал, что огурчик съест с удовольствием. После обеда ему передали: не сойдет ли он в гостиную к миссис Дарти.

— Подождите меня, милая, — сказал он горничной, — я дороги не знаю.

Вымыв руки и лицо, он пошел за ней вниз, по лестнице притихшего дома. Ну и комната! Пустовато, но порядок образцовый, кремовые панели, фарфор, рояль.

Уинифрид Дарти сидела на диване перед горящим камином. Она встала и взяла его за руку.

— Так хорошо, что вы здесь, Грэдмен, — сказала она, — вы наш самый старый друг.

Лицо у нее было странное, точно она и хотела бы заплакать, да разучилась. Он помнил ее ребенком и молоденькой модницей, участвовал в составлении ее брачного контракта и не раз сокрушался по поводу ее супруга; а каких трудов стоило выяснить, сколько в точности задолжал этот джентльмен к тому времени, когда слетел с лестницы в Париже и сломал себе шею! И до сих пор он ежегодно подготовлял ей расчет подоходного налога.

— Вам бы поплакать хорошенько, — сказал он, — стало бы легче. Но ведь еще не все пропало, у мистера Сомса здоровье крепкое, и пить он как будто не пил; еще, может, вытянет.

Она покачала головой. Угрюмое, решительное выражение ее лица напомнило ему ее старую тетку Энн. При всей ее светскости пережить ей пришлось немало — немало пришлось пережить.

— Удар пришелся ему вот сюда, — сказала она, — наискось, в правый висок. Мне будет страшно одиноко без него; только он...

Грэдмен погладил ее по руке.

— Да, да! Но не будем терять надежды. Если он очнется, я буду здесь. — Он сам не мог бы объяснить, что в этом утешительного. — Я все думал: хотел бы он, чтоб известили миссис Ирэн? Тягостно думать, что он может умереть с непрощенной обидой в сердце. Дело, конечно, давнишнее, но на страшном суде...

Слабая улыбка затерялась в резких морщинах вокруг рта Уинифрид.

— Не стоит его этим тревожить, Грэдмен; это теперь не принято.

Грэдмен издал неясный звук, словно внутри его столкнулись его вера и уважение к семье, которой он служил шестьдесят лет.

— Ну, вам виднее, — сказал он. — Нехорошо, если что-нибудь останется у него на совести.

— У *нее* на совести, Грэдмен.

Грэдмен перевел взгляд на дрезденскую пастушку.

— Трудно сказать, когда дело идет о прощении. И еще я хотел поговорить с ним об его стальных акциях; они могли бы давать больше. Но, видно, ничего не поделаешь. Счастье, что ваш батюшка до этого не дожил, — и убивался бы мистер Джемс! Не та уже будет жизнь, если мистер Сомс...

Она поднесла руку к губам и отвернулась. Вся светскость слетела с ее отяжелевшей фигуры. В сильном волнении Грэдмен двинулся прочь.

— Я не буду раздеваться, на случай если окажусь нужным. У меня все с собой. Спокойной вам ночи!

Он поднялся по лестнице, на цыпочках прошел мимо двери Сомса и, войдя в свою комнату, зажег свет. Огурцы убрали; постель его была приготовлена на ночь, байковый халат вынут из чемодана. Сколько внимания! И он опустился на колени и стал молиться вполголоса, меняя положенные слова, и закончил так: «И за мистера Сомса, господи, прими душу его и тело. Остави ему прегрешения его и избави его от жестокосердия и греха, прежде чем уйти ему из мира, и да будет он как агнец невинный, и да обретет милосердие твое. Твой верный слуга. Аминь». Кончив, он еще постоял на коленях на непривычно мягком ковре, вдыхая знакомый запах байки и минувших времен. Он встал успокоенный. Снял башмаки — на шнурках, с квадратными носками — и старый сюртук, надел егеровскую фуфайку, затворил окно. Потом взял с кровати пуховое одеяло, накрыл лысую голову огромным носовым платком и, потушив свет, уселся в кресле, прикрыв одеялом колени.

Ну и тишина здесь после Лондона, прямо собственные мысли слышишь! Почему-то вспомнились ему первые юбилейные торжества королевы Виктории, когда он был сорокалетним юнцом и мистер Джемс подарил им с миссис Грэдмен по билету. Они все решительно видели — места были первый сорт, — гвардию и шествие, кареты, лошадей, королеву и августейшую семью. Прекрасный летний день — настоящее было лето, не то что теперь. И все шло так, точно никогда не изменится; и трехпроцентная рента, сколько помнится, котировалась почти по паритету; и все ходили в церковь. А в том же самом году, чуть попозже, с мистером Сомсом стряслось первое несчастье. И еще воспоминание. Почему это сегодня вспомнилось, когда мистер Сомс лежит, как... кажется, это случилось вскоре же после юбилея. Он понес какую-то срочную бумагу на дом к мистеру Сомсу на Монпелье-сквер, его провели в столовую, и он услышал, что кто-то поет и играет на фортепьянах. Он приотворил дверь, чтобы было слышнее. Э, да он и слова еще помнит! Было там «лежа в траве», «слабею, умираю», «ароматы полей», что-то «к твоей щеке» и что-то «бледное». Вот видите ли. И вдруг дверь открылась, и вот она — миссис Ирэн — и платье на ней — ах!

— Вы ждете мистера Форсайта? Может быть, зайдете выпить чаю? — И он зашел и выпил чаю, сидя на кончике стула, золоченого и такого легкого, что, казалось, вот-вот сломается. А она-то на диване, в этом своем платье, наливает чай и говорит:

— Так вы, оказывается, любите музыку, мистер Грэдмен?

Мягко так, и глаза мягкие, темные, а волосы — не рыжие и не то чтобы золотые — вроде сухой лист, а? — красивая, молодая, а лицо печальное и такое ласковое. Он часто думал о ней — и сейчас помнит прекрасно. А потом вошел мистер Сомс, и лицо у нее сразу закрылось — как книжка. Почему-то именно сегодня вспомнилось... Ой-ой-ой!.. Вот когда стало темно и тихо! Бедная его дочка, из-за которой все это вышло! Только бы ей уснуть! Д-да! А что сказала бы миссис Грэдмен, если б увидела, как он сидит ночью в кресле и даже зубы не вынул. Ведь она никогда не видела мистера Сомса и семейства не видела. Но какая тишина! И медленно, но верно рот старого Грэдмена раскрылся, и тишина была нарушена.

За окном вставала луна, полная, сияющая; притихшая в полумраке природа распадалась на очертания и тени, и ухали совы, и где-то вдалеке лаяла собака; и каждый цветок в саду ожил, включился в неподвижный ночной хоровод; и на каждом сухом листе, который уносила светящаяся река, играл лунный луч; а на берегу стояли деревья, спокойные, четкие, озаренные светом, — спокойные, как небо, ибо ни одно дуновение не шевелило их.

XV. СОМС УХОДИТ

В Сомсе чуть теплилась жизнь. Ждали две ночи и два дня, смотрели на неподвижную, забинтованную голову. Приглашенные специалисты вынесли приговор: «Оперировать бесполезно», — и уехали. Наблюдение взял на себя доктор, который когда-то присутствовал при рождении Флер. Хотя Сомс так и не простил «этому типу» тревоги, причиненной им в связи с этим событием, все же «тип» не отстал и лечил всю семью. Он оставил инструкции следить за глазами больного; при первом признаке сознания за ним должны были послать.

Майкл, видя, что к Флер подходить безнадежно, целиком посвятил себя Киту, гулял и играл с ним, старался, чтобы ребенок ничего не заметил. Он не ходил навещать неподвижное тело — не от безразличия, а потому, что чувствовал себя там лишним. Он унес из галереи все оставшиеся в ней картины, убрал их вместе с теми, которые Сомс успел выбросить из окна, и аккуратно переписал. В огне погибло одиннадцать картин из восьмидесяти четырех.

Аннет поплакала и чувствовала себя лучше. Жизнь без Сомса представлялась ей странной и — возможной; точно так же в общем, как и жизнь с ним. Ей хотелось, чтобы он поправился, но если нет — она собиралась жить во Франции.

Уинифрид, дежуря у постели брата, подолгу и печально жила в прошлом. Сомс был ей оплотом все тридцать четыре года, отмеченные яркой личностью Монтегью Дарти, и оставался оплотом последующие, менее яркие тринадцать лет. Она не представляла себе, что жизнь может снова наладиться. У нее было сердце, и она не могла смотреть на эту неподвижную фигуру, не пытаясь хотя бы вспомнить, как люди плачут. Она получала от родных письма, в которых сквозило тревожное удивление: как это Сомс допустил, чтобы с ним такое случилось?

Грэдмен принял ванну, надел черные брюки и погрузился в расчеты и переписку со страховой конторой. Гулять он уходил в огород, подальше от дома; он никак не мог отделаться от мысли, что мистер Джемс дожил до девяноста лет, а мистер Тимоти до ста, не говоря уж о других. И качал головой, устремив мрачный взгляд на сельдерей или брюссельскую капусту.

Смизер тоже приехала, чтобы не расставаться с Уинифрид, но все ее услуги сводились к причитаниям: «Бедный мистер Сомс! Бедный, милый мистер Сомс! Подумать только! А он так всегда берегся и других берег!»

В том-то и дело! Не зная, как давно украдкой подбиралась страсть и в какое состояние привела она Флер; не зная, как Сомс наблюдал за ней, как на его глазах она, единственно любимая часть его самого, понесла поражение, дошла до края и стала, готовая упасть; не зная об отчаянии, толкнувшем ее навстречу падающей картине, — не зная ничего этого, все пребывали в грустном недоумении. Словно не тайное, неизбежное завершение старой-старой трагедии, а гром с ясного неба поразил человека, меньше чем кто бы то ни было подверженного случайностям. Откуда им было знать, что не так уж это все случайно!

Но Флер-то знала, что причиной несчастья с отцом было ее отчаянное состояние, знала так же твердо, как если бы бросилась в реку и он утонул бы, спасая ее. Слишком хорошо знала, что в ту ночь способна была броситься в воду или стать перед мчащейся машиной, сделать что угодно, без плана и без большой затраты сил, только бы избавиться от этой неотступной боли. Она знала, что своим поступком заставила его кинуться к ней на помощь. И теперь, когда потрясение отрезвило ее, она не находила себе оправдания.

С матерью, теткой и двумя сиделками она делила дежурства, так что в спальне Аннет, где лежал Сомс, их постоянно было двое, из которых одной почти всегда была она. Она сидела час за часом, почти такая же неподвижная, как отец, не спуская с его лица тоскливых, обведенных темными кругами глаз. Страсть и лихорадка в ней умерли. Словно безошибочный отцовский инстинкт подсказал Сомсу единственное средство избавить дочь от снедавшего ее огня. Джон был далек от нее, когда она сидела в этой комнате, затемненной шторами и ее раскаянием.

Да! Она хотела, чтобы картина убила ее. Она стояла под окном, охваченная отчаянным безразличием, видела, как картина зашаталась, хотела, чтобы все поскорее кончилось. Ей и теперь не было ясно, что в тот вечер, совсем обезумев, она сама вызвала пожар, бросив непотушенную папиросу; вряд ли помнила даже, где курила. Зато до ужаса ясно было, что оттого, что тогда ей хотелось умереть, теперь отец лежит при смерти. Как добр он всегда был к ней! Невозможно представить себе, что он умрет и унесет с собой эту доброту, что никогда больше не услышит она его ровного голоса, не почувствует на лбу или щеке прикосновения его усов, что никогда он не даст ей случая показать ему, что она, право же, любила его, по-настоящему любила за всей суетой и эгоизмом своей жизни. Теперь, у его постели, ей вспоминались не крупные события, а мелочи. Как он являлся в детскую с новой куклой и говорил: «Не знаю, понравится ли тебе; увидел по дороге и захватил». Как однажды, когда мать ее высекла, он вошел, взял ее за руку и сказал: «Ну, ну, ничего. Пойдем посмотрим, там, кажется, есть малина». Как после ее венчания он стоял на лестнице дома на Грин-стрит, смотрел через головы толпившихся в холле гостей, ждал, бледный и ненавязчивый, чтобы она в последний раз оглянулась на него. Ненавязчивый! Вот именно, он никогда не навязывался. Ведь если он умрет, на память о нем не останется ни одного портрета, почти ни одной фотографии. Только и снят он, что ребенком на руках у матери; маленьким мальчиком, скептически разглядывающим свои бархатные штанишки; в 76-м году молодым человеком в сюртуке, с короткими бачками; да несколько любительских карточек, когда он не знал, что его снимают. Вряд ли кто снимался реже его, будто он не желал, чтобы его оценили или хотя бы запомнили. Флер, всегда жадной до похвал, это казалось непонятным. Какая тайная сила, скрытая в худощавом теле, которое сейчас лежит перед ней так неподвижно, давала ему эту независимость? Он рос в такой же роскоши, как и она сама, никогда не знал бедности или работы по принуждению, но каким-то образом сохранил стоическую отрешенность от других людей и их мнений о себе. А между тем — никто лучше ее не знал этого — он тосковал по ее любви. Теперь это было ей больнее всего. Он тосковал по ее любви, а она так мало ее выказывала. Но она любила его, право же, всегда любила. Что-то в нем самом противилось чувству, охлаждало его проявления. Притягательной силы не было в нем. И часто, неслышно приблизившись к постели — постели ее матери, где сама она была зачата и рождена, — Флер стояла возле умирающего и, глядя на исхудавшее, серое лицо, чувствовала такую пустоту и муку, что едва сдерживала себя.

Так проходили ночи и дни. На третий день, около трех часов, стоя возле него, она увидела, что глаза открылись — вернее, распались веки, а мысли не было; но сердце ее сильно забилось. Сиделка, которую она поманила пальцем, подошла, взглянула и быстро вышла к телефону. И Флер стояла, глядя изо всех сил, стараясь взглядом пробудить его сознание. Сознание не приходило, и веки опять сомкнулись. Она пододвинула стул и села, не сводя глаз с его лица. Сиделка вернулась с известием, что доктор уехал к больным; как только он вернется, его пошлют сюда. Как сказал бы ее отец: «Ну, конечно, когда этот тип нужен, его нет дома!» Но значения это не имело. Они знали, что делать. Часа в четыре веки опять поднялись, и на этот раз что-то проглянуло. Флер не была уверена, видит ли он, узнает ли ее и комнату, но что-то было, какой-то мерцающий свет, стремление сосредоточиться. Крепло, нарастало, потом опять погасло. Ему сделали укол. И опять она села и стала ждать. Через полчаса глаза открылись. Теперь он *видел.* И Флер мучительно следила, как человек силится *быть*, как сознание старается подчиниться инстинктивной силе воли. Наклонившись так, чтобы этим глазам, которые теперь уже, наверно, узнали ее, потребовалось как можно меньше усилий, она ждала, и губы у нее дрожали, как в поцелуе. Невероятное упорство, с каким он старался вернуться, ужасало ее. Он *хотел* обрести сознание, *хотел* знать, и слышать, и говорить. Казалось, одно это усилие могло убить его. Она тихо с ним заговорила. Подложила руку под его холодную ладонь, чтобы почувствовать малейшее движение. В отчаянии следила за его губами. Наконец эта борьба кончилась, полупустой, полусердитый взгляд сменился чем-то более глубоким, губы зашевелились. Они ничего не сказали, но они шевелились, и еле заметная дрожь прошла из его пальцев в ее.

— Ты узнаешь меня, милый?

Глаза ответили: «Да».

— Ты помнишь?

Опять глаза ответили: «Да».

Губы его все время подрагивали, словно он примеривался, чтобы заговорить, взгляд становился все глубже. Она заметила, как он чуть-чуть сдвинул брови, будто ему мешало, что лицо ее слишком близко; немножко отодвинулась, и нахмуренное выражение исчезло.

— Милый, ты поправишься.

Глаза ответили: «Нет»; и губы шевелились, но звука она не могла уловить. На мгновение она потеряла самообладание, всхлипнула, сказала:

— Папа, прости меня!

Взгляд смягчился, и на этот раз ей послышалось что-то вроде:

— Простить? Глупости!

— Я так тебя люблю.

Тогда он, казалось, бросил попытку заговорить, и вся его жизнь сосредоточилась в глазах. Глубже и глубже становился их цвет и смысл, он словно понуждал ее к чему-то. И вдруг, как маленькая девочка, она сказала:

— Да, папа, я больше не буду!

Она почувствовала ладонью, как дрогнули его пальцы; губы, казалось, силились улыбнуться, голова шевельнулась, как будто он хотел кивнуть, а взгляд становился все глубже.

— Здесь Грэдмен, милый, и мама, и тетя Уинифрид, и Кит, и Майкл. Хочешь кого-нибудь видеть?

Губы зашевелились:

— Нет, тебя.

— Я все время с тобой. — Опять она почувствовала, как задрожали его пальцы, увидела, как губы шепнули:

— Ну, все.

И вдруг глаза погасли. Ничего не осталось! Он еще некоторое время дышал, но не дождался, пока приехал «этот тип», сдал — умер.

XVI. КОНЕЦ

Сообразуясь со вкусами Сомса, пышных похорон не устраивали. Вся семья, за исключением его самого, давно уже утеряла интерес к этой церемонии.

Все прошло очень тихо, присутствовали только мужчины.

Приехал сэр Лоренс, такой серьезный, каким Майкл никогда его не видел.

— Я уважал Старого Форсайта, — сказал он сыну, возвращаясь пешком с кладбища, где Сомс теперь лежал в им самим выбранном углу, под дикой яблоней. — У него были устарелые взгляды, и он не умел себя выразить; но честный был человек — без глупостей. Как Флер держится?

Майкл покачал головой.

— Ей страшно тяжело, сознание, что он...

— Мой милый, нет лучшей смерти, чем умереть, спасая самое свое дорогое. Как только сможешь, привези Флер к нам в Липпинг-Холл — там ни ее отец, ни родные не бывали. Я приглашу погостить Хилери с женой — их она любит.

— Она меня очень беспокоит, папа, — что-то сломалось.

— Это с большинством из нас случается, пока мы не дожили до тридцати лет. Сдает какая-то пружина, а потом приходит «второе дыхание», как говорят спортсмены. То же самое случилось и с нашим веком — что-то сломано, а «второе дыхание» еще не пришло. Но придет. И к ней тоже. Какой вы думаете поставить памятник на могиле?

— Вероятно, крест.

— По-моему, он предпочел бы плоский камень; в головах эта дикая яблоня, а кругом тисовые деревья, чтобы никто не подглядывал. Никаких «Любимому» и «Незабвенному». Он купил этот участок в вечное пользование? Ему приятно было бы принадлежать своим потомкам на веки вечные. Во всех нас больше китайского, чем можно предположить, только у них на роли собственников предки. Кто этот старик, который плакал в шляпу?

— Старый мистер Грэдмен — своего рода деловая нянька всего семейства.

— Верный старый пес! Да, вот не думал я, что Старый Форсайт отправится на тот свет раньше меня. Он выглядел бессмертным, но мир наш зиждется на иронии. Могу я что-нибудь сделать для тебя и Флер? Поговорить с правительством относительно картин? Мы с маркизом могли бы это вам устроить. Он питал слабость к Старому Форсайту, и Морланд его уцелел. Кстати, нешуточная, видно, была у него схватка с огнем — совсем один, во всей галерее. Кто бы заподозрил, что он способен на такое!

— Да, — сказал Майкл. — Я расспрашивал Ригза. Он никак не опомнится.

— Разве он видел?

Майкл кивнул.

— Вот он идет!

Они замедлили шаг, и шофер, козырнув, поравнялся с ними.

— А, Ригз, — сказал сэр Лоренс, — вы, я слышу, были там во время пожара.

— Да, сэр Лоренс. Мистер Форсайт прямо чудеса творил — пылу, как у двухлетка, мы его чуть не силой увели. Так всегда боялся попасть под дождь или сесть на сквозняке, а тут — и в его возрасте... Дым валит, а он мне одно: «Идемте» да «идемте» — прямо герой! В жизни я не был так удивлен, сэр Лоренс! Такой беспокойный был джентльмен, а тут... И нужно же было! Не вздумай он непременно спасти эту последнюю картину, она бы не упала и его бы не сшибла.

— Как же возник пожар?

— Никто не знает, сэр Лоренс, разве что мистер Форсайт знал, а он так ничего и не сказал. Жаль, не поспел я туда раньше, да я убирал бензин. И что он там один делал, да после какого дня! Вы подумайте! Мы в то утро прикатили из Уинчестера в Лондон, оттуда в Доркинг, забрали миссис Монт — и сюда! И теперь он уж никогда мне не скажет, что я поехал не той дорогой.

Гримаса исказила его худое лицо, темное и обветренное от постоянной езды; и, притронувшись к шляпе, он отстал от них у калитки.

— «Прямо герой», — вполголоса повторил сэр Лоренс. — Почти что эпитафия. Да, на иронии зиждется мир!

В холле они расстались — сэр Лоренс возвращался в город на машине. Он взял с собой Грэдмена, так как завещание уже было вскрыто. Смизер плакала и спускала шторы, а в библиотеке Уинифрид и Вэл, приехавший с Холли на похороны, принимали немногочисленных посетителей. Аннет была в детской у Кита. Майкл пошел наверх к Флер, в комнату, где она жила девочкой; комната была на одного, и спал он отдельно.

Она лежала на постели изящная и словно неживая.

Взгляд, обращенный на Майкла, придавал ему, казалось, не больше и не меньше значения, чем потолку. Не то чтобы в мыслях она была далеко, вернее, ей некуда было идти. Он подошел к постели и прикрыл ее руку своей.

— Радость моя!

Опять Флер взглянула на него, но как понять этот взгляд, он не знал.

— Как только надумаешь, родная, повезем Кита домой.

— Когда хочешь, Майкл.

— Я так понимаю, что в тебе творится, — сказал Майкл, сознавая, что ничего не понимает. — Ригз рассказывал нам, как изумительно держался твой отец там, в огне.

— Не надо!

Выражение ее лица совсем сбило его с толку — в нем было что-то неестественное, как бы ни горевала она об отце.

Вдруг она сказала:

— Не торопи меня, Майкл. В конце концов все, вероятно, пустяки. Да не тревожься обо мне — я этого не стою.

Лучше чем когда-либо сознавая, что слова бесполезны, Майкл поцеловал ее в лоб и вышел.

Он спустился к реке, стоял, смотрел, как она течет, тихая, красивая, словно радуясь золотой осенней погоде, которая держалась так долго. На другом берегу паслись коровы Сомса. Теперь они пойдут с молотка; вероятно, все, что здесь принадлежало ему, пойдет с молотка. Аннет собиралась к матери в Париж, а Флер не хотела оставаться хозяйкой. Он оглянулся на дом, попорченный, растрепанный огнем и водой. И печаль наполнила его сердце, словно рядом с ним встал сухой, серый призрак умершего и глядел, как рассыпаются его владения, как уходит все, на что он не жалел ни трудов, ни времени. «Перемена, — подумал Майкл, — ничего нет, кроме перемены. Это единственная постоянная величина. Что же, кто не предпочтет реку болоту!» Он зашагал к цветам, бордюром посаженным вдоль стены огорода. Цвели мальвы и подсолнухи, и его потянуло к их теплу. Он увидел, что в маленькой беседке кто-то сидит. Миссис Вэл Дарти! Холли, милая женщина! И от великой растерянности, которую Майкл ощущал в присутствии Флер, вдруг возникла потребность задать вопрос, возникла сначала робко, стыдливо, потом смело, настойчиво. Он подошел к ней. Она держала книгу, но не читала.

— Как Флер? — спросила она.

Майкл покачал головой и сел.

— Я хочу задать вам один вопрос. Если не хотите — не отвечайте; но я чувствую, что должен спросить. Можете вы сказать: как обстоит у нее дело с вашим братом? Я знаю, что было в прошлом. Есть ли что-нибудь теперь? Я не ради себя спрашиваю, ради нее. Что бы вы ни сказали — она не пострадает.

Она смотрела прямо на него, и Майкл вглядывался в ее лицо; ему стало ясно: что бы она ни сказала, если она вообще что-нибудь скажет, будет правдой.

— Что бы между ними ни произошло, — сказала она наконец, — а что-то было, с тех пор как он вернулся, — теперь кончено навсегда. Это я знаю наверно. Это кончилось за день до пожара.

— Так, — тихо сказал Майкл. — Почему вы говорите, что это кончилось *навсегда*?

— Потому что я знаю брата. Он дал своей жене слово больше не видеться с Флер. Он, очевидно, запутался, я знаю, что был какой-то кризис; но раз Джон дал слово — ничто, *ничто* не заставит его изменить ему. Все, что было, кончено навсегда, и Флер это знает.

И опять Майкл сказал:

— Так. — А потом точно про себя: — Все, что было.

Она тихонько пожала ему руку.

— Ничего, — сказал он. — Сейчас придет «второе дыхание». И не бойтесь, я тоже не изменю своему слову. Я знаю, что всегда играл вторую скрипку. Флер не пострадает.

Она сильнее сжала его руку; и, подняв голову, он увидел у нее в глазах слезы.

— Большое вам спасибо, — сказал он, — теперь я понимаю. Когда не понимаешь, чувствуешь себя таким болваном. Спасибо.

Он мягко отнял руку и встал. Посмотрел на застывшие в ее глазах слезы, улыбнулся.

— Порой трудновато помнить, что все комедия; но к этому, знаете ли, приходишь.

— Желаю вам счастья, — сказала Холли.

И Майкл отозвался:

— Всем нам пожелайте счастья.

Поздно вечером, когда в доме закрыли ставни, он закурил трубку и опять вышел в сад. «Второе дыхание» пришло. Как знать, может быть, этому помогла смерть Сомса. Может быть, лежа в тенистом уголке под дикой яблоней, Старый Форсайт все еще охранял свою любимицу. К ней у Майкла было только сострадание. Птица подстрелена из обоих стволов и все-таки живет; так неужели человек, в котором есть хоть капля благородства, причинит ей еще боль? Ничего не оставалось, как поднять ее и по мере сил стараться починить ей крылья. На помощь Майклу поднялось что-то сильное, такое сильное, что он и не подозревал его в себе. Чувство спортсмена — рыцарство? Нет! Этому не было имени; это был инстинкт, говоривший, что самое важное — не ты сам, даже если ты разбит и унижен. Ему всегда претил исступленный эгоизм таких понятий, как crime passionnel[1], оскорбленный супруг, честь, отмщение, «вся эта чушь и дикость». Искать предлогов не быть порядочным человеком! Для этого предлога не найти. Иначе выходит, что жизнь ни на шаг не ушла от каменного века, от нехитрой трагедии первобытных охотников, когда не было еще в мире ни цивилизации, ни комедии.

Что бы ни произошло между Джоном и Флер, — а он чувствовал, что произошло все, — теперь это кончено, и она «сломалась». Нужно помочь ей и молчать. Если он теперь не сможет этого сделать, значит, нечего было и жениться на ней, зная, как мало она его любила. И, глубоко затягиваясь трубкой, он пошел по темному саду к реке.

Вызвездило, ночь была холодная, за легким туманом черная вода реки казалась неподвижной. Изредка сквозь безмолвие доносился далекий гудок автомобиля, где-то пищал полевой зверек. Звезды, и запах кустов и земли, крик совы, летучие мыши и высокие очертания тополей чернее темноты — как подходило все это к его настроению!

Мир зиждется на иронии, сказал его отец. Да, великая ирония и смена форм, настроений, звуков, и ничего прочного, кроме разве звезд да инстинкта, подгоняющего все живое: «Живи!»

С реки долетели тихие звуки музыки. Где-то веселятся. Верно, танцуют, как нынче днем танцевали мошки на солнце! И власть этой ночи сдавила ему горло. О черт! Как красиво, изумительно! Дышат в этом мраке столько же миллионов существ, сколько звезд на небе, все живут, и все разные! Что за мир! Какая работа Вечного Начала! А когда умрешь, как «старик», ляжешь

---

[1] Преступление, оправдываемое страстью (*фр.*).

на покой под дикой яблоней — что же, это только минутный отдых Начала в твоем затихшем теле. Нет, даже не отдых — это опять движение в таинственном ритме, который зовется жизнью! Кто остановит это движение, кто захотел бы его остановить? И если один слабый стяжатель, как этот бедный старик, попробует и на мгновение это ему удастся, — только лишний раз мигнут звезды, когда его не станет. Иметь и сохранить — да разве это бывает!

И Майкл затаил дыхание. Звук песни донесся до него по воде, тягучий, далекий, тонкий, нежный. Словно лебедь пропел свою песню!

1928

Джон Голсуорси о «Современной комедии»

Называя вторую часть Форсайтской хроники «Современная комедия», автор, может быть, допустил в применении слова «комедия» такую же натяжку, какую он допустил в отношении слова «сага», давая название первой части. А между тем какой тон, кроме комедийного, можно взять, какой смысл, кроме комедийного, можно усмотреть в столь беспокойном времени, как то, которое мы переживаем после войны? Эпоха, не знающая, чего ей нужно, и упорно стремящаяся добиться этого неведомого блага, не может не вызвать улыбки, хотя бы и печальной.

Зафиксировать очертания и краски целого периода — задача непосильная для романиста вообще, а для автора этих строк — и подавно; однако попытаться в какой-то мере выразить дух этого периода, несомненно, входило в его замысел, когда он работал над этой последней трилогией. Наше Настоящее, подобно цыплятам ирландца, бегает так быстро, что подсчитать и подытожить его невозможно; в лучшем случае удается сделать с него ряд моментальных снимков, пока оно спешит на поиски Будущего, понятия не имея о том, когда, где и как это Будущее наступит.

В 1886 году, когда начиналась «Сага о Форсайтах», у Англии тоже не было будущего, ибо Англия в то время считала, что ее настоящее будет длиться вечно, и дремотное ее существование тревожили только два жупела — мистер Гладстон и депутаты от Ирландии.

В 1926 году, когда кончается «Современная комедия», Англия стоит одной ногой в воздухе, а другой в автомобиле «Моррис Оксфорд» и кружится, как кошка, ловящая собственный хвост, приговаривая: «Если б только понять, где мне хочется остановиться!»

Все сейчас относительно; и нельзя уже с уверенностью положиться ни на что: бог, свобода торговли, брак, консоли, уголь и касты — все одинаково неустойчиво и зыбко.

Повсюду сейчас перенаселение, и нет места, где бы можно было прочно осесть, если не считать обезлюдевших сельских районов, в которых жить, по общему признанию, скучно и, уж конечно, не выгодно.

Все пережили землетрясение, длившееся четыре года, и разучились спокойно стоять на месте.

И все же английский характер изменился очень мало, а может, и совсем не изменился. Доказательством тому явилась всеобщая забастовка, которой открывается последняя часть этой трилогии. Мы и поныне представляем собою народ, не выносящий резких скачков, с опаской относящийся ко всяким крайностям, черпающий силы в своем защитном юморе, уравновешенный, не терпящий вмешательства в свои дела, беспечный и расточительный, но наделенный способностью быстро оправляться от потрясений. Мы ни во что особенно не верим, но мы верим в самих себя. На этой черте английского характера стоит остановиться. Почему, например, мы постоянно ругаем себя? Да просто потому, что у нас нет комплекса неполноценности и нам все равно, что о нас думают другие. Ни один народ в мире не производит впечатления такой неуверенности в себе; ни один народ в глубине души так в себе не уверен. И, между прочим, кое-кому из наших общественных деятелей, которые склонны в своих речах чрезмерно прославлять британцев, не мешало бы помнить, что в самопрославлении таятся зачатки комплекса неполноценности. Только у тех, кто достаточно силен, чтобы молчать о себе, хватит сил для веры в себя. Эпоха, которую мы переживаем, наводит на превратные суждения об английском характере и о положении Англии. На самом же деле нет страны, где на вырождение человеческого материала имелось бы меньше шансов, чем на нашем острове, потому что никакая другая страна не обладает климатом столь изменчивым и не способствующим расслаблению характера, столь закаляющим и здоровым. Это замечание следует иметь в виду при чтении дальнейших строк предисловия.

В наше время от раннего викторианства не сохранилось ничего. Под ранним следует понимать викторианство старых Форсайтов, которое уже в 1886 году шло на убыль; зато сохранилось, и еще очень сильно, викторианство Сомса и его поколения, уже склонного к самоанализу и ничего не принимающего на веру.

Старые Форсайты — старый Джолион, Суизин и Джемс, Роджер, Николас и Тимоти — прожили свою жизнь, ни разу не задумавшись над тем, стоит ли вообще жить. Процесс существования казался им очень интересным, очень увлекательным, и если в глубине души они едва ли верили в загробную жизнь, зато у них была твердая вера в свой собственный прогресс и в накопление богатства для своих детей. На смену им пришли молодой Джолион, Сомс и их сверстники — люди хоть и впитавшие с дарвинизмом и университетским образованием серьезные сомнения относительно загробной жизни и способность мыслить достаточно интроспективно, чтобы скептически отнестись к факту собственного прогресса, но сохранившие и чувство собственности, и желание обеспечить свое потомство и жить в нем. Поколение, которое пришло в мир, когда королева Виктория из него ушла, решило, под влиянием новых взглядов на воспитание детей, в связи с новыми способами передвижения и в результате войны 1914 — 1918 годов, что все на свете требует переоценки. И поскольку у собственности сейчас, судя по всему, почти нет будущего, а у жизни и того меньше, это поколение пришло к выводу, что жить нужно теперь или никогда и нечего портить себе кровь заботами о своих отпрысках, буде таковые появятся на свет. Я не хочу сказать, что нынешнее поколение любит своих детей меньше, чем предыдущее, — в таких коренных вопросах человеческая природа не меняется, — но когда все в жизни так неустойчиво, обеспечивать будущее за счет настоящего как будто уже не стоит.

В этом, по существу, и заключается разница между нынешним поколением и его предшественниками. Люди не станут обеспечивать себя на будущее, которого они себе не представляют.

Все это, конечно, относится лишь к той десятой примерно части населения нашей страны, которая находится выше линии, отделяющей имущих от неимущих; ниже этой черты Форсайтов нет, а следовательно, нет нужды заглядывать сейчас в эти глубины. К тому же разве когда-нибудь, даже в раннюю эпоху Виктории, думал о будущем хоть один рядовой англичанин, имевший меньше трехсот фунтов годового дохода?

Итак, эта «Современная комедия» идет на фоне более или менее постоянной величины, какую являют собою Сомс и его сват сэр Лоренс Монт — легковес и девятый баронет, а также второстепенные неовикторианцы: неизменно довольный собою мистер Дэнби, Элдерсон, мистер Блайт, сэр Джемс Фоскиссон,

Уилфрид Бентуорт и Хилери Черрел. Из сочетания их странностей, вкусов, достоинств и взглядов получается довольно полное и крепкое прошлое, по контрасту с которым ярче выступает настоящее — Флер и Майкл, Уилфрид Дезерт, Обри Грин, Марджори Феррар, Нора Кэрфью, Джон, рафаэлит и другие эпизодические персонажи. Все многообразие современной жизни — даже той, что развертывается выше ватерлинии собственности, — не уложить и в двадцать романов, так что эта «Современная комедия» неизбежно является лишь очень неполной характеристикой нынешнего поколения, но, пожалуй, не будет клеветой на него. Символика — скучная вещь, поэтому нужно надеяться, что не все уловят некоторое сходство между судьбой Флер и судьбой ее поколения, занятого погоней за счастьем, которое у него отняли. Несомненно одно: молодое поколение сейчас мечется и ни в чем не уверено. Что ждет его в будущем? Достигнет ли оно покоя и удовлетворенности? Как это все утрясется? Кто знает, утрясется ли вообще когда-нибудь жизнь? Ждут ли нас новые войны, посыплются ли на нас новые изобретения, до того как мы успеем освоить и переварить предыдущую порцию? Или судьба снова, как при Виктории, даст нам передышку, во время которой заново переоцененная жизнь успеет отстояться, а собственность и порожденные ею взгляды снова поднимут голову?

Впрочем, как бы полно или неполно «Современная комедия» ни отражала дух эпохи, она в основном продолжает повесть о жизни, возникшую из встречи Сомса с Ирэн в 1881 году в борнмутской гостиной, повесть, которая могла кончиться лишь сорок пять лет спустя, когда лопнула ее главная пружина и Сомс покинул мир живых.

Автор этой хроники, которого нередко спрашивали, что символизирует собою Сомс, затрудняется ответить на этот вопрос. Каков бы ни был Сомс, он, во всяком случае, был честен. Он прожил свою ни в ком другом неповторимую жизнь, и теперь он спит. И да простится автору мысль, что смерть его была не совсем случайна; ибо, как ни далеко мы отошли от культуры и философии древних греков, и теперь еще есть доля истины в старинном греческом изречении: «То, что человек любит превыше всего, рано или поздно его погубит».

Джон Голсуорси
1929

СОДЕРЖАНИЕ

СОВРЕМЕННАЯ КОМЕДИЯ

БЕЛАЯ ОБЕЗЬЯНА

Перевод Р. Райт-Ковалевой

СЕРЕБРЯНАЯ ЛОЖКА

Перевод А. Кривцовой

ЛЕБЕДИНАЯ ПЕСНЯ

Перевод М. Лорие

Литературно-художественное издание

Джон Голсуорси

САГА О ФОРСАЙТАХ

Том второй

Художественный редактор *А. Сауков*
Технический редактор *Н. Носова*
Компьютерная верстка *Т. Комарова*

В оформлении обложки использован фрагмент работы художника SEURAT

Налоговая льгота — общероссийский классификатор продукции ОК-005-93, том 2; 953000 — книги, брошюры.

Подписано в печать с готовых диапозитивов 18.02.2000.
Формат 84×108 1/32. Гарнитура «Таймс». Печать офсетная.
Усл. печ. л. 42,0. Уч.-изд. л. 44,11.
Тираж 8000 экз. Заказ 4222.

ООО «Издательство «ЭКСМО-МАРКЕТ»
Изд. лиц. № 071591 от 10.02.98

ЗАО «Издательство «ЭКСМО-Пресс»
Изд. лиц. № 065377 от 22.08.97
125190, Москва, Ленинградский проспект, д. 80, корп. 16, подъезд 3.
Интернет/Home page — www.eksmo.ru
Электронная почта (E-mail) — info@ eksmo.ru

Книга — почтой:
Книжный клуб «ЭКСМО»
101000, Москва, а/я 333
E-mail: bookclub@ eksmo.ru

Оптовая торговля:
109472, Москва, ул. Академика Скрябина, д. 21, этаж 2
Тел./факс: (095) 378-84-74, 378-82-61, 745-89-16
E-mail: eksmo_sl@msk.sitek.net

Мелкооптовая торговля:
Магазин «Академкнига»
117192, Москва, Мичуринский пр-т, д. 12/1
Тел./факс: (095) 932-74-71

ISBN 5-04-004405-4

9 785040 044054 >

АООТ «Тверской полиграфический комбинат»
170024, г. Тверь, пр-т Ленина, 5.